Weitere Titel des Autors

Der Junge, der Träume schenkte
Das Mädchen, das den Himmel berührte

Titel in der Regel auch als Hörbuch und E-Book erhältlich

Luca Di Fulvio

DAS KIND, DAS NACHTS DIE SONNE FAND

Roman

Aus dem Italienischen von
Katharina Schmidt und Barbara Neeb

BASTEI
LÜBBE
TASCHENBUCH

BASTEI LÜBBE TASCHENBUCH
Band 17 180

Dieser Titel ist auch als Hörbuch und E-Book erschienen

Originalausgabe

Copyright © 2015 by Bastei Lübbe AG, Köln
Titelillustration: © getty-images/SuperStock;
© Mary Schannen/Trevillion Images;
© shutterstock/ievgen sosnytskyi;
© shutterstock/filonmar
Umschlaggestaltung: Kirstin Osenau
Satz: Urban SatzKonzept, Düsseldorf
Gesetzt aus der Caslon
Druck und Verarbeitung: CPI books, Leck – Germany
Printed in Germany
ISBN 978-3-404-17180-4

5 4 3 2 1

Sie finden uns im Internet unter
www.luebbe.de
Bitte beachten Sie auch:
www.lesejury.de

Diese Geschichte ist G. gewidmet

*Die Menschen werden nicht an dem Tag geboren,
an dem ihre Mutter sie zur Welt bringt,
sondern wenn das Leben sie zwingt,
sich selbst zur Welt zu bringen.*

Gabriel García Márquez

ERSTER TEIL

1

In dem abgelegenen Landstrich, den man unter dem althergebrachten Namen Raühnval kannte, wurde wohl niemals mehr so viel unschuldiges Blut vergossen wie an jenem Morgen des 21. September im Jahr des Herrn 1407.

Die Sonne hatte sich erst vor Kurzem über dem schmalen, eisigen Tal erhoben, das von abweisenden, über zehntausend Fuß hoch aufragenden Gipfeln umgeben war, die es nicht nur schützten, sondern auch vor der Außenwelt abschirmten. Diese Gebirgskette im Osten des Alpenbogens bildete die Grenze der italienischen Halbinsel und trennte so das Tal deutlich vom übrigen Reich und dem Rest von Europa.

Herr über dieses Lehen war Fürst Marcus I. von Saxia, der Vater des Erbprinzen Marcus II. von Saxia.

Der kleine Marcus II. von Saxia saß an diesem Morgen verschlafen, fröstelnd und nackt auf der mit warmen, weichen Gänsedaunen gefüllten Matratze seines riesigen Bettes und baumelte mit den Beinen in der Luft, obwohl er für seine neun Jahre recht groß gewachsen war. Seine Augen waren grün und blickten träge wie die einer Katze, die langen blonden Haare fielen ihm in glänzenden Locken auf die Schultern, und seine Haut war so weiß, dass man ihn für ein Mädchen hätte halten können.

Eilika, seine Kinderfrau, die sich Tag und Nacht um ihn kümmerte, ja sogar wie ein treuer Hund auf einem Strohlager am Fußende des Bettes ihres kleinen Herrn schlief, legte dem Jungen ein Leintuch um die Schultern, das sie zunächst in kochendes Wasser getaucht und dann ausgedrückt hatte.

Der kleine Erbprinz stöhnte vor Behagen bei der Berührung mit dem warmen Tuch und schloss die Augen.

»Versuch ja nicht, wieder einzuschlafen, Marcus«, ermahnte ihn Eilika, »oder die Krähe hackt dir dein Piephähnchen ab.«

Der Junge lachte und legte schützend eine Hand zwischen seine Beine.

Eilika tauchte noch ein Tuch in den Zuber, drückte es aus und verteilte ein wenig Lauge darauf. »Komm schon, kleiner Faulpelz, ich will dich einseifen.«

»Muss ich mich wirklich jeden Tag waschen?«, jammerte Marcus II.

»Die Befehle deiner verehrten Mutter müssen genau befolgt werden«, erwiderte Eilika. »Man soll doch sehen, dass du ein Prinz bist und über dem gemeinen Volk stehst, selbst ohne deine kostbaren Kleider. Deine Haut muss glänzen und duften, als wärst du ein kleiner Gott.«

»Waschen mag ich aber nicht . . .«, maulte das Kind.

»Das wissen wir sehr gut, Prinz Schweinchen«, sagte Eilika und hob ihn vom Bett herunter.

Der Junge lachte, und als seine Füße den feuchten Steinboden berührten, fröstelte er wieder. »Mir ist kalt!«

»Kannst du nicht mal selbst aufpassen, wo du deine adligen Füße hinsetzt?«, sagte Eilika mit einem nachsichtigen Seufzen. Sie lenkte seinen Schritt auf ein dichtes Bärenfell, das als Teppich diente. Dann drehte sie ihn um und rubbelte mit dem lauwarmen Tuch seine Pobacken ab.

Der Junge spitzte die Ohren. Die Geräusche von außen drangen nur gedämpft herein.

»Warum ist es draußen so still . . .?« Fragend sah er seine Kinderfrau an, dann strahlten seine Augen plötzlich vor Freude auf. Die Kälte war schlagartig vergessen, als er sich Eilikas Bemühungen entwand und nackt, wie er war, zum Fenster rannte. Er zog sich an den Steinen des Mauervorsprungs hoch und sah nach, ob sein Eindruck ihn auch nicht getrogen hatte. »Es hat geschneit!«, rief er aufgeregt, während Eilika ihn packte und zurück auf das Bärenfell schleppte.

»Um Gottes willen, lass dich anziehen, ehe du dir noch den Tod holst!«

»Schnee! Schnee! Es hat geschneit!«, wiederholte der kleine Marcus und hüpfte aufgeregt auf und ab.

»Heute Nacht ist der erste Schnee gefallen, oh, großartig, so eine Freude!«, schnaubte Eilika. »Du hast es gut, dass du dich über etwas freuen kannst, worüber die anderen sich beklagen.«

»Aber der Schnee ist doch wunderschön!«

»Du hast warme Kleider, kleiner Prinz. Und Handschuhe für deine zarten Händchen. Und Pelzmützen.« Eilika zog ihm ein Hemd aus dicker gekochter Wolle über und die Kniestrümpfe, die sie selbst für ihn gestrickt hatte. »Für alle anderen bedeutet Schnee nur, dass die Kälte ihnen bis auf die Knochen dringt.«

»Und warum ziehen sie dann nicht auch warme Kleider an?«

Eilika sah den Jungen an, nickte bedächtig und strich ihm über den Kopf. »Ja, das frage ich mich manchmal auch.« Und dann fügte sie leise hinzu, fast mehr an sich selbst gerichtet: »Aber nicht laut, sonst schneiden sie mir den Kopf ab.«

»Und ich lass ihn dir dann wieder annähen«, sagte Marcus lachend. »Schließlich bin ich der Prinz und alle müssen tun, was ich sage, nicht wahr?«

»Ja, Euer Hoheit«, stimmte Eilika lachend zu, die den Jungen wirklich gernhatte und sein heiteres und unbekümmertes Wesen liebte. »Aber jetzt halt still, damit ich dich anziehen kann, sonst wirst du gleich noch steifer als Trockenfleisch.« Sie streifte ihm die mit Kaninchenfell gefütterte Tunika aus Rehleder über, dann die Jacke aus Hirschleder mit den Hornknöpfen und schließlich die Wolfsfellstiefel mit der dicken Sohle aus doppelt genommenem Kuhleder. »So, jetzt bist du fertig«, sagte sie, während sie ihm noch schnell die Mütze aus Murmeltierfell aufsetzte, die ihm bis über die Ohren ging, und ihm die wetterfesten Handschuhe aus Otterfell reichte.

»Schnee! Juhu!«, jubelte der Junge und rannte aus dem Zimmer, die Treppen zum Großen Saal der Burg hinunter, wo es trotz der Wandteppiche, die die dunklen Steinmauern bedeckten, und der dicken Tannenscheite, die in den beiden Kaminen links und rechts von der Tafel brannten, düster und kalt war.

»Marcus II. von Saxia«, ermahnte ihn seine Mutter, als sie ihren Sohn erblickte, der wild hereinstürmte und sich gierig über zwei Zinnteller mit Apfel-Ingwer-Kuchen und Hirschpastete hermachen wollte, »lerne endlich, dich wie ein Prinz zu benehmen und nicht wie irgendein dahergelaufener Bauernjunge.«

Eilika, die atemlos hinterhergeeilt kam, verneigte sich vor der kleinen Tischgesellschaft und sagte zur Fürstin: »Verzeiht mir, Herrin.«

Die Fürstin bedeutete ihr, dass ja nichts Schlimmes geschehen sei, und während sie weiter ihre erst wenige Wochen alte Tochter stillte, zog sie ihren Erstgeborenen an sich. »Gib deiner Mutter einen Kuss, bevor du dir den Mund beschmierst und meine Wangen dann auch«, sagte sie zu ihm.

»Na, hast du dich gestern mit irgendeinem Jungen geprügelt?«, fragte Marcus I. von Saxia seinen Sohn und packte ihn im Nacken. »Beklagt sich jemand, weil du zu grob zu ihm warst? Muss ich dich bestrafen?«

»Nein, Vater. Ich bin brav gewesen«, erwiderte der Junge.

Das Gesicht des regierenden Fürsten verfinsterte sich einen Augenblick. Er war ein beeindruckend großer und kräftiger Mann, sein Körper und sein Gesicht waren mit zahlreichen Narben bedeckt. Insgesamt wirkte er eher wie ein gemeiner Soldat und nicht wie einer jener eleganten Fürsten aus Deutschland oder Italien. Er verstärkte den Griff um den Nacken seines Sohnes, der nun schmerzhaft das Gesicht verzog. »Hast du nicht mal einem Hund einen Tritt versetzt?«

Der Junge wandte sich ratlos zu Eilika um.

»Suche die Antwort nicht in den Augen einer Dienerin!«, brauste der Fürst auf. Er ließ den Blick über die Tischgesellschaft wandern. Zunächst war da der Hauptmann der Wache, ein Söldner, der an seiner Seite gekämpft hatte. Daneben saß sein Beichtvater und spiritueller Ratgeber, den ihm der Bischof von Bamberg empfohlen hatte. Als Dritten betrachtete er den Kompositions- und Musiklehrer, den seine Frau vom Hofe des römisch-deutschen Königs, Ruprecht III. von Wittelsbach, hatte kommen lassen. Schließlich kehrte sein Blick zu seinem Sohn zurück, und er sagte ganz ruhig: »Marcus, ich habe es dir schon so oft gesagt, und ich werde es so oft wiederholen, bis du es gelernt hast: Du musst ein Krieger werden.«

»Aber ich mag mich nicht prügeln . . .«, sagte der Junge.

»Wie lange würde ein Wolf in unseren Wäldern überleben, wenn er keinen Blutdurst spürte?« Marcus I. schlug mit der Faust auf den Tisch. »Denn das sind wir Fürsten von Saxia: Wölfe! Dazu geboren, zu befehlen und andere Wölfe zu unterwerfen.«

Der Junge wich einen Schritt zurück, um sich aus dem festen Griff des Vaters zu befreien.

»Mein Gemahl, du erschreckst ihn«, wandte die Fürstin ein.

Marcus I. von Saxia atmete tief durch und versuchte sich zu beherrschen. Sein Gesicht war gerötet, und die Adern an seinem Hals waren hervorgetreten. Nachdem er sich ein wenig beruhigt hatte, zog er den Erbprinzen an sich. »Sohn, hör mir gut zu. Ich weiß nicht, ob das stimmt, was die Kirche sagt, dass wir die Macht und unsere Stellung von Gottes Gnaden empfangen haben. Aber eins weiß ich genau: Um die Macht und die Stellung zu behalten, kannst du dich nicht auf Gott verlassen, sondern nur auf dich selbst. Auf deine eigene Stärke und Entschlossenheit, verstehst du?«

Der Junge nickte ernst.

»Deshalb musst du lernen zu kämpfen«, fuhr der Vater fort. »Du wirst im Blut leben, genau wie ich und alle unsere Vorfahren. Das ist unser Schicksal und unser Fluch. Jetzt achten die Leute dich, weil du mein Sohn bist. Aber du musst lernen, sie dazu zu bringen, dich deiner selbst wegen zu achten. Verstehst du das?«

Der Junge sah seinen Vater an und sagte schüchtern: »Werdet Ihr stolz auf mich sein, wenn ich heute einem Huhn einen kräftigen Fußtritt verpasse, Vater?«

Der Fürst sah ihn mit ernster Miene an. Dann lachte er schallend laut. »Ja, auch dann werde ich stolz auf dich sein, mein Sohn.« Er versetzte dem Jungen einen liebevollen Klaps auf den Kopf, dass ihm die Mütze aus Murmeltierfell herunterfiel. »Geh spielen«, sagte er und reichte ihm eine Scheibe Apfelkuchen und eine Hirschpastete.

Der Junge stopfte sich mehr als die Hälfte des Kuchenstücks in den Mund und wollte gleich wieder davonrennen, voller Vorfreude, den ersten Schnee in diesem Jahr zu begrüßen.

»Mein Sohn«, rief Marcus I. von Saxia ihn mit dröhnender Stimme zurück.

Der Junge blieb stehen und wandte sich seinem Vater zu.

»Du musst dem Huhn keinen Fußtritt verpassen, wie du es mir versprochen hast«, erklärte ihm der. »Ich bin auch so stolz auf dich.« Und er lächelte.

»Sag danke, Marcus«, flüsterte Eilika ihrem Schützling zu.

»Danke, Vater«, sagte der Junge folgsam, dann rannte er aus dem Saal. Er hatte es eilig, denn schließlich konnte er ja nicht wissen, dass er seinen Vater gerade zum letzten Mal hatte lächeln sehen.

An jenem 21. September 1407 bewunderte der kleine Marcus II. von Saxia vom Portal des Palas aus die vollkommene Stille über dem Hof, die der noch unberührte Schnee geschaffen hatte. Zu seiner Rechten hinter den fünf Klafter hohen

Steinwällen mit den Wehrgängen aus Holz waren die Ställe für die Pferde und Kühe untergebracht. Über den Ställen hatte man, um die Wärme zu nutzen, die die Tiere abgaben, die Behausungen der niederen Dienerschaft gebaut, die nicht in den Dachkammern des Palas schliefen. Zu seiner Linken konnte der Junge die kleineren Ställe für Schweine, Hühner und Kaninchen sehen. Schwarze Schweine, Bergziegen, Hühner, Puter, Perlhühner, Pfauen und Kaninchen scharrten in ihren ordentlichen Gehegen. Vor sich sah er das große zweiflügelige, mit Eisen verstärkte Tor und den gedrungenen Burgfried, von dem aus man bis weit hinten ins Tal Raühnval blicken konnte. Wie immer am Tag war das Tor offen.

»Komm, wir spielen Verstecken!«, sagte Eilika, die ihm nachgekommen war.

Der Junge verschlang die letzten Bissen Apfelkuchen, und mit der Fleischpastete in der Hand machte er die ersten Schritte im Schnee. Als er die Mitte des Hofes erreicht hatte, drehte er sich um und bemerkte seine Fußstapfen. »Das gilt nicht! Du musst die Augen schließen!«, rief er seiner Kinderfrau zu.

Eilika wandte ihm lächelnd den Rücken zu und lehnte sich mit dem Kopf an die Mauer.

Der Junge beobachtete sie noch einen Moment, um sicherzugehen, dass sie nicht schummelte. Dann ließ er seinen Blick am Palas nach oben wandern. Es war ein massiver, viereckiger Bau, zwei Stockwerke hoch mit einem niedrigeren Dachgeschoss darüber, dessen Fenster klein und schmal waren, um der Kälte möglichst wenig Raum zum Eindringen zu bieten. Auf der Westseite stand eine kleine Kapelle, die an der dicken Palastmauer wie eine Warze wirkte.

Der Junge drehte sich wieder um zum großen Tor. Direkt daneben hatte man ein niedriges Gebäude aus Stein mit vier Räumen errichtet, das den Wachen der Burg als Unterkunft diente. Er ging darauf zu und spähte vorsichtig hinein. Er hatte schon öfter versucht, sich dort zu verstecken, weil er geglaubt hatte, dass Eilika ihn dort niemals suchen würde, aber die Männer hatten ihm immer den Zutritt verwehrt.

An diesem Morgen jedoch erlebte der Junge eine Überraschung. Die diensthabenden Wachen saßen rund um den Tisch in der Mitte des vorderen Raumes und schliefen. Einer der Männer hing zurückgelehnt auf seinem Stuhl, sein Kopf war in den Nacken gefallen, und er schnarchte mit offenem Mund. Die anderen drei waren vornüber gesunken und ruhten mit den Köpfen auf dem Tisch. Aus einer umgekippten Flasche tropfte noch Wein auf den Boden aus gestampfter Erde. Das Feuer im Kamin war fast erloschen, doch niemand legte Holzscheite nach.

Rasch blickte der Junge über die Schulter zu Eilika, die ihm immer noch den Rücken zuwandte. Diesmal würde er es schaffen, sich unbeobachtet in die Wachstube zu schleichen. Mit einem zufriedenen Grinsen schickte er sich an, den Raum zu betreten.

»Weißt du denn nicht, dass man hier nicht reindarf?«, sagte da jemand hinter ihm.

Erschrocken fuhr der Junge herum. Vor ihm stand ein Mädchen ungefähr in seinem Alter. Ihr Gesicht war schmutzig und ihr hellblondes Haar ganz kurz geschnitten. Er kannte das Mädchen. Sie hieß Eloisa und war die Tochter von Agnete Veedon, der Frau, die die Kinder zur Welt brachte.

Diesen Anblick würde er niemals mehr vergessen.

2

Der Junge starrte Eloisa an und dachte nur, dass sein Vater bestimmt über ihn gelacht hätte, wenn er gesehen hätte, dass er sich von einem Mädchen in Lumpen hatte ins Bockshorn jagen lassen.

»Ich bin der Erbprinz und kann tun, was ich will«, antwortete er ihr und warf sich in die Brust. »Pass auf, was du zu mir sagst, sonst lasse ich dich auspeitschen«, fügte er hinzu, doch er wurde gleich rot vor Verlegenheit.

Eloisa wirkte kein bisschen eingeschüchtert. »Es stimmt nicht, dass du tun kannst, was du willst«, widersprach sie. »Da darfst nicht einmal du rein. Du bist nur ein kleiner Junge. Und ich habe gesehen, wie sie dich fortgejagt haben.«

»Du bist dumm und ungezogen.« Marcus II. von Saxia fühlte sich in die Enge getrieben. »Hast du verstanden, dass ich dich auspeitschen lasse, wenn du mich nicht in Ruhe lässt?«

Das Mädchen nickte. Doch sie wich keinen Schritt zurück. Ihre Augen, die so blau und klar waren wie Bergseen, waren unablässig auf die Hirschpastete in Marcus' Hand gerichtet.

»Verschwinde«, sagte der Junge und sah besorgt zu Eilika, die sich inzwischen umgedreht hatte und nach ihm suchte.

»Gibst du mir ein Stück ab?«, fragte Eloisa.

»Das gehört mir«, erklärte Marcus.

»Ich habe Hunger.«

»Ich auch.«

Das Mädchen sah ihn wortlos an. Sie trug ein Kleid aus grobem, rotem Stoff, das mit Lederbändern abgesteppt und gesäumt war, darüber ein dünnes, mit Dutzenden dunklen

Flecken übersätes Jäckchen aus Barchent. An den nackten Füßen hatte sie Holzpantinen, von denen eine gebrochen war und mit einem Band zusammengehalten wurde.

Der Junge sah wieder zu seiner Kinderfrau. Dieses dumme Mädchen verdarb ihm das ganze schöne Spiel. »Gehst du, wenn ich dir die Pastete gebe?«

»Ja.«

Marcus wollte sie ihr schon reichen, doch dann hielt seine Hand auf halbem Weg inne. »Wenn du erzählst, dass ich mich hier versteckt habe, lasse ich dir den Kopf abschneiden.«

»Gib mir die Pastete.«

»Schwöre!«

»Ich schwöre ... Weißt du, dein Kinderkram ist mir ohnehin egal.«

»Du siehst aber aus wie eine Spielverderberin.«

Das Mädchen hatte die Hand ausgestreckt. Sie war dreckverkrustet, und unter den Nägeln waren dicke schwarze Ränder.

Marcus reichte ihr die Pastete.

Eloisa packte sie gierig, ihre Augen funkelten freudig auf. Sie stopfte sich ein großes Stück davon in den Mund und ging, ohne den Erbprinzen noch eines Blickes zu würdigen.

Marcus blieb noch einige Augenblicke in der Tür des Wachlokals stehen und beobachtete sie verstohlen. Er sah, dass Eilika das Mädchen bemerkt hatte und auch die Pastete, die es verschlang. Seine Kinderfrau ging zu ihr und fragte sie etwas. Bestimmt erkundigte sie sich danach, woher sie die hatte, weil sie auf der Suche nach ihrem Prinz Schweinchen war.

»Ich lasse dir den Kopf abschneiden, du gemeine Schlange«, murmelte Marcus, der sich schon verraten glaubte.

Doch dann sah er, wie Eloisa auf die Pferdeställe deutete und Eilika sofort in diese Richtung rannte.

Das Mädchen wandte sich blitzschnell um, in der Gewissheit, dass Marcus sie beobachtete, und streckte ihm die Zunge heraus.

Marcus lachte. Dann betrat er den vorderen Raum des Wachlokals.

Die Wachen schliefen immer noch, doch dem Jungen fiel nicht auf, wie merkwürdig das war. Er hatte nur eins im Sinn: Eilika sollte ihn nicht finden. Dieses Mal würde er bestimmt gewinnen. Zufrieden lächelnd machte er sich auf die Suche nach einem Versteck. Auf Zehenspitzen durchquerte er den Raum und betrat den nächsten. Die vier Strohlager dort drinnen waren leer, und es gab nichts, wohinter er sich verbergen konnte. Also ging er weiter. Im dritten Raum stieß er auf weitere fünf Wachen. Auch die schliefen tief und fest und ruhten dabei merkwürdig schief und krumm auf ihren Lagern. Neben ihnen bemerkte er zwei Weinflaschen, eine davon war umgekippt. Der Junge überlegte, dass er sich in dem großen Schrank verstecken konnte, in dem die Waffen, Breitschwerter, Dolche, Bogen und Pfeile aufbewahrt wurden. Doch zunächst sah er sich noch den letzten Raum des Gebäudes an und stieß auch dort auf fünf schlafende Wachen.

Erst Jahre später sollte er sich fragen, warum ihn das nicht beunruhigt hatte. Und ob er dann etwas am Lauf der Dinge hätte ändern können. Doch an jenem Tag dachte er nur daran, dass Eilika ihn nicht finden sollte.

Im letzten Raum entdeckte er unten an der hintersten Wand eine kleine, dunkle Nische, die von einem Stuhl verdeckt wurde. Immer noch auf Zehenspitzen schlich er dorthin, schob leise den Stuhl beiseite und kroch in die Nische. Da es darin so eng war, dass er sich nicht drehen und wenden konnte, zog er den Stuhl mit dem Fuß wieder hinter sich vor die Öffnung. Vor ihm ging es weiter, und als er tiefer in die Dunkelheit eindrang, stellte er fest, dass es sich um einen kurzen Gang handelte, der zum Ziegenpferch führte. Doch dort kam man nicht hinaus, denn man hatte den Durchschlupf notdürftig zugemauert. Es gab nur ein kleines Loch zwischen den Steinen, durch das er Eilika beobachten konnte, die ihn suchte. Außerdem sah er die Pferdeknechte, die die Ställe ausmisteten, die Köchinnen, die die Eier einsammelten, den Fleischer, der in seinem Laden ein an einem Haken aufgehängtes Rind zerlegte. Er hielt auch Ausschau nach dem Mädchen, dem er die Pastete gegeben hatte, doch unter den Leuten, die ihren alltäglichen Beschäftigungen nachgingen, konnte er sie nicht entdecken. Das Burgtor konnte er ebenfalls nicht sehen, obwohl er versuchte, sich so weit wie möglich vorzubeugen. Doch die Öffnung zwischen den Steinen war schlichtweg zu eng.

So verfolgte er mit den Augen wieder Eilika, die auf ihrer Suche nach ihm vergeblich in seinen üblichen Verstecken nachsah. Er lachte leise und war stolz auf sich, dass er diesen Ort gefunden hatte. Was für ein Glück, dass die Wachen so müde waren, dass sie am helllichten Tag schliefen.

Der Junge setzte sich auf den Boden, an diesem Ende war der Gang breit genug dafür. Wieder lauschte er der Stille, die der Schnee mitgebracht hatte, und nahm sie tief in sich auf. Sie war vollkommen.

Doch dieser Eindruck hielt nur einen Augenblick an.

Zunächst war es nur so ein Gefühl, doch es kam ihm vor, als würde der Boden erzittern. Er zog einen seiner Otterfellhandschuhe aus und legte die Handfläche auf den Boden. Ja, da war ein Beben, gleichmäßig und dumpf. Noch begriff er nicht, woher es kam. Doch das Beben wurde stärker, und es rückte immer näher.

Als es ihm noch heftiger erschien, einen Moment bevor der kleine Marcus endlich erkannte, woher es kam, schaute er durch die Öffnung. Er sah, wie der Schmied angstvoll die Augen aufriss. Und wie zwei Dienerinnen die Bierkrüge fallen ließen, die sie auf den Köpfen trugen. Er sah eine dicke Köchin, die ihre

Röcke raffte und hastig auf den Palas zurannte. Die Wäscherinnen, die die Bettlaken und Kleider im Schnee liegen ließen und erschrocken die Hände vor den Mund schlugen. Und die Stallknechte, die mit ihren Schaufeln voller Pferdemist mitten in der Luft innehielten.

Und dann – als dieses Beben sich als das furchterregende Herangaloppieren von zwanzig Streitrossen herausstellte und die vollkommene Stille des Schnees von Kriegsrufen und Angstschreien durchbrochen wurde – sah der Erbprinz des Fürstentums von Raühnval, wie ein Haufen Räuber mit drohend geschwungenen Schwertern in den Burghof eindrang.

Als Erster starb der Gehilfe des Schmieds, er war noch nicht einmal vierzehn. Die Klinge eines Räubers durchbohrte ihn und hinterließ eine schreckliche Wunde zwischen seinen Rippen. Die Leiche des Gehilfen wurde von der Heftigkeit des Hiebes und dem Schwung des Pferdes in die Luft geschleudert und fiel schließlich merkwürdig verdreht wie eine leblose Puppe zu Boden.

Fortan sollte Schnee für den Jungen bis ans Ende seiner Tage nie mehr weiß sein.

Alles geschah blitzschnell. Die Männer schlugen überall erbarmungslos zu. Die dicke Köchin stürzte zu Boden, ehe sie den Palas erreichen konnte, von einem Schwerthieb in den Rücken getroffen. Als Nächstes fielen die zwei Dienerinnen, eine wurde von einem Schwert durchbohrt, die andere endete unter den Hufen der Pferde. Die Wäscherinnen tränkten mit ihrem Blut die Laken, die sie gerade gewaschen hatten und die sich nun um sie wickelten wie Leichentücher. Die Stallknechte sackten im Pferdemist zusammen. Und dann beobachtete Marcus atemlos, wie ein Schwert auf den Schmied niederfuhr und ihm den rechten Arm an der Schulter abtrennte. Er sah den Arm zu Boden fallen, dessen Hand immer noch den mächtigen Hammer umklammerte. Der Räuber, der den Hieb ausgeführt hatte, lachte dreckig und spaltete dem armen Mann mit der Axt den Kopf.

»Eilika . . .«, flüsterte der Junge und klammerte sich ängstlich an den Steinen seines Verstecks fest.

Als hätte sie ihn gehört, lief die Kinderfrau so aufgescheucht durch den Hof wie die Tiere, die die Zäune ihrer Gehege niedergetrampelt hatten, und rief laut: »Marcus! Bleib, wo du bist! Marcus! Ma . . .«

Dann sah der Junge, wie Eilika gleichsam vom Boden hochgehoben wurde, während die Spitze eines Schwertes vorn aus ihrer Brust ragte. Die Kinderfrau riss erstaunt die Augen auf, und ihr Mund öffnete und schloss sich stumm. Doch sie würde nie wieder den Namen ihres kleinen Prinzen rufen können.

Der Räuber stützte sich vom Sattel seines Pferdes aus mit dem Fuß an ihrer Schulter ab und zog sein Breitschwert aus ihr heraus.

Eilika blieb einen Moment aufrecht stehen, dann fiel sie mit dem Gesicht nach vorn in den Schnee und rührte sich nicht mehr.

Der Junge konnte den Blick nicht von ihr abwenden. Doch in dem Moment drängten sich die Ziegen draußen im Pferch vor der Wand zusammen, meckerten ängstlich ob des Blutgeruchs und versperrten ihm die Sicht.

Als die Tiere wieder auseinanderliefen, sah Marcus viele weitere Leichen auf dem Boden liegen. Männer, Frauen, Kinder. Den Beichtvater, dessen Kutte unanständig weit hochgeschoben war. Den Musiklehrer, der mit offenem Mund dalag, als würde er singen.

Und aufrecht mitten im Burghof sah er seinen Vater mit dem Schwert in der Hand, der einem Pferd die Beine durchtrennte und dann dem Räuber im Sattel mit einem mächtigen Hieb die Kehle durchschnitt, ehe der noch den Boden berührte. Auch der Hauptmann der Wachen schlug sich tapfer. Doch jetzt waren nur noch sie beide übrig. Kurz darauf waren fünf Räuber tot. Aber auch der Hauptmann.

»Du wirst im Blut leben, genau wie ich und alle unsere Vorfahren. Das ist unser Schicksal und unser Fluch«, hatte der Vater ihm am Morgen gesagt. Und jetzt begriff der kleine Marcus, was diese Worte und die Bemerkung über Wölfe wirklich bedeuteten. Und er sah, was für ein großartiger Krieger sein Vater war. Er würde sie retten.

Im gleichen Moment wurde der Fürst von Saxia von einem mächtigen Hieb in die Brust getroffen. Er schwankte, knurrte, fletschte die Zähne wie ein Wolf. Doch dann richtete er sich auf und kämpfte weiter, stürzte sich in eine Gruppe Männer, die er vom Pferd geholt hatte. Der Junge beobachtete, wie sein Vater hinter einer Übermacht an Feinden verschwand, und sah Schwerter durch die Luft wirbeln. Als die Kämpfenden schließlich voneinander abließen und der Kreis sich öffnete, lagen drei Räuber tot auf dem Boden. Den Fürsten von Saxia hatten die Kräfte verlassen, er war auf die Knie gesunken und stützte sich auf sein Schwert wie ein alter Mann auf seinen Stock. Einer der Räuber – wahrscheinlich ihr Anführer, dachte sich der kleine Marcus – näherte sich ihm mit langsamen Schritten. Der Fürst sah furchtlos zu ihm auf und spuckte ihn an.

Der Räuber grinste höhnisch. Dann gab er einem seiner Männer ein Zeichen.

Der schleppte eine aufgelöste Frau herbei, deren Gesicht vor Kummer verzerrt war. Sie umklammerte ihr Neugeborenes, das schlaff wie eine Lumpenpuppe in ihrem Arm lag. Eine rote Puppe.

»Mutter . . .«, flüsterte der Junge.

Der Anführer der Schurken packte die Fürstin am Arm und drehte sie zum Fürsten um. Brutal riss er ihr das Gewand herunter, entblößte ihre Brüste und knetete sie. Der Fürst versuchte aufzustehen, doch aus den zahllosen Wunden, die seinen Körper übersäten, strömte das Blut, und sein von Narben überzogenes Gesicht war totenblass. Die Schurken, die ihn umringten, lachten. Da griff der Fürst nach dem Dolch in seinem Gürtel und warf ihn seiner Frau schnell zu. Die Fürstin fing ihn auf und sah ihren Ehemann wortlos an. Aber es war, als würden die Augen der beiden für sie sprechen. Der Lärm schien zu verstummen, und alles um sie herum schien verschwunden zu sein. Darauf stieß sich die Frau ohne zu zögern den Dolch ins Herz und fiel langsam zu Boden, das tote Kind immer noch im Arm. Eindringlich blickte sie ihren Ehemann an, während das Leben aus ihr wich.

Der Junge bemerkte, wie Tränen über das Gesicht des Vaters liefen, als er seine Frau sterben sah. Und wie der Anführer der Räuber wütend sein Schwert hob und dem Vater den Kopf abschlug.

Der Junge kroch den Gang zurück. Er war zu Tode erschrocken und hatte nur einen Gedanken: Flucht. Doch als er das Ende des Ganges erreichte, hörte er dort im Wachlokal Stimmen. Und er sah, wie die Räuber die schlafenden Männer mit ihren Schwertern durchbohrten.

»Der Kräutermönch hatte recht, dieses Schlafmittel ist wirklich stark«, sagte einer von ihnen zu dem Anführer, jenem Mann, der soeben den Fürsten von Saxia getötet hatte und jetzt den Raum betrat.

Der Mann setzte sich auf den Stuhl vor der Nische.

Dem Jungen stieg sein Gestank in die Nase. Er roch nach Schweiß, nach ungewaschener Kleidung und dann noch nach etwas anderem. Diesen ekelhaft süßlichen Geruch kannte der kleine Marcus bis jetzt nur aus dem Laden des Fleischhauers auf der Burg.

Einer der Männer kam herein und zerrte ein Mädchen hinter

sich her, das weinte und schrie. Der Junge kannte sie, es war eine der Wäscherinnen. Sie war jung, hübsch und hatte gerötete Hände.

Der Anführer stand auf und schob seine Tunika über die Hüften hoch. Zwei Männer rissen der Wäscherin die Kleider vom Leib, sodass sie vollständig nackt war. Dann warfen sie sie auf ein Strohlager, neben zwei der toten Wachen. Das Mädchen weinte und flehte um Gnade. Doch der Anführer stieg auf sie, spreizte ihre Beine und vergewaltigte sie brutal.

Der Junge sah zu, wie gelähmt.

Die Wäscherin weinte und schrie in einem fort.

Als der Anführer mit ihr fertig war, stand er auf und sagte zu einem seiner Männer, der das Ganze beobachtet hatte: »Sie gehört dir, wenn du willst.«

»Nein, ich habe mich schon draußen bedient«, erwiderte der grinsend.

»Na, dann hat dein Jammern jetzt ein Ende, Mädchen«, sagte der Anführer zu der jungen Wäscherin.

Unter Tränen antwortete das Mädchen: »Danke, Herr, vielen Dank!«

»Du hast wohl nicht begriffen«, sagte der Räuberhauptmann lachend. Dann hob er sein Schwert und tötete sie.

Der Junge war wie versteinert. Er fühlte, dass er gleich schreien würde. Deshalb biss er sich auf die Zunge, so fest, dass er die Zähne tief in seinem Fleisch spürte.

»Alle sind tot, Agomar«, sagte einer der Männer, der gerade hereinkam, zu seinem Anführer.

»Habt ihr den kleinen Prinzen gefunden?«, fragte Agomar.

»Nein . . .«

Agomar versetzte ihm eine Ohrfeige. »Dann sind noch nicht alle tot, du Trottel!« Wütend trat er so heftig gegen eine Truhe, dass eine Seite herausbrach. »Findet ihn und tötet ihn! Der Herr von Ojsternig hat Befehl gegeben, niemanden am Leben zu lassen. Vor allem niemanden aus dem Fürstenhaus Saxia, ihr Idioten!«

Dem Jungen drehte sich der Magen um. Schnell wich er wieder zurück und versuchte, sich möglichst leise zu verhalten. Unterwegs erbrach er den Apfel-Ingwer-Kuchen und verharrte reglos auf den Knien in der Hoffnung, dass niemand ihn bemerkte. Dann kroch er langsam weiter bis zu dem vermauerten Zugang beim Gehege und spähte durch die Lücke nach draußen.

Der Schnee im Hof glänzte rot wie ein kostbarer Teppich, auf dem Dutzende von Männern, Frauen und Kindern zu schlafen schienen. Einigen fehlten die Köpfe, anderen die Arme. Die jungen Frauen waren alle nackt.

»Findet den kleinen Prinzen!«, schrie ein Mann.

Die Räuber verteilten sich über die Burg und verschwanden im Palas, den Schweineställen, den Stallungen für die Pferde, den Hühnergehegen und der Kapelle.

Ihre Suche schien sich endlos hinzuziehen.

Schließlich kamen die Männer in der Mitte des Hofes zusammen und scharten sich um ihren Anführer.

»Wir können ihn nicht finden«, verkündete einer der Männer und sprach damit für alle.

Agomar, ein Mann mit dichten Augenbrauen, rötlichen Haaren und Bart und schwarzen, schmalen Augen, hob die rechte Hand. Der Junge sah, dass er nur vier Finger hatte, der kleine Finger fehlte. »Treibt das Vieh aus den Ställen und brennt alles nieder!«, rief er. »Dann wird das Prinzchen eben geröstet. Wenn ihr ihn nicht findet, finden ihn die Flammen der Hölle! Los, beeilt euch!«

Der kleine Marcus sah, wie die Räuber alles Vieh hinaustrieben.

Agomar warf seine Fackel in das mittlere Fenster des ersten Stockes. Gleich darauf flogen Dutzende durch die Luft in den

Palas, in die Schweineställe, die Stallungen für die Pferde, auf die Dächer der Gesindehäuser. Und sofort schlugen die Flammen überall hoch.

»Raus hier!«, befahl Agomar. »Und verrammelt das Tor hinter euch.« Er sprang auf sein Pferd, ließ es hochsteigen und schrie laut: »Leb wohl, kleiner Prinz!« Dann galoppierte er höhnisch lachend aus der Burg.

Der Junge hörte, wie die beiden Torflügel geschlossen wurden. Er drehte sich um und kroch zurück zum Wachlokal, um einen Fluchtweg zu finden. Doch kaum hatte er den Raum erreicht, schlug ihm eine unerträgliche Hitze entgegen, und der beißende Rauch brachte seine Augen zum Tränen. Die Strohlager der Wachen und das Holzdach standen in hellen Flammen.

Der Junge hustete. Er bekam kaum noch Luft. Auf allen vieren kroch er zurück, bis er wieder das andere Ende des Ganges erreicht hatte. Durch die Lücke in der Mauer sah er, dass überall Flammen hochschlugen und die Burg zerstörten. Er saß in der Falle.

Noch einmal drehte er sich um. Er musste trotz allem versuchen, durch die Wachstube zu entkommen. Doch kaum hatte er wieder das Ende des Ganges erreicht, zerbarsten die großen Balken, die das Dach stützten, mit einem betäubend lauten Knall und stürzten in einem Funkenregen zu Boden.

Der Junge bekam keine Luft mehr. Ihm wurde schwindelig. Er hustete nur noch, und seine Augen waren tränenblind. Der Rauch, der in den Gang eindrang, ließ ihn immer weiter zurückweichen, bis er sich wieder mit dem Rücken an der Mauer zum Gehege fand. Und obwohl er gerade einmal neun Jahre alt war und erst an diesem Morgen Bekanntschaft mit dem Tod gemacht hatte, wusste er, dass er nun sterben würde.

»Da bist du ja, ich habe dich gefunden!«, rief eine Stimme.

Der Junge wandte sich erschrocken um. Ein blaues Auge spähte durch die Mauerlücke.

Er versuchte zu schreien, doch ihm versagte die Stimme. Starr vor Furcht sah er noch, wie ein Stein in der Mauer sich nach drinnen schob, dann verlor er das Bewusstsein.

Der Junge öffnete die Augen. Und riss den Mund auf, ganz plötzlich, als hätte er lange keine Luft mehr bekommen.

Er sah in das Gesicht einer Frau, die sich über ihn beugte und ihn anstarrte.

»Er atmet«, sagte sie.

Er wusste nicht, wo er war. Nur, dass er auf irgendetwas Hartem lag. Und dass ihm das Atmen schwerfiel. Seine Kehle brannte. Er unterdrückte seinen Husten, indem er die Lippen fest zusammenpresste. Er erinnerte sich an nichts. Wusste nichts. Und er wollte sich auch weder erinnern noch etwas wissen. Er schloss die Augen wieder.

Etwas in seinem Innern tat weh, und er spürte, dass es unbedingt herauswollte. Deshalb kniff er Lippen und Augen nur noch fester zusammen.

So lange wie möglich blieb er regungslos in der Dunkelheit liegen. Doch dann begann die Schwärze um ihn herum sich zu drehen, verwandelte sich in einen trüben Strudel, der plötzlich heller wurde und jenen Farbton annahm, der seinem Herzen einen Stich versetzte.

Da riss er die Augen wieder auf, um all diesem Rot zu entgehen, das sich vor ihm verfestigte.

Die Frau stand noch über ihn gebeugt. Ihr Gesicht war hart, und es hatten sich tiefe Falten darin eingegraben. Es kam dem Jungen vage bekannt vor, aber er erinnerte sich weder an die Frau noch an irgendetwas anderes.

»Wird er sterben?«, hörte er eine Stimme links von ihm fragen.

Der Junge wandte sich in die Richtung, aus der die Stimme kam, und sein Blick begegnete dem eines kleinen Mädchens mit schmutzigem Gesicht, mit Augen so blau und klar wie Bergseen und hellblondem, kurz geschnittenem Haar. Angsterfüllt drehte er sich weg. Er wollte sie nicht wiedererkennen, doch er konnte es nicht ändern. Gewaltsam presste er Lippen und Augenlider fest zusammen, schüttelte den Kopf und wehrte sich mit aller Macht dagegen.

»Wird er sterben, Mutter?«, fragte das Mädchen wieder.

»Sei still, Eloisa«, schimpfte die Frau.

Kaum hatte der Junge den Namen Eloisa gehört, kam in ihm die Erinnerung hoch, gewaltig und reißend wie ein Sturzbach und vernichtend wie eine Flut. Plötzlich sah er alles wieder vor sich: den kämpfenden Vater, die Mutter, die sich den Dolch ins Herz stieß, während sie ihre tote kleine Tochter im Arm hielt. Den Räuber, der einen Fuß auf Eilikas Rücken gestützt hatte, um sein Schwert herauszuziehen. Die unanständig hochgeschobene Kutte des Beichtvaters, den weit aufgerissenen Mund des Musiklehrers, den jungen Gehilfen des Schmieds, der als Erster durch die Luft geflogen war, den abgehackten Arm des Schmieds, der noch mit dem Hammer in der Hand zu Boden fiel. Er erinnerte sich an die Schreie der Menschen und den Lärm, an den Rauch, an das Dach der Wachstube, das in sich zusammenbrach. Und dann sah er das Blut. Ströme von Blut. Er spürte, dass er gleich losschreien würde. Bevor ihn die Bilder mit sich in ihren Abgrund reißen konnten, öffnete er schnell die Augen.

Die Frau sah ihn weiterhin an, aber sie berührte ihn nicht.

Jetzt erkannte der Junge auch sie. Es war Agnete, die Hebamme.

»Du bist in meinem Haus«, sagte Agnete.

Der Junge blieb stocksteif liegen. Sah sich nicht um. Sagte kein Wort.

»Erinnerst du dich, was geschehen ist?«, fragte Agnete.

Der Junge starrte sie mit leeren Augen an und rührte noch immer keinen Muskel.

»Ist er blödsinnig geworden, Mutter?«, fragte Eloisa.

»Ich habe gesagt, du sollst still sein«, schimpfte die Mutter. Dann wandte sie sich wieder an den Jungen. »Hörst du mich?«, fragte sie knapp.

Der Junge nickte kaum merklich.

»Verstehst du, was ich sage?«

Der Junge nickte wieder.

»Sag: Weißt du, was geschehen ist?«

Der Junge presste die Lider fest zusammen, um die Tränen zurückzuhalten, und biss sich auf die Lippen. Als er die Augen wieder öffnete, stand Agnete immer noch vor ihm und starrte ihn an.

»Kannst du sprechen?«, fragte sie ihn.

Der Junge blieb stumm.

Agnete packte ihn am Arm. »Du musst jetzt aufstehen, du kannst hier nicht ewig herumliegen«, sagte sie und zog ihn hoch, dass er zum Sitzen kam.

Der Junge erkannte nun, dass er auf einem Tisch neben einem runden Kamin saß, in der Mitte einer dunklen Hütte, die nach Körperausdünstungen und nach Zwiebeln stank. In einer Ecke der Hütte gab es ein Strohlager, auf dem ein Kuhfell als Decke lag.

»Trink«, sagte Agnete und hielt ihm eine Kelle Wasser hin.

Der Junge schüttelte den Kopf.

»Trink!«, wiederholte Agnete.

Daraufhin trank der Junge. Und musste gleich darauf husten.

»Deine Lungen müssen sich von dem Rauch reinigen. Trink noch mehr.«

Der Junge gehorchte.

Agnete schob ihn ohne viel Federlesens vom Tisch. Ihre Hände fühlten sich rau und stark an. Wenn sie sprach, klang das nicht so sanft wie bei Eilika. »Zieh dich aus«, sagte sie zu ihm.

Eloisa kicherte.

Der Junge rührte sich nicht.

»Hast du begriffen, was auf der Burg geschehen ist?«, fragte Agnete grob.

Der Junge nickte.

»Was ist geschehen?«, bedrängte die Frau ihn weiter.

Der Junge presste die Lippen aufeinander.

»Ist er stumm geworden, Mutter?«, fragte Eloisa.

»Oh, möge Gott doch dich mit Stummheit schlagen!«, erwiderte die Mutter seufzend. »Ich hab dir gesagt, du sollst still sein.« Sie wandte sich erneut an den Jungen: »Alle sind tot. Auch die Diener. Weißt du, was das bedeutet? Dass bald ein neuer Fürst kommen wird. Und es passt bestimmt nicht in die Pläne dieses Schurken, dass du am Leben bist. Hast du so weit alles begriffen?«

Der Junge fühlte, wie die Tränen in ihm unbedingt nach draußen drängten.

»Aber du bist am Leben, und zwar weil meine Tochter dich gerettet hat«, fuhr Agnete fort. »Sie hat dich ganz allein aus der Burg geschleppt und dich hinter einem Busch versteckt, und dann hat sie mich geholt. Und ich habe dich in einem Sack hierher getragen. Das habe ich für sie getan. Und weil ich dich auf die Welt geholt habe wie viele andere Kinder und mich nicht mitschuldig machen will an deinem Tod, indem ich wegsehe.« Agnete beugte sich wieder über ihn. »Du hast nur eine Möglichkeit, um am Leben zu bleiben: Du darfst nicht mehr der sein, der du bist.«

Der Junge begriff nicht, was sie meinte. Agnete jagte ihm Angst ein. Sie redete auf eine Weise mit ihm, wie es zuvor noch niemand getan hatte.

»Zieh dich aus, mach schon, bevor ich die Geduld verliere«, drängte Agnete.

Der Junge rührte sich nicht.

Ungeduldig packte Agnete seine Jacke aus Hirschleder und riss sie ihm beinahe vom Leib. Dann verfuhr sie mit seinen übrigen Kleidern genauso, bis er nackt vor ihr stand.

Eloisa kicherte immer noch.

»So schöne Sachen«, brummte Agnete und ging mit ihnen zum Kamin.

»Wir können sie auf dem Markt verkaufen«, schlug Eloisa vor.

»Wir verkaufen gar nichts, du Närrin«, erwiderte ihre Mutter barsch, während sie die wertvollen Kleider in die Flammen warf. »Wie soll eine Hungerleiderin wie du zu solch feinen Pelzen und Ledersachen kommen, um sie zu verkaufen? Wem können die gehören, wenn nicht einem Prinzen? Einem kleinen Prinzen ... den alle für tot halten«, schloss sie und wandte sich dem Jungen zu. Während ein beißender Geruch nach verbranntem Pelz den Raum erfüllte, ging sie zu einer Holztruhe und holte einige Kleidungsstücke hervor. »Du wirst vergessen, wie weich Samt ist und wie gut Wolle wärmt, Junge. Du wirst wie wir alle gegen die Kälte ankämpfen müssen, mit einer Jacke aus dünnem Stoff und ein paar Kaninchenfellen. Du wirst lernen, dir auf die Hände und die Füße zu pissen, damit du keine Frostbeulen bekommst, und wenn du nicht krank wirst und stirbst, wirst du so stark und zäh werden wie wir.« Sie hielt ihm die Kleider hin. »Zieh die an. Sie haben meinem Sohn gehört.« Hier schwankte ihre Stimme leicht, wurde jedoch gleich wieder hart, als wäre nichts gewesen: »Er hat es nicht geschafft. Er ist nicht stark und zäh geworden.«

Der Junge blieb mit den Kleidern in der Hand regungslos stehen.

»Zieh dich an!«, schrie Agnete beinahe.

Zum ersten Mal in seinem Leben kleidete sich der Junge allein an. Und als er die ungewohnten Sachen am Leib trug, ahnte er, dass ihm sehr kalt werden würde.

»Niemand wird dich mehr kleiner Herr oder Prinz oder bei deinem Namen nennen, den ich nicht einmal aussprechen will«, erklärte Agnete und nahm die große Schere, mit der sie sonst die Ziegen schor.

Sie stieß den Jungen zu einem wackligen Schemel und drückte ihn herunter. Dann packte sie seine langen blonden Locken und schnitt sie so kurz ab, dass er nur noch einen zarten Flaum auf dem Kopf hatte.

»Wie schön«, sagte Eloisa und betrachtete bewundernd die goldenen Locken, die sich auf dem Boden ringelten.

»Verbrenn sie«, befahl ihr die Mutter.

Eloisa sammelte sie auf und warf sie in den Kamin. Bis auf eine einzige lange Strähne, die sie heimlich in der Tasche ihres Kleides verbarg.

Agnete hatte inzwischen ihre Hände in eine dunkle, übel riechende Pfütze in einer Zimmerecke getaucht, wo es vom Dach heruntertropfte. »Von heute an wirst du dreckig sein und stinken wie wir«, sagte sie und rieb ihre schmutzigen Hände über sein Gesicht und seine Brust. Sie kniff in seinen Arm. »Du bist fett wie eine Weihnachtsgans. Doch bald schon wird man an dir die Rippen zählen können wie bei jedem von uns.«

Der Junge konnte die Tränen nicht länger zurückhalten.

»Lerne, den Schmerz zu ertragen«, ermahnte Agnete ihn hart und vorwurfsvoll. »Schau genau zu«, sagte sie, drehte sich zu Eloisa um und schlug ihr kräftig ins Gesicht.

Eloisa nahm die Ohrfeige ohne einen Klagelaut hin, obwohl ihr Blut aus der Nase lief. Sie weinte nicht. Sie jammerte nicht.

Agnete wandte sich dem Jungen zu. »Hast du gesehen? Und dabei ist sie nur ein Mädchen. Wisch dir also die Tränen ab!«, befahl sie ihm.

Der Junge fuhr sich mit dem Handrücken über die Augen. Die Vorstellung, eine Ohrfeige zu bekommen, ängstigte ihn, da er noch nie geschlagen worden war.

Agnete hingegen nickte zufrieden. Sie schob die Holztruhe, aus der sie die Kleider ihres toten Sohnes genommen hatte, zur Seite. Darunter kam eine Falltür im Boden zum Vorschein. Die zog sie auf und zeigte sie dem Jungen. »Du wirst dich so lange dort unten verstecken, bis man dich vergessen hat und du ein anderer geworden bist. Dann werde ich mir irgendeine Erklärung einfallen lassen, wieso du plötzlich in unserem Leben aufgetaucht bist.«

Der Junge betrachtete mit Grauen die Falltür und das schwarze Loch dahinter.

Agnete packte ihn an einem Arm und schob ihn darauf zu.

Der Junge stemmte die Füße in den Boden und wehrte sich weinend mit allen Kräften.

Da ließ Agnete seinen Arm fahren und packte ihn stattdessen beim Ohr. Sie zog ihn bis zur Tür der Hütte. »Niemand hält dich zurück, Junge«, sagte sie mit ihrer harten Stimme, während sie die Tür öffnete. »Ich weiß nicht, ob du dich irgendwo vor diesen Räubern verstecken kannst, was du essen oder wo du schlafen willst. Aber es steht dir frei zu gehen. Wenn die entdecken, dass wir dich gerettet haben, schneiden sie uns die Kehle durch. Ich will nicht, dass du uns in Gefahr bringst. Entscheide dich. Entweder du gehst ... oder du bleibst hier. Zu meinen Bedingungen.«

Der Junge schaute nach draußen.

An diesem Tag, so würde er später sagen, schien es, als hätte der gütige Gott sich aus dem Teil der Welt zurückgezogen, den er dort erblickte.

Die Hauptstraße des Dorfes sah aus wie ein Fluss aus gefrorenem Schlamm, in dem die Abdrücke von Vieh und Mensch zu bizarren Formen erstarrt waren. Und in dieser fahlen Eislandschaft, aus der alle Farbe gewichen zu sein schien, beobachtete der Junge einen alten Mann, der sich zu einem Kuhknochen schleppte und sich dann mit der spärlichen Kraft, die das Elend ihm gelassen hatte, daran festklammerte. Ein Hund machte ihm seinen Fund knurrend und sabbernd streitig. Und der alte Mann heulte los wie ein Kind, als er sah, dass er der wütenden Kraft des Hundes nichts entgegensetzen konnte.

In der Ferne war der Hügel im Norden des Raühnval, der alles im Tal überragte, in den dichten Rauch des Brandes eingehüllt, der immer noch in der Burg wütete. Dem Jungen kam es so vor, als würde ein Windstoß ihm den Gestank von verbranntem Fleisch in die Nase wehen. Und ihm schlug das Herz bis zum Hals, als er ihm klar wurde, dass der alte Mann und der Hund diese Nacht in der Asche der Burg nach etwas Essbarem suchen würden.

Der Junge ließ den Kopf sinken und ging langsam von der Tür weg, die in diese Hölle führte. Er hörte, wie sie hinter ihm geschlossen wurde. Als er die Luke erreicht hatte, sah er Agnete an.

Die sagte ihm: »Du musst einen anderen Namen annehmen. Wie möchtest du heißen?«

Der Junge zuckte mit den Schultern.

»Wie möchtest du heißen?«, fragte Agnete noch einmal.

Der Junge blieb wortlos stehen.

»Mikael!«, rief Eloisa aus.

Agnete sah ihn an. »Gefällt dir Mikael?«

Der Junge zuckte wieder nur mit den Schultern.

»Dann wirst du also Mikael heißen«, erklärte Agnete. »Wenn der Name dir gefällt, dann ist das nicht dein Verdienst, denn meine Tochter hat ihn dir gegeben. Wenn er dir nicht gefällt, musst du das mit dir selbst ausmachen, da du dich nicht entscheiden konntest. Im Leben musst du deine Wahl treffen, denk daran.« Sie zündete eine Talgkerze an, die einen schwachen

Lichtschein verströmte, und drückte sie ihm in die Hand. »Geh sparsam damit um. Und pass auf, die letzte Stufe ist durchgebrochen. Du findest dort unten eine Decke und ein Glutbecken. Jetzt geh.«

Der Junge sah verängstigt in das dunkle Loch, in das er hinab-52steigen sollte. Dann kletterte er langsam die wackelige Leiter hinunter.

Agnete schloss die Luke hinter ihm.

»Gute Frau . . .«, hörte sie von unten.

»Er ist doch nicht stumm«, sagte Eloisa kichernd.

Agnete öffnete die Luke wieder.

»Gute Frau . . .«, rief der Junge wieder mit kläglicher Stimme.

»Was willst du?«

»Es gibt kein Bett . . .«

»Nein.«

»Aber ich . . . ich bin es gewohnt, in einem Bett zu schlafen . . .«

Es entstand eine lange Pause. Dann sagte Agnete: »Du wirst nie wieder ein Bett haben. Jetzt bist du einer von uns.«

4

Als der Junge in jener Nacht hörte, wie die Luke geschlossen und die Truhe darübergeschoben wurde, erschauerte er. Er fühlte, wie die Kälte in sein Herz kroch. Langsam drehte er sich einmal um die eigene Achse und hielt dabei die Kerze vor sich in die Dunkelheit.

Er befand sich in einem engen Raum, nicht größer als drei mal drei Schritt und so niedrig, dass ein Erwachsener darin nicht hätte stehen können. Die Decke bestand aus den Bodendielen der Hütte, die von Querbalken aus entrindetem Tannenholz getragen wurden. Den Boden bildete festgestampfte Erde. In einer Ecke stand ein schmales, aus Brettern gezimmertes Podest, das mit Stroh bedeckt war und kaum mehr Platz einnahm als eine Hundehütte. Die Liegefläche befand sich nur etwa eine Handbreit über dem Boden, damit man beim Schlafen nicht mit der feuchten Erde in Berührung kam. Auf dem Stroh war eine Decke ausgebreitet, ein dünnes Laken aus verschlissenem Stoff. Und in einem Becken daneben glimmte ein wenig Glut.

Der Junge spürte, wie ihm die Tränen über das Gesicht liefen, während ein Gestank nach Schimmel und Mäusekot in seine Nase drang. Agnete hatte ihm gesagt, er solle die Kerze löschen. Aber wenn er das täte, dachte er, und dabei lief ihm ein Schauder über den Rücken, würde er sie nicht wieder anzünden können. Andererseits fürchtete er sich davor, Agnete nicht zu gehorchen. Diese Frau war hart, ganz anders als Eilika, die jede Nacht vor dem Fußende seines Bettes geschlafen hatte, stets bereit, alle Schwierigkeiten für ihn aus dem Weg zu räumen oder ihn nach einem schlechten Traum zu trösten. Der Junge betrachtete noch einmal die Kerzenflamme, als wollte er ihr Licht in seine Pupillen einbrennen, dann blies er sie ganz vorsichtig aus. Er rollte sich auf den Brettern zusammen, zog die Decke über sich und schob sich möglichst nahe an das Glutbecken heran. Er versuchte sich auszustrecken, aber gleich darauf setzte er sich wieder auf und zog die Knie eng an die Brust.

So blieb er, alle Sinne geschärft, regungslos sitzen und starrte mit weit aufgerissenen Augen in die Dunkelheit. Vor Müdigkeit nickte er ab und zu ein, aber dieser Schlaf war kurz und unruhig, immer wieder schreckte er hoch, weil grausige Bilder seine Träume erfüllten.

Am nächsten Morgen war er vollkommen erschöpft. Erleichtert bemerkte er, wie sich in der Hütte über ihm Leben regte. Er lauschte dem Klappern der Holzpantinen auf den Dielen, hörte, wie die Truhe knarrend von der Luke gezogen wurde, und sah aufatmend einen spärlichen Lichtschein in sein Versteck fallen.

»Komm her, Junge«, sagte Agnete.

Der Junge rappelte sich auf und näherte sich dem unteren Ende der Leiter. Von der Anspannung und der Kälte der Nacht tat ihm jeder Muskel weh.

Oben an der Öffnung erschien das strenge Gesicht der Frau. »Du darfst nicht hinaus«, sagte Agnete und reichte ihm eine dampfende Schale und einen Kanten Brot. »Iss.«

Erst jetzt merkte der Junge, dass er am Abend vor dem Angriff auf die Burg zum letzten Mal ordentlich gegessen hatte, denn sein Frühstück hatte er ja erbrochen. Und er stellte fest, dass er hungrig war, trotz der Trauer über den Tod der Menschen, die er geliebt hatte, und trotz seiner Furcht. Er fühlte sich beinahe schuldig. Er streckte die Hand nach der Schale aus, die sehr heiß war. Schnell stellte er sie auf dem Boden ab und nahm den Kanten Brot. Er war hart.

»Tunk das in die Brühe, dann wird es weich, Junge«, sagte Agnete.

Der Junge schaute hinauf, in Erwartung, dass es noch etwas zu essen gäbe.

»Für dein Geschäft gräbst du ein Loch in den Boden und bedeckst es mit Erde«, erklärte Agnete ihm und warf ihm einen Pflock mit einem zugespitzten Ende zu. Dann wollte sie schon die Falltür schließen, hielt jedoch kurz inne. »Trink die Brühe, solange sie heiß ist«, ermahnte sie ihn und schloss die Luke. »Eloisa, stell die Truhe an ihren Platz und dann gehen wir«, sagte sie zu ihrer Tochter und öffnete die Tür der Hütte.

»Geht schon einmal vor, Mutter«, erwiderte Eloisa. »Ich komme sofort nach.«

Wenige Augenblicke später öffnete sich die Luke wieder.

»Da, nimm«, flüsterte Eloisa.

Der Junge sah die Hand des Mädchens, die ihm etwas hinhielt. Aber er zögerte, es zu nehmen.

»Wovor hast du Angst, Dummerjan? Das ist eine Zwiebel«, sagte Eloisa und lachte. »Iss sie zusammen mit dem Brot. Das schmeckt gut.«

Der Junge nahm die Zwiebel.

»Was machst du da noch?«, hörte man Agnete von draußen fragen.

Die Falltür wurde hastig geschlossen.

»Nichts, Mutter. Ich habe mich nur von ihm verabschiedet«, erwiderte Eloisa.

»Wo ist deine Zwiebel?«, fragte Agnete.

»Die habe ich gegessen.«

»Lügnerin.«

»Ich hab sie schon gegessen, Mutter!«

»Ich komm gleich und schnupper an deinem Mund. Wenn ich dann keine Zwiebel rieche, setzt es aber was«, drohte Agnete. »Also? Wo ist deine Zwiebel?«

Ein endloser Moment der Stille folgte, bevor Eloisa gestand: »Ich habe sie ihm gegeben.«

Der Junge hörte ein klatschendes Geräusch und dann ein Aufstöhnen.

»Aua, Mutter, mein Ohr tut weh, wenn Ihr so daran zieht...«

Jetzt klang Eloisas Stimme nicht mehr so nah. Die Mutter musste sie bis zur Tür der Hütte geschleift haben, dachte der Junge.

»Ich will nicht, dass du ihm Essen gibst.« Agnete versuchte, trotz ihrer Wut leise zu sprechen.

»Aber Mutter...«

»Du gehorchst mir und Schluss!«, unterbrach Agnete sie entschieden.

»Ich habe Angst, dass er stirbt...«

Der Junge fühlte einen Kloß in seiner Kehle.

»Vielleicht wird er sterben. Vielleicht auch nicht«, sagte Agnete in deutlich sanfterem Ton zu ihrer Tochter. »Wir werden sehen. Aber er muss es allein schaffen. Sonst wird er sein Leben lang schwach bleiben.«

»Aber ich...«

»Ihm ist mehr damit geholfen, wenn du ihm zeigst, dass du an dich selbst denkst. Eine Zwiebel hält nur so lange vor, wie man sie kaut. Ein gutes Beispiel dagegen nützt ihm das ganze Leben lang. Und er muss lernen, so zurechtzukommen wie wir.«

Dann hörte der Junge nichts mehr, außer dem Geräusch von Holz, das über Holz schabte. Er konnte Eloisa fast vor sich sehen, wie sie mit einer ihrer Pantinen verlegen auf dem Boden scharrte. Dann hörte er sie sagen: »Verzeiht mir, Mutter.«

»Zieh die Truhe über die Luke und dann lass uns gehen«, entgegnete Agnete. »Wir müssen den alten Raphael besuchen. Heute Nacht ist mir etwas eingefallen.«

Der Junge hörte, wie sich Eloisa näherte. Wie sie vor Anstrengung stöhnte, während sie die Truhe über die Luke zerrte, und dann wieder zur Tür der Hütte ging. Doch plötzlich hielten die Schritte an und kamen noch einmal in seine Richtung.

»Werde nicht krank und stirb mir nicht, Dummerjan«, flüsterte ihm Eloisa hastig durch die Bodendielen zu, dann ging sie und zog die Tür hinter sich zu.

Der Junge lauschte weiterhin. Als er sich damit abgefunden hatte, dass niemand mehr da war, kauerte er sich mit der Schale Brühe, dem Brotkanten und der rohen Zwiebel auf dem Podest zusammen. Er kostete die Brühe. Sie schmeckte nach gar nichts. Das war keine Fleischbrühe, wie er sie gewohnt war. Als er in der Schale rührte, fand er nur ein wenig Gemüse. Beherzt biss er in den Brotkanten, aber der war zu hart für seine Zähne. Also befolgte er Agnetes Rat und tauchte ihn in die Brühe ein. Das Brot war aus grobem Mehl ohne Salz gebacken. Dann versuchte er die Zwiebel, und augenblicklich begannen seine Augen zu tränen. In der Burg hatte er das Gesinde Zwiebeln essen sehen. Er selbst aß Fleischpastete oder Apfelkuchen. Die rohe Zwiebel schmeckte ihm nicht, daher trank er ein wenig Brühe, um den üblen Geschmack im Mund loszuwerden. Die Zwiebel legte er auf das Stroh neben sich und widmete sich wieder dem Brot und der Brühe.

Als er damit fertig war, hörte er ein Rascheln auf dem Strohlager. Und in dem spärlichen Licht, das durch die Bodendielen fiel, machte er den Schatten einer Maus aus, die wohl der Geruch der Zwiebel angelockt hatte. Der Junge wich erschrocken zurück, und auch die Maus huschte schnell davon. Doch dann näherten sich beide erneut ganz langsam der Zwiebel. Der Junge nahm die leere Suppenschale und hob sie vorsichtig hoch über den Kopf, bereit, sie auf das Tier niederfahren zu lassen. Die Maus sah ihn mit ihren Knopfaugen an und kräuselte die Nase, während sie sie witternd in die Luft streckte. Der Junge dachte, dass er, wenn er sie tötete, noch mehr Blut sehen müsste. Also ließ er die Schale aufs Stroh fallen und griff nach der Zwiebel. Die Maus quietschte ängstlich und trippelte wieder davon.

Der Junge biss in die Zwiebel und verzog angeekelt das Gesicht, während die Maus wieder näher kam. Der Junge beobachtete sie. Er riss ein Stück von der Zwiebel ab und hielt es ihr hin. Misstrauisch holte sie sich das Stück und verschwand mit ihrer Beute. Der Junge hörte sie gierig in der Dunkelheit kauen. Daraufhin versuchte er selbst noch einmal die Zwiebel. Jetzt schmeckte sie schon ein wenig besser. Als er sie beinahe aufgegessen hatte, näherte sich die Maus wieder und hielt ihr Schnäuzchen witternd in die Luft. Der Junge teilte den Rest der Zwiebel in zwei Teile. Eine Hälfte aß er selbst, die andere hielt er der Maus hin, die diesmal vor ihm sitzen blieb, das Zwiebelstück zwischen die Vorderpfoten nahm und es verputzte, während sie den Jungen mit ihren runden Äuglein immer im Blick behielt.

Als beide fertig waren, beobachteten sie einander.

Nach einer Weile merkte der Junge, wie ihn die Müdigkeit überkam. Er rollte sich zusammen und zog die Decke über sich.

Die Maus quiekte ängstlich und versteckte sich in einer dunklen Ecke.

Der Junge konnte sie nicht mehr sehen, aber er wusste, dass sie noch dort war. Seine Lider sanken müde herab, und er fühlte sich schrecklich einsam.

»Ich heiße . . . Mikael«, sagte er schläfrig.

Er spürte, wie die Maus vorsichtig näher kam, sich auf die Hinterpfoten stellte und seine frisch gestutzten Haare beschnupperte, und er wiederholte: »Ich heiße Mikael.«

Ein schöner Name, dachte er noch. Dann schlief er ein.

5

Wir lagern hier«, sagte Agomar und hob die Hand, an der ihm der kleine Finger fehlte. Auf seinem Gesicht und seiner Kleidung klebte immer noch das Blut, das er vergossen hatte.

Die Männer sahen sich um. Sie befanden sich in einer engen Schlucht zwischen zwei steilen Felswänden. Beim Angriff auf die Burg waren sie zwanzig gewesen. Jetzt waren noch zwölf von ihnen übrig, und drei davon waren schwer verletzt. Zwei würden die kommende Nacht wohl nicht überstehen, sie zitterten am ganzen Leib, und ihre Augen glänzten fiebrig. Der Fürst von Saxia hatte sich als exzellenter Kämpfer erwiesen.

»Schlagt hier das Lager auf«, befahl Agomar. »Ich werde unseren Lohn abholen.«

Die Männer trugen die Verletzten unter einen Felsvorsprung und machten Feuer.

Agomar beobachtete sie. Sie standen seit mehr als fünf Jahren unter seinem Befehl und hatten im Krieg wie auch in mageren Zeiten treu zu ihm gestanden. Er gab seinem Pferd die Sporen und ritt zum Ausgang der Schlucht. Kaum hatte er die engen Felswände hinter sich gelassen, da hörte er ein Grollen hinter sich. Er drehte sich schnell um, gerade noch rechtzeitig, um zu sehen, wie ein riesiger Stein über den weichen Schnee von oben herabrollte, am Ende des Hangs liegen blieb und so den Zugang zur Schlucht versperrte. Und dann spürte er, wie auf der anderen Seite der Schlucht die Erde erzitterte. Sein Pferd wieherte ängstlich und schlug aus. Agomar hielt es in Zaum. Das Grollen der Felsbrocken, die die Flanke des Berges hinunterstürzten, war gerade verstummt, als trockenes Schnalzen von Bogen- und

Armbrustsehnen die Luft erfüllte. Und das Zischen von Pfeilen und Bolzen.

Agomar hörte die Schmerzensschreie seiner Männer.

Einige erkannte er an der Stimme. Die schrille von Jaka, die heisere von Niklas und die hohe Stimme des Kastraten Monaldo, des Brutalsten unter seinen Gefolgsleuten. Dann die glockenhelle von Ole, der erst sechzehn war, und die belegte von Tebbe, dem Ältesten und Erfahrensten unter ihnen, der Agomars Lehrmeister gewesen war und ihm alles beigebracht hatte, was er über den Krieg wusste.

Seine Männer starben einer nach dem anderen in einem Hinterhalt, rettungslos verloren, da sie von oben angegriffen wurden, von Soldaten, die sich hinter den spitzen Felsen versteckten.

Agomar hielt weiter sein Pferd in Zaum, das vom Geruch des Blutes unruhig geworden war und nervös tänzelte. Seine treuen Krieger, dachte Agomar, seine Gefährten in so vielen Schlachten und Überfällen, würden einer nach dem anderen sterben. Er konnte nicht zurück. Viel mehr als ein einfacher Felsblock trennte ihn vom Tod seiner Leute. Ein letztes Mal sah er zu dem versperrten Eingang der Schlucht, dann gab er seinem Pferd die Sporen. Er empfand einen gewissen Schmerz, obwohl er eigentlich nicht dazu geschaffen war, Schmerz zu empfinden, und als er mit blindem Zorn an der Rückseite des Berges hinauffritt, umklammerte er heftig die Zügel und das Schwert an seiner Seite. Er hielt direkt auf die Stellung der Feinde zu. Allein.

Wütend trieb er sein Pferd an und erreichte im Galopp den Bergrücken. Dort sah er mit Bogen und Armbrüsten bewaffnete Soldaten, die auf seine wehrlosen Männer unten im Tal zielten. Es war ein Blutbad. Die Schlucht, in der sie ihr Lager aufgeschlagen hatten, verwandelte sich in ein Grab. Agomar schrie seine gesamte Wut laut heraus.

Ein Mann mit scharf geschnittenem, knochigem Gesicht, der in einen goldbestickten Umhang aus Bärenfell gehüllt war, sah in seine Richtung. Agomar zügelte sein Pferd für einen Augenblick. Dann bohrte er dem Tier die Sporen in den Bauch und trieb es mit einem wilden Schrei an. Jetzt war er an der Reihe.

Neben dem Mann in dem Bärenpelz tauchte ein Soldat mit gezücktem Schwert auf.

Als er den Mann beinahe erreicht hatte, zog Agomar die Zügel so fest an, dass sein Pferd vor Schmerz wieherte und Schaum vor dem Maul hatte. Er verharrte einen Moment. Dies war nun sein Kampf. Der Kampf, den er mit sich selbst austrug. Und er hatte beschlossen, ihn zu verlieren. Agomar stieg ab.

Der Mann in dem Pelzumhang betrachtete ihn, ohne sich zu bewegen. Seine Augen waren kalt und ausdruckslos wie die eines Raubvogels.

Agomar baute sich nur einen Schritt weit entfernt vor dem Mann auf. Seine Hand lag fest auf dem Schwertknauf. Man hörte weiter die Pfeile durch die Luft schwirren und die Schreie der Männer, die dort unten in der Schlucht starben. Er würde nie wieder so treue Leute finden. Aber dann sagte er sich, dass die Menschen eben durch ihre Träume getrennt wurden.

Und er kniete vor dem Mann nieder.

Denn Agomars Traum sah vor, dass er seine getreuen Männer in dieser Schlucht opfern musste. Er hatte dem Mann und seinen Soldaten den Ort angezeigt, wo sie lagern würden. Das war noch vor dem Überfall auf die Burg gewesen. Er selbst hatte den Hinterhalt vorbereitet. Er hatte das Leben seiner Männer verkauft. Und jetzt brannte dieser Verrat in ihm. Doch die Vorfreude auf den Lohn, den er sich ausbedungen hatte, war stärker.

»Ausgezeichnete Arbeit, Agomar«, sagte der Mann.

»Danke, Euer Durchlaucht«, erwiderte Agomar mit gesenktem Kopf. Die Muskeln seiner Schultern waren fest angespannt. Er wusste nicht, ob der Soldat neben dem Mann jetzt sein Schwert erheben und ihn töten würde.

»Lass uns allein, Leonz«, sagte der Mann.

Agomar hörte, wie der Soldat das Schwert einsteckte und sich entfernte.

»Steh auf, Agomar«, sagte der Mann.

Agomar erhob sich.

»Ich bewundere die Grausamkeit von jemandem, der es fertigbringt, für seinen Vorteil die eigenen Leute zu opfern«, sagte der Mann mit einem belustigten Lächeln.

Agomar fühlte sich von seinem Blick gedemütigt. Er war ein Verräter. Aber es gab keinen Weg zurück. Und selbst wenn, hätte er es nicht rückgängig gemacht. Er hatte einen Traum, und den Preis für dessen Erfüllung hatte er selbst bestimmt: das Leben seiner Männer. Jetzt wollte er seinen Lohn einfordern. »Ich werde also Euer Hauptmann sein, wie Ihr es mir versprochen habt?«, fragte er.

»Vielleicht«, erwiderte der Mann lächelnd.

Agomar presste die Kiefer aufeinander.

Der Mann wirkte jetzt noch belustigter. »Ich habe wohl vergessen, Leonz zu sagen, dass du seine Stelle einnehmen wirst. Sag du es ihm.«

Agomar sah dem Soldaten nach, der sich entfernt hatte, um sie allein zu lassen. Nur dieser stand noch zwischen ihm und seinem Traum. Er zog sein Schwert.

»Nicht jetzt«, hielt der Mann mit dem Bärenfell ihn auf. »Ich will keine Zeugen.«

Agomar steckte die Waffe in den Gürtel zurück.

»Komm, lass uns den Anblick genießen«, sagte der Mann und trat zu einem geborstenen Felsen. Von hier aus hatte man einen guten Blick auf die Schlucht, die Agomar als Grab für seine Männer ausgewählt hatte.

Agomar folgte ihm. Er sah nach unten. Sah, wie sich das Blut seiner Leute mit dem dunklen, eingetrockneten ihrer Opfer vermischte. Und die ganze Zeit spürte er den Blick des

Mannes auf sich, der seine Reaktionen beobachtete. Um ihm zu beweisen, dass er kein Herz hatte, spuckte er nach unten, auf die Seinen, als würde er selbst einen Pfeil auf sie abschießen.

»Offiziell wird es heißen, dass diese Männer Rebellen waren und das Fürstenhaus von Saxia ausgelöscht haben«, sagte der Mann und zeigte auf Agomars Leute. »Ich werde König Ruprecht III. mitteilen lassen, dass durch meine Hand Gerechtigkeit geübt wurde.« Er lächelte zufrieden. »Und dass er einen neuen Herrn für das Fürstentum von Raühnval bestimmen muss.«

Als Hauptmann Leonz verkündete, dass alle Männer in der Schlucht tot seien, entließ der Mann sein kleines Heer. »Du bleibst bei uns, Leonz«, fügte er hinzu. »Agomar muss dir etwas sagen.«

Der Hauptmann sah Agomar an. In seinem Blick lag abgrundtiefe Verachtung. »Was musst du mir sagen?«, fragte er ihn, als sie allein waren.

Agomar trug immer ein Messer bei sich, eingenäht im Ärmel seiner Jacke. Eine kurze Armbewegung genügte, um die Klinge hervorgleiten zu lassen. Jetzt tat er das, was er oft geübt hatte. Schnell umfasste er den Knochengriff des Messers. Dann stach er mit der Klinge in Leonz' Hals, direkt unterhalb des Kinns, und trieb sie weiter nach oben auf das Gehirn zu.

Eines von Leonz' Augen platzte auf. Der Hauptmann öffnete den Mund, doch heraus kam nur ein heiseres Stöhnen, während tief in seiner Kehle die Klinge funkelte, die ihn gerade tötete.

Agomar zog das Messer heraus und stach sofort mit brutaler Gewalt an derselben Stelle noch einmal zu. Die Augen des Hauptmanns brachen.

»Sehr geschickt«, sagte der Mann, der das Ganze wohlwollend beobachtet hatte. »Du machst nicht viele Worte«, lachte er. Dann zeigte er auf den zusammengesackten Körper. »Wirf ihn hinunter zu den Rebellen. Er wird wie sie bestes Futter für Raben und Geier abgeben ... Hauptmann Agomar.«

Agomar stieß Leonz in die Schlucht, wo die Leiche mit einem dumpfen Geräusch aufschlug. Da bemerkte er, wie sich dort unten etwas bewegte.

Einer der niedergemetzelten Männer hob den Kopf und erkannte seinen vormaligen Anführer oben auf dem Berg. »Du sollst verflucht sein, Agomar!«, rief er mit letzter Kraft. »Mögest du elend verrecken wie ein Hund . . .«

Der Mann und Agomar beobachteten den Soldaten, bis er starb und im Tod einen dunklen Blutschwall erbrach.

»Du glaubst doch hoffentlich nicht an Flüche«, sagte der Mann lächelnd, während sie ihre Pferde bestiegen.

»Heute habe ich mich selbst verdammt«, erwiderte Agomar.

Schweigend ritten sie die Flanke des Berges hinunter.

»Und ich würde es wieder tun«, fügte Agomar nach einer Weile hinzu.

»Gut. Genau das wollte ich von dir hören«, sagte der Mann zufrieden. »Bringen wir unser Werk zu Ende.«

»Und wo?«

Der Mann antwortete ihm nicht.

Sie ritten schweigend weiter, bis ein Dorf in Sicht kam, das wirkte, als habe jemand es mit roter und schwarzer Farbe angestrichen.

»Dravocnik«, sagte Agomar, der das Dorf sehr gut kannte, weil er dort vor zweiunddreißig Jahren zur Welt gekommen war.

Sie ritten über die Hauptstraße in den Ort hinein. Die Häuser von Dravocnik waren mit einem schwarzen Ruß bedeckt, der durch den Abbau und die Verbrennung von Torf entstand, und von dem dicken, fettigen roten Staub aus der Eisenerzmine. Auch jetzt noch wurde Agomar in manchen Nächten von heftigen Hustenanfällen geschüttelt, weil er so viel Hämatitstaub eingeatmet hatte, bevor er weggelaufen war, um ein Räuber zu werden. Schwarz und rot. So sahen die Häuser hier aus, genau wie die Menschen. Nur die Zähne von Menschen und Tieren wirkten wegen des Kontrasts blendend weiß.

Der Mann lenkte sein Pferd zu einem Kloster, das sich ein wenig außerhalb von Dravocnik erhob. Er ritt um die dicken Mauern herum zu einem Nebeneingang, den er offensichtlich genau kannte. Er stieg ab und klopfte an der kleinen Pforte. Drei Mal. Kurze Pause. Zwei Mal.

Agomar hielt sich dicht hinter ihm.

Die Tür öffnete sich, und ein rundlicher Mönch erschien. Sobald er des Mannes ansichtig wurde, verbeugte er sich fast bis zum Boden. »Welche Ehre, Euer Durchlaucht!«, rief er. Dann trat er beiseite, um den Mann und Agomar eintreten zu lassen, und führte sie schließlich in einen Raum, dessen Wände vollständig mit Regalen aus gewachstem Tannenholz bedeckt waren.

»Wart Ihr zufrieden mit dem Schlafmittel, das ich Euch gegeben habe, Euer Durchlaucht?«, fragte der Mönch.

»Ja«, sagte der Mann knapp.

Agomar betrachtete den Mönch. Dank seines Schlafmittels hatten sie die Wachen der Burg von Raühnval außer Gefecht setzen können. Dann wanderte sein Blick zu dem Mann, und er beobachtete ihn. Agomar konnte dessen wachsende Erregung spüren, obwohl er den Grund dafür nicht kannte.

»Jetzt brauche ich Gift. Es muss stark sein und schnell wirken«, sagte der Mann.

Der Mönch zögerte. Dann senkte er ergeben den Kopf und ging zu einem Regal.

»Wie viel braucht Ihr?«, fragte er.

»Für einen einzigen Mann.«

Der Mönch wählte eine Ampulle aus dickem, dunklem Glas. Er entkorkte sie und wollte etwas davon in eine kleinere Ampulle gießen.

»Nein. Gib die nötige Menge in diesen Krug«, sagte der Mann und deutete auf einen Zinnkrug.

»Aber, Euer Durchlaucht...«, erwiderte der Mönch verwirrt. »Das ist mein Krug, darin ist noch der Apfelwein, den ich gerade trinke.«

»Ich weiß«, sagte der Mann. »Gieß dein Gift dorthinein.«

Der Mönch nahm den Krug.

Agomar sah, dass die Hände des Geistlichen zitterten. Und er sah auch, dass der Mann das Ganze sichtlich genoss.

Der Mönch gab etwas Gift in den Krug.

»Und jetzt trink«, sagte der Mann zu ihm.

»Aber warum, Euer Durchlaucht...«

Der Mann starrte ihn wortlos an.

In den Augen des Mönches erschien Furcht, und sie füllten sich mit Tränen, während er stumm den Kopf schüttelte. Vorn auf seiner Kutte breitete sich ein dunkler Fleck aus.

Der Mann lachte, als er sah, dass der Mönch sich vollgepisst hatte. »Trink!«, wiederholte er.

»Nein... Euer Durchlaucht...«

»Wenn es so schnell wirkt, wie du sagst, dauert es nur einen Augenblick«, sagte der Mann. »Aber wenn du es nicht trinkst, werde ich dir zuerst jeden Finger einzeln abschneiden, und dann hänge ich dich mit dem Kopf nach unten auf, wie man es mit den Schweinen macht. Und ich werde dich so langsam ausbluten lassen, dass du mich noch anflehen wirst, ich möge dir das Gift geben. Aber dann wirst du keine Gnade erfahren. Deine Gelegenheit, es zu trinken, ist jetzt. Eine andere wird es nicht geben.«

»Euer Durchlaucht...«

»Ich zähle bis fünf«, erklärte der Mann mit ruhiger Stimme. Auf seinen Lippen lag ein eiskaltes Lächeln, doch seine Augen lachten nicht mit. »Eins... zwei... drei...«

»Euer Durchlaucht...«

»Vier...«

»Um Gottes willen... Euer Durchlaucht...«

»Fünf!« Der Mann wandte sich an Agomar. »Nimm ihm den Krug ab und binde ihn auf dem Tisch fest.«

»Nein . . .«, wimmerte der Mönch.

Agomar machte einen Schritt auf ihn zu.

»Nein!«

Und noch einen Schritt.

Daraufhin stürzte der Mönch unter Tränen den vergifteten Apfelwein in einem Zug hinunter. »Euer Durchlaucht . . .«, sagte er noch einmal und ließ den Krug fallen. Er presste eine Hand auf den Magen, während sich sein Gesicht zu einer schauerlichen Grimasse verzog. Aus seinen verzerrten Lippen drang weißlicher Schaum. Schließlich sank er zuckend auf den Boden, wo er sich noch wenige Augenblicke krümmte, bevor er starb.

Der Mann wandte sich an Agomar. »Jetzt bist du der Einzige, der Bescheid weiß. Anscheinend muss ich mich nun auf dich verlassen«, sagte er lächelnd.

Agomar nickte bedächtig. Dann sank er auf die Knie. »Ich schwöre meinem Herrn, dem Fürsten von Ojsternig, Treue«, sagte er.

»Du wirst den Schwur morgen ablegen. Heute hat das Wort Treue aus deinem Mund einen faden Beigeschmack.« Und damit brach der Fürst von Ojsternig, der Mann, der befohlen hatte, das Fürstenhaus von Saxia auszulöschen, in schallendes Lachen aus.

6

In den folgenden Tagen begriff Mikael, was seine alte Kinderfrau Eilika damit gemeint hatte, wenn sie sagte, die Kälte würde den Armen »bis auf die Knochen dringen«. Sein Körper kam Tag und Nacht nicht zur Ruhe, es gab Momente, in denen seine Zähne so heftig aufeinanderschlugen, dass es erschreckend laut durch die Stille seines Verstecks hallte. Seine Finger und Zehen waren so steif gefroren, dass er sie manchmal nur unter größten Anstrengungen bewegen konnte. Die Glut des Kohlebeckens hielt abends viel zu kurz vor. Die ständig angespannten Muskeln schmerzten. Seine Augen tränten, die Ohren waren bläulich verfärbt, und die Nase triefte ohne Unterlass. Mikael zog instinktiv seine Beine an die Brust, um die wenige Wärme, die er im Körper hatte, möglichst lange zu erhalten. Eingewickelt in seine dünne Decke kauerte er auf dem Stroh und wartete sehnsüchtig auf die Morgendämmerung.

Wenn Agnete und Eloisa erwachten, lauschte er darauf, wie sie das Feuer wieder anfachten, im Topf mit der Suppe rührten und nach einer Weile die Luke öffneten, um ihm sein Frühstück hinunterzureichen: die Schale mit der Gemüsebrühe und dazu die Scheibe hartes Brot. Noch ehe er einen Schluck von der Brühe nahm, tauchte Mikael seine Finger in die heiße Brühe und genoss die Wärme, die sich in den steif gefrorenen Gliedern ausbreitete. Für kurze Zeit hörte er auf zu zittern, und das war ein wunderbares Gefühl.

Dann machte er sich über sein Essen her. Denn sein Magen war immer leer und immer in Aufruhr. Er schlang gierig alles herunter, ohne die Nase zu rümpfen oder zu denken, dass die

Brühe wässrig oder das Brot aus grobem Mehl war. Bis zum Abend würde er nichts anderes bekommen.

Sobald er fertig war, wartete er angespannt darauf, dass Agnete oder Eloisa das Kohlebecken von ihm einforderten, um es mit neuer Glut zu füllen. Wenn er es ihnen hochreichte, fühlte sich das Metall eisig kalt an. Wenn sie es ihm kurz darauf zurückgaben, wurde es schon warm, eine Wohltat für seine klammen Finger.

Dann setzte sich Mikael mit überkreuzten Beinen hin, stellte sich das Becken auf den Schoß und zog sich die Decke wie eine Art Zelt über den Kopf. Die Wärme der Glut breitete sich in seinen Schenkeln aus, zog hoch zur Brust und ließ seine Wangen erglühen, bis er schließlich merkte, dass auch Wärme schmerzen konnte. Ganz allmählich überkam ihn Müdigkeit, erst fielen ihm die Augen zu, dann löste sich die Anspannung der Muskeln. Der Schlaf, den die nächtliche Kälte von ihm ferngehalten hatte, überwältigte ihn schlagartig, beinahe wie eine Ohnmacht. Mikael hörte kaum noch das Quietschen der Tür, wenn Agnete und Eloisa gingen.

Für einen kurzen Moment, bevor er endgültig in tiefen Schlaf versank, wurde ihm bewusst, dass er allein war. Einsamer als je zuvor. Und er hoffte, dass der Schlaf möglichst lang andauern würde. Und dass er dunkel und traumlos bleiben würde.

Doch kurz darauf erwachte er wieder, den Mund zu einem stummen Schrei verzerrt und die Augen weit aufgerissen, weil er all die Szenen von Blut und Tod erneut vor sich sah. Um diese Bilder loszuwerden, schüttelte er kräftig den Kopf, so wie Hunde es tun, wenn sie das Wasser aus dem nassen Fell schleudern. Dann presste er sich die Fäuste auf die Lider, so fest, dass die Dunkelheit von blitzenden Lichtern erhellt wurde wie ein Sternenhimmel, um zu verhindern, dass die Nacht in seinem Innern sich wieder mit Bildern von Blut und Tod füllte. Und wenn das nicht genügte, hielt er die Luft an, bis ihm beinahe die Lungen platzten, aus Angst, dass seine Nase sich wieder an den stechenden Geruch nach Rauch und verbrennendem menschlichen Fleisch erinnerte. Sobald er wieder ruhig Atem zu schöpfen vermochte, weinte er still vor sich hin, und seine Tränen fielen zischend auf die verlöschende Glut.

Dann lauschte Mikael auf die Stille um ihn herum, die nur von den Glocken der Kapelle Maria zum Schnee unterbrochen wurde, wenn sie die kurzen Tagstunden des Winters verkündeten. Und er hatte Angst. Eine Angst, die niemals endete, weil für ihn in seinem engen, drei mal drei Fuß großen Gefängnis die Zeit langsam und immer gleichförmig verstrich, ewig dunkel bei Tag und bei Nacht.

Sobald es zur Vesper läutete, öffnete sich die Tür der Hütte wieder, und Agnete und Eloisa kehrten nach Hause zurück. Sie kochten dann eine Suppe aus Rüben oder bitteren Wurzeln, manchmal mit etwas Gerste oder Roggen, manchmal mit einem Stück Schweineschwarte oder einem Wadenknochen, von denen er allerdings nie etwas abbekam.

Mikael brachte es nicht über sich, mit Agnete oder mit ihrer Tochter zu sprechen.

Eines Abends hatte er gehört, wie Eloisa fragte: »Warum spricht er nicht, Mutter?«

»Lass ihn in Ruhe«, war Agnetes Antwort gewesen.

»Aber warum spricht er denn nicht?«, hatte Eloisa beharrlich nachgefragt.

»Weil er nicht zerbrechen will«, hatte Agnete auf ihre barsche Art geantwortet.

»Und was heißt das?«

»Das ist nicht wichtig. Schlaf jetzt.«

Mikael hatte gehört, wie die Hebamme und ihre Tochter sich erschöpft auf ihren Lagern ausstreckten. Agnete schnarchte bald darauf so laut wie ein Mann. Er musste daran denken, dass nun eine neue Nacht begann. Und wie die vorherige würde sie wieder unendlich, still, eiskalt und bedrohlich sein. Und dazu kam nun noch die Angst zu zerbrechen, wenngleich er keine Ahnung hatte, was das bedeutete.

Mikael blieb in sich verschlossen. Nur zu der Maus, die nach ihrer ersten Begegnung mutiger geworden war und nun häufiger um ihn herumsprang, konnte er eine schüchterne Beziehung aufbauen.

Eines Nachts, als Mikael wieder zitternd vor Kälte dalag, näherte sich das Tierchen neugierig. Nachdem es seine Haare erforscht hatte, schnupperte es an seinem Gesicht. An Augen, Nase, Mund.

Mikael blieb still liegen und hielt das Kitzeln der langen Schnurrhaare aus. Die Maus glitt unter sein Kinn, schnupperte ein wenig hier und da und kauerte sich dann in seine Halskuhle, wo sie sich die Hinterpfötchen leckte.

»Wie soll ich dich nennen?«, fragte Mikael sie leise. Die Maus drängte sich noch enger an ihn.

»Na gut, dann werde ich dich Hubertus nennen«, sagte Mikael. »Wenn dir dieser Name gefällt, dann darfst du dir aber nichts darauf einbilden, weil ich es war, der ihn dir gegeben hat ... Und wenn er dir nicht gefällt, hast du Pech gehabt, denn du hättest dir ja einen anderen aussuchen können.« Wie einen Kinderreim wiederholte er, was Agnete zu ihm gesagt hatte, während die warme Berührung der Maus ihm ein wenig von seiner Einsamkeit nahm.

Am nächsten Morgen, als die Luke aufging, huschte Hubertus schnell davon.

»Heute Abend wirst du jemanden kennenlernen, Junge«, kündigte Agnete Mikael an.

»Hier, iss«, sagte Eloisa und hielt ihm die Schale Brühe und das tägliche Stück Brot hin.

Mikael nahm das Frühstück.

»Warum sagst du nichts?«, fragte Eloisa.

Der Junge antwortete nicht.

»Du bist komisch, weißt du das?«

Er sah sie schweigend an.

Eloisa starrte zurück. »Die Fleischpastete, die du mir damals gegeben hast, war so köstlich«, fuhr sie fort. »Das Allerallerbeste, was ich jemals gegessen habe.«

Mikael rührte sich nicht.

»Du stehst da wie angewachsen«, sagte Eloisa. »Oder wie der letzte Trottel.«

Daraufhin senkte Mikael den Blick.

»Gehen wir!«, rief Agnete ungeduldig.

Eloisa reichte dem Jungen das Kohlebecken mit der frischen Glut. »Schau in der Brühe nach«, flüsterte sie ihm dann zu.

Mikael blickte sie verständnislos an.

»Du bist wirklich ein Dummerjan«, sagte Eloisa lachend. Sie schloss die Luke, schob die Truhe darüber und ging.

Mikael trug die Schale mit der Brühe, sein Brotstück und das Glutbecken zu seinem Lager und setzte sich hin. Wie jeden Morgen tauchte er die Hände in die Brühe. Sie war wieder angenehm heiß, und Mikael erschauerte. Dann spürte er etwas Glitschiges zwischen den Fingern. Es war ein Stück Speck. Der Speichel schoss ihm förmlich in den Mund. Er schob sich den Speck zwischen die Zähne und kaute ihn langsam, weil die Kiefer ihn beinahe schmerzten. Es schmeckte wunderbar.

In dem Moment tauchte Hubertus mit bebendem Schnäuzchen aus der Dunkelheit auf. Mutig kam er näher, kletterte bis auf Mikaels Schenkel hoch und streckte die Pfötchen aus.

Mikael biss ein Stück Speck ab und hielt es ihm hin. »Du wirst sehen, das ist das Allerallerbeste, was du je gegessen hast«, sagte er. Gemeinsam aßen sie den Speck auf, dann widmete sich Mikael dem Brot und der Brühe. Ein bisschen von dem Brot gab er Hubertus ab.

Als sie beide alles vertilgt hatten, kletterte die Maus hoch bis auf seine Schulter, schnupperte an seinem Ohr und schlüpfte ihm schließlich unter die Kleidung. Sie rollte sich auf Mikaels warmem Bauch ein.

»Du bist wirklich ein Dummerjan«, sagte Mikael.

So blieben sie dann liegen, bis von der Kapelle Maria zum Schnee die Vesperglocke schlug.

Die Hüttentür ging auf, und Mikael hörte, wie Agnete sagte: »Kommt herein, Raphael.«

Hubertus huschte schnell in die Dunkelheit zurück, während eine Männerstimme antwortete: »Danke, Agnete.«

Die Tür schloss sich.

»Er ist hier unten«, sagte Eloisa aufgeregt.

»Lass ihn heraufkommen, ich will von Angesicht zu Angesicht mit ihm reden«, sagte der Mann.

»Nein, das ist nicht klug. Geht lieber zu ihm hinunter, Raphael«, erwiderte Agnete.

»Ich bin alt, meine Kniegelenke sind morsch«, wandte der Mann ein. »Wer soll denn jetzt noch unterwegs sein und ihn sehen, wo es draußen dunkel ist?«

Es folgte eine lange Pause. Dann befahl Agnete ihrer Tochter: »In Ordnung, hol ihn rauf. Aber bleibt weg vom Fenster.«

Die Luke ging auf, und flackernder Kerzenschein erhellte die Finsternis. »Komm rauf«, sagte Eloisa.

Mikael klammerte sich mit seinen vor Kälte erstarrten Händen an der Leiter fest und kroch aus der Luke. Auf dem Weg nach oben merkte er, wie schwach seine Beine waren. Und dass seine Füße schmerzten.

Sobald Eloisa ihn im Licht der Kerze sah, sperrte sie entsetzt die Augen auf, dann wandte sie sich abrupt dem Tisch zu, wo ihre Mutter und der Mann saßen. »Hier ist er ...«, verkündete sie und klang dabei ein wenig erschrocken.

»Komm näher, Junge«, sagte der Mann mit seiner tiefen Stimme.

Mikael ging auf ihn zu.

Der Mann war alt. Er hatte langes, graues Haar, das zu einem dicken, struppigen Pferdeschwanz gebändigt war, und trug einen weißen Spitzbart, der ihm eine entfernte Ähnlichkeit mit einer Ziege verlieh, wozu vielleicht auch sein längliches Gesicht beitrug. Seine großen, dunklen Augen blickten durchdringend, die Nase war schmal und gerade. Hinter seinen dünnen Lippen verbargen sich sehr weiße Zähne, die trotz seines Alters zwei regelmäßige Reihen bildeten. Er hatte schwielige Hände, doch schlanke, vornehm wirkende Finger.

Der Mann nahm Eloisa die Kerze ab und sah sich Mikael genau an. »Um Himmels willen, Agnete, er ist schon überall blau angelaufen!«, rief er aus. Er drehte sich zur Hebamme um. »So wird er sterben. Wenn er dort unten bleibt, wird er sterben.«

»Der stirbt schon nicht«, presste Agnete zwischen zusammengekniffenen Lippen hervor.

Eloisa seufzte besorgt.

»Reiß dich zusammen«, befahl die Mutter ihr streng. Dann wandte sie sich an den Mann: »Seid Ihr neuerdings Arzt, Raphael?«

Der alte Mann nahm Mikaels Hände und untersuchte sie. »Dazu muss man kein Arzt sein. Sieh doch selbst.« Er berührte einen Fuß des Jungen.

Mikael stöhnte auf.

»Er muss am Kamin schlafen«, sagte Raphael.

»Das ist ausgeschlossen«, erwiderte Agnete. »Ich muss Euch wohl nicht erklären, was Eloisa und mir zustoßen würde, wenn man ihn entdeckte.«

»Mutter . . .«, mischte sich Eloisa ein.

»Halt den Mund!« Agnete schlug zornig mit der flachen Hand auf den Tisch. Dann musterte sie Mikael schweigend und

60

runzelte die Stirn. Schließlich richtete sie drohend den Zeigefinger auf ihn. »Sobald es dunkel ist, kommst du hoch und legst dich hier hin ...« Sie deutete auf eine Stelle hinter dem kreisförmig angelegten Kamin, wo er auch dann nicht gesehen werden konnte, wenn jemand die Tür der Hütte öffnete. »Und du gibst keinen Laut von dir, verstanden?«

»Danke, Mutter!«, rief Eloisa.

»Sollte nicht er sich bedanken?«, fragte der alte Mann und zog belustigt eine Augenbraue hoch.

»Er spricht nicht«, erklärte Eloisa.

»Ist er stumm?«

»Nein, aber wenn er spricht, zerbricht er«, wiederholte Eloisa den Ausspruch ihrer Mutter, obwohl auch sie nicht verstanden hatte, was er bedeuten sollte.

Der alte Mann nahm Mikael bei der Schulter und zog ihn zu sich heran. »Hör mir gut zu, Junge«, sagte er zu ihm. »Demnächst, sobald du bereit bist, werden wir uns auf der Straße begegnen, und dann musst du mich wiedererkennen und so tun, als ob du Angst vor mir hättest. Ich habe nämlich einen schlimmen Ruf: Die Leute erzählen sich, dass ich Kinder stehle und sie verkaufe.« Der Mann fuhr mit der Hand durch die Luft und kniff seine schweren Lider zusammen. Er zog ein großes Messer aus seinem Gürtel und legte es auf den Tisch. »Ich weiß, wer du bist. Agnete vertraut mir. Und ich helfe ihr gern. Ich werde also so tun, als ob ich dich an sie verkaufe, und sie wird so tun, als ob sie dich mir abgekauft hätte. Und du wirst dich an diese Geschichte halten. Verstehst du mich?«

Merkwürdigerweise hatte Mikael keine Angst vor dem alten Mann. Er nickte stumm.

»Sehr gut«, fuhr Raphael fort. »Die einfachsten Geschichten sind immer die glaubwürdigsten, merk dir das. Wer warst du, bevor ich dich aufgenommen habe? Wo hast du gelebt? Was hast du gemacht? Wer waren deine Eltern?«

Mikael wusste nicht, was er darauf antworten sollte.

Eloisa kam neugierig näher, als würde Raphael eine Geschichte erzählen.

»Damit du nichts durcheinanderwirfst, erinnerst du dich am besten an gar nichts«, erklärte der alte Mann. »Du kannst auf keine dieser Fragen eine Antwort geben, weil du dich an nichts erinnerst. Ich habe dich aufgelesen, als du ohne Gedächtnis und mit einer hässlichen Wunde am Kopf durch den Wald oben am Lomsattel geirrt bist. Vielleicht stammte sie von einem Pferdetritt, vielleicht war es auch ein Räuber, wir werden es niemals erfahren, weil du dich an dein früheres Leben einfach nicht erinnerst.«

Mikael sah ihn ausdruckslos an.

»Gib mir ein Zeichen, ob du mich verstanden hast«, sagte Raphael und schüttelte ihn.

Der Junge nickte kaum wahrnehmbar.

»Er wirkt nicht besonders gescheit«, sagte Raphael zu Agnete.

»Vielleicht ist er das auch nicht«, erwiderte sie.

Raphael starrte Mikael schweigend an.

»Ist denn keine Narbe zurückgeblieben?«, fragte Eloisa.

»Deine Tochter dagegen ist ganz bestimmt ein aufgewecktes Mädchen«, sagte der Mann zu Agnete. »Fangen wir an?«

Agnete stand auf, stellte sich hinter Mikael und hielt seinen Kopf fest.

Raphael packte das große Messer und verpasste ihm an der Stirn einen tiefen, halbkreisförmigen Schnitt, der sich vom Haaransatz bis kurz über die linke Augenbraue zog.

Mikael stöhnte, während ihm das Blut langsam in die Augen lief.

Eloisa schlug sich erschrocken eine Hand vor den Mund.

»Erledigt«, sagte Raphael und wischte die Klinge an seinem ledernen Kittel ab. »Jetzt wirst du eine Narbe haben, die unsere Geschichte bestätigt.« Er wandte sich an Agnete. »Du weißt besser als ich, was man auftragen muss, damit die Wunde verheilt.«

»Wisch dir das Blut ab«, sagte Agnete zu Mikael und reichte ihm ein feuchtes Tuch. »Und press das noch eine Weile lang darauf.«

Eloisa wollte ihm helfen, doch Agnete hielt sie auf.

»Nein. Das muss er allein machen.«

Mikael spürte, wie die Wunde brannte. Aber einen Moment lang dachte er, dass dieser Schmerz ihm nicht unangenehm war. Er fühlte sich so wirklich, so lebendig an.

»Noch etwas, mein Junge«, sagte Raphael mit seiner tiefen Stimme. »Von nun an liegen zwei Wege vor dir. Du kannst das Schicksal verfluchen, weil es dir die Eltern geraubt hat, dein Fürstentum und all deine Schätze und Besitztümer, im Grunde alles, was du je hattest . . . oder du kannst dem Schicksal danken, weil du noch am Leben bist.« Der alte Mann sah ihn eindringlich an. »Und je nachdem, welche dieser beiden Sichtweisen du wählst, wirst du so ein Mensch oder ein anderer. Beide sind vollkommen verschieden voneinander und werden zwei vollkommen verschiedene Leben führen.« Nachdem er das gesagt hatte, erhob er sich und ging wortlos zur Tür.

»Ich danke Euch, Raphael«, sagte Agnete.

Auf der Schwelle hielt der alte Mann noch einmal inne. »In Dravocnik erzählt man sich, dass die Rebellen, die für das Gemetzel in der Burg verantwortlich sind, getötet worden seien . . .« Er wies mit dem Kopf auf Mikael. »Also gut, du hast mich verstanden. Es heißt, sie wären in der Schlucht von Joff vom Herrn von Ojsternig gerichtet worden.«

Agnete nickte.

»Aber jeder hier weiß, dass es nicht die Rebellen waren«, schloss der alte Raphael und verschwand in der Dunkelheit.

»Und so wissen wir auch, wer unser neuer Lehnsherr wird«, brummte Agnete. Dann schloss sie die Tür, nahm Mikael das

Tuch aus der Hand und wickelte es ihm als festen Verband um die Stirn. Sie verteilte etwas Stroh auf dem Boden neben dem Kamin. »Schlaf«, sagte sie zu ihm.

Mikael legte sich ohne einen Laut hin.

Eloisa zog ihre Handschuhe aus gekochter Wolle aus und wollte sie ihm geben.

»Nein«, sagte Agnete.

»Doch«, erwiderte Eloisa bestimmt.

»Ich habe Nein gesagt«, wiederholte Agnete drohend.

»Wenn er sie nicht haben darf, werfe ich sie ins Feuer«, sagte Eloisa mit fester Stimme. Grimmig und entschlossen starrte sie ihre Mutter an.

Stumm erwiderte die Hebamme den Blick. Dann drehte sie sich um und streckte sich auf ihrem Lager aus. »Geh jetzt schlafen.«

Eloisa warf Mikael die Handschuhe hin. »Los, zieh sie an«, fuhr sie ihn grob an.

Mikael nahm die Handschuhe und schlüpfte hinein.

»Du bist wirklich ein Dummerjan«, sagte Eloisa und legte sich zu ihrer Mutter.

7

In den folgenden Nächten schlief Mikael neben dem Kamin. Am Abend, wenn es dunkel wurde und keine Gefahr mehr bestand, dass jemand an der Tür klopfte, öffnete Eloisa die Luke und ließ ihn heraufkommen. Mikael setzte sich dann still in eine Ecke und wartete auf das Abendessen, während Agnete und Eloisa wie alle Bauersleute nach der Arbeit auf den Feldern des Lehnsherrn noch Mützen aus Eichhörnchenschwänzen nähten, Gürtel aus dünnen Lederbändern flochten oder Schuhe aus Filz fertigten, die sie dann entweder selbst nutzten oder verkauften. Und vor Tagesanbruch, wenn die Glocke zur Matutin läutete, füllte Mikael sein Kohlebecken mit der Glut, die immer noch im Kamin knisterte, und kehrte in sein Versteck zurück, wo er dann den ganzen Tag über blieb. Die Handschuhe, die Eloisa ihm gegeben hatten, linderten den Kälteschmerz in seinen Händen. Seine Füße schwollen ab, und seine Gesichtsfarbe normalisierte sich allmählich wieder.

Abends, wenn Mikael aus seinem Versteck kletterte, hatte Agnete bereits in einem großen Mörser eine Paste aus Rosshaar und Schafgarbe bereitet, die sie »Blutstiller« nannte. Eloisa strich die Paste auf die Wunde und band zum Abschluss ein dünnes Stück Weidenrinde darauf.

Wenn er allein war, tagsüber, während Agnete und Eloisa mit den anderen Leibeigenen die Weizen- oder Roggenfelder bestellten, presste Mikael, sobald er die Angst in sich aufsteigen spürte oder wenn die beklemmenden Bilder des Todes ihn zu überwältigen drohten, eine Hand so fest auf die Wunde, bis diese schmerzte. Und dieses Gefühl brachte ihn wieder auf den

Boden der Tatsachen zurück. Es war, als ob er sich durch diesen Schmerz wiederfände, sobald er Gefahr lief, sich zu verlieren.

Inzwischen wuchs Tag für Tag die Freundschaft mit Hubertus. Wenn dieser mit seinem schnuppernden Schnäuzchen nach Wärme und Nahrungsresten bei ihm suchte, erzählte er dem Tier all das, was er niemand anderem hätte anvertrauen können. Ja, nicht einmal sich selbst.

Eines Abends hatte er beobachtet, wie Agnete eine Maus erschlagen hatte, die an der Wand der Hütte entlanggehuscht war. Während er am nächsten Tag Hubertus streichelte, erklärte er ihm: »Du kannst jetzt traurig sein, weil Agnete deinen Vater getötet hat, oder glücklich, weil sie nicht dich erschlagen hat. Und je nachdem, wie du das siehst, bist du ein Dummkopf oder ein toller Kerl. Zumindest glaube ich, dass es so ist. Auf jeden Fall solltest du Agnete nicht unter die Augen kommen, sonst bringt sie auch dich um, so viel steht fest.«

Nach zehn Tagen hatte sich durch die Paste eine harte, juckende Kruste auf der Wunde gebildet.

»Wenn du sie abkratzt, bekommst du eine noch größere Narbe«, hatte Eloisa am Abend zu ihm gesagt, als sie den Schorf im Licht einer Kerze untersuchte. »Schau mal, das hier war ein winzig kleiner Schnitt, aber ich habe die Kruste abgekratzt, bevor sie von selbst abfallen konnte«, hatte sie weiter erklärt und dabei den Rock am Bein hochgeschlagen und ihm eine Narbe oberhalb des Knies gezeigt.

»Zieh den Rock runter!«, hatte Agnete sie sofort gescholten.

Widerwillig hatte Eloisa ihr gehorcht. Dann hatte sie eine Hand nach Mikaels Stirn ausgestreckt. »Jetzt halt still«, hatte sie gesagt und mit einem Fingernagel entschlossen die Kruste abgekratzt. Die Wunde hatte sofort wieder angefangen zu bluten.

Mikael hatte das Gesicht schmerzvoll verzogen und sie fragend angesehen.

»Du *musst* doch eine große Narbe haben, Dummerjan«, hatte Eloisa lachend erklärt, während sie seine Stirn erneut mit der Paste aus Schafgarbe und Rosshaar bestrich.

Später, als Mikael wieder neben dem Kamin lag, hatte er Hubertus, den er gut in der Jacke versteckt hatte, zugeflüstert: »Bleib hier, aber lass dich ja nicht sehen ... Dummerjan.«

»Mit wem sprichst du?«, hatte Eloisa ihn sofort gefragt.

Mikael hatte nicht geantwortet.

»Mutter, der spricht mit sich selbst«, hatte Eloisa daraufhin zu Agnete gesagt. »Ist er verrückt?«

»Schlaf jetzt, mein Kind, wenn du nicht willst, dass ich dir den Hals umdrehe«, war Agnetes Antwort gewesen.

Eloisa hatte leise gelacht und dann gesagt: »Gute Nacht, Mikael.«

Mikael hatte nichts erwidert.

Eine Woche später hatte sich wieder eine Kruste gebildet.

»Halt jetzt still«, sagte Eloisa und streckte eine Hand nach seiner Stirn aus.

Aber Mikael wich instinktiv zurück und riss sich die Kruste selbst ab.

»Du solltest sie doch gar nicht abkratzen. Warum hast du das getan?«, fragte Eloisa kopfschüttelnd.

Mikael antwortete nicht. Er war verwirrt. Er hatte sie mit seinem Mut beeindrucken wollen. Aber offenbar hatte er etwas falsch gemacht.

»Warum hast du das getan?«, wiederholte Eloisa empört.

Mikael spürte, wie ihm das Blut über die Stirn lief, aber nur ein paar Tropfen, zäh wie Honig. Bei diesem Mädchen kam er sich andauernd wie ein Dummkopf vor. Er sah auf ihre Hände. Sie waren schwarz. »Weil du schmutzig bist«, antwortete er blind vor Zorn. »Wäschst du dich denn nie?«

Eloisa wich einen halben Schritt zurück, als hätte er sie geohrfeigt. Ihre Augen wurden schmal. Sie presste die Lippen zusammen, die kaum merklich zu zittern begannen. Ihre Nasen-flügel weiteten sich. »Du bist ein Dummkopf!«, schrie sie ihn beinahe an und lief nach draußen.

»Was ist hier los?«, fragte Agnete, die vor der Hütte Holz hackte.

»Nichts«, sagte Eloisa. »Der da ist ein Dummkopf!«

»Na schön«, antwortete Agnete. »Gib ihm seine Suppe, sie müsste heiß sein.«

»Nein! Ich hasse ihn! Von mir aus kann er verhungern!«

Agnete ging hinein, während ihre Tochter mit verschränkten Armen draußen stehen blieb und der Tür trotzig den Rücken zudrehte. Mikael wirkte verwirrt, seine Wunde blutete weiter. Agnete ging zum Herd, füllte zwei Schöpflöffel in die Schale und reichte sie Mikael. Dann gab sie ihm ein Stück Speck, eine halbe Zwiebel und eine Scheibe Brot. Schließlich stellte sie noch den Mörser mit der Paste aus Schafgarbe und Rosshaar neben den Kamin. »Schmier sie dir heute Abend selbst drauf. Eloisa wird das wohl nicht tun.«

»Stimmt, ich denke nicht im Traum daran!«, pflichtete ihr das Mädchen bei, das ihr nach einer Zeit widerstrebend in die Hütte gefolgt war.

»Du hättest ihm die Kruste aber nicht noch einmal abreißen müssen«, bemerkte Agnete.

»Wer hat sie denn abgerissen? Das war er doch ganz allein, der Dummkopf!«

Agnete sah Mikael an. »Iss und dann schmier dir die Paste drauf.« Sie ging zum Tisch. »Und du kommst jetzt auch, Eloisa.«

»Nein!«

»Übertreib es nicht, sonst setzt es was!«

Eloisa nahm unwirsch Platz.

Agnete brach ein Stück Brot für sie ab. Auch ihre Hände waren schmutzig. Eloisa lief eine Träne über die Wange, als sie

sie ansah. Sie wandte sich barsch Mikael zu, der sie wie ein geprügelter Hund anstarrte. »Was willst du, Dummkopf?«, schrie sie ihn zornerfüllt an.

Mikael senkte den Kopf.

Mutter und Tochter aßen schweigend zu Abend. Dann gingen die beiden schlafen.

Der Junge fühlte sich einsamer denn je. Und dann flüsterte er zum ersten Mal in die Stille der Nacht: »Gute Nacht, Eloisa.«

Am nächsten Morgen brachte Agnete ihm sein Frühstück zur Luke.

Mikael war enttäuscht. Eloisa war also immer noch böse auf ihn. Die Luke schloss sich über ihm und überließ ihn der Dunkelheit.

Plötzlich hörte er Agnete aufschreien: »Was hast du gemacht, Unglückskind?«

»Lasst mich in Ruhe, Mutter!«, erwiderte Eloisa aufgebracht.

»Was hast du dir nur dabei gedacht? Oh Himmelherrgott!«

Mikael war beunruhigt. Er versuchte, die Luke zu öffnen, um zu sehen, was in der Stube vor sich ging, aber Agnete hatte schon die schwere Truhe darübergeschoben.

»Eloisa, komm sofort her«, rief Agnete.

»Nein!«, schrie Eloisa von draußen.

»Oh mein Gott«, war der letzte Satz, den Mikael von Agnete hörte. Dann wurde die Tür zugeschlagen und Stille bereitete sich aus.

Als Mikael am Abend aus der Luke kletterte, stand Eloisa vor ihm und lächelte ihn herausfordernd an. Ihre kurzen hellen Haare glänzten. Ihr Gesicht war makellos sauber, und die blauen Augen strahlten darin wie zwei kostbare Edelsteine. Ihre Lippen glänzten zartrosa wie Pfirsiche.

Mikael starrte sie mit offenem Mund an.

»Was ist los, Dummerjan?«, fragte Eloisa zufrieden grinsend, als sie das Staunen in seinen Augen bemerkte. »Komm, ich will deine Wunde versorgen«, fuhr sie fort, als ob nichts wäre, doch dabei wedelte sie mit ihren sauberen Händen übertrieben auffällig vor seinen Augen herum. Unter den Nägeln war keine Spur mehr von Dreck.

Mikael dachte, dass sie das schönste Mädchen war, das er je gesehen hatte. Und er errötete sofort.

Während Eloisa ihm die Paste auf die Wunde strich, die nun zum dritten Mal verheilen musste, konnte er die Augen nicht von ihr abwenden. Er wich ihrem Blick aus, wenn sie ihn ansah, und jedes Mal errötete er noch heftiger.

Als sie schlafen gingen, war es fast eine Erlösung für Mikael.

Bis auf ein paar barsche, an ihre Tochter gerichtete Worte hatte Agnete die ganze Zeit geschwiegen und mit finsterer Miene dagesessen, die Ellenbogen auf den Tisch gestützt. Ehe sie die Kerze ausblies, sagte sie noch: »Deck dich ja gut zu, Unglückskind.«

In der Dunkelheit flüsterte Eloisa: »Gute Nacht, Dummerjan.«

Mikael lächelte. Er wollte ihr gerade antworten, als Eloisa hustete.

»Was ist los, mein Kind?«, fragte Agnete besorgt.

»Nichts, Mutter«, antwortete Eloisa. Dann hustete sie wieder. »Mir ist so warm …«

Agnete setzte sich sofort auf und zündete die Kerze wieder an. Sie legte ihrer Tochter eine Hand auf die Stirn.

»Du glühst ja!«, stöhnte sie. Sie sprang auf, holte ein Tuch, ging hinaus und schaufelte ein wenig Schnee darauf. Dann legte sie es ihrer Tochter auf die Stirn.

Mikael bemerkte, dass Agnete sehr besorgt aussah.

Eloisa hustete immer wieder. Dann wurde sie von einem Anfall so durchgeschüttelt, dass ihr beinahe die Luft wegblieb.

Mikael, der sich aufgesetzt hatte, sah im Licht der Kerze, wie sie zitterte.

»Mein Kind … mein Kind …«, jammerte Agnete ängstlich. »Warum? Warum hast du nur eine solche Dummheit gemacht?«

»Ich wollte … sauber sein … wie die feinen Leute …«, flüsterte Eloisa zwischen zwei Hustenanfällen.

»Herr im Himmel!«, fuhr Agnete auf. »Die feinen Leute haben Kamine so groß wie Häuser, Matratzen aus Wolle oder Gänsefedern, Wolfs- und Bärenfelle. Wir haben nur feuchte Strohlager, dünne Decken und Löcher im Dach …«

»Ich wollte … sauber sein«, wiederholte Eloisa, und ihre Stimme wurde immer schwächer.

»Du bist sauber!«, rief Agnete. »Es kommt darauf an, ob jemand innen sauber oder schmutzig ist. Die Schale ist doch nicht das Wichtigste an der Frucht.« Verzweifelt schüttelte sie den Kopf. »Wie kommst du nur auf so …?« Doch sie beendete den Satz nicht. Wütend wie eine Furie drehte sie sich zu Mikael um und richtete drohend den Finger auf ihn, während sie aufstand und auf ihn zuging. »Du …«

Mikael ließ Hubertus heimlich aus seiner Jacke schlüpfen in der Hoffnung, dass sie ihn nicht bemerken würde.

»Du!«, sagte die Frau noch einmal, als sie unmittelbar vor ihm stand, und fuchtelte drohend mit dem Finger vor seinem Gesicht herum. »Was hast du zu ihr gesagt? Was für Flausen hast du ihr in den Kopf gesetzt? Sich waschen! Wärst du doch bloß stumm geblieben, denn wenn du sprichst, beschwörst du nichts als Unheil herauf!« Sobald sie das Wort »Unheil« ausgesprochen hatte, drehte sie sich besorgt zu ihrer Tochter um und bekreuzigte sich. Dann wandte sie sich wieder Mikael zu und erhob eine Hand, um ihn zu ohrfeigen.

Der Junge verkroch sich erschrocken in eine Ecke.

Agnetes Hand verharrte in der Luft, zitternd wie eine gespannte Schnur. Dann senkte sie sich jäh und schloss sich um Mikaels Ohr. Agnete zog ihn daran hoch. »Bete!«, schrie sie, zerrte ihn zu Eloisas Lager und schleuderte ihn dort auf den Boden. »Knie dich hin und bete!«, herrschte sie ihn an.

Mikael hatte große Angst. Jetzt, wo er Eloisa aus der Nähe sah, bemerkte er, dass ihr Gesicht viel bleicher war als sonst und Schweiß auf ihrer Stirn stand. Ihre wunderschönen blauen Augen blickten trüb.

»Bete, dass mein Kind nicht stirbt!« Agnetes Stimme brach mit einem kehligen Schrei ab, der ihre ganze Wut und Angst zum Ausdruck brachte. Drohend schwang sie die Faust vor seinen Augen »Jetzt lass endlich deine Stimme hören, oder ich prügele sie aus dir heraus, so wahr es einen Gott gibt!« Sie beugte sich über ihn und zischte: »Bete!«

Mikael schluckte schwer. Aber er brachte keinen Ton heraus.

»Bete!«

Der Junge begann, leise zu weinen. Seine Kehle war wie zugeschnürt, während Eloisa weiter hustete und ihr der kalte Schweiß ausbrach.

»Wenn sie stirbt ...« Agnete konnte den Satz nicht beenden.

Mikael öffnete den Mund. Aber er blieb stumm und starrte Eloisa in die Augen, die immer glanzloser wurden.

»Gott, lass sie nicht durch meine Schuld sterben. Sag es!«, schrie Agnete und schüttelte ihn.

Mikael öffnete und schloss die Lippen wie ein Fisch auf dem Trockenen, aber er blieb stumm.

»Nimm lieber mich! Sag es!«, schrie Agnete.

Doch Mikael starrte nur Eloisa mit weit aufgerissenen Augen an.

Agnete stieß ihn fort. »Geh weg!« Angst stand in ihren Augen. »Meine Tochter ist hundertmal mehr wert als du, auch wenn sie keine Prinzessin ist ...« Dann brach sie in Tränen aus und sank schluchzend auf dem Boden zusammen, die Stirn an das Lager ihrer kranken Tochter gelehnt.

Eloisa fantasierte im Fieberwahn.

So verharrten sie bis zur Morgendämmerung.

»Da runter mit dir!«, sagte Agnete zu Mikael. »Und richte bloß kein weiteres Unheil an!«

Mikael kletterte schweigend durch die Luke, sein Herz klopfte wie verrückt.

Den ganzen Tag über hörte er, wie ständig Leute kamen und gingen. Frauen schluchzten, Männer versuchten unbeholfen, Agnete Trost zu spenden. Eine alte Frau brachte einen Enzianaufguss. Eine andere Tee aus Weidenrinde. Eine dritte meinte, man müsse Eloisa in den Schnee legen, dann würde sie entweder schnell sterben, oder das Fieber würde vergehen.

Mikael hörte Agnete verzweifelt weinen und immer wieder murmeln: »Allmächtiger Herr, nimm mir nicht auch noch sie ... Nimm mir nicht auch noch sie ...«

Eloisa fantasierte weiter im Fieberwahn.

Gegen Abend klopfte der Pfarrer von der Kapelle Maria zum Schnee an der Tür.

»Nein, Vater, nein«, jammerte Agnete.

»Du solltest vorbereitet sein, Frau«, sagte der Priester. »Und es ist gut, wenn das Mädchen unserem Herrn anvertraut wird, auf dass sie ewig lebe.«

Mikael hörte die Dielenbretter knarren. Der Priester hatte sich wohl hingekniet.

Agnete schien am Ende ihrer Kräfte zu sein und wimmerte vor sich hin: »Nein ... nein ... nein ...«

Mit der eintönigen Stimme eines Mannes, der schon zu oft die Letzte Ölung erteilt hatte, begann der Priester: »In nomine Patris, et Filii, et Spiritus Sancti, extinguatur in te omnis virtus diaboli per impositionem manuum nostrarum, et per invocationem gloriosæ et sanctæ Dei Genitricis Virginis Mariæ, ejusque inclyti Sponsi Joseph, et omnium sanctorum Angelorum, Archangelorum, Martyrum, Confessorum, Virginum, atque omnium simul Sanctorum. Amen.«

»Nein . . . nein . . . nein . . .«, schluchzte Agnete.

Die Bretter knarrten erneut. »Nur Mut«, sagte der Priester. Dann ging er.

Sie waren wieder allein.

Mikael öffnete die Luke und kniete sich neben Agnete.

Die Frau schien ihn nicht einmal zu bemerken.

Auf Eloisas Stirn, Lidern, Lippen und Ohren glänzte das geweihte Öl. Ihr Atem ging nur noch ganz schwach.

Mikael öffnete den Mund. Schloss ihn wieder. Öffnete ihn und ballte die Fäuste zusammen. »Gott . . .«, brachte er schließlich leise hervor, »nimm mich . . . Nimm mich, aber lass Eloisa nicht sterben.«

Agnete drehte sich zu ihm um und starrte ihn einen Moment verwundert an, dann brach sich der wenige Schmerz, den sie noch in ihrem Inneren bewahrt hatte, in diesem Blick mit Macht Bahn, und sie krümmte sich schluchzend zusammen.

Mikael traute sich nicht, sie zu berühren. Er hatte Angst, sie würde ihn schlagen. Stattdessen packte er einen ihrer Rockzipfel. »Keine Toten mehr, Gott«, sagte er. »Es ist genug . . .« Er sah Eloisa an, die vom Fieber geschüttelt wurde. Dann legte er die Handschuhe ab, die ihm die Hände vor der Kälte geschützt hatten, und zog sie ihr an. »Keine Toten mehr, Gott . . .«

Mikael wie Agnete rührten sich die ganze Nacht nicht von der Stelle.

Am Morgen schlug Eloisa die Augen auf. Sie war bei Bewusstsein. Und über den Berg. Das Fieber hatte sie nicht besiegt.

Daraufhin brach Agnete wieder in Tränen aus und umarmte sie. »Nie mehr, mein Kind! Nie mehr, versprich es mir!«

»Ich verspreche es ...«, sagte Eloisa fast unhörbar.

»Schwör es! Schwör es, oder ich bringe dich eigenhändig um!«

»Ich schwöre es, Mutter...« Dann bemerkte Eloisa die Handschuhe. Sie sah zu Mikael, der sie erschrocken anstarrte. Dann verzog sie ihre Lippen zu einem kaum wahrnehmbaren Lächeln. »Dummerjan!«

An diesem Morgen brach Mikael endgültig sein Schweigen und begann mit Agnete und Eloisa zu reden.

Eines Abends, als er an seiner Brotscheibe knabberte und heimlich ein wenig davon für Hubertus beiseitelegte, nahm er all seinen Mut zusammen und wandte sich an Agnete: »Gute Frau, könnte ich . . .«

»Du willst noch etwas zu essen?«, fragte Agnete barsch zurück. »Die Antwort ist Nein.«

»Ich wollte sagen . . . Könnte ich die Erlaubnis haben, jemanden bei mir zu haben . . . einen . . . einen Freund?«

»Einen Freund?«, wunderte sich Eloisa.

»Was für einen Freund?«, fragte Agnete misstrauisch.

Mikael errötete. Sein Herz klopfte laut vor Angst. »Also, es ist . . . eine Maus.«

Agnete starrte ihn schweigend an. Endlos lang.

Eloisa sah zu ihrer Mutter.

»Bitte, gute Frau . . .«, sagte Mikael.

»Eine Maus.« Agnete runzelte die Stirn. »Du bist mit einer Maus befreundet?«

Eloisa prustete los.

Auch Agnete lachte schallend, auf ihre deftige Art. Dann schüttelte sie den Kopf. »Ach, Junge . . .«

»Bitte, gute Frau, sagt nicht einfach Nein!«

Agnete schaute ihre Tochter an.

»Ich hatte dir ja gesagt, dass er ein bisschen dumm ist«, sagte Eloisa und lächelte glücklich.

»Und was ist dann jemand, der sich mitten im Winter wäscht,

bloß weil ihm das ein Dummkopf in den Kopf gesetzt hat?«, fragte Agnete.

Eloisa verzog beleidigt das Gesicht. Sie bemerkte, dass Mikaels Mundwinkel zuckten. »Dummkopf!«, fuhr sie ihn an.

»Schluss damit, alle beide!«, ging Agnete dazwischen. »Und wo soll dieser Freund sein?«

Mikael steckte eine Hand in die Jacke, packte die Maus, setzte sie auf seine Handfläche und zeigte sie den beiden.

Als Eloisa näher kam, schlüpfte Hubertus erschrocken in Mikaels Ärmel. Dann streckte er sein Schnäuzchen heraus und sah das Mädchen mit erschrockenen Äuglein an.

»Er heißt Hubertus«, erklärte Mikael.

Agnete sagte nichts.

»Bitte, gute Frau ...«

»Lass uns etwas vereinbaren, Junge«, sagte Agnete schließlich. »Wenn du aufhörst, mich ›gute Frau‹ zu nennen, werde ich ihn ... nicht ... auf der Stelle erschlagen.«

»Und wie soll ich Euch nennen?«

»Ich heiße Agnete. Für alle.«

»Gut«, sagte Mikael. »Kann ich ihn dann behalten?«

Agnete nickte kaum wahrnehmbar.

»Und Ihr werdet auch seine Verwandten nicht umbringen, gute ... Agnete?«, fragte Mikael.

»Ich habe mich wohl verhört«, sagte Agnete. »Bittest du mich etwa ernsthaft, Mäuse zu verschonen, die meinen Roggen, meinen Käse und ...«

»Das ist seine Familie«, sagte Mikael.

»Du hattest recht, Tochter«, sagte Agnete zu Eloisa. »Er ist wirklich dumm.« Dann sah sie Mikael an und richtete den Zeigefinger gegen ihn. »Ich ernähre hier keine Mäuse, Junge. Ich erlaube dir, eine zu behalten. Die da. Die anderen sollten besser so schlau sein, sich nicht vor mir blicken zu lassen, wenn sie am Leben bleiben wollen.«

»Aber . . .«

»Es gibt kein ›aber‹«, sagte Agnete bestimmt. »Und du solltest dir besser etwas überlegen, woran ich deine . . . Maus erkennen kann, sonst erschlage ich sie auch. Und sag ihr, dass sie mit ihrer Schnauze von meinem Essen wegbleiben soll.«

Mikael starrte unglücklich vor sich hin.

Eloisa schnitt einen roten Lederstreifen von ihrem Rock ab. »Hier, nimm das. Das hält einiges aus. Binde es ihm um den Hals.«

Mikael nahm das Band und befestigte es um Hubertus' Hals. Dann sah er Agnete an und sagte: »Danke. Und wenn Ihr noch einmal über die Sache mit seiner Familie nachdenken könntet . . .«

»Ich mochte dich lieber, als du noch stumm warst«, sagte Agnete. Sie seufzte einmal, schüttelte den Kopf und wusste nicht, ob sie noch etwas sagen sollte. Dann breitete sie bedauernd die Arme aus. »Hör zu, es tut mir leid wegen deiner Familie. Aber das sind Mäuse. Und ich erschlage nun mal Mäuse. Damit ist die Sache erledigt.«

Mikaels Augen füllten sich mit Tränen. Er presste die Lippen zusammen.

»Iss«, forderte Agnete ihn auf und ging zum Tisch. »Eloisa, komm du auch wieder essen.«

Eloisa starrte die Maus an, die, jetzt mutiger geworden, aus Mikaels Ärmel gekrochen war und neugierig zurück auf seine Handfläche kletterte.

»Eloisa, ich habe gesagt, du sollst dich hinsetzen«, sagte Agnete. »Hast du noch nie eine Maus gesehen?«

Eloisa streckte zögernd einen Finger vor.

Die Maus zog ihren Kopf ein und wollte wieder verschwinden, doch Mikael schloss schnell die Hand um sie und hielt sie behutsam fest.

Eloisa streichelte ihr über das pelzige Köpfchen. Sie lächelte.

Dann schaute sie zu Mikael auf. »Hubertus passt überhaupt nicht zu ihr«, stellte sie fest. »Du kannst einfach keine Namen wählen.«

Mikael zuckte mit den Achseln und öffnete die Hand. Doch die Maus lief nicht weg.

Eloisa streckte wieder ihren Finger hin. Die Maus richtete sich auf die Hinterpfoten auf, nahm die Fingerspitze zwischen ihre Vorderpfoten und schnupperte daran. Eloisa lachte.

»Er ist niedlich, nicht wahr?«, sagte Mikael glücklich.

»Ich habe gelacht, weil du wirklich ein Dummerjan bist«, sagte Eloisa daraufhin schnippisch. »Das ist ein Weibchen! Und du hast ihr einen Jungennamen gegeben!«

Mikael schaute betreten drein, woraufhin Eloisa hell auflachte und sich wieder an den Tisch setzte.

Am nächsten Tag fragte Mikael Eloisa: »Woran erkennt man, dass Hubertus ein Weibchen ist?«

»Du hast tatsächlich keine Ahnung, oder?«, fragte das Mädchen zurück. »Du bist wirklich dumm.«

Als es wieder Zeit für Mikael war, im Kellerloch zu verschwinden, sah Agnete, wie er die Maus in seiner Hand hin und her drehte und ihren Bauch untersuchte. »Junge, wenn du nicht lernst, dich zu verteidigen, wird Eloisa dir immer überlegen sein!«, sagte sie mit einem stolzen Lächeln. »Ich habe dir ja gesagt, dass meine Tochter hundertmal mehr wert ist als du, obwohl sie keine Prinzessin ist.«

»Aber ... woran hat sie denn gesehen, dass Hubertus ein Weibchen ist?«, fragte Mikael sie.

Agnete lachte und schlug sich mit einer Hand auf den Schenkel. »Sie hat es gar nicht gesehen. Sie hat nicht die geringste Ahnung. Aber sie hat es dir eingeredet, du Tölpel!« Sie lachte noch lauter und schloss die Luke.

Als Mikael allein war, streichelte er verblüfft noch ein wenig seine Maus. Dann lächelte er plötzlich. »Du bist ein Männchen, ich hab's gewusst. Und Hubertus passt ausgezeichnet zu dir, hör nicht auf sie.«

In den darauffolgenden Tagen gewöhnte sich auch Eloisa an, etwas Essen für Hubertus übrig zu lassen.

»Ich wusste gar nicht, dass man sich mit Mäusen anfreunden kann«, gestand sie Mikael eines Abends in aller Unschuld.

»Und ich wusste nicht, dass du dich nicht waschen durftest ...«, sagte Mikael. Dann starrte er sie an und geriet ins Träumen, als er sich wieder erinnerte, wie hübsch sie ausgesehen hatte. Er wurde knallrot.

Eloisa errötete ebenfalls. Sie knuffte ihn in die Seite und rannte dann zum Tisch.

Es war das erste Mal, dass Mikael sie rot werden sah.

Inzwischen wich der Winter allmählich dem nahenden Frühling. Die Kälte lockerte ihren scharfen Biss. Die Wärme aus der Glut des Kohlebeckens, das Mikael jeden Morgen neu füllte, hielt immer länger vor. Es gab Tage, an denen Mikael, wenn er die Füße an das warme Glutbecken presste, wohlige Schauer überliefen und sich im ganzen Körper ausbreiteten. Seine von der Kälte erstarrten Muskeln entspannten sich und überließen sich ganz diesem unbekannten Gefühl.

Dann begannen die Stürme, die den Frühlingsbeginn ankündeten.

Eines Nachts ließ ein plötzlicher, heftiger Donner die Hütte erzittern, und vom Dach rieselte ein wenig Staub und Stroh. Im Schein des nachfolgenden Blitzes sah Mikael, wie Eloisa von ihrem Lager aufsprang. Wenig später lag das Mädchen neben ihm, während die Hütte unter den heftigen Donnerschlägen erzitterte.

»Du musst keine Angst haben«, sagte Eloisa mit bebender Stimme.

Dann gab es wieder einen Blitz, gefolgt von wütendem Donner, so nah, als wäre er direkt vor der Tür eingeschlagen.

Eloisa schreckte hoch und unterdrückte einen Schrei. Dann schlang sie die Arme um Mikael und presste sich an ihn. »Du musst keine Angst haben«, sagte sie wieder zittrig. »Drück dich einfach an mich, du wirst sehen, das geht vorbei.«

Mikael legte vorsichtig eine Hand auf Eloisas Schulter.

Sie presste ihren Kopf an seine Brust.

So blieben beide starr liegen und warteten auf den nächsten Donner.

Irgendwann hörten sie Agnete verschlafen rufen: »Eloisa, komm wieder ins Bett.«

Eloisa löste sich aus der Umarmung und kehrte zu ihrem Lager zurück.

»Hör auf, um den Jungen herumzuscharwenzeln«, sagte Agnete leise.

»Mutter ...«, flüsterte Eloisa, »warum nennt Ihr ihn nie bei seinem Namen?«

»Schlaf jetzt«, sagte Agnete. Doch in ihrer Stimme klang ein wenig Traurigkeit mit.

Am nächsten Tag lauschte Mikael wie immer auf die Schritte von Eloisa und Agnete, die zur Tür gingen.

»Weil ich ihn nicht zu lieb gewinnen will«, hörte er Agnete auf einmal sagen, als ob sie diesen Satz lange für sich behalten hätte.

»Was meint Ihr, Mutter?«, fragte Eloisa verständnislos.

»Ich rufe den Jungen nicht bei seinem Namen, weil ich ihn nicht lieb gewinnen will«, sagte Agnete, und ein dumpfer Schmerz war aus ihrer Stimme herauszuhören. »Der Tod hat mir schon einmal ein Kind genommen. Und wenn er auch diesen Jungen von mir nimmt, will ich keine einzige Träne vergießen.«

Dann fiel die Tür ins Schloss.

Mikael rannte fast zu seinem Lager. Er versteckte sich unter der Decke. Seine Brühe ließ er stehen und gab sein ganzes Brot

Hubertus. Während die Maus gierig an diesem riesigen Schatz knabberte, spürte Mikael eine Beklemmung in seiner Brust, die ihm den Atem raubte.

Als Agnete und Eloisa zur Vesper nach Hause zurückkehrten, war Mikael so erschöpft, als ob er den ganzen Tag gerannt wäre. Und doch hatte er sich keinen Schritt bewegt.

Er kletterte aus dem Kellerloch hoch, streckte sich auf seinem Lager neben dem Kamin aus und aß dort widerwillig, ohne ein einziges Wort. Später dann, als es schon tiefdunkle Nacht war, flüsterte er mit Tränen in den Augen: »Ich will nicht sterben. Lieber Gott, lass mich bitte nicht sterben.«

Und dann, kurz vor seinem zehnten Geburtstag, wurde ihm zum ersten Mal zutiefst bewusst, dass er am Leben war. Ein Zittern durchlief seinen Körper. Und er berührte seinen Leib, als ob er ihn erst in diesem Moment entdeckte.

Er nahm Hubertus in die Hand, schaute ihn an und sagte entschlossen: »Ich werde leben.«

9

Wieder nichts, Euer Durchlaucht ...«, sagte Mitija, der hünenhafte Vorsteher der Eisenerzmine von Dravocnik, gesenkten Hauptes und mit bebender Stimme.

Der Fürst von Ojsternig krallte die knochigen Hände um die Armlehne seines Sessels im Großen Saal des »Eisenpalastes«, wie sein Wohnsitz im Bergwerksdorf genannt wurde. Die Burg seiner Väter erhob sich auf einem Hügel jenseits des Klosters. Ein großer Molosser mit getigertem Fell, der neben dem Sessel lag, knurrte leise, ohne sich zu bewegen. Ojsternig erhob sich.

Mitija hielt den Blick weiter gesenkt.

Sein Fürst trat an eines der schmalen Spitzbogenfenster und blickte nach draußen.

Zu den besten Zeiten der Mine, als diese mehr als vierhundert Männern Arbeit geboten hatte, waren im Dorf Dravocnik die Holzhäuser wie Pilze aus dem Boden geschossen. Eins eng an das andere gedrängt, füllten sie Straßen und Plätze. Aber das war damals vor vielen Jahren, als noch Ojsternigs Urgroßvater im Fürstentum herrschte. Mittlerweile standen viele der Häuser leer und verfielen. Und die Einwohner von Dravocnik beschleunigten diese Entwicklung, indem sie mit dem Holz der verlassenen Gebäude ihre eigenen Heime ausbesserten. Die ertragreichste Hämatitader der Mine war inzwischen erschöpft, und die Suche nach weiteren Vorkommen war bis jetzt ergebnislos geblieben, wie Mitija gerade berichtet hatte.

Ojsternig betrachtete weiter die Straße und die Häuser von Dravocnik. Genau wie Menschen und Tiere waren auch sie unnatürlich rötlich verfärbt durch den Staub, der entstand, wenn man die geschürften Felsbrocken vor dem Einschmelzen zerkleinerte, um den Hämatit vom restlichen Gestein zu trennen, und schwärzlich durch den Ruß des Torfes, der zur Herstellung der Stahllegierung verbrannt wurde. Er betrachtete das Dorf, das seine Familie einst reich und mächtig gemacht hatte. Das Waffenschmiede aus allen Teilen des Kaiserreiches angezogen hatte. Wo die Feuer in den Essen Tag und Nacht gebrannt hatten und Schwerter, Messer, Streitbeile und Werkzeug für Handwerker in halb Europa gefertigt worden waren.

Ojsternig betrachtete Dravocnik und dachte wütend, dass er selbst nie in den Genuss dieses Reichtums gekommen war. Er brütete darüber nach, dass zuerst sein Urgroßvater und nach ihm sein Großvater und sein Vater ein Vermögen verprasst und ihm nichts hinterlassen hatten außer den Erzählungen von dem früheren Glanz. Ojsternig musterte die heruntergekommenen Häuser, die schmutzigen, ausgemergelten Bewohner und dachte voller Groll an seine Vorfahren. Er hegte einen unbändigen Hass auf jene Verwandten, die mehr Glück gehabt hatten als er, allein weil das Schicksal sie früher hatte zur Welt kommen lassen. Die »Blutsauger«, wie er sie nannte, hatten Dravocnik ausgebeutet, ohne etwas für ihn übrig zu lassen. Abgesehen von Schulden.

Er wandte sich Mitija zu. »Willst du mir damit sagen, dass ich keinen Minenvorsteher mehr brauche?«, fragte er ihn kühl.

Mitija zog seinen Kopf noch tiefer zwischen die breiten Schultern. Er hatte eine Frau und drei Kinder. Und wenn Ojsternig ihn davonjagte, würden sie wohl kaum überleben. »Ich werde eine neue Ader finden, und wenn ich mit meinen eigenen Händen danach graben und mir dabei die Finger blutig kratzen müsste«, sagte er mit brüchiger Stimme.

Ojsternig starrte ihn schweigend an.

Die Stille währte so lange, dass Mitija den Eindruck hatte, um mindestens ein Jahr gealtert zu sein, ehe sein Herr wieder zu sprechen begann.

»Ich möchte dir den neuen Hauptmann vorstellen«, sagte Ojsternig schließlich.

»Gewiss, Euer Durchlaucht ...«

Da huschte ein Lächeln über Ojsternigs Lippen. Das Schicksal war grausam zu ihm gewesen, überlegte er, und daher gefiel es ihm, grausam zu anderen zu sein. Er zog an einer Schnur neben dem Tisch, an dem er sonst die Abrechnungen aus der Mine überprüfte, und eine kleine Glocke läutete.

Sofort öffnete sich die Tür des Großen Saales.

»Von nun an wirst du ihm deine Vorträge halten«, sagte Ojsternig und zeigte auf Agomar, der mit langsamen, bedrohlichen Schritten auf den Vorsteher der Mine zuging.

Mitija sah auf und riss erschrocken die Augen auf. »Du ...?«, flüsterte er.

Agomar lächelte. Dann sah er zu Ojsternig. »Was habe ich Euch gesagt, Herr? Ich wusste doch, der gute Mitija würde mich nicht vergessen.« Er machte einen Schritt auf den hünenhaften Vorsteher zu und streckte ihm die Hand hin. Ein unbedarfter Beobachter hätte gedacht, dass er ihn begrüßen wollte.

Doch Mitija wusste, dass Agomar etwas anderes beabsichtigte. Der neue Hauptmann zeigte ihm seine Hand. Und daher sah er hin.

»Nein«, sagte Agomar, weiter lächelnd, »unglücklicherweise ist er nicht nachgewachsen.« Er wedelte mit der Hand, an der der kleine Finger fehlte, vor Mitijas Augen herum.

»Agomar ...«, begann der Minenvorsteher leise, »es tut mir leid ... Aber du weißt ja ...«

»Es muss dir nicht leidtun«, erklärte Ojsternig. »Im Gegenteil, freu dich darüber. Mein Hauptmann hat beschlossen, dir die Gelegenheit zu geben, es wieder wettzumachen.«

Mitija sah ihn verständnislos an.

»Bist du nicht glücklich, die Gelegenheit zu bekommen, ein Unrecht wieder wettzumachen?«, hakte Ojsternig nach.

Mitija sah zu Agomar hinüber. Seit damals waren mehr als fünfzehn Jahre vergangen. Agomars Vater war ein kräftiger, anständiger Mann gewesen, ein Bergarbeiter, sein Weib eine gute Frau. Ihr einziges Kind jedoch, Agomar, war ein Dieb und arbeitsscheu. Dem Gesetz nach hätte Mitija ihm die ganze Hand abschlagen müssen, als er ihn dabei erwischte, wie er einem alten Minenarbeiter den Monatslohn rauben wollte, nachdem er ihn fast zu Tode geprügelt hatte. Stattdessen hatte er ihm aus Mitleid mit den Eltern nur den kleinen Finger abgehackt. Am Tag danach war Agomar verschwunden. Man erzählte sich, er wäre in die Berge gegangen. Später hatten sie erfahren, dass er ein Räuber und danach ein Söldner geworden war. Und in den letzten Jahren hatte es Gerüchte gegeben, dass er seine eigene Räuberbande anführte.

»Also?«, fragte Ojsternig weiter. »Freust du dich, dass du das Unrecht wieder wettmachen kannst, das du begangen hast?«

Mitija senkte den Kopf. »Ja, Euer Durchlaucht«, sagte er, denn er wusste, dass ihm nichts anderes übrig blieb.

»Unser Mitija hat mir gerade versprochen, dass er eine neue Ader finden wird, die mich so reich wie meine Vorfahren machen wird«, sagte Ojsternig. »Und wenn er mit seinen eigenen Händen danach graben muss und ... wie war das noch einmal, Mitija?«

»Wenn ich mir dabei die Finger blutig kratzen müsste, mein Herr.«

»Um noch genauer zu sein«, sagte Ojsternig nickend, »wenn du dir dabei deine ... *neun* Finger blutig kratzen müsstest.«

Mitija schaute Ojsternig an. Dann Agomar. Und er begriff.

Ojsternig klatschte in die Hände. Ein Diener erschien mit einem Küchenbrett und einem kleinen Beil mit einem eleganten Horngriff. Er stellte das Brett auf einer robusten Anrichte unter dem Fenster ab und reichte Agomar das Beil.

Agomar nahm es, drehte es in seinen Händen, fuhr prüfend

mit dem Finger über die Klinge und hielt es schließlich Ojsternig hin. »Herr, wollt Ihr das übernehmen?«

Ojsternigs Augen leuchteten auf. »Sehr gerne. So bekommt es auch offiziell den Anstrich von Gerechtigkeit.«

Agomar packte Mitija am Arm und zerrte ihn zu dem Brett mit dem Beil.

»Nein«, hielt Ojsternig ihn auf. »Das ist keine Hinrichtung. Mitija will ehrlich und aus eigenem Antrieb sein Unrecht wettmachen.« Er sah den Aufseher durchdringend an. »Nicht wahr?«

Mitija atmete tief durch. Er durfte seine Arbeit nicht verlieren. Er durfte seine Familie nicht in Gefahr bringen. Ojsternig war ein grausamer Fürst, gewalttätig und ungerecht. Und jetzt hatte er einen Räuber als Hauptmann. Mitija ging zur Anrichte und legte die rechte Hand flach auf das Brett. Er presste die Kiefer aufeinander, blähte die Nasenflügel und anstatt die Augen zu schließen, sah er starr aus dem Fenster, zu dem Haus aus Holz und Stein, in dem seine Familie lebte. Aus dem Augenwinkel nahm er wahr, wie Ojsternig das Beil hob. Dann spürte er einen stechenden, brennenden Schmerz. Er stöhnte auf, kniff die Augen zusammen, und als er sie wieder öffnete, sah er auf dem Brett seinen kleinen Finger in einer Blutlache liegen.

Ojsternig nahm ihn und warf ihn dem Molosser hin, als wäre es ein Hühnerknochen. Es gab ein unangenehmes Knacken, als der Hund ihn mit seinen kräftigen Zähnen zerbiss.

Mitija ging zum Kamin, holte mit einer Zange ein glühendes Holzscheit heraus und presste den verbliebenen Stummel dagegen. Die Wunde schloss sich zischend.

»Sehr gut, mein lieber Vorsteher, Ihr könnt gehen«, sagte Ojsternig. »Sobald alles verheilt ist . . . beginnt Ihr zu graben.«

Nachdem Mitija den Raum verlassen hatte, betrachtete Ojsternig wieder das von rot-schwarzem Staub bedeckte Dorf.

»Ruprecht III. hat immer noch nicht auf meine Nachricht geantwortet«, sagte er finster.

»Das wird er bestimmt bald tun«, sagte Agomar.

»Es hat doch keiner aus dem Fürstenhaus von Saxia überlebt, oder?«, fragte Ojsternig ihn.

Agomar sah seinem Herrn direkt in die Augen und antwortete ohne das geringste Anzeichen von Unsicherheit: »Kein Einziger.«

»Und doch hat Ruprecht III. sich noch nicht geäußert«, sagte Ojsternig.

»Könnte seine Antwort denn anders ausfallen, als Ihr es erwartet?«, fragte Agomar. »Wer, wenn nicht Ihr, sollte der neue Herr von Raühnval werden? In Erwartung der offiziellen Einsetzung durch den König könntet Ihr Euren neuen Untertanen doch einfach verkünden, dass Ihr Raühnval Eurem Fürstentum angeschlossen habt. Und damit beginnen, Steuern zu erheben.«

Ojsternig sah ihn anerkennend an. »Du bist ein Räuber, Agomar.«

Agomar verneigte sich übertrieben. »Danke, Euer Durchlaucht.«

Ojsternig lachte. »Komm, lass uns ein wenig durch Dravocnik laufen. Es heißt, die Grubenarbeiter haben begonnen, gewissen Rebellen Gehör zu schenken.« Er ging zur Tür. »Mitijas kleiner Finger hat mir Appetit auf mehr gemacht.«

10

Der Herr von Ojsternig war gerade erst vierzig Jahre alt geworden. Sein Körper war hager wie der eines jungen Mannes. Doch als er sich an diesem Abend in seinem Schlafgemach auf der einst so prächtigen Burg derer zu Ojsternig auszog und sich im Schein der Öllampe in der spiegelblank polierten dünnen Messingplatte betrachtete, sah er nicht den kräftigen Körper eines Jünglings, sondern den von Verbitterung ausgemergelten Leib eines Mannes, der nur von seinem Groll, seinem Bedauern zehrte. Der das unglückselige Schicksal verfluchte und den eigenen Lebensweg hasste. Der nur zurückschaute und neidvoll die von Wohlstand geprägte Vergangenheit seiner Vorfahren betrachtete, die ihm verwehrt blieb, und darauf wartete, vom Schicksal entschädigt zu werden, ohne selbst etwas dafür zu tun. Er fuhr sich mit der Hand über den Bauch, der von den in seinen Eingeweiden tobenden Gasen prall gespannt war. Dann berührte er seinen Leib über der Leber, die ihm das Blut vergiftete, da sie täglich Galle spie, und die schuld an diesen schwarzen Ringen unter seinen Augen war, dunkel wie zwei morastige Jauchegruben. Er legte die Hand auf seine linke Brustseite, wo das Herz im Takt dauerhafter Unzufriedenheit schlug.

Ojsternig schlüpfte in ein langes Hemd aus gekochter Wolle mit Samtornamenten und Stickereien aus purem Gold, das einst sehr kostbar gewesen, inzwischen jedoch ziemlich zerschlissen war. Es hatte seinem Vater gehört und zeugte von dem letzten Rest des Vermögens der Fürsten von Ojsternig. Inzwischen waren die Ärmel über den Ellenbogen so oft geflickt worden, dass durch die Stopfarbeiten ein dichtes Gewebe entstanden war. Ojsternig betrachtete den unteren Saum des Gewandes mit den eleganten Goldstickereien, die einmal ein üppiges Blumenmuster gebildet hatten, doch nunmehr ausgefranst zu den Knöcheln herabhingen wie die Fäden eines zerrissenen Spinnennetzes. Mit den Fingerspitzen fuhr er sich über den dünn gewordenen Samtkragen.

Ojsternig hatte andere Nachtgewänder, wärmere und sicher neuere. Aber jeden Abend, wenn ihm der Diener, der ihm beim Entkleiden half, ihm eines davon reichen wollte, wies er es mit einer scharfen Kopfbewegung zurück. Dieses Hemd sollte ihn an seinen Groll erinnern.

Ojsternig war nicht arm. Zumindest nicht ärmer als viele andere Herrscher, in deren Fürstentümern sich der Reichtum vergangener Zeiten erschöpft hatte. Auf seinem Tisch gab es immer ein Spanferkel, mit Kastanien und Honig, gekocht oder am Spieß gebraten. Es fehlte auch nicht an Wein, weder dem Würzwein aus dem Elsass noch dem puren, sonnengereiften aus dem Süden Italiens. Es gab Brote aus Weichweizen, aus Weißmehl, mit Mohnsamen oder Kümmel. Und edles Geschirr und Besteck aus Silber und Hartzinn mit fein ziselierten Griffen aus Elfenbein oder Horn.

Dennoch glaubte Ojsternig, dass es ihm an allem mangelte. Und je mehr der Groll ihn verzehrte, desto mehr fühlte er sich vom Schicksal betrogen.

Er wandte sich dem Diener zu. »Ruf die Prinzessin«, befahl er ihm. Während der Diener den Raum verließ, starrte Ojsternig in das Feuer des großen Kamins. Mächtige Buchenholzscheite verbreiteten darin eine intensive, duftende Wärme. Aber Ojsternig hatte nur den beißenden Geruch von Torf in der Nase, denn dieser war reichhaltig im Boden vorhanden und wurde auch in seinem Haus genutzt, um den Großen Saal zu heizen und die Kochstellen in der Küche zu befeuern. Ganz so wie in den Häusern der einfachen Leute.

Seine Vorfahren hatten sogar den Wald geplündert. Selbst die Buchen und Lärchenwälder auf der Süd-Ost-Flanke des Berges.

Ojsternig dachte an das Fürstentum von Raühnval. Sobald es ihm gehörte, würde das Haus wieder ausschließlich mit Buchen- und Lärchenholz geheizt werden. Er würde den Mezesnigwald erbarmungslos abholzen, ohne einen Gedanken an seine Erben zu verschwenden. Denn diese Lektion hatte er gelernt: Jeder hat für sich selbst zu sorgen. Und die anderen sollen sich zum Teufel scheren.

Am Nachmittag, als er mit Agomar durch die Gassen von Dravocnik gelaufen war, hatte ihn der Anblick von Häusern und Menschen mehr angeekelt denn je. Dieser rötliche Staub und der Torfruß machten die Gegend zur Hölle. »Eine erloschene Hölle«, hatte Agomar gesagt. Eine Hölle, in der es keine lodernden Essen und emsig arbeitenden Handwerker mehr gab. Eine Hölle, die selbst der Teufel verlassen hatte. Weit und breit nichts als Rot und Schwarz, die Holzbalken, der Boden in den Gassen, die offenen Abwassergräben, Mensch und Tier. Und dazu als einziges, ständiges Hintergrundgeräusch nicht Marktgeschrei, nicht die werbenden Rufe der Händler oder die lockenden der Huren, nicht das Lachen von Kindern oder Schreie von sich Prügelnden, auch kein Schweinegrunzen, Blöken von Ziegen oder Muhen von Kühen. Nein, die einzige, ständige Geräuschkulisse war das Husten von Mensch und Tier. Das Rasseln in den Kehlen und Lungen, die verstopft waren von diesem roten und schwarzen Staub.

Dravocnik war widerlich, dachte Ojsternig, während er in seinem Gemach auf das Erscheinen der Prinzessin wartete.

Er ließ sich so schwer auf das Bett fallen, dass das Lärchenholzgestell unter ihm ächzte. In das riesige Betthaupt waren verschiedene Szenen geschnitzt – sie handelten von der Jagd, vom Krieg und von der Liebe. Er fuhr mit dem Finger über die sachten Erhebungen, die ein Kunsttischler im dreizehnten Jahrhundert für seinen Urgroßvater mit begabter Hand aus dem Holz gefertigt hatte.

Ein schüchternes Klopfen an der Tür. Dann erschien das ausgezehrte, gelbliche Gesicht des Dieners. »Die Prinzessin ist hier, Herr«, meldete er.

»Lass sie eintreten und verschwinde«, befahl Ojsternig.

Der Diener verbeugte sich und zog sich zurück.

Die Prinzessin betrat das Zimmer, ging noch einen Schritt und blieb dann stehen.

Der Diener schloss die Tür von außen.

»Hier bin ich, Herr«, sagte die Prinzessin. Ojsternig betrachtete sie. Sie hatte keinen strahlenden Teint. Eher hätte man ihre Haut als mattweiß beschreiben können, wie junges Elfenbein. Aber sie war immer peinlich sauber. Ojsternig hätte es nicht ertragen, wenn auch ihr Gesicht sich rot vom Hämatit und schwarz vom Torf gefärbt hätte. Das hatte er ihr auch gesagt. Sollte er eines Tages eine Spur Rot oder Schwarz auf ihrem Gesicht entdecken, würde er sie aus dem Schloss jagen und seinen Soldaten überlassen.

»Willkommen, meine Liebe«, erwiderte Ojsternig.

Die Prinzessin neigte kaum wahrnehmbar den Kopf in einem stummen Gruß an ihren Herrn und Gebieter.

»Komm her, lass dich ansehen«, sagte Ojsternig.

Die Prinzessin ging bis zum Fußende des Bettes.

Ojsternig verschob die Öllampe, um sie besser betrachten zu können. Die Prinzessin hatte dichtes, kastanienbraunes Haar, das tagsüber unter einer Seidenhaube verborgen war, das sie jedoch stets löste und bürstete, wenn ihr Herr sie zu sich rief. Es glänzte nicht so hell wie gewachstes Eichenholz, sein Braun war eher fahl und matt wie verbrannte Getreidestoppeln. Auch über den hellen Augen lag ein Schleier, doch er vermutete, dass dieser weniger von einer Veränderung der Linse als von ihrem

Seelenzustand herrührte. Die Nase war schmal und endete mit einer scharfen Spitze. Die Prinzessin war keine Schönheit. Aber ihre Lippen waren rot wie reife Kirschen und bildeten einen Herzmund.

»Zieh dich aus, meine Liebe«, sagte Ojsternig zu ihr.

Die Prinzessin öffnete den Knoten, der ihr hellblaues Gewand am Hals zusammenhielt. Dann ließ sie das Hemd zu Boden gleiten und stand im flackernden Licht der Öllampe nackt vor ihm.

Sie hatte einen vollen Busen. Große, helle Brustwarzen wie die Blüten der Hundsrose im Hochsommer. Und wohlgerundete Hüften. Zwischen den schlanken Schenkeln ein wenig Flaum.

Sie war jung. Sehr jung. Gerade erst dreizehn.

»Komm her«, sagte Ojsternig und klopfte neben sich auf die mit Ziegenwolle gefüllte Matratze, nachdem er die Decke aus Wolfsfell angehoben hatte.

Die Prinzessin legte sich neben ihn auf den Rücken und richtete ihre Augen auf die großen, verzierten Deckenbalken.

Manchmal wirkt sie wie eine Tote, dachte Ojsternig.

»Ist dir kalt?«, fragte er sie.

»Nein, Herr«, antwortete die Prinzessin.

Ojsternig drehte sich auf eine Seite und betrachtete sie lange. Dann schob er das zerschlissene Hemd hoch, das einst seinem Vater gehört hatte, und bestieg sie. Die kirschroten Lippen der Prinzessin öffneten sich leicht.

Als Ojsternig fertig war, rollte er sich zur Seite. »Vielen Dank, meine Liebe, du kannst gehen«, sagte er zu ihr, ohne sie anzusehen.

Die Prinzessin erhob sich, nahm ihr Hemd vom Boden auf, zog es an und schloss es dann fest, viel fester als vorher, bis ganz hoch zum Hals. Dann ging sie zur Tür und öffnete sie.

»Gute Nacht, Vater«, sagte sie und glitt aus dem Zimmer.

Ojsternig antwortete ihr nicht. Er wartete, bis die Tochter den Raum verlassen hatte, dann tastete er seinen hageren Körper ab, den Groll und ein lasterhaftes Leben ausgezehrt hatten. Er lauschte auf den eigenen Herzschlag.

Er empfand nichts. Kein Schuldgefühl.

Nur Grausamkeit vermochte ihn noch zu erregen und ließ ihn sich lebendig fühlen.

Und daher beschloss er vor dem Einschlafen, dass er am nächsten Tag befehlen würde, einen Grubenarbeiter zu hängen.

Zu seinem Vergnügen.

11

Je mehr der Frühling im kalten Tal Einzug hielt, wesentlich später als im Rest der Welt, desto unruhiger wurde Hubertus. In der Nacht kam er immer wieder unter Mikaels Jacke hervor und schlüpfte wieder zurück, streckte das Schnäuzchen witternd in die Luft, als suchte er nach etwas. Er nahm zwar Futter von Mikael an, knabberte aber nur lustlos daran. Tagsüber kletterte er auf die Leiter, die zur Luke hochführte, und untersuchte sie ständig.

Mikael beobachtete diese Veränderungen mit wachsender Sorge. Er war beunruhigt und verstand nicht, was da vor sich ging, außerdem vermisste er die ständige tröstliche Nähe von Hubertus, seinen kleinen Körper in der Hand. Oft folgte er der Maus zur Leiter, packte sie, brachte sie zum Lager zurück und versuchte, sie zum Bleiben zu bewegen. Doch Hubertus huschte so bald wie möglich wieder fort, kletterte die Leiter hoch und versuchte, die Nase zwischen die Bohlen zu stecken.

Eines Tages verschloss Eloisa die Luke nicht richtig. Am Rand hatte sich ein Stein verklemmt. Mikael hatte noch nicht einmal die Zeit, am Luftzug zu merken, dass etwas nicht stimmte, da war Hubertus schon hindurchgeschlüpft.

»Hubertus!«, rief Mikael besorgt und sprang auf. Er lief zur Luke und rief erneut durch den Spalt nach ihm: »Hubertus!«

Doch die Maus kam nicht wieder.

Mikael lauschte angespannt und konnte sie über den Fußboden trippeln hören. Plötzlich überkam ihn schreckliche Angst. »Hubertus ... Hubertus ...!«, rief er das Tier wieder und wieder, und seine Stimme klang immer verzweifelter. Als die

Sorge unerträglich wurde, versuchte Mikael, die Luke zu öffnen, und kümmerte sich nicht darum, dass er so die Regeln brach, die er monatelang befolgt hatte. Doch die Luke war schwer zu bewegen, da die Truhe darauf stand. Er steckte die Finger durch den Spalt und drückte. Es rührte sich nichts. Da kletterte er noch eine Sprosse weiter auf der Leiter nach oben, bis er mit dem Kopf und einem Teil der Schulter gegen die Luke stieß, dann drückte er, so fest er konnte, die Beine durch. Sie öffnete sich einen Spalt. Mikael steckte erst die rechte Hand, dann den ganzen Arm hindurch und tastete nach etwas, woran er sich festhalten konnte. Doch seine Beine gaben nach und die Luke schlug wieder zu, sodass sein Arm am Ellenbogen eingeklemmt wurde. Mikael stöhnte laut vor Schmerz, doch er gab nicht auf. Er drückte erneut die Beine durch und rief weiter atemlos und voller Angst: »Hubertus ... Hubertus ...« Schließlich rutschte die Truhe ein Stück nach hinten, zumindest so weit, dass Mikael seinen Kopf und seinen Leib durch die Öffnung schieben konnte. Er schaffte es ganz hinaus, wobei er sich am Rücken und Unterleib aufschürfte.

Es war ein dunkler, wolkenverhangener Morgen. Kaum heller als ein Abend. Doch im Zwielicht konnte Mikael die Maus sehen, die wie wild an der Türschwelle kratzte.

»Hubertus, komm her«, flüsterte er, während er näher an sie herankroch.

Genau in dem Moment löste sich allerdings der Erdkrümel, der den Spalt zwischen der Tür und der Schwelle blockiert hatte, unter Hubertus' Pfötchen, und die Maus huschte ins Freie.

»Nein!«, rief Mikael und lief zur Tür. Dann öffnete er sie einen Spaltbreit. »Hubertus!«

Er sah, dass die Maus nach einem ersten Moment der Verwirrung sich auf die Hinterpfoten stellte, das Schnäuzchen witternd in die Luft streckte und dann verschwand.

»Hubertus!«

Die Maus flitzte genau in dem Moment über die schlammige Dorfstraße, als ein von zwei Ochsen gezogener Karren vorbeifuhr.

Mikael schloss die Augen, während Hubertus unter den Rädern des Karrens verschwand. Als er sie wieder öffnete, war die Maus dem Tode entronnen und lief in Richtung eines Wiesenstücks zwischen zwei Hütten, inzwischen war sie nurmehr ein ferner kleiner Punkt.

»Hubertus!«, rief Mikael noch einmal verzweifelt.

Plötzlich schwang die Tür auf.

Mikael wurde von rauem Holz im Gesicht getroffen. Er fiel nach hinten zu Boden, ohne zu begreifen, was vor sich ging.

Agnete stürzte sich wie eine Furie auf ihn. »Du dummer Junge, willst du uns alle umbringen?«, zischte die Frau, während sie ihn am Arm zur Luke schleifte.

Mikael starrte unverwandt auf die Tür, durch die Hubertus verschwunden war.

Bei der Luke angekommen, schob Agnete die Truhe mit einem Fußtritt zur Seite, zog Mikael so hoch, dass seine Beine kaum noch den Boden berührten, und starrte ihn wütend durch schmale Augenschlitze an. Ihre Nasenflügel bebten.

»Hubertus ist fortgelaufen«, jammerte Mikael.

»Und jetzt willst du uns wegen einer Maus umbringen?«, machte Agnete sich Luft. Sie packte ihn bei der Schulter und schüttelte ihn mit zusammengepressten Kiefern.

Mikael konnte den Blick nicht von der Tür abwenden, obwohl er schreckliche Angst hatte.

»Deine Maus ist nun weg, Junge«, sagte Agnete, während die Wut in ihrer Kehle erlosch. »Es ist Frühling. Dein Hubertus sucht nach einem Weibchen. Er will bloß ficken!«

Mikael sah sie mit gerunzelter Stirn an, er war gleichermaßen verwirrt und erstaunt.

Agnete schüttelte den Kopf. »Ich bin eine ordinäre Frau«,

sagte sie mit Stolz in der Stimme, hinter dem sie ein wenig ihre Scham verbarg. »Gewöhn dich an diese Sprache, kleiner Prinz. Hier bei uns gibt es keine Lauten- oder Gesangslehrer. Wir einfachen Leute reden eben so. Und du solltest besser unsere Sprache lernen.«

Mikael senkte die Augen und zog den Kopf zwischen die Schultern.

»Dein Hubertus folgt dem Ruf der Natur«, fuhr Agnete nun in einem etwas versöhnlicheren Tonfall fort. »Er wird sich nicht umdrehen, um sich von dir zu verabschieden. Er ist wie ich: rau, aber ehrlich. Er will ein Weibchen erobern. Jetzt hat er nichts anderes mehr im Kopf. Er wird sich mit wer weiß wie vielen anderen Männchen um sie prügeln. Und es steht noch lange nicht fest, dass er gewinnen wird, nur weil er gut genährt ist. Denn die anderen dort draußen haben Dinge überlebt, die er sich nicht einmal vorstellen kann. Und jetzt sind sie gemein und zu allem entschlossen ...« Agnete nahm grob Mikaels Gesicht zwischen ihre Hände und zog ihn hoch. »Aber er wird kämpfen, keine Sorge. Dein Hubertus wird kämpfen, selbst wenn er dabei umkommen würde. Es tut mir leid ... aber jetzt zählst du für ihn nicht mehr. Du hast deinen Zweck erfüllt. Du bist keine Maus, sondern bloß ein Kind, das ihm etwas zu essen gegeben hat. So ist das Leben nun einmal. Und je schneller du das lernst, desto besser für dich.«

Mikaels Augen füllten sich mit Tränen.

»Jetzt geh wieder nach unten«, sagte Agnete und schob ihn zur Luke hin.

Mikael kletterte langsam die Leiter hinunter, aber auf der letzten Sprosse gaben seine Beine nach, und er landete mit dem Gesicht auf dem Boden. Und blieb so liegen.

Agnete betrachtete ihn. »Steh wieder auf, Junge«, sagte sie.

Mikael gehorchte. Er spürte das Blut auf seiner Lippe und den Geschmack der Erde in seinem Mund.

»Halt noch ein paar Tage durch«, sagte Agnete. »Auch deine Stunde kommt bald, genau wie heute für deinen Hubertus.«

»Mutter, schaut doch mal, Oswald!«, sagte Eloisa bei der Tür.

»Zwei Tage noch, Junge. Dann wirst du lernen müssen, gegen die zu kämpfen, die da draußen leben«, sagte Agnete und schloss die Luke. Dann ging sie zu ihrer Tochter und beobachtete mit derselben mädchenhaften Freude wie Eloisa den Zimmermann Oswald, der nicht nur die Dächer reparierte, sondern bekannt dafür war, das schlimmste Klatschmaul des Dorfes zu sein. An diesem Morgen hatte Agnete ihm unter dem Siegel der Verschwiegenheit anvertraut, dass sie einen Jungen kaufen würde, der ihr bei der Feldarbeit helfen sollte.

Oswald stand gegenüber der Tränke und sprach mit einer Gruppe Dorfbewohner. Dabei drehte er sich immer wieder um und zeigte auf Agnetes Hütte.

»Ich wusste, dass ich mich auf dich verlassen kann, Oswald«, murmelte Agnete und lachte in sich hinein. »Noch vor dem Abend wird das ganze Dorf wissen, dass ich Raphael einen Jungen abkaufen will, also wird bei seinem Anblick keiner Verdacht schöpfen, dass er der Erbprinz Marcus II. von Saxia ist.« Sie betrachtete ihre Tochter. »Merk dir das«, sagte sie, »wenn du ein Geheimnis für dich behalten willst, dann richte es so ein, dass die Leute gar nicht erst dazu kommen, sich Fragen zu stellen. Gib ihnen gleich eine Antwort. Und jetzt müssen wir zur Arbeit, komm.«

Agnete und Eloisa gingen zum Ausgang. Doch ehe sie die Tür schloss, rannte Eloisa noch einmal zurück.

»Hast du gehört, Dummerjan?«, flüsterte sie aufgeregt durch die Dielenbohlen. »Freust du dich?«

Sie erhielt keine Antwort. Eloisa wartete noch einen Augenblick, dann klopfte sie zornig mit der flachen Hand auf den Boden. »Dummkopf!«, rief sie im Gehen.

Auf seinem Lager zusammengekauert atmete Mikael langsam durch. Er fühlte sich einsamer denn je. Das Blut auf seiner Lippe hatte zusammen mit der Erde eine Kruste gebildet. Er konnte an nichts anderes denken als an den kleinen Hubertus, den die Mäuse da draußen vielleicht schon getötet hatten. Draußen, wo der, der überlebte, immer stärker wurde, immer gemeiner, immer entschlossener.

Zwei Tage, hatte Agnete gesagt, und dann würde auch er um sein Leben kämpfen müssen.

Er dachte an Hubertus und sah sich selbst.

»Ich wünschte, du wärst hier und könntest mich lehren, wie man das macht, Vater«, flüsterte er.

Zwei Tage später rüttelte Agnete Mikael noch vor Tagesanbruch grob an der Schulter.

»Steh auf«, sagte sie. »Wir müssen los. Heute werde ich dich dem alten Raphael abkaufen.«

Mikael spürte einen Stich in der Brust. Nach Monaten würde er an diesem Morgen zum ersten Mal nicht mehr in das Versteck unter der Luke klettern. Eloisa sah ihn besorgt an.

»Es wird ein langer und anstrengender Tag für dich«, sagte Agnete. »Iss etwas.« Dann ging sie zur Tür. »Ich belade das Maultier.«

Eloisa erhob sich vom Lager und stellte den Topf mit der Brühe aufs Feuer, das ihre Mutter schon angezündet hatte. Gedankenversunken rührte sie im Topf. Als die Brühe heiß war, füllte sie zwei randvolle Schöpfkellen in eine Schale und reichte sie Mikael wortlos. Sie nahm ein Stück getrocknetes Fleisch vom Vorabend, das sie eigens aufgehoben hatte, und gab ihm das zusammen mit dem üblichen Kanten Brot zum Frühstück.

Mikael nahm alles mit gesenktem Kopf entgegen. Er wandte sich der Tür zu, die nur angelehnt war. Draußen hörte man Agnete herumfuhrwerken.

»Ich fürchte mich vor deiner Mutter«, gestand Mikael schließlich.

Eloisa versteifte sich. »Meine Mutter ist der beste Mensch auf der Welt«, sagte sie heftig. Dann ging sie drohend auf Mikael zu. »Wenn du auch nur versuchst, schlecht über sie zu reden, schlage ich dir alle Zähne aus.«

Mikael hielt immer noch den Kopf gesenkt. »Ich habe doch

nur gesagt, ich fürchte mich vor ihr ... nicht dass sie schlecht ist.«

»Du Dummkopf fürchtest dich vor der Frau, die dir das Leben gerettet hat?«

Mikael hob den Kopf und sah Eloisa direkt in die Augen. »*Du* hast mir das Leben gerettet«, sagte er und klang auf einmal ganz erwachsen.

»Bist du fertig, Junge?«, rief Agnete von draußen.

Eloisa zog ihre Handschuhe aus und gab sie Mikael. »Oben auf dem Pass ist es noch kalt«, sagte sie.

»Was für ein Pass?«, fragte Mikael. »Wohin gehen wir denn?«

»Zum Markt des Bergarbeiterdorfes Dravocnik«, erwiderte Eloisa. »Dort werden die Kinder verkauft.«

Agnete betrat wieder die Hütte. Sie ging zum Kamin und fuhr mit den Händen über Stellen, an denen sich viel Ruß abgesetzt hatte. »Komm her, Junge.«

Mikael ging zu ihr.

Agnete rieb ihm mit dem Ruß das Gesicht, die Partie hinter den Ohren, Hals und Brust ein. »So, jetzt bist du wirklich ein Kind aus Dravocnik.«

Eloisa lachte. »Du siehst aus wie ein Köhler«, sagte sie. Aber ihr Lachen klang angespannt.

»Gehen wir«, sagte Agnete und nahm einen großen schmutzigen Jutesack.

Mikael rührte sich nicht. Er starrte Eloisa an.

Agnete bemerkte es. »Du brauchst sie gar nicht so anzuschauen. Sie kommt nicht mit«, sagte sie, während sie ihn an einer Schulter packte und in Richtung Ausgang zerrte. »Sie bleibt allein hier. Und sie hat keine Angst.« Agnete wandte sich ihrer Tochter zu: »Hab ich recht?«

Mikael drehte sich ebenfalls zu ihr um.

»Ja ...«, flüsterte Eloisa mit fadendünner Stimme.

Agnete nickte zufrieden, dann schob sie Mikael aus der Tür.

Und in der letzten Dunkelheit kurz vor der Morgendämmerung erblickte Mikael schemenhaft ein knochiges, abgezehrtes Maultier mit schwarzem Fell, auf dessen Rücken zwei Weidenkörbe befestigt waren.

Agnete schlug den Jutesack auf und legte ihn vor Mikael mit der Öffnung nach oben auf den Boden. »Los, rein mit dir.«

Mikael drehte sich zu der schäbigen Hütte um. Eloisa war aus der Tür getreten und beobachtete sie.

»Was ist? Brauchst du erst ihre Erlaubnis?«, fragte Agnete grob. »Los, da rein, Junge. Und zwar rasch. Ich will hier weg sein, bevor das ganze Dorf auf den Beinen ist.«

Mikael stieg vorsichtig in den Sack, erst mit dem einen Fuß, dann mit dem anderen.

Agnete zog die Zipfel des Sacks nach oben, der Mikael bis zur Brust reichte. Dann hob sie ihn ohne größere Anstrengung hoch und steckte ihn in einen der Körbe auf dem Rücken des Maultiers.

Mikael stieg der strenge Geruch des Tiers in die Nase, das unter der Last kaum zusammenzuckte.

Agnete drückte Mikael nach unten, damit er sich zusammenkauerte. Dann knotete sie die Sackzipfel mit einer abgenutzten Schnur aus Hanf über seinem Kopf zusammen und begrub den Sack unter einer Schicht Rüben und Zwiebeln. Nach einem Klaps auf das Hinterteil setzte sich das Maultier schließlich in Bewegung.

»Auf Wiedersehen, Mutter«, sagte Eloisa.

Agnete erwiderte den Gruß nicht.

In seinem Versteck nahm Mikael die Handschuhe, die ihm Eloisa gegeben hatte, und streifte sie sich über, obwohl ihm gar nicht kalt war.

Als sie das Dorf hinter sich gelassen hatten, fragte Agnete: »Bekommst du genug Luft, Junge?«

»Ja.«

»Der Weg ist lang. Schlaf, wenn du kannst.«

»Wie heißt das Maultier?«, fragte Mikael nach einer Weile.

»Maultier.«

»Hat es keinen Namen?«

Agnete antwortete ihm nicht.

Es verging wieder einige Zeit, dann sagte Mikael ganz leise: »He, Maultier, ich heiße Mikael.«

»Sei still, Junge«, befahl Agnete ihm.

Mikael bemerkte, dass die Straße nun allmählich anstieg. Er hörte Agnete und das Maultier vor Anstrengung keuchen. Hörte, wie die Steine unter den Hufen des Tiers knirschten. Und er spürte, dass es kälter wurde. Nachdem sie einige Zeit langsam steil bergauf gegangen waren, blieb Agnete stehen. Sie atmete schwer. Auch dem Maultier war die Erschöpfung anzumerken.

»Von jetzt an darfst du keinen Mucks mehr machen, Junge«, sagte Agnete. »Unser Leben hängt davon ab.«

»Warum?«, fragte Mikael.

Wortlos bohrte Agnete ihren Wanderstab mit der Spitze durch die groben Maschen des Korbes und stieß ihn dann heftig in den Jutesack.

Mikael schrie leise auf.

»Das nächste Mal, wenn du etwas sagst, tue ich dir richtig weh«, sagte Agnete. »Hast du verstanden?«

Mikael schwieg.

»Gut. Vielleicht bist du doch nicht so dumm, wie du aussiehst«, sagte Agnete befriedigt und lief weiter.

Kurz darauf drang der Geruch von Suppe und gebratenem Fleisch in Mikaels Nase.

»Einen guten Tag euch, Soldaten«, sagte Agnete laut.

»Dir auch einen guten Tag, Frau«, erwiderte ein Mann.

Mikael vernahm das Klirren von Rüstungen.

Agnete blieb stehen.

»Wohin willst du, Frau?«, fragte der Mann.

»Zum Markt in Dravocnik«, antwortete Agnete.

»Und was willst du da?«

»In meinem Alter werd ich da wohl kaum einen Mann freien wollen!«

Der Soldat lachte dreckig. »Und was hast du dabei?«

»Zwiebeln, Rüben, zwei Sack Hafer und einen Sack Gerste ...«

»Und was ist in dem Sack da?«, unterbrach der Soldat sie.

»Kinderfleisch«, sagte Agnete.

Der Soldat schwieg einen Augenblick verdutzt. Dann lachte er so laut, dass seine leichte Rüstung erzitterte. »Du bist mir ja eine lustige Alte«, meinte er. »Das heißt wohl, dass deine Geschäfte gut gehen.«

»Nein, das heißt bloß, dass ich ein guter Mensch bin und dass der neue Herr noch nicht damit angefangen hat, alles aus uns herauszupressen.«

Der Soldat stutzte noch einmal. Dann versetzte er dem Maultier einen Klaps auf das Hinterteil. »Verschwinde, Frau. Du hast ein loses Mundwerk. Du redest schon wie die Bergarbeiter in Dravocnik.«

»Wieso? Was sagen die denn?«

»Pass auf, mit wem du dich in Dravocnik triffst. Dort liegt Ärger in der Luft. Die Bergleute bilden sich ein, dass sie auch woanders Lohn und Brot suchen können. Einige versuchen, von da wegzukommen. Andere haben die Wachen angegriffen ... Sie nehmen ziemlich große Worte in den Mund.«

»Ach ja? Was denn für große Worte?«

»Freiheit«, erwiderte der Soldat und wurde ganz still.

»Das ist wirklich ein großes Wort«, sagte Agnete.

»Wag es nicht, mich zu verspotten«, fuhr der Soldat sie an. »Los, verschwinde, du Schandmaul.«

»Auf Wiedersehen, Soldat«, sagte Agnete und machte sich auf den Weg.

Doch schon nach wenigen Schritten rief ihr der Soldat hinterher: »He, Frau, warte!«

Mikael spürte, wie angespannt Agnete war, während sie ihr Maultier mit einem knappen Ruf zum Stehen brachte.

»Willst du mich nicht ein Stück vom Kinderfleisch kosten lassen?«, fragte der Soldat sie.

Mit gespielter Lockerheit antwortete Agnete: »Na komm schon, das Kind ist zu klein. Wenn ich dir ein Stück davon gebe, was soll ich dann noch auf dem Markt verkaufen?«

Da lachte der Soldat und ging zu seinem Posten zurück.

»Der Teufel soll dich holen«, murmelte Agnete und lief weiter.

Eine halbe Meile ging es bergab, das Wegstück kam Mikael weniger holprig vor. Doch dann blieben sie stehen, und Agnete sagte: »Komm, mein Schöner, jetzt streng dich noch einmal an.«

»Meint Ihr mich?«, fragte Mikael.

»Wie kommst du darauf? Hast du dich etwa angestrengt, Junge?«

Mikael wurde siedendheiß. »Entschuldigt …«, stammelte er.

Agnete ließ ihre Hand auf das Hinterteil des Maultiers niedersausen. »Komm schon, wir sind fast da, mein Alter!«

»Auf dem Markt?«, fragte Mikael.

»Wir gehen nicht zum Markt von Dravocnik.«

»Aber Ihr habt Eloisa doch gesagt …«

»Sie ist ein tüchtiges Mädchen, aber sie hat eine schwatzhafte Zunge.«

»Und wohin gehen wir dann?«

»Zur Höhle des Drachen …«

»Wie bitte …«

»Zu der Hütte des alten Raphael, hoch droben in den Bergen«, sagte Agnete.

»Warum nennt Ihr sie die Höhle des Drachen?«

Agnete klang grimmig, als sie knapp antwortete: »Das geht dich nichts an.« Sie gab dem Maultier noch einen Klaps. »He, Gangolf, jetzt zeig es dem Aufstieg aber mal!«

»Gangolf?«

»Du bist wirklich dumm wie Bohnenstroh, Junge. Hast du etwa geglaubt, Eloisa hätte ihrem Maultier keinen Namen gegeben?«

Der Weg stieg steil an, das Maultier kam nur mühsam vorwärts. Wenn es bockte, trieb Agnete es mal mit guten Worten, mal wüst fluchend an, oder sie schlug es mit einem Stock. Doch schließlich wurde der Weg ebener.

»Jetzt hast du es geschafft, mein Alter«, sagte Agnete liebevoll und voller Stolz.

Kurz darauf hielten sie an.

»Da bist du ja, Agnete«, hörte man Raphaels tiefe Stimme. »Hattet ihr eine gute Reise? Was ist mit dem Jungen?«

Agnete nahm die Rüben und Zwiebeln aus dem Korb, löste die Schnur, die den Sack verschlossen hatte, und sagte: »Komm raus.« Als sie sah, dass Mikael zögerte, packte sie ihn am Arm und zerrte ihn heraus.

Mikael fiel aus dem Korb auf das grüne Gras.

»Hast du gesehen, wie leicht das war?«, fragte Agnete. »Steh auf!«

Mikael gehorchte sofort.

»Der sieht wirklich aus, als käme er vom Markt der Bergleute. Gute Arbeit, Agnete«, sagte Raphael zufrieden und näherte sich. Dann spuckte er sich in die Hand und säuberte damit Mikaels Stirn an der Stelle, wo er ihm die Wunde zugefügt hatte. »Ausgezeichnet!«, rief er, als er die verbliebene Narbe sah.

»Ich habe ein bisschen Ware mitgebracht, die ich sonst auf dem Markt verkaufen würde. Wollt ihr sehen, ob etwas für Euch dabei ist?«

Während Raphael den Inhalt der Körbe prüfte, sah Mikael

sich um. Die Hütte war kaum mehr als ein Schuppen, der aus einem einzigen Raum bestand, wie man durch die offen stehende Tür erkennen konnte. Über der Tür hing ein prächtiges Hirschgeweih.

Oberhalb der Lichtung erhob sich wie eine riesige Säule ein Berg, der bis in den Himmel zu reichen schien. Er war aus grauem Stein, Wind und Wetter hatten ihre Spuren darin hinterlassen, und der Gipfel war weiß gefleckt vom Schnee. In den Senkrechtspalten und Klüften, die dem Berg etwas Zerrissenes verliehen, hatten sich schmale Gletscher festgesetzt, wie Tränenspuren aus Eis, die selbst die Sommersonne nicht zu schmelzen vermochte. Diese Felsnadel ragte einsam auf, weit entfernt von anderen Wipfeln, als wäre sie etwas ganz Besonderes. Sie sah aus wie ein Turm.

Raphael hatte sich inzwischen Agnetes Waren angesehen. »Ich brauche Hafer und Gerste. Und auch Zwiebeln und Rüben. Ich kaufe dir alles ab«, sagte er und nickte dazu. »Ich nehme an, auf dem Markt hättest du dafür insgesamt etwa zwölf Schilling bekommen«, sagte er, und seine Hand ging zu der Lederbörse an seinem Gürtel.

»In diesen Zeiten wäre ich schon froh, zehn dafür zu bekommen«, antwortete Agnete.

Raphael öffnete lächelnd die Börse.

»Aber da ich nicht bis zu diesem elenden Ort gehen musste«, fuhr Agnete fort, »sollte ich mich wohl mit acht Schilling begnügen.«

Raphael bedankte sich mit einem leichten Kopfnicken. »Wie du meinst . . .«

»Allerdings schulde ich Euch mindestens noch vier, deshalb rückt vier Schilling raus, und die Ware gehört Euch«, polterte Agnete.

Raphael zog die Augenbrauen hoch und fragte: »Wofür schuldest du mir denn vier Schilling?«

»In diesen Zeiten ist es für eine alleinstehende Frau von großem Wert, jemanden zu haben, dem man vertrauen kann«, erwiderte Agnete und sah ihm direkt in die Augen. »Das ist viel mehr wert als vier Schilling. Aber mehr kann ich nicht geben.«

Raphael erwiderte ihren Blick, Wehmut schien darin zu liegen. »Ich freue mich, dass du mir vertraust.«

»Ich habe doch niemanden sonst«, sagte Agnete grob. »Also lasst Euch das nicht zu Kopf steigen.«

»Aber nein, bestimmt nicht«, sagte Raphael. Doch es klang seltsam, wie er es sagte, und er sah sie weiter an.

»Was glotzt Ihr so?«, fragte Agnete grob.

Raphael lächelte nur. Doch ein Schmerz aus längst vergangenen Zeiten sprach aus seinem Gesicht. Dann wandte er seine klugen Augen Mikael zu. »Lerne so viel von dieser Frau, wie du nur kannst, mein Junge«, sagte er zu ihm.

Agnete schnaubte empört. »Jetzt hört aber auf mit diesem Unsinn. Dafür sind wir beide zu alt.«

Mikael zog den Kopf ein. Seit Monaten hatte er die Sonne nicht mehr gesehen, und allmählich fühlte er sich unwohl im Freien.

»Sagt mir lieber, ob es stimmt, was man sich über die Bergleute erzählt. Dass sie von Freiheit reden«, verlangte Agnete zu wissen.

Raphael nickte. »Ihr Herr ist wie eine Krankheit, die einen auffrisst«, erklärte er. »Er nimmt alles und gibt nichts dafür. Die Mine ist allmählich erschöpft, aber er behandelt seine Leute weiter wie Sklaven. Sie sehen, wie ihre Kinder immer schwächer werden, wie sie sterben. Sie sind vollkommen verzweifelt. Da gibt es einen Mann ... einen stolzen Mann ... der in die Wälder gegangen ist. Er wird der Schwarze Volod genannt, aber niemand weiß, wer er ist. Er lebt vom Wildern, aber sooft er kann, beraubt er Ojsternig oder die Kaufleute. Und er kümmert sich um die Kinder der Bergarbeiter, gibt ihnen zu essen. Doch vor allem gibt er ihnen Hoffnung. Bis jetzt hat er nur wenige Leute um sich, doch sein kleines Heer wird bald wachsen. Das Wort Freiheit setzt sich in den Herzen der Menschen fest, vor allem wenn sie nichts anderes in ihrem Leben haben.«

»Wie denkt Ihr darüber?«

Raphael verzog den Mund zu einer schmalen, traurigen Linie. »Wenn Menschen in diesen Zeiten das Wort Freiheit aussprechen, sind sie schon tot, bevor man sie umbringt. Ojsternig hat in den letzten Wochen bereits zwei Männer hängen lassen. Und nächsten Sonntag wird er, um den Tag des Herrn zu heiligen, gleich drei auf einmal an den Galgen bringen.«

»Was haben sie getan?«, fragte Agnete.

»Einer hat versucht zu fliehen. Der andere hat sich geweigert, weiterzugraben, weil die Ader im Berg erschöpft ist. Und eine ...«

»Eine Frau?«

Raphael nickte düster. »Sie ist einfach nur die Ehefrau eines Mannes, der in einer Schenke über den Schwarzen Volod geredet hat, bevor ihn einer von Ojsternigs Schergen getötet hat. Was in diesen Zeiten, mit diesem Aasgeier von einem Fürsten, schon genügt, um wegen Rebellion verurteilt zu werden. Er will Angst und Schrecken unter ihnen verbreiten. Und anscheinend gelingt ihm das auch ...«

Agnete wandte den Blick nach Süden, wo sich das Tal öffnete, in dem Dravocnik lag. »Auch Hunde, die an der Kette liegen, sollten das Recht haben, wilde Kaninchen zu jagen«, sagte sie.

»Manche Leute geben ein Leben lang die Hoffnung nicht auf«, erklärte Raphael. »Und die erkennst du daran, dass ihr Hals Narben trägt von den vielen vergeblichen Versuchen, einen Schritt weiter zu machen, als ihre Kette reicht. Doch die meisten von ihnen geben sich nach einiger Zeit geschlagen.«

»Und die erkennst du daran, dass ihre Augen tot sind.«

»Du bist ganz gewiss einer von diesen wütenden Hunden mit den Narben am Hals«, sagte Raphael lächelnd. Er betrat die Hütte und kehrte kurz darauf mit einer feinen Schnur aus gegerbter Ochsensehne zurück, die in einer Schlinge auslief. Die warf er Mikael über den Kopf und gab das andere Ende Agnete. »So kann niemand daran zweifeln, dass ich ihn dir verkauft habe.«

Agnete dankte ihm stumm mit einem leichten Neigen des Kopfes. »Wir müssen jetzt los. Ich wette darauf, dass der Junge nicht der Schnellste ist, und Gangolf ist zu erschöpft, als dass ich ihm sein Gewicht noch mal aufladen kann.«

»Komm her«, sagte Raphael zu Mikael. Und er deutete auf den Berg hinter ihnen, der aufrecht und schmal wie eine Säule aufragte und bis in den Himmel zu reichen schien. »Wir nennen ihn ›Mosesfinger‹. Den kannst du auch vom Raühnval aus sehen. Man erzählt sich, er stehe für den Zorn des Moses, als der mit den Gesetzestafeln vom Berg herabkam und entdeckte, dass die Israeliten das Goldene Kalb anbeteten. Ich hingegen glaube, er ist ein Finger, der unsere Leben segnet. Und im Namen dieses Fingers erteile ich dir nun einen alten Segen.« Er packte Mikael an den Schultern, drehte ihn zu sich herum und legte ihm eine Hand auf den Kopf und die andere aufs Herz. »Ich wünsche dir, dass du dich dem Himmel nahe fühlst. Dass du dich mit der Kraft der Erde verbunden fühlst. Und dass deine Zweige und deine Wurzeln immer im Licht sind.« Er blieb eine Weile so stehen und sah Mikael eindringlich an. »Du bist erst am Anfang des Weges, mein Junge.« Dann wandte er sich Agnete zu, zählte vier Schilling aus seiner Börse ab, gab sie ihr und sagte: »Geht jetzt. Es ist Zeit.«

Agnete zog an Mikaels Leine und machte sich auf den Weg.

13

Nach beinahe zwei Stunden, in denen Mikael abwärts mehr gerutscht als gelaufen war und sich dann vollkommen erschöpft bergauf geschleppt hatte, erreichten sie wieder den Wachposten auf dem Pass, der das Raühnval beherrschte.

Als der Soldat in der Rüstung auf sie zukam, zuckte Mikael zusammen. Er kannte den Mann. Er hatte ihn am Tor zur Burg seines Vaters Wache halten sehen. Einer von denen, die ihn aus der Wachstube gejagt hatten, wenn er sich dort verstecken wollte.

»Zuerst hattest du Kinderfleisch geladen und jetzt, auf dem Rückweg, bringst du ein Hündchen mit«, lachte der Soldat.

»Denk dir nur, welche Wunder die Leute dort auf dem Markt fertigbringen«, erwiderte Agnete. »Zuerst war der nur ein Häuflein Knochen, dann ist ein heiliger Mann gekommen, hat ihn mit Weihwasser besprengt und ihm befohlen: ›Steh auf und wandle!‹ Und schau nur, was aus ihm geworden ist. Ich habe versucht, ihn an den Fleischer zu verkaufen, aber der wollte nur einen Schenkel. Er sagt, in letzter Zeit geht der Handel mit Kinderfleisch schlecht. Na, und dann habe ich mir gedacht, dass ich ihn besser ganz lasse. Vielleicht kann er mir noch nützlich sein.«

»Und warum führst du ihn an der Leine?«, fragte der Wachposten und packte mit der Hand grob das Gesicht des Jungen.

Mikael hielt den Blick gesenkt.

»Weil er noch ein rechter Wildfang ist«, erwiderte Agnete. »Das Wunder ist doch eben erst geschehen. Der heilige Mann hat ihm zwar gesagt: ›Steh auf und wandle!‹, aber er hat vergessen hinzuzufügen: ›Und versuch ja nicht abzuhauen, du Mistkerl!‹«

Der Soldat lachte schallend. »Wärst du ein wenig jünger, Frau, würde ich dich mein Ding zwischen den Beinen kosten lassen, weil du so lustig bist.«

»Gütiger Himmel, noch ein Wunder heute!«, rief Agnete aus.

»Und zwar?«, fragte der Soldat.

»Ich hätte nie geglaubt, dass ich eines Tages dem Himmel danken würde, dass ich eine alte Frau bin.«

Der Soldat wusste nicht, ob er beleidigt sein oder wieder lachen sollte. Er richtete seine stumpfen Augen auf Mikael.

Der Junge war vor Angst wie gelähmt. Er sah auf den Boden, während der Soldat sein Gesicht in Händen hielt. Unter der schwarzen Rußschicht wurde er ganz blass, und seine Beine zitterten. Er war überzeugt, dass der Soldat ihn erkannt hatte. Nun würde er sie beide auf der Stelle töten. Und dann würde er ihm den Kopf abschlagen, wie man es bei seinem Vater getan hatte, und ihn Agomar, dem Anführer der Räuber, bringen.

Doch der Soldat beschränkte sich darauf, ihn heftig und schmerzhaft in die Wange zu kneifen, weil er beschlossen hatte, dass Agnetes Antwort wohl doch beleidigend gewesen war, er ihr gegenüber jedoch nicht zugeben wollte, wie gekränkt er war.

Mikael stöhnte auf.

»Das ist schon mal im Voraus für deinen nächsten Streich, du Hündchen«, sagte der Soldat zu ihm.

Agnete tat, als fände sie das komisch, und nahm den Weg ins Raühnval wieder auf.

Sobald sie hinter einem hohen Felsen außer Sicht waren, blieb sie stehen. Sie kletterte mühsam bis zu einer Schneezunge hinauf, die sich noch hartnäckig in einer Gesteinsspalte hielt, nahm eine Hand voll Schnee und kam zurück. »Press das gegen die Wange, Junge«, sagte sie zu ihm.

»Ich heiße Mikael«, erklärte er mit Tränen in den Augen.

»Press das gegen die Wange«, wiederholte Agnete. Sie ließ das Ende der Leine los und setzte sich in Bewegung. »Mach sie nicht ab«, befahl sie ihm. Nach einigen Schritten hörte Mikael sie schimpfen: »Du sollst elendig verrecken, du erbärmlicher Soldat!«

Mikael rieb sich den Schnee auf die Wange, und der Schmerz ließ nach.

Sie liefen noch eine Meile. Der Weg schlängelte sich an der Flanke des Berges entlang, ab und zu konnte man von dort aus die Ruinen der Burg sehen, die einst den Fürsten von Saxia gehört hatte.

Mikael blieb stehen und betrachtete mit einer seltsamen Leere im Bauch sein früheres Zuhause und damit gleichsam sein früheres Leben.

Agnete drehte sich um. Sie begriff sofort, was ihm durch den Kopf ging. »Es wird Zeit, dass du deine Toten begräbst«, sagte sie zu ihm.

Mikael presste sich etwas Schnee auf die Augen.

Nach einer weiteren Meile erreichten sie die Holzbrücke über die Uqua, hinter der das Raühnval lag.

Agnete blieb stehen. »Da wären wir.«

Mikael wurde von Panik überwältigt. Agnete packte das Ende der Leine und zog daran. »Vergiss nicht: Du hast auf nichts mehr Anspruch. Du bist nicht mehr der Prinz. Jetzt musst du dir auch das geringste Ding mit Zähnen und Klauen erkämpfen.«

Mikael war wie versteinert. Er sah die Häuser und Hütten, die Kapelle Maria zum Schnee, die schlammige Straße, die Felder, auf denen Hafer und Gerste spärlich wuchsen, die Einwohner des Dorfes mit ihren Sicheln und Harken, die Hunde, die auf der Suche nach einem Knochen herumstreunten.

»Aber von diesem Augenblick an wirst du dir alles aus eigener Kraft erobern«, fügte Agnete ein wenig milder hinzu. »Das wird dann wirklich dir gehören. Nur dir.« Sie zog ihn wieder mit sich. »Und jetzt lass uns gehen.«

Als sie am ersten Haus des Dorfes vorbeikamen, sahen sie, dass sich die Einwohner auf der Straße versammelt hatten.

Zunächst hatte Mikael überlebt, weil sein Körper vorher genug Fett gespeichert hatte. Als dies aufgebraucht war, hatte er aus dem einfachen Grund überlebt, dass er sich inzwischen an das Leben gewöhnt hatte. Und jetzt, als Agnete ihn unter den neugierigen Blicken der Dorfbewohner an der Leine durch das Dorf schleppte, war er äußerlich in jeder Hinsicht einer von ihnen. Hohlwangig, dürr, mit hervorstehenden Rippen. Auf ihm lastete eine Müdigkeit, die kein Schlaf würde lindern können, und ein Hunger, den er nie mehr würde stillen können. Doch ein beinahe unmerkliches Glänzen in den weit geöffneten Augen zeigte seinen Triumph darüber, dass er es aus eigener Kraft bis hierher geschafft hatte.

»Der ist aber schwach«, sagte eine alte Frau zu Agnete, nachdem sie ihn abgetastet hatte wie ein Stück Vieh. »Was kann der dir schon nützen?«

Agnete blieb stehen, damit alle sie hören konnten. »Hältst du mich etwa für reich, Astrid?«, fragte sie die Frau und breitete scheinbar hilflos die Arme aus. »Die Kräftigen waren zu teuer für mich.«

Mikael musste schlucken. Er hatte sich rasch umgesehen, und dabei war er dem Blick von einigen Jungen begegnet. Die Angst hatte ihm den Magen zusammengepresst. Er musste an Hubertus denken, der wahrscheinlich schon längst »von den anderen dort draußen« zerfleischt worden war. Er fühlte, wie Agnete zu heftig an der Leine zog, und schwankte. Gleich würde er hinfallen.

Die Leute lachten laut.

»Der wird sterben, das wette ich«, sagte die alte Frau.

»Sei's drum, dann habe ich eben mein Geld verloren.« Agnete

blieb wieder stehen und sah die alte Frau an. »Aber ich sage euch, der wird noch stark.« Sie tippte der anderen mit dem Finger an die Brust. »Und dann wirst du zugeben müssen, dass ich ein gutes Geschäft gemacht habe.«

Astrid zuckte mit den Schultern. »Der macht es doch kein Jahr.«

»Das werden wir noch sehen«, entgegnete Agnete und spuckte auf den Boden, dicht neben den Rock der Alten, die dennoch stehen blieb und ihnen nachsah.

Mikael folgte Agnete gehorsam.

Da sahen sie Eloisa, die ihnen entgegenlief. Sie lächelte Mikael zu.

»Wie heißt der?«, fragte ein kleines Mädchen.

»Dreck«, sagte ein Junge.

Die anderen Jungen lachten.

»Ziegendreck wolltest du wohl sagen«, meinte ein größerer Junge, breit und kräftig wie ein kleiner Stier. Er war ungefähr dreizehn Jahre alt, hatte rote Wangen und einen Krauskopf.

Seine Freunde schütteten sich aus vor Lachen.

»Eberwolf«, ging Eloisa dazwischen, »eines Tages wird Ziegendreck dich nach Strich und Faden verprügeln. Und dann wirst du endlich aufhören, dich hier so aufzuspielen.«

Der Junge wurde rot. Er sah Eloisa verdutzt an, während seine Freunde darauf warteten, was er jetzt tun würde. Dann richtete er seine Augen, die sich jetzt mit Hass gefüllt hatten, auf Mikael. Doch er schwieg.

»Eloisa tut ja geradezu so, als würde sie deinen neuen Jungen kennen«, sagte Ljuba, der Bierbrauer, ein Mann um die fünfzig, dessen dichter roter Bart noch nicht ergraut war, und drehte sich zu Agnete um.

»Meinst du, Ljuba?«, fragte Agnete.

»Sieh doch selbst.«

Agnete schaute zu den Kindern. »Das ist ein gutes Zeichen«,

erwiderte sie schließlich. »Der Junge scheint für uns bestimmt zu sein.« Als sie ihre Hütte erreicht hatte, winkte sie den anderen zu. »Bis morgen, gute Leute.« Dann ließ sie die Leine los.

Endlich frei, schlüpfte Mikael schnell in die Hütte und überließ sich dort der blinden Angst, die ihn zu erdrücken drohte. Er rannte zu der Luke, öffnete sie und floh die Leiter hinunter. Unten kauerte er sich auf dem Strohlager zusammen und blieb dort zitternd sitzen.

Als Agnete die Hütte betrat, nachdem sie zunächst noch gemeinsam mit Eloisa das Maultier versorgt hatte, blickte sie sich suchend um. »Wo bist du, Junge?«

Keine Antwort.

Eloisa, die nach ihr hereingekommen war, wies auf die offen stehende Falltür.

Agnete ging darauf zu. »Komm da raus«, befahl sie Mikael.

Der Junge rührte sich nicht.

»Wenn du mich zwingst herunterzukommen«, sagte Agnete, und ihre Stimme klang tief und drohend, »wirst du das bitter bereuen.«

Mikael rührte sich immer noch nicht und blieb stumm.

»Zünde die Kerze an«, befahl Agnete Eloisa.

»Mutter ...«

»Misch dich nicht ein.«

Eloisa zündete die Kerze an und reichte sie der Mutter.

Agnete stieg die Leiter hinab, gebückt, um sich nicht den Kopf anzustoßen, und stellte sich vor Mikael hin. Sie hob eine Hand zum Schlag.

»Ich habe Angst zu sterben!«, schrie Mikael plötzlich und schluchzte hemmungslos.

»Du hast Angst zu leben!«, schrie Agnete noch lauter als er. Sie wartete ab, bis er sich ein wenig beruhigt hatte, und wiederholte dann: »Du hast Angst zu leben, Junge.«

»Ich heiße Mikael ...«

gnete wandte ihm den Rücken zu und ging hinauf. »Deck
Tisch für drei«, sagte sie zu ihrer Tochter.

Eloisa stellte drei Schalen auf den Tisch. Und drei Becher.
Und legte drei Holzlöffel daneben. Sie füllte die Schalen mit
Suppe und gab in jede ein Stück Ochsenknochen.

Dann schnitt sie drei Scheiben frisches Brot ab und goss ihrer
Mutter Bier ein.

Agnete setzte sich an ihren Platz und bedeutete ihrer Tochter,
sich ebenfalls zu setzen. Und zu schweigen. »Herr, wir danken
dir für das Brot, das du uns auf den Tisch gestellt hast, und
dafür, dass du mir die Kraft gegeben hast, bis zu Raphaels Hütte
zu kommen . . .«

In der anschließenden Stille hörten beide, wie Mikael von
seinem Strohlager aufstand und die Leiter heraufkletterte.
Agnete und Eloisa sahen ihn nicht an, während er sich zum ersten Mal zu ihnen an den Tisch setzte.

»Schlag ein Kreuz!«, befahl Agnete ihm grob.

Mikael gehorchte.

»Und Dank sei dir, Herr, dass du unsere Familie vergrößert
hast«, schloss Agnete das Gebet. Sie tauchte den Löffel in die
Suppe ein und schlürfte sie geräuschvoll. Dann wandte sie sich
nach rechts und sagte: »Iss . . . Mikael.«

14

Hab keine Angst, Dummerjan.«

Mikael stand in der Tür der Hütte und rührte sich nicht, während die Sonne langsam über den spitzen Zinnen der Berge aufging, die das Raühnval umgaben. Er brachte es nicht über sich, hinauszugehen, sondern hielt sich krampfhaft am Türpfosten fest. Misstrauisch beäugte er die Welt dort draußen vor der Hütte.

Hinter ihm erschien Agnete, die ihn grob anstieß und hinaustrieb.

»Hör endlich auf, Dummerjan zu ihm zu sagen«, ermahnte sie ihre Tochter. »Nenn ihn bei seinem Namen. Du hast doch gestern die Jungs gehört, die werden ihm schon noch genügend Spottnamen geben.«

»Du nennst ihn doch auch nicht beim Namen«, wandte Eloisa ein.

»Ich kann tun und lassen, was mir gefällt«, fertigte Agnete sie kurz ab. Sie sah auf die Dorfstraße, wo sich andere Leute aus dem Tal versammelten. Sie ging ein paar Schritte und wandte sich um. »Worauf wartest du, Junge? Ich habe dich nicht gekauft, damit du hier Maulaffen feilhältst.« Mit diesen Worten ging sie zu den anderen Dorfbewohnern.

Eloisa stupste Mikael an. »Los, komm schon«, sagte sie zu ihm.

Sie liefen den schmalen Weg entlang, der von der Hütte zur Dorfstraße führte.

»Wie macht man das – arbeiten?«, fragte Mikael kaum hörbar.

»Was meinst du damit?«, fragte Eloisa zurück.

»Ich ... ich weiß nicht, wie das geht.«

Eloisa blieb stehen und sah ihn erstaunt an. »Na, heute ist es einfach«, erwiderte sie. »Du schaust den anderen zu und machst es ihnen nach.«

In Mikaels Augen blitzte Furcht auf. »Und wenn ich es nicht schaffe?«

»Dann schlachten sie dich«, antwortete Eloisa.

Mikael riss entsetzt die Augen auf.

»Das war ein Witz, du Dummerjan.« Eloisa lachte.

»He, ihr beiden, bewegt euch«, rief Agnete, die ihnen vorangegangen war. »Oder muss ich euch zwei bockigen Kälbern was auf den Hintern geben?«

»Los, komm schon«, sagte Eloisa. »Heute holen wir Steine raus.«

Mikael folgte ihr mit gesenktem Kopf. Je näher sie den Dorfbewohnern kamen, desto enger wurde seine Kehle und desto mehr zitterten seine Beine. Mikael wusste, dass er sich zusammenreißen musste, doch die Versuchung, sich umzudrehen und wegzulaufen, war groß.

»Und warum ... holt man ... Steine raus?«, brachte er keuchend hervor, in der Hoffnung, dass es ihn beruhigen würde, wenn er redete.

»Gregor und Emöke heiraten«, erklärte Eloisa ihm. »Wenn zwei von uns heiraten, schenkt ihnen der Berg ein Stück von seinem Land und verlangt von uns, dass wir es fruchtbar machen.« Sie wies mit dem Finger auf die Flanke des Berges zu ihrer Linken. »Siehst du, da, wo sie das Feuer entzündet haben? Das ist das Stück Land, das der Berg Gregor und Emöke geschenkt hat. Und das ganze Dorf wird da jetzt die Steine, Baumstämme und großen Wurzeln rausholen, bis man das Land bestellen kann. Gregor und Emöke werden dabei keinen Finger rühren. Sie sollen sich auf ihrem Land erst abrackern, wenn es bereit ist.«

»Ich habe Angst«, sagte Mikael, während er auf die Dorfbewohner zuging, die ihn neugierig anstarrten.

»Denk einfach nicht daran«, riet ihm Eloisa.

»Da ist ja Ziegendreck«, verkündete Eberwolf laut und baute sich breitbeinig auf.

Seine Freunde lachten.

Und Mikael sah, dass auch einige Erwachsene in das Gelächter einstimmten. »Ich habe Angst«, sagte er noch einmal, aber so leise, dass Eloisa ihn nicht hören konnte. Er blieb mit gesenktem Blick ein wenig abseits stehen, in der Hoffnung, dass man ihn dann in Ruhe ließe.

Auf ein Zeichen von Vater Timotej, dem Pfarrer der Kapelle Maria zum Schnee, setzten sich die Dorfbewohner in Bewegung. Sie bildeten eine Art Zug, dem Mikael sich wortlos anschloss. Als sie den Fuß des Berges erreicht hatten, der Mezesnig genannt wurde, blieben alle stehen. Vater Timotej erhob die Hände zum Gipfel des Berges und verkündete: »Im Namen Gottes schenkt der Berg sich heute dem Brautpaar Gregor Bajonka und Emöke Albath, damit sie stets daran denken, dass unser aller Leben von ihm abhängt, von seiner Großmut und seinem Zorn, von seinem Reichtum und seiner Grausamkeit.«

Gregor und Emöke standen mitten auf dem Platz, an dem ihr Feld entstehen sollte. Sie waren beinahe noch Kinder. Er war groß und dünn und schon mit ausgeprägten Furchen im Gesicht wie ein Baumstamm, dem die Witterung zugesetzt hatte. Sie sah aus wie das blühende Leben, ihre roten Wangen lockten zum Anbeißen wie eine saftige Frucht. Beide trugen ihre Sonntagskleider. Und beide strahlten vor freudiger Erwartung und Rührung.

Vater Timotej hatte inzwischen einen dicken Pfahl erreicht, der in die Erde gerammt war, genau gegenüber der Ecke eines kleinen Stückes Land, das durch eine niedrige Trockenmauer begrenzt war, und besprengte ihn mit Weihwasser. Dann verkündete er: »Am Anfang erschuf Gott Himmel und Erde. Und Gott sagte: ›Das Land lasse junges Grün wachsen, alle Arten von Pflanzen, die Samen tragen, und von Bäumen, die auf der Erde Früchte bringen mit ihrem Samen darin.‹ So geschah es. Das Land brachte junges Grün hervor, alle Arten von Pflanzen, die Samen tragen, alle Arten von Bäumen, die Früchte bringen mit ihrem Samen darin. Gott sah, dass es gut war. Dann sprach Gott: ›Hiermit übergebe ich euch alle Pflanzen auf der ganzen Erde, die Samen tragen, und alle Bäume mit samenhaltigen Früchten. Euch sollen sie zur Nahrung dienen.‹ So geschah es. Gott sah alles an, was er gemacht hatte: Es war sehr gut.«

Inzwischen hatten einige Männer weitere Pfähle in die Erde gerammt, sie spannten ein Seil um alle herum und steckten so das zukünftige Stück Land der Brautleute ab.

»Dies ist das Feld, das der Berg heute mit Gottes Segen Gregor Bajonka und Emöke Albath geschenkt hat«, sagte Vater Timotej schließlich.

Und die Dorfbewohner beteten wie im Chor: »Allmächtiger Gott, Schöpfer des Universums, der du die Erde mit deinem Segen erfüllst und auf deinem Weg Überfluss spendest, gib, dass unsere Felder ausreichend Nahrung für alle Familien geben.«

Die Leute schlugen ein Kreuz, bevor sie nacheinander das Land betraten und Gregor und Emöke küssten.

Ein alter Mann mit einem weißen Bart, in dem Essensreste hingen, stellte sich in die Mitte des fünfzig mal fünfzig Schritt großen Quadrats. Mit seinem Stock deutete er zunächst auf die erwachsenen Männer, die sich daraufhin auf einer Seite zusammenfanden. Dann blickte er kurz zu Eberwolf hin. Der Junge reckte die Brust vor. Der alte Mann nickte und zeigte mit dem Stock auf ihn. Unter den bewundernden Blicken seiner Freunde ging Eberwolf daraufhin stolz zur Gruppe der Erwachsenen. Der alte Mann teilte nun Jungen und Mädchen, erst die größeren, dann die kleineren, jeweils in zwei Gruppen auf. Als er zu

Mikael kam, sagte er: »Heute wirst du mit den jüngeren Mädchen arbeiten.«

Eberwolf, seine Freunde und einige der Mädchen lachten.

»Nein!«, rief Agnete aus.

Der alte Mann sah sie erstaunt, ja beinahe beleidigt an. »Nein?«, wiederholte er langsam.

»Nein, Zacharias«, sagte Agnete noch einmal und trat vor. »Ich habe ihn gekauft, damit er für mich arbeitet. Und er wird hier zupacken wie jeder andere auch.«

»Er hat Hände wie ein Mädchen und Muskeln wie ein Eichhörnchen«, erwiderte der alte Mann. »Was nützt es dir, wenn du dein Arbeitstier aus purem Stolz umbringst?«

»Er wird es schaffen«, sagte Agnete und hielt seinem Blick stand.

Der alte Mann sah sie schweigend an. Dann nickte er stumm. Er zeigte auf Mikael und bedeutete ihm, er solle sich der Gruppe der kleineren Jungen anschließen.

Eloisa lächelte.

»Ziegendreck ist ein Mädchen!«, rief Eberwolf spöttisch. Und alle lachten.

Agnete warf Zacharias einen vorwurfsvollen Blick zu und spuckte auf den Boden.

»Los, an die Arbeit«, sagte der alte Mann.

Die Männer machten sich über die größten Steine her und versuchten, sie freizulegen. Die älteren Jungen übernahmen die mittelgroßen Steine, während die jüngeren Mädchen die kleinen klauben sollten. Auf die älteren Mädchen wartete eine andere Aufgabe: Sie gruben an der Außenlinie des Felds von einem Pfahl zum anderen eine gerade Furche, die etwa eine Handbreit tief und zwei breit war und auf der man dann die Umfassungsmauer errichten würde. Den kleinen Jungen, zu denen man Mikael eingeteilt hatte, gab man Hacken, mit denen sie die Stümpfe der bereits gefällten Buchen zum Herausreißen vorbereiten sollten. Zwei Männer warteten mit jeweils einem starken Ochsen im Geschirr darauf, dass die Jungen die Wurzeln freilegten, um dann den Baumstumpf an die Zugtiere zu binden und ihn aus dem Erdreich zu ziehen.

Mikael packte die Hacke, sah zu, wie die anderen arbeiteten, und tat es ihnen gleich. Er hob das Werkzeug über den Kopf und hieb mit aller Kraft ein. Doch sein Griff war zu schwach, und er war nicht darauf gefasst, dass das Erdreich so hart sein würde. Durch den starken Aufprall entglitt die Hacke seinen Händen, und Mikael fand sich plötzlich auf dem Boden wieder.

Die Jungen, die in seiner Nähe arbeiteten, kicherten.

Eloisa, die mit einem Stein an Mikael vorüberkam, näherte sich und riet ihm: »Pack sie ganz fest.«

Wieder kicherten die Jungen.

Mikael probierte es noch einmal, aber die Klinge der Hacke drang kaum in den Boden ein. Wenigstens fiel sie ihm diesmal nicht aus der Hand. Er hob sie wieder über den Kopf und schlug mit mehr Kraft zu. Eine kleine Erdscholle löste sich. Er wandte sich nach Eloisa um.

Das Mädchen beobachtete ihn und nickte ihm kaum merklich zu.

Mikael hob die Hacke erneut und versenkte sie in den Boden. Wieder und wieder. Doch nach zwanzig Schlägen musste er innehalten. Seine Hände und die Schultern schmerzten. Die anderen kleinen Jungen arbeiteten inzwischen beständig weiter. Also biss Mikael die Zähne zusammen und fuhr fort. Doch das Loch, das er aufhackte, war immer noch viel kleiner als bei den anderen.

Der alte Zacharias, der neben Agnete stand und das Ganze beobachtete, sagte zu ihr: »Ich hätte ihn besser zu den kleinen Mädchen gesteckt.«

Daraufhin ging Agnete zu Mikael und fuhr ihn an: »Soll ich dich zu den kleinen Mädchen stecken lassen? Willst du das?«

Mikael sah sie tief beschämt an. Dann betrachtete er das Loch, das er aufgehackt hatte. »Ich schaffe das nicht«, flüsterte er.

»Sag so etwas nie wieder«, zischte Agnete ihm mitten ins Gesicht und drehte sich auf dem Absatz um.

Mikael drängte die Tränen zurück und beobachtete insgeheim die anderen Jungen neben sich. Sie gruben klaglos, unterhielten sich miteinander, und niemand richtete ein Wort an ihn. Sie betrachteten ihn nicht als einen von ihnen. Einige Kinder merkten, dass er sie beobachtete, stießen einander mit den Ellenbogen an und kicherten. Mikael hob die Hacke wieder und versenkte sie im Boden. Und er spürte, wie stark die Erde war und wie schwach er selbst im Vergleich dazu. Er drehte sich nach Agnete um, doch die würdigte ihn keines Blickes. Der Junge hob erneut die Hacke und schloss die Augen. Und in dem Moment musste er an den Anführer der Räuber denken, der sein Schwert auf den Nacken seines Vaters hatte niedersausen lassen und ihm den Kopf abgeschlagen hatte. Erschrocken riss er die Augen auf und ließ keuchend die Hacke fallen.

Die Jungen aus seiner Gruppe verstummten und blickten ihn an.

Mikael starrte auf den Boden, und die Erde schien sich vor seinen Augen blutrot zu färben. Er spürte, wie jeder Muskel seines Körpers vor Angst zitterte. Auf einmal packte er die Hacke, als wäre sie ein Schwert, und schlug damit wütend auf den Boden ein. Wieder und wieder versenkte er sie mit zusammengebissenen Zähnen. Und so machte er weiter, bis ihn eine Hand an der Schulter packte.

»Das reicht, Junge«, sagte der Mann, der einen der Ochsen führte.

Mikael sah ihn an, als kehrte er erst jetzt in die Gegenwart zurück. Die Übrigen hatten aufgehört zu graben.

»Geh zur Seite«, sagte der Mann zu ihm. Dann band er den

125

Baumstumpf, an dem Mikael gearbeitet hatte, an das Geschirr seines Ochsen. Er ließ die Peitsche knallen, und das Tier setzte sich in Bewegung. Die Wurzeln der Buche knirschten, ächzten, versuchten Widerstand zu leisten, doch schließlich stieg eine Wolke aus schwarzer Erde auf, und der Baumstumpf wurde mitsamt allen Wurzeln herausgezogen. Der Ochse schleppte ihn an den Rand des umgrenzten Feldes, wo die Männer ihn mit Äxten zerkleinerten.

»Nehmt euch jetzt den anderen hier vor!«, rief der alte Zacharias.

Die Jungen gingen zum nächsten Baumstumpf.

Mikael folgte ihnen mit gesenktem Kopf. Da rempelte ihn jemand so heftig mit der Schulter an, dass er hinfiel.

»Oh, entschuldige, Ziegendreck, ich hab dich gar nicht gesehen!«, sagte Eberwolf zu ihm. »Ich hab gedacht, das wär nur Dreck.«

Die anderen aus seiner Gruppe lachten.

Mikael lag am Boden und wusste nicht, was er tun sollte.

»Du bist ein Feigling, Eberwolf«, schimpfte Eloisa und stellte sich schützend vor Mikael. »Und ein Prahlhans.«

Eberwolf lief vor Wut rot an. Er ballte die Hände zu Fäusten und blickte Mikael hasserfüllt an. »Du lässt dich von einem Mädchen beschützen, Ziegendreck?« Dann wandte er sich um und ging.

Inzwischen war Agnete neben Eloisa aufgetaucht, hatte sie am Arm gepackt und weggezerrt. Während sie sich entfernten, richtete sie drohend den Finger auf Mikael: »An die Arbeit, Junge.«

Mikael nahm die Hacke wieder auf und begann zu graben.

»Damit hast du ihn endgültig ins Verderben gestürzt«, erklärte Agnete Eloisa. »Dieser Maulheld Eberwolf ist jetzt zwei Mal innerhalb von zwei Tagen vor seinen Freunden gedemütigt worden. Und das auch noch von einem Mädchen, das einen

›Ziegendreck‹ lieber mag als ihn. Vorher wollte er ihn nur ein wenig quälen, um ihm zu zeigen, wer hier das Sagen hat. Jetzt hasst er ihn.«

»Das wollte ich nicht . . .« Eloisa sah zu Mikael hinüber, der mühsam mit unbeholfenen Bewegungen das Erdreich aufhackte und dabei viel langsamer war als alle anderen. »Er wird es nie schaffen«, seufzte sie.

Agnete versetzte ihr eine heftige Ohrfeige.

Erstaunt sah Eloisa sie an.

»Sag so etwas nie wieder!«, zischte Agnete drohend. »Und jetzt marsch, an die Arbeit.« Dann blickte sie, unbemerkt von der Tochter, sorgenvoll auf Mikael.

Der Nachmittag war schon fortgeschritten, als das Feld schließlich von Steinen befreit war, die man entlang der vom Seil markierten Grenze aufgestapelt hatte, und alle Baumstümpfe entfernt waren.

Als Mikael die Hacke zurückgab, bemerkte er, dass der Griff blutig war. Er sah auf seine Hände. Sie waren übersät mit Blasen.

Später in der Hütte, während Eloisa das Feuer entzündete und die Suppe wärmte, stellte Agnete aus faserigen Stücken von Weidenrinde eine Paste her, bestrich Mikaels Hände damit und umwickelte sie mit einem Stück Leinenstoff.

»Morgen wird dir die Arbeit mit der Hacke sehr schwer fallen«, sagte sie zu ihm. »Aber wenn du durchhältst, bilden sich Schwielen wie bei uns allen, und deine Hände werden nicht mehr bluten.«

Als die Suppe heiß war, setzten sie sich an den Tisch. Agnete sprach ein kurzes Dankgebet und goss die Suppe in die Schalen.

Mikael konnte kaum den Löffel halten.

Agnete holte ein Stück Fleisch und legte es vor ihn hin. »Das hast du dir verdient, Mikael«, sagte sie, doch sie sah ihn dabei nicht an.

15

Am nächsten Morgen hielt Agnete ihn am Arm zurück, bevor sie die Hütte verließen. »Damit wirst du den Schmerz nicht so spüren«, sagte sie und gab ihm ein Paar Handschuhe aus Kaninchenfell.

Unterwegs zu den Feldern am Mezesnig deutete Eloisa auf die Handschuhe und sagte zu Mikael: »Ich hätte nie gedacht, dass sie die mal jemandem geben würde.«

»Warum?«

»Weil sie etwas Besonderes sind«, erwiderte Eloisa.

Mikael betrachtete seine Hände. Für ihn war nichts Besonderes an diesen Handschuhen. Sie waren einfach und aus Kaninchenfell, wie arme Leute sie eben trugen.

»Sie haben meinem Bruder gehört«, sagte Eloisa.

»Dem . . . der tot ist?«, fragte Mikael leise.

»Ja. Er hatte sie sich selbst genäht, und zwar aus dem Fell des ersten Kaninchens, das er gefangen hat. Da war er zwei Jahre jünger als du.«

Danach schwiegen sie für eine Weile. Man hörte nur noch das Klappern der Holzpantinen auf dem steinigen Weg.

»Wie hieß er eigentlich?«

»Niklas«, antwortete Eloisa.

Mikael betrachtete erneut die Handschuhe, und mit jedem Schritt kamen sie ihm kostbarer vor. »Warum ist er gestorben?«, fragte er scheu.

»Weil er nicht stark genug war«, erwiderte Eloisa.

»Dann werde ich auch sterben«, sagte Mikael leise.

»Nein!«, rief Eloisa und klang dabei ein wenig erschrocken.

Dann schaute sie Mikael an. »Er hatte eine schwache Lunge, und eines Winters, als wir nicht genug zu essen hatten, begann er Blut zu husten.«

Mikael lief schweigend ein Stück weiter. »Und wer ist sein Vater?«

»Ich weiß es nicht«, antwortete Eloisa leise.

»Ist es derselbe wie deiner?«

»Ich habe doch gesagt, ich weiß es nicht!«, fuhr Eloisa ihn an. Aber ihr Blick wirkte verloren.

»Wer ist denn dein Vater?«

»Jetzt habe ich aber genug! Kannst du nicht einfach mal den Mund halten?«

»Entschuldigung . . .«

»Du bist ein Dummkopf.«

Schweigend liefen sie weiter bis zum Feld.

»Hier ist deine Hacke«, sagte Zacharias und reichte sie ihm. »Deine Herrin hat gemeint, du wirst das schon schaffen. Ich glaube ja nicht daran. Wie auch immer, du sollst hinter dem Pflug hergehen und die größten Erdbrocken zerkleinern, so wie alle anderen.«

Mikael nahm die Hacke. Allein vom Zupacken taten ihm schon die Hände weh. Er ging zu der Gruppe von Kindern, mit denen er die Schollen zertrümmern sollte, nachdem der Pflug die Erde aufgebrochen hatte.

Sie lachten, als er zu ihnen trat.

Eloisa sah Mikael hinterher, der den Kopf eingezogen hatte und angestrengt auf den Boden schaute. Na los, zeig's ihnen!, schien ihr Blick zu sagen.

Doch Mikael stellte sich einfach hinter den Pflug, der mühsam die karge Gebirgserde aufbrach, und begann, auf die dunklen, von vielen Steinen durchsetzten Schollen einzuhacken. Eloisa konnte an seinem Gesicht ablesen, welche Schmerzen ihm jeder Schlag mit der Hacke bereitete.

Eberwolf baute sich neben ihm auf. »Die packt man so«, fuhr er ihn böse an. Mit seinen riesigen Pranken umklammerte er Mikaels verletzte Hände. »Los doch! Du musst richtig fest zupacken!«

Mikael stöhnte auf und versuchte, sich zu befreien, doch Eberwolf war ihm an Kraft überlegen.

Eloisa hätte am liebsten sofort eingegriffen, doch als sie sich zu ihrer Mutter umwandte, warf die ihr einen warnenden Blick zu. Daraufhin hielt sich Eloisa zurück.

Eberwolf, der Mikaels Hände immer noch fest umklammert hielt, schwang die Hacke hoch in die Luft und ließ sie kraftvoll niedersausen. Die Wucht des Aufpralls, bei dem sich die Hacke tief ins Erdreich bohrte, ging Mikael durch und durch. »Hast du jetzt begriffen, wie man das macht, Ziegendreck?«, fragte Eberwolf und ließ ihn endlich los.

Mikaels Gesicht war schmerzverzerrt. Die Hacke entglitt seinen Händen.

»Heb sie auf!«, befahl Eberwolf.

Inzwischen verfolgten alle, was sich zwischen den beiden Jungen abspielte.

»Heb sie auf und arbeite!«, wiederholte Eberwolf.

Mikael bückte sich langsam und nahm die Hacke. Dann setzte er den ersten Schlag an. So schwach, dass er die Erde nicht einmal anritzte.

Da umklammerte Eberwolf erneut seine Hände und schwang mit zusammengepressten Kiefern die Hacke so stark, dass er damit sogar Mikael hochhob. Wieder ließ er sie niedersausen. »So! So musst du das machen!« Er schwang die Hacke noch einmal über den Kopf, und Mikael wurde erneut leicht angehoben, bevor sich die Spitze der Hacke ins Erdreich bohrte. »So geht das, du Schwächling!«

Mikael weinte und wimmerte vor Schmerz.

»Das reicht jetzt«, sagte der Mann hinter dem Pflug. »Er hat es begriffen.«

Endlich ließ Eberwolf los.

Mikael fiel die Hacke aus der Hand.

»Arbeite, Ziegendreck«, sagte Eberwolf, dann blickte er Eloisa herausfordernd an und entfernte sich.

Mikael sank auf die Knie, in die aufgebrochene Erde. Ein Sonnenstrahl ließ die Tränen auf seinen Wangen glitzern.

Eloisa wandte sich wieder zu ihrer Mutter um. Agnete hielt dem Blick ihrer Tochter stand und flüsterte ihr zu: »Er ist stark.« Doch ihre Augen sagten etwas anderes.

Mikael streckte langsam eine Hand nach der Hacke aus. Er versuchte, sie zu packen, doch der Griff entglitt seiner Hand. Ein Finger tat ganz besonders weh. Als Eberwolf ihn hochgehoben hatte, hatte Mikael ein Knacken gehört, und dann hatte es in seinem Finger höllisch gebrannt. Er wusste, dass alle ihn jetzt anstarrten. Und er wusste auch, dass Agnete und Eloisa von ihm erwarteten, dass er aufstand und wie alle anderen arbeitete. Aber ich bin nicht so stark wie die anderen, dachte er. Er senkte den Kopf und rührte sich nicht.

Die Leute um ihn herum nahmen ihre Arbeit wieder auf.

Mikael hörte sie zwar, aber er verharrte reglos mit eingezogenem Kopf auf seinen Knien, eine Hand auf dem Griff der Hacke. Er war zu nichts fähig, auch nicht zu weinen oder zu denken. Er bestand nur noch aus Schmerz.

Den ganzen Tag über drehte sich Eloisa bei der Arbeit immer wieder nach ihm um in der Hoffnung, er würde doch noch aufstehen. »Du bist stark«, wiederholte sie leise, wie um sich selbst davon zu überzeugen.

Doch Mikael rührte sich nicht. Und nach einer Weile ließ er auch die Hacke fallen. Er starrte auf die Handschuhe aus Kaninchenfell, die ein Kind genäht hatte, das etwa in seinem Alter gestorben war. Und als der alte Zacharias das Ende des Tagwerks verkündete, starrte er immer noch auf die Handschuhe.

Agnete und Eloisa gingen zu ihm.

Mikael war sicher, dass Agnete ihn jetzt schelten würde.

Stattdessen strich sie ihm über den Kopf und sagte: »Es ist Zeit, nach Hause zu gehen, Mikael.«

Mikael stieß einen einzigen, langen Seufzer aus.

Als sie zu Hause waren, zog Agnete ihm die Handschuhe aus und löste die Verbände. Der Zeigefinger der linken Hand war blau angelaufen und stark geschwollen. Agnete sah Eloisa an und sagte: »Geh mit ihm zum Bach.« Und zu Mikael meinte sie: »Halt dort die Hand ins Wasser. Am Anfang wird es dir bloß kalt vorkommen, doch bald wird es wehtun, weil es eisig ist. Aber das musst du aushalten, es geht schnell vorbei. Sobald du diesen Punkt überwunden hast, wird der Schmerz aufhören, und du wirst gar nichts mehr spüren. Von da an zähl bis dreihundert. Kannst du das?«

Mikael schüttelte den Kopf.

»Wie weit kannst du zählen?«

»Bis fünfzig.«

»Dann zähl eben sechs Mal bis fünfzig, in Ordnung?«

»Und dann?«

»Dann komm sofort nach Hause.«

»Und dann?«

»Dann werde ich mich um deinen Finger kümmern. Er ist gebrochen.« Agnete drehte sich zu den Kräutergefäßen um. »Und jetzt geh.«

Mikael zögerte. Er starrte Agnete an, die faserige Stückchen von Weidenrinde in den Mörser gab. »Es tut mir leid ...«, sagte er schließlich zu ihr.

Agnete drehte sich um. »Was tut dir leid?«

Mikael senkte den Blick und schwieg.

»Komm, Dummerjan«, sagte Eloisa und tippte ihn an die Schulter. Dann ging sie zur Tür.

Draußen sah sich Mikael immer wieder um, als befürchtete

er, von jemandem angegriffen zu werden. Angespannt folgte er Eloisa, wobei er sich eng an den Hauswänden entlangdrückte. Hinter einer Hütte hörten sie auf einmal Stimmen von Jungen, die lachten und grölten. Mikael fuhr zusammen und versteckte sich rasch hinter einem Holzstoß.

»Was ist denn jetzt schon wieder in dich gefahren?«, fragte Eloisa. »Das sind doch nur die üblichen Dummköpfe, die vom Bier ihrer Eltern getrunken haben.«

»Auch . . . Eberwolf?«, fragte Mikael.

»Auch der Dummkopf, ja, ganz bestimmt.«

Mikael duckte sich noch tiefer hinter den Holzstoß.

»Komm sofort da raus«, forderte Eloisa ihn auf.

»Nein.«

»Jetzt komm schon raus, Dummerjan. Wir müssen zum Bach.«

»Nein. Ich gehe keinen Schritt weiter.«

In dem Moment schwang die Tür der Hütte auf, und drei große Jungen, darunter Eberwolf, kamen unter lautem Gejohle und etwas unsicher auf den Beinen heraus. Sie kicherten, schlugen einander auf die Schulter und versuchten sich gegenseitig darin zu übertreffen, wer am lautesten rülpste.

»Versteck dich«, flüsterte Mikael Eloisa zu.

Doch Eloisa rührte sich nicht. Das Mondlicht fiel hell auf sie, wie sie mitten auf der Wiese neben dem Holzstoß stand.

Eberwolf und die anderen sahen sie jedoch nicht. Sie konnten sich kaum auf den Beinen halten. Immer noch lachend schlugen sie ihr Wasser ab, bevor sie weiter die Dorfstraße entlangtorkelten.

»Gehen wir«, sagte Eloisa, als die drei verschwunden waren.

Mikael kam aus seinem Versteck und folgte ihr schweigend. Als sie den Bach erreicht hatten, tauchte Mikael seine Hand ins Wasser. Wie Agnete es ihm vorhergesagt hatte, kam ihm das Wasser zunächst nur kalt vor, dann wurde es eisig und seine

Hand tat noch mehr weh, doch schließlich ebbte der Schmerz ab. Dann begann er zu zählen.

Und Eloisa sprach ihm die Zahlen nach.

»Kannst du nicht zählen?«, fragte Mikael.

»Nur bis neunundvierzig«, antwortete sie.

»Das ist doch ganz einfach, du musst nur noch fünfzig sagen ...« Mikael hielt inne und sah sie an.

Das Mädchen kicherte. »Du bist wirklich ein Dummerjan. Wenn meine Mutter bis dreihundert zählen kann, dann kann ich das doch auch.«

»Warum hat sie dann nicht gesagt, dass du zählen sollst?«

»Weil es deine Hand ist, nicht meine.«

Mikael zählte wieder von vorn, auch wenn er nicht genau verstanden hatte, was Eloisa damit meinte. Aber ehe er zu Ende gezählt hatte, brach er ab: »Ich bin nicht so stark wie ihr ...«

»Das glaube ich auch«, sagte Eloisa.

Mikael zog entmutigt den Kopf ein.

»Aber du wirst es schaffen«, fuhr Eloisa fort. »Deswegen hat meine Mutter dir die Handschuhe von ihrem geliebten Niklas gegeben.«

Mikael schwieg eine Weile. »Das sind die Handschuhe eines Toten«, sagte er dann. »Von einem, der es nicht geschafft hat.«

»Na und? Du wirst es trotzdem schaffen«, fuhr Eloisa ihn aufgebracht an. »Und jetzt zieh deine Hand aus dem Wasser, denn bei all dem Unsinn, den du erzählt hast, bist du bestimmt schon bei fünfhundert angekommen.« Sie stand auf. »Und versteck dich diesmal nicht wieder hinter allen Holzstößen des Dorfes. Wir müssen schnell nach Hause.«

»Warum?«

»Weil der Finger kalt sein muss, damit man ihn richten kann.«

»Und wie richtet man ihn?«

»Nun lauf schon.« Und damit eilte sie schnell zur Hütte.

Sobald sie eintraten, packte Agnete Mikaels Finger mit der einen Hand, während sie mit der anderen sein Handgelenk festhielt. Dann zog sie mit aller Gewalt, als ob sie ihn abreißen wollte.

Mikael schrie. Und hörte ein Knacken. Dann durchfuhr ihn brennende Wärme, aber anders als in dem Moment, da der Finger gebrochen war.

Ohne auf sein Geschrei zu achten, fixierte Agnete den Finger von beiden Seiten mit zwei Stöckchen aus Schwarzkiefernholz, strich die angefertigte Paste aus Weidenrinde darauf und verband alles mit einer dünnen Hanfbinde. Nachdem sie auch die Wunden in den Handflächen versorgt hatte, zog sie ihm wieder die blutverkrusteten Kaninchenfellhandschuhe über.

Alle drei setzten sich an den Tisch, beteten und aßen dann schweigend.

Erst gegen Ende der Mahlzeit sprach Mikael Agnete wieder an: »Es tut mir leid . . .«

»Was tut dir leid?«

»Dass ich Schande über Euch gebracht habe . . .«, antwortete Mikael.

Agnete schwieg und dachte nach. Dann sah sie auf und blickte Mikael tief in die Augen. »Denk nicht an mich, Junge. Denk nur an dich. Das ist das ganze Geheimnis. Erinnerst du dich an deine Maus? Du glaubst immer noch, dass sie dich verlassen hat. Doch sie ist bloß ihrem eigenen Weg gefolgt. Das ging nicht gegen dich. Ändere deine Art zu denken, oder dein Leben wird nicht mehr dir gehören. Hast du mich verstanden?«

Mikael sah sie verständnislos an.

»Nein, ich fürchte, du bist wirklich nicht sehr gescheit«, sagte Agnete.

Eloisa lachte.

»Und der Esel schalt den anderen Langohr«, murmelte Agnete.

Mikael lächelte, und Eloisa funkelte ihn beleidigt an.

»Jetzt hört schon auf mit eurem Rumgeturtel, es ist Schlafenszeit«, sagte Agnete. Sie blies die Kerze aus, und jeder ging zu seinem Lager.

»Gute Nacht, Dummkopf«, sagte Eloisa.

Mikael lächelte. Doch dann musste er sogleich wieder an Eberwolf denken. Allein bei dem Gedanken an ihn schnürte es ihm die Kehle zu. Er kniff die Augen fest zusammen in der Hoffnung, ihn so aus seinem Kopf zu verbannen. Aber es gelang ihm nicht. Es war, als würde er in einen Abgrund hinabgezogen, in dem es einzig und allein Eberwolf gab. Er stellte sich vor, wie der große Junge ihm erneut mit seinen kräftigen Händen den Finger brach.

Dann überkam ihn die Müdigkeit, und Mikael betete, dass er schnell einschlafen würde. Doch da fing der Finger an zu pochen, als würde er sich unter dem Verband ausdehnen. Ein dumpfer Schmerz, der ihm durch und durch ging. Während sein Atem schwerer wurde und seine Augen sich mit Tränen füllten, musste er wieder daran denken, wie er sich hinter dem Holzstoß verborgen hatte, während Eloisa mutig für alle sichtbar mitten im Mondlicht stehen geblieben war. Ein Mädchen, das genauso alt war wie er.

Ich werde es niemals schaffen, dachte er. Und Hubertus auch nicht. Und in dem Moment brach er in Tränen aus, bis die Erschöpfung ihn endlich doch überwältigte und in einen unruhigen Schlaf sinken ließ.

Im Traum sah er Hubertus vor sich, wie er verletzt durch den Hof der brennenden Burg kroch und versuchte, sich unter dem Rock seiner toten Mutter zu verstecken. Und er träumte von Eberwolf, wie dieser hoch zu Ross mit einem Mausgesicht Hubertus witterte und dann zu Mikaels Mutter hinübersprengte. Eberwolf hob ihren Rock an und ließ eine Pfote mit langen, scharfen Krallen zwischen ihre Beine gleiten. »Jetzt hab ich dich,

Ziegendreck!«, knurrte er und zog Mikael darunter hervor, der wie Hubertus ein rotes Bändchen um den Hals trug. Dann riss die Maus Eberwolf ihr Maul auf und schickte sich an, Mikael zu köpfen, so wie Agomars Schwert seinen Vater geköpft hatte.

Schreiend erwachte er.

Agnete stand über ihn gebeugt und versuchte, ihn festzuhalten. »Schau, was du angestellt hast«, sagte sie kopfschüttelnd. Die Schiene an seinem Finger war zerbrochen. Nachdem sie ihm die Handschuhe ausgezogen hatte, sah sie, dass eines der Holzstöckchen sich in Mikaels Handfläche gebohrt hatte. Agnete zog es heraus und versorgte die Wunde.

»Heute wirst du das Essen ausgeben. Du musst nicht auf dem Feld arbeiten«, sagte sie.

Dann verließen sie das Haus.

Nach wenigen Schritten auf der Hauptstraße entdeckte Mikael Eberwolf und seine Freunde, die auf einem Zaun saßen und die Beine baumeln ließen. Anscheinend hatten sie auf ihn gewartet, denn nun deuteten sie in seine Richtung.

Mikael erstarrte.

»Tu so, als ob nichts wäre«, sagte Eloisa, als sie es bemerkte.

Doch Mikael konnte keinen Schritt vorwärtsgehen. Er sah Eberwolf vor sich und hatte sofort wieder den riesigen Mäusekopf und die blutbeschmierten Zähne vor Augen.

Eberwolf sprang vom Zaun und schrie: »Jetzt krieg ich dich, Ziegendreck!«

Mikael wurde schwarz vor Augen, und einzelne Blitze zuckten durch die Finsternis. Er fürchtete sich vor den Schmerzen, die er gleich wieder erleiden würde. Ihm war bewusst, dass er dem nichts entgegenzusetzen hatte, und er dachte, dass er nun sterben würde.

Mikael rannte los. Er wusste nicht, wohin. Nur eins wusste er: dass er nicht erneut Eberwolf gegenübertreten konnte. Seine dünnen Beine sausten mit unglaublicher Geschwindigkeit über das Gras. Seine Füße versanken im Morast, seine Knöchel verhakten sich in Brombeerranken, und seine Knie schürften sich jedes Mal, wenn er fiel, an den Felsen auf. Doch Mikael blieb nicht stehen. Er lief hinauf in die Berge. Unterwegs hörte er, dass man nach ihm rief. Er glaubte, Eloisas Stimme zu hören. Und die von Agnete. Aber vor allem hörte er Eberwolf, der ihn keuchend, knurrend, japsend und vor allem laut fluchend verfolgte.

Mikael rannte in den Wald. Birkenzweige schlugen ihm ins Gesicht, Tannennadeln bohrten sich in seine Augen, doch er hielt nicht inne. Denn er wusste, er durfte weder stehen bleiben noch sich umdrehen. Und so lief er weiter nach oben, tiefer in den Wald hinein, der immer dichter und dunkler wurde.

Nach einer Weile, als er jedes Zeitgefühl verloren hatte, sank er kraftlos an einem riesigen Baumstumpf zu Boden. Er wusste nicht, wo er war, sein Kopf war vollkommen leer. Doch er blieb dort sitzen und lauschte dem wilden Klopfen seines Herzens.

Und während sich sein Atem allmählich wieder beruhigte, hörte er weiter unten eine Stimme. Eine Stimme, die ihn ängstigte.

»Ziegendreck, wo bist du?«, schrie diese Stimme. »Komm heraus, ich tu dir auch nichts.«

Die Stimme von Eberwolf.

Im Wald war niemand außer ihnen.

Mikael stand auf und rannte los, kletterte weiter nach oben, fiel hin, stand wieder auf, klammerte sich an Wurzeln fest, weinte und betete, dass Eberwolf ihn nicht finden möge.

Immer weiter hinauf.

Er stieß auf eine schmale, steile Klamm, deren Grund vor Feuchtigkeit triefte. Die Felsen dort waren scharfkantig und glitschig. Doch Mikael blieb nicht stehen, er kletterte immer weiter nach oben, bis er irgendwann spürte, dass er keine Kraft mehr hatte. Ihm wurde wieder schwarz vor Augen. Hier also würde er sterben.

Er hob den Kopf zum Himmel wie zum Gebet, und da meinte er, einen hellen Schimmer zu erkennen, als ob der Wald sich öffnete. Ihm kam es so vor, als könnte er in der Lücke zwischen den dicht stehenden Bäumen etwas Vertrautes erkennen, das zugleich jedoch angsteinflößend war. Auf allen vieren schaffte er es endlich zu einer Lichtung. Und da erhob sich vor seinen Augen jene imposante Felsnadel, die bis in den Himmel zu ragen schien. Er erkannte sie sofort.

»Der Mosesfinger ...«, flüsterte er mit letzter Kraft. Und dann ergab er sich der Erschöpfung.

16

Ich hab ihn nicht gefunden«, keuchte Eberwolf, als er am Fuße des Berges, wo alle auf ihn warteten, aus dem Wald herauskam. »Dieser blöde Junge rennt wie ein Hase!«

»Und du bist schwerfällig wie ein Schwein!«, sagte Eloisa.

Eberwolf ballte die Fäuste. Dass sein Vater ihn losgeschickt hatte, um nach Mikael zu suchen, nachdem dieser mit Agnete gesprochen hatte, war für ihn eine große Demütigung gewesen, und Eloisas Spott brachte das Fass nun zum Überlaufen. »Was kann ich dafür, wenn dieser Ziegendreck so eine Memme ist«, knurrte er.

»Und du bist einfach bloß dumm! Strohdumm!«, schrie Eloisa zurück.

Agnete wollte ihre Tochter zurückhalten, doch da verlor Eberwolf bereits die Beherrschung und packte Eloisa am Handgelenk. »Halt den Mund!«

»Du tust mir weh!«, jammerte sie. In dem Versuch, sich zu befreien, schlug sie ihm ins Gesicht.

Daraufhin geschah alles gleichzeitig und blitzschnell. Ehe irgendjemand etwas unternehmen konnte, stieß Eberwolf, außer sich vor Zorn, das Mädchen so heftig nach hinten, dass es beinahe durch die Luft flog.

Eloisa stöhnte auf, als sie unsanft auf dem Boden landete. Doch sofort war sie wieder auf den Beinen und zeigte ihm die Zähne. »Komm doch her, wenn du dich traust, du Feigling!«, fauchte sie und schwang drohend ihre Fäuste.

»Verschwinde, du Schlampe«, knurrte Eberwolf.

»Ich hasse dich, Eberwolf!«, schrie Eloisa. »Und ich werde

dich immer hassen!« Als sie bemerkte, dass alle herbeigelaufen waren, wandte sie sich an Eberwolfs Freunde. »Habt ihr das gesehen? Er ist ein Feigling!«

Unter den tadelnden Blicken der Umstehenden wurde Eberwolf rot und zog den Kopf ein. Mit einem gezwungenen Lächeln drehte er sich zu seinen Freunden um. Doch die schauten verlegen weg, einige wandten sich ab.

Agnete hatte ihre Tochter am Arm gepackt. »Das hast du ja schön hinbekommen!«, zischte sie ihr zu.

Dann ging Ahlwin der Schmied, Eberwolfs Vater und ein Hüne von einem Mann, zu seinem Sohn und ohrfeigte ihn. Er befahl ihm, nach Hause zu gehen und sich für den Rest des Tages nicht mehr blicken zu lassen.

Eberwolf ballte wütend die Fäuste, zog den Kopf ein und machte sich mit grimmiger Miene davon.

Agnete hatte eine unangenehme Vorahnung. »Das hast du wirklich schön hinbekommen!«, wiederholte sie leise.

»Los, gute Leute, an die Arbeit!«, forderte Zacharias die Dorfbewohner auf.

Einer nach dem anderen nahm sein Werkzeug wieder auf, um das Feld von Gregor und Emöke urbar zu machen. Aber keiner war so recht bei der Sache, die Leute schauten mal Eberwolf hinterher, der langsam nach Hause ging, mal hinüber zum dichten Mezesnigwald, in dem Mikael verschwunden war.

»Los, mach dich wieder an die Arbeit«, forderte Agnete ihre Tochter auf.

»Und Mikael?«, fragte Eloisa besorgt.

»Der wird schon zurückkommen.«

»Wann?«

»Wenn er seine Angst besiegt hat.«

»Und wenn er das nicht schafft?«

»Er wird es schaffen.«

»Woher wollt Ihr das wissen, Mutter?«

Agnete antwortete nicht. Sie betrachtete den Berg. Er war steil und gefährlich, der Wald dort oben unwegsam und voller wilder Tiere. Dutzende schmale Schluchten durchzogen den Wald, die in felsigen Abgründen mündeten.

»Mutter«, bedrängte Eloisa sie.

»Er wird zurückkommen«, sagte Agnete brüsk, packte einen breiten Rechen und ging fort, um ihre Tochter nicht weiter anlügen zu müssen. Sie wusste nicht, ob Mikael wirklich zurückkommen würde. Im Wald konnte man sich leicht verirren oder in eine Felsspalte stürzen. Und die Nacht draußen zu überleben war schwer. Sogar für Leute wie sie, die mit dem Berg vertraut waren.

»Nein«, sagte Eloisa leise.

Agnete war inzwischen zu Vater Timotej gegangen. »Sprecht ein Gebet für den Jungen«, bat sie ihn.

Der Pfarrer nickte, und auch er sah nun zum Berg hinauf, der so wild und unbezwingbar wirkte.

»Nein«, sagte Eloisa noch einmal und klang sehr erwachsen. Und dann, als keiner auf sie achtete, schlüpfte sie hinter ein Brombeerdickicht und eilte unbemerkt zum Haus von Eberwolf. Der stand dort immer noch auf der Schwelle und starrte hinauf zum Berg. Die eine Wange war stark gerötet von der Ohrfeige seines Vaters.

»Was willst du?«, knurrte Eberwolf barsch, als er sie bemerkte.

»Wo hast du Mikael zuletzt gesehen?«, fragte ihn Eloisa.

»In der Klamm der Paukenschlegel«, antwortete er, ohne die Augen vom Wald abzuwenden.

»Und dann?«

»Dann was? Dann habe ich ihn aus den Augen verloren, dumme Gans.«

»Hat er denn keine Spuren hinterlassen?«

»Er ist leicht wie ein Kaninchen, der hinterlässt kaum Spuren. Irgendwann muss er nach links abgebogen sein.«

»Und wo?«

»Weißt du, wo dieser in der Mitte gespaltene Felsen steht, aus dem eine Schwarzkiefer wächst?«

»Ja.«

»Dort ist er links abgebogen. Danach habe ich seine Spur verloren.«

Eloisa rannte los. Am Fuß des Berges bestand der Wald aus verkrüppelten Buchen, die regelmäßig von den Bewohnern des Raühnval am Ansatz beschnitten wurden, um Brennholz zu gewinnen. Es war ein Wald, der von Menschenhand gepflegt und beschnitten wurde. Der Boden war mit einem weichen Laubteppich bedeckt.

Eloisa begann den Aufstieg in einem gemäßigten Tempo, die Augen hielt sie auf der Suche nach Spuren auf den Boden geheftet. Sie sah einen kleinen Mäusedornbusch, an dem ein paar Zweige gebrochen waren. Und dann eine Farngruppe, die niedergetrampelt worden war. Mikael war also hier entlanggelaufen. Eloisa beschleunigte ihre Schritte. Rasch erreichte sie die Klamm, wo die Paukenschlegel so üppig wuchsen. Sie bemerkte einen noch weißen Pilzhut, der unter Mikaels Füßen aufgeplatzt war. Dann eine Gruppe Schopftintlinge. Und den großen Hut eines Knollenblätterpilzes.

Eloisa blieb stehen. »Wo bist du, Dummerjan?«, fragte sie leise. Und dann spürte sie eine Art Brennen in der Brust. Beinahe wütend presste sie die Kiefer zusammen und ballte die Fäuste, um ihrer Angst nicht nachzugeben.

Sie lief weiter. Inzwischen waren die Buchen einem dichten Wald aus Lärchen und Tannen gewichen. Das Gelände wurde immer unwegsamer und steiler, je enger die Klamm wurde, doch Eloisa stieg weiter hinauf. Sie rutschte auf den moosbedeckten Wurzeln aus, die im dornigen Dickicht unter getrockneten Nadeln und Farnen verborgen waren, fiel hin und landete auf dem Gesicht. Die getrockneten Tannennadeln bohrten sich schmerzhaft in ihre Handflächen. Keuchend sah sie wieder nach oben. Noch fehlten gut dreihundert Fuß bis zum Ausgang der Klamm, wo die Paukenschlegel wuchsen. Das unangenehme Gefühl der Verzweiflung verstärkte sich. Sie stand wieder auf, ballte die Fäuste und schlug sich einmal kräftig und voller Wut vor die Brust. Dann kletterte sie weiter die Klamm nach oben, die inzwischen kaum mehr zwei Armlängen breit war, stets bedacht, nicht auszurutschen. Sie suchte Halt, indem sie sich mit den Händen an Baumwurzeln festklammerte oder die Füße vorsichtig auf die moosbedeckten Steine setzte, und kam nur mühsam vorwärts. Doch schließlich erreichte sie das Ende der Klamm.

Völlig außer Atem drehte sie sich um. Dann sah sie wieder nach oben durch das Dickicht aus Tannen und Lärchen, die miteinander zu kämpfen schienen, um den Baumnachbarn möglichst viel von dem Licht zu rauben, das ihnen das eigene Überleben sicherte. Sie war noch nie weiter gegangen. Kein Kind durfte weiter in den Wald vordringen. Auch die Jäger wagten sich niemals einzeln jenseits dieser dunklen, wilden Grenze. Und sie waren bewaffnet.

»Mikael!«, rief sie plötzlich. »Mikael!«

Aber kein Laut, keine Antwort durchbrach die düstere Stille, die auf das Echo ihrer dünnen Kinderstimme folgte, die Stimme eines Mädchens, das unwissentlich all seine Angst herausschrie.

Eloisa spürte, wie ihr die Tränen in die Augen stiegen. Ihre Unterlippe zitterte heftig, während sie versuchte, nicht loszuheulen.

»Du Dummkopf!«, schrie sie mit vor Zorn – und vor Angst – brüchiger Stimme. »Du Dummkopf!«, murmelte sie kaum hörbar, als sie den ersten Schritt in Richtung des gespaltenen

Felsens tat, aus dem eine verkrüppelte Schwarzkiefer heraus-
wuchs.

Etwa dort, so hatte Eberwolf gesagt, hatte er Mikaels Spuren
verloren. Aber Eberwolf war ein Idiot, sagte sich Eloisa immer
wieder, während sie weiter nach oben kletterte und sich ihren
Weg durch das Dickicht aus spitzen Ästen bahnte, oberhalb
dessen das Gesetz der wilden Tiere galt.

Zu Beginn ihres Wegs hatte sie noch den dumpfen Klang der
Glocken der Kapelle Maria zum Schnee hören können, die die
Stunden von Arbeit und Gebet vorgaben. Doch jetzt konnte
kein Laut mehr das dämmrige Dickicht durchbrechen, wo die
Tiere sich lautlos bewegten. Um nicht getötet zu werden. Oder
um zu töten. Sie kletterte weiter.

Wohin sollte sie sich wenden? Sie blieb stehen und lauschte.
Doch das Einzige, was sie hörte, war der dröhnende Schlag
ihres eigenen Herzens. Im Takt des anstrengenden Aufstiegs.
Im Takt der Angst, hier im Wald allein zu sein. Und der Sorge
um Mikael.

»Mikael . . . Wo bist du?«, flüsterte sie ganz leise, voller Angst
und mit bebender Stimme.

Sie wandte sich nach links, zu der Stelle, die Eberwolf ihr
genannt hatte. Dort kletterte sie weiter hinauf und untersuchte
den Pfad beständig auf Spuren. Ihrer Berechnung nach lief sie
nun schon eine Stunde, ohne etwas gefunden zu haben, das ihr
verraten hätte, dass Mikael hier entlanggekommen war. Doch
selbst Kaninchen hinterließen Spuren, da war sie sicher. Deshalb kehrte sie um und rutschte ein Stück den Abhang hinunter.
Dort, wo sie vorhin links abgebogen war, wandte sie sich nun
nach rechts. Und begann wieder nach oben zu klettern.

Nach kaum dreihundert Fuß stieß sie auf einen großen Hut
eines Netzstieligen Hexen-Röhrlings. Das fleischige Innere des
Pilzes hatte sich schon vollständig rot verfärbt. Was bedeutete,
dass jemand ihn bereits vor einiger Zeit umgetreten hatte, denn

diese Sorte färbte sich zunächst blau, wie Eloisa wusste. Dennoch war sie plötzlich ganz aufgeregt. Sie drehte den Pilzhut in ihrer Hand. Das konnte kein Reh gewesen sein, dann hätte sie einen Hufabdruck gesehen. Also musste Mikael hier vorbeigekommen sein.

Auf einmal schöpfte sie neue Kraft und Hoffnung. Und die Hoffnung ließ die ängstliche Beklemmung in der Brust verschwinden. Beinahe im Laufschritt stieg sie weiter nach oben und kümmerte sich nicht um die Zweige, die ihr die Haut zerkratzten. Nach einer Weile fiel ihr ein spitzer Felsen auf. Darauf ein roter Fleck. Blut. Mikael musste hingefallen sein und sich verletzt haben. Ich bin auf dem richtigen Weg, dachte sie aufgeregt. Sie kniete sich neben den Felsen und schob die dünne Schicht aus trockenen Nadeln beiseite. Und in dem weichen Boden entdeckte sie den Abdruck einer Hand. Mikaels Hand. Die Umrisse waren nicht sehr deutlich, weil er ja Handschuhe trug, aber es war eindeutig eine Hand.

»Mikael!«, rief sie beinahe lachend.

Plötzlich spürte sie, wie die Erde hinter ihr bebte. Dann hörte sie Blätterrascheln und wildes Getrampel. Ganz in ihrer Nähe. Zu nah. Mit klopfendem Herzen drehte sie sich um.

Ein riesiges Tier tauchte zwischen den Bäumen auf, nicht einmal zwei Schritte neben ihr. Und es kam auf sie zu.

Eloisa schrie auf und fiel nach hinten, die Hände schützend vors Gesicht gepresst.

Das Tier wich ihr im letzten Moment aus, feuchte Erdbrocken spritzten unter seinen Hufen auf.

Eloisa sah ihm nach. Es war ein Hirsch. Eine Hirschkuh, wie sie an dem fehlenden Geweih erkannte. Während das Tier flüchtete, beruhigte sich Eloisa. Doch die Furcht hatte sich noch nicht ganz gelegt, da trieb eine bange Frage erneut ihren Herzschlag hoch. Vor wem floh die Hirschkuh? Welches Tier mochte sie, die selbst groß wie ein Pferd war, erschreckt haben?

Eloisa kauerte sich hin und lauschte. Sie schaute sich um. Jetzt hatte sie wirklich Angst. Sie sah einen großen Felsblock, in dem eine schmale Spalte klaffte. Auf Zehenspitzen lief sie dorthin und versteckte sich darin. Ihre Augen waren schreckgeweitet. Dann entdeckte sie draußen vor der Höhle, nur einen Schritt vom Eingang entfernt, einen trockenen Ast, den die Hirschkuh bei ihrer Flucht abgebrochen hatte. Das abgebrochene Ende war sehr spitz. Eloisa schlüpfte noch einmal aus ihrem Versteck, packte den Ast und kroch wieder in die Felsspalte.

Dort blieb sie reglos sitzen. Ihr Kopf war vollkommen leer. Sie fühlte sich wie versteinert, als wäre sie selbst Teil des Felsen geworden.

Allmählich dämmerte es. Und im Wald wurde es schneller dunkel als anderswo.

Eloisa bemerkte zuerst den Geruch. Streng, säuerlich. Widerlich. Dann hörte sie das Tappen der Pfoten. Und schließlich vernahm sie den Atem des Tieres. Panisch umklammerte sie den spitzen Ast so fest, dass die trockene Rinde unter dem festen Griff ihrer Finger zerbröckelte. Sie bewegte sich nicht, konnte keinen klaren Gedanken fassen und verspürte weder den Drang zu weinen noch loszuschreien.

Es muss ein Jungtier sein, dachte sie, als sie es wenige Schritte von sich entfernt auftauchen sah. Die langen Fangzähne waren noch weiß.

Der Grauwolf, in dessen Fell noch in großen Flocken Überreste des Winterpelzes hingen, näherte sich vorsichtig. Immer wieder blieb er angespannt stehen, hob den Kopf und witterte. Mal legte er die Ohren an, dann stellte er sie plötzlich wieder auf und lauschte. Seine dicke, rote Zunge hing ihm aus dem triefenden Maul. Der Wolf musste der Hirschkuh hinterhergehetzt sein. Jetzt war er bestimmt müde und durstig. Und ausgehungert, wenn er es wagte, ganz allein eine Hirschkuh anzugreifen.

Eloisa war wie gelähmt vor Angst. Sie hielt den Atem an. Selbst ihr Herz schien aufgehört haben zu klopfen.

Der Wolf näherte sich hastig dem Felsen, an dem Mikael sich verletzt hatte. Er schnupperte an der Stelle, leckte das getrocknete Blut auf und knurrte leise. So wie es Wölfe tun, ehe sie losheulen. Er leckte wieder an dem Blut. Dann zog er die Lefzen hoch, bleckte die Fangzähne und nagte kurz an dem Felsen. Er ließ davon ab, streckte die Nase witternd in die Luft und schnupperte noch einmal an Mikaels Handabdruck. Schließlich hob er die Schnauze und lief weiter nach oben zum Gipfel des Mezesnig, als würde er eine Spur verfolgen. Doch schon wenig später blieb er stehen. Er jaulte leise und kehrte um. Erneut nahm er an dem Handabdruck die Fährte auf, und diesmal kam er langsam näher, die Nase immer am Boden. Als er an der Felsspalte anlangte, sträubte er das Fell im Nacken, krümmte den Rücken zu einem Buckel, zog den großen Kopf ein und bleckte grimmig knurrend die Fangzähne.

Eloisa stieß einen lauten Schrei aus.

Der Wolf stürzte vor und drängte seine Schnauze in die Spalte.

Eloisa stieß mit dem Ast zu. Sie spürte, wie sie das Tier traf.

Der Wolf heulte überrascht und schmerzerfüllt auf. Er wich einen Schritt zurück, dann griff er erneut mit weit aufgerissenem Rachen an.

Mit der Kraft der Verzweiflung stieß Eloisa wieder zu.

Doch diesmal wich der Wolf nicht zurück, sondern verbiss sich in den Ast.

Eloisa spürte die ganze Kraft des Tieres. Sie zog den Ast zurück, der zwischen den Zähnen des Wolfes zersplitterte, dann stieß sie erneut damit zu. Wieder und wieder.

Der Wolf knurrte und brüllte, geifernd ertrug er den Schmerz der Hiebe und biss weiter in blinder Wut zu.

Wieder brach ein Stück vom Ast ab.

Der Wolf wich zurück und spie den abgebrochenen Splitter aus. Er blutete aus dem Maul, an den Lefzen und an der Stirn, zwischen den Augen.

Er leckte sich die verletzten Lippen, kauerte sich zusammen und machte sich bereit für einen neuen Angriff.

Mit aller Kraft, die ihr verblieben war, schrie Eloisa erneut los.

»Eloisa!«, hörte sie auf einmal Rufe aus dem Tal. »Eloisa!«

Der Wolf sprang überrascht auf.

»Mutter! Mutter!«, rief Eloisa und brach in Tränen aus.

»Eloisa!«, rief ihre Mutter wieder besorgt. »Wo bist du?«

»Mutter!«

»Wo bist du, Eloisa?«, rief Agnete, so laut sie konnte.

»Mutter!« Angst ließ die Stimme des Mädchens brüchig klingen.

»Ich komme ja! Hab keine Angst! Sprich weiter, damit ich dich finden kann!«, schrie Agnete von irgendwo weiter unten im Wald.

Der Wolf griff noch einmal an, doch diesmal mit halber Kraft.

Eloisa konnte ihn noch einmal zurückschlagen. »Mutter!«

»Hier bin ich! Ich höre dich! Hier bin ich!«

»Da ist ... Da ist ...«

»Ich weiß, mein Kind!«, rief Agnete mit belegter Stimme. »Er wird dir nichts tun, du wirst schon sehen!«

»Ich habe Angst!«

»Er wird dir nichts tun, ich bin gleich bei dir!«

»Das ist ein Wolf, Mutter!«

»Ich weiß.«

Plötzlich sah Eloisa von weiter unten einen Lichtschein. Und dann konnte sie eine Fackel erkennen. Sie sah, wie ihre Mutter die Fackel schwang, deren Flammen die roten Augen des Wolfes aufleuchten ließen.

Das Tier wich zurück und verbarg sich im Gebüsch.

Agnete eilte zu der Felsspalte, in der Eloisa sich versteckt hatte, baute sich davor auf und schwang die Fackel weiter bedrohlich in die Richtung, in die der Wolf verschwunden war. Dann hob sie einen Stein auf, schleuderte ihn mit aller Kraft nach dem Tier und lief noch zwei Schritte hinterher, als ob sie sich mit dem offenen Feuer auf den Flüchtenden stürzen wollte.

Der Wolf jaulte zunächst erschrocken auf, als der Kiesel ihn in der Flanke traf, dann, als das Feuer auf ihn zukam, kehrte er um und verschwand im Wald. Aus der Ferne hörten sie ihn heulen.

»Los, sehen wir zu, dass wir schnell von hier wegkommen«, sagte Agnete. »Er wird zurückkehren.«

Schnell und ohne ein Wort machten sie sich an den schwierigen Abstieg, stolperten und standen wieder auf, bis sie Stimmen hörten.

»Wir sind hier!«, schrie Agnete. »Wir sind hier!«

Die Männer stießen zu ihnen, in ihren Händen trugen sie Knüppel und andere Gerätschaften, mit denen sie sich verteidigen konnten. Der Wolf, der den beiden gefolgt war, heulte ganz in der Nähe auf.

»Euch ist nichts geschehen, Gott sei Dank«, sagte Vater Timotej. »Jetzt wird er es nicht mehr wagen anzugreifen. Wir sind zu viele.«

Dann wurde es still. Alle dachten dasselbe, aber keiner wagte es auszusprechen.

»Und Mikael?«, hörte man Eloisa fragen, die derselbe Gedanke umtrieb.

»Es ist zu dunkel, um weiterzusuchen«, sagte einer der Männer.

Die anderen schüttelten nur den Kopf.

Während sie ins Tal hinabstiegen, weinte Eloisa still vor sich hin.

Als Agnete es bemerkte, sagte sie: »Das ist das dritte Mal, dass du wegen dieses Bengels Kopf und Kragen riskierst. Du hast ihn aus dem Feuer gerettet, du bist krank geworden, weil du dich mitten im Winter gewaschen hast, und jetzt lässt du dich fast von Wölfen zerfleischen . . .« Wütend fragte sie: »Was hat er getan, dass du ihm so nachläufst?«

Eloisa zog die Nase hoch und lief schweigend weiter, bis sie zu Hause ankamen. »Er ist anders als die anderen«, sagte sie dann.

Das weiß ich, dachte Agnete und drehte sich noch einmal zu dem hoch aufragenden Schatten des Mezesnig um. Er ist ein Prinz.

17

Sieh einer an, wen haben wir denn da!«, rief der alte Raphael
aus, als er bei Tagesanbruch den oberen Rand der Lichtung erreichte, auf der seine kleine Almhütte stand. »Ich hätte mich
mit einigen Pilzen begnügt, stattdessen habe ich einen kleinen
Jungen gefunden«, sagte er lachend.

Mikael konnte sich kaum rühren. Er war vollkommen durch-
gefroren.

»Stell dich nicht so an«, sagte Raphael zu ihm. »Wir haben
Frühling.« Er stieß ihn mit seinem Wanderstab an.

Mikael stand auf. Er sah hinauf zu der Felsnadel, die Mosesfinger genannt wurde. Dann in die andere Richtung nach unten,
zu der Hütte des alten Mannes. Agnete hatte sie als »Höhle des
Drachen« bezeichnet.

»Du hast Glück gehabt«, fuhr Raphael fort. »Du hättest ein
ausgezeichnetes Fressen für die Wölfe abgegeben.« Er legte ihm
einen Arm um die Schulter, und gemeinsam gingen sie in Richtung Almhütte. »Aber du scheinst mir zum Überleben geboren
zu sein. Du bist einem Blutbad entkommen ... Du bist Agnetes
dunklem Kellerloch entkommen ... und jetzt sogar den Wölfen.« Nun waren sie an der Hütte angelangt. Raphael öffnete die
Tür. »Lerne, das Leben als kostbares Gut zu betrachten und
nicht als etwas, das man einfach wegwirft, wie Narren oder Verzweifelte es tun.« Dann schob er ihn hinein.

Sie setzten sich an einen kleinen Tisch. Raphael schnitt zwei
Scheiben dunkles, mit Kümmel gewürztes Brot ab und bestrich
sie dick mit Schmalz.

Er beobachtete Mikael, der seine Scheibe gierig verschlang.

Als der Junge aufgegessen hatte, lächelte der alte Mann zufrieden und bot ihm auch noch das Brot an, das eigentlich für ihn bestimmt war. Mikael ließ sich nicht lange bitten und aß es sofort auf. Dann gab Raphael ihm noch eine Schale heißer, würziger Brühe zu trinken, die er aus Hühnerhaut gekocht hatte.

»Und jetzt erzähl mir, warum du von Agnete weggelaufen bist. Denn das bist du doch, oder?«, fragte er Mikael.

»Ja ...«

»Was treibt einen Jungen dazu, einer so großartigen Frau wegzulaufen?«, fragte Raphael nach.

Mikael empfand die tiefe Stimme des Mannes als tröstend. Er jagte ihm keinerlei Angst ein, ganz im Gegenteil, bei ihm fühlte er sich wohl. »Ich bin nicht vor Agnete weggelaufen.«

»Ach nein? Und vor wem dann?«

»Vor Eberwolf.«

»Müsste ich den kennen? Ist das ein Ungeheuer?«

»Das ist ein Junge ...«, sagte Mikael leise. »Ein bisschen älter als ich.«

Raphael nickte ernst. »Ich verstehe.«

»Und sehr stark«, fügte Mikael hinzu.

Raphael nickte wieder und sagte noch einmal: »Ich verstehe.«

»Er kann mich nicht leiden«, erklärte Mikael. Es fiel ihm leicht, mit diesem alten Mann darüber zu reden. »Er hat mir einen Finger gebrochen und wenn ich nicht weggelaufen wäre ...«

»Schon gut, schon gut«, unterbrach Raphael ihn. »Jetzt ist alles klar.« Er sah Mikael durchdringend an. »Dein Ungeheuer ist bloß ein prahlerischer großer Junge mit ein paar Muskeln.«

»Aber er sieht fast schon aus wie ein Mann«, wandte Mikael ein.

»Also ein Ungeheuer, das fast schon aussieht wie ein Mann.« Raphael nickte und schwieg.

Mikael saß ebenfalls stumm da und starrte die leere Schale an. Irgendwann sagte er: »Ich fürchte mich vor ihm.«

»Ja, das sieht man. Und du musst dich schon sehr vor ihm fürchten, wenn du lieber riskierst, von den Wölfen zerfleischt zu werden, als ihm gegenüberzutreten.«

»Ich ...«

»Und du wirst immer, dein ganzes Leben lang, Angst vor ihm haben. Ist es nicht so?«

Mikael blieb mit gesenktem Kopf sitzen und überlegte. »Vielleicht wird er es irgendwann leid, mich zu quälen«, sagte er dann.

»Ach, so ist das. Man muss also hoffen, dass dieser ... Elderstoff ...«

»Eberwolf.«

»Man muss also hoffen, dass dieser Elderstoff es leid wird, verstehe.«

»Eber...«

»Mein Junge, ich will seinen Namen nicht aussprechen.« Raphael beugte sich zu Mikael hinüber. »Nicht dass er mir auch noch Angst macht.«

Mikael fühlte sich beschämt. »Was kann ich denn tun? Mir jagt er eine Riesenangst ein.«

»Glaubst du nicht, dass du etwas dagegen unternehmen könntest?«

»Was denn?«, fragte Mikael überrascht.

»Zunächst einmal musst du die Natur beobachten«, erwiderte Raphael. »Schau dir den Anführer eines Wolfsrudels an. Er ist groß und kräftig, und sobald die Welpen ihm zu nahe kommen, beißt er sie, auch brutal. Sag mir, warum tut er das wohl?«

»Weil er gemein ist«, antwortete Mikael.

»Denk nicht in menschlichen Maßstäben. Tiere sind, wie sie sind. In ihren Köpfen gibt es kein Gut und Böse«, sagte Raphael und unterstrich seine Worte mit seinen schmalen Händen. »Ein Anführer, der es auch bleiben will, muss alle anderen überzeugen, dass er der Stärkste ist. Er hinterlässt die Abdrücke seiner Zähne im Fleisch der Jungen, damit sie in Angst vor ihm aufwachsen. Und wenn sie einmal selbst groß und stark sind und ihn angreifen, werden sie sich an seine Bisse erinnern und dann einen Moment lang wieder zu schwachen, wehrlosen Jungen werden. Das gibt ihm einen Vorteil im Kampf. Verstehst du mich?«

Mikael nickte stumm, fasziniert von Raphaels Worten.

»Dein Elderstoff weiß nicht, warum er sich so verhält. Dazu ist er bestimmt zu dumm. Aber er hat den guten Instinkt eines Tiers. Du wirst immer Angst vor ihm haben. Zumindest will er das bei dir erreichen, selbst wenn er es gar nicht weiß.« Raphael unterbrach sich und lächelte fröhlich. »Genauso ist es mit Eloisa. Du wirst dein ganzes Leben lang glauben, dass sie schlauer ist als du.«

Mikael errötete heftig.

Raphael lachte laut auf. »Ja, genau so wird es sein. Aber das ist nicht schlimm, denn das Mädchen ist anständig und herzensgut.« Er lächelte noch einmal. »Aber es ist ein bisschen verfrüht, über Frauen zu reden.« Er streifte Mikael die Handschuhe ab. »Reden wir lieber über deine Hände. Was hast du damit angestellt?«

Mikael stöhnte. »Ich habe Erde aufgehackt.«

Raphael schüttelte bestürzt den Kopf. »Kannst du denn wirklich gar nichts?« Er stand auf und bedeutete Mikael, ihm aus der Hütte ins Freie zu folgen.

Auf der Rückseite des Hauses öffnete Raphael die beiden großen Flügel eines Holzverschlages, in dem sich Gerätschaften für die Landwirtschaft befanden.

»Also«, sagte der alte Mann, »Hacke, Spaten, Sichel, Mistgabel, Harke und einige andere Werkzeuge sind für den Bauern das, was Schwert, Lanze, Dolch, Streitaxt und Streitkolben für einen Krieger sind.« Er nahm die Sichel in die Hand. Dann ging er in die Knie, schwang sie und mähte einen Streifen Gras so vollkommen, dass die übrig gebliebenen Halme alle gleich lang waren.

»Man braucht Kraft und Anmut, Hingabe und die richtige Technik. Und vor allem eins: Ein guter Bauer und ein guter Krieger müssen am Tag nach ihren Kämpfen gleich wieder genauso gut ans Werk gehen können oder sogar noch Besseres leisten. Ob du Bauer oder Krieger bist, du wirst müde zu Bett gehen, vielleicht auch verwundet, aber diese eine Nacht muss dir reichen, um neue Kraft zu schöpfen. Denn beim nächsten Hahnenschrei wirst du wieder Bauer oder Krieger sein. Hast du mich verstanden?«

»Nein . . .«

Raphael seufzte, während er die Sichel wieder an ihren Platz legte. »Alle fragen sich, ob du nur Grütze im Kopf hast. Merkst du das überhaupt?«

»Ja«, erwiderte Mikael beschämt und senkte den Kopf.

»Zuzugeben, dass man etwas nicht begriffen hat, ist klüger als so tun, als hätte man es verstanden. Das ist wenigstens etwas. Aber es reicht nicht. Du musst dich schon ein wenig mehr anstrengen.«

»Und wie?«

»Zerschneide die Fesseln der Angst.«

»Wie geht das?«

»Beginne damit, dass du das bisschen Macht, über das du verfügst, nicht widerstandslos aufgibst.«

Mikael stand schweigend mit gesenktem Kopf da. »Ich hab's nicht verstanden«, sagte er schließlich.

»Gib Elderstoff nicht die Macht, über dein Leben zu bestimmen.«

Mikael schüttelte nur traurig den Kopf: »Ich versteh nicht . . .«

»Die Hacke, Mikael, du musst die Hacke selbst in die Hand nehmen! Das bedeutet es!«

Mikael nickte.

Raphael holte die Hacke heraus. »Und genau damit fangen wir morgen an: wie man eine Hacke in die Hand nimmt ...« Er sah Mikael an. »Jetzt ruh dich aus, ich werde ins Raühnval hinuntergehen und Agnete sagen, dass du hier bist. Und wenn diese Frau auf mich hört, wirst du einige Zeit mit mir verbringen. Danach werden deine Hände nicht mehr bluten, und aus dir wird ein ganz ordentlicher Bauer geworden sein.«

»Und ich werde keine Angst mehr haben vor ... Elderstoff?«, fragte Mikael.

»Das kann ich dir nicht beibringen«, erwiderte Raphael. Dann musterte er ihn lange und gründlich, bis er schließlich sagte: »Aber in dir schlägt ein starkes Herz. So viel kann ich sehen. Du musst dich entscheiden, ob du es groß und stark machen willst oder vertrocknen lässt.«

18

In der Nacht zuvor waren Eloisa und ihre Mutter ohne ein Wort zu Bett gegangen. Eloisa hatte abgewartet, bis die Mutter eingeschlafen war, dann hatte sie in ihrer wachsenden Sorge die lange blonde Locke von Mikael aus ihrem Versteck geholt, die sie seit dem Tag aufbewahrte, an dem sie ihn gerettet hatte. Sie hatte sich wieder hingelegt und die Locke immer wieder wie besessen um die Finger gewickelt, während sie unaufhörlich flüsterte: »Oh Herr im Himmel, liebe Mutter Maria, Heilige Dreifaltigkeit, ich flehe euch an. Lasst nicht zu, dass Mikael von den Wölfen gefressen wird. Amen.« Erst kurz vor Tagesanbruch hatte die Müdigkeit sie überwältigt, und sie war eingeschlafen.

Die Locke war ihren Fingern entglitten und auf den Boden gesunken.

Als Agnete aufwachte, bemerkte sie die Haare und erkannte sie wieder. Wütend über den Ungehorsam ihrer Tochter packte sie die Locke und wollte sie schon ins Kaminfeuer werfen, als sie Eloisa flüstern hörte. Behutsam näherte sie sich ihren Lippen.

»Oh Herr im Himmel … liebe Mutter Maria … Heilige Dreifaltigkeit, ich flehe euch an. Lasst nicht zu, dass Mikael … von den Wölfen gefressen wird … Amen«, stöhnte Eloisa im Schlaf, und ihr Gesicht war von Angst verzerrt.

Da legte Agnete ihr die Haarlocke wieder sanft in die Hände. Sie verließ die Hütte, gerade laut genug, dass ihre Tochter davon aufwachte, und kam erst wieder herein, als sie sicher war, dass diese die Locke wieder versteckt hatte. Danach gingen beide aufs Feld.

Eloisa war mit ihren Gedanken jedoch nicht bei der Arbeit. Ihre Augen suchten ständig den undurchdringlichen Mezesnigwald ab. Sie sah wieder das aufgesperrte Maul des Wolfs vor sich, hatte seinen Raubtiergeruch in der Nase, hörte verängstigt sein Knurren. Und sie flüsterte immer noch: »Oh Herr im Himmel ... liebe Mutter Maria ... Heilige Dreifaltigkeit, ich flehe euch an. Lasst nicht zu, dass Mikael ... von den Wölfen gefressen wird ... Amen.«

Der Vormittag war schon weit fortgeschritten, als der alte Raphael auf seinem Maultier angeritten kam. Er näherte sich Agnete und gab ihr zu verstehen, dass er mit ihr reden müsse, und beide entfernten sich.

Eloisa wurde von Zacharias ermahnt, weil sie nicht mehr weiterarbeitete. Doch sie achtete nicht auf ihn und lief zu ihrer Mutter und Raphael.

»Er ist heil und gesund«, hörte sie ihn sagen.

»Mikael?«, fragte Eloisa, um sicherzugehen.

Raphael nickte lächelnd und entblößte dabei seine blendend weißen Zähne. »Vielleicht täte es ihm gut, einige Zeit bei mir zu bleiben«, sagte er dann an Agnete gewandt.

»Er muss lernen, sich dem Leben zu stellen«, brummte diese.

Raphael sah sie an. »Der Junge ist weggelaufen, weil er es nicht geschafft hat, sich in nur zwei Tagen dem Leben zu stellen, an das andere sich in zehn Jahren gewöhnen konnten.«

»Was schlagt Ihr also vor?«, fragte Agnete.

»Dass er einige Zeit bei mir bleibt. Ich werde ihm beibringen, wie man arbeitet. Ich werde dafür sorgen, dass er Schwielen an den Händen bekommt und ein paar Muskeln an Armen und Beinen zulegt. Ich werde ihm Fleisch und Honig zu essen geben. Ich werde ihn lehren, dass bei einem Kampf zwischen zwei Hähnen immer der Sieger bleibt, dessen Herz ruhiger schlägt. Zwar kann ich ihm nicht beibringen, wie er seine Furcht beherrschen kann, aber ich kann ihn überzeugen, dass er dazu fähig ist. Vor einigen

Monaten habe ich dir gesagt, du solltest ihn besser gleich mit einem Schlag auf den Kopf töten, als ihn fern vom Feuer in dem zugigen Loch unter deiner Hütte langsam und elendig sterben zu lassen. Und jetzt sage ich dir, wenn du ihn weiter so unbarmherzig in den Überlebenskampf wirfst, wirst du ihn töten, oder aus ihm wird ein gebrochener Mensch, der sich nie mehr aufrichtet und nie mehr das Licht der Sonne sieht.«

Agnete sah ihn schweigend an. »Nun gut«, sagte sie schließlich. »Erst einmal gilt der Junge weiter als verschwunden. Über alles Weitere denken wir später noch mal nach.«

»Das scheint mir ein guter Vorschlag zu sein«, stimmte Raphael zu.

»Verdammtes Mistvieh«, sagte Agnete düster.

»Ich nehme an, du meinst das Ungeheuer, vor dem sich der Junge fürchtet.«

»Welches Ungeheuer?«, fragte Agnete erstaunt.

»Ein gewisser Elderstoff.«

»Eberwolf«, berichtigte Eloisa.

Raphael wandte sich ihr zu und legte ihr eine Hand auf den Kopf. »Mikael und ich haben beschlossen, dass wir ihn anders nennen. Jetzt muss ich aber gehen, mein Maultier und ich sind sehr langsam«, erklärte er. Dann fragte er Agnete: »Was wirst du als Grund für meinen Besuch angeben?«

»Ich werde sagen, dass Ihr mir einen Heiratsantrag gemacht habt, den ich jedoch zurückgewiesen habe, weil Ihr mir viel zu weise und zu langweilig seid«, erwiderte Agnete.

Raphael lachte schallend und wandte sich zum Gehen.

»Wartet«, hielt Eloisa ihn auf. »Könntet Ihr ... Mikael sagen ...« Sie verstummte und wurde rot.

»Ja?«, fragte Raphael.

Eloisa stand da und sah ihn stumm an. In ihrem Innern tobte ein Kampf. Dann zuckte sie mit den Schultern. »Ach, nichts. Ich habe es vergessen.«

Raphael nickte.

»Von mir richtet ihm bitte aus, ich bin froh, dass die Wölfe ihn nicht gefressen haben«, mischte sich Agnete ein.

Eloisas Augen zogen sich zu Schlitzen zusammen. Dann biss sie sich auf die Lippe und rannte davon.

»Ich werde es ihm sagen«, sagte Raphael und trieb sein Maultier mit den Fersen an.

Er hatte noch nicht einmal die Holzbrücke über die Uqua erreicht, als er merkte, dass Eloisa ihm folgte. Er hielt an und wartete auf sie.

Als sie ihn eingeholt hatte, blieb Eloisa mit gesenktem Blick vor ihm stehen und stieß mit den Füßen nervös Steinchen weg. »Sagt ihm das auch von mir«, stieß sie so hastig hervor, dass ihre Worte kaum zu verstehen waren.

»Was genau soll ich wem sagen?«, fragte Raphael belustigt.

Eloisa atmete tief ein und aus. »Mikael«, erwiderte sie und sah ihn immer noch nicht an. »Sagt ihm, auch ich bin froh, dass die Wölfe ihn nicht gefressen haben.« Sie schwieg einen Augenblick. »Er ist und bleibt ein Dummerjan, und er wäre bestimmt todtraurig, wenn Ihr ihm das nicht auch von mir ausrichten würdet.«

Raphael nickte bedächtig.

Daraufhin verschwand Eloisa mit einem scheuen Lächeln, und ihr rotes Kleid schwang ihr um die dünnen Beine.

Raphael ließ das Maultier wenden und machte sich auf den Heimweg in die Berge.

Am nächsten Morgen nach einem reichlichen Frühstück mit Fleisch und Hafer mit Honig führte Raphael Mikael zur Rückseite der Hütte, öffnete die Tür des Geräteschuppens und nahm eine Hacke heraus.

»Heute werden wir lernen, wie man sie benutzt«, verkündete er.

Mikael nickte eingeschüchtert. Die Blasen an seinen Händen

waren noch nicht verheilt, und sein gebrochener Finger wollte nicht abschwellen.

Raphael packte die Hacke. »Siehst du? Eine Hand weiter oben und eine weiter unten am Stiel, aber sie dürfen nicht zu weit auseinander sein. Es sind zwei Hände und zwei Arme, aber sie müssen arbeiten wie ein einziger Hebel.«

Mikael nickte schüchtern.

Raphael schwang die Hacke über den Kopf. »Das hier nennt sich ›Schwungholen‹. So bereitet man sich auf den entscheidenden Augenblick vor, genau wie ein Bogenschütze, der die Sehne seines Bogens spannt. In diesem Moment scheint die Zeit stillzustehen.« Auf einmal schlug er die Hacke schnell und mit einer gezielten Bewegung in den Boden. »Sag mir, was du gesehen hast.«

Mikael zuckte mit den Schultern. »Ihr habt die Hacke in den Boden geschlagen«, sagte er unsicher.

»Das ist alles?«

Mikael zuckte noch einmal mit den Schultern.

»Sag mir eins«, fuhr Raphael geduldig fort. »Wenn Hacken nur darin bestünde, dass man die Hacke hebt und sie in den Boden schlägt, warum sollte ich dann meine Zeit damit verschwenden, es dir beizubringen?«

Mikael wurde rot. »Ich weiß nicht . . .«

Raphael schwang die Hacke erneut. »Jetzt mache ich es dir noch einmal vor, aber langsamer. Und du wirst mir sagen, was du siehst. Einverstanden?«

Mikael nickte.

Der alte Mann krümmte kaum merklich den Rücken, während seine Arme nach unten gingen.

»Ihr beugt den Rücken«, sagte Mikael.

»Sehr gut. Beobachte weiter.« Als Raphaels Arme beinahe lotrecht zum Boden standen, war sein unterer Rücken in der Lendengegend kerzengerade. Seine Beine hingegen begannen sich zu beugen.

»Jetzt ist Euer Rücken gerade ...«

»Sicher, sonst wäre ich am Ende des Tages völlig erledigt.«

»Und Ihr beugt die Beine ...«

»Dafür gibt es drei Gründe. Erstens verkürzt es die Zeit, die die Klinge der Hacke braucht, um in die Erde zu gleiten – indem man den Abstand vermindert, nutzt man die ganze Wucht des Schlages aus und verleiht ihm größere Schnelligkeit. Hast du das verstanden?«

Mikael nickte.

»Zweitens verlagere ich so meinen Schwerpunkt nach unten. Das erhöht das Gleichgewicht.« Er sah Mikael an. »Und warum muss ich mein Gleichgewicht erhöhen?«

»Um nicht umzufallen.«

»Das ist jetzt etwas übertrieben. Man fällt doch nicht gleich hin, nur weil man die Hacke in den Boden schlägt. Nein, der Grund ist, dass ich keine anderen Muskeln benutzen muss, um etwas auszugleichen, wenn ich mich im Gleichgewicht befinde. Und so habe ich wieder Kräfte gespart. Schließlich noch drittens – durch das Beugen der Beine wird der Rückschlag der Hacke aufgefangen. Und das wiederum tut meinem Rücken gut.« Raphael erhob sich. »Siehst du, wie gerade ich dastehe? Aber schau dir die meisten Bauern an. Die laufen vornübergebeugt. Weil ihnen der Rücken wehtut. Denn es stimmt schon, was man über die Feldarbeit sagt: ›Sie bricht einem den Rücken.‹«

Mikael sah ihn bewundernd an.

»Und jetzt alles noch einmal von vorn«, sagte Raphael. Er hob die Hacke, holte aus und versenkte sie tief im Boden. »Siehst du? Das war verkehrt. Kannst du mir sagen, warum?«

Mikael schüttelte den Kopf.

Raphael zeigte auf die Hacke. »Was muss ich jetzt tun, um wieder auszuholen?« Er führte übertrieben deutlich die Bewegung aus, die nötig war, um die Klinge wieder aus dem Boden zu holen und die Erdscholle anzuheben. »Siehst du, wie anstrengend das ist? Schau dir meinen armen Rücken an. Schau, wie viele Muskeln ich bewegen muss, um mir mein Werkzeug zurückzuholen. Das ist falsch. Die Hacke darf nicht im Boden stecken bleiben. Der Schwung selbst muss die Scholle anheben und durch die Trägheit der Masse die Hacke wieder freigeben, damit ich nur noch das Gewicht des Holzstiels und des Metallkopfs heben und nicht gegen den Widerstand des Bodens anarbeiten muss. Richtig?«

Mikael wurde rot und war sprachlos.

Raphael lachte erheitert. »Was ist der Fehler dabei? Denk nach!«

Mikael spürte, dass er nie eine Antwort darauf wissen würde. Am liebsten hätte er sich umgedreht und wäre weggelaufen, aber er senkte nur den Blick.

»Es ist nicht schlimm, wenn man etwas nicht weiß«, erklärte Raphael. »Außerdem glaube ich ehrlich gesagt nicht, dass du mal Bauer wirst. Deshalb ist es gar keine Schande, das nicht zu wissen, mein Junge. Aber du könntest wenigstens versuchen, es herauszufinden. Nicht um dieses Rätsel zu lösen, sondern allein um dich an den Gedanken zu gewöhnen, dass du es versuchen kannst.«

Mikael war knallrot im Gesicht geworden. Tödlich verlegen starrte er auf die Hacke, ohne sie wirklich wahrzunehmen.

»Ich zeige dir, wie man es richtig macht.« Raphael hob die Hacke hoch und schlug sie so in den Boden, dass die Erdscholle sich löste und die Hacke sofort wieder freigab. Er sah Mikael an. »Und?«

»Ihr seid nicht so ...«

»Ja ...?«

Mikael spürte sein Herz bis zum Hals, als hinge von dieser Antwort sein Leben ab.

»Schneide die Fesseln der Angst durch, mein Junge. Wenn du

etwas Dummes sagst, hast du eben etwas Dummes gesagt. Aber das macht aus dir noch lange keinen Dummkopf.«

»Ihr seid nicht so ...«, Mikael atmete tief durch, »... nicht so gerade heruntergegangen ...«

»Das ist es, mein Junge!«, rief Raphael zufrieden. »Die Hacke darf nicht senkrecht in den Boden eindringen, sonst wird sie darin stecken bleiben. Sie muss quasi ›hinterrücks‹, also schräg in die Erde gleiten, damit der Boden keinen Widerstand leisten kann. Ausgezeichnet!«

Mikael fühlte, wie sein Herz vor Aufregung in seinen Ohren dröhnte.

»Da du ja nun weißt, wie es geht«, sagte Raphael jetzt, »will ich, dass du die Lichtung von hier bis zum Waldrand umgräbst.«

Mikael wurde blass. Sogleich machten sich seine Blasen an der Hand und der gebrochene Finger schmerzhaft bemerkbar, und er dachte, dass er es keine zehn Mal schaffen würde, die Hacke im Boden zu versenken.

Raphael war inzwischen zu seinem Geräteschuppen gegangen, hatte die Hacke wieder an ihren Platz gestellt und ihn geschlossen.

Mikael sah ihn verwirrt an.

»Los, zeig mir, ob du etwas gelernt hast«, forderte Raphael ihn auf. »Nimm die Hacke.« Er tat so, als würde er eine unsichtbare Hacke packen.

Mikael blieb einen Augenblick stehen und rührte sich nicht. Dann ahmte er Raphael nach.

»Die Hände sind zu weit auseinander«, verbesserte Raphael ihn.

Mikael hielt sie enger zusammen.

»Jetzt hol aus.«

Mikael hob die Hände über den Kopf.

»Beug die Schultern.«

Mikael beugte die Schultern.

»Und runter!«, rief Raphael und tat so, als würde er selbst zuschlagen. »Rücken gerade, Beine gebeugt, Gleichgewicht, Kraft und Anmut, schräger Winkel.«

Mikael tat so, als senke er die Hacke ab.

Der alte Raphael versetzte ihm einen Stoß, und Mikael verlor das Gleichgewicht und schwankte.

»Die Beine tiefer gebeugt und weiter auseinander, mein Junge!«, befahl Raphael.

Mikael ging tiefer in die Knie und stellte die Beine weiter auseinander.

Raphael stieß Mikael noch einmal an, und diesmal kam er nicht aus dem Gleichgewicht.

»Genau so, sehr gut!« Raphael richtete sich auf. »Weder zu schnell, noch zu langsam. Du musst das ganze Stück Land auf zwei Armlängen Breite bis zum Wald bearbeiten. Dafür wirst du viele Stunden brauchen, wenn du gründlich bist. Ich gehe jetzt und besorge uns etwas zu essen. Ich will, dass alles fertig ist, wenn ich zurück bin. Und ich werde genau nachprüfen, ob die Arbeit auch gründlich verrichtet wurde. Ich versichere dir, dass ich merke, ob du deine Sache gut gemacht hast.« Raphael nahm einen Sack und ging in Richtung Wald, ohne sich noch einmal umzudrehen.

Mikael blieb so stehen, die unsichtbare Hacke in der Hand. Er kam sich vor wie ein Trottel. Er setzte sich hin und überlegte, dass der alte Mann bei seiner Rückkehr niemals wissen könnte, ob er wirklich ein ausgedachtes Feld mit einer ausgedachten Hacke bearbeitet hatte. Nachdem er allerdings eine Weile einfach so dagesessen hatte, wurde ihm unbehaglich. Und er spürte einen unterschwelligen Zorn. Wenn der alte Mann sichergehen wollte, dass er arbeitete, hätte er dabeibleiben und ihn beaufsichtigen müssen. Wer sollte denn so dumm sein zu hacken, ohne eine Hacke zu haben?

Doch je mehr Zeit verging, desto unbehaglicher fühlte er sich. Und schließlich stand er zu seiner eigenen Überraschung auf, packte die unsichtbare Hacke und arbeitete sich Schritt für Schritt zum Waldrand vor. Er schwang sie über den Kopf, krümmte und streckte den Rücken, ließ sie niedersausen, beugte die Knie und achtete auf den richtigen Winkel, mit dem es ihm gelang, die Erdscholle zu lockern. Und mit der Zeit machte ihm die Arbeit Spaß. Er stellte sich vor, dass er Fehler machte, und strengte sich noch mehr an, um diese auszugleichen und sich zu verbessern. Lächelnd dachte er, dass der alte Mann hoffentlich nicht merken würde, wie viele schlecht gelockerte Erdschollen er auf seinem Weg zurückließ. Irgendwann drehte er sogar um und tat so, als würde er einige Stellen des Stückes Land noch einmal bearbeiten, weil sie ihm nicht so gelungen waren, wie Raphael es von ihm erwartete.

Am Nachmittag schmerzten seine Schultern. Und die Beine. Sein Rücken machte sich ebenfalls bemerkbar. Er war nass geschwitzt, doch er war bis an den Waldrand vorgedrungen. Da versenkte Mikael die ausgedachte Hacke tief in den Boden und betrachtete sein unsichtbares Tagwerk.

»Bist du zufrieden?«, ertönte plötzlich Raphaels tiefe Stimme hinter ihm.

Mikael zuckte zusammen und errötete heftig.

»Nimm die Hacke«, ordnete Raphael an, »und auf dem Rückweg zur Hütte sehen wir uns an, wie gut du gearbeitet hast.«

Mikael tat so, als würde er die Hacke aufnehmen, und folgte Raphael, während der das Stück Land überprüfte. Manchmal nickte er oder schüttelte den Kopf. Und Mikael kam es so vor, als schüttelte er den Kopf genau an den Stellen, wo er selbst den Eindruck gehabt hatte, als hätte er nicht genau gearbeitet.

Bei der Hütte sagte Raphael dann lächelnd: »Das hast du gut gemacht, ich bin stolz auf dich. Morgen wirst du lernen, wie man umgräbt. Und danach, wie man sät, mäht und das Gras so zusammenharkt, dass es nicht fault, sondern schnell trocknet. Doch für heute hast du deine Pflicht getan. Ich habe im Wald ein paar schöne Steinpilze gefunden, die werden wir mit Fleisch und Honig essen, was sagst du dazu?«

Mikael wusste nicht, was er davon halten sollte. Der alte Mann benahm sich wie ein Verrückter. Und doch schien er keineswegs verrückt zu sein.

Das Abendessen war ein Hochgenuss. So ausgezeichnet, dass es Mikael traurig stimmte, weil es ihn an die Zeit erinnerte, als er noch in der Burg lebte und der Erbprinz von Saxia war. Doch diese Stimmung hielt nur kurz an, denn eigentlich erinnerte er sich kaum noch daran, wer er früher einmal gewesen war. Er hatte noch eine vage Erinnerung an seine Eltern, an seine kleine, gerade erst geborene Schwester, an seine Kinderfrau Eilika und an die übrigen Burgbewohner. Doch an sich selbst vermochte er sich nicht zu erinnern. Er blieb nur ein undeutlicher Schatten.

»Wir sind immer das, was wir jetzt sind, Mikael«, sagte Raphael, als hätte er seine Gedanken gelesen. »Was wir gerade im Moment sind.« Raphael stand auf, ging zu einem kleinen Regal aus Tannenholz und holte ein Büchlein aus Pergament herunter. »Kannst du lesen, mein Junge?«

»Ja.«

Raphael reichte ihm das Buch und setzte sich in einen Schaukelstuhl. »Willst du mir etwas daraus vorlesen?«

Mikael schlug das Buch auf. Er verstand kein Wort. »Diese Sprache kenne ich nicht ...«

»Ich auch nicht«, sagte Raphael. »Das ist Latein.«

Mikael sah ihn an, ohne zu begreifen, was er meinte.

»Wenn ich verstehen würde, was da steht, mein Junge, wäre das Buch für mich wertlos, nachdem ich es gelesen hätte«, erklärte Raphael. »Weil ich aber nicht verstehe, was da geschrieben steht, kann ich mein ganzes Leben lang immer wieder darin lesen und mir vorstellen, dass es mir jedes Mal eine andere Geschichte erzählt.«

Mikael blieb reglos sitzen, das aufgeschlagene Buch in den Händen.

»Lies!«, forderte Raphael ihn auf.

»Vi... vi... virum bonum quom lau... laudabant, ita lau...dabant: bonum agricolam bonu...mque colonum; amplis...sime laudari existima...batur qui ita lauda... lauda...batur. Mercatorem autem strenuum studiosum... que rei qua...erendae existimo, verum, ut supra dixi, pericu...losum et calamitosum ...«

Und so las Mikael weiter, wobei er immer wieder über die unbekannten Wörter stolperte. Als er im spärlichen Schein der Kerze etwa ein Dutzend Seiten gelesen hatte, spürte er, wie ihm die Augen zufielen.

Raphael bemerkte es und bedeutete ihm, aufzuhören.

»Danke«, sagte er. »Das ist eine interessante Geschichte. Wie siehst du das?«

»Ich ... was?«

»Hast du dir eine interessante Geschichte dazu vorstellen können?«

»Nein ...«

»Nicht einmal eine kleine Geschichte?«

»Nein.«

»Früher oder später gelingt es dir, du wirst sehen.« Raphael drehte sich um und sah ihn an. »Aber du hast heute ein ganzes Stück Land vollkommen allein aufgehackt. Und darauf kannst du stolz sein.«

»Ja ...«, erwiderte Mikael verlegen.

»Gehen wir schlafen. Morgen mache ich dich mit dem Spaten vertraut«, sagte der alte Mann, legte sich auf sein Lager und hüllte sich in ein Wolfsfell.

Mikael legte sich auf sein Strohlager, das der alte Mann ihm bereitet hatte, und kuschelte sich ebenfalls in ein Wolfsfell.

Kurz vor dem Einschlafen dachte er darüber nach, dass es ihm heute tatsächlich so vorgekommen war, als hätte er ein ganzes Stück Land allein bestellt. Und tief im Innern war er stolz auf sich, genau wie Raphael es gesagt hatte.

Dann dachte er an Eloisa.

19

Am nächsten Morgen nahm Raphael einen Spaten aus dem Geräteschuppen und erklärte Mikael genau, wie man ihn benutzte und zu welchem Zweck. Dann deutete er auf die mit Gras bestandene Lichtung.

»Gestern hast du dieses Stück Land aufgelockert«, sagte er ihm. »Heute wirst du mit dem Spaten tiefer in den Boden eindringen und ihn umgraben, damit die Erde Nährstoffe bekommt und bereit ist, den Samen in sich aufzunehmen.«

Mikael nickte.

»Aber das ganze Stück Land schaffst du allein nicht an einem Tag. Deshalb werde ich dir helfen«, fuhr Raphael fort. »Eine Hälfte du, eine Hälfte ich. Einverstanden?«

Mikael nickte wieder.

»An die Arbeit«, sagte Raphael. Er ging zur Mitte der Lichtung und tat so, als würde er umgraben.

Mikael sah ihn an. Raphaels Anwesenheit brachte ihn in Verlegenheit.

»Los, mein Junge, sonst wirst du vor Sonnenuntergang nicht fertig«, sagte Raphael und wandte ihm weiter den Rücken zu.

Mikael nahm den unsichtbaren Spaten, wie der alte Mann es ihm gerade gezeigt hatte, stieß ihn ins Erdreich, stellte dann einen Fuß darauf und drückte ihn tiefer hinein. Er beugte die Knie, drückte den Griff nach unten und tat so, als würde er eine dicke Erdscholle umdrehen. Dann griff er um, hob den Spaten an und ließ ihn wieder und wieder auf die Scholle niederfahren, bis er glaubte, sie zerkleinert zu haben.

Sein gebrochener Finger machte ihm noch zu schaffen, und

wenn er die Hände um den Griff legte, brannten die offenen Blasen. Aber er machte weiter, bis Raphael sagte, es wäre Zeit zum Mittagessen. Danach nahm er die Arbeit wieder auf und grub seine Hälfte des Landstücks um, bis er fertig war.

Während Raphael eine Graupensuppe mit Kaninchenfleisch und Rüben zubereitete, schickte er Mikael an den Waldrand, wo er so viele schwarze Nacktschnecken wie möglich sammeln sollte. Als der Junge zurückkam, schabte der alte Mann mit einem Messer vorsichtig den Schleim von ihnen ab und verteilte ihn auf Mikaels Händen. Dann ließ er die Schnecken wieder im Gras frei.

Während sie die würzige Suppe aßen, spürte Mikael bereits, wie der Schneckenschleim auf seiner Haut trocknete. Er sah seine Wunden an. Der Schleim hatte einen dünnen, glänzenden Film darüber gebildet.

Nach dem Essen reichte Raphael Mikael wieder das Buch. »Lies dort weiter, wo du gestern aufgehört hast.«

Und Mikael las erneut jene unverständlichen Worte vor, bis ihm die Augen zufielen.

Da erlaubte ihm Raphael, schlafen zu gehen.

Als es in dem kleinen Raum dunkel geworden war, fragte er Mikael: »Hast du dir eine gute Geschichte dabei vorgestellt?«

Mikael schwieg eine Weile. »Nein ...«, gestand er schließlich beschämt ein.

»Das macht nichts. Das wird noch, keine Sorge«, hörte er die tiefe, beruhigende Stimme des Alten sagen. »Stattdessen darfst du stolz darauf sein, dass du die Hälfte eines großen Stückes Land umgegraben hast. Das schafft nicht jeder in deinem Alter.«

Mikael dachte, dass der alte Mann vollkommen verrückt sein musste. Trotzdem fühlte er, während der Schlaf ihn übermannte, einen gewissen Stolz angesichts der Arbeit, die er vollbracht hatte.

In den folgenden Tagen lernte Mikael, wie man düngt, sät, die Felder vom Unkraut befreit, er lernte zu mähen, das Heu mit dem Rechen umzuwenden, es mit der Heugabel aufzuheben und es zu großen Garben zusammenzubinden.

Jeden Abend nach dem Essen las er ungefähr ein Dutzend Seiten aus dem unverständlichen, in Latein geschriebenen Buch vor, und jedes Mal fragte Raphael ihn vor dem Schlafengehen: »Hast du dir dabei eine gute Geschichte vorgestellt?«

Nach einer Woche sagte Mikael schüchtern: »Ja.«

Raphael schwieg dazu. Dann, als sie beide im Dunkeln auf ihren Strohsäcken lagen, sagte er zu ihm: »Weißt du, was die größte Gefahr beim Lügen ist?«

Mikael wurde knallrot vor Scham.

»Das Schlimmste an der Lüge ist, dass derjenige, der sie ausspricht, sie schließlich selbst glauben könnte«, fuhr Raphael fort, wobei seine Stimme vollkommen neutral blieb. »Und wenn das geschieht, hat derjenige kein Leben mehr in sich.«

Mikael dachte bei sich, dass er morgen bestimmt nicht mehr wagen würde, Raphael in die Augen zu schauen. Und er spürte, wie ihm die Tränen in die Augen stiegen.

»Du trägst viele Geschichten in dir«, sagte der alte Mann, und seine Stimme klang warmherzig und liebevoll. »Mehr als du dir vorstellen kannst. Aber du musst die Fesseln der Angst durchtrennen, das habe ich dir bereits gesagt. Ein Hund, der Angst hat, wird irgendwann ganz ohne einen Grund die Hand dessen beißen, der ihn füttert, obwohl er nicht böse ist. Das Kaninchen, das mehr Angst empfindet, als es von Natur für seine Art vorgesehen ist, fällt deshalb dem Wolf zum Opfer, auch wenn es viel schneller rennen kann als alle anderen. Ein Adler, der Angst hat, wird seine Beute nicht finden, er würde sie nicht einmal bemerken, wenn sie plötzlich in seinem Nest auftauchen würde.«

»Aber, aber ... was soll ich denn tun?«, fragte Mikael kaum hörbar.

»Nichts.«

Langes Schweigen.

»Nichts?«, fragte Mikael.

»Schlaf jetzt.«

»Aber Ihr habt doch gesagt, dass ich die Fesseln ...«

»Schlaf, mein Junge.«

Mikael verstummte.

»Tun die Blasen noch weh?«, fragte Raphael nach einer Weile.

»Nein.«

»Und seit wann nicht mehr?«

Mikael wusste nicht, was er darauf sagen sollte.

»Ist das heute geschehen?«

»Ich weiß nicht ...«

»Heute Morgen taten sie dir noch weh und jetzt plötzlich nicht mehr?«

»Nein.«

»Also ist es gestern passiert?«

»Ich weiß nicht ...«

»Warum weißt du das nicht?«

»Ich habe nicht bemerkt, wann es passiert ist.«

»Und weißt du auch, warum?«

Raphaels Stimme klang sanft und einlullend, und Mikael fühlte, wie er in Schlaf sank.

»Weil es nicht in einem bestimmten Augenblick passiert ist«, fuhr der alte Mann fort.

Mikael ballte sacht die Hände. Wo vorher Blasen gewesen waren, fühlte sich die Haut jetzt härter und dicker an.

»Und was hast du getan, damit sie heilen?«

»Ihr habt den Schneckenschleim daraufgestrichen ...«

»Nein, der verhindert nur, dass die Wunden sich entzünden. Aber er heilt sie nicht.« Raphael hörte, wie Mikaels Atem allmählich schwerer wurde. »Jetzt antworte mir das Erste, was dir in den Kopf kommt, denk nicht groß nach. Was hast du getan, damit die Blasen heilen?«

»Nichts.«

»Nichts. Du hast nur die nötige Zeit abgewartet.«

»Die nötige ... Zeit ...«

»Und genau so wird es mit den Fesseln der Angst sein.«

»Der ... Angst ...«, sagte Mikael leise und sein Atem wurde tief und gleichmäßig.

Eingehüllt in sein Wolfsfell lächelte Raphael und sagte: »Schlaf jetzt, mein Junge.«

Am nächsten Morgen ging der Alte zum Geräteschuppen, nahm die Hacke heraus und drückte sie Mikael in die Hand: »Los, jetzt hacke!«

Mikael sah ihn an, ohne zu begreifen, was der Mann von ihm wollte. Er legte die Hacke auf dem Boden ab und tat dann wieder so, als würde er das Erdreich auflockern, ganz so, wie er es vor ein paar Tagen gemacht hatte.

»Willst du mich auf den Arm nehmen, mein Junge?«, fragte Raphael.

Mikael hielt errötend inne.

»Was machst du da?«, fragte Raphael.

»Ich hacke ...«

»Du hackst?« Jetzt klang die Stimme des alten Mannes härter. »Und wie kann man ohne Hacke arbeiten?«

Abermals wusste Mikael nicht, was er sagen sollte.

»Nimm die Hacke«, befahl Raphael ihm.

Mikael nahm die Hacke.

»Gut. Und jetzt hacke.«

Mikael sah mit Schrecken auf die Lichtung.

»Woran denkst du?«, fragte Raphael. »Du glaubst doch nicht etwa, dass du, ein zehnjähriger Junge, das Erdreich der gesamten Lichtung an einem einzigen Tag ganz allein auflockern kannst? Das würde nicht einmal ich schaffen.« Er nahm einen

175

Holzpflock und bohrte ihn zwischen Mikaels Füßen in den Boden. Dann zählte er fünf Schritte ab und versenkte dort einen zweiten. »Von hier bis dort. Eine Armlänge breit. Und wenn du damit fertig bist, gibt es etwas zu essen.«

Mikael nahm die Hacke mit beiden Händen und sah zu dem Holzpflock, der dort nur fünf Schritt von ihm in den Boden gerammt war. Dann ließ er seinen Blick bis zum Waldrand gleiten. Kraftvoll packte er den Stiel der Hacke. Der gebrochene Finger bereitete ihm noch Schmerzen, aber die waren auszuhalten. Er schwang die Hacke, und diesmal kam sie ihm leichter vor als das erste Mal dort unten im Raühnval. Er krümmte kaum merklich den Rücken, und während er die Hacke niedersausen ließ, beugte er schnell die Knie und streckte die Lendenwirbel. Die Klinge bohrte sich genau im richtigen Winkel in den Boden, wie Raphael es ihn gelehrt hatte. Die Erdscholle löste sich leicht vom Boden, und Mikael konnte die Hacke mühelos wieder in die Höhe schwingen. Er schlug noch einmal zu und sah mit Erstaunen, dass auch diesmal alles glattlief. Da hielt er inne und sah die Hacke an. Und die beiden Erdschollen, die er aus dem Boden gelöst hatte. Dann seine Handflächen. Er lächelte, schwang die Hacke über dem Kopf und nahm die Arbeit wieder auf, fast als bereite sie ihm Vergnügen.

»Langsam!«, rief Raphael streng, der hinter ihm erschienen war. Als er sich wieder entfernte, lag ein zufriedenes Lächeln auf seinen Lippen.

Mikael benötigte gute zwei Stunden, um das Erdreich in dem fünf Schritt breiten Stück zu lösen, das Raphael abgesteckt hatte. Als er fertig war, schmerzten seine Schulter- und Rückenmuskeln. Einige Blasen an seiner Hand waren wieder aufgeplatzt.

Raphael sah sie sich an. »Spuck drauf«, riet er ihm.

Mikael tat wie geheißen.

»Gut. Mehr braucht es nicht«, sagte der alte Mann. »Aber

wenn du das früher gemacht hättest, hätten sich nicht so viele Blasen geöffnet. Denk morgen daran.«

Mikael nickte stumm. Er sah auf den Speichel auf seinen Blasen, und es kam ihm vor wie etwas, das erwachsene Leute taten. »Und jetzt?«, fragte er.

»Jetzt was?«

»Was soll ich jetzt tun?«

»Du hast gearbeitet. Hast deine Pflicht erfüllt. Was willst du noch von mir?«, fragte Raphael. »Für wen hältst du mich? Für deine Amme? Glaubst du, ich bin dazu da, mit dir zu spielen? Mach, was du willst.«

Mikael sah ihn etwas ratlos an.

Raphael wandte ihm den Rücken zu. »Na ja, wenn du wirklich nicht weißt, was du tun sollst, dann sammele kleine, trockene Zweige für das Feuer.«

Mikael ging folgsam an den Waldrand. Er verbrachte einen großen Teil des restlichen Tages damit, trockene Zweige aufzusammeln und sie hinter der Hütte aufzustapeln. Dann streifte er über die Lichtung und beobachtete die Insekten. Schließlich ging er zu dem kleinen Stück Land, in dem er das Erdreich aufgelockert hatte, und betrachtete es stolz. Er tat noch einmal so, als schwänge er die Hacke, und lachte befreit.

Wie lange hast du nicht mehr gelacht?, dachte Raphael, der ihn durch das Fenster der Hütte beobachtete. Dann rief er ihn: »Mein Junge, wo bist du? Ich habe Hunger! Ich esse jetzt!«

Abends las Mikael wieder aus dem lateinischen Buch vor, und als er Raphael sagte, er habe sich keine Geschichte dabei vorgestellt, antwortete der ihm, das sei nicht wichtig, früher oder später würde es schon noch passieren, und sie gingen schlafen.

Als die Kerze gelöscht war, kurz vor dem Einschlafen, spuckte Mikael noch einmal auf seine Blasen.

Nachdem er am nächsten Tag mit dem Spaten gearbeitet hatte, spürte er nachts im Bett einen seltsamen Druck in Schultern und Armen. Einen dumpfen, beinahe angenehmen Schmerz. Er tastete seine Schultern ab und war überrascht von dem, was er dort entdeckte. Deshalb machte er an den Armen weiter. Und erlebte die gleiche Überraschung. »Herr, schlaft Ihr schon ...?«, fragte er leise und etwas besorgt.

»Sag schon, mein Junge.«

»Irgendetwas ist mit meinen Schultern passiert ...«

»Ja?«

»Und mit meinen Armen ...«

»Was ist denn genau damit passiert?«

»Sie sind ... angeschwollen.«

»Angeschwollen?«

»Ja, sie sind dicker geworden.«

Raphael lachte. »Diese Schwellungen nennt man Muskeln, mein Junge.«

Stille. »Muskeln?«, fragte Mikael schließlich.

Raphael lachte wieder, drehte sich auf die Seite und schlief ein.

Mikael dagegen blieb den größten Teil der Nacht wach, um seine Schultern und die Arme abzutasten. Ab und zu flüsterte er: »Muskeln!«

Am folgenden Tag düngte er. Mit einer Schaufel verteilte er mit Torf vermengten Kuhmist. Den Tag darauf befreite er das Stück Land vom Unkraut, später mähte er, wendete das Heu mit dem Rechen um, und als es trocken war, schob er es mit der Mistgabel zusammen und band es zu dicken, schweren Garben zusammen, wozu er biegsame Weidenrinde benutzte.

Jedes Mal, bevor er mit der Arbeit begann, spuckte er auf seine Hände und befühlte seine Muskeln.

Und jeden Abend las er in dem Buch, doch es gelang ihm nie, sich eine Geschichte dazu vorzustellen.

Eines Morgens sagte der alte Raphael zu ihm: »Jetzt bist du bereit. Morgen gehst du ins Dorf zurück.«

Mikael spürte Angst und tiefe Enttäuschung in sich aufsteigen. Er rang nach Luft, während sich ein brennender Schmerz in seiner Brust ausweitete.

»Nein ...«, sagte er leise.

Raphael tat, als hätte er nichts gehört.

An diesem Tag hatte Mikael keine Pflichten zu erledigen. Die Zeit wollte nicht vergehen und verflog doch viel zu schnell. Sein Kopf war voller panischer Gedanken und zugleich schrecklich leer. Als er abends in dem lateinischen Buch las, waren seine Augen von Tränen verschleiert, sodass er die Worte kaum erkennen konnte.

»Hast du dir eine schöne Geschichte vorgestellt?«, fragte Raphael ihn.

»Ich habe an einen Jungen gedacht ...«, erwiderte Mikael an diesem Abend.

»Und?«

»Nein, vielleicht war es doch kein Junge ...«

»Sondern was?«

»Eine Maus.«

»Und was war mit dieser Maus?«

»Sie hieß Hubertus ...«

»Ja?«

»Aber den Namen hatte sie sich nicht selbst gegeben ...«

Raphael wartete schweigend ab.

»Sie konnte sich ja keinen Namen geben ...«

»Warum nicht?«

»Weil Hubertus doch eine Maus war ...«

»Ich verstehe.«

»Oder vielleicht ... weil er zu große Angst hatte ...«

Raphael nickte. »Und dann?«

»Ich weiß nicht ...«

»Ist deine Geschichte hier zu Ende?«

»Die Maus ... Hubertus ... wusste nicht ...« Mikael verstummte.

Raphael wartete schweigend ab.

»Also . . .«, fuhr Mikael leise fort, »Hubertus . . .«

»Sprich . . .«

»Hubertus weiß nicht, wer er ist.«

Raphael löschte die Kerze, und das Zimmer hüllte sich in Dunkelheit. »Das ist die schönste Geschichte, die ich je gehört habe«, brummte er gerührt.

Dann sagte keiner von ihnen mehr ein Wort. Bei Tagesanbruch stieg Raphael in den Sattel seines Maultiers und brach gemeinsam mit Mikael, der ihm zu Fuß folgte, zum Raühnval auf. Mikael stellte fest, dass es ihn wesentlich weniger anstrengte als damals, als er mit Agnete heimgelaufen war. Seine Beine bewegten sich schnell und sicher.

Als sie die Holzbrücke erreichten, hinter der das Tal lag, hielt Raphael das Maultier an.

Mikael blickte auf das Dorf, und das Herz schlug ihm bis zum Hals.

»Schau deine Hände an«, sagte Raphael.

Mikael gehorchte.

»Sind das noch die gleichen Hände wie damals, als du weggelaufen bist?«

»Nein.«

»Fass deine Schultern an, deine Arme und Beine. Sind das noch die gleichen wie damals?«

»Nein.«

»Nein«, wiederholte Raphael feierlich. »Und du bist auch nicht mehr der Gleiche. Du bist stärker geworden.«

»Aber wenn Eberwolf . . .«

»Wer?«, unterbrach Raphael ihn gleich.

»Elderstoff . . .«

»Ach ja, dieser gemeine Elderstoff, natürlich. Einen Augenblick habe ich befürchtet, du meinst ein Ungeheuer. Rede weiter.«

Mikael sah wieder auf das Dorf. »Ach, nichts«, murmelte er.

»Komm mich besuchen, wann immer du willst«, sagte Raphael. »Aber frag Agnete vorher um Erlaubnis.«

»Ja.« Mikael sah den alten Mann an. »Jetzt muss ich wirklich gehen, oder?«

Raphael betrachtete ihn eine Zeit lang schweigend. Dann sagte er: »Ich kann sehen, was für ein großes Herz du hast, mein Junge.«

Mikael schaute verlegen zu Boden.

»Willst du wissen, wer Hubertus ist?«, fragte Raphael.

Mikael sah zu ihm auf.

»Wie jeder von uns . . . ist Hubertus die Summe aller Herausforderungen, denen er sich stellt.«

Mikael nickte, obwohl er nie ganz verstand, was der alte Mann sagte. Sein Blick ging wieder zum Tal. Und er setzte den ersten Fuß auf die Brücke.

»Warte«, sagte Raphael.

Mikael wandte sich um.

Raphael holte aus der Satteltasche des Maultiers das Buch, in dem sie jeden Abend gelesen hatten. »Nimm es«, sagte er und hielt es Mikael hin. »Ich möchte, dass du es behältst.«

Mikael streckte scheu die Hand aus und nahm das Buch entgegen.

»Hier drinnen sind all deine Geschichten«, erklärte Raphael. »Aber denk daran, lerne nie Latein, wenn du willst, dass sein Zauber erhalten bleibt. Sonst wird es nur noch ein ganz gewöhnliches Buch sein, und der Zauber verschwindet. Er lachte laut, trieb sein Maultier an und ritt die Flanke des Berges hoch.

»Ich kann sehen, was für ein großes Herz du hast, mein Junge«, wiederholte Mikael leise für sich. Dann ging er über die Brücke bis zum Dorf und klopfte an die Tür von Agnetes Hütte.

Eloisa öffnete. Ihre Augen weiteten sich vor Freude und sie rief: »Mutter, Mikael ist zurück!« Und weil sie ihn nicht küssen wollte, versetzte sie ihm einen Stoß und beschimpfte ihn: »Dummerjan!«

20

Ojsternig verzog seinen Mund zu einem breiten Grinsen und gab das Zeichen, mit der Hinrichtung zu beginnen.

Der Henker löste den Knoten eines Seils des Galgens, das eine Bodenklappe öffnete, und Radim Cütting, zum Tode verurteilt, weil er gut über den Schwarzen Volod, den Anführer der Rebellen, gesprochen hatte, stürzte mit einer festen Schlinge um den Hals ins Leere.

Ojsternig betrachtete den Mann, wie er da am Seil zappelte. Er hatte den Mund weit aufgerissen, ebenso die Augen, die durch den steigenden Blutdruck hervorquollen, als ob sie aus ihren Höhlen springen wollten. Mit einem verächtlichen Lächeln wandte sich Ojsternig, der von Agomar und weiteren fünf Leibwachen mit gezücktem Schwert beschützt wurde, der Menge zu.

Keiner wagte auch nur zu atmen.

Man hörte nichts als das Röcheln des Gehenkten.

Mit Bedauern stellte Ojsternig fest, dass der Mann schneller starb, als er gehofft hatte.

Grausamkeit bereitete ihm Vergnügen – jedoch nur so lange, wie sie andauerte, danach stellte sich rasch wieder dieser Hunger ein. Sie befriedigte ihn nicht, aber trotz allem war ein solches Schauspiel, auch wenn es nur von kurzer Dauer war, stets eine willkommene Zerstreuung für ihn.

Als das Röcheln des Verurteilten erstarb, gab der Fürst seinem Pferd gereizt die Sporen.

Im Schloss klopfte er sich sofort den Staub aus den Kleidern und wusch sich Gesicht und Hände. Nie verließ ihn das Gefühl, am ganzen Leib mit dem schwarz-rötlichen Staub aus Hämatit und Torf bedeckt zu sein. Er war regelrecht besessen davon.

»Hat Ruprecht III. geantwortet?«, fragte er Arialdus von Tarvis, seinen Verwalter, sobald er den Großen Saal betreten hatte.

»Nein, Euer Durchlaucht ...«, sagte dieser, während er sich verbeugte.

Der alte Arialdus von Tarvis hatte Ojsternig in seinen Kindertagen unterrichtet. Darüber hinaus hatte er dem Fürstenhaus bereits unter Ojsternigs Vater als Verwalter gedient und war nunmehr der Einzige, der ganz genau mit den Finanzen des Hauses vertraut war. Dass das Fürstentum noch nicht vollständig untergegangen war, war allein ihm zu verdanken, das musste auch Ojsternig ihm zugestehen.

»Warum antwortet er nicht?«, fragte er.

»Euer Durchlaucht ...«, Arialdus zuckte mit den Schultern, »das Heilige Römische Reich ist groß, und wir sind nur ein kleines Fürstentum, das ...«

»Das nichts zählt?«, fuhr Ojsternig auf. »Wolltest du das etwa sagen?«

»Euer Durchlaucht ...« Der Verwalter krümmte den Rücken wie ein alter Hund, der Prügel gewohnt ist.

Ojsternig erhob die Hand, schlug aber nicht zu, wie er es tatsächlich zuweilen tat. Er musterte Arialdus, der wehrlos und mit eingezogenem Kopf vor ihm stand. So alt und schwach, dass er ihn mit einem Faustschlag hätte umbringen können. Der Fürst starrte auf Arialdus' faltigen Hals, die vereinzelten weißen Haarbüschel auf dem Kopf und dachte daran, dass er ihn damals, als er noch sein Lehrer war, vielleicht sogar gerngehabt hatte. Er erinnerte sich, dass Arialdus ihn einmal dabei erwischt hatte, wie er eine Henne misshandelte. Aber anstatt ihn auszuschelten und wie seine Eltern verächtlich auf ihn herabzusehen, hatte er ihm sanft das blutbeschmierte Rasiermesser aus der

Hand genommen, hatte den Hals der Henne gepackt, ihn schnell umgedreht und dem Tier so einen gnädigen Tod geschenkt. Dann hatte er sich wieder dem kleinen Ojsternig zugewandt und genickt, wie um zu sagen, dass er ihn verstand. Und er hatte ihm über den Kopf gestreichelt. Ojsternig hatte bei dieser zärtlichen Berührung jedoch nichts empfunden. Sehr früh hatte er entdeckt, dass nur Grausamkeit ihm Vergnügen bereitete, zumindest in ebendem Moment, in dem sie stattfand. Anfangs hatte er Tiere gequält. Später dann, als er älter wurde, die Diener.

»Was soll ich mit den Grubenarbeitern machen?«, fragte er den alten Mann. »Wie können sie es wagen, sich gegen mich aufzulehnen? Das sind Knechte, sie haben kein Anrecht auf Freiheit. Sie gehören mir, und nach kaiserlichem Gesetz steht es mir zu, nach meinem Gutdünken mit ihnen zu verfahren.«

»Auch Knechte müssen essen«, wandte Arialdus von Tarvis ein. »Seit zwei Monaten haben sie keinen Lohn mehr erhalten. Die Pökelfleischvorräte vom Winter sind aufgebraucht. Die Müller geben ihnen keinen Kredit mehr. Sie leben nur noch von vertrockneten Rüben und Suppe aus gesammelten Kräutern.« Der alte Mann schwieg einen Moment. »Ihr fragt mich, was Ihr tun sollt? Bezahlt sie.«

»Mit welchem Geld?«, schrie Ojsternig ihn an.

Die Leibwachen, die träge in einer Ecke des Großen Saales herumlungerten, drehten sich zu ihm um. Der getigerte Molosser knurrte drohend. Agomar schaute zuerst zu Ojsternig, dann zu den Soldaten.

»Womit soll ich sie bezahlen, Arialdus?«, presste Ojsternig hervor, der seine Wut kaum noch zügeln konnte.

»Eure Soldaten trinken in rauen Mengen Wein aus Falerno und warmen Würzwein aus dem Elsass. Jeden Tag wird ihnen ein ganzes Kalb geschlachtet. Sie bekommen Fleisch im Überfluss, sodass sie nicht einmal mehr die Knochen abnagen. Fangt bei ihnen mit dem Sparen an. Ordnet an, dass ein Kalb für drei Tage reichen muss. Und lasst die eingesparten Kälber einmal im Monat vor der Mine braten. Gebt Euren Soldaten gutes Bier aus unserer Heimat zu trinken statt der teuren Weine, die sich nur Klostermönche leisten können. Und es würde Euch nicht einmal den zwanzigsten Teil dessen, was Ihr so einspart, kosten, den Ehefrauen der Bergarbeiter pro Woche einen halben Schilling zu schenken, damit sie ein Pfund Schwarzmehl für ihre Familien davon kaufen können. Sagt Euren Waldaufsehern, dass die Kinder der Bergarbeiter jede Woche fünf Hand voll Kastanien aufsammeln dürfen, um damit die Suppen anzureichern. Gewährt ihnen das und werdet so wieder zu ihrem Herrn und Gebieter. Sonst suchen sie Hilfe beim Schwarzen Volod.«

Ojsternig betrachtete ihn stumm. »Du weißt, wer ich bin, alter Narr?«

Arialdus von Tarvis nickte demütig. »Ihr seid mein Herr und Gebieter.«

»Und du empfiehlst deinem Herrn und Gebieter, mit dem Geld zu knapsen wie ein Weib? Sich auf eine Stufe zu stellen mit diesem Bettelrebellen?«, knurrte Ojsternig.

»Dieser Bettelrebell wird gerade zu einem Helden, Euer Durchlaucht«, sagte Arialdus mit gesenktem Kopf. »Mit ein paar Stück Pökelfleisch, die er ans Volk verteilt.«

Ojsternig musterte ihn und sagte längere Zeit kein Wort. »Hast du meinem Vater auch solchen Rat erteilt? Hast du ihm etwa geraten, nicht all das zu verschleudern, was mir zustand?«

»Das waren andere Zeiten ...«

Ojsternig ballte die Fäuste. Mit geiferndem Maul kam der Hund an seine Seite, bereit, auf Befehl sofort zuzubeißen.

»Und trotzdem ... ja, ich habe ihm dazu geraten«, fuhr der Verwalter fort.

»Was hast du ihm gesagt?« Ojsternig klang unerbittlich.

»Dass er einen Erben hätte. Und dass er für ihn Vorsorge treffen sollte.«

Ojsternig verzog das Gesicht zu einem grausamen Grinsen und fuhr scheinbar gleichmütig fort: »Und daraufhin sagte er, dass er mich verachte, dass ich nur ein kleines, grausames Ungeheuer sei, und ließ dich auspeitschen.«

»Nein«, gab Arialdus von Tarvis zurück. »Er ließ mich nicht auspeitschen.«

Ojsternig wusste, was sein Vater und auch seine Mutter von ihm gehalten hatten. Seine Eltern hatten ihm stets nur Verachtung entgegengebracht, seit sie erkannt hatten, was für ein Mensch er war. Er wandte sich Agomar zu.

»Schick morgen bei Sonnenaufgang einen Mann ins Raühnval! Ich will, dass alle Bewohner sich versammeln, um ihren neuen Herrn und Gebieter kennenzulernen. Und dass mir keiner von diesen Bauerntrampeln fehlt!«

»Was habt Ihr vor, Euer Durchlaucht?«, fragte der Verwalter besorgt.

»Raühnval ist ein reiches Fürstentum, nicht wahr?«, gab Ojsternig zurück.

»Ja, Euer Durchlaucht, aber ...«

»Dann werde ich es mir nehmen. So muss ich nicht knapsen wie ein Weib.«

»Aber der König ...«

»Der König hat keine Zeit, sich um uns zu kümmern! Das hast du selbst gesagt. Für ihn sind wir nicht mehr als Flöhe auf dem Buckel eines Stieres. Nun gut, dann wird sich der Floh eben seinen Anteil Blut holen, und der Stier wird es nicht einmal bemerken. Und wenn er schon keine Zeit hat, auf ein Schreiben zu antworten, was glaubst du wohl, wird er dann etwa sein Heer nach uns ausschicken?«

»Euer Durchlaucht, ich bitte Euch, überlegt Euch das gut ...«

»Schweig, Arialdus, oder ich werde dir die Peitschenhiebe verpassen, die mein Vater damals verabsäumt hat.« Ojsternig stand auf. »Du wirst morgen Früh ebenfalls zugegen sein, mitsamt deinen Büchern.« Er wandte sich an Agomar. »Nimm fünf Mann und hol dir aus der Mine einen Trupp Zimmerleute. Ich habe eine Aufgabe für sie, denn anscheinend haben sie ja sonst nicht viel zu tun.«

Ojsternig verließ den Saal, ging zu den Stallungen und ließ sein mächtiges Schlachtross satteln. Er saß auf, und mit dem grimmigen Molosser an seiner Seite galoppierte er durch die schmalen Straßen von Dravocnik. Die Hufe seines Pferdes ließen das Brackwasser der Pfützen aufspritzen, in denen das Rot vom Hämatit und das Schwarz vom Torf sich zu einer unbestimmten Farbe vermischt hatten, ähnlich der von getrocknetem Blut.

Die Leute drückten sich erschrocken an die Hausmauern, denn sie wussten, dass ihr grausamer Herrscher für sie nicht sein Pferd anhalten würde.

Als Agomar den Trupp Zimmerleute mitbrachte, deutete Ojsternig auf eine Reihe alter, heruntergekommener Häuser und befahl den Männern, sie abzureißen und das so gewonnene Holz vor den Eingang der Mine zu schaffen.

Bereits am frühen Nachmittag waren seine Befehle ausgeführt.

Ojsternig saß ab, wobei er mit seinen schwarzen Lederstiefeln fast bis zur Wade einsank. Er ließ sich vier leuchtend rot angestrichene Pfosten geben. Damit steckte er ein Areal von sieben mal vier Schritt ab. Schließlich zeigte er auf das Holz auf den Karren.

»Nehmt das und baut ein Gerüst mit drei Galgen auf«, befahl er den Zimmerleuten.

Am Abend waren die drei Galgen fertig.

»Von heute an werden die Rebellen hier vor der Mine aufge-knüpft«, verkündete Ojsternig feierlich den Bergarbeitern. »Und ihre Leichen werden so lange dort hängen bleiben, bis die Raben ihnen die Augen aus den Höhlen gefressen und die Lippen bis auf die Zähne abgenagt haben.« Er betrachtete die Menge. »Und bald wird auch der Schwarze Volod an einem dieser Stricke baumeln!«

Die Frauen zogen ihre Kinder enger zu sich heran. Die alten Weiber bekreuzigten sich. Die Männer umklammerten entsetzt ihre Werkzeuge. Mitija, der Vorsteher der Mine, fasste sich an die verbundene Hand, die nicht heilen wollte und in einer Schlinge vor seiner Brust hing.

Doch die Blicke aller gingen unweigerlich zu den drei Galgen. Und das Weiß ihrer Augäpfel stach hell aus den schwarz-rot verfärbten Gesichtern hervor.

Die Aussicht auf das bevorstehende Vergnügen würde Ojsternig eine ruhige Nacht bescheren.

21

Am nächsten Morgen, als Agnete, Eloisa und Mikael gerade das Haus verlassen wollten, rief das stürmische Glockengeläut der Kapelle Maria zum Schnee das ganze Dorf zusammen.

»Was ist los?«, fragte Agnete.

»Der Fürst!«, rief ein Bursche im Vorbeilaufen. »Der Fürst kommt!«

Mikael erstarrte. Ein unkontrollierbares Gefühl überwältigte ihn. Der Fürst, dachte er mit klopfendem Herzen, während vor seinen Augen das Bild seines geliebten Vaters erstand.

»Der neue Fürst?«, fragte Agnete.

»Der neue Fürst«, bestätigte der Bursche und lief eilig davon.

Nur Eloisa hatte sich zu Mikael umgedreht und gesehen, wie sich auf seinem Gesicht zunächst absurde Hoffnung und dann tiefe Enttäuschung abzeichnete. Sie bemerkte seinen Schmerz und wollte zu ihm gehen, doch Mikaels Augen waren von solcher Trauer erfüllt, dass das Mädchen erschrak und schnell zu seiner Mutter lief. »Was will der neue Fürst?«, fragte sie, um ihr Herzklopfen zu übertönen.

Agnete schüttelte den Kopf. »Ich weiß es nicht«, sagte sie finster.

»Er hat einen Boten geschickt. Wir sollen vor der Kapelle auf ihn warten«, sagte eine Nachbarin, die im Begriff war, mit ihrer Familie dorthin zu eilen.

Agnete schüttelte wieder den Kopf und trat vor die Tür. »Die Befehle eines Fürsten darf man nicht infrage stellen.«

Schweigend erreichten sie die Kapelle Maria zum Schnee.

Vater Timotej erwartete sie dort schon an der Pforte, seine bleiche Miene war angespannt. Genau wie die Gesichter der Dorfbewohner, die sich allmählich dort versammelten.

»Was der neue Fürst wohl will?«, fragte einer und sprach aus, was alle dachten.

Keiner hatte den Mut, ihm zu antworten. Aber viele krümmten den Rücken, als trügen sie an einer schweren Last.

Mikael stand etwa ein Dutzend Schritte abseits von den Leuten. Er konnte sich nicht dazu entschließen, sich zu ihnen zu gesellen, doch er beobachtete sie. In den Augen aller konnte er hinter vorgeblicher Neugier nackte Angst ausmachen. Und das erstaunte ihn. Es war, als würde er sich in jedem von ihnen widerspiegeln, und er kam sich eigentlich nicht so anders vor als sie. Instinktiv suchte er unter den Leuten auch das gefürchtete Gesicht von Eberwolf. Und als er es entdeckte, meinte er, auch in dessen Gesicht Angst zu lesen.

Doch die war gleich wieder verschwunden, als Eberwolf seinen Blick auffing. Er stemmte die Fäuste in die Seiten und starrte Mikael auf seine prahlerische Art herausfordernd an. »Willkommen zurück, Ziegendreck!«, rief er.

Mikael spürte, wie ihm der Atem stockte. Er fasste sich an den Finger, den Eberwolf ihm gebrochen hatte. Und der immer noch wehtat, wenn er ihn krümmte.

»Elderstoff ist ein Nichtsnutz«, sagte Eloisa.

Auf einmal fühlte Mikael sich weniger allein, und ihm wurde bewusst, dass sich seine Lippen zu einem zaghaften Lächeln kräuselten.

Eloisa lächelte zurück.

»Da ist er! Da ist er!«, rief plötzlich jemand.

Vom Grunde des Raühnval kamen etwa zwanzig Reiter im scharfen Galopp heran.

»Der neue Fürst! Der neue Fürst!«, hörte man die Leute immer wieder rufen.

Alle knieten nieder, wo sie gerade standen, und neigten den Kopf. Einige bekreuzigten sich.

Mikael schaute zu der Reiterschar, die immer näher kam, und fühlte, wie ein seltsames Gefühl von Unwirklichkeit ihm die Kehle zuschnürte.

»Knie nieder!«, sagte jemand rechts von ihm.

Doch Mikael hörte es nicht. Er spürte nur das Beben der Erde, wie an jenem Tag, als er beim Versteckspielen in den Gang der Wachstube gekrochen war. Es war ein finsteres Grollen wie damals, als er den Handschuh aus Otterfell abgestreift und die Handfläche auf den eiskalten Boden gelegt hatte. Und jetzt starrte er auf die Reiter, die Furcht erregend und wild im Galopp heransprengten, und konnte den Blick nicht von ihnen abwenden. Als sie nah genug waren und die Pferde unter Aufbäumen nur einen Schritt von der Menge entfernt anhielten, bemerkte Mikael als Erstes einen bärtigen Soldaten mit rötlichem Haar und schmalen, schwarzen Augen, die grausam funkelten. Die rechte Hand, mit der er seinen Männern das Zeichen zum Anhalten gegeben hatte, zählte nur vier Finger. Der kleine Finger fehlte. Und noch ehe Mikael die Erinnerung überkam, hatte er Blutgeruch in der Nase und dann den von Rauch. Auf einmal fiel ihm das Atmen schwer, und kurz meinte er zu fallen. Kaum wahrnehmbar breitete er die Arme aus, als wollte er auf diese Weise das Gleichgewicht wiedererlangen. Plötzlich hatte er im Mund den säuerlichen Nachgeschmack von Erbrochenem, seine Augen weiteten sich und füllten sich mit Tränen. Er spürte einen stechenden Schmerz, als ob tausend Nadeln sich in seine Haut bohrten. Aber er konnte sich nicht rühren. Und er hatte das Gefühl, in einer Falle zu stecken, dort, wo er stand, genau wie damals, als er am Tag des Blutbades im Gang festsaß. Er wurde in jene schreckliche Vergangenheit zurückkatapultiert, die augenblicklich in der Farbe des Blutes frisch und lebendig in seinem Kopf erstand.

»Knie nieder!«, mahnte die Stimme rechts von ihm noch einmal.

Und wieder hörte Mikael sie nicht. Immer lauter dröhnten in seinen Ohren die Schreie der sterbenden Menschen, das Brüllen der verängstigten Tiere, das Weinen der geschändeten Frauen, das verzweifelte Rufen der Kinder nach ihren Müttern, die mit starren Augen vor ihnen lagen, das unheilvolle Prasseln der Flammen, die die Burg verschlangen. Einen Augenblick, ehe der Schmerz ihn vollständig betäubte, überlief ihn ein Kälteschauer, als hätte man ihn mit einem Eimer Wasser aus dem eisigen Gebirgsbach übergossen.

Dann war alles still.

Da erinnerte Mikael sich, dass der Soldat mit der verstümmelten Hand Agomar hieß. Er betrachtete dessen Schwert und war fest überzeugt, dass noch das Blut seines Vaters daran klebte.

»Möge der Allmächtige Gott den Fürsten von Ojsternig segnen«, sagte in dem Moment Vater Timotej mit bebender Stimme.

Mikael drehte sich nach dem Mann um, den der Pfarrer angesprochen hatte. Er hatte ein hageres, knochiges Gesicht, trug ein goldbesticktes Bärenfell und schwarze Lederstiefel, die mit Kaninchenfell und Filz gefüttert waren. Und zum ersten Mal erinnerte sich Mikael, was Agomar damals gesagt hatte: »Der Fürst von Ojsternig hat Befehl gegeben, niemanden am Leben zu lassen!« Der Fürst von Ojsternig. Der Mann, der angeordnet hatte, seine Familie auszulöschen. Seinen Vater zu töten. Seine Mutter. Seine kleine Schwester. Eilika und all die anderen.

»Fürst, welchem Umstand verdanken wir die Ehre Eures Besuches?«, fragte Vater Timotej zaghaft.

Keiner der Anwesenden wagte es, den Kopf zu heben.

Nur Mikael blieb stehen und starrte den Fürsten von Ojsternig mit festem Blick an. Aber in diesem Moment achtete keiner auf ihn.

»Knie nieder!«, zischte zum dritten Mal Agnete rechts von ihm.

Und wieder drang sie nicht zu Mikael vor. Ihm kam es vor, als stünde er ganz allein mitten im Hof der Burg, während rings um ihn herum die Hauptpersonen jener schrecklichen Tragödie aufgereiht waren. Sein Vater mit abgeschlagenem Kopf. Seine Mutter mit dem Dolch in der Brust, die tote Schwester im Arm wie eine Puppe. Das von Agomar geschändete und ermordete Mädchen. Der Schmied ohne Arm. Der Beichtvater mit hochgeschobener Kutte. Und dann nach und nach die anderen. Und sie alle kreisten um Ojsternig, aus dessen Gesicht ein Geierschnabel hervorragte.

Und doch war es, als befände sich zwischen ihm und dieser Szene eine dicke Wand aus Eis. Als wären die anderen jenseits eines zugefrorenen Sees und er ohne Luft zum Atmen unter Wasser gefangen. Und plötzlich war da auch kein Blut mehr, die Schreie waren verstummt. Nur diese unendliche Kälte in ihm. Ein in sich erstarrtes, sinnentleertes Bild.

»Ich habe erfahren, dass hier eine Hochzeit gefeiert wurde«, begann Ojsternig.

Vater Timotej nickte und zeigte auf Gregor und Emöke, die ebenfalls die Köpfe gesenkt hielten. »Küsst Eurem Fürsten die Hände«, forderte er sie auf.

Voller Angst wollten sich die beiden erheben.

»Nein!«, gebot Ojsternig. »Nur das Mädchen.«

Emöke rührte sich nicht.

»Geh«, flüsterte ihr der junge Ehemann zu.

Emöke stand auf und ging zum Fürsten.

Ojsternig fuhr mit einer Hand in ihren Ausschnitt und knetete ihre Brust. Dabei sah er nicht sie an, sondern blickte ihrem Ehemann geradewegs in die Augen.

Gregor erstarrte, doch dann senkte er unter dem durchdringenden kalten Blick des Fürsten den Kopf.

Ojsternig ließ von der Frau ab und bedeutete ihr zu gehen.

Emöke kniete sich wieder neben Gregor und begann, leise zu weinen. Ihr Mann hatte nicht den Mut, sie anzusehen, aber er nahm wenigstens ihre Hand.

»Wie können zwei Leibeigene in meinem Besitz ohne meine Zustimmung heiraten?«, fragte Ojsternig drohend.

»Fürst...«, antwortete Vater Timotej, »wir dachten... Euer Vorgänger... der Fürst von Sa...«

»Pfaffe, komm her!«, befahl Ojsternig laut.

Vater Timotej ging zögernd auf ihn zu. »Sagt an, Euer Durchlaucht.«

»Meinst du, dass diese Ehe gemäß der Feudalrechte gültig ist?«

Vater Timotej riss die Augen auf. Er öffnete den Mund, aber es kamen nur einige kehlige Laute heraus.

»Ich bin der Fürst und ich kann beschließen, was ich will«, fuhr Ojsternig fort. »Aber da Gesetz nun mal Gesetz ist und du es kennen musst, sag mir, ob diese ohne meine Zustimmung geschlossene Ehe als gültig betrachtet werden kann.«

Vater Timotej wagte nicht, ihn anzusehen.

»Antworte!«, schrie Ojsternig.

»Nein...«, flüsterte der Pfarrer.

»Lauter! Damit es alle hören! Ist sie gültig oder nicht?«

»Nein.«

»Nein«, sagte Ojsternig befriedigt. »Sie ist in der Tat nicht gültig.«

Emöke schluchzte.

»Fürst... habt Erbarmen mit diesen zwei jungen Leuten...«, stammelte Vater Timotej.

»Wurde die Ehe bereits vollzogen?«, fragte der Fürst.

»Ja, Euer Durchlaucht!«, sagte Vater Timotej hastig, da er dachte, es wäre zu ihrem Vorteil.

»Umso schlimmer für beide«, bremste Ojsternig eisig seinen

Eifer. »Beziehungsweise umso schlimmer für das Weib. Wer möchte wohl ein beflecktes Mädchen heiraten?«, schloss er verächtlich.

Gregor ließ Emökes Hand los. Daraufhin schluchzte sie noch lauter.

»Die Ehe ist nicht gültig. Das hast du selbst gesagt, Pfaffe«, erklärte Ojsternig und ließ seine eiskalten Augen über die Menge gleiten in der Gewissheit, nicht einem Blick zu begegnen.

In dem Augenblick bemerkte er den Jungen, der aufrecht dastand und ihn anstarrte.

Gleich darauf sah er, wie eine Frau ihn am Arm packte und mit Gewalt zwang, niederzuknien und den Kopf zu senken.

Aber der Junge schaute sofort wieder zu ihm auf.

Ojsternig zog aus seinem Gürtel die Reitgerte mit dem Kern aus Eisen. Er schlug damit gern seinen Dienern ins Gesicht, denn sie hinterließ tiefe Spuren und breite Narben. Sie schnitt durch Lippen, schlug Ohren ab oder ließ Augäpfel platzen.

Aber etwas lenkte ihn im letzten Moment ab. »Was ist das dort?«, fragte er Vater Timotej, als er die Felder am Fuß des Berges bemerkte, die von niedrigen Steinmäuerchen umgrenzt waren.

Mikael starrte ihn weiter an. Er begriff selbst kaum, warum er keine Angst empfand. Dafür ein anderes, vollkommen neues Gefühl, das aus seinem tiefsten Innersten hinausdrängte.

»Euer Durchlaucht ... der Berg ...«, erwiderte Vater Timotej zaghaft und verhaspelte sich, »der Berg ... Also, die Tradition besagt ... dass der Berg Euren Untertanen ... bei der Hochzeit ... ein kleines Stück Land ... schenkt ... Nun, wenn sie heiraten ... der Berg ...«

»Das ist mein Land!«, schrie Ojsternig.

»Euer Durchlaucht«, Vater Timotej zeigte auf die üppig

bewachsenen Felder im Tal, die wesentlich fruchtbarer waren, »dieses gute Land dort ist Euer ... Das hier oben ist nichts wert ... Der Brauch besagt, dass der Berg ...«

»Der Berg?«, schrie Ojsternig noch lauter und ließ die Reitgerte auf das Gesicht des Pfarrers niedersausen. »Euer einziger Berg bin ich!« Sein Blick aus blitzenden Augen glitt über die Umstehenden. »Und es wird für euch niemals einen Berg geben, der höher ist als ich!«

Bruder Timotej wischte sich das Blut ab, das aus seiner aufgeplatzten Lippe quoll.

»Ich habe beschlossen, dass ich meinen Wohnsitz aufgeben und ins Raühnval umziehen werde!«, sagte Ojsternig, der plötzlich viel ruhiger wirkte. »Daher brauche ich Steine für den Wiederaufbau der Burg.« Er zeigte auf die Begrenzungsmauern der Felder. »Als Erstes *diese* Steine!«

Unter den Leuten machte sich Unruhe breit, doch keiner wagte es, auch nur den Kopf zu heben.

»Ich will, dass ihr jeden einzelnen Stein zur Burg tragt. Jeden! Innerhalb eines Monats von heute an!«, befahl Ojsternig. »Und weil ihr euch widerrechtlich Land angeeignet habt, das mir gehört, werdet ihr mir doppelte Pacht zahlen, wenn ihr nicht alle am Galgen enden wollt. Doppelte Pacht von heute an bis zu eurem Tod. Und nach euch werden auch eure Kinder und Kindeskinder weiter die doppelte Pacht zahlen.«

Keiner regte sich oder sagte ein Wort.

Nur Mikael sah weiter auf zu Ojsternig, weil dieses ihm unverständliche Gefühl weiter in ihm gärte, stärker wurde und hinausdrängte.

Ojsternig näherte sich einem der knienden Männer und schlug ihm die Reitgerte heftig auf den Kopf, um diesen Bauerntölpeln zu zeigen, dass sie sein Eigentum waren und er mit ihnen machen konnte, was er wollte.

Der Mann sackte stöhnend zusammen. Seine Frau neben

ihm schlug sich die Hand vor den Mund, um nicht in Tränen auszubrechen.

Keiner rührte einen Finger.

Ojsternig und seine Leute wandten sich zum Aufbruch. Die Pferde schnaubten und scharrten nervös mit den Hufen.

Und da kam es Mikael wieder so vor, als spürte er in sich wie an jenem schrecklichen Tag die Erde, die unter dem Ansturm der Pferde erbebte. Der Wind vom Raühnval peitschte ihm ins Gesicht. Sein eigener Atem dröhnte laut in seinen Ohren. Sein Herz schlug so heftig, dass es in den Schläfen pochte. Und während er den Mund aufriss, spürte er, wie sich in seiner Brust jenes Gefühl Bahn brach, das ihn so aufwühlte und ihm eine neue Stimme verlieh. Er schrie. Ein einziger langer Schrei, der seine Lungen leerte, seine Seele reinigte. Und in dem Moment begriff er, dass dieses brennende Gefühl das war, was die Erwachsenen Hass nannten.

Alle drehten sich nach ihm um, Agnete, Eloisa, Vater Timotej und die anderen Dorfbewohner ebenso wie Agomar und die Soldaten, in deren Gesichtern das blanke Entsetzen stand.

Einen Moment lang war die Stille noch vollkommener, noch tiefer.

Ojsternig starrte ihn an, während er sein Pferd zügelte. Und er spürte seinen eigenen Körper unter dem Schrei des Jungen erzittern. Kurz war er versucht, das Schwert zu ziehen und ihm die Kehle durchzuschneiden. Seine Hand fuhr schon zum Griff der Waffe, doch dann hielt er inne. Wenn er ihn jetzt tötete, wäre alles Vergnügen in einem Augenblick vorbei.

Als er den kleinen, unbedeutenden Leibeigenen betrachtete, nahm er dessen abgrundtiefen Hass auf ihn wahr. Aber im Gegensatz zu den anderen Leibeigenen hatte dieser hier keine Angst. Dieses Kind, das nicht mehr wert war als ein Stück Vieh in seinem Hof, wäre nicht schlotternd vor Angst gestorben, wenn er es getötet hätte.

Dankbar lächelte er den Jungen an. Ihn zu quälen würde bestimmt wesentlich mehr Vergnügen bereiten, als ihn zu töten. Und es würde deutlich länger währen.

Er deutete mit dem Finger auf ihn. »Du kommst mit mir!«

»Nein!«, schrie Eloisa.

Und das war der zweite Aufschrei an diesem Tag.

ZWEITER TEIL

22

Du wirst Unrat schaufeln«, sagte Ojsternig voller Vorfreude auf das kommende Vergnügen. »Du wirst den Unrat im Hof wegschaufeln, und zwar jeden Tag von morgens bis abends, bis dein ganzer Körper nur noch aus Unrat besteht.«

Mikael stand wie gelähmt mitten im Großen Saal vor dem Stuhl, auf dem Ojsternig saß, neben sich den riesigen Molosser, der leise knurrte.

»Und jetzt verschwinde«, sagte Ojsternig.

Ein Diener stieß Mikael zum Ausgang und dann die Treppen hinunter bis in den Hof. Dann rief er einen Knecht mit einer Schaufel und drückte Mikael diese in die Hand. »Los jetzt, schaufle«, befahl er ihm.

»Wo soll ich den Dreck hinschaufeln?«, fragte Mikael, als ob ihn das alles nichts anginge.

Der Diener sah sich um. Der gesamte Hof war über und über mit Unrat bedeckt. »Wo schaffst du ihn denn hin?«, fragte er den Knecht.

Der wies auf eine Ecke der Mauer, wo sich ein Loch befand. Dorthinein wurden alle Abfälle geworfen.

»Dann schaufelst du ihn eben auch dort rein«, sagte der Diener und ging.

Mikael stand reglos mit der Schaufel in der Hand da.

Am Vortag hatte Agnete ihn schnell am Arm gepackt, nachdem Ojsternig beschlossen hatte, ihn mit sich zu nehmen. »Bewahr dein Geheimnis, Junge«, hatte sie erschrocken hervorgepresst, und aus ihrer Stimme klang besorgte Dringlichkeit, denn Agomar war bereits abgesessen und näherte sich. »Wenn

sie herausfinden, wer du bist, schneiden sie dir die Kehle durch.«
Mikael hatte wie durch sie hindurchgesehen. Jede Faser seines
Körpers zitterte noch, erfüllt von diesem neuen Gefühl, das die
Erwachsenen Hass nannten.

Agnete hatte ihre rauen Hände auf seine Schultern gelegt
und ihn heftig geschüttelt. »Sie werden auch Eloisa töten!«,
hatte sie gezischt, während sie sich nach Agomar umsah, der
jetzt nur noch wenige Schritte entfernt war.

Da blickten Mikaels Augen wieder wach und klar.

Agnete hatte es bemerkt. »Du wirst nichts sagen, nicht
wahr?«

Mikael hatte den Kopf geschüttelt. »Nein.«

Daraufhin hatte Agnete eine Hand ausgestreckt, wie um ihn
zu streicheln, und gesagt: »Gut so ... Mikael.« Aber ihre Hand
war in der Luft auf halbem Weg verharrt.

Agomar hatte sie inzwischen erreicht. Er hatte Mikael hochgehoben und ihn sich unter den Arm geklemmt wie einen zu-
sammengerollten Teppich. Und wie einen Teppich hatte er ihn
quer über seinen Sattel geworfen, ehe er selbst aufsaß. Dann
hatte er seinem Pferd brutal die Sporen gegeben und war mit
seinen Männern Richtung Pass verschwunden.

Mikael hatte sich umgedreht. Kopfüber auf dem Pferd hän-
gend hatte er noch beobachtet, wie die Dorfbewohner sich langsam erhoben. Mehrere waren zum Pfarrer gelaufen, um seine
aufgeplatzte Lippe zu versorgen, andere eilten dem Mann zu
Hilfe, dem Ojsternig mit der Reitgerte geschlagen hatte, der
Rest beschränkte sich darauf, traurig den Kopf zu schütteln. Und
dann hatte er Agnete gesehen, die sich vergeblich bemühte, eine
kleine, ganz in Rot gekleidete Gestalt festzuhalten, die sich mit
aller Gewalt wehrte. Eloisa.

Sie war ihm hinterhergelaufen und hatte geweint.

Ein Soldat war daraufhin vom Pferd gestiegen und hatte
unter dem Gelächter seiner Gefährten einen großen Kieselstein

aufgeklaubt und ihn nach dem Mädchen geworfen. Dabei hatte er sie nur knapp verfehlt.

Eloisa war kurz stehen geblieben, dann war sie wieder schluchzend losgelaufen.

Der Soldat hatte einen weiteren Stein nach ihr geworfen.

Da hatte Eloisa einen anderen Weg gewählt. Sie war die Böschung des Berges hinaufgeklettert und war ihnen dann dort oben gefolgt. Nach einer Weile hatte Mikael ihr Gesicht nicht mehr erkennen können, nur ihr rotes Kleid hatte er noch in der Ferne leuchten gesehen.

Als sie den Pass erreichten, der das Raühnval mit dem Fürstentum von Ojsternig verband, hatte Mikael beobachtet, wie sie taumelnd zu Boden sank.

»Ich werde nichts sagen«, murmelte er leise vor sich hin.

Agomar hatte ihm ins Gesicht geschlagen.

Mikael konnte nur noch daran denken, dass diese Hand das Schwert geführt hatte, das seinen Vater getötet hatte. Und diese Vorstellung hatte ihn mehr geschmerzt als der Schlag selbst.

Mikael riss sich aus seinen Gedanken. Er stand immer noch mit der Schaufel in der Hand mitten im Burghof, und der Knecht starrte ihn an. Er wirkte ein wenig dümmlich, und sein hässliches Gesicht war rot und schwarz eingefärbt, wie bei allen Leuten hier. Mikael schaute auf seine Füße. Seine Holzpantinen versanken in Schlamm und Dreck.

Er spuckte in die Hände, wie Raphael es ihm beigebracht hatte. Dann trieb er die Schaufel in die dicke Dreckschicht, hebelte etwas Unrat heraus und ging damit langsam zu dem Loch für die Abfälle.

Er begriff immer noch nicht, was in seinem Herzen vorging.

Der Knecht folgte ihm und gab ein leises, kehliges Lachen von sich, als Mikael den Schaufelinhalt in das Loch schüttete.

Mikael starrte ihn verständnislos an. Dann versenkte er erneut die Schaufel im Dreck und kippte etwas Unrat durch das Loch.

»Gott verfluche dich!«, hörte er von der anderen Seite der Mauer.

Mikael bückte sich zu der Öffnung und sah dahinter einen alten Mann, der in den Abfällen nach etwas Essbarem suchte.

»Mir wurde befohlen, den Unrat hier durchzuwerfen, Herr«, sagte Mikael.

Der alte Mann sah ihn aus milchigen Augen an, anscheinend ohne ihn zu erkennen. »Gott verfluche dich!«, wiederholte er.

Der Knecht lachte meckernd.

Als Mikael eine neue Ladung Unrat durch die Öffnung schüttete, rief er: »Es tut mir leid.« Er konnte hören, wie der alte Mann weinte.

Der Knecht lachte wieder. Lauter.

Mikael arbeitete ohne Pause, bis der Knecht, der ihm die ganze Zeit gefolgt war, ihm auf die Schulter klopfte und ihm bedeutete, dass es Essenszeit war. Mikael stieß die Schaufel in die Erde und wollte ihm schon folgen, doch der Knecht hielt ihn auf und zeigte auf die Schaufel. »Sssteh-len«, stammelte er. »Dich schlaa-ggen.«

Mikael nahm die Schaufel und folgte dem Knecht zu einer Gruppe Diener, die sich um einen dampfenden Topf über einem Torffeuer versammelt hatten. Als er an der Reihe war, wurde ihm eine halb gefüllte Schüssel mit verkochtem Haferbrei zusammen mit einer Scheibe altbackenem Brot in die Hand gedrückt. Während er schweigend aß, schaute er sich um. Alle Gesichter waren unter einer dicken rot-schwarzen Schmutzschicht verborgen. Die Zähne und das Weiß der Augäpfel der Menschen stachen eindrucksvoll daraus hervor. Sie sahen aus wie sonderbare Tiere.

Als sie am Tag zuvor durch das Dorf Dravocnik gekommen waren, war Mikael sehr erschöpft gewesen. Seine Augen waren blutunterlaufen vom Kopfüber-Reiten. Noch bevor er irgendetwas erkennen konnte, hatte er den Geruch wahrgenommen. Entfernt erinnerte er ihn an den der Schmiede auf der Burg seines Vaters. Aber neben dem Gestank nach geschmolzenem Eisen lag auch noch etwas Bitteres in der Luft, als würde etwas Nasses verbrannt. Es roch nach Schimmel. Und dann erinnerte er sich, dass der Torf, den Raphael mit dem Dung vermischte, um damit das Feld zu düngen, denselben Modergeruch verströmt hatte.

Trotz seiner Müdigkeit hatte das Dorf Dravocnik ihn beeindruckt. Es sah so aus, als hätte jemand sämtliche Häuser, Straßen und sogar die Leute schwarz und rot angemalt. Der vor Kurzem gefallene Regen hatte auf den Fassaden und den Häuserdächern blasse Farbspuren hinterlassen. Und er hatte die Gesichter der Menschen mit Streifen überzogen, als wären ihnen Tränen die Wangen hinabgelaufen. Das Dorf kam Mikael riesengroß vor, doch Agomar und seine Männer waren bald abgebogen und hatten sich nach links einer steinernen Brücke zugewandt, von der ein Weg zu einer bizarren Erhebung mit zwei unterschiedlich hohen Hügeln führte. Auf dem ersten erhob sich ein gedrungenes Gebäude aus Kalkstein. Direkt hinter dem Eingangstor sah man Mönche in grob gewirkten Kutten, die genauso rot und schwarz waren wie die Dorfbewohner. Das musste das Kloster sein, zu dem die Kapelle Maria zum Schnee gehörte, hatte Mikael vermutet.

Auf dem anderen Hügel stand mächtig und beeindruckend eine Burg. Sie war viel größer als die, in der er aufgewachsen war, und konnte bestimmt ohne Weiteres ein großes Heer aufnehmen. Als sie näher kamen, hatte Mikael drei Mann hohe Erdwälle erblickt und einen tiefen Graben, der die gesamte Anlage umgab. Auf den Grund des Burggrabens waren Pfähle aus

Buchenholz gerammt, deren im Feuer gehärtete Spitzen nach oben gerichtet waren. Aber das Pech, mit dem sie einst versiegelt waren, war inzwischen abgeblättert, und das Holz faulte trostlos vor sich hin. Ein Turm neben dem Eingangstor war eingestürzt, und viele seiner Steine waren den Abhang hinabgerollt. Andere lagen am Fuß der Ruine auf einem Haufen. Der Turm musste vor langer Zeit eingestürzt sein, hatte Mikael gedacht, weil die Steine inzwischen moosbedeckt waren und überall dazwischen Unkraut wucherte. Das Burgtor war in einem erbärmlichen Zustand, Wind und Wetter hatten ihm heftig zugesetzt. Ein Teil der östlichen Begrenzungsmauer, die Zinnen und die Schießstände für die Bogenschützen waren in sich zusammengestürzt. Als sie in die Burg geritten waren, hatte Mikael gleich bemerkt, dass der Hof, in dem ein kleines Dorf Platz gefunden hätte, völlig verdreckt und unordentlich war. Die Stallungen waren heruntergekommen, die Viehgatter mehr schlecht als recht geflickt, und es stank unerträglich nach Jauche. Die Diener waren noch magerer als das Vieh, nur die Soldaten wirkten wohlgenährt. Einst musste das Anwesen eine außergewöhnlich prächtige Burg gewesen sein, doch nun war es nur noch der Abglanz einer fernen Vergangenheit.

Als Mikael seine Mahlzeit beendet hatte, setzte er seine Arbeit fort. Dabei dachte er an nichts anderes als an Ojsternig. Und jedes Mal, wenn er an ihn dachte, spürte er tief in seinem Inneren eine schreckliche Sehnsucht nach seinem Vater. Er war überzeugt, dieser hätte seine Burg niemals derart verfallen lassen.

Der Knecht mit dem dümmlichen Blick wich ihm nicht von seiner Seite.

»Hast du nichts Besseres zu tun?«, fragte Mikael schließlich gereizt.

»Ich sch-schaufle nur Sch-schei-ße«, erwiderte der Knecht grinsend.

Als die Sonne unterging, kam ein Diener in einem knie-kurzen, schäbigen Gewand zu Mikael und befahl ihm aufzu-hören. Dann fügte er hinzu: »Mein Herr will dich sehen.«

Mikael folgte ihm die Treppen des Palas nach oben.

Als sie den Großen Saal betraten, wartete Ojsternig mit einem goldenen Kelch in der Hand auf sie, in dem warmer, nach Zimt und Nelken duftender Würzwein dampfte. Neben dem Molosser, der vor ihm lag, stand ein Eimer mit einem Lumpen.

»Mal sehen, wie du riechst«, sagte der Fürst von Ojsternig und schnupperte. Dann verzog er übertrieben das Gesicht. »Du hast meinen Palas verdreckt, du Vieh! Bevor du gehst, wischst du deine Spuren auf.« Und er lachte.

Mikael sah, dass etwas weiter hinten im Raum an einem schmalen, langen Fenster ein etwa dreizehnjähriges Mädchen saß, das gelangweilt stickte. Sie trug ein Seidenkleid, das zu groß für sie war, und ihre roten Lippen bildeten ein Herz. Sofort war ihm klar, dass sie Ojsternigs Tochter sein musste.

Mikael drehte sich ruckartig zum Fürsten um. Denn erst in diesem Moment fiel ihm ein, dass er ihm schon einmal begeg-net war, und zwar einige Monate vor dem Blutbad. Er erinnerte sich, dass sein Vater diesen Mann auf seiner Burg empfangen hatte. Und daran, dass Ojsternig seine Tochter mit ihm, dem Erbprinzen, hatte vermählen wollen. Er erinnerte sich, dass sein Vater empört geantwortet hatte, dass er sich niemals mit ihm verschwägern würde. Und dass Ojsternig drohend und flu-chend gegangen war und sein Vater im Nachhinein gesagt hatte: »Dieser Mann ist der Teufel. Es würde mich nicht wundern, wenn er sich von Leichen ernährt wie die Geier.«

Nun begriff Mikael, warum er sich am Vortag, als er wieder das Blutbad vor sich gesehen hatte, den Fürsten von Ojsternig mit einem Geierschnabel vorgestellt hatte.

Er betrachtete das Mädchen noch einmal mit anderen Augen

und dachte, wenn sein Vater Ojsternigs Vorschlag zugestimmt hätte, wäre sie heute seine zukünftige Braut. Und sein Vater würde noch leben.

Dann starrte er wieder Ojsternig an. Und er spürte, wie sehr er ihn hasste.

Ojsternig lief ein Schauder über den Rücken. Es bereitete ihm Vergnügen, diesen Jungen zu quälen, der keine Angst vor ihm hatte. Und ihm gefiel die Vorstellung, dass er ihn aus seiner Familie herausgerissen und ihm die demütigendste Arbeit aufgetragen hatte, die es gab.

Mikael starrte ihn weiter an. Dann sah er noch einmal zur Prinzessin hinüber.

In dem Augenblick schaute das Mädchen kurz zu ihm auf. Ihr Blick wirkte abwesend, als wäre sie ganz woanders.

Und in dem kurzen Moment erkannte sich Mikael in ihr wieder. Er wurde von diesen Augen eingesogen wie von einem bodenlosen Abgrund voller Morast, in dem alles Leben erloschen war. Ihm wurde die Kehle eng.

Der Diener stieß ihn vorwärts und reichte ihm den Eimer und den Lumpen. »Knie nieder und wisch das auf.«

Mikael gehorchte.

Sofort kam der Molosser auf ihn zugelaufen.

»Harro hat heute noch nichts zu fressen bekommen«, bemerkte Ojsternig und lachte höhnisch.

Der Hund schnupperte an Mikael und knurrte leise. Er hatte einen riesigen Kopf.

Mikael bewegte sich nicht. Sein Vater hatte ebenfalls Kampfhunde gehalten.

Schließlich riss der Molosser sein Maul auf, aus dem es nach verrottendem Fleisch und faulenden Zähnen stank, gähnte träge und ließ dabei daumenlange gelbe Zähne sehen. Er wedelte kurz mit seinem Stummelschwanz und leckte Mikael übers Ohr.

Ojsternig sprang wütend auf und warf den vollen Weinkelch nach dem großen Tier. »Du Verräter, komm sofort her!«, schrie er.

Der Molosser zog den Kopf ein und trottete zu seinem Herrn.

Ojsternig versetzte ihm einen Fußtritt. »Versuch das nie wieder!« Dann starrte er Mikael an. »Mach sauber!«, schrie er ihn an.

Mikael kroch langsam rückwärts zur Tür und wischte dabei die Dreckspuren auf, die er hinterlassen hatte. Als er den Saal verließ, ging sein Blick noch einmal zu der Prinzessin. Doch diese sah nicht mehr von ihrer Stickerei auf.

Am Abend, als es Zeit zum Schlafen war, verteilten die Diener frisches Stroh auf dem Boden des Großen Saals. Mikael musste ihnen mit bloßen Füßen helfen, weil seine Holzpantinen zu schmutzig waren. Als sie fertig waren, legten die Soldaten und Ritter ihre Schwerter ab, die klirrend auf dem Boden landeten. Dann streckten sie sich auf dem Stroh aus und wickelten sich in ihre dicken, pelzgefütterten Umhänge. Kurz darauf wurden die Frauen gerufen. Ihre Kleider klafften vorne auf und gaben den Blick frei auf ihre Brüste. Mikael fielen ihre gläsern wirkenden Augen auf. Ihre Lider waren blau geschminkt, die Lippen zinnoberrot und der Rest des Gesichts weiß. Doch auch die dicke Schicht Schminke konnte nicht verbergen, dass die Haut darunter schmutzig war, rot und schwarz. Einige Frauen hatten nur noch wenige Zähne. Sie legten sich zu den Männern, und Mikael kam es vor, als grunzten diese wie Schweine, wenn der Futtertrog gefüllt wurde.

»Du sollst hier schlafen«, sagte ein Diener zu Mikael. »Befehl des Herrn. Er hat gesagt, er will dein hässliches Gesicht morgen Früh sehen, sobald er aufgewacht ist.« Dann warf er ihm einen verlausten Umhang hin und ging.

Mikael legte sich in eine Ecke und wickelte sich in den

Umhang. »Gute Nacht, Eloisa«, sagte er leise. Dann schloss er die Augen und ballte die Fäuste.

Wieder überkam ihn eine unbändige Lust, laut zu schreien.

Und dann musste er an den Ausdruck in den Augen der Prinzessin denken.

23

Du wirst den Unrat im Hof wegschaufeln, und zwar jeden Tag von morgens bis abends, bis dein ganzer Körper nur noch aus Unrat besteht«, hatte Ojsternig zu ihm gesagt.

Am folgenden Tag, nach einem dürftigen Frühstück aus altem Mischbrot und einem Becher dünnem Bier, ging er also wieder in den Hof, wo der Knecht ihn schon mit der Schaufel in der Hand erwartete.

Mikael schaute hoch zu dem Fenster, an dem gewöhnlich die Prinzessin saß und stickte. Doch heute stand dort Ojsternig selbst und starrte ihn aus seinen eiskalten Raubvogelaugen an. Wie ein Geier.

Mikael spuckte in die Hände, versenkte die Schippe im Unrat und leerte sie in das Loch für die Abfälle. Als er wieder zum Fenster hinaufsah, war Ojsternig verschwunden. Er holte noch eine Schaufel voll stinkenden Unrats und kippte sie in das Loch.

»Gott verfluche dich!«, hörte er gleich darauf rufen.

Mikael entdeckte wieder den alten, blinden Mann. »Es tut mir leid«, sagte er.

Der Alte drehte sich zu ihm um und starrte mit seinen milchig weißen Augen leer in seine Richtung.

Der Knecht kicherte leise.

Nachdem zwei weitere Schaufelladungen hinter dem Loch gelandet waren, fing der alte Mann an zu weinen und wich von dem Abfallhaufen zurück, in dem er gesucht hatte.

Der Knecht lachte umso lauter.

»Bist du blöd?«, fragte Mikael ihn verärgert.

Der Knecht verstummte und zog ein mürrisches Gesicht, ohne Mikael zu antworten. Stattdessen beobachtete er nun das Treiben bei den Stallungen, doch er wich Mikael nicht von der Seite, bis es Zeit zum Mittagessen war. Dann stellte er sich jedoch nicht mit den anderen an, um eine Schüssel verkochten Haferbreis zu ergattern, sondern verschwand im Stall: Nach einer Weile kam er mit einer verlebten, hässlichen Frau heraus, deren Gesicht von Pockennarben entstellt war. Die Frau zeigte auf einen Schuppen, dessen Tür aus den Angeln gebrochen war, und strich ihm zärtlich über den Kopf. Der Knecht lächelte selig und ging in die angezeigte Richtung.

Inzwischen hatte die Glocke das Ende der Ruhepause eingeläutet, und alle kehrten an ihre Arbeit zurück.

Mikael versenkte die Schaufel etwa ein Dutzend Schritt von der Abfallöffnung, schleppte sich mühsam dorthin und lud seine Last ab. Doch wie bereits viele Male davor verlor er die Hälfte der widerlichen Ladung auf dem Weg. Als er zurückkehrte, wartete der Knecht schon auf ihn und wies auf eine Schubkarre aus Holz.

Mikael lud also nun den Unrat darauf.

Sobald die Schubkarre voll war, schob der Knecht sie zu dem Loch und kippte sie dorthin ab. Sein Blick ging noch einmal schnell zu der Frau, die vor dem Stall stand und das Ganze beobachtete, dann wandte er sich an Mikael. »Ich bb-bi-nn n-nicht bb-blöd.«

Mikael beobachtete die Frau, die an einer rosafarbenen Pockennarbe kratzte, während sie wieder in den Stall zurückging. »Nein, du bist nicht blöd«, sagte er zu dem Knecht.

Als der Arbeitstag beendet war, rief Ojsternig Mikael zu sich, atmete befriedigt den Gestank ein, den er verströmte, und befahl ihm anschließend wieder, dort sauber zu machen, wo er den Boden beschmutzt hatte.

Harro, der Molosser, wedelte kaum merklich mit dem

Schwanz. Dann erinnerte er sich, was am Tag zuvor geschehen war, zog den mächtigen Kopf ein und beobachtete seinen Herrn verstohlen. Doch kurz darauf kehrten seine großen goldenen Augen zu Mikael zurück.

Der Junge kniete inzwischen auf dem Boden. Er rutschte den Weg zum Ausgang rückwärts und wischte mit dem Lappen vor sich her. Bevor er den Raum verließ, blickte er hoch zur Prinzessin, doch die sah ihn nicht an.

Mikael schaufelte eine ganze Woche lang Unrat.

Dann hielt eines Morgens ein Diener ihn auf, als er hinunter in den Hof gehen wollte. »Heute sollst du den Herrn ins Dorf begleiten«, sagte er zu ihm.

Mikael blieb also im Großen Saal und wartete ab.

Einige Zeit später erschien Ojsternig, gefolgt von Agomar und etwa zwanzig bis an die Zähne bewaffneten Soldaten. Als er den Jungen bemerkte, blieb der Fürst vor ihm stehen und starrte ihn an.

Mikael hielt seinem Blick stand. Seit er sich erinnert hatte, dass er den Fürsten zusammen mit seinem Vater auf ihrer Burg gesehen hatte, fürchtete er, Ojsternig würde ihn wiedererkennen. Dennoch konnte er seine Augen nicht von diesem verabscheuungswürdigen Menschen abwenden.

»Ich weiß nicht, wie du heißt, und ich will es auch nicht wissen«, sagte Ojsternig. »Weißt du auch, warum?«

Mikael stand regungslos da und sah ihn an.

»Weil du ein Niemand bist. Weil du nicht zählst. Weil du nicht besser bist als irgendwelches Ungeziefer.« Er ging rasch an ihm vorbei aus dem Saal in den Hof.

»Beweg dich«, schnauzte Agomar Mikael an und stieß ihn vorwärts.

Mikael schloss sich den Soldaten an. Er folgte ihnen bis in die Stallungen, wo schon gesattelte Kriegsrösser für sie bereitstanden.

»Lauf, du Hund«, sagte Ojsternig zu ihm. »Wenn du zurückbleibst, lasse ich dir die Haut vom Hintern peitschen.« Er gab seinem Pferd so heftig die Sporen, dass es sich aufbäumte, und galoppierte aus dem Burgtor.

»Na los, lauf, du Hund!«, höhnten die Soldaten und trieben ihre Reittiere an.

Mikael rannte los.

Der Knecht stand in der Mitte des Hofes, hielt die Schaufel für den Unrat in der Hand und starrte ihn dümmlich an. »Zz-zie-hieh die Holz-pp-pan-ti-nen aus!«, rief er, als Mikael an ihm vorbeilief.

Mikael erreichte mehr schlitternd als laufend das Tor und blieb dort stehen. Als er sich zu dem Knecht umwandte, dachte er, dass er nicht einmal wusste, wie er hieß. Er zog die Holzpantinen aus und rannte weiter.

Ojsternig und seine Männer waren schon den ersten Hügel zur Hälfte hinabgeritten. Mikael rannte, wie er noch nie in seinem Leben gerannt war. Der Boden unter seinen Füßen war weich, und die Muskeln, die er unter Raphaels Anleitung erworben hatte, ließen ihn kräftig und sicher ausschreiten. Und je länger er rannte, als desto befreiender empfand er es. Es bereitete ihm keine Freude, aber es verlieh ihm die Gewissheit, lebendig zu sein. Und während er keuchend vorwärtslief, spürte er wieder dieses erst vor Kurzem entdeckte Gefühl, das erneut nach draußen drängte. Er schrie. Und schrie noch einmal. Und als er keine Luft mehr in den Lungen hatte, holte er Atem und schrie wieder und wieder. Dabei rannte er immer schneller, als würde der Hass ihn noch stärker machen, noch unempfindlicher gegenüber Anstrengung und Schmerz. Er lief so schnell daher, dass er nicht einmal bemerkte, wie er die letzten Pferde der Eskorte überholte, die im Trab unterwegs waren. Mikael rannte und schrie. Er schrie und rannte. Und er überholte sie alle, einen nach dem anderen.

Bis er den Kopf des Zuges erreicht hatte. Da versetzte Ojsternig ihm einen Fußtritt, und Mikael fiel zu Boden.

Sofort stand er wieder auf.

Ojsternig starrte ihn an. »Du läufst nicht wie ein Hund, sondern wie ein Hase«, sagte er lachend. Dann wandte er sich seinen Männern zu und befahl: »Im Galopp!«

Als sie das Bergarbeiterdorf erreichten, verlor Mikael im Labyrinth der engen gewundenen Gassen den Tross beinahe. Und kaum hatte er ihn wieder erreicht, versagten die Beine ihm den Dienst, und er fiel kopfüber in den Schlamm.

Ojsternig betrachtete ihn abermals. Mit einer gewissen Befriedigung und dem Blick eines Herrn, der den Wert eines seiner Tiere erkennt.

Mikael blickte auf und sah ein riesiges Gerüst mit drei Galgen vor sich. Darauf standen zwei Männer und eine Frau. Die beiden Männer trugen noch ihre Kleider, die Frau hingegen war nackt. Alle drei hatten ein daumendickes Hanfseil um den Hals.

Um sie herum hatte sich eine schweigende Menge von Elendsgestalten versammelt.

»Nenn die Namen der Rebellen«, befahl Ojsternig dem Henker.

»Stanislav, Sohn von Amos«, sagte der Henker und deutete auf den ersten Mann. »Cecco aus Malborgheth«, fuhr er fort und zeigte auf den anderen.

»Ihr seid Rebellen, und deshalb verurteile ich euch zum Tod durch den Strang«, erklärte Ojsternig. Er wandte sich wieder an den Henker. »Nenn den Namen der Frau.«

Der Henker ging auf die nackte Frau zu. Sie zitterte, und ihr Leib war von der Kälte gerötet. »Alenka Aaltie«, sagte er.

»Du wirst sterben, weil du mit einem Rebellen Unzucht getrieben hast«, sagte Ojsternig und richtete den Finger auf sie.

Die Frau schämte sich ihrer Nacktheit und krümmte sich

zusammen. Sie konnte ihre Blöße nicht mit den Händen bedecken, da diese hinter ihrem Rücken zusammengebunden waren. Doch dann überwand sie ihre Scham und stellte sich aufrecht hin. »Das war mein Ehemann, du Bastard!«, schrie sie.

»Ich würde dir am liebsten die Zunge herausschneiden.« Ojsternig ritt näher an den Galgen heran, legte den Kopf schräg und sah die Frau durchdringend an. Dann lächelte er grausam. »Aber dann könnte ich dich ja nicht mehr schreien hören.« Er blickte zum Henker. »Häng sie mit dem Kopf nach unten auf und zünde ein Feuer unter ihr an.«

Der Henker blieb zunächst wie erstarrt stehen. Doch ehe sein Herr womöglich beschloss, dass er dasselbe Ende nehmen sollte, nahm er die Schlinge vom Hals der Frau und befestigte sie an ihren Knöcheln. Er zog sie hinauf, bis sie kopfüber hing. In einer allen Anwesenden endlos erscheinenden Zeit sammelte er Strohhalme und Reisig auf und entfachte damit ein Feuer.

Die Frau versuchte zunächst, nicht zu schreien. Doch dann entwand sich ihr ein markerschütternder Schrei.

Ihre Haare fingen sofort Feuer. Und wenig später stand ihr gesamter Körper in Flammen.

Mikael sah, dass selbst ihre Augenlider verbrannt waren.

Das Feuer drang in die Kehle der Frau ein, und endlich starb sie.

Das ist ungerecht, dachte Mikael entsetzt und erbrach sich, weil er sich wieder erinnerte, wann er das erste Mal diesen ekelerregenden Geruch in der Nase gehabt hatte.

Ojsternig beobachtete ihn. »Das macht Spaß, nicht wahr?«, sagte er zu ihm und lachte schallend.

Nachdem man der Frau ein spitzes Eisen in die Seite gestoßen hatte, um sich von ihrem Tod zu überzeugen, ging der Henker zu den anderen beiden Galgen und stieß die Verurteilten nach vorn. Einem der beiden Männer liefen Tränen über die

Wangen, während er starb, und lösten den roten Staub des Hämatits und den schwarzen des Torfs.

Die Menge weinte stumm mit ihm.

Mikael hatte das Gefühl, als drehte sich alles um ihn herum.

»Ich wette, jetzt kannst du nicht mehr rennen«, sagte Ojsternig zu ihm.

Mikael starrte ihn hasserfüllt an.

Ojsternig freute sich über diesen Blick, der sein Vergnügen wieder anstachelte, und befahl: »Wir kehren zur Burg zurück!« Er sah Mikael an: »Pferde im Schritt.«

Während sie langsam durch die Straßen des Dorfes vorwärtsritten, lenkte Agomar sein Pferd neben Ojsternig. Er deutete auf Mikael, der ihnen bleich wie ein Gespenst folgte. »Warum habt Ihr den Jungen mitgenommen, Herr?«, fragte er.

»Ich nähre mich an ihm«, antwortete Ojsternig mit einem undurchdringlichen Lächeln. Niemand würde seinen wahren Beweggrund begreifen, aber er wusste, dass er den Hass pflegen musste, der in dem Jungen beständig wuchs und ihm kostbares Vergnügen versprach. Schließlich ist er nur ein Kind, dachte Ojsternig bei sich, irgendwann könnte er seinen Hass auf mich vergessen. Dann lachte er laut.

In der Burg befahl er seinen Knechten, für den folgenden Tag Proviant, Zelte, die Bogen für die Hirschjagd und die Speere für die Wildschweinjagd bereit zu machen. »Ich werde auf die Jagd gehen«, kündigte er an.

»Wie lange werdet Ihr fortbleiben, Herr?«, fragte der Verwalter der Speisekammer.

»Vier Tage«, antwortete Ojsternig.

»Nehmt Ihr wieder den Jungen mit?«, fragte Agomar.

Ojsternig sah zu Mikael und zuckte mit den Schultern. »Nein, der wäre nur im Weg.« Dann betrat er den Palas.

Mikael hatte seine Worte gehört. Er bemerkte den Knecht, der ihn auf seine übliche stumpfsinnige Art anstarrte, und erinnerte sich, was Ojsternig am Morgen zu ihm gesagt hatte. Dass er nicht wusste, wie er hieß, weil er nicht zählte. Mikael ging auf den Knecht zu. »Wie heißt du?«, fragte er ihn.

»Ich ... hei-ßen ... Bass-siano«, stammelte der Knecht.

»Na dann – auf Wiedersehen, Bass-siano«, sagte Mikael. Und mit einem erschrockenen Lächeln über das, was er plante, fügte er hinzu: »Warte morgen nicht auf mich.«

24

Diese Nacht hatte er vor Aufregung kein Auge zugetan.

War das, was er plante, Wahnsinn?

Ständig gingen ihm Ojsternigs Worte durch den Kopf. Der hatte seinen Namen nicht wissen wollen, weil er ihn für unbedeutendes Ungeziefer hielt. Doch auch die Soldaten und die Diener hatten ihn nicht nach seinem Namen gefragt. Niemand hatte ihn je danach gefragt. Niemand sprach ihn an. Wenn man ihm etwas sagen wollte, hieß es einfach: »He, du da!« Sie schöpften ihm die Suppe in die Schüssel, ohne ihn dabei anzusehen. Niemand wünschte ihm eine Gute Nacht. Wahrscheinlich bemerkten die Leute nicht einmal, dass er neben ihnen in dem Großen Saal schlief. Vielleicht hatten sie noch nicht einmal gemerkt, dass seit einer Woche er statt Bassiano den Unrat im Hof wegschaufelte.

War das, was er plante, dennoch Wahnsinn?

»Im Leben musst du deine Wahl treffen«, hatte Agnete zu ihm gesagt. Und Raphael hatte ihm erklärt, dass er die Hacke selbst in die Hand nehmen müsse.

War sein Plan Wahnsinn? Vermutlich schon, sagte er sich. Doch er war ihm sehr wichtig.

Und er hatte gute Aussichten auf Erfolg. Niemand außer Ojsternig bemerkte ihn überhaupt, obwohl der nicht einmal seinen Namen kannte. Und Ojsternig würde morgen die Burg verlassen, um auf die Jagd zu gehen.

Mikaels kleines Herz schlug die ganze Nacht laut vor Aufregung. Schlaflos lauschte er der Glocke des Klosters, die um Mitternacht zur Matutin rief. Und danach jedem weiteren

Läuten der Glocken, die zu den verschiedenen Gebeten riefen.

Zitternd vor Aufregung und Angst blieb er wach, bis in den engen Fensternischen des Großen Saals zuerst ein mattes Grau zu sehen war und sich dann ein mildes Licht über die vielen schlafenden, übel riechenden Körper auf dem Boden ergoss.

Während die Diener die Feuer in den riesigen Kaminen wieder anzündeten, stand er auf. In seinen Umhang gehüllt, stellte er sich für das Frühstück an und holte sich seine Ration Brot und Bier ab, die er abseits von den anderen verzehrte. Dabei sah er immer wieder unruhig zu Ojsternigs Gemächern hinüber und wartete darauf, dass dieser herunterkommen würde.

Heimlich schlich er zu dem Tisch, auf dem das Frühstück stand, und packte in einen Beutel, den er auf dem Boden erspäht hatte, fünf dicke Scheiben Brot und eine kleine Flasche dünnes Bier. Er kam sich vor wie ein Glückspilz, als es ihm auch noch gelang, eine Scheibe Schinken zu stehlen. Dann verbarg er den Beutel unter seinem Umhang.

Kurz darauf kam Ojsternig herunter. Er trug ein kurzes Gewand aus Hirschleder, an seinem breiten Gürtel hingen zwei Dolche in Silberscheiden. Mikael wusste, dass die lange, spitze Klinge des einen dazu bestimmt war, die Beute mit einem Stoß ins Herz zu töten, und die andere gebogene mit Sägeschliff, um sie anschließend zu häuten und auszuweiden. Auch sein Vater hatte diese Aufgaben nicht den Dienern überlassen. »Ein Mann muss bis zuletzt seine Pflicht erfüllen und dafür auch in Blut und Kot wühlen«, hatte er ihm immer gesagt. Damals hatte Mikael nicht begriffen, was seine Worte bedeuteten. Nun musste er lächeln. Er wühlte jetzt ganz sicher im Kot. Und er stellte sich vor, dass sein Vater stolz auf ihn wäre, dass er genauso gut wie ein Stallknecht den Unrat wegschaufeln konnte.

Der Gedanke an seinen Vater ermutigte ihn. Er wäre auch stolz auf seinen Plan gewesen.

Unbemerkt von allen folgte er Ojsternig, Agomar und etwa einem Dutzend Reiter zu den Stallungen. Die Pferde und fünf Maultiere standen schon bereit, Waffen und Proviant waren aufgeladen.

Als das Burgtor geöffnet wurde und die Jäger mit wildem Geschrei nach draußen galoppierten, setzte sich auch Mikael in Bewegung. Ein wenig Sorge bereitete ihm, dass der Sack mit dem Proviant seinen Umhang ausbeulte. Er tat so, als würde er ziellos über den Hof schlendern, doch stattdessen näherte er sich Schritt für Schritt dem Burgtor, in der Hoffnung, dass niemand ihn aufhalten würde.

Er hatte es beinahe erreicht, als jemand ihn an der Schulter berührte. Mikael zuckte zusammen und wandte sich mit hochrotem Gesicht um.

»Du, ww-wie hei-heißt du?«, fragte ihn der Knecht.

Mikael wurde schwindelig. Am liebsten hätte er dem Jungen die Schaufel aus der Hand gerissen und sie ihm über dem Kopf gezogen, weil er ihm einen solchen Schreck eingejagt hatte. Doch als er dessen stumpfsinnigen Gesichtsausdruck sah, konnte er ihm nicht böse sein. Und er musste daran denken, dass außer seiner Mutter niemand in dieser abweisenden Umgebung wusste, wie er hieß. Und dass der Knecht dasselbe für ihn wollte, was er gestern für ihn getan hatte. »Mikael«, antwortete er, und seine Stimme klang immer noch etwas unsicher wegen des erlittenen Schrecks.

»Mi-kkaa-el«, brachte der Knecht mühsam heraus. »Auf Ww-wiederss-sehen, Mi-kkaa-el.« Und er lächelte zufrieden.

»Sag niemandem, dass ich gegangen bin«, traute Mikael sich zu sagen. Er sah ihn eindringlich an. »Hast du mich verstanden?«

Der Knecht antwortete beleidigt: »Ich ssein nicht blö-öd.«

Mikael nickte. »Erzähl es nicht einmal deiner Mutter.«

Der Knecht schien einen Moment zu zögern. Dann schüttelte er den Kopf. »N-nein. I-ich sa-ag nichts.«

»Das ist unser Geheimnis«, erklärte Mikael.

»Bass-siano und Mi-kkaa-el Ff-freun-de.« Der Knecht drehte verlegen die Schaufel zwischen den Händen, zog die Schultern hoch und wurde rot.

»Ja ... Bass-siano«, erwiderte Mikael. Dann wandte er sich um und ging durch das Tor.

»Auf Ww-wiederss-sehen, Ff-freund«, rief ihm Bassiano hinterher.

Sei doch still, du Dummkopf, dachte Mikael. Doch als er einige Schritte gegangen war und feststellte, dass niemand sie bemerkt hatte, lächelte er. »Wir sind ja nur unbedeutendes Ungeziefer«, sagte er sich.

An diesem Morgen sah er, was ihm am gestrigen Tag in Dravocnik entgangen war. Staunend lief er durch das Bergarbeiterdorf, und so machte er sich nicht gleich auf den Weg ins Raühnval, sondern schlenderte durch die Gassen. Die Häuser standen ohne erkennbaren Plan eng aneinandergedrängt, sie waren schlicht und einfach dort errichtet worden, wo es einen geeigneten Platz gab. Einige boten nicht mehr Raum als ein Schweinestall. Die schrägen Dächer waren niedrig und viele hatten Löcher. Stinkende Abwässer überschwemmten die schmalen Durchgänge zwischen den Häusern. Wo sich nicht bettelnde, abgemagerte Leute drängten, deren Augen vor Hunger erloschen waren, versperrten streunende Hunde, Katzen, die die Ratten und Mäuse fernhalten sollten, Schweine und Ziegen den Weg. Die Kinder lagen auf dem Boden und spielten nicht. Das war irgendwie schrecklich, unmenschlich, ja wider die Natur. Mikael musste an die Kinder im Burghof seines Vaters denken. Da lief immer irgendein kleiner Junge mit einem Holzschwert und einem Stock zwischen den Beinen herum und tat so, als würde er auf einem Streitross sitzen. Und da war immer ein Mädchen gewesen, das so tat, als würde es seine Lumpenpuppe ohne Gesicht stillen. Andere Kinder spielten Fangen oder Verstecken, stritten sich, sangen ein Lied oder weinten. Wenn er allerdings in seiner aus edlem Pelz gefertigten Kleidung und mit Pastetenscheiben in der Hand an ihnen vorüberkam, verstummten sie plötzlich. Sie hörten auf zu weinen, sich zu streiten und zu spielen, senkten ihre Holzschwerter und rissen beim Anblick des Erbprinzen Marcus II. von Saxia vor Erstaunen die Augen weit auf. Sie waren arm, hatten Hunger und fürchteten sich vor ihm. Aber selbst wenn sie verstummten, hörten sie doch nie auf, Kinder zu sein.

Die Kinder in Dravocnik dagegen wirkten wie Zwerge. Wie Erwachsene, die zu klein und zu schwach zum Arbeiten waren. Ihre Augen waren erloschen und stachen nur aus den Gesichtern hervor, weil der Rest rot und schwarz gefärbt war.

Ein kleines Mädchen, das in einer Ecke neben einem Fass lag, das zum Abschlagen des Wassers diente, starrte ihn an. Ihr schmales Gesicht war so abgemagert, dass die Raben nach ihrem Tod nur ihre Augen würden fressen können. Als Mikael an ihr vorbeikam, fühlte er sich unbehaglich. Dann blieb er stehen und drehte um. Er hatte fünf Scheiben Brot. Vier konnten ihm reichen. Er öffnete seinen Beutel und hielt dem Mädchen eine Scheibe von dem altbackenen Mischbrot hin, dem billigsten Brot beim Bäcker. Doch das Mädchen betrachtete es so selig, als wäre es Apfelkuchen mit Ingwer und Zuckerkruste. Die Kleine hatte nur wenige Zähne im Mund, aber sie machte sich gleich über die Brotscheibe her und schlang sie gierig hinunter. Mikael schien es, als stünde sie kurz davor, in Tränen auszubrechen.

Er blieb stehen und beobachtete das Mädchen. Kurz darauf merkte er, dass sich andere Kinder hinzugesellt hatten. Sie bettelten nicht, sie sahen ihn nur mit ihren großen Augen an. Da nahm er noch eine Scheibe Brot, brach sie in vier Stücke und verteilte sie unter ihnen. Und als er sah, dass es nicht für alle reichte, nahm er noch eine Scheibe.

Die Kinder schlangen das Brot hastig hinunter, und kaum waren sie fertig, kamen sie noch näher.

Mikael sah in den Beutel. Jetzt blieben ihm nur noch zwei Scheiben Brot, das Stück Schinken und die Flasche Bier. Er hatte einen weiten Weg vor sich und brauchte Proviant. »Mehr kann ich euch nicht geben. Geht«, sagte er freundlich zu den Kindern.

Doch die drängten sich immer enger an ihn. Ohne ein Wort.

»Geht!«, schrie Mikael.

Die Kinder wichen zurück. Doch es dauerte nicht lange, da bedrängten sie ihn wieder.

Mikael hatte das Gefühl zu ersticken. »Wenn ihr nicht geht, sage ich es dem Herrn von Ojsternig!«, rief er in Panik aus.

Auf den Gesichtern der Kinder erschien blanke Angst. Das Echo von Mikaels Worten war noch nicht verhallt, da waren sie schon verschwunden. Alle außer dem kleinen Mädchen, das ihn mit furchtgeweiteten Augen ansah. Vielleicht war sie zu schwach, um fortzulaufen, dachte Mikael und ging zu ihr hin.

Das kleine Mädchen drängte sich an das mit Urin gefüllte Fass.

»Ich will dir nichts tun«, sagte Mikael. Er holte die Flasche Bier aus dem Beutel und hielt sie ihr hin.

Das Mädchen nahm sie und trank daraus.

Sie hätte das ganze Bier ausgetrunken, wenn Mikael ihr nicht die Flasche aus der Hand gerissen hätte. Sein Blick ging wieder zu seinem Beutel. Er hatte nicht erwartet, auch Schinken als Proviant zu haben. Aber nun hatte er ja drei Scheiben Brot weniger. Er teilte den Schinken in der Mitte durch. Eine Hälfte gab er dem Mädchen und wandte sich zum Gehen.

»Wer bist du? Ein Rebell?«, fragte die Kleine und vergaß ihre Angst. Ihre Stimme war dünn, aber so klangvoll, dass aus ihr wohl eine hervorragende Sängerin würde, falls sie die Armut überlebte.

Mikael betrachtete das Mädchen stumm. Er wusste nicht, was er antworten sollte. »Nein, ich bin Mikael«, sagte er schließlich. Und ging davon.

Er ließ die Gegend mit den ärmlichen Hütten hinter sich und drang in das Viertel der wohlhabenderen Bürger vor. Fleischer, Waffenschmiede, Gerber, Schneider. Hier waren die Häuser mannshoch aus Stein, darüber aus Holz gebaut. Das Holz war abgelagert, dicke viereckige Balken, die sich perfekt aneinanderfügten und mit Pech versiegelt waren. Doch auch in dieser Gegend des Dorfes waren die Läden menschenleer.

Mikael kam schließlich ans Ende von Dravocnik und wandte sich in Richtung Berge. Er würde den Weg schon finden, sagte er sich, um sich Mut zu machen. Ohrenbetäubendes Krachen umfing ihn hier – die Geräusche der Mühle, die den Hämatit mahlte. Da bemerkte er die drei Galgen. Niemand hatte die Toten abgenommen. Eine alte Frau schwang einen Reisigbesen durch die Luft, um die Raben von ihnen fernzuhalten. Oben am Himmel kreisten Geier, angelockt vom Geruch des Todes.

Mikael erschauerte und ging schneller, den Blick auf die Steine des Weges gesenkt, der sich an der Flanke des unter dunklen Wolken verborgenen Berges entlangzog.

Und er vergaß, sich noch einmal zu fragen, ob sein Plan Wahnsinn war.

Es war beinahe Abend geworden, als er den Pass erreichte, auf dessen anderer Seite sich das Raühnval erstreckte. Die Sonne war schon hinter den hohen Gipfeln verschwunden, doch ihr Schein ließ den Weg noch erkennen. Eine ordentliche Strecke lag noch vor ihm bis ins Raühnval. Er würde durch die Nacht laufen und riskieren müssen, sich zu verirren oder hungrigen Wölfen zu begegnen. Mikael wandte sich nach rechts. Dort führte ein Pfad nach oben zu einem vertrauten Ort.

Die Höhle des Drachen, dachte er und schlug zielstrebig diesen Weg ein.

Als der alte Raphael die Tür seiner Hütte öffnete und ihn sah, lächelte er froh. Dann sog er witternd ein wenig Luft ein und roch den Gestank nach menschlichem Kot, der Mikael anhaftete. Doch er sagte nichts dazu.

»Agnete macht sich große Sorgen um dich«, sagte er stattdessen. »Sie hat mir alles erzählt.«

Er trat beiseite und ließ Mikael herein. Drinnen roch es köstlich nach Getreidesuppe, und ein in dicke Speckscheiben eingewickeltes Kaninchen briet an einem Spieß.

Beide aßen schweigend, Raphael stellte Mikael keine Fragen. Nach dem Essen legten sie sich gleich hin, und Raphael löschte die Kerze.

Nun begann Mikael zu reden. Er erzählte dem alten Mann alles von Anfang an. Und er erzählte von den gehängten Männern und der Frau mit den verbrannten Augenlidern. Schließlich fragte er ihn: »Ist das, was ich fühle, Hass?«

»Ja, mein Junge«, erwiderte Raphael leise.

Mikael schwieg lange. Dann sagte er: »Hass macht mich stärker.«

Raphael seufzte. »Aber das Gefühl hält nicht lange an und hinterlässt einen bitteren Nachgeschmack, nicht?«, erklärte er ohne den geringsten Vorwurf in seiner warmen, dunklen Stimme.

Der Junge antwortete nicht darauf.

»Es gibt ein schöneres Gefühl, etwas Süßes, das dich genauso stark macht«, sagte Raphael.

Nach einer Weile fragte Mikael: »Was ist es?«

»Das musst du selbst herausfinden«, erwiderte Raphael.

Mikael spürte, wie der Schlaf ihn allmählich übermannte, so wie immer, wenn er neben diesem verrückten alten Mann lag, der ihm beigebracht hatte, wie man mit einer ausgedachten Hacke das Erdreich eines ausgedachten Landstücks auflockert.

»Aber du bist nahe dran«, fügte Raphael hinzu.

Während er kaum noch die Augen offen halten konnte, fragte Mikael: »Woher wisst Ihr das?«

»Weil du den bitteren Nachgeschmack spürst«, erwiderte Raphael.

Mikael begriff nur selten, was der alte Mann sagte. Doch jetzt trafen seine Worte ihn mitten ins Herz. Er rollte sich auf der Seite zusammen.

»Du entkommst dem Tod mit erstaunlicher Leichtigkeit«, bemerkte Raphael und klang beinahe belustigt. »Für dich ist irgendwo ein Schicksal festgeschrieben.«

»Vielleicht in dem Buch, das Ihr mir geschenkt habt?«, fragte Mikael noch, ehe ihm die Augen zufielen.

Raphael spürte, wie ihm eine Träne die zerfurchte Wange hinunterlief.

25

Am nächsten Morgen bei Tagesanbruch verließ Mikael zusammen mit Raphael die »Höhle des Drachen«.

Ein frischer Nordostwind hatte die Wolken vom Vortag weggefegt. Über der Wiese der Lichtung lag nur noch eine dünne Nebelschicht wie ein milchiger Teppich, der darauf zu warten schien, dass die Wärme des beginnenden Tages ihn auflöste.

Mikael blickte auf den Pfad, der zum Pass führte, zu dem Haus aus Stein, in dem die Soldaten das Raühnval überwachten. Dann wandte er sich direkt dem Wald zu. »Ich gehe da lang«, sagte er.

»Im Wald gibt es Wölfe«, wandte Raphael ein.

»Ich habe keine Angst vor ihnen.«

»Dummkopf.« Raphael versetzte ihm einen Klaps auf den Kopf. »Alle haben Angst vor Wölfen. Selbst ich.«

»Ich nicht«, erwiderte Mikael stur.

Der alte Mann sah ihn eindringlich an. »Du wirst hier langgehen«, sagte er. »Komm.« Als sie die letzten Bäume erreicht hatten, legte er dem Jungen eine Hand in den Nacken. Stark und zärtlich zugleich. »Du wirst hier langgehen«, wiederholte er und deutete auf eine steinige Böschung, die an der Baumgrenze entlangführte. »Um diese Zeit kommen die Wölfe nicht aus dem Wald. Sie haben genug zu fressen.«

Mikael versuchte, sich loszumachen, aber Raphael hielt ihn nur noch fester. Das erinnerte Mikael an die Hunde auf der Burg, die so den Welpen beibrachten zu gehorchen. Sie knurrten zwar wild, bissen aber nicht richtig zu. Und irgendwie war es ein angenehmes Gefühl.

»Wovor fürchtest du dich so, dass du dich lieber den Wölfen stellst?«, fragte Raphael.

»Der Wachposten oben am Pass hat meinem Vater gedient und kennt mich«, antwortete Mikael widerstrebend.

»Du weißt doch gar nicht, wer dein Vater ist«, ermahnte Raphael ihn. »Du hast ihn vergessen.«

Mikael schwieg.

»Du folgst dort der Böschung. Der Weg ist steil, aber du hast kräftige Beine. So kannst du den Wachposten umgehen, und keiner sieht dich. Nach einer knappen Meile triffst du auf die Straße zum Raühnval.« Sein Griff verstärkte sich. »Aber halte dich vom Wald fern.«

Mikael schwieg immer noch.

Raphael holte ein Päckchen hervor. »Auf halber Strecke mach eine Pause und iss etwas«, sagte er. »Dort gibt es auch eine Quelle.«

Mikael entdeckte in dem Päckchen drei dicke Scheiben gebratenen Specks. Er spürte, wie der Griff des alten Mannes in seinem Nacken nachließ, und bedauerte es. Raphaels Hand war so warm. Dann lief er los über die Böschung.

Du hast ein großes Herz, dachte Raphael bei sich, während er Mikael dabei zusah, wie er einem Steinbock gleich von einem Fels zum anderen hüpfte. Dieser Junge war wie ein unerwartetes Geschenk für einen alten einsamen Mann wie ihn. Gott schenkte ihm in seiner Güte eine zweite Gelegenheit.

Nach einer Meile erreichte Mikael die Straße, die hinunter ins Raühnval führte, genau wie Raphael es gesagt hatte. Seine Beine zitterten und brannten von der Anstrengung. Doch vor Aufregung spürte er sie nicht. Was er jetzt vorhatte, war eine Sache, die Erwachsene taten, dachte er. Etwas, das Kinder eigentlich nicht tun dürften. Und er lächelte bei dem Gedanken, dass sein Vater stolz auf ihn gewesen wäre. Sein Vater hatte Kinder gemocht, die wie Erwachsene handelten.

Leichtfüßig lief er den Weg hinunter. Ab und zu, wenn die Sicht frei war, blieb er stehen und sah auf die Ruinen der Burg, in der er geboren und aufgewachsen war. Nach einer Biegung, als er das ganze Raühnval überblicken konnte, setzte er sich auf einen umgefallenen Baum und suchte mit dem Blick die Hütte von Agnete und Eloisa. Und zum ersten Mal spürte er, dass dies sein Zuhause war. Er öffnete das Päckchen, das Raphael ihm gegeben hatte, und roch den verführerischen Duft des gebratenen Specks. Mikael biss ein Stück ab. Das fette Fleisch zerbrach unter seinen Zähnen und schmeckte köstlich.

»Ziegendreck!«, hörte er jemanden hinter sich. »Was machst du hier?«

Mikael musste sich nicht erst umdrehen, um die Stimme zu erkennen. Er wusste genau, wem sie gehörte.

Eberwolf trat neben ihn. Er trug einen schweren Korb auf den Schultern, der bis zum Rand mit Weidenstecklingen gefüllt war. Die Bauern brauchten sie für die Erdwälle, damit der Boden an den steilen Stellen um die Felder herum nicht herunterbrach.

Mikael stand auf und stellte sich in Abwehrhaltung vor ihn.

»Was hast du da, Ziegendreck?«, fragte Eberwolf, der die Speckscheiben bemerkte.

Mikael war einen Moment lang versucht, sie hinter seinem Rücken zu verstecken, doch dazu war es zu spät. Die Angst schnürte ihm den Magen zu. »Willst du eine?«, fragte er mit zitternder Stimme.

Eberwolf sah ihn an und grinste. Dann riss er Mikael das ganze Päckchen aus der Hand. »Nein, ich will alle«, sagte er lachend.

Mikael wehrte sich nicht.

Eberwolf stopfte gierig eine Scheibe in sich hinein und grunzte genießerisch.

Und Mikael begriff, dass er es hauptsächlich so genoss, weil er sie ihm gestohlen hatte. Er wandte sich zum Gehen.

Da packte Eberwolf ihn mit seiner fettigen Hand an der Schulter. »Wo willst du denn hin, Ziegendreck?« Er grinste boshaft. »Gefällt dir meine Gesellschaft nicht?«

Mikael zog den Kopf ein.

Eberwolf stellte den Korb ab und schob sich die zweite Speckscheibe in den Mund. Noch bevor er sie aufgegessen hatte, versetzte er Mikael einen Schlag in den Magen.

Der krümmte sich und rang nach Luft.

»Das Leben ist hart, wenn da kein kleines Mädchen ist, das dich beschützt, was, Ziegendreck?« Eberwolf lachte höhnisch. Dann schlug er ihn auf den Rücken.

Mikael fiel hin. Er hatte keine Kraft mehr, der Schlag hatte ihn zwischen den Schulterblättern getroffen. Er stützte sich mit den Händen auf den Steinen des Pfades ab, die sich schmerzhaft durch seine Haut drückten.

Eberwolf trampelte mit seinen Holzschuhen auf Mikaels Händen herum und hörte gar nicht mehr auf zu lachen. Dann versetzte er ihm einen schmerzhaften Tritt in die Rippen und kniete sich neben ihn. Er packte ihn am Haar, drückte seinen Kopf auf den Boden und versetzte ihm dabei zwei rasche Faustschläge in die Magengegend.

Mikael stöhnte auf.

»Ja klar, es ist schlimm, wenn du kein kleines Mädchen an der Seite hast, das dich verteidigt«, wiederholte Eberwolf lachend. »Hier sind jetzt nur du und ich. Und niemand sieht uns.« Er packte die Hippe, mit der er sonst die Weidengerten abhieb, und schnitt sich die Nägel damit. »Wer sollte mich schon beschuldigen, wenn ich dich töten würde? Weißt du, was ich tun könnte?«

Mikael zitterte.

»Antworte, Ziegendreck«, brüllte Eberwolf ihn an. »Weißt du, was ich tun könnte?«

»Nein . . .«, stammelte Mikael, dann brach ihm die Stimme.

»Ich könnte ins Dorf laufen und dort verzweifelt schreien,

dass ich dich tot im Wald gefunden habe und ein Räuber dich umgebracht hat. Und jeder würde mir glauben.«

Mikael brach in Tränen aus. Er war überzeugt, Eberwolf würde ihm gleich die Kehle durchschneiden.

Doch der lachte nur und stopfte die letzte Scheibe Speck in sich hinein. Dann versetzte er Mikael noch einen Faustschlag. »Wenn dir dein Leben lieb ist, sorg dafür, dass diese kleine Schlampe Eloisa mich nicht mehr bloßstellt. Nie wieder.« Er zog Mikael an seiner Jacke hoch und sah ihm fest in die Augen. »Sonst bringe ich dich das nächste Mal um. Das schwöre ich dir bei allen Heiligen!«

Mikael nickte stumm.

Eberwolf grinste und ließ Mikael los, der schlaff zu Boden fiel. Dann stand er auf, lud sich mühelos den schweren Korb auf den Rücken und ging davon.

Mikael blieb reglos am Boden liegen. Nach einer Weile rappelte er sich langsam auf, flüchtete sich in den Wald ins Farnkraut und weinte.

Als er an die Tür der Hütte von Agnete und Eloisa klopfte, ging die Sonne schon unter.

Die beiden Frauen hatten ihn nicht erwartet. Eloisas Augen blitzten auf vor freudiger Überraschung. Agnetes Gesicht hingegen verzog sich in Sorgenfalten, wie schon so oft in diesen Tagen.

»Du stinkst nach Scheiße«, sagte Eloisa.

Mikael nickte stumm.

»Warum bist du hier?«, fragte Agnete und versperrte ihm den Weg in die Hütte.

»Ojsternig ist auf der Jagd. Ich bin weggelaufen«, sagte Mikael.

»Du musst zurück«, erklärte Agnete.

»Nein!«, rief Eloisa verzweifelt.

Mikael sah beide schweigend an. Dann sagte er: »Ich kann

zwei Tage bleiben.« Und er klang so entschlossen, dass Agnete nichts erwiderte.

»Komm und iss mit uns«, sagte sie nur.

Mikael setzte sich an den Tisch und aß schweigend.

Eloisa konnte den Blick nicht von ihm abwenden.

»Was will Ojsternig von dir?«, fragte Agnete am Ende des Mahls.

Mikael zuckte nur stumm mit den Schultern.

Nach einer Weile löschte Agnete die Kerzen und sagte, es sei Zeit, schlafen zu gehen.

Erst dann, als es dunkel war, sprach Mikael wieder. »Gute Nacht, Eloisa«, sagte er.

»Gute Nacht, Dummerjan«, erwiderte sie.

Ihre Stimme tröstete Mikael. Doch er fand keinen Schlaf. Eberwolfs Schläge machten sich bemerkbar.

Irgendwann stand er auf, blieb reglos in der Mitte des Raumes stehen und lauschte dem gleichmäßigen Atem von Agnete und Eloisa.

Dann öffnete er die Tür und ging hinaus.

Es war eine sternenklare Nacht. Der Mond schien so hell, dass die Häuser und Bäume lange, scharfe Schatten auf die Felder warfen.

Nach einiger Zeit hörte Mikael plötzlich ein Rascheln rechts neben sich, wo das Holz aufgestapelt war. Er wandte sich um und sah zwei Mäuse vorüberhasten, die sich rasch in dem Holzstoß in Sicherheit brachten. Doch eine von ihnen steckte kurz danach das Schnäuzchen hervor und schnupperte in Mikaels Richtung. Das Tier trug ein verblasstes, rissiges Band aus rotem Leder um den Hals.

»Hubertus!«, rief Mikael atemlos.

Die Maus kam vorsichtig näher.

Mikael überkam tiefe Rührung. Er kniete sich hin und beugte sich zu Hubertus hinunter.

Die Maus lief zu ihm, schnupperte an seinen Fingern und kletterte schließlich auf seine Handfläche.

»Hubertus!«, rief Mikael erneut. »Du hast es geschafft! Du lebst ...« Er lächelte glücklich. Dann sah er, wie die zweite Maus zwischen zwei Holzklötzen hervorschaute und ängstlich quiekte. Sie schien ihren Gefährten zu rufen.

Hubertus sprang von Mikaels Hand und wollte zum Holzstapel laufen.

»Nein!« Mikael packte ihn und hielt ihn fest. »Bleib noch ein wenig bei mir.«

Hubertus blieb zunächst ruhig sitzen, doch die andere Maus stellte sich auf die Hinterbeine und quiekte lauter. Auf ihren Ruf hin versuchte Hubertus zappelnd, sich zu befreien.

Mikaels Griff wurde fester. »Nein, bleib bei mir«, sagte er und diesmal hatte seine Stimme etwas Gebieterisches. Doch sofort darauf öffnete er mit Tränen in den Augen die Hand und sagte: »Entschuldige, du hast ja recht.« Er setzte Hubertus auf den Boden ab. »Warte, eins muss ich noch für dich tun.« Er zerriss das rote Lederbändchen um Hubertus' Hals. »Jetzt bist du eine Maus wie alle anderen. Du bist frei«, sagte er mit einem Kloß im Hals.

Hubertus trippelte sofort auf den Holzstapel zu, doch als er ihn erreicht hatte, machte er sich nicht etwa mit der anderen Maus davon, sondern setzte sich ungeschickt hin und kratzte sich mit einer Hinterpfote am Hals, genau dort, wo das Lederbändchen gewesen war, und das mit einem solchen Eifer, dass Mikael unter Tränen lachen musste.

»Dummerjan«, sagte er.

Hubertus sah ihn ein letztes Mal an, hob sein Schnäuzchen witternd in die Luft und verschwand.

»Was machst du hier draußen?«, hörte er Agnete plötzlich hinter sich, und er fuhr zusammen.

Hastig stand er auf und zuckte stumm mit den Schultern. Verstohlen trocknete er sich die Augen.

Agnete hatte sich ihr Kuhfell über die Schultern gelegt. Sie setzte sich auf den grob behauenen Tannenstamm, der die Türschwelle zur Hütte bildete. Dann klopfte sie mit der Hand auf das Holz, um Mikael zu bedeuten, sich neben sie zu setzen.

Mikael machte ein paar Schritte auf sie zu, blieb aber zunächst schwankend stehen, ehe er unbeholfen neben ihr Platz nahm.

»Komm näher«, sagte sie.

Mikael bewegte sich kaum merklich in ihre Richtung.

Agnete ging wortlos darüber hinweg. Sie zeigte auf den Mond. »Der sieht aus wie eine bleiche Sonne, stimmt's?«

»Meine Kinderfrau hat immer gesagt, die Sonne ... sei aus Gold und der Mond aus Silber«, stammelte Mikael. »Und dass ... dass ...«

»Und dass die Sonne das Lachen wäre und der Mond das Weinen«, beendete Agnete seine Worte. »Die arme Eilika hatte recht.«

»Ihr kanntet sie?«, fragte Mikael überrascht.

»Natürlich. Als ich dich zur Welt gebracht habe, war Eilika dabei. Sie hat die Nachgeburt deiner Mutter im Kamin verbrannt. Dann hat sie dich aus meinen Händen genommen, hat dich gewaschen und abgetrocknet. Und seit dem Tag hat sie immer über dich gewacht.«

Mikael schwieg eine Weile. »Eilika ist tot.«

»Ja, sie ist tot.«

Sie versanken wieder in Schweigen.

Schließlich sagte Mikael: »Dieser Mann hat meinen Vater getötet.«

»Du hast keinen Vater.«

Mikael sah sie an. Er musste an Raphael denken, der ihm das Gleiche gesagt hatte.

»Du erinnerst dich nicht mehr daran, wer du früher gewesen bist«, fuhr Agnete fort. »Raphael hat dich auf dem Lomsattel gefunden. Du bist dort mit einer schlimmen Stirnwunde herumgeirrt. Ich habe dich Raphael auf dem Markt in Dravocnik abgekauft. Und jetzt bist du Mikael Veedon.«

Wieder versanken sie in Schweigen. Länger als davor. Und düsterer.

»Ich werde ihn töten«, sagte Mikael irgendwann.

Agnete fuhr auf. »Du wirst niemanden töten«, sagte sie mit ihrer rauen Stimme. »Denn wenn du es nicht schaffst, würde man auch mich und Eloisa töten. Das hab ich dir doch gesagt.«

Mikael schwieg mit gesenktem Kopf.

»Schwöre es mir«, bedrängte Agnete ihn. »Ich habe keine Angst vor dem Tod, obwohl ich das Leben liebe. Aber wenn meine Tochter durch deine Schuld umkäme, würde ich dir das nie verzeihen.«

Mikael musste daran denken, dass Eloisa seinetwegen schon einmal beinahe gestorben wäre, als sie sich gewaschen hatte.

»Schwör es mir!«, zischte Agnete drohend.

»Ich schwöre«, sagte Mikael.

»Komm her, damit du dich nicht erkältest«, sagte Agnete und öffnete die Decke aus Kuhfell um ihre Schultern.

Mikael näherte sich schüchtern.

Agnete legte das Fell um ihn. »Lehn den Kopf an meine Schulter«, sagte sie.

Mikael zögerte verlegen. »Ojsternig könnte mich wiedererkennen«, flüsterte er. »Er hat mich in der Burg gesehen. Er wollte, dass ich seine Tochter heirate.«

Agnete packte ihn fest an einer Schulter. »Keine Angst, niemand wird dich wiedererkennen. Die beurteilen dich aufgrund deiner Kleidung. Sie würden selbst den Kaiser nicht erkennen, wenn er als Bauer gekleidet zu ihnen käme, obwohl sein Gesicht auf allen Münzen abgebildet ist, die wir ständig in der Hand haben.«

»Wirklich?«, fragte Mikael erstaunt, während die Müdigkeit allmählich die Oberhand über seine Anspannung gewann.

»Sicher«, sagte Agnete und senkte die Stimme, »und ich bin überzeugt, wenn er am eigenen Hof als Diener gekleidet erschiene, würde ihn selbst dort niemand wiedererkennen. Die Leute, besonders die Reichen, laden eigentlich Kleider an ihre Tafel, denk daran.«

»Was heißt das?«

»Das heißt, die äußere Erscheinung ist wichtiger als das eigentliche Wesen.«

Mikael schmiegte den Kopf an Agnetes Schulter. »Woher wisst Raphael und Ihr eigentlich all diese Dinge?«

»Weil wir schon so lange Jahre auf dieser Welt sind und sie aufmerksam erleben.«

»Habt Ihr denn nie Angst gehabt?«

»Viel öfter, als du denkst.«

»Auch jetzt?«

»Ja.«

»Und warum?«

»Ich habe Angst, dass dir etwas zustößt.«

Mikael fühlte eine Wärme in seinem Herzen. »Ihr habt Angst um mich?«

»Schließ die Augen, Mikael«, sagte Agnete.

Mikael gehorchte und überließ sich ihrer Umarmung.

Sanft streichelte Agnete über seinen Kopf und sein Gesicht, fuhr mit einem Finger über seine Narbe auf der Stirn, während Mikael einschlief und träumte, er wäre ein glückliches Kind.

Der Mond leuchtete hell über Agnete, als sie Mikael aufhob und ihn mit einem angewiderten Gesichtsausdruck ins Haus trug. »Du stinkst wirklich schrecklich nach Scheiße, mein Junge«, flüsterte sie.

26

Am nächsten Tag riet Agnete Mikael, sich nicht draußen blicken zu lassen. Sie wusste nicht, ob sie den Dorfbewohnern trauen konnte. Vielleicht würden sie mit den Soldaten darüber reden, die ins Dorf kamen, um sich mit Bier und Lebensmitteln zu versorgen.

»Gestern Abend habe ich euch belauscht«, sagte Eloisa leise, während sie und Mikael noch beim Frühstück saßen. Agnete räumte die Hütte auf und fegte den Dielenboden.

Mikael sah sie an.

»Du solltest die Prinzessin von Ojsternig heiraten«, flüsterte Eloisa.

Mikael schaute angelegentlich auf seinen Weizenbrei.

Eloisa spielte mit ihrem Holzlöffel. »Und wie sieht die Prinzessin aus? Ist sie schön?«, fragte sie schließlich.

Mikael war überrascht. Er überlegte einen Moment, erinnerte sich an den abwesenden Blick der Fürstentochter, dachte an ihren kirschroten Herzmund und nickte, wenngleich ohne Begeisterung.

Doch das genügte, um Eloisa einen schmerzhaften Stich zu versetzen. Sie sprang so heftig auf, dass ihre Schüssel herunterfiel, und rannte nach draußen.

»Eloisa!«, schrie ihr die Mutter hinterher. »Heb sofort die Schüssel auf!«

Mikael bückte sich nach der Schale und stellte sie wieder auf den Tisch. Dann ging er zur Tür, um Eloisa zu folgen.

Agnete packte ihn an der Schulter. »Ich hab dir doch gesagt, dass du dich heute draußen nicht sehen lassen sollst«, fuhr sie ihn an und ging statt seiner hinaus. »Eloisa, stapel das Brenn-holz auf. Ich bin bald wieder zurück«, trug sie ihrer Tochter auf.

Mikael hörte, wie Eloisa das zerkleinerte Holz fluchend und lautstark aufeinandertürmte. Anscheinend war sie immer noch ziemlich aufgebracht. Mikael fragte sich besorgt, warum Eloisa so wütend war. Er ertrug es nicht, wenn sie böse auf ihn war. Und er begriff nicht, was er falsch gemacht hatte. Doch dass er etwas falsch gemacht hatte, war offensichtlich. Wie damals, als er ihr gesagt hatte, dass sie schmutzig wäre, und Eloisa sich da-raufhin gewaschen hatte und deshalb fast gestorben wäre. Als er sich daran erinnerte, bekam er Angst, und die Sorgen lasteten schwer auf ihm.

Mikael blickte zur Tür der Hütte. Und gleich darauf war er trotz Agnetes Verbots draußen.

Eloisa fuhr herum. »Was willst du?«, raunzte sie ihn an.

Nun fiel es Mikael auf einmal schwer, etwas zu sagen. »Also, wenn du eine Maus siehst, ich meine, selbst wenn sie kein Hals-band umhat, dann ist das Hubertus«, sagte er schließlich. »Oder seine Frau.«

»Weißt du was, das interessiert mich nicht«, erwiderte Eloisa und stapelte weiter wütend und lautstark die Holzscheite auf.

Mikael stand immer noch mit eingezogenem Kopf da. Wa-rum gelang es ihm nicht zu sagen, was ihn eigentlich bewegte? Er atmete tief durch, während er vor Scham fast verging, und sagte schließlich mit brüchiger Stimme: »Entschuldigung.«

Eloisa sah ihn überrascht an.

Mikael hielt ihrem Blick stand, in dem Wissen, dass ihm nicht viel Zeit blieb und er gleich zur Sache kommen musste. »Ich weiß nicht, was ich dir getan habe, aber ... bitte entschul-dige ... ich wollte nicht ...«, stammelte er mit hochrotem Kopf.

»Ziegendreck, scher dich dorthin zurück, woher du gekommen bist«, schrie Eberwolf, der auf seinem Weg zu den Feldern an ihrer Hütte vorbeilief.

»Lass ihn in Ruhe, du Idiot! Du widerst mich an!«, schrie Eloisa zurück und ließ an ihm die Gefühle aus, die Mikaels Worte in ihr ausgelöst hatten. Dann ging sie einen Schritt auf Eberwolf zu.

»Nein!«, rief Mikael entsetzt und hielt sie auf.

Überrascht blieb Eloisa stehen.

Eberwolf sah Mikael an und ballte die Fäuste. »Muss ich deutlicher werden, Ziegendreck?«

Mikael schüttelte den Kopf und sah zu Boden.

Eberwolf blieb stehen und starrte ihn grimmig an. Dann ging er weiter.

»Was hat er zu dir gesagt?«, fragte Eloisa.

Mikael zuckte mit den Achseln. »Ach, nichts.«

»Was machst du denn hier draußen, du Unglücksjunge?«, rief Agnete aus, die in dem Moment mit einem Bündel unterm Arm zurückgekehrt war. Sie packte Mikael am Arm und stieß ihn vor sich her. »Du musst tun, was ich sage, Junge! Immer!« Dann drehte sie sich zu Eloisa um. »Habt ihr beide denn nichts als Sägespäne im Kopf?«

Mikael machte Anstalten, in die Hütte zu gehen.

»Wohin willst du?«, hielt Agnete ihn auf.

»Nach drinnen . . .«, sagte Mikael leise.

»Und was soll das jetzt noch nützen? Inzwischen haben dich alle gesehen.« Agnete war außer sich. »Jetzt werde ich sie bitten müssen, den Wachen nicht zu verraten, dass du hier bist. Und wir werden uns auf sie verlassen müssen, du dummes, dummes Kind.« Ihre Stimme klang hart, um ihre Sorge zu verbergen. Sie schüttelte den Kopf und fluchte weiter aufgebracht vor sich hin. »Zieh dich aus«, sagte sie schließlich.

Eloisa kicherte.

Mikael sah sich um. Es waren bereits Dorfbewohner unterwegs zu den Feldern. »Hier?«, fragte er. »Warum?«

»Weil du nach Scheiße stinkst«, sagte Agnete und zeigte ihm das Bündel, das sie mitgebracht hatte. Darin waren saubere Kleider. »Ich habe sie von Margit. Ihrem Sohn sind sie zu klein geworden. Solange du hier bist, wirst du diese Kleider tragen.«

Mikael sah sich abermals um. »Kann ich mich nicht drinnen umziehen?«

»Nein, sonst verdreckst du mir die ganze Hütte«, erwiderte Agnete. »Was schämst du dich denn? Die wollenen Hosen kannst du ja anbehalten.«

Zögerlich legte Mikael seine Kleidung ab.

Eloisa lachte. Aber als Mikael schließlich mit nacktem Oberkörper dastand, wurde sie plötzlich ernst und betrachtete seinen Körper.

»Du bist stark geworden«, sagte Agnete verwundert und auch ein wenig stolz. »Die anderen haben damals gesagt, dass du Muskeln wie ein Eichhörnchen hättest. Aber jetzt wirkst du eher wie ein Wolfswelpe.«

Mikael wurde rot und vermied es, Eloisa anzusehen.

»Woher hast du das denn?«, fragte Agnete und zeigte auf die blauen Flecken auf seinem Bauch und Rücken.

»Ich bin hingefallen«, antwortete Mikael.

»Ojsternig?«, fragte Agnete.

Mikael schüttelte den Kopf.

»Einer seiner Diener?«

Wieder verneinte Mikael stumm.

»Dann ist es nicht schwer zu erraten, über wen du gestolpert bist. Da bleibt nur noch einer übrig.«

»Elderstoff?«, fragte Eloisa, während der Zorn schon wieder in ihr hochkochte.

Mikael antwortete nicht, sondern schlüpfte schnell in die sauberen Sachen.

»Ich hasse ihn!«, rief Eloisa. »Nächstes Mal ...«

»Nein!«, unterbrach Mikael sie mit angsterfüllten Augen. Er sah sie eindringlich an, dann sagte er: »Nimm mich nicht mehr in Schutz!«

»Hat er dich deswegen verprügelt?« Agnete drehte sich zu ihrer Tochter um und warf ihr einen strengen Blick zu. »Was habe ich dir gesagt?«

Erschrocken schaute Eloisa zu Boden.

Agnete schnappte sich eine harte Reisigbürste, die sie ihrer Tochter am liebsten an den Kopf geworfen hätte. »Da. Klopf den Dreck aus den Kleidern«, befahl sie ihr.

Eloisa schoss die Zornesröte ins Gesicht, während Mikael seine schmutzigen Sachen aufhob. »Gib schon her«, fauchte sie und riss sie ihm fast aus den Händen. Dann verschwand sie damit schnell hinter der Hütte.

Als ihre Wut verflogen war und sie die Kleider ausgebürstet hatte, kehrte sie zurück, ging zu Mikael und versprach ihm leise, sodass Agnete sie nicht hören konnte: »Ich werde nichts mehr zu ihm sagen.«

Mikael trat unbeholfen auf der Stelle und wusste nicht, was er darauf erwidern sollte. Er überlegte, dass er hätte sagen können: »Jetzt stinkst aber du nach Scheiße.« Und vielleicht hätten sie zusammen darüber gelacht. Aber ihm war nicht nach Scherzen zumute, daher schwieg er. Verlegen drehte er sich zu den Feldern um, die die Dorfbewohner dem Berg abgetrotzt hatten. Die Felder, die der Berg ihnen geschenkt hatte. Wo die Trockenmauern allmählich verschwanden, wie von Ojsternigs Ungerechtigkeit ausgelöscht. Immer wieder fuhren Ochsenkarren vollbeladen mit Steinen zu den Ruinen der Burg.

Erst da bemerkte er eine junge Frau mit zerzaustem Haar, die mit langen Schritten eines der Felder auszumessen schien.

»Sie ist verrückt geworden«, sagte Eloisa hinter ihm.

»Wer ist das?«, fragte Mikael und drehte sich zu ihr um.

»Emöke.«

Mikael sah wieder zu der Frau hinüber. Noch so eine ungerechte Tat von Ojsternig, der ihre Ehe annulliert hatte.

»Das macht sie den ganzen Tag«, erzählte Eloisa weiter. »Immer wieder geht sie das Feld rauf und runter, das wir für Gregor und sie vorbereitet hatten.«

»Und er?«

»Männer sind Feiglinge«, antwortete Eloisa voller Verachtung. »Er sieht sie nicht einmal mehr an, seit Ojsternig ihm gedroht hat.« Sie schüttelte den Kopf. »Am Abend geht sie zu Gregors Haus, wo auch sie hätte leben sollen, und ruft verzweifelt nach ihm. Aber er antwortet ihr nicht. Und nach einer Weile kommt dann Gregors Mutter heraus und jagt sie davon.«

Mikael schämte sich so sehr, dass sich ihm der Magen zusammenzog. Als wehre er sich dagegen, selbst so ein Mann zu sein.

Er begleitete Agnete und Eloisa zu den Feldern und half den Bauern beim Aufladen der Steine. Alle Augen waren auf ihn gerichtet, aber keiner sprach ihn an.

Nur Eberwolf ging zu ihm hin und beleidigte ihn. Dann drehte der kräftige Junge sich zu Eloisa um. Als er sah, dass sie keine Anstalten machte einzugreifen, grinste er. »Du bist weniger blöd, als du aussiehst, Ziegendreck«, sagte er und trat so fest nach ihm, dass Mikael hinfiel. »Ich bin dein Herr, Ziegendreck«, grinste er und ging.

Weiter geschah nichts mehr an diesem Tag, außer dass ein Soldat von der Garnison kam, der ein Fass Bier auf sein Maultier lud und sich dabei leise mit Vater Timotej unterhielt.

Am Abend nach der Messe blieben die Leute noch vor der Kapelle Maria zum Schnee stehen. Sie wirkten aufgebracht, anscheinend hatte der Soldat beunruhigende Neuigkeiten erzählt. Aber keiner wagte, darüber zu reden.

»Dann stimmt es also?«, fragte Agnete den Pfarrer. »Die Rebellen haben die nördliche Abzweigung der Mine von Dravocnik zum Einsturz gebracht?«

»Ja, so erzählt man sich«, sagte Vater Timotej kopfschüttelnd.

»Und der Fürst von Ojsternig hat drei Galgen errichten lassen«, murmelte Luitbert, der Müller.

»Und er hat damit begonnen, Unschuldige hinzurichten«, fügte seine Frau hinzu. »Auch eine Frau.«

»Vielleicht ist es besser, am Galgen zu sterben als vor Erschöpfung«, sagte Agnete.

»Vielleicht wäre es besser, jedem selbst zu überlassen, wie er leben und sterben möchte«, erwiderte Ljuba, der Bierbrauer, und strich sich über den langen roten Bart.

Agnete stemmte die Hände in die Seiten. »Du erzählst ja einen schönen Unsinn. Wenn jeder sein Schicksal selbst wählen könnte, gäbe es keine Rebellen, denn dann wären wir alle frei.«

»Pass auf, was du sagst«, ermahnte Vater Timotej sie erschrocken.

»Was ich sagen wollte, ist . . .«, protestierte Ljuba.

»Ich weiß, was du sagen wolltest«, unterbrach Agnete ihn. »Dass einige Hunde ganz gern an der Kette liegen.«

Ljuba war kein mutiger Mann. Beschämt senkte er den Blick. Und viele andere taten es ihm gleich.

»Was er eigentlich gemeint hat, war, dass es Hunde gibt, die ihre Nase so hoch tragen, dass sie am Ende selbst meinen, sie wären Wölfe«, mischte sich nun auch die alte Alina ein und fuchtelte dabei mit ihren von der Spindel verkrümmten Fingern durch die Luft. »Ein Hund wird niemals ein Wolf werden. Ein Wolf ist frei geboren und kann nicht gezähmt werden. Der Hund dagegen ist dazu geboren, dem Menschen zu dienen. Jeder muss an seinem Platz bleiben.«

»Dann sind also bloß die Fürsten Menschen und wir nichts anderes als Hunde?«, fragte Agnete. »Willst du das damit sagen?«

»Wir sind nicht alle Hunde«, erwiderte Alina. »Einige sind auch dumme Kühe ...«

Die Leute lachten. Doch die Atmosphäre blieb weiter angespannt.

»Lasst das Gerede«, sagte Vater Timotej. »Es ist gefährlich. Und es ist auch nicht gut, über die Rebellen zu sprechen ... außer um zu sagen, dass es gemeine Verbrecher sind.«

Agnete funkelte den Pfarrer wütend an, aber sie hielt sich zurück. Sie stieß Mikael und Eloisa an: »Los, gehen wir nach Hause.«

Mit zornigen Schritten eilte sie zur Hütte, während die beiden ihr stumm folgten.

An der Tür fragte Mikael: »Wer sind die Rebellen?«

»Bist du taub? Hast du nicht gehört, was die Leute eben gesagt haben? Man soll nicht über die Rebellen sprechen!«, antwortete Agnete ihm barsch und verschwand in ihrer Hütte. »Anstatt hier weiter Maulaffen feilzuhalten, macht lieber noch etwas Holz klein!«, zeterte sie von drinnen.

Mikael und Eloisa gingen hinter die Hütte, legten einen langen Buchenstamm auf den Block und begannen zu sägen.

»Einmal hat meine Mutter mit dem alten Raphael über die Rebellen gesprochen«, sagte Eloisa, »und sie haben gesagt, das sind Männer ... Männer, die ... nachts die Sonne finden.«

Mikael zog eine Augenbraue hoch. »Was soll das heißen?«

»Ich habe keine Ahnung«, antwortete Eloisa achselzuckend.

Keuchend vor Anstrengung sägten sie den ersten Holzklotz herunter.

»Ist das etwas Gutes?«, fragte Mikael, als der Klotz zu Boden fiel.

»Was?«

»Na ja, nachts die Sonne zu finden.«

»Woher soll ich das wissen?«

Sie sägten noch zwei weitere Klötze ab.

»Ich glaube, wenn jemand in der Nacht die Sonne finden könnte«, sagte Eloisa, »dann gäbe es keine Nacht mehr.«

Mikael sah sie schweigend an.

»Es gäbe keine Dunkelheit mehr.«

»Also ist es etwas Gutes, oder nicht?«, sagte er schließlich.

»Arbeiten wir lieber weiter, sonst schimpft meine Mutter«, erwiderte Eloisa.

Dann sprachen sie nicht mehr, bis der ganze Stamm in zwei Ellen lange Stücke zersägt war. Sie sammelten diese auf und stapelten sie auf die anderen Holzscheite unter dem Schutzdach.

Schließlich sagte Eloisa zu Mikael: »Warte.« Sie bürstete ihm die Sägespäne mit einem Tannenzweig ab. Ehe sie in die Hütte gingen, sagte sie: »Ja, ich denke, es ist etwas Gutes. Aber ich habe begriffen, dass man das nicht laut sagen darf.«

Später am Abend, als Eloisa und Agnete schon eingeschlafen waren, starrte Mikael noch lange ins Feuer, das die Stube wärmte und die Dunkelheit fernhielt. Wenn nun die Sonne scheinen würde, überlegte er, bräuchte man kein Feuer mehr. Und da beschloss er, dass auch er versuchen würde, nachts die Sonne zu finden, wenn er einmal groß war. Denn es war etwas Gutes. Auch wenn man es nicht laut sagen durfte.

Am nächsten Tag stand er in aller Frühe auf und ging zur Burg von Ojsternig. Dabei dachte er an das Mädchen aus Dravocnik, das ihn mit seinem sanften Kinderstimmchen gefragt hatte: »Wer bist du? Ein Rebell?«

27

Ehe Mikael die Hütte verließ, hatte er beim Frühstück noch etwas getrödelt. Erst als Agnete ihn gemahnt hatte, dass er gehen müsse, war er widerwillig aufgebrochen.

Nach ein paar Schritten hatte er sich umgedreht.

Agnete war schon wieder verschwunden, Eloisa dagegen stand immer noch in der Tür und schaute ihm hinterher. Ein unergründlicher Ausdruck lag auf ihrem Gesicht. Mikael war es so vorgekommen, als wäre zwischen ihnen ein Seil gespannt, das sie fest miteinander verband. Er hatte gehofft, dass das Seil lang genug wäre, um nie zu zerreißen, und ihr zugelächelt.

Während Eloisa ihn ansah, musste sie an die Haut der Prinzessin denken, die bestimmt ganz weiß war und duftete. Und sie spürte tief in ihrem Innern einen Schmerz, der sie verzehrte.

Dann war Mikael zu ihr zurückgerannt.

»Was gibt's?«, hatte Eloisa gefragt.

Doch Mikael hatte nur den Kopf geschüttelt und war fortgelaufen. Erst als er an der Ecke der Gasse angekommen war, hatte er sich noch einmal umgedreht und ihr mit schüchterner Miene traurig zugewinkt.

Eloisa hatte nicht zurückgewinkt. »Vielleicht ist die Prinzessin ja doch nicht so hübsch«, hatte sie sich gesagt. Dann hatte sie gelächelt, doch das konnte Mikael nicht mehr sehen.

Mikael war eine gute Meile bergan gelaufen. Die Holzpantinen taten ihm nicht mehr weh wie damals, als sie ihm die Füße aufgerissen hatten. Inzwischen hatte sich eine Hornhaut gebildet, wo seine Füße früher mit Blasen bedeckt waren. Er fühlte sich stark.

»Warte auf mich, Ziegendreck«, hörte er da auf einmal Eberwolf hinter sich, der ihn bei der letzten Kurve vor dem Anstieg zum Mezesnig eingeholt hatte. »Ich komme mit dir zur Burg.«

Mikael hoffte stumm, dass er ihm nicht die Brotscheiben abnehmen würde, die Agnete ihm als Wegzehrung mitgegeben hatte.

»Ist was? Hast du was dagegen?«, fragte Eberwolf ihn.

Aber Mikael hörte, dass seine Stimme nicht so aggressiv klang wie sonst. Er schüttelte den Kopf.

»Dann vorwärts, lauf schon«, trieb Eberwolf ihn an.

Mikael setzte sich wieder in Bewegung.

Eberwolf blieb an seiner Seite. »Ich werde nicht in unserem schäbigen Dorf verrotten wie mein Vater«, sagte er nach einer Weile.

Mikael lief schweigend weiter.

»Ich werde eine Arbeit finden, die mich von der Leibeigenschaft befreit«, fuhr Eberwolf fort.

Mikael blieb stehen und starrte ihn erstaunt an.

»Was schaust du so, Ziegendreck?«, fragte Eberwolf.

Mikael zog den Kopf ein und lief wieder los.

»Wenn ein Leibeigener es schafft, länger als ein Jahr in einer Stadt zu bleiben, dann ist er frei«, erklärte der kräftige Junge, der wegen des steilen Anstiegs außer Atem kam. »Wusstest du das nicht?«

Mikael schüttelte den Kopf.

»Du weißt eben gar nichts«, sagte Eberwolf grinsend. »Wozu taugst du eigentlich, Ziegendreck?«

Als sie am Fuß der Böschung angelangt waren, blieb Mikael stehen. »Ich werde hier langgehen«, sagte er und zeigte nach oben.

Eberwolf sah verkniffen auf den steilen, steinigen Anstieg. »Du gehst dort lang, wo ich es sage«, knurrte er grimmig.

Mikael blickte auf den Weg, der an der Flanke des Mezesnig in sanften Kurven zum Pass hinaufführte. »Dort sind Wachen.«

Daran hatte Eberwolf offenbar nicht gedacht, denn er wirkte nun ein wenig ratlos.

»Wenn wir diesen Weg nehmen, umgehen wir sie, und sie sehen uns nicht«, erklärte Mikael.

»Das weiß ich selbst, Ziegendreck«, log Eberwolf.

Mikael blieb stehen.

»Meinst du, du bist etwas Besseres als ich?«, fragte Eberwolf.

»Nein ...«

»Du taugst doch zu gar nichts«, fuhr Eberwolf ihn an. »Ich kann dir alle Knochen brechen, das weißt du doch, oder?«

Mikael antwortete nicht. Er starrte nur weiter auf die Böschung.

»Jetzt lauf schon, du Weichling«, sagte Eberwolf und schob ihn vorwärts.

Mikael begann zu klettern.

Eberwolf hatte Mühe, ihm zu folgen. »Lauf langsamer, verdammt, Ziegendreck«, keuchte er völlig außer Atem.

Mikael hörte nicht auf ihn. Ihm wurde klar, dass er wesentlich schneller war als der stämmige Junge. Er hätte ihn leicht abhängen können.

Doch Eberwolf packte ihn an der Jacke. Er keuchte mit offenem Mund, sein Gesicht war von der Anstrengung verzerrt, und ein Speichelfaden lief ihm über das kräftige Kinn, auf dem der erste Bart spross. Er wartete, bis sein Atem wieder regelmäßig ging, dann hob er einen spitzen weißen Stein auf, der genau die richtige Größe hatte, um ihn zwischen Zeigefinger, Mittelfinger und Daumen zu halten. »Schau genau hin«, sagte er. Er wies auf eine junge Buche, die fast zwanzig Schritt entfernt stand, und zielte mit dem Stein darauf. Der Stein prallte mit einem dumpfen Klang gegen den Baumstamm und riss die Rinde auf. Eberwolf drehte sich zu Mikael um. »Geh ja langsam«, drohte er ihm. »Wenn ich dich am Kopf treffe, bist du tot.« Zufrieden grinsend starrte er ihn an. »So erlege ich Kaninchen.«

Mikael sah zu der Stelle, wo die Rinde vom Stein aufgerissen worden war.

»Und jetzt lauf weiter«, sagte Eberwolf. »Und zwar langsam.«

Um die Mittagszeit sahen sie Dravocnik vor sich liegen.

Aus der Art, wie sich Eberwolf umsah, Augen und Mund weit aufgerissen, begriff Mikael, dass der andere Junge noch nie hier gewesen war. Wahrscheinlich kam die Bergarbeitersiedlung ihm riesig vor im Vergleich zu dem kleinen Dorf im Raühnval, in dem er aufgewachsen war und das er wohl niemals verlassen hatte.

Während sie zwischen den heruntergekommenen Häusern vorwärtsliefen, kamen die Männer und Frauen, die keine Arbeit hatten, an die windschiefen Türen. Schmerzen und Schwäche ließen sie teilnahmslos vor sich hin starren.

Eberwolf beäugte sie misstrauisch, wie ein rauflustiger Hund. Er hatte die Brust herausgedrückt und holte weit aus beim Laufen, um stark zu wirken.

Doch kaum hatten sie den Burghof betreten, bemerkte Mikael, dass Eberwolf nicht mehr so großspurig wirkte. Der überhebliche Ausdruck auf seinem Gesicht war verschwunden, er hatte den Kopf eingezogen und wich den Blicken der Soldaten aus.

Er hat Angst, dachte Mikael verblüfft.

»Na, und jetzt?«, fragte Eberwolf.

Mikael zuckte mit den Achseln. Er begriff nicht, was der andere wollte.

»Was arbeitest du hier?«, bohrte Eberwolf nach.

Mikael sah sich um und entdeckte Bassiano, der ihn mit der Schaufel in der Hand dümmlich grinsend anstrahlte.

»Ich gg-grüü-ße dich, Mi-kk-ka-el«, schrie der Junge aufgeregt und rannte ihm entgegen.

Eberwolf musterte ihn verächtlich. Dann wandte er sich an Mikael. »Wer ist dieser Trottel?«

Bassiano hatte sie inzwischen erreicht und hielt Mikael die Schaufel hin.

Mikael lächelte ihn verlegen an und nahm sie ihm ab. »Ich schaufle den Dreck weg«, sagte er zu Eberwolf.

»Ziegendreck schaufelt Scheiße weg!« Eberwolf lachte schallend und schlug ihn ins Gesicht.

»Nn-nein!«, rief Bassiano. »Bb-bass-siano und Mi-kk-ka-el Ff-freun-dd-de.«

Eberwolf sah ihn böse an.

»Ww-wie hh-heißt du?«, fragte Bassiano.

»Scher dich um deinen eigenen Dreck, du Trottel.«

»Ich ss-sein kk-kein Tt-tro-tt-tel«, sagte Bassiano.

»Hau ab«, fuhr Eberwolf ihn verächtlich an.

»Ich ss-sein kk-kein Tt-tro-tt-tel«, wiederholte Bassiano.

Eberwolf stieß ihn so grob zurück, dass er nach hinten fiel.

Bassiano, dessen Hände tief im Morast des Burghofs versanken, schaute scheu zu Mikael, als erwartete er Hilfe von ihm.

»Der Trottel bist du«, sagte Mikael daraufhin mit bebender Stimme zu Eberwolf.

Eberwolf drehte sich zunächst überrascht um. Dann packte ihn blinde Wut und er hieb Mikael so fest mit der Faust in den Bauch, dass dieser sich vor Schmerz zusammenkrümmte.

Bassiano fing an zu weinen.

Die Diener, die diese Szene beobachtet hatten, unterbrachen ihre Arbeit. Einige Handwerker ließen ihr Werkzeug fallen und traten vor ihre Werkstätten. Die Frau mit dem von Pockennarben verunstalteten Gesicht kam herbeigelaufen, um ihrem Sohn zu helfen. Sie starrte Eberwolf hasserfüllt an, traute sich aber nicht, etwas zu sagen.

In dem Moment sprengte eine Reiterschar in den Hof, angeführt von Ojsternig, der blutüberströmt und mit Erde bedeckt war. Er führte ein Maultier am Zügel, auf dessen Rücken die blutigen Kadaver von einem Hirsch, einem Reh und zwei Wildschweinen festgemacht waren.

»Was geht hier vor?«, fragte er, als er sah, dass sich eine Menschenmenge um Mikael geschart hatte, der immer noch zusammengekrümmt dastand.

Diener und Handwerker sahen schweigend zu Boden.

Ojsternig saß ab und näherte sich Mikael. »Was geht hier vor?«, wiederholte er.

Mikael wechselte einen schnellen Blick mit Eberwolf, dann antwortete er: »Nichts.«

Ojsternig musterte Eberwolf. Dann tastete er dessen kräftige Muskeln ab wie bei einem Pferd.

Eberwolf zitterte vor Angst.

»Ich weiß, wer du bist«, sagte Ojsternig.

Eberwolf warf sich auf die Knie. »Habt Erbarmen, Herr«, jammerte er.

»Steh auf«, fuhr Ojsternig ihn an. Als Eberwolf wieder auf den Beinen war, starrte der Fürst ihn undurchdringlich an und kam dabei mit dem Gesicht so nah an ihn heran, dass er ihn hätte beißen können. »Ich weiß, wer du bist«, wiederholte er. »Du bist ein Angeber. Und ein Feigling.« Dann zeigte er auf Mikael. »Hast du ihn geschlagen?«

Eberwolf sah sich angsterfüllt um.

Ojsternig ohrfeigte ihn. »Schau mich an! Antworte!«

»Ja ... Euer Durchlaucht ...«

»Was hat er dir getan? Antworte mir sofort, oder ich lass dir die Zunge herausschneiden. Ich habe keine Geduld.«

»Er hat sich eingemischt ... und mich beleidigt ...«, stammelte Eberwolf.

Ojsternig nickte nachdenklich. »Also hat er deine Hungerleiderehre beleidigt?«

Die Soldaten, die das Geschehen beobachteten, lachten höhnisch.

Ojsternig schaute zu ihnen. »Ein Floh, der sich erlaubt, ein großes, fettes Schwein zu beleidigen. Unerhört!«, rief er übertrieben aus. »Man sollte ihm erlauben, sich von dieser schrecklichen Schmach reinzuwaschen, meint ihr nicht auch?«

Die Soldaten wussten zwar nicht, was er vorhatte, aber sie antworteten einstimmig: »Ja!«

»Dann wasch deine Ehre rein, du Schwein!«, forderte Ojsternig Eberwolf auf. Er bedeutete seinen Männern, sich im Kreis aufzustellen. Dann zeigte er auf Mikael. »Das hier heißt unter Rittern ›Gottesurteil‹. Dabei spielt es keine Rolle, wer der Stärkere ist. Wenn die Gerechtigkeit auf deiner Seite ist, wirst du gewinnen, Dreckschaufler. Und jetzt kämpf. David gegen Goliath! Der Floh gegen das Schwein!« Er sah Eberwolf an. »Kämpf!« Dann trat er mit finsterem Blick beiseite. Er ließ Mikael keinen Moment aus den Augen.

Eberwolf rührte sich nicht.

»Wenn du nicht um deine Schweineehre kämpfst«, sagte Ojsternig und grinste ihn an, »lasse ich dich zu Tode peitschen.«

Eberwolf tat einen zögernden Schritt auf Mikael zu, hob eine Faust und schlug ihn ins Gesicht.

Die Soldaten feuerten ihn an wie bei einem Hundekampf.

Mikael fiel nach hinten.

»Steh auf und kämpf!«, schrie Ojsternig.

Mikael rappelte sich auf die Knie auf. Nur wenige Schritte von sich entfernt sah er Agomar. Da hatte er wieder seinen Vater vor Augen, kurz bevor Agomar ihm den Kopf abgeschlagen hatte. Er blickte den Mann an, der jetzt lachte. Dann wandte Mikael sich zu Ojsternig um. Dieser lachte nicht, aber seine Augen funkelten grausam. Mikael dachte an seine Mutter, die sich erdolcht hatte. Und an seine kleine, blutüberströmte Schwester. Er spürte, wie der Hass in seinem Herzen übermächtig wurde, und stieß einen lauten Schrei aus. Dann stand er auf und ging unter dem Beifall der Soldaten mit gesenktem Kopf auf seinen Gegner los.

Eberwolf trat zur Seite und stellte ihm ein Bein.

Mikael fiel zu Boden. Als er sich wieder erhob, war sein Gesicht dreckverschmiert, aber er stürzte sich erneut schreiend auf Eberwolf.

Die Soldaten feuerten Mikael an, obwohl kaum Hoffnung bestand, dass er gewinnen würde.

Eberwolf begegnete seinem Angriff mit einem Fausthieb mitten in die Brust.

Keuchend wich Mikael zurück. Er schwankte. Doch als er zu Ojsternig sah, spürte er, wie sein Hass wuchs.

Ojsternig beobachtete gebannt, wie Eberwolf Mikael einen Schlag gegen die Schläfe versetzte.

Der fiel hin und stand sofort wieder auf, als wäre der Boden brennend heiß. Er empfand keinen Schmerz. Mit zusammengebissenen Zähnen schrie er, so laut er konnte und stürzte sich dann erneut in den Kampf.

Eberwolf schlug ihn in den Rücken, doch Mikael ließ nicht von ihm ab, obwohl seine Beine einknickten. Er bohrte seine Zähne in Eberwolfs Schenkel, mit der ganzen Wut, die er fühlte. Er spürte, wie der Stoff der Hose zerriss und dann die Haut nachgab.

Eberwolf schrie und hieb wie besessen auf seinen Kopf ein.

Doch Mikael gab nicht nach, sondern presste die Kiefer weiter zusammen.

Als es Eberwolf endlich gelang, Mikael abzuschütteln, riss er ihn hoch und schleuderte ihn brutal zu Boden. Dann hob er einen Fuß, um ihn in die Brust zu treten.

»Es reicht!«, ging Ojsternig dazwischen.

Eberwolf hielt bebend vor Wut inne. Blut rann an seinem Schenkel herunter.

Mikael lag reglos am Boden.

»Du hast verloren«, sagte Ojsternig zu ihm und starrte mit einem befriedigten Grinsen in sein angeschwollenes Gesicht.

»Das ›Gottesurteil‹ hat entschieden, dass du unrecht hattest.«
Dann wandte er sich Eberwolf zu, und seine Züge verhärteten
sich.

Eberwolf zitterte vor Angst.

»Geh wieder an deine Arbeit«, sagte Ojsternig. »Was machst
du?«

»Ich bin . . . der Knecht vom Schmied«, log Eberwolf.

»Das stimmt nicht!«, rief der Schmied und trat vor.

Ojsternig musterte Eberwolf voller Verachtung. »Du hast
einen Charakter, der zu nichts taugt. Du bist hinterhältig und
gemein. Daher kannst du in deinem Leben bloß ein Knecht
oder ein Verräter sein.« Er sah zum Fleischer hinüber. »Du hast
von nun an einen neuen Knecht. Lass ihn im Blut leben, da es
ihm anscheinend so gefällt. Und lass ihn auch im Blut schlafen,
er soll die frisch geschlachteten Tiere bewachen.« Dann wandte
er sich wieder an Eberwolf und zeigte auf Mikael. »Wenn du ihn
noch einmal mit dem kleinen Finger anrührst, lass ich dich aufknüpfen. Der da gehört mir. Sein Leben gehört mir.« Schließlich ging er ganz langsam auf Mikael zu. Er setzte sich neben
ihn, ohne sich um den stinkenden Schlamm zu kümmern, und
starrte ihn an.

Mikaels Augen funkelten vor Hass. Einem Hass, der stärker
war als seine Schmerzen.

Ojsternig lächelte ihn fast dankbar an. »Und du, schaufel
weiter Dreck weg«, sagte er und strich zufrieden über die Platz-
wunde an Mikaels Schläfe.

Auf dem Weg zum Palas sagte er zu Agomar: »Wir sollten
öfter Wettkämpfe mit Welpen veranstalten. Sie sind wesentlich
vergnüglicher als Hahnenkämpfe.«

28

An dem Abend war Ojsternig so erfüllt von dem Hass, den er aus den Augen des Jungen gesaugt hatte, dass er nicht das Bedürfnis verspürte, seine Tochter in seine Gemächer zu rufen. Er war so befriedigt von dem Schmutz, mit dem er sich besudelt hatte, indem er ein Kind gegen einen Riesen hatte kämpfen lassen, dass er sich erlaubte, allein zu bleiben, ohne Angst, von der eigenen Schwäche überwältigt zu werden.

Er lag zufrieden auf seinem Bett und durchlebte noch einmal die einzelnen Phasen des so ungleichen Kampfes. Dieser Junge erstaunte ihn. Er hatte ihm gesagt, dass er verloren hatte. Und so war es ja auch. Doch die Wut und die Entschlossenheit, mit der der Junge sich an den Gegner geklammert und seinen Schlägen widerstanden hatte, während er seine Zähne in dessen Bein vergrub, hatten ihn für Ojsternig zumindest zum moralischen Sieger des Kampfes gemacht.

Der Fürst ergriff das Messer, das er immer unter dem Daunenkissen verbarg, schob sein Gewand nach oben und setzte die Spitze der Klinge auf den Schenkel. Dann drückte er sie langsam nach unten, immer tiefer, so wie die Zähne des Jungen sich in das Bein des anderen Jungen gegraben hatten. Er spürte, wie die Haut nachgab. Wie die Klinge sich ins Fleisch bohrte. Er stöhnte wie vor Wollust und sah gebannt auf das Blut, das hervorquoll und die Felldecke befleckte.

»Ich spüre dich, Dreckschaufler«, flüsterte er.

Dieser kleine Leibeigene hatte etwas Besonderes an sich. Sein Hass war besonders.

Er hatte eine außergewöhnliche Kraft.

Ojsternig bohrte die Messerspitze noch tiefer und keuchte.

Der Junge hatte die ungewöhnliche Gabe, ihn etwas spüren zu lassen.

»Ich spüre dich, Dreckschaufler«, wiederholte er lächelnd.

Wäre der Junge kein einfacher Leibeigener gewesen, hätte er ein stolzer Krieger werden können. Treu und zuverlässig. Ein Hauptmann.

Während die Kerze der Laterne allmählich erlosch und die Wunde in seinem Schenkel zu pochen begann, rief Ojsternig sich den Blick des Jungen am Ende des Kampfes in Erinnerung. Diesen Stolz, den kein Bauer ihm jemals zuvor gezeigt hatte. Selbst die Rebellen, die er aufgriff, hatten immer eine gewisse Unterwürfigkeit in ihren Augen. Auch wenn sie ihn verfluchten und ihm ihren Hass entgegenschrien, war immer dieser Schleier der Angst zu erkennen von jemandem, der als Knecht geboren und sich seiner eigenen Unterlegenheit bewusst war. Dieser Junge dagegen zeigte nichts von alledem.

Ojsternig lächelte erneut und schloss die Augen.

Und dann dachte er an seine verstorbene Frau, den einzigen Menschen vor diesem Jungen, der ihm einen solchen Gefühls-kitzel verschafft hatte.

Lukrécia hatte sinnliche, kirschrote Lippen gehabt und einen Herzmund, genau wie ihre Tochter. Doch sie war wesentlich schöner gewesen. Von einer Schönheit, die ihm ein Ziehen in den Lenden verursacht hatte, als er sie zum ersten Mal am Hof Wenzels des Faulen sah, des damaligen *Rex Romanorum*, wo er sich als rechtmäßiger Erbe bestätigen lassen wollte.

Lukrécia war niederer Abkunft. Ihr Vater war ein einfacher Ritter gewesen und hatte der Tochter weder Mitgift noch Geld hinterlassen. Die Mutter war mit einem Kaufmann durchge-brannt und hatte die Tochter am königlichen Hof zurückgelas-sen. Schließlich hatte die Frau eines Barons sie aus Mitleid zu sich genommen. Denn obwohl das Mädchen so schön war, hätte kein Adliger es geheiratet, und ohne einen Beschützer bei Hof hätte jeder ihre Situation ausnutzen können. So war Lukrécia die Kammerzofe der Baronin geworden. Sie wusch sie und kleidete sie an wie jede gewöhnliche Dienerin.

Ojsternig hatte sie in den Fluren des kaiserlichen Hofs bemerkt und auf einmal Lust verspürt, er, der sich zuvor niemals für Frauen interessiert hatte. Lukrécia war damals dreizehn. Ojsternig hatte ihr eine Hand auf den Mund gelegt, damit sie nicht schreien konnte, und sie in eine Nische im Gang gezerrt. Er hatte den schweren Vorhang vorgezogen, sie mit einem Faustschlag betäubt, ihre bereits in jenem zarten Alter wohlgerundeten Brüste aus dem Ausschnitt geholt und den Rock hochgeschoben. Und dann hatte er sie auf dem kalten Stein des kaiserlichen Palastes genommen. Mit einem wohligen Schauder hatte er den Widerstand ihres Jungfernhäutchens gespürt und wie es nachgab. Sie war noch unberührt gewesen. Und nachdem Ojsternig sie genommen hatte, wurde ihm bewusst, dass er sie immer noch begehrte. Er hatte gewartet, bis sein Verlangen zurückkehrte, während er Lukrécia ein Messer an die Kehle hielt, damit sie nicht weglief. Dann hatte er sie erneut genommen. Aber nach diesem abermaligen viehischen Besteigen hatte er begriffen, dass auch die zweite Vergewaltigung ihm nicht genügt hätte.

Und von da an wusste er, dass er sie ganz für sich haben wollte. Zu seinem Vergnügen.

Als der höfische Würdenträger die Entscheidung Wenzels des Faulen bekannt gegeben hatte, die ihn offiziell als rechtmäßigen Fürsten von Ojsternig bestätigte, ging er zur Baronin und hielt um Lukrécia an. Ojsternig erinnerte sich gern an jenen Tag in den Gemächern der Baronin. Lukrécia saß ein wenig abseits, ihre Wange war immer noch blau und geschwollen von dem Fausthieb, den er ihr verpasst hatte. Sie sah ihn voller Angst an. Die Baronin hatte ihn herablassend behandelt. Er war ja nur ein

Fürst aus den Bergen. Ein Minenfürst. Dennoch wusste die Baronin genau, dass kein anderer Adliger um Lukrécias Hand anhalten würde, und daher hatte sie in Ojsternigs Antrag eingewilligt.

Bereits am nächsten Tag saß Lukrécia neben ihm in der Kutsche, die ihn in sein Fürstentum bringen würde. Ojsternig hatte sie auch dort auf den harten Bänken genommen, vor den Augen seines Verwalters Arialdus von Tarvis.

Er wusste, dass er sie niemals geliebt hatte. Dazu war er nicht fähig. Lukrécia hatte jedoch seine Lust geweckt, und in den wenigen Augenblicken, die der Beischlaf dauerte, war Ojsternig fähig, etwas zu empfinden. Dieses Gefühl hatte ihn drei Jahre lang getrieben, Lukrécia immer wieder zu vergewaltigen, wenn es ihn danach verlangte.

Mit der Zeit jedoch verblühte Lucrécias Schönheit, und als sie ihm nach drei Jahren eine Tochter geboren hatte, starb sie im Wochenbett.

Von dem Tag an hatte keine andere Frau seine Sinne erregen können. Und so hatte er mit der Zeit dem Geschlechtsverkehr entsagt.

Das Kind wurde ebenfalls Lukrécia genannt. Und Ojsternig hatte ihr keinerlei Aufmerksamkeit geschenkt, bis er bemerkte, dass seine Tochter dieselben sinnlichen Lippen hatte wie ihre Mutter. Da war sie im selben Alter wie damals seine Frau. Aber wie bei einem guten Hund oder einem guten Pferd oder Schwert, sagte sich Ojsternig enttäuscht, war es schwer, einen Ersatz zu finden. Die Tochter war nur ein matter Abglanz der Mutter. Ein Geist.

An diesem Abend wusste Ojsternig, warum er an seine Frau gedacht hatte. Wegen dieses Jungen, der nach ihr der Einzige war, der in ihm einen Funken Gefühl auslöste. Und aus diesem Grund bohrte er weiter mit der Messerspitze in die Wunde am Schenkel und stellte sich dabei die scharfen Zähne des Jungen vor.

In der Nacht träumte Ojsternig von seiner verstorbenen Frau Lukrécia.

Ihre Wange war bläulich verfärbt wie an dem Tag, als er um ihre Hand angehalten hatte. Aber es war nicht dieser Tag, sondern der Tag der Niederkunft. Ojsternig stand über sie gebeugt, in der Hand das Messer, mit dem er Hirsche und anderes Wild ausweidete. Es war blutig. Und das Bett war kein Bett, sondern ein tiefer, undurchdringlicher Sumpf aus Blut, in dem ein kleines Wesen zu ertrinken drohte. Ojsternig packte es und zog aus dem Blut einen Säugling, einen Jungen, der nicht weinte, obwohl seine Wange verletzt war. Dann hob er ihn hoch in die Luft. Der Säugling sah ihn so ernst an wie ein Erwachsener, ohne den Blick abzuwenden. Und in seinen Augen stand purer Hass. »Dreckschaufler«, stammelte Ojsternig erschrocken, als er ihn erkannte.

Er erwachte schweißgebadet.

Noch ganz benommen wankte er an das Fenster seines Schlafgemachs und sah nach draußen. Dort entdeckte er Mikael mit geschwollenem Gesicht, der sich in die Hände spuckte, dann die Schaufel von einem Knecht gereicht bekam und sie in den Dreck stieß, genau wie irgendein Leibeigener. Aber es war etwas Besonderes an diesem Jungen.

Und plötzlich wurde Ojsternig klar, dass dieser Junge ihm Angst einflößte. Eine Angst, die jedoch wieder Gefühle in ihm wachrufen konnte. Obwohl ihm dieser leichte Kitzel gefiel, den er empfand, wenn er ihn quälte, fürchtete er sich vor der Vorstellung, lieben zu können oder gar Mitleid zu empfinden. Gefühle machten einen Menschen angreifbar.

Mit blinder Wut schlug er sich auf den verletzten Schenkel. Er schrie, bis seine Lungen brannten, und zerschlug alles, was sich in dem Zimmer befand. Dann ging er erschöpft ans Fenster zurück und blieb dort den ganzen Morgen über stehen, um Mikael zu beobachten, wie er ununterbrochen Unrat schaufelte.

Als die Glocke des Klosters zum Mittag läutete, kleidete er sich an, ging in den Großen Saal hinab und fragte Agomar: »Hast du nicht gesagt, dass gestern Abend eine der Huren gestorben ist?«

Agomar nickte.

»Los, versammle die Männer«, befahl Ojsternig. »Lass zehn Pferde und dazu meines satteln. Wir reiten ins Raühnval.«

Kaum eine Stunde später tauchte er mit seinem mächtigen Streitross plötzlich neben Mikael auf, packte ihn am Kragen und setzte ihn vor sich. Dann gab er seinem Pferd die Sporen und ließ es über zwei Meilen lang galoppieren, wobei er einen Bewohner von Dravocnik über den Haufen ritt, der nicht rechtzeitig ausgewichen war. Harro, der ihm folgte, stürzte sich vom Blutgeruch erregt auf den Mann und biss ihn.

Ojsternig und seine Männer erreichten das Raühnval, als die Leibeigenen noch bei der Arbeit waren.

Agomar ließ die Glocken der Kapelle Maria zum Schnee läuten, und als alle Einwohner versammelt waren, befahl er mit lauter Stimme: »Gebt Ruhe und lauscht Eurem Herrn.«

Ojsternig schleuderte Mikael zu Boden.

Eloisa unterdrückte ein Stöhnen, als sie sein geschwollenes Gesicht sah.

Mikael versuchte, ihr zuzulächeln, aber es war zu schmerzhaft, sodass sich sein Gesicht nur zu einer Grimasse verzog.

Ojsternig richtete sich in den Steigbügeln auf. So war er mehr als zwei Mann hoch. »Ich hatte euch einen Monat gegeben, um die Steine von den unrechtmäßig genutzten Feldern zur Burg zu schaffen«, sagte er finster. »Und ich sehe, dass ihr mir nicht gehorcht habt.«

Vater Timotej trat schüchtern vor. »Eure treuen Untertanen arbeiten hart, Euer Durchlaucht. Aber sie müssen auch die Felder bestellen. Wie sollen sie Euch sonst die Pacht bezahlen, wenn kein Weizen und kein Hafer wächst und wenn sie das Unkraut nicht jäten, das sich dort ausbreitet?«

Ojsternig blickte ihn stumm an. Dann richtete er seinen Blick wieder auf die Menge. »Hütet euch, sonst beschließe ich noch, dass ihr das Unkraut seid, das sich in meinem Fürstentum ausbreitet.«

»Euer Durchlaucht«, fuhr der Pfarrer mit gesenktem Haupt fort, »sie arbeiten jeden Tag, bis es dunkelt.«

Ojsternig lächelte grimmig. »Haben sie keine Laternen?«

Vater Timotej zögerte. Er breitete die Arme aus. »Doch, Euer Durchlaucht, aber ...«

»Dann werden sie sie benutzen«, unterbrach ihn Ojsternig. »Sie werden jeden Tag noch eine Stunde nach Sonnenuntergang arbeiten, bis alle Steine zur Burg geschafft sind.«

Vater Timotejs Blick ging zwischen Ojsternig und den Dorfbewohnern hin und her.

»Gibt es etwas, das du mir sagen willst, Pfaffe?«, fragte Ojsternig. »Willst du vielleicht meine Leibeigenen aufstacheln? Willst du, dass sie sich meinem Befehl widersetzen?«

Vater Timotej krümmte den Rücken und verharrte mit gesenktem Haupt, ohne etwas zu erwidern.

Ojsternig ließ den Blick über die Bauern schweifen. Dann bemerkte er eine verwirrte junge Frau, die am Rand eines der aufgelösten Felder auf und ab lief. Ihretwegen war er hier, obwohl sie nur eine unbedeutende Schachfigur in seinem Plan war. »Hol die da her«, befahl er Mikael.

Agomar sprang vor.

»Nein«, hielt Ojsternig ihn auf. »Ich habe ihn gemeint.«

Mikael starrte ihn an, wie es kein anderer tat. Auf seiner Wange hing noch verkrustetes Blut.

Ojsternig lief ein Schauder den Rücken hinab. Er presste eine Hand auf die Wunde an seinem Schenkel. Dann versetzte er Mikael einen Fußtritt. »Los, geh und hol sie!«

Mikael ging zum Feld und näherte sich der jungen Frau. »Komm, Emöke«, sagte er.

Emöke blieb kurz stehen. Sie sah durch ihn hindurch und lief dann sofort wieder an der Begrenzung des Feldes auf und ab, das für sie und Gregor bestimmt gewesen war.

Mikael nahm sie sanft an der Hand. »Komm bitte mit«, forderte er sie auf.

Emöke folgte ihm brav, bis sie vor Ojsternig standen.

»Du hast sie zu mir geführt«, sagte Ojsternig zu Mikael. »Vergiss das niemals. Das Schicksal dieser Frau liegt von nun an in deinen Händen. Und alles, was mit ihr geschieht, ist allein deine Schuld.«

Mikael verstand nicht, was diese Worte bedeuten sollten.

»Sie kommt mit uns«, sagte Ojsternig zu den Leuten und zeigte auf Emöke.

»Warum, Herr?«, fragte Vater Timotej stellvertretend für alle.

Ojsternig gab keine Antwort. Er winkte Agomar, der daraufhin Emöke packte und sie vor sich aufs Pferd setzte.

Die Frau ließ alles mit sich geschehen.

Gregor dagegen, der das Ganze beobachtet hatte, trat vorsichtig einen Schritt vor.

Ein Soldat zog sein Schwert und starrte ihn grimmig an.

Mikael sah, wie Gregors Augen sich mit Furcht und Schmerz füllten. Er würde es nicht wagen, sich zu widersetzen. Da begriff er, warum Eloisa gesagt hatte, dass alle Männer Feiglinge seien, und schämte sich für ihn.

»Eine unserer Huren ist gestern gestorben«, sagte Ojsternig und ließ den Pfarrer nicht aus dem Blick. »Wenn du ihr deinen Segen erteilen willst, dann komm und hol sie dir.«

Vater Timotej senkte den Kopf. »Ich kann nicht, Euer Durchlaucht. Ihr wisst, die Kirche verurteilt . . .«

»Das Mitleid der Kirche rührt mich stets aufs Neue«, unterbrach Ojsternig ihn verächtlich. »Dann, Pfaffe, wird die Hure mit dem Einverständnis deines Herrn in ein Massengrab geworfen.« Er gab den Soldaten das Zeichen zum Aufbruch. »Dieses schamlose Weib«, sagte er zu den Dorfbewohnern und deutete auf Emöke, »wird sie ersetzen.«

»Die Frau hat sich nichts zuschulden kommen lassen«, sagte Vater Timotej in einem letzten verzweifelten Versuch und näherte sich Ojsternig.

»Diese Frau hat das Gesetz gebrochen und ist mein Eigentum.«

»Die Schuld liegt allein bei mir!«, schrie Vater Timotej mit der Inbrunst eines Märtyrers und kam noch näher. »Bestraft mich!«

Ojsternig stieß ihn mit dem Fuß zurück. »Ja, vielleicht solltest du bezahlen. Aber du gibst keine gute Hure ab.« Er lachte, wendete das Pferd und gab ihm die Sporen. »Und du, lauf, Hase!«, befahl er Mikael.

Mikael sah kurz zu Eloisa, dann zog er die Holzpantinen aus und rannte den Pferden hinterher.

Bei einer großen, einsam stehenden Tanne zwei Meilen hinter der Brücke über die Uqua hielten die Soldaten an.

»Komm her!«, befahl Ojsternig Mikael.

Mikael gehorchte.

Ojsternigs Pferd scheute nervös, aber er hielt es im Zaum.

Inzwischen waren Agomar und seine Männer abgesessen. Agomar hatte zehn Grashalme gepflückt, zwei etwas kürzer als die anderen, und verbarg ein Ende von jedem in seiner Hand. Nacheinander zogen die Männer ein Los. Die beiden kürzeren bekamen Agomar und ein Soldat mit einer großen Narbe, die sich über sein erblindetes Auge zog. Zwei Männer packten Emöke, warfen sie zu Boden und hielten sie fest, nachdem sie ihre Bluse vorn über der Brust geöffnet und den Rock nach oben geschoben hatten.

Als Erstes war Agomar an der Reihe. Er legte sich mit heruntergelassenen Hosen auf Emöke und drang in sie ein, als wäre sie ein lebloser Gegenstand.

Mikael stockte das Blut. Er sah wieder die junge Frau vor sich, die Agomar damals in der Burg erst geschändet und dann umgebracht hatte.

»Bitte töte sie nicht!«, rief er.

Agomar drehte sich überrascht um. »Warum sollte ich sie töten?«, fragte er. »Dieses Weib wird bestes Schweinefleisch bekommen und mit Honig und Nelken gewürzten Wein.«

»Zumindest so lange, wie sie durchhält«, sagte Ojsternig lachend, während sich nun der Soldat mit der grässlichen Narbe erregt auf Emöke stürzte.

Emöke blickte verloren ins Leere und schien gar nicht zu bemerken, was mit ihr geschah.

Der Soldat lag keuchend auf ihr, während er sich zum Höhepunkt steigerte.

Mikael wandte sich ab und wollte gehen.

»Schau weiter hin«, befahl Ojsternig. »Schau, wozu du sie verurteilt hast, indem du sie zu mir geführt hast.«

Mikael spürte, wie ihm die Tränen in die Augen schossen, während er stumm den Kopf schüttelte.

Ojsternig starrte ihn an. Siehst du?, sagte er sich. Er ist schwach, weil er Mitleid empfindet. Er ist nichts Besonderes.

Der Soldat, der Emöke missbrauchte, stöhnte auf, sackte kurz über ihr zusammen und erhob sich dann. Er sah zu Mikael, der seinen Blick nicht von Emökes geschändeter Nacktheit abwenden durfte. »Willst du auch mal?«, fragte er.

Die Soldaten lachten.

Dann band Agomar Emöke am Stamm der Tanne fest und holte etwas Proviant aus den Satteltaschen.

Ojsternig setzte sich ein wenig abseits, ohne zu essen, und beobachtete weiterhin Mikael. »Hat dir die Vorstellung gefallen?«

Mikaels Blick ging ins Leere. Eine tiefe Übelkeit zog ihm den Magen zusammen. Er blieb stumm.

Agomar ging zu ihm. Er zog sein Schwert und berührte mit der Spitze Mikaels Brust. »Antworte Ihrer Durchlaucht«, befahl er.

Mikael sah auf die Waffe. Er musste daran denken, dass diese Klinge seinem Vater den Kopf abgeschlagen hatte. Wie benommen streckte er seine rechte Hand aus und packte sie.

»Lass los!«, drohte Agomar.

Mikael hörte ihn nicht. Er umklammerte die Waffe immer fester, während er in Gedanken noch einmal den Tod seines Vaters durchlebte.

»Ich habe gesagt, du sollst loslassen!«, schrie Agomar.

Mikael löste seinen Griff nicht.

Da zog Agomar ruckartig das Schwert heraus.

Mikael sah auf seine Hand. Die scharfe Klinge hatte zwei dünne Schnitte hinterlassen, die sogleich zu bluten begannen.

»Dein Pech, ich hatte dich gewarnt«, sagte Agomar.

Doch Mikael empfand keinen Schmerz. Er sah auf das Schwert und dachte, dass auf dieser Klinge jetzt sein Blut mit dem seines Vaters vermischt war.

»Antworte Ihrer Durchlaucht«, befahl Agomar erneut.

Mikael sah zu Ojsternig und schüttelte den Kopf. Nein, ihm hatte die Vorstellung nicht gefallen. Es hatte ihn angewidert.

»Brechen wir auf«, sagte Ojsternig und erhob sich.

»Halten sie denn lange durch?«, fragte Mikael.

»Wer?«, fragte Agomar zurück.

Mikael sah auf Emöke.

»Was, die Huren?« Agomar lachte. »Die kräftigsten halten schon mal drei Jahre lang.«

Mikael sah, dass Emökes Augen sich mit Tränen füllten. Aber er wusste nicht, ob sie lieber länger oder kürzer durchhalten wollte. Dann blickte er Ojsternig hasserfüllt an.

Der Fürst lächelte zufrieden. Aber gleich darauf fühlte er eine innere Unruhe. Eigentlich sollte er den Jungen wie eine Kakerlake zertreten. Und ihm wurde bewusst, wenn er es nicht tat, lag es nicht nur daran, dass er dessen ständigen Hass nähren wollte, der seine innere Eiseskälte besiegen und ihm Vergnügen bereiten konnte. Er zertrat ihn nicht, weil ein Teil von ihm noch etwas anderes für diesen dummen Leibeigenen empfand. Und dieses Gefühl war gefährlich, weil es ihn schwächte.

Er schlug Mikael kräftig auf die verletzte Wange.

»Verschwinde!«, schrie er ihn wütend an. »Ich will dich nicht um mich haben.«

Mikael wusste nicht, was er tun sollte. Die Wunde über dem Jochbein hatte sich wieder geöffnet, und das Blut lief warm über seine Wange.

»Verschwinde, habe ich gesagt! Geh in dein dreckiges Dorf zurück!«, schrie Ojsternig. Wütend schwang er sich in den Sattel und preschte davon.

Mikael blieb reglos stehen, bis die Erde nicht mehr unter den Hufen der davongaloppierenden Pferde bebte. Die Tränen in ihm drängten nach außen, aber er konnte nicht weinen.

Nach einer Weile raffte er sich auf und kehrte um.

Als er die ersten Häuser des Dorfes erreichte, war es fast dunkel.

Da hörte er den Schrei einer Frau.

Er sah Gregors Mutter, die vor ihrer Haustür zusammenbrach.

Mikael lief zu ihr hin.

Die Frau hatte den Mund zu einem stummen Schrei aufgerissen, doch sie vermochte keinen Laut von sich zu geben.

Mikael schaute ins Innere des Hauses und sah im Halbschatten einen Mann, der von einem Deckenbalken herabhing. Seine Zunge war violett verfärbt und geschwollen. Seine Augen waren weit aufgerissen und quollen fast aus den Höhlen.

Wie bei den Rebellen an den Galgen vor der Mine von Dravocnik.

»Gregor ...«, flüsterte Mikael.

Und plötzlich schossen all die Tränen, die er so lange in seinem Inneren zurückgehalten hatte, heraus wie ein reißender Sturzbach.

Er rannte fort und versteckte sich in einer Scheune am Dorfrand.

29

Die Sonne war kaum aufgegangen, als Mikael vorsichtig die Scheune verließ. Sein ganzer Körper schmerzte wegen der Schläge, die er im Kampf mit Eberwolf empfangen hatte, und wegen der schlaflosen Nacht in der Kälte.

Ein schrecklicher Gedanke hatte ihn wach gehalten.

Draußen nieselte es. Mikael fröstelte. Das Dorf schlief noch, die schlammigen Straßen waren menschenleer.

Mikael ging zu Gregors Haus. Immer noch bekam er diesen schrecklichen Gedanken nicht aus seinem Kopf.

Er hörte jemanden im Haus aufschluchzen. Darauf folgte ein Stöhnen, dann ein tieftrauriges, kraftloses »Nein!«.

Wenig später erschien Vater Timotej in der Tür und sagte nach innen gewandt: »Du weißt, dass ich ihn weder segnen noch in geweihter Erde bestatten darf.« Der Pfarrer klang aufrichtig betrübt. »Gregor hat sich gegen Gott versündigt. Die Kirche kann ihm keine Absolution erteilen. Doch der Allmächtige ist barmherzig und wird deinem Gregor die Flammen der Hölle gewiss erträglicher machen.«

Bei diesen Worten erschien die Frau wütend auf der Schwelle und stieß ihn gewaltsam hinaus. »Du sollst verflucht sein!«, schrie sie mit gebrochener Stimme. »Ich will dich hier nicht mehr sehen. Weder dich noch deinen Gott!«

»Sag so etwas nicht . . .«, erwiderte Vater Timotej bestürzt.

»Du sollst verflucht sein!«, schrie Gregors Mutter, deren Adern am Hals deutlich vortraten. »Exkommunizier mich doch! Lass mich als Hexe verbrennen! Oder vierteilen! Hack mir den Kopf ab! Das kann nicht schlimmer sein als das, was ich jetzt erleide!« Dann sank die Frau plötzlich zu Boden, an derselben Stelle, wo Mikael sie am Abend vorher gefunden hatte, und Schmerz und Kummer überdeckten jetzt die Wut. »Du sollst verflucht sein ...«, flüsterte sie erschöpft und sackte in sich zusammen. Während ihr Kopf nach vorne fiel, begegnete ihr Blick dem Mikaels. Flehentlich wie eine Bettlerin nahm sie seine Hände und flüsterte ihm zu: »Du hast ihn doch gesehen ...«

Mikael war kurz versucht, den Blick abzuwenden und wegzulaufen. Doch die verkrampften, zitternden Hände der Frau hielten ihn fest.

»Du hast ihn doch gesehen ...«, wiederholte die unglückselige Frau, lockerte den Griff und ließ den Kopf auf den Boden sinken, während Tränen über ihre Wangen strömten.

Mikael nickte, brachte jedoch kein Wort heraus. Langsam ging er auf die Hütte zu, die jetzt sein Heim war.

Eloisa entdeckte ihn als Erste. Sie lief ihm entgegen und begleitete ihn dann stumm nach Hause.

»Bist du wieder weggelaufen?«, fragte Agnete, als Mikael die Hütte betrat, und ihr war eine gewisse Angst anzumerken.

Mikael schüttelte den Kopf. Er wollte es erklären, doch seine Stimme gehorchte ihm nicht. Er erinnerte sich, wie Agnete zu Eloisa gesagt hatte, dass er schwieg, damit er nicht zerbrach. Und jetzt glaubte er zu verstehen, was sie damit gemeint hatte.

Agnete führte ihn zum Licht und untersuchte seine Wunden im Gesicht. Dann schüttelte sie liebevoll besorgt den Kopf. »Du wirst doch noch einer von uns«, sagte sie. »Aber wenn du so weitermachst, wirst du bald mehr einem dieser streunenden Hunde ähneln, die sich um die Abfälle prügeln.«

Mikael entwand sich ihrem Griff und schob sie von sich weg. Man kann auch an einer Umarmung zerbrechen, dachte er.

Agnete ließ sich nicht anmerken, ob sie gekränkt war, sondern holte ihre Salben und einen nassen Lumpen. Sie säuberte seine Wunden und strich Salbe darauf.

Mikael schob die Truhe beiseite und öffnete die Luke, die zu dem dunklen Loch hinabführte, in dem er sein neues Leben begonnen hatte.

»Wo willst du hin?«, fragte Eloisa, als sie ihn auf der schwankenden Leiter nach unten verschwinden sah.

Agnete packte sie am Arm und bedeutete ihr, ihn in Ruhe zu lassen.

Mikael schloss die Luke über sich.

»Was hat er?«, fragte Eloisa ihre Mutter.

»Gehen wir arbeiten«, sagte Agnete, ohne auf Eloisas Frage zu antworten.

»Was hat er denn nur, Mutter?«, beharrte Eloisa.

»Was er hat, du Närrin?«, fuhr Agnete auf, doch sie bemühte sich, leise zu sein. »Könntest du solch einen Schmerz aushalten? Und für ihn ist es noch schlimmer, zehn Mal so schlimm, weil er in einem Federbett geboren wurde. Gehen wir an die Arbeit.«

Als sie vor der Tür waren, sagte Eloisa: »Du hast ihn gern, Mutter.«

»Ja«, sagte Agnete leise, als würde sie sich in ihr Schicksal ergeben.

»Er wird nicht sterben«, erklärte Eloisa darauf, die die Sorge ihrer Mutter erriet. »Er wird nicht sterben. Er ist der Beste von uns allen, Mutter.«

Agnete standen Tränen in den Augen. Sie presste die Zähne aufeinander und ballte die Hände zu Fäusten. Dann raunzte sie ihre Tochter liebevoll an: »Na geh schon, du Närrin.«

Eloisa rannte in die Hütte zurück und kniete sich über die Luke. »Wir sehen uns heute Abend, Dummerjan«, flüsterte sie ihm durch die Bretter zu.

Als Agnete und Eloisa bei Sonnenuntergang zurückkamen, war die Luke noch geschlossen. Ohne ein Wort öffnete Agnete sie. Sie setzte eine Linsensuppe auf, tat zwei Schweineschwarten für sich und Eloisa hinein und eine dicke Scheibe Schinken für Mikael.

Eloisa beobachtete unruhig die Luke.

»Essen ist fertig«, sagte Agnete eine Stunde später gleichmütig. »Komm zu Tisch, Junge.«

Mikaels Hand ging zur Luke und schloss sie.

Eloisa blieb reglos auf der Truhe sitzen und starrte auf die geschlossene Falltür.

Agnete goss sich ein Glas Starkbier ein und aß allein. Als sie fertig war, streckte sie sich auf ihrem Strohlager aus.

Nach einer Weile kam Eloisa und legte sich neben sie.

»Ich will kein Wort hören«, befahl Agnete.

Eloisa drehte sich auf die Seite.

Trotzdem fand keine von ihnen Schlaf.

Am nächsten Morgen stellte Agnete eine Schale Linsensuppe mit dem gekochten Schinken neben die Luke. Sie öffnete sie und sagte hinein in das dunkle Loch: »Da steht dein Frühstück, Junge.« Dann zog sie Eloisa mit sich fort, und beide gingen an ihre Arbeit.

Abends sahen sie, dass die Luke noch immer geschlossen war. Mikael hatte die Schale mit dem Essen nicht angerührt. Zwei Mäuse nagten an der Scheibe Schinken. Agnete schwang den Besen, um sie zu töten, doch Eloisa stellte sich mit erhobenen Händen dazwischen und gab den Tieren Zeit zu entkommen.

»Was fällt dir denn ein?«, fragte Agnete gereizt.

»Das war Hubertus«, erklärte Eloisa.

»Ich habe zwei Mäuse gesehen«, brummte Agnete.

»Die andere ist seine Frau«, erwiderte Eloisa. »Ich habe Mikael versprochen, dass ich sie nicht umbringen werde.«

Agnete hielt sich mit Mühe zurück. Mit zusammengepressten Lippen sagte sie kopfschüttelnd: »Ich wusste es!«, und schleuderte den Besen in eine Ecke. »Ich wusste, wir würden irgendwann so tief sinken, dass wir Mäuse durchfüttern.«

Eloisa hob lächelnd die Schale auf.

»Iss ja nichts davon, sonst wirst du krank«, sagte Agnete.

Eloisa verließ die Hütte. Sie ging zu dem Holzstoß auf der Rückseite und leerte den Inhalt der Schale vor den Scheiten aus. »Hubertus, geh zu Mikael«, sagte sie leise.

Als sie wiederkam, hatte ihre Mutter einen Becher mit frischem Wasser an den Rand der Luke gestellt und sie geöffnet.

»Wenn du nichts trinkst, stirbst du«, sagte Agnete, dann machte sie sich ans Kochen.

Eloisa setzte sich auf die Truhe und starrte auf das dunkle Loch, in das Mikael sich geflüchtet hatte.

»Komm essen!«, rief Agnete sie, als das Essen fertig war.

Eloisa schüttelte nur stumm den Kopf.

Daraufhin packte Agnete sie wütend am Ohr und zog sie zum Tisch. »Iss!«, befahl sie ihr.

Eloisa gehorchte, doch ihr Blick wanderte immer wieder beunruhigt zu der Luke. Plötzlich schnellte Mikaels Hand hervor, packte den Becher und schloss die Luke wieder. »Er trinkt«, flüsterte Eloisa glücklich ihrer Mutter zu.

Agnete versetzte ihr einen Klaps auf den Hinterkopf. »Iss!«

Dann war wieder Schlafenszeit. Agnete und Eloisa legten sich auf ihr Strohlager, doch sie wussten genau, dass sie abermals keinen Schlaf finden würden.

Um Mitternacht ging knarrend die Luke auf, und im flackernden Schein des Herdfeuers sahen beide, wie Mikael aus seinem Versteck hervorkam und sich neben den Kamin legte.

»Komm her, Junge«, sagte Agnete.

Mikael rührte sich nicht.

»Komm schon«, sagte Agnete ein wenig sanfter.

Mikael näherte sich.

»Leg dich neben mich«, sagte Agnete und schob Eloisa beiseite.

Mikael streckte sich zitternd auf dem Strohlager aus und drehte Agnete den Rücken zu.

Sie hüllte ihn mit ihrem Umhang ein und drückte ihn an sich.

Mikael spürte ihre Wärme. Und er befürchtete, dass er nun den schrecklichen Gedanken, der ihm solche Angst einjagte, nicht mehr für sich behalten könnte. Wieder stiegen ihm Tränen in die Augen. Er wollte sich von Agnete befreien, aber die hielt ihn nur noch fester und strich ihm liebevoll über den Kopf.

Eloisa setzte sich auf und beugte sich über ihre Mutter hinweg, um zu sehen, was Mikael tat, doch Agnete versetzte ihr einen Stoß in die Rippen.

So blieben alle drei liegen und rührten sich nicht. Nur das Knacken des Holzes im Herdfeuer war zu hören.

»Das ist alles meine Schuld, oder?«, fragte Mikael nach einer Weile und sprach damit seinen schrecklichsten Gedanken aus.

»Was?«, fragte Agnete.

»Ich habe Emöke zu Ojsternig geführt, und die haben so schreckliche Dinge mit ihr getan. Und mich haben sie gezwungen zuzusehen, sie haben gelacht und ...«

Agnete begriff, dass Mikael die Vergewaltigung von Emöke miterlebt hatte. Sie biss sich auf die Lippe.

»Es ist alles meine Schuld ...«

»Was sagst du da?«

»... wenn ich sie nicht zu Ojsternig geführt hätte ...«

»... hätte jemand anderer es getan.«

»Er hat das auch gesagt ...«

»Was hat er gesagt?«, fragte Agnete.

»»Schau, wozu du sie verurteilt hast, indem du sie zu mir geführt hast‹ ...«

»Es ist nicht deine Schuld.«

Mikael befreite sich aus der Umarmung. Er setzte sich ruckartig auf, während das Schluchzen wie ein erstickter Wutschrei aus seiner Kehle emporstieg. »Doch, es war meine Schuld«, brüllte er, während sich seine heißen Tränen mit Nasenschleim und dem Blut von seiner Wunde vermischten.

»Ich bin schuld! Das hat er gesagt.« Mikael sprang auf und trat gegen einen Schemel. »Genau wie bei Gregor! Ich habe ihn gesehen, wie er dort an dem Balken hing und ... er hat mir Angst gemacht ... Es ist alles meine Schuld ... Auch das, was mit Gregor passiert ist!«

Agnete stand auf und sagte: »Beruhige dich, Junge.«

»Ich heiße Mikael!«, schrie der Junge. Seine Arme waren vorgeschnellt und zitterten, ebenso wie die zu Fäusten verkrampften Hände. »Ich heiße Mikael! Und ich hoffe, dass ich sterbe, genau wie Euer Sohn!«

Agnete fühlte, wie ein Riss durch ihr Herz ging, als wäre es aus Stoff. Sie stürzte sich auf Mikael, zog ihn kraftvoll und beinahe wütend an ihre Brust, als wollte sie ihn ersticken, und brach ihm beinahe die Rippen dabei. »Nein! Du wirst nicht sterben!«, schrie sie ihn an und hielt nur mühsam die Tränen zurück. »Da bin immer noch ich ...« Beinahe mit der gleichen Kraft, mit der sie ihn vorher gepackt hatte, nahm sie seinen Kopf in die Hände. »Sieh mich an!«, sagte sie unter Tränen, die ihr jetzt unaufhaltsam über die Wangen strömten. »Sieh mich an, Mikael!«, schrie sie ihn an und wiederholte: »Da bin immer noch ich ... Ich bin da ...«

Mikael presste sich an sie. Wie früher an seine Mutter. Und nach langer Zeit kam er sich wieder vor, als sei er ein kleiner Junge.

»Komm ins Bett«, sagte Agnete zu ihm, als sie sich ebenfalls beruhigt hatte.

Eloisa rückte stumm beiseite und hob den Umhang, um ihnen Platz zu machen.

Die beiden legten sich hin.

Agnete zog Mikael an sich und umarmte ihn fest. »Dich trifft keine Schuld«, flüsterte sie ihm ins Ohr. »Das ist nur ein böser Mann.« Sie wischte ihm mit dem Ärmel die Tränen und den Schleim von der Nase ab. »Schlaf jetzt ... mein Kind.«

Eloisa neben ihr kicherte leise.

»Lass das, Närrin«, ermahnte Agnete sie.

Eloisa kicherte noch einmal. Dann lauschte sie, bis Mikaels Atem schwer und gleichmäßig wurde. Und gleich darauf auch der ihrer Mutter. Eloisa ließ behutsam einen Arm über ihre Mutter hinweggleiten, zu Mikael hin. Sie streichelte ihn eine Weile, und als sie merkte, dass auch sie der Schlaf übermannte, klammerte sie sich an Mikaels Jacke fest.

30

Es regnete die ganze Woche. So beständig und beharrlich, wie man es eher aus dem Herbst als aus dem Sommer kannte. Die Bauern beäugten besorgt ihre noch nicht gemähten Felder. Dies war ein heikler Moment. Das Korn brauchte noch Sonne, um zu reifen, und das viele Wasser von oben gefährdete die gesamte Ernte.

Die alten Leute schüttelten die Köpfe und schützten sich und ihre alten Knochen am Herdfeuer vor der Nässe. Sie versammelten sich mal bei diesem, mal bei jenem Nachbarn, wiegten stumm die Köpfe und tranken Bier. Die jungen Leute hingegen verließen jeden Tag das Haus und gingen die Felder ab. Hier und da rissen sie eine Pflanze aus dem Boden und zerrieben die Samen zwischen den Fingern. Die Frucht wurde langsam zu nass. Viele Stängel knickten unter dem Gewicht des Wassers ein und faulten auf der durchnässten Erde. Es hieß, die Hälfte der Ernte sei verloren. »Wolle Gott, dass es nur die Hälfte ist!«, brummten die alten Leute abends, wenn die Jungen vom Zustand der Felder berichteten.

Die Tiere liefen unruhig in ihren Pferchen auf und ab. Wer konnte, nahm sie zu sich ins Haus, und die Wohnräume verwandelten sich in Ställe. Die Hühner legten kaum noch Eier und viele starben. Zwei Ochsen wurden krank. Ein Pferd, das aus seinem Stall ausgebrochen war, stürzte schwer im Schlamm. Unter dem Heulen der Kinder wurde es geschlachtet und sein Fleisch eingesalzen.

Mikael blieb die ganze Woche in der Hütte. Er dachte an Emöke. An Ojsternig. Und er fürchtete sich davor, dass Letzterer zurückkommen und ihn wieder zu sich holen könnte. Doch trotz seiner Angst ging er nicht mehr hinunter in das dunkle Loch. Er sah Agnete und Eloisa zu, die aus der Haut des getöteten Pferdes wie gewöhnlich Mützen, Hemden, Schuhe und Gürtel nähten, die sie auf dem Markt in Dravocnik verkaufen würden. Am dritten Tag setzte sich Mikael zu ihnen, um mitzuhelfen. Er versuchte, ein Paar Handschuhe aus Kaninchenfell zu nähen. Genau wie Agnetes Sohn es getan hatte. Doch Agnete riss ihm das Fell aus der Hand und sagte: »Nein, das bringt Unglück!« Daraufhin nahm Mikael einen dicken Streifen vom Fell der Stute und fertigte einen Gürtel daraus, indem er unbeholfen die Arbeit von Eloisas geschickten Händen nachzuahmen versuchte, die ihn kichernd beobachtete. Als er fertig war, ging er zum Schmied und kaufte bei ihm mit dem Schilling, den Agnete ihm gegeben hatte, eine Gürtelschnalle aus Weicheisen.

Agnete nickte stolz.

Am gleichen Tag kam Eloisa auf ihn zu und gestand ihm reumütig: »Es tut mir leid, dass ich diese Sachen über Gregor gesagt habe, jetzt, wo er tot ist.«

Wie immer wusste Mikael nicht, was er antworten sollte. Doch er erinnerte sich an das Gesicht von Gregor, als man Emöke fortgeschleppt hatte, und er dachte, dass Eloisa eigentlich recht gehabt hatte. Er war ein Feigling. Wieder verdüsterte sich sein Gesicht, denn er kam sich selbst wie ein Feigling vor. Er sog schmeckend die Luft ein.

»Was machst du da?«, fragte Eloisa.

»Hass hinterlässt einen bitteren Nachgeschmack, hast du das gewusst?«, sagte Mikael. »Raphael hat es mir gesagt.«

Eloisa zuckte mit den Schultern.

»Aber durch Hass fühlt man sich auch stärker«, fuhr Mikael fort.

»Ach, wirklich?«, erwiderte Eloisa gleichgültig.

Mikael nickte überzeugt. »Ja. Ich hasse Ojsternig. Und ich habe keine Angst vor ihm.«

»Na, das solltest du aber.«

»Vor Eberwolf dagegen fürchte ich mich«, sagte Mikael.

»Elderstoff«, berichtigte Eloisa ihn.

»Elderstoff ...«, wiederholte Mikael unwillkürlich. »Ich sollte ihn hassen. Dann würde ich mich nicht mehr vor ihm fürchten.«

»Wieso hasst du ihn nicht?«

»Ich sollte alle hassen«, sagte Mikael, der weiter seinen eigenen Gedanken nachhing.

»Wieso hasst du ihn nicht?«, fragte Eloisa noch einmal.

Mikael zuckte nur mit den Schultern. »Das weiß ich nicht. Er macht mir Angst.«

»Also, ich glaube, du bist dumm.«

Mikael schien sie gar nicht zu hören. Er sog wieder lautstark die Luft ein. »Raphael sagt, dass es noch etwas gibt, durch das man sich stark fühlen kann.«

»Und was ist das?«

»Das hat er mir nicht gesagt. Aber er hat mir erklärt, dass dieses Gefühl nicht bitter ist, sondern süß.« Nachdenklich sah Mikael Eloisa an. »Was schmeckt süß und gibt dir das Gefühl, stark zu sein?«

Eloisa strahlte über das ganze Gesicht und lachte. »Die Liebe natürlich! Das weiß doch jeder!«, rief sie aus. »Du bist wirklich dumm.«

»Die Liebe ...?«

»Sicher. Das ist doch ganz einfach. Die Liebe schmeckt süß.«

»Woher weißt du das?«

»Das sagen die älteren Mädchen.«

Mikael überlegte lange. Schließlich sagte er: »Dann hat Gregor Emöke nicht geliebt. Oder Raphael hat sich geirrt.«

Eloisa sagte nichts. Die Anspielung auf die Liebe hatte ihr

die Röte in die Wangen getrieben, was ihr jetzt peinlich war. Sie zeigte auf den Gürtel, den Mikael gefertigt hatte. »Der ist schlecht genäht. So wie der aussieht, wird niemand ihn kaufen.«

Mikael wandte sich um und sah sie an. »Na, vielen Dank.«

Eloisa stand auf, um sich neben ihre Mutter zu setzen. Sie drehte Mikael den Rücken zu und half ihr, einen groben, ungewalkten Stoff zuzuschneiden. Ihre Wangen glühten immer noch.

Am Ende der Woche hörte der Regen plötzlich auf. Ein trockener, lauer Wind wehte von Süden her, wo es einen See geben sollte, so sagten die Leute, der so groß war, dass man sein anderes Ufer nicht sah, und den man Meer nannte. Der Wind trieb die Wolken fort, und der Himmel wirkte wie blank geputzt, so tiefblau war er. Die Sonne schien wieder über dem Raühnval.

Die alten Leute verließen ihre Hütten. Sie sahen sich zusammen mit den Jüngeren die Felder an und erklärten, dass die Hälfte der Ernte gerettet sei, wenn die Sonne weiter so warm scheinen würde. Die Tiere wurden wieder ins Freie gelassen. Und auch sie schienen sich über das gute Wetter zu freuen.

An diesem Abend war die Kapelle Maria zum Schnee zur Abendvesper bis auf den letzten Platz besetzt. Alle dankten dem gütigen Gott, dass er ihnen die Sonne wiedergeschenkt hatte, und die Leute erwiderten mit Inbrunst die Gebetsformeln in jener geheimnisvollen Sprache der Priester, von der sie kein Wort verstanden.

Auch Mikael war gekommen und hörte der lateinischen Litanei zu. Die ganze Regenwoche über hatte er abends auf seinem Strohlager, wenn weder Agnete noch Eloisa ihn beobachten konnten, das Buch genommen, das Raphael ihm geschenkt hatte, und versucht, sich beim Durchblättern der Seiten eine Geschichte vorzustellen, die ihm erklärte, wer er war und was er fühlte. Doch es war ihm nicht gelungen, hinter den Sinn dieser unverständlichen Worte in Latein zu kommen, die jemand mit

Tinte so schön auf das inzwischen vergilbte Pergament geschrieben hatte. Und während er jetzt zuhörte, wie Vater Timotej in ebendieser Sprache die Gebete aufsagte, dachte Mikael, dass sich vielleicht die Dorfbewohner so eine Geschichte erzählten, die sie vereinte und zusammenhielt. Die sie zu einer Einheit zusammenschweißte.

Doch er begriff diese Geschichte nicht. Er gehörte nicht zu ihnen.

Und während er sie da so glücklich sah, einzig wegen eines Sonnenstrahls, fühlte er sich vollkommen fehl am Platz.

Mikael verließ die Kapelle, ohne dass es jemand bemerkte, und lief durch die menschenleeren Straßen. Nur eine war nicht zur Vesper gekommen, Gregors Mutter. Sie saß auf der Bank vor ihrem Haus und weinte leise vor sich hin.

Mikael sah wieder die weit geöffneten und blutunterlaufenen Augen von Gregor vor sich, der von der Decke herabhing, und die der Rebellen am Galgen und die von den Flammen verzehrten Lider der Frau, die man kopfüber verbrannt hatte. Und er dachte an die gläsernen Augen der Huren und fragte sich, ob Emökes Augen bald auch so aussehen würden. Und dann sah er den bodenlosen Abgrund vor sich, den er in den Augen der Prinzessin von Ojsternig wahrgenommen hatte. Und ihm kam es vor, als sei die ganze Welt von zu viel Schmerz erfüllt.

Und wieder fühlte er sich vollkommen fehl am Platz.

Er ging in die Hütte zurück, packte wütend Raphaels Buch und warf es ins Feuer. Doch gleich darauf bereute er seine Tat und holte es wieder heraus, wobei er sich die Finger verbrannte. Der Einband war an den Rändern ein wenig verkohlt. Mikael presste das Buch an seine Brust, als wäre es ein lebendiges Wesen. Dann versteckte er es wieder.

Als Agnete und Eloisa von der Vesper zurückkamen, war der Tisch gedeckt, und die Suppe stand schon heiß in den Schalen auf dem Tisch.

Am nächsten Tag weckte Eloisa ihn ganz leise vor Sonnenaufgang. Sie bedeutete ihm, sich still zu verhalten und ihr zu folgen. Als sie die Hütte verließen, schnarchte Agnete noch friedlich.

»Heute zeigen wir es ihnen allen«, flüsterte Eloisa ihm zu, als sie draußen waren. Sie nahm zwei Weidenkörbe und machte sich in der Dunkelheit auf zum Wald.

»Wem werden wir es zeigen?«, fragte Mikael, der verschlafen hinter ihr hertappte.

Eloisa mahnte ihm, still zu sein, als sie an den Häusern im Dorf vorbeikamen. Sobald sie die Felder erreicht hatten, grinste sie verschmitzt und sagte zu ihm: »Heute gibt es Pilze, du Dummkopf.« Und als er immer noch nicht zu verstehen schien, erklärte sie ihm: »Wenn nach dem Regen die Sonne heiß brennt, sprießen die Pilze. Heute wird jeder Pilze suchen. Aber bis die anderen kommen, werden wir schon längst dort sein und viel mehr als sie finden.«

»Und wir werden es ihnen zeigen«, sagte Mikael.

»Ja, Dummerjan«, erwiderte Eloisa. »Nur wir zwei, du und ich.« Sie gab ihm einen Weidenkorb und nahm den anderen auf die Schultern. »Von meiner Mutter wird es Schläge setzen, weil wir ohne ihr Wissen im Dunklen hinausgegangen sind.«

»Warum?«

»Weil Kinder nicht allein in den Wald dürfen, schon gar nicht, wenn es dunkel ist.«

Mikael erschauerte. »Du meinst, Agnete wird uns schlagen?«

»Wahrscheinlich nur mich, also keine Sorge«, antwortete Eloisa.

»Warum?«

»Weil du ihr Liebling bist«, sagte Eloisa, doch sie lachte dabei und schien nicht im Mindesten eifersüchtig zu sein.

Sie gingen in der Dunkelheit den Berg hinauf. Eloisa kannte den Weg genau und schritt entschieden vorwärts. Mikael konnte ganz gut mithalten, doch er war nicht so geschickt darin, die Ausmaße des Weidenkorbs einzuschätzen, der eine gute Spanne über seinen Kopf hinausragte, und so blieb er oft in den Zweigen hängen oder stolperte. Jedes Mal wenn Mikael so ein Missgeschick passierte, lachte Eloisa und machte sich über ihn lustig.

Nach einer Stunde hatten sie eine Waldlichtung erreicht. Allmählich brach der Morgen herein.

»Die Steinpilze zuerst«, sagte Eloisa. »Weißt du, wie die aussehen?«

Mikael hatte auf der Burg Steinpilze gegessen. Sie waren etwas Besonderes. Aber er hatte sie nie im Ganzen gesehen. Er schüttelte den Kopf.

Eloisa verdrehte die Augen. »Komm mit, ich zeige sie dir.«

Irgendwo in der Nähe hörten sie ein Rascheln.

Mikael schreckte auf, aus Angst, es könnte ein Wolf sein.

Doch Eloisa war rasch genau in die Richtung gerannt, aus der das Rascheln kam, und schrie nun und wedelte mit den Händen.

Ein Rehbock sprang davon.

Als sie die Stelle erreichten, an der sie das Reh aufgestöbert hatten, stieß Eloisa einen Jubelschrei aus. »Ich wusste es! Rehe lieben Steinpilze«, sagte sie, beugte sich hinunter und pflückte einen dicken Pilz mit kräftigem Stamm und hellbraunem Hut. Sie reichte ihn Mikael. »Die hellsten und größten Pilze wachsen im Gras unter den Zweigen der Tannen. Mach die Schnecken ab, die fressen sonst alles auf.«

Mikael nahm den Pilz und pflückte zwei kleine Nacktschnecken ab. Der Hut des Pilzes war noch mit ihrem Schleim bedeckt und fühlte sich klebrig an.

Inzwischen hatte Eloisa sich ein Stück Holz geholt, mit dem sie die Tannenzweige hochhob und darunter im Gras stöberte. Sobald sie einen Steinpilz fand, jubelte sie und reichte ihn Mikael, der ihn sorgfältig säuberte und in den Weidenkorb legte.

Innerhalb einer Stunde hatten sie einen ganzen Korb voller Wiesen- und Waldsteinpilze gesammelt, die Letzteren, kleiner und mit einem schwarzen Hut, waren hart wie Stein. Manchmal fanden sie sogar drei oder vier an einer Stelle.

»Sammele auf keinen Fall Pilze, die du nicht kennst. Oder leg sie zumindest nicht in den Korb, bevor du sie mir gezeigt hast, denn sie könnten auch die guten vergiften«, sagte Eloisa zu ihm.

»Sie vergiften?«

»Sicher. Pilze können tödlich sein. Wusstest du das nicht?«

Mikael rührte daraufhin keinen Pilz mehr an, den Eloisa ihm nicht gegeben hatte.

Nach einer weiteren halben Stunde sagte Eloisa, dass sie nun weitergehen müssten. »Jetzt kommen die Heuschrecken.«

»Was für Heuschrecken?«

»Die anderen eben«, erklärte Eloisa ungeduldig. »Hörst du sie denn nicht?«

Mikael spitzte die Ohren. Und erst da hörte er Stimmengemurmel und Singen aus dem Wald.

»Na, die werden lange Gesichter machen.« Eloisa lachte.

»Weil wir ihnen alle weggeschnappt haben«, stimmte Mikael in ihr Lachen ein.

»Nein, Dummerjan«, widersprach Eloisa. »Wir haben ihnen noch genug übrig gelassen. Sonst würden sie meiner Mutter erzählen, dass wir nicht recht gehandelt hätten, und einen Anteil fordern, weil der Wald allen gehört und nicht nur mir und dir.«

»Warum sollte deine Mutter ihnen welche abgeben?«, fragte Mikael erstaunt.

»Weil sie eine gerechte Frau ist«, erwiderte Eloisa.

»Also ist das, was wir tun, falsch?«

»Na ja, nur ein bisschen«, erklärte Eloisa und zuckte mit den Schultern. »Komm, wir gehen jetzt in die Klamm, wo die Pfifferlinge wachsen. Und wenn sie uns einholen, sagen wir einfach, dass wir die Steinpilze in der Klamm der Paukenschlegel gefunden haben.«

»Aber das ist doch gelogen!«

»Natürlich ist das gelogen. Aber wenn du ihnen nicht alles weitertratschst, werden sie das nie erfahren.«

Mikael nickte nachdenklich. Lügen zu erzählen war eine Sünde. Trotzdem folgte er Eloisa. Doch auf dem ganzen Weg musste er über das nachdenken, was Eloisa über den Wald gesagt hatte. Die Worte hatten ihn tief berührt. Sie hatte gesagt: »Weil der Wald allen gehört und nicht nur mir und dir.« Sie hatte nicht gesagt, dass er nicht ihr allein gehörte. Sondern nicht ihr und Mikael. »Mir und dir«, wiederholte er laut.

»Was?«

»Ach nichts«, sagte Mikael und lächelte versonnen.

Als sie die Klamm erreichten, schob Eloisa suchend die Buchenzweige im Unterholz beiseite. »Hier«, rief sie aus, kniete sich hin und fegte die Blätter mit der Hand beiseite.

Mikael sah viele gelbe Pilze. Einige waren so winzig wie der Nagel eines kleinen Fingers. Ihre Hüte waren geschlossen, sodass sie aussahen wie runde Nagelköpfchen, andere, größere waren nach oben hin so eingerollt, dass sie wie kleine Ohren erschienen.

»Pass auf, wo du hintrittst«, ermahnte Eloisa ihn. »Bleib da stehen.« Sie ging ein paar Schritte weiter hinauf und schob die Blätter auseinander. Doch darunter war nichts als schwarze Walderde. Also ging sie wieder zurück, an Mikael vorbei, fegte Blätter an einer Stelle weiter unten beiseite und entdeckte dort noch mehr gelbe Pilze. Sie zeigte in die Richtung, wo sie die ersten Pfifferlinge gefunden hatte. »Von hier ... bis irgendwo da unten«, sagte Eloisa und schaute nach unten zum Ende der Klamm. »Die Feen verteilen sie in der Nacht.« Sie sah Mikael an. »Jetzt sammele du sie allein. Du kannst dich nicht irren. Lass aber die kleinsten Pilze stehen.«

»Wie klein?«, fragte Mikael.

Eloisa ging zu ihm und kniete sich hin. Mikael folgte ihrem Beispiel.

Das Mädchen pflückte einen Pilz, der etwa so groß wie eine kleine Münze war. »Nicht kleiner als der hier«, sagte sie.

Mikael streckte die Hand nach einem Pilz aus. »Der ist also zu klein?«

»Ja.« Eloisa stützte sich mit einer Hand auf dem Boden ab und nahm einen Pilz in der Nähe auf. »Der hier ist gerade groß genug«, sagte sie und reichte ihn Mikael.

Mikael wollte ihn nehmen, aber er entglitt ihm. Als er seine Hand ausstreckte, um ihn zu packen, berührte er aus Versehen Eloisas Finger. Verlegen ließ er den Pilz fallen.

Eloisa hob ihn auf und legte ihn Mikael auf die geöffnete Handfläche, dabei streiften ihre Finger leicht seine Haut.

Der Junge spürte, wie er rot wurde, und schloss schnell die Finger. Sofort besann er sich und öffnete sie wieder, doch zu spät, der Pilz in seiner Hand war zerquetscht.

»Dummkopf«, schalt Eloisa ihn.

Stumm sammelten sie weiter Pilze, die zwischen den verfaulten Buchenblättern wie ein ausgeschütteter Haufen gelber Edelsteine aussahen. Mikael war in Gedanken schon lange nicht mehr bei den Pilzen, er musste an jenes seltsame Gefühl denken, als Eloisas Finger ihn gestreift hatten. »Mir und dir«, diese Worte hallten ständig in seinem Kopf wider. Er und Eloisa, sie beide dort im Wald. Und dann ihre Finger, die seine Hand streiften.

Er war erleichtert, als sie endlich nach Hause gingen.

Wie Eloisa schon geahnt hatte, empfing Agnete ihre Tochter bei ihrer Rückkehr mit einer schallenden Ohrfeige. Dann sah sie sich den Inhalt der Körbe an und nickte zufrieden. »Die sind wunderbar«, sagte sie und holte je ein Messer für sich und Eloisa. Mikael gab sie eine lange Schnur und zeigte ihm, wie er die Steinpilzscheiben auffädeln sollte, die sie und Eloisa schnitten. Sobald die Schnur zwei Armlängen erreicht hatte, musste er sie zwischen zwei Dachbalken draußen aufhängen, damit die Pilze dort in der Sonne für den Winter trockneten. Dann begann er sein Werk mit einem neuen Stück Schnur von vorn.

Einige Dorfbewohner, die auf dem Rückweg aus dem Wald an der Hütte vorbeikamen, beäugten neidisch die riesige Menge gesammelter Pilze.

»Ich habe euch gar nicht gesehen, als wir in den Wald gegangen sind«, sagte einer misstrauisch.

»Wir haben sie in der Klamm der Paukenschlegel gefunden«, erklärte Mikael und kam damit Eloisa zuvor.

Der Dorfbewohner ging daraufhin wieder seines Weges.

»Warum hast du das getan?«, fragte Eloisa, als sie wieder allein waren.

»Das war eine Lüge«, sagte er zu ihr.

»Ja und?«, fragte sie.

Mikel zuckte stumm mit den Schultern. Lügen war Sünde. Und er wollte nicht, dass diese Sünde auf Eloisas Seele lastete.

»Ich weiß schon, warum du das getan hast«, sagte Eloisa.

Mikael sah sie an. Er freute sich, dass sie seine wahre Absicht erraten hatte.

»Weil du dich wichtigmachen wolltest«, sagte Eloisa und verschwand.

Mikael schaute ihr hinterher. Und erst da wurde ihm bewusst, dass er während ihrer Unterhaltung ständig mit der Fingerkuppe über seine Handfläche gestrichen hatte, so wie sie im Wald.

Und plötzlich glaubte er, einen süßen Geschmack auf der Zunge zu spüren.

31

Ist die Liebe dieses süße Gefühl, das uns genauso viel Mut verleiht wie der Hass?«, fragte Mikael Raphael, als er völlig außer Atem die »Höhle des Drachen« auf der Lichtung unterhalb des steil aufragenden Mosesfingers erreichte.

Am Morgen nach dem Pilzesammeln hatte Mikael Agnete um Erlaubnis gebeten, Raphael besuchen zu dürfen. So schnell er konnte, hatte er die Straße zum Pass zurückgelegt und war dann auf dem steilen, steinigen Pfad am Waldrand zu ihm nach oben geklettert.

Und jetzt sah er den alten Mann ungeduldig an, während er mit einer Fingerkuppe immer noch das Innere seiner Hand streichelte.

»Komm, lösch erst einmal deinen Durst«, sagte Raphael und betrat die Hütte. Er gab etwas Holundersirup in einen Becher und goss ihn mit kaltem Bachwasser auf.

Mikael trank alles in einem Zug aus, stellte den Becher auf den Tisch und sah Raphael erwartungsvoll an. »Ist die Liebe dieses süße Gefühl, dass uns genauso viel Mut verleiht wie der Hass?«, fragte er noch einmal. Und wieder strich er mit der Fingerspitze über die Innenfläche seiner Hand.

»Wie hast du das herausgefunden?«, fragte Raphael ihn.

Mikael hielt mitten im Streicheln inne, als hätte man ihn bei etwas ertappt, und errötete. »Das sagen ... die Mädchen. Also, die älteren ...«, stammelte er verwirrt, weil er sich an Eloisas Antwort erinnerte.

Raphael schien nicht überzeugt. »Du vertraust also immer auf das, was andere sagen?«

Mikael rutschte unruhig auf dem Schemel hin und her. Warum antwortete ihm der alte Mann nicht einfach? »Ich glaube das, was Ihr mir sagt«, erwiderte er und klang ein wenig verstimmt.

»Doch die Wahrheit liegt nicht in dem, was die Menschen sagen«, erwiderte Raphael.

»Also stimmt nicht einmal das, was Ihr mir sagt?«, fragte Mikael unsicher, als hätte er soeben entdeckt, dass er über einem Abgrund schwankte.

»Was dir andere Menschen, und das gilt auch für mich, sagen, ist nur dann die Wahrheit, wenn sie mit deiner übereinstimmt.« Raphael beugte sich zu ihm hinüber und berührte ihn mit dem Zeigefinger auf der Höhe des Herzens. »Nur eine Wahrheit zählt, und zwar die ... die dort in dir ... klingt.«

Mikael senkte verwirrt den Blick. Er wusste nicht, was er davon halten sollte. Manchmal sprach der alte Mann in Rätseln.

Raphael schien zu ahnen, was den Jungen bewegte. »Du fühlst, dass die Liebe süß schmecken könnte?«

Mikael errötete vor Scham. Am liebsten wäre er sofort aufgesprungen und ins Raühnval zurückgelaufen. Doch er blieb sitzen. Wieder strich er mit der Fingerkuppe leicht über das Innere seiner Hand.

Raphael bemerkte es. »Ist irgendetwas geschehen, was dich auf die Idee gebracht hat, dass die Liebe süß schmecken könnte?«

Mikael errötete noch tiefer. Er sprang auf und lief davon.

Raphael blieb sitzen, er versuchte gar nicht, ihn aufzuhalten. Sein altes faltenreiches Gesicht verzog sich jedoch zu einem strahlenden Lächeln. Er musste an den Augenblick denken, als er Mikael zum ersten Mal lachen gehört hatte, nachdem es dem Jungen gelungen war, einen Streifen Erde aufzulockern. Wie lange hast du schon nicht mehr gelacht, mein Junge?, hatte er damals gedacht, während er ihn durch das Fenster der Hütte beobachtete. Raphael stand auf und trat hinaus auf die Lichtung, gerade noch rechtzeitig, um zu sehen, wie Mikael Hals über Kopf den steilen Pfad hinunterrannte. »Und was ist mit dir? Wie lange hast du nicht mehr gelacht, du alter Griesgram?«, sagte er zu sich selbst.

Es war beinah dunkel, als Mikael Agnetes Hütte erreichte. Doch da war niemand. Verwirrt lief er um das Haus herum. Dann überwand er seine Schüchternheit und klopfte bei den Nachbarn.

»Agnete ist bei Lisenka«, sagte die Frau, die ihm die Tür geöffnet hatte.

Mikael sah sie verständnislos an.

»Sie hilft Lisenkas Kind auf die Welt«, erklärte ihm die Frau.

Mikael nickte stumm.

Daraufhin schloss die Nachbarin die Tür, um wieder an ihre Arbeit zu gehen.

Mikael blieb zunächst reglos stehen, dann drehte er sich um und schaute in Richtung der langen Dorfstraße. Schließlich klopfte er noch einmal an die Tür. »Wo wohnt Lisenka?«, fragte er kaum hörbar und hochrot vor Verlegenheit, als die Tür erneut geöffnet wurde.

»Konntest du mich das nicht gleich fragen, Junge?«, seufzte die Frau. »Dann stimmt es also, dass du nicht sehr gescheit bist.« Sie hob den Arm und zeigte auf eine armselige Hütte am anderen Ende des Dorfes, kurz vor der Brücke über die Uqua. »Da wohnt sie.« Die Frau sah ihn an und sagte dann lachend: »Schaffst du es allein dorthin, oder muss ich dich an der Hand nehmen und hinbringen, Dummerchen?«

Mikael errötete wieder heftig und antwortete hastig: »Das schaffe ich schon.«

Die Frau lachte nur noch lauter und schloss die Tür.

Mit eingezogenem Kopf begab Mikael sich auf den Weg zu der Hütte. Dort angekommen, fehlte ihm zunächst der Mut, anzuklopfen, und er drückte sich eine Weile um das Haus herum. Nach einiger Zeit jedoch hörte er ein Wimmern und kurz darauf verließen Agnete und Eloisa unter den Dankesbezeugungen des jungen Vaters die Hütte.

»Was machst du hier, Dummerjan?«, fragte Eloisa, als sie ihn bemerkte.

Mikael zuckte mit den Schultern. »Ich habe auf euch gewartet.«

»Hattest du etwa Angst, allein zu Hause zu bleiben?«, verspottete Eloisa ihn.

»Nein.«

Eloisa lachte. »Das glaub ich dir nicht.«

»Nun macht schon, ich will mich waschen und etwas essen«, beendete Agnete das Ganze.

Mikael betrachtete ihre Hände. Sie waren blutig. Genau wie die von Eloisa. »Warum habt ihr Blut an den Händen?«, fragte er das Mädchen leise, während sie nach Hause liefen.

»So kommen die Kinder eben zur Welt«, antwortete Eloisa, hochmütig wie eine erfahrene Hebamme. »Inmitten von Blut.«

»Aha . . .«

»Außerdem musste meine arme Mutter einem Mädchen auf die Welt helfen«, fügte Eloisa amüsiert hinzu. »Deshalb hat sie ihm das Schwänzchen abschneiden müssen.«

Mikael riss erstaunt die Augen auf.

»Was, nicht einmal das weißt du?«, rief Eloisa aus. »Du wusstest nicht, dass Mädchen keine Schwänzchen haben?«

Mikael schüttelte schüchtern den Kopf.

»Du bist unmöglich, Dummerjan!«, stöhnte Eloisa. »Dann weißt du bestimmt auch nicht, dass Mädchen vorn und Jungs aus dem Hintern rauskommen, wenn sie geboren werden.«

»Wirklich?« Mikaels Augen wurden noch größer.

»Sicher.«

Eine Weile liefen die beiden schweigend nebeneinanderher. Mikael schien tief in Gedanken versunken. Eloisa beobachtete ihn belustigt aus dem Augenwinkel.

»Und was ist besser?«, fragte Mikael schließlich nachdenklich. »Vorn oder aus dem Hintern geboren zu werden?«

»Was meinst du wohl?«, sagte Eloisa sofort. »Wie soll es denn besser sein, aus dem Hintern geboren zu werden?«

»Hm . . .«

»Deshalb sind Jungs auch so dumm«, erklärte Eloisa und sah ihn triumphierend an.

Mikael zog den Kopf ein und sagte nichts mehr.

Er schwieg das ganze Abendessen über und dachte an die Kinder, die im Blut geboren wurden. Das erinnerte ihn an den Tag des Blutbads, als Eloisa ihn gerettet hatte. Damals war es genauso, als wäre er ein zweites Mal geboren worden, weil da all dieses Blut war. In der Nacht träumte er, er hielte ein warmes Fladenbrot in der Hand, und kaum hatte er die Zähne in den weichen Teig versenkt, würde ihm Blut ins Gesicht spritzen. Als er am nächsten Morgen aufwachte, glaubte er ganz sicher, dass Agnetes Arbeit schrecklich sein musste und dass sie deshalb oft so unleidlich war.

Tags darauf half er dabei, das Unkraut von den Feldern zu entfernen. Inzwischen wusste er, wie das ging, da Raphael es ihm beigebracht hatte. Und als er sah, dass Agnete zufrieden zu seiner Arbeit nickte, dachte er: Das ist eine Wahrheit.

Als er nach Hause kam, war sein Kopf noch voll von den bestürzenden Bildern vom Vortag und all den Fragen, wie die Kinder zur Welt kamen.

»Ich gehe zu Lisenka«, sagte Agnete. »Ich muss nachsehen, wie das Neugeborene sich macht.«

Mikael nickte zerstreut. Nachdem er sich umgezogen hatte, ging er auf die Rückseite der Hütte zum Pinkeln. Er hob das

Obergewand, schob die wollenen Hosen herunter und nahm sein Schwänzchen in die Hand. Er sah lange darauf, während eine neue Frage in seinem Kopf auftauchte. Nachdenklich ging er ins Haus zurück.

»Aber *wo* vorn kommen denn die Mädchen zur Welt?«, fragte er Eloisa.

»Na, *hier* vorn«, antwortete Eloisa und legte eine Hand zwischen ihre Beine.

»Aha . . .«, sagte Mikael nicht gerade überzeugt.

»Willst du mal sehen?« Eloisa sah ihn schelmisch an.

Daraufhin wich Mikael einen Schritt zurück. Ihm stockte der Atem. »Ja . . .«, presste er hervor.

Eloisa hob den Rock ihres roten Kleidchens, hielt den Saum mit dem Kinn fest und zog die wollene Unterhose herunter.

Mikael erblickte ein glattes, unbehaartes Dreieck aus weißem Fleisch.

»Sieh es dir ruhig genauer an, wenn du willst«, sagte Eloisa.

Mikael näherte sich zögernd. »Du hast da unten ja gar nichts . . .«, murmelte er.

»So kann man das doch nicht sehen«, schnaubte Eloisa, während sie sich auf den Boden setzte und die Beine spreizte. »Siehst du jetzt? Ich hab da ein kleines Loch.«

Mikael überkam eine seltsame Regung, die sein Innerstes aufwühlte. Aber es fühlte sich nicht unangenehm an.

»Los, runter auf den Boden, sonst siehst du nichts«, befahl Eloisa.

Mikael kniete sich hin und beugte sich vor die geöffneten Beine des Mädchens.

In dem Moment kam Agnete nach Hause.

Eloisa ließ ruckartig den Rocksaum fahren. Mikaels Kopf blieb für einen Augenblick darunter verborgen.

»Was macht ihr da?«, schrie Agnete.

»Nichts . . .«, stammelte ihre Tochter.

Doch Agnete hatte sich schon auf sie gestürzt. Sie packte Eloisa am Arm und versetzte ihr eine Reihe schallender Ohrfeigen. »Was hast du da gemacht, du Unglückswurm?«, schrie sie wütend mit hochrotem Gesicht und schlug immer heftiger auf ihre Tochter ein.

Eloisa stöhnte laut unter den Schlägen ihrer Mutter.

Da ließ Agnete sie los und wandte sich Mikael zu.

Der Junge hatte sich in einer Ecke des Raums verkrochen und die Hände schützend über den Kopf gelegt.

Agnete war mit einem Sprung über ihm, riss seine Arme auseinander, zerrte ihn hoch und schleppte ihn zu Eloisa. »Bist du gekommen, um Unglück und Schande über mein Haus zu bringen? Zuerst hast du versucht sie umzubringen, indem du ihr eingeredet hast, sie solle sich mitten im Winter waschen, und jetzt willst du eine Hure aus ihr machen?«

Mikael sah zu Eloisa auf, der Blut aus der Nase und von der Lippe tropfte.

»Du hast doch gesehen, was mit Emöke passiert ist!«, schrie Agnete und schüttelte ihn. »Willst du, dass sie das Gleiche erleidet? Willst du, dass Ojsternigs Soldaten sie alle besteigen?«

»Ich wusste doch nicht, dass es etwas Schlimmes ist . . .«, wimmerte Mikael. »Ich wollte doch nur wissen . . .«

Agnete schlug ihm auf den Mund.

Mikael schmeckte Blut auf der Zunge.

»Wer bist du?«, fragte Agnete mit rauer Stimme. »Ein Teufel?« Sie blickte zu Eloisa. »Und du zieh die Hosen hoch, Unglückswurm. Leg dich schlafen. Heute brauchst du kein Abendessen.« Sie schob Mikael weg. »Und du auch, los, ab ins Bett.«

Die beiden Kinder legten sich auf ihre Strohlager und wagten keinen Mucks.

Agnete wärmte sich eine Schüssel Suppe auf und aß voller Zorn. Dann goss sie sich einen Krug Bier ein und trank ihn in einem Zug aus. Sie füllte den Humpen noch ein zweites und drittes Mal. Danach schluchzte sie stumm in sich hinein, nur ihre Schultern hoben und senkten sich dabei. Schließlich legte sie sich ebenfalls hin. Augenblicklich war sie eingeschlafen und begann, laut zu schnarchen.

»Gute Nacht, Dummerjan«, flüsterte Eloisa.

»Gute Nacht, Eloisa«, flüsterte Mikael zurück. Er nahm Raphaels Buch und schlug es im schwachen Licht der Kerze auf.

»Was machst du?«, fragte Eloisa leise.

»Ich lese eine Geschichte.«

Eloisa stand auf und legte sich neben ihn.

»Und wenn deine Mutter aufwacht?«, fragte Mikael ängstlich.

»Die ist betrunken. Die wacht nicht auf.«

»Tut es weh?«, fragte Mikael.

»Was?«

»Dein Gesicht.«

»Nein. Und deins?«

»Ein bisschen . . .«

»Du bist wirklich ein Mädchen«, verspottete Eloisa ihn. »Lies schon.«

Mikael begann mit unsicherer Stimme: »Virum bonum quom lau... lauda...bant...«

»Was heißt das?«, unterbrach Eloisa ihn.

Mikael schwieg einen Augenblick, dann erzählte er: »Das ist die Geschichte eines Jungen . . . der nichts konnte . . . Er konnte sich nicht einmal selbst einen neuen Namen wählen. Er konnte auch nicht mit den Händen arbeiten, ja, er konnte nicht einmal bis dreihundert zählen, um seinen gebrochenen Finger lange genug in den Bach zu halten . . . Er wusste auch nicht, woher die Kinder kommen und wie Mädchen aussehen . . . Ja, er wusste überhaupt nichts. Und er stellte immer schlimme Dinge an. Weil er ein richtiger Dummkopf war.«

Eloisa riss ihm das Buch fast aus der Hand und tat nun selbst so, als würde sie lesen: »Aber er war der Einzige im Dorf, der Freundschaft mit einer Maus geschlossen hatte, und das war etwas ganz Besonderes, das niemand außer ihm konnte, denn alle anderen Leute im Dorf zertraten die Mäuse, wenn sie sie sahen. Außerdem war der Junge nicht wirklich böse. Er war eben nur ein Dummerjan.«

Mikael lief eine Träne die Wange hinunter.

Eloisa legte ihm den Kopf auf die Schulter und rückte noch näher an ihn heran.

Bei der Berührung lief Mikael ein wohliger Schauer den Rücken hinab.

»Übrigens, auch die Jungs kommen vorn zur Welt und nicht durch den Hintern«, sagte Eloisa kichernd und legte Mikael einen Arm um die Taille.

Mikael sog wieder schmeckend die Luft ein. Leise, denn niemand sollte es hören.

Und jetzt hatte er einen süßen Geschmack auf der Zunge.

32

Ojsternig will dich sehen, Ziegendreck«, sagte Eberwolf, als er am nächsten Tag an der Tür der Hütte erschien. »Ich soll dich zur Burg bringen.«

»Warum?«, fragte Agnete.

»Woher soll ich das wissen?«, entgegnete Eberwolf feindselig und starrte Eloisa an. Seine Kleidung war durchtränkt vom Blut der geschlachteten Tiere, und ihn umgab der übelkeiterregende Gestank nach Tod.

Mikael machte keine Anstalten, seiner Aufforderung Folge zu leisten, sondern stellte sich neben Agnete.

»Komm schon, Ziegendreck«, sagte Eberwolf.

»Geh«, sagte Agnete zu Mikael und legte ihm eine Hand auf die Schulter.

Mikael machte einen Schritt in Richtung Tür, dann drehte er sich um. »Soll ich Emöke das von Gregor erzählen?«, fragte er Agnete.

Die Frau schüttelte nachdenklich den Kopf. »Ich weiß nicht ...«

»Los, gehen wir«, drängte Eberwolf erneut.

Mikael trottete ihm mit gesenktem Kopf wie ein Lastesel hinterher, doch nach wenigen Schritten wandte er sich noch einmal nach der Hütte um. Eloisa stand da und lächelte ihm zu.

Schweigend liefen Mikael und Eberwolf nebeneinanderher.

»Was sollst du Emöke sagen?«, fragte Eberwolf, nachdem sie den Pass überquert hatten.

»Nichts«, sagte Mikael leise.

»Emöke ist eine Soldatenhure. Die Männer ficken sie jede

Nacht.« Eberwolf schwieg kurz. »Und wenn ich einmal Soldat bin, werde ich sie auch ficken«, sagte er dann grinsend.

Sie liefen eine gute Meile, und als sie am Ende des Tals kurz vor Dravocnik mit seinen düsteren Farben angekommen waren, nahm Mikael seinen Mut zusammen und fragte Eberwolf: »Warum tun sie den Frauen das an?«

»Weil es schön ist, du Trottel«, erwiderte Eberwolf.

Nach einer weiteren Meile erreichten sie die Burg.

Eberwolf kehrte wieder in die Fleischerei zurück, wo die Fliegen ihn gleich umschwärmten.

Mikael dagegen wandte sich dem Palas zu, doch ehe er nach oben ging, blieb er vor einem Raum stehen. Hier hielten sich die Frauen auf, die zum Vergnügen der Soldaten bestimmt waren. Er wartete, bis Emöke auf ihn aufmerksam wurde, dann winkte er sie zu sich heran.

Wie ein Gespenst kam die junge Frau auf ihn zu. Auch ihre Augen waren jetzt gläsern.

»Emöke . . .«, begann Mikael scheu. Er hatte beschlossen, ihr alles zu erzählen. »Du sollst wissen, dass . . . dass Gregor . . .«

Plötzlich belebte sich Emökes Gesicht mit einer fast unnatürlichen Freude »Was sollst du mir von ihm ausrichten?«, fragte sie.

»Gregor . . .«

»Liebt er mich? Hat er dir das gesagt? Dass er mich liebt und auf mich wartet?«

Mikael spürte eine eisige Kälte in seinem Herzen. Aber er nickte langsam. »Ja . . . genau so ist es . . .«

Emökes Gesicht erstrahlte in einem glücklichen Lächeln, das allerdings nur kurz währte. Dann erlosch es viel zu schnell, und ihre Augen wurden wieder gläsern.

Mikael sah ihr nach, wie sie zu den anderen ging und mit ihnen auf die Nacht wartete. Niedergedrückt von tiefer Traurigkeit stieg er die Treppen hinauf.

Im Großen Saal saß Ojsternig auf seinem Stuhl und las in einem Buch, das Arialdus von Tarvis vor ihm hochhielt.

Harro, der riesige, getigerte Molosser, winselte und wedelte glücklich mit seinem Stummelschwanz, als er Mikaels ansichtig wurde.

Als Ojsternig das bemerkte, trat er nach dem Tier. Dann blickte er wieder in das Buch und sagte zu seinem Buchhalter: »Also erhalte ich durch die Pacht von diesen jämmerlichen Feldern, die ich beschlagnahmt habe, fast so viel wie von einem guten Feld?«

Mikael warf der Prinzessin, die in einer Ecke des Saals saß, einen schnellen Blick zu, aber sie sah nicht von ihrer Stickarbeit auf.

»Ja, Euer Durchlaucht«, erwiderte inzwischen der alte Arialdus. »Aber weil die Felder nicht genügend Korn abwerfen, sollten wir die Leute zwingen, in klingender Münze zu bezahlen ... Und Ihr wisst ...«

»Ich werde das Problem zu einem geeigneten Zeitpunkt angehen«, unterbrach Ojsternig ihn. »Kümmere du dich um die Zahlen. Das Eintreiben besorgen meine Soldaten schon. Und jetzt geh mir aus den Augen.«

Arialdus von Tarvis verneigte sich und verließ den Saal, immer mit dem Rücken zur Tür.

Ojsternig bedeutete Mikael, näher zu kommen. In der Hand hielt er das Kirchenbuch der Pfarrei Maria zum Schnee. Er wies mit dem Finger auf die Seiten. »Du stehst nicht in der Liste meiner Leibeigenen. Daher habe ich nachgeforscht. Und ich habe entdeckt, dass du gar nicht der Sohn der Hebamme bist. Sie hat dich hier in Dravocnik gekauft. Du bist noch nicht einmal ein Bastard.« Er lachte. »Hast du denn keinen Vater und keine Mutter?«

Mikael schüttelte den Kopf.

»Weißt du nicht einmal, wer sie waren?«

Mikael hielt seinem Blick stand. Er starrte auf Ojsternigs Lippen und stellte sich vor, wie sie das Todesurteil für seinen Vater ausgesprochen hatten.

Ojsternig sah, wie der Hass Mikaels Augen aufflammen ließ. »Heute wirst du den Unrat mit deinen bloßen Händen wegschaufeln«, befahl er. »Du wirst zwei Stunden vor Sonnenuntergang deine Arbeit beenden und dann verschwinden. Ich will dich hier nicht haben.«

Mikael wollte gerade gehen, als Arialdus von Tarvis aufgeregt hereineilte. In der Hand schwenkte er einen Brief mit einem großen Siegel, den er Ojsternig reichte. »Die Depesche des Königs, Euer Durchlaucht! Die Antwort!«

Ojsternig erbrach das Siegel und öffnete den Brief.

Mikael bemerkte, dass seine Gesichtszüge sich immer mehr verfinsterten, je länger er las.

Schließlich bekam Ojsternig einen Wutanfall. Er warf Arialdus die Depesche ins Gesicht und schrie: »Was soll das heißen?«

Arialdus überflog hastig den Inhalt des Briefes und erbleichte. »Euer Durchlaucht ...«, begann er vorsichtig.

»Was soll das heißen?«, wiederholte Ojsternig eisig.

»Euer Durchlaucht, Ihr habt es selbst gelesen ...«, erwiderte der Verwalter.

»Was bedeutet das?«, schrie Ojsternig. »Heißt das, Ruprecht III. erkennt mich nicht als Fürsten des Lehens von Saxia an?«

Arialdus warf sich auf die Knie. »Euer Durchlaucht ...«, stammelte er, »das sind nicht meine Worte, sondern die von Ruprecht III. ... und ... er meint ... dass Eure adlige Stellung nicht den heraldischen Ansprüchen genügt ... Dass Ihr zwar sein Vasall seid, aber ...«

»Und das kann er einfach so mit mir machen?«, donnerte Ojsternig.

»Aber Euer Durchlaucht!« Arialdus' Gesicht wurde noch blasser. »Er ist der König!«

Ojsternig sprang auf und ohrfeigte ihn, während Harro angriffsbereit knurrte.

Der Verwalter stöhnte leise und verharrte stumm mit gesenktem Kopf.

»Wird der König etwa einen seiner Hofleute zum neuen Fürsten von Saxia ernennen?«, rief Ojsternig verächtlich. »Dann werde ich den wie ein Schwein abschlachten. Keiner wird mir nehmen, was ich mir erobert habe. Nicht einmal der König, so wahr mir Gott helfe.«

»Euer Durchlaucht ...«, stammelte Arialdus leise, der in seiner Angst umso flinker nachdachte, »vielleicht gäbe es da einen Weg ...«

Ojsternig horchte auf. »Sprich.«

»Ruprecht III. sagt, dass er einen neuen Fürsten ernennen wird, sobald er sich vergewissert hat, dass es keine rechtmäßigen Erben des Hauses Saxia gibt ...«

Mikael spürte, wie ihm ein Schauer den Rücken hinablief.

Ojsternig packte Arialdus an der Weste, als wäre er ein leerer Sack. »Komm zum Wesentlichen! Sprich schon!«

Arialdus sah zu Mikael. »Der Junge ist noch hier, Euer Durchlaucht ... Das ist ein heikles Thema ...«

Ojsternig drehte sich zu Mikael um, und erst jetzt sah er, dass dieser noch nicht gegangen war. Er ließ den Verwalter los, packte den Jungen am Arm und zerrte ihn wütend zur Tür. Mikael stolperte, doch er schleifte ihn einfach weiter.

Harro jaulte auf, wie aus Mitleid.

Auf der Schwelle riss Ojsternig Mikael hoch und warf ihn nach draußen.

Während Mikael sich überschlagend die Treppe hinunterfiel, hörte er Ojsternig sagen: »So, der Dreckschaufler ist nicht mehr da. Jetzt rede!« Und im selben Moment, als der Junge unten mit dem Kopf gegen die Wand prallte, wurde die alte Eichenholztür des Großen Saals mit einem Knall geschlossen.

Mikael bemerkte, dass ihm etwas Warmes zwischen den Haaren hinablief. Er legte eine Hand an die Stelle, wo er sich den Kopf angeschlagen hatte, und betrachtete seine Fingerkuppen. Sie waren blutig. Als Mikael aufstand, wurde ihm schwindelig, doch obwohl er etwas wackelig auf den Beinen war, machte er sich daran, den zweiten Treppenabsatz nach unten zu gehen.

Vor dem Raum der Huren stolperte er und fiel hin, stand aber sofort wieder auf. Weil er immer noch schwankte, stützte er sich an der Wand ab.

»Du bist ja verletzt!«, rief eine der Huren, ein Mädchen von nicht einmal vierzehn Jahren, und kam ihm zu Hilfe.

»Nein ... mir geht es gut ...«, murmelte Mikael. Dann wurde er ohnmächtig.

Als er die Augen wieder aufschlug, lag er auf zwei zusammengeschobenen Stühlen, und die jungen Huren standen lächelnd um ihn herum, fast so, als hätte dieses unerwartete Ereignis sie aufleben lassen. Eine wusch seine Wunde aus, eine andere tupfte sie trocken, die nächste verband ihn, und alle kümmerten sich liebevoll um ihn, als wäre er eine Puppe.

»Gib Gregor einen Kuss von mir«, sagte Emöke, als er endlich aufstand.

Mikael merkte, wie seine Augen sich mit Tränen füllten.

»Ach, komm schon, du musst doch nicht weinen«, sagte eine der Huren und drückte ihn fest an ihren Busen. »Das ist doch nur eine hässliche Beule. Heute Nacht wirst du noch Kopfschmerzen haben, aber morgen hast du das Ganze bestimmt schon vergessen.«

Dann zogen sie ihn alle nacheinander an sich, um ein wenig an dieser unschuldigen Wärme teilzuhaben, die sie nicht mehr kannten, und herzten und küssten ihn, sogar auf den Mund.

Inzwischen eilte Ojsternig erregt die Treppe hinunter, gefolgt von seinem aufgelösten Verwalter. »Ich brauche das Geld jetzt!«, rief er aus. »Wir werden dieses Bauerngesindel ausquetschen. Und wenn sie nichts geben wollen, werde ich ihnen eben das Leben nehmen!« Er lachte boshaft. »Agomar! Agomar!«, schrie er und rannte in den Hof. »Versammle die Männer! Ich will, dass ihr morgen geschlossen ins Raühnval reitet und ein paar Sturköpfe verdrescht!« Wieder lachte er bösartig.

In dem Zimmer der Huren war es schlagartig mucksmäuschenstill geworden.

»Heute Nacht werden sie sich besaufen und uns wehtun«, sagte die älteste. »Macht euch auf was gefasst, Mädels.« Dann streichelte sie Mikael über den Kopf und sagte mit einer Stimme, aus der mit einem Mal die ganze Wärme von eben gewichen war: »Geh nach Hause, Kleiner.«

Mikael machte sich auf wackeligen Beinen zum Ausgang des Palas auf. Dabei fiel er erneut hin.

Der Majordomus, ein großer, hagerer Mann, bemerkte ihn. Er sah auch den blutigen Verband. »Geh nach Hause«, sagte er ebenfalls zu ihm. »Ich habe gehört, wie der Herr gesagt hat, dass er dich nicht um sich haben möchte. Heute wird er nicht darauf achten, ob du Unrat schaufelst.«

Mikael stand schwankend auf.

Der Majordomus schaute zur Fleischerei und winkte Eberwolf zu sich. »Bring ihn nach Hause. Allein wird er es nicht schaffen.«

Kaum hatten sie Dravocnik hinter sich gelassen, gab Eberwolf Mikael einen Klaps auf den Verband und sagte spöttisch: »Du musst mir den Kerl zeigen, der dir den Schädel eingeschlagen hat. Dem will ich die Hand schütteln.« Dann stieß er Mikael an. »Los, beweg dich, Ziegendreck!«

Mikael schleppte sich mit Mühe vorwärts. Immer wieder trübte sich sein Blick, seine Knie gaben nach, und ihm war leicht übel. Die Wunde pochte nun schmerzhaft.

Sobald sie über den Pass waren, drehte Eberwolf sich um und

verkündete: »Ich lass dich jetzt allein, Ziegendreck. Du bist mir viel zu langsam. Wenn wir in dem Tempo weiterlaufen, kommen wir erst bei Nacht im Dorf an, und ich mag keinen Wölfen begegnen. Pass auf, dass du dich nicht verirrst.« Dann eilte er ins Tal voraus.

Mikael war viel zu betäubt, um Angst zu haben. Er konnte kaum die Augen offen halten. Zudem hatte er das Gefühl, dass seine Beine allmählich taub wurden. Schließlich erreichte er unter großer Anstrengung einen kleinen Bach, der fast ausgetrocknet war. Unsicher lief er über die herausstehenden Steine und kniete sich dann vor einer klaren Pfütze mit eiskaltem Wasser nieder. Er tauchte die Hände hinein und wusch sich mehrmals das Gesicht. Da seine Kopfschmerzen immer stärker wurden, legte er sich auf den Rücken und schob den Hinterkopf mit der Wunde ins Wasser. Er zählte sechs Mal bis fünfzig, wie Agnete es ihm beigebracht hatte, und sagte dann laut: »Dreihundert.« Anschließend stand er auf und lief fröstelnd weiter.

Die Wunde schmerzte zwar nicht mehr so stark wie vorher, aber dafür war es jetzt dunkel geworden. Mikael kam noch langsamer vorwärts als zuvor, da er nun ständig über Steine stolperte. Die Stille der Nacht wurde nur durch das Rascheln des trockenen Laubs unterbrochen, das unter seinen Füßen aufwirbelte, und von den Rufen der ersten Nachtraubvögel, die zur Jagd aufbrachen. Obwohl er immer noch ziemlich benommen war, bekam er nun doch Angst. Er lief mit angehaltenem Atem weiter und lauschte bei jedem Knacken angespannt, ob nicht etwa ein Wolf im Gebüsch lauerte. Doch wenig später kam er zu der kleinen Brücke über die Uqua und wusste jetzt, dass er nicht mehr weit von zu Hause entfernt war.

Eine halbe Stunde später stieß er die Tür von Agnetes Hütte auf. Er taumelte ein paar Schritte vorwärts, während Agnete und Eloisa mit besorgten Mienen von ihrem Strohlager aufsprangen. Dann brach er zusammen.

»Junge, was hast du bloß angestellt?«, rief Agnete und eilte ihm zu Hilfe.

»Was ist ihm denn zugestoßen, Mutter?«, fragte Eloisa erschrocken.

»Genau das frage ich ihn ja, dumme Gans«, sagte Agnete. »Junge ... Junge ... hörst du mich?«

»Nennt ihn doch bei seinem Namen, Mutter«, sagte Eloisa mit Tränen in den Augen.

»Mikael ...«, rief Agnete. »Mikael, hörst du mich?«

Er brachte nur ein schwaches Lächeln zustande.

Sie legten ihn auf sein Lager. Agnete löste den Verband und überprüfte die Wunde an seinem Hinterkopf. »Das ist nichts«, sagte sie schließlich.

»Und warum ist er dann so?«, fragte Eloisa.

»Man sieht, dass seine inneren Säfte durcheinandergeraten sind ...«

»Und was kann man dagegen tun?«

»Er darf nicht zu tief schlafen, weil es sein könnte, dass er dann nicht mehr aufwacht«, sagte Agnete.

Eloisa brach in Tränen aus.

»Heul hier nicht rum, pass lieber auf, dass er wach bleibt, während ich einen Umschlag vorbereite, der die Säfte aufnimmt«, fuhr Agnete ihre Tochter an. Sie stand auf und ging zu der Truhe, in der sie ihre Kräuter aufbewahrte.

»Mikael«, flüsterte Eloisa fast unhörbar.

Er schlug die Augen auf und sah sie an. »Hast du dich gewaschen?«, fragte er.

Eloisa verstand nicht.

»Du darfst dich nicht waschen ...«, sagte Mikael, der irgendwo zwischen Wirklichkeit und Traumwelt schwebte. »Ich will nicht, dass du stirbst ...«

»Nein, ich wasche mich nicht«, schluchzte Eloisa.

Agnete schob sie grob beiseite. »Wenn ich dich auch nur

noch einmal ansatzweise schluchzen höre, dann verprügle ich dich nach Strich und Faden. Dann hast du wenigstens einen Grund zum Flennen!« Sie hob Mikaels Kopf an, strich eine Salbe, die nach Harz und Minze roch, auf die Wunde und legte einen neuen Verband an. »Red mit ihm«, forderte sie ihre Tochter auf, während sie sich mit sorgenvoller Miene an den Tisch setzte.

»Mikael ...«, sagte Eloisa, »was ist denn passiert?«

Er grinste sie dümmlich an.

»Sag mir, wer dir wehgetan hat«, forderte Eloisa ihn auf.

»Ojsternig ...«, flüsterte Mikael. »Ojsternig ...«

»Und warum?«

»Er hat meinen Vater umgebracht, weißt du?«

»Du hast keinen Vater!«, schrie Agnete. Sie stand auf, packte den Krug, der auf dem Tisch stand, und spritzte ihm Wasser ins Gesicht.

»Ojsternig ...«, wiederholte Mikael, aber dann brach er ab und schloss die Augen.

»Du darfst nicht einschlafen, Dummerjan. Ojsternig ...«

»Ojsternig ...«

»Ja, Ojsternig ...?«

»Er kommt morgen hierher ...«, murmelte Mikael. Dann wurde er plötzlich ganz aufgeregt. »Ihr müsst fliehen ... fliehen ... Er kommt mit Agomar ... Er hat alle umgebracht ... auch Eilika ... und den Schmied, er hat ihm einen Arm abgeschlagen ... Und dann die Frauen ... Sie weinte, und er hat zu ihr gesagt ...«

»Was hat Ojsternig vor?«, unterbrach Agnete ihn und spritzte ihm wieder etwas kaltes Wasser ins Gesicht.

»Agomar ... wir werden morgen ein paar Sturköpfe verdreschen«, wiederholte Mikael Ojsternigs Worte.

»Was bedeutet das, Mutter?«

»Wer kann das schon verstehen?« Agnete gab ihm einen

sanften Klaps ins Gesicht. »Hör zu, Junge. Was wird Ojsternig tun?«

»Wir brauchen Geld!«, rief Mikael mit Ojsternigs Stimme. »Das hat er gesagt. ›Wir werden dieses Bauerngesindel ausquetschen. Und wenn sie nichts geben wollen, werde ich ihnen eben das Leben nehmen! Agomar! Agomar! Versammle die Männer! Ich will, dass ihr morgen geschlossen ins Raühnval reitet und ein paar Sturköpfe verdrescht!‹«

»Hat er das wirklich so gesagt?«, fragte Agnete. »Hat er dich deswegen so zugerichtet?«

»Wir brauchen Geld! Wir werden dieses Bauerngesindel ausquetschen. Und wenn sie nichts geben wollen, werde ich ihnen eben das Leben nehmen!«, schrie Mikael wieder. Dann schien er auf einmal wieder zu sich zu kommen. Er sah Eloisa und Agnete voller Angst an und rief: »Flieht! Ihr müsst fliehen!«

»Oh, allmächtiger Gott! Dieser Bastard wird uns morgen bis auf die Knochen ausnehmen.« Agnete stand auf und kratzte sich nachdenklich am Kopf. »Ich muss die anderen warnen.« Sie schaute erst ihre Tochter, dann Mikael an. »Möge Gott dich segnen, Junge«, murmelte sie leise beim Verlassen der Hütte. »Eloisa, pass auf ihn auf. Er darf auf keinen Fall einschlafen.«

Agnete eilte zur Kapelle Maria zum Schnee. »Priester! Priester! Wach auf, Priester!«, schrie sie und hämmerte an die Tür des kleinen Pfarrhauses.

Nach einer Weile erschien Vater Timotej in Nachthemd und Nachtmütze mit einer flackernden Kerze in der Hand. »Großer Gott, Agnete, was ist denn los? Wer stirbt, dass du Gottes Beistand brauchst?«

»Was will ich mit Gottes Beistand? Ich brauche deine Glocken, Priester«, erklärte Agnete.

»Aber warum?«

»Läute die Glocken, wenn du dir nicht gotteslästerliche Flüche von mir anhören willst«, fuhr Agnete ihn aufgebracht an. »Und zieh dich an!«

Kurz darauf ließen die Glocken der Kapelle ihren jämmerlichen Klang ertönen, und nach und nach fanden sich die besorgten Dorfbewohner mit schlafverquollenen Augen ein.

»Hört mir zu!«, rief Agnete, als alle versammelt waren. »Morgen wird Ojsternig mit seinen Schergen kommen, um uns auszuquetschen. Ich weiß nicht, was er vorhat und warum er Geld braucht, aber glaubt mir, ihr seid an den Fürsten von Saxia gewöhnt, und der war ganz anders als dieser Riesenschuft. Ich kenne Leute wie den. Er wird unsere Häuser auf den Kopf stellen und unsere Möbel zerschlagen, um das zu finden, wonach er sucht.«

»Und was sollen wir tun?«, erhob sich eine besorgte Stimme und sprach damit allen aus der Seele.

»Wir müssen ihn etwas finden lassen«, antwortete Agnete.

»Wieso das denn?«, erhob sich sofort ein Chor empörter Dörfler.

»Wenn wir all unser Hab und Gut verstecken und der Drecksack nichts findet, wird ganz sicher jemand mit seinem Leben dafür bezahlen. Wenn wir allerdings nur einen Teil verstecken und ihn den Rest finden lassen, wird er glauben, dass wir tatsächlich nicht mehr haben.«

»Das ist wahr!«, sagte Vater Timotej.

»Bringen wir also das, was sie nicht finden sollen, an einen sicheren Ort und vergraben es in einem Loch bei der Holzbrücke«, fuhr Agnete fort. »Ein einziges Versteck für alle. Je mehr Verstecke es gibt, desto wahrscheinlicher ist es, dass sie etwas bemerken. Jeder von uns weiß, was er ins Loch legt. Und keiner wird diese Situation ausnutzen, um die eigenen Leute zu betrügen, nicht wahr?«

»Natürlich nicht!«, ertönte es erneut einstimmig.

»Und seid nicht zu geizig. Versteckt nicht alles. Nur die

Hälfte von dem, was ihr habt«, fuhr Agnete fort. »In diesem Kampf werden wir auf jeden Fall verlieren. Sie haben die Macht, und wir sind ihre Knechte. Die andere Hälfte, die sie so oder so bekommen werden, teilt noch einmal auf. Den einen Teil gebt ihr ihnen, wenn sie danach verlangen, den anderen versteckt ihr im Haus. Aber macht es ihnen nicht allzu schwer. Sie denken, dass wir dumme Bauerntölpel sind, daher werden sie sich nicht wundern, dass sie schlauer sind als wir, und uns auslachen, wenn sie alles finden. Das wird sie überzeugen, dass wir sonst nichts haben. Aber wir wissen, dass wir sie verarscht haben!«

»Also wirklich, Agnete!«, protestierte Vater Timotej.

»Verzeiht mir, Vater, aber so ist es doch!«

Vater Timotej schüttelte den Kopf, aber insgeheim musste er lächeln.

»Denkt daran, verlieren werden wir auf jeden Fall. Es geht nur darum, weniger als das zu verlieren, was Ojsternig uns genommen hätte, wenn er morgen Früh überraschend hier aufgetaucht wäre.«

»Da hast du recht«, stimmte eine Frau zu. »Und wie hast du davon erfahren?«

Agnete lächelte stolz. »Mein Junge ist gekommen, um uns zu warnen«, sagte sie. »Mein Junge, von dem alle geglaubt haben, dass er nicht überleben wird, der Muskeln wie ein Eichhörnchen hatte und der nicht mit der Hacke umgehen konnte.« Sie schaute sich triumphierend um, als hätte sie persönlich Genugtuung erfahren. »Er ist verletzt, und es ist gut möglich, dass er die Nacht nicht übersteht«, fügte sie schamlos übertreibend hinzu. »Aber er hat sich hierhergeschleppt, um uns zu retten.«

Erstauntes Gemurmel erhob sich.

»Los, lasst uns keine Zeit verlieren!« Agnete deutete auf Eberwolf. »Du, nimm dir eine Schaufel und komm mit graben.«

»Nun mach schon«, forderte der Vater Eberwolf auf, als dieser zögerte.

Da näherte sich Astrid, die alte Frau, die als Erste bezweifelt hatte, dass Mikael überleben würde, und sagte so laut, dass alle sie hören konnten: »Ich war eine dumme alte Frau, und ich habe mich geirrt. Wie du damals vorhergesagt hast, stehe ich nun vor dir und muss zugeben, dass du nicht nur ein gutes Geschäft gemacht hast, als du diesen Jungen gekauft hast ... Du hast auch ein gutes Geschäft für uns alle gemacht.«

Viele der Umstehenden nickten. »Ja, das stimmt.«

»Ich werde für deinen Jungen beten«, sagte eine Frau zu Agnete, ehe sie nach Hause eilte.

»Möge Gott ihn segnen«, sagte ein Mann.

Und dann kamen sie nacheinander zu Agnete und drückten ihr ihre Bewunderung und ihren Dank für Mikael aus.

Agnete lächelte. Dann bedeutete sie Eberwolf, ihr zu folgen.

Als sie eine abgelegene Stelle bei der Holzbrücke erreicht hatten, blieb Agnete stehen. »Grab hier tief. Aber heb zuerst die Grasschollen vorsichtig ab. Die wirst du am Schluss wieder obenauf legen, damit keiner bemerkt, dass hier Erde umgegraben wurde.«

Eberwolf machte sich an die Arbeit.

Dann kam Agnete noch etwas näher. »Weißt du, warum ich wollte, dass du das Loch aushebst?«

»Nein«, antwortete Eberwolf mit seinem dümmlichen Gesichtsausdruck.

»Weil ich dir etwas sagen wollte, ohne dass du vor den anderen wie ein Scheißkerl dastehst.«

Eberwolf hielt inne und sah sie stumm an.

»Hör nicht auf«, befahl Agnete.

Eberwolf grub weiter.

»Ich habe gesehen, dass du kurz vor Mikael angekommen

bist«, sagte Agnete. »Ich wette, dass ihr ein Stück Weg zusammen gegangen seid.«

»Und wenn schon?«, fragte Eberwolf auf seine übliche überhebliche Art.

»Ziegendreck hat gerade auch dir und deinem Vater den Arsch gerettet«, sagte Agnete und bohrte ihm einen Finger in die Schulter. »Und du hast ihn da draußen allein gelassen, bist einfach vorausgelaufen. Wenn er es nicht hierher geschafft hätte, wären wir am Ende gewesen. Morgen, wenn du und deine Familie die Hälfte von dem wenigen, das ihr besitzt, gerettet habt, so wie wir alle, dann denkst du vielleicht mal darüber nach ... Elderstoff.« Damit drehte sie sich um und lief nach Hause.

Als sie die Tür öffnete, sah sie, dass Eloisa im Schein einer Kerze ein Buch vor sich hielt. Mikael betrachtete sie und lächelte.

»Und so handelte der Junge, der dachte, er wäre dumm und böse, wie ein Held. Und genau wie er die Maus Hubertus gerettet hatte, rettete er nun das ganze Dorf ...«

»Du darfst dich nicht waschen ...«, murmelte Mikael. »Ich will nicht, dass du stirbst ...«

»Nein, ich sterbe nicht«, antwortete Eloisa. »Aber du darfst nicht verblöden, bitte nicht. Du erzählst mir das jetzt nämlich schon zum vierten Mal.«

33

Steht hier nicht rum und haltet Maulaffen feil! Verhaltet euch so wie sonst auch«, sagte Agnete am nächsten Morgen zu den Dorfbewohnern, die sich bei der Kapelle Maria zum Schnee versammelt hatten. »Sie dürfen nicht argwöhnen, dass wir auf ihre Ankunft vorbereitet sind.« Und auf dem Weg zurück zu ihrer Hütte grummelte sie: »Alles Dummköpfe!«

Als sie nach Hause kam, lag Mikael noch auf seinem Strohsack. »Steh auf, Junge!«

Mikael sah sie müde an.

»Ich habe gesagt, du sollst aufstehen!«, befahl sie ihm streng.

»Warum denn?«, fragte Eloisa.

»Rede ich etwa mit dir?«

»Aber es geht ihm schlecht«, erwiderte Eloisa.

»Wer bist du denn? Sein Schutzengel?«

»Mutter ...«

»Jetzt komm schon und trödel hier nicht rum«, sagte Agnete und zerrte Mikael an einem Arm hoch. »Du darfst nicht wieder schwach werden.«

Mikael stand auf. Seine Knie fühlten sich immer noch weich an, und ihm war schwindelig.

Eloisa machte einen Schritt nach vorn, um ihn zu stützen.

»Ich schneid dir deine Hände ab«, drohte Agnete.

Eloisa blieb stehen. »Aber ich dachte ...«

»Wenn der Mensch zu denken beginnt, fängt Gott an zu lachen«, erklärte Agnete. »Und wenn es dann noch so eine dumme Gans ist wie du, oje, dann wird Gott sich totlachen.« Sie schüttelte den Kopf und sagte leise, während sie Mikael Brühe in eine Schale goss: »Iss etwas, dann fühlst du dich gleich besser, Junge.«

In dem Moment erschien Eberwolf in der Tür. »Ihr habt mich gerufen?«

»Ja, Elderstoff«, antwortete Agnete.

»Warum nennt Ihr mich Elderstoff?«, fragte der große Junge. »Ich heiße Eberwolf.«

»Ach wirklich?«, fragte Agnete.

»Ja.«

»Was du nicht sagst.« Agnete ging auf ihn zu und schob ihn aus der Tür. Leise zischte sie ihm zu: »Jetzt hör mir mal gut zu. Sollte ich erfahren müssen, dass du meinem Mikael auch nur einen Kratzer zugefügt hast, dann drehe ich dir den Hals um.« Sie starrte ihn an. »Hab ich mich klar ausgedrückt?«

Eberwolf konnte vor Schreck nur ein wenig nicken.

»Sehr gut, Elderstoff.«

»Ich habe Euch doch gesagt, ich hei...«

»Das schert mich einen Dreck«, unterbrach Agnete ihn. »Merk dir besser gleich: Ab heute wird der Junge von allen respektiert«, sagte sie nachdrücklich. »Und wenn ich herumerzähle, dass du ihn zurückgelassen hast, als er eine Botschaft hatte, die für uns alle lebenswichtig war, wird es im ganzen Dorf keinen geben, der dich deswegen nicht in den Hintern tritt. Verstanden?«

Eberwolf starrte sie mit hochrotem Kopf an.

»Ab heute tust du, was ich sage. Und jetzt verschwinde«, sagte Agnete, und während sie zurück in ihre Hütte ging, rief sie nach drinnen: »Junge, beeil dich! Wir müssen aufs Feld.«

Mikael, der gerade fertiggegessen hatte, stand vorsichtig auf und wäre beinahe wieder hingefallen.

»Mutter...«, flüsterte Eloisa erschrocken.

»Du bist der lästigste Angsthase, den ich kenne, Tochter!«, fauchte Agnete sie an. Beim Fortgehen dachte sie jedoch mit schwerem Herzen: Gott, halte eine schützende Hand über den

314

Jungen. Mach, dass ihm nichts zustößt. Und zum ersten Mal in all diesen Jahren fühlte sie sich verletzbar.

Kaum eine Stunde später wurde eine Reiterschar gesichtet, die sich im gesammelten Galopp dem Dorf näherte. Die Bewohner erkannten Ojsternig und Agomar mit ihren Schergen, und neben Ojsternig Harro, den Molosser des Fürsten.

Als Ojsternig die Kapelle Maria zum Schnee erreicht hatte, riss er an den Zügeln seines mächtigen gefleckten Hengstes. Das Pferd wieherte und schüttelte den Kopf, es schäumte und stampfte, aber Ojsternig ließ nicht locker, sodass das Tier schließlich gehorsam stehen blieb.

Kurz darauf kam der Verwalter auf einem untersetzten Pferd angetrabt, dem zwei Diener zu Fuß folgten. Diese führten zwei Lasttiere am Zügel, auf die ein plumper Schreibtisch aus schwarzem Holz, ein Stuhl mit hoher Lehne und ein mit rotem Leder bezogener Polsterstuhl geladen waren.

Sie stellten alles vor den Stufen der Kapelle Maria zum Schnee ab.

Arialdus von Tarvis setzte sich auf den Lehnstuhl hinter dem Schreibtisch, auf den die Diener ein großes Buch, ein Tintenfass, eine Feder, etwas Löschpapier, ein Siegel und eine Siegellampe für den Lack gelegt hatten.

Ojsternig nahm auf dem Polsterstuhl Platz, den man neben den Schreibtisch gestellt hatte, und schlug die Beine übereinander. Harro legte sich mit vom Laufen noch triefenden Lefzen an seine Seite und beobachtete aufmerksam die Menge. Der Fürst starrte auf die Menschen, die von den Feldern herbeieilten, und spielte mit seiner Reitgerte.

Die Dorfbewohner mussten sich in einer langen Reihe vor dem Schreibtisch aufstellen. In den Gesichtern der Leibeigenen war blanke Angst zu lesen, alle standen mit gekrümmten Rücken da. Und nur wenige wagten es, kurz den Blick zu Ojsternig zu erheben.

Mikael, Agnete und Eloisa hatten einen Platz in der Mitte der Schlange.

Eloisa sah zu Mikael und entdeckte in seinen Augen etwas, das sie an ihm noch nie gesehen hatte: den Blick eines Erwachsenen. Und da wuchs in ihrem Herzen eine Art Bewunderung für ihn.

Ojsternig musterte die Bauern streng. »Heute werde ich die rückständige Pacht eintreiben, die ihr mir für die Felder schuldet, die ihr euch unrechtmäßig angeeignet habt. Der Verwalter wird die Abrechnung aufstellen, und wenn nötig, werden meine Soldaten das Geld eintreiben.« Er deutete mit dem Finger auf den Ersten in der Reihe. »Du da, komm her«, befahl er.

Als der Mann vortrat, knurrte Harro.

»Name?«, fragte Arialdus von Tarvis, ohne aufzusehen.

»Fabian Preschern«, antwortete der Mann leise und knetete in den Händen seine Mütze aus Eichhörnchenschwänzen.

Arialdus fuhr mit dem Finger die Seiten entlang. »Ah!«, rief er aus und tippte mit dem Fingernagel auf die Eintragung. »Hier stehst du ja. Fabian Preschern. Du hast eine Frau und zwei Kinder.«

»Ja, Herr.«

»Also ... dann schuldest du Seiner Durchlaucht ... genau ...«, sagte der Verwalter mit zusammengekniffenen Augen, »genau ... acht Silbergroschen.«

Preschern öffnete hilflos die Arme. »Und wo soll ich acht Groschen hernehmen, Herr?«

»Ich rate dir, sie aufzutreiben, Bauerntölpel«, sagte Ojsternig eisig.

Der Mann reichte dem Verwalter einen Leinenbeutel. »Ich habe sonst nichts ...«

Arialdus öffnete ihn und leerte den Inhalt auf den Schreibtisch aus. Er zählte das Kleingeld und machte jedes Mal einen Stapel, wenn er den Gegenwert eines Groschens erreicht hatte. »Vier Groschen und drei Pfennige«, sagte er schließlich.

»Mehr habe ich nicht«, wiederholte Preschern.

Ojsternig drehte sich zu Agomar um. »Sag deinen Männern, sie sollen das Haus dieses Lügners durchsuchen.«

Agomar packte Preschern am Kragen und ließ sich seine Hütte zeigen. Dann schickte er seine Männer hinein, die alles durchwühlten und dabei den armseligen Hausrat auf den Boden warfen und kaputt schlugen. Wenig später fanden sie in einer Nische noch einen Leinenbeutel. Den zeigten sie Agomar, der ihn dem Verwalter überreichte.

Arialdus von Tarvis stapelte wieder das Geld auf und verkündete schließlich: »Es fehlen noch fünf Pfennige, Euer Durchlaucht.«

Ojsternig stand auf und trat an Preschern heran. Er stülpte einen eisernen Kettenhandschuh mit verstärkten Knöcheln über und schlug ihm damit fünf Mal ins Gesicht. »So wirst du nicht vergessen, was du mir noch schuldest. Und du darfst dich noch glücklich schätzen«, sagte er, während er auf das zerschlagene, blutende Gesicht des Mannes starrte.

Mit gesenktem Kopf wich Preschern zurück.

Ojsternig ließ seinen harten Blick erneut über die Menge schweifen und begegnete wieder den Augen von Mikael, der wie immer als Einziger nicht den Kopf senkte. Da wurde der Fürst wütend. »Hebamme«, knurrte er, »stell dich ans Ende der Schlange. Ich habe mir das Buch angesehen, mit dir habe ich doppelt abzurechnen.«

Agnete packte Mikael und Eloisa bei der Hand und reihte sich ganz hinten ein.

Ojsternig schritt die Schlange ab. »Wollt ihr selbst nach dem Geld suchen, das ihr so schlecht versteckt habt, oder zieht ihr es vor, dass meine Männer eure jämmerlichen Hütten abfackele?« Er machte eine kurze Pause. »Ihr habt die Wahl.«

Die Dorfbewohner wussten nicht, was sie tun sollten. Wie gelähmt blieben sie an ihrem Platz stehen.

Agnete verließ als Erste die Versammlung und ging nach Hause. Nach einer Weile kehrte sie mit einem verknoteten Jutetuch zurück.

Daraufhin liefen alle in ihre Hütten und kehrten mit dem versteckten Geld zurück.

»Gut«, sagte Ojsternig, nachdem er alle Münzen eingesammelt hatte, »damit wäre auch das erledigt.« Dann deutete er auf Agnete. »Und jetzt bist du an der Reihe, Hebamme. Tritt vor.«

Agnete ging zu ihm, Mikael und Eloisa folgten ihr.

Harro jaulte kurz auf, als er Mikael sah. Doch aus Furcht vor seinem Herrn war er gleich wieder still.

»Du hast den Jungen nicht eintragen lassen«, polterte Ojsternig los, während er aufsprang und auf das Buch deutete. »Hast du dir vielleicht eingebildet, so könnte er frei sein?«

»Nein, Euer Durchlaucht ... Ich ...«

»Schweig!«, schrie Ojsternig und starrte Mikael voller boshafter Befriedigung an. Er hatte diesen Augenblick schon seit gestern geplant. »Du hast versucht, deinen Herrn zu betrügen«, sagte er leise und zeigte auf Agnete. »Bindet sie an diesen Zaun«, befahl er Agomar. »Und peitscht sie aus.«

Unter den Bauern erhob sich erschrockenes Gemurmel.

»Euer Durchlaucht, glaubt mir doch ...«, versuchte Agnete, sich Gehör zu verschaffen.

Aber Ojsternig brachte sie mit einer Ohrfeige zum Schweigen.

Dann packte Agomar sie beim Arm und zerrte sie zu dem Zaun, hinter dem zwei magere Kühe die Menge mit stumpfen Augen anglotzten.

Eloisa und Mikael liefen hinterher.

Kurz bevor Agnete festgebunden wurde, sah sie ihre Tochter gebieterisch an. »Weine nicht und misch dich auf keinen Fall ein«, sagte sie. »Das ist ein Befehl.« Dann sah sie Mikael an. »Das gilt auch für dich.«

Agomar fesselte ihre Handgelenke an den Zaun. Dann riss er ihr Gewand hinten auf und legte so ihren Rücken frei.

Wieder ging ein Murmeln durch die verängstigte Menge.

Eloisas Augen füllten sich mit Tränen. Sie biss sich auf die Lippen, um nicht loszuheulen.

Mikael ergriff instinktiv ihre Hand, doch Eloisa riss sich sofort wieder los.

»Lass mich!«, fauchte sie ihn an, denn durch die Berührung drängten sich nur noch mehr Tränen in ihre Augen.

Ojsternig starrte Mikael befriedigt an, und als der seinem Blick standhielt, knirschte er wütend mit den Zähnen. »Beginnt!«, befahl er.

Agomar hob die Peitsche und ließ sie niedersausen.

Agnete stöhnte, als ihre Haut aufriss.

Doch Ojsternig sah nicht sie an. Er schaute weiterhin auf Mikael, der wie gebannt zurückstarrte, als gäbe es auf dieser Welt nur sie beide. Als wäre es eine Gegenüberstellung, der er sich nicht entziehen konnte.

Die Peitschenhiebe knallten durch die Luft, und Agnete stöhnte bei jedem lauter vor Schmerz.

Die Menge schwieg verstört, während Agnetes Rücken sich blutig rot färbte.

Als Agnete ein lauter Klageruf entfuhr, gab Mikael nach und senkte zum Zeichen seiner Niederlage den Blick.

Ojsternig lächelte, aber er befahl: »Weiter!«

Die Peitsche riss Agnetes Haut weiter auf.

Da kniete Mikael sich vor Ojsternig hin und senkte den Kopf.

Ojsternig trat an ihn heran. »Küss mir die Stiefel«, sagte er.

Und Mikael küsste ihm die schlammverkrusteten Stiefel.

»Das reicht!«, befahl daraufhin Ojsternig Agomar. »Ich habe deinen schwachen Punkt gefunden«, flüsterte er Mikael ins Ohr. »Diese Frau hat dich wie einen Hund auf dem Markt gekauft, und doch sorgst du dich um sie.« Er lächelte. »Nun gut, jetzt bist du also ganz zahm.« Schweigend ging er um ihn herum.

Mikael rührte sich nicht, er schaute nicht auf, sondern verharrte mit gesenktem Kopf auf den Knien.

»Bindet sie los!«, befahl Ojsternig.

Mikael hob auch dann nicht den Blick, als Agnete in sich zusammensackte und Eloisa ihr mit mühsam zurückgehaltenen Tränen aufhalf.

Ojsternig lachte. »Jetzt bist du wie die anderen. Du bist mein«, sagte er und legte Mikael eine Hand auf den Kopf. »Jetzt gehörst du mir ganz und gar.«

Mikael verharrte starr, doch bei sich dachte er mit einer Kälte und Wut, die ihn selbst erstaunten: Ich werde dich umbringen.

Ojsternig stieß ihn in den Dreck. »Ich brauche dich im Augenblick nicht mehr in der Burg«, sagte er, während er ihm einen Stiefel auf die Brust stellte und ihn so am Boden festnagelte. »Du wirst helfen, die Steine zur Burg zu schaffen. Aber du wirst sie nicht auf die Karren laden, sondern einen nach dem anderen zu Fuß tragen. Du wirst von morgens bis abends nichts anderes tun. Und jedes Mal, wenn du meinem Befehl nicht folgst, bekommt die Hebamme zehn Peitschenhiebe.« Er drehte sich zu Agomar um. »Wo ist die Mutter des Leibeigenen, der sich aufgehängt hat?«

Agomar führte sie zu ihm.

»Dein Sohn war mein Leibeigener, er hatte die Pflicht, mein Land zu bestellen, und stattdessen hat er sich umgebracht«, sagte Ojsternig. »Als Buße für den entstandenen Schaden wirst du in deinem Haus fünf meiner Männer aufnehmen, die den Fortgang der Arbeiten kontrollieren. Und du wirst für sie kochen und ihre Wäsche waschen.«

Gregors Mutter nickte abwesend.

Ojsternig wandte sich an seine Männer. »Gehen wir, für uns

gibt es hier nichts mehr zu tun.« Er saß auf, gab seinem Pferd die Sporen und preschte im Galopp davon.

Während Mikael Eloisa half, Agnete nach Hause zu bringen, traten viele Dorfbewohner an ihn heran und flüsterten ihm zu: »Möge Gott dich segnen, Junge. Heute hast du uns gerettet.«

Nur Eberwolf warf ihm einen hasserfüllten Blick zu.

Als sie die Hütte erreicht und Agnete auf ihren Strohsack gebettet hatten, starrte Mikael stumm auf ihren blutigen Rücken, bis er sie schließlich fragte: »Warum?«

»Es gibt kein Warum«, antwortete Agnete. »Wir sind das Eigentum des Fürsten.«

Mikael schüttelte empört den Kopf.

Agnete begriff, dass er noch etwas auf dem Herzen hatte. »Ja, Junge«, erwiderte sie. »Wir waren auch deines Vaters Eigentum. Und wir wären dein Eigentum geworden, wenn die Dinge anders gelaufen wären.«

Mikael wurde rot. »Hat mein Vater euch auch ... so behandelt?«

»Fürsten müssen ihre Arbeit machen«, antwortete Agnete.

»Hat mein Vater euch auch so behandelt?«, wiederholte Mikael.

»Nein«, sagte Agnete. »Aber wir waren trotzdem sein Eigentum.«

»Ich hätte euch freigelassen«, sagte Mikael heftig.

Agnete blickte ihn leidgeprüft an. »Auch ein Bauer kann sich nicht erlauben, das eigene Vieh freizulassen. Das Gleiche gilt für einen Fürsten und seine Untergebenen.«

»Ist es also das, was die Rebellen machen?«, fragte Mikael daraufhin. »Sie befreien Menschen?«

»Wenn ich dich noch einmal von den Rebellen reden höre, werde ich dich mit Steinen aus meinem Haus jagen«, drohte Agnete ihm. Aus ihrer Stimme klang die wilde Entschlossenheit von jemandem, der einen geliebten Menschen beschützen will.

»Aber das ist es doch, was sie tun, oder?«, beharrte Mikael. Ohne ein weiteres Wort rannte er aus der Hütte.

Es war schon Abend, als er zurückkehrte. Er hatte ein Tuch dabei, in dem er schwarze Schnecken gesammelt hatte. Er setzte sich auf die Türschwelle und kratzte mit einem Messer vorsichtig den Schleim von den Schnecken, den er in einer Schüssel sammelte. Als er fertig war, ging er zum Waldrand und ließ sie wieder frei, so wie er es beim alten Raphael gesehen hatte. Dann kehrte er zurück und begann ernst und konzentriert den Schneckenschleim auf Agnetes Wunden zu verreiben.

»Das ist aber trotzdem ungerecht«, sagte er schließlich mit gerunzelten Augenbrauen.

»Ja, das ist ungerecht«, sagte Agnete. »Aber es ist nun einmal so. Gewöhn dich also besser daran.«

»Wenn ich könnte, würde ich die Welt verändern.«

»All jene, denen Unrecht geschieht, möchten das.«

»Und warum tun sie es nicht?«

»Weil es sehr schwer ist.«

»So wie Hacken?«

»Noch schwerer.«

Mikael hing schweigend seinen Gedanken nach, während er weiter Agnetes Rücken mit dem Schneckenschleim einrieb. Schließlich sagte er entschlossen wie ein Großer: »Ich will es schaffen, egal wie schwer es ist.«

In der Nacht weinte Agnete leise in ihr Kuhfell, damit man es nicht hörte, und dachte an Mikaels Hände auf ihren Wunden. »Mein Sohn ...«, flüsterte sie.

34

Am nächsten Morgen kamen Ojsternigs Soldaten zu den Feldern, bei denen die Trockenmauern abgetragen werden sollten. Sie waren grob und brutal, beschimpften einige Bauern und belästigten die jüngeren Frauen mit unflätigen Bemerkungen. Dann fiel ihr Blick auf Mikael, der einen Stein geschultert hatte und sich auf den Weg machen wollte.

»He du, wo willst du denn hin?«, riefen sie.

Mikael drehte sich um.

Einer der Soldaten holte von einem Wagen eine Kiepe für das Heu. »Komm her«, sagte er, und als Mikael gehorchte, hielt er ihm grob die Kiepe hin. »Schnall sie dir auf die Schultern.« Dann zerrte er ihn am Arm zu einem der Mäuerchen. »Dreh dich um«, befahl er, nahm einen Stein und ließ ihn in die Kiepe fallen. »Hast du geglaubt, du würdest mit einem Stein auf einmal davonkommen, Schlaumeier?«

Mikael schwankte beim Aufprall des Steins.

Die Dorfbewohner waren stehen geblieben und beobachteten, wie der Soldat einen weiteren Stein nahm und ihn in die Kiepe fallen ließ. Mikael packte die Riemen der Kiepe mit den Händen, damit die Last sich besser verteilte, während der Soldat einen dritten, dann einen vierten und fünften Stein hineinwarf. Die Beine des Jungen zitterten unter dem Gewicht.

»Los, beweg dich«, sagte der Soldat und stieß ihn vorwärts.

Mikael verlor das Gleichgewicht, und seine Knie gaben nach. Er streckte im Fallen die Arme vor, doch er kam schwer auf dem Boden auf. Einer der Steine rollte aus der Kiepe heraus und traf ihn am Kopf.

Die Soldaten lachten höhnisch. Einer zog ihn unsanft hoch und warf den Stein in die Kiepe zurück. »Versuch auf den Beinen zu bleiben, sonst jagen wir dich mit Fußtritten zur Burg hoch.«

Mikael ging breitbeinig die ersten Schritte.

»Das wird er nie schaffen«, sagte Vater Timotej zu den Soldaten.

»Dann kannst du ihn ja auf deinem Friedhof begraben«, erwiderten die Männer.

Eloisa bückte sich, um ein gerade erblühtes Adonisröschen zu pflücken, das so gelb war wie ein Goldknopf. Sie ging zu Mikael und legte die Blüte obenauf in die Kiepe. »Los, Dummerjan, du kannst es schaffen«, ermutigte sie ihn.

Drei Dorfbewohner, die gerade Steine auf ihren von einem Ochsengespann gezogenen Karren gestapelt hatten, verspotteten ihn, als sie an ihm vorüberkamen: »Du schaffst es nicht einmal bis zum Wald, Schwächling.« Dann wandten sie sich den Soldaten zu und stimmten in deren Hohngelächter ein.

Agnete strafte sie mit einem vernichtenden Blick. »Wie könnt ihr nur?«, schrie sie die Männer empört an.

»Du, halt den Mund«, befahl ein Soldat Agnete.

Agnete starrte die Bauern auf dem Karren weiter böse an, als diese lachend an ihr vorüberfuhren. »Ihr Mistkerle!«, schrie sie ihnen nach.

Andere Männer lachten ebenfalls über Mikaels unbeholfene Bemühungen, was ihnen böse Blicke ihrer Ehefrauen einbrachte. Doch sie zuckten nur mit den Schultern und machten erneut Scherze über Mikael.

»An die Arbeit!«, befahlen die Soldaten. Dann gingen sie zum Haus von Gregors Mutter, die sie wie befohlen mit Bechern voller Starkbier erwartete.

Die Soldaten setzten sich in die Sonne und packten die Würfel aus.

Agnete ging zur Ehefrau eines der drei Dorfbewohner, die mit dem Karren weggefahren waren. »Wie kann dein Mann nur so etwas tun?«, sagte sie voller Verachtung zu ihr. »Er weiß nicht, was Dankbarkeit ist. Ich wünschte, Gott würde ihm all das nehmen, was mein Junge ihm gerettet hat, wenn damit nicht gleichzeitig auch du alles verlieren würdest, die ja keine Schuld trifft.«

Die Frau wurde rot. »Ich schäme mich für ihn, Agnete«, erwiderte sie.

Agnete beobachtete Mikael, der sich mühsam den Weg hinaufquälte.

»Er wird es schaffen«, sagte die Frau.

»Wie soll er denn?«, antwortete Agnete verzweifelt. »Er ist doch nur ein Junge und trägt ein Gewicht wie für einen erwachsenen Mann auf den Schultern.«

Beide blieben stehen und beobachteten Mikael. Sie sahen, wie er stolperte, aber er fiel nicht.

»Er wird es schaffen«, wiederholte die Frau.

Agnete entgegnete nichts mehr. Mit finsterer Miene entfernte sie sich. »Arbeite, Närrin«, sagte sie zu ihrer Tochter, als sie sah, dass deren Augen von Sorgentränen getrübt waren. »Der verdammte Junge wird es schon schaffen.«

Mikael spürte, wie das Herz ihm bis zum Hals schlug und seine Beinmuskeln von der Anstrengung brannten. Bei jedem Schritt geriet er durch die schwere Last ins Wanken, und sein Kopf dröhnte immer noch. Der Wald schien ihm unerreichbar, so weit war er noch entfernt. Und erst dahinter standen hoch droben auf ihrem Hügel die Ruinen der Burg. Doch Mikael biss die Zähne zusammen, denn Ojsternig hatte gesagt, wenn er es nicht schaffte, würde Agnete mit weiteren Peitschenhieben bestraft.

Je weiter er ging, desto holpriger wurde der Weg, und er kam immer langsamer vorwärts.

Mikael stiegen Tränen der Wut in die Augen. Noch gestern Abend hatten die Dorfleute sich bei ihm bedankt und ihn als ihren Retter gefeiert, doch schon am nächsten Morgen verachteten sie ihn wie zuvor. Es gab nichts, was er tun konnte, um einer von ihnen zu werden, dachte er bei sich.

Die Wut verlieh ihm jedoch die Kraft, nicht aufzugeben. Er würde es schaffen. Doch als er nur noch wenige Schritte vom Waldrand entfernt war, wich die Wut der Verzweiflung. Sein Blick trübte sich, und seine Beine wurden immer schwächer. Brechreiz würgte ihn, bis er keuchend und atemlos stehen blieb. Als er sich umdrehte, sah er jedoch, dass die Soldaten ihn überwachten und ihm bedeuteten, weiterzugehen.

Nun war der Wald ganz nah, doch die Burgruine befand sich immer noch in weiter Ferne. Er fing an zu weinen, während seine Knie endgültig nachgaben und er hinfiel. Er blieb auf dem Boden liegen, die Tränen liefen ihm die Wangen hinunter und er flüsterte: »Ich kann nicht mehr . . .«

Doch als sein hemmungsloses Schluchzen sich allmählich beruhigte, hörte er jemanden rufen.

»Steh auf, Junge.«

Mikael sah sich verwundert um.

»Tu, als ob nichts wäre«, fuhr die Stimme fort. »Steh auf und komm zum Wald.«

Mikael blieb einen Augenblick wie erstarrt liegen. Dann kam er unter großer Anstrengung schwankend auf die Beine.

»Vorwärts, Junge«, rief die Stimme.

»Es fehlt nicht mehr viel«, sagte jemand anders.

»Nur Mut, gib nicht auf«, sagte ein Dritter.

Alle drei Stimmen kamen aus dem Wald.

Vor lauter Verblüffung schaffte es Mikael bis zur ersten Buche des Waldes und stützte sich dort ab.

»Noch ein paar Schritte«, ermutigte ihn jemand.

Mikael nahm sich zusammen. Mit letzter Kraft schleppte er sich in den Wald, und als er zusammenbrach, spürte er, wie zwei starke Arme ihn auffingen.

Mikael riss die Augen auf und kniff sie wieder zusammen, um zu erkennen, was mit ihm passierte.

Um ihn standen die drei Dorfbewohner, die ihn vorher ausgelacht und verhöhnt hatten.

»Was hast du denn von uns gedacht?«, sagte einer und lachte ihm herzlich zu.

»Wir wollten bei diesen Drecksäcken keinen Verdacht erregen«, erklärte der zweite. »Aber hier können sie uns nicht mehr sehen.«

Der Dritte hob Mikael hoch und sagte ihm freundlich, er solle sich auf dem Boden des Karrens neben die Ladung Steine und die Kiepe hinlegen.

Die drei Männer stiegen auf den Kutschbock und trieben die Ochsen an.

Schweigend fuhren sie bis zum Ende des Waldes. Dort hielten sie den Wagen an und hoben Mikael herunter, der inzwischen beinahe eingeschlafen war.

»Warte hier, Junge«, sagte einer von ihnen. »Wir fahren jetzt vor zu den aufgehäuften Steinen, laden den Wagen ab und kehren um. Dann kannst du aus dem Wald kommen und deine Steine dazulegen.«

»Deine ... drei Steine«, erklärte ihm lächelnd der Jüngste und erleichterte die Kiepe um zwei Steine. »Wenn du dort ankommst, geh gleich hinter den Steinhaufen, so werden die Soldaten nicht sehen, wie viele Steine du ablädst. Einverstanden?«

Mikael nickte stumm. Seine Brust wurde von einem heftigen Gefühl aufgewühlt. Es war sogar noch stärker als die vorige Wut. Doch wie immer wusste er nicht, was er sagen sollte.

Jetzt war er nicht mehr allein.

»Ruh dich ein wenig aus, Junge«, sagte der älteste der drei Männer. »Und wenn du wieder ins Blickfeld der Soldaten kommst, tu ein paarmal so, als würdest du hinfallen. Geh langsam. Die müssen bis zum Schluss glauben, dass du es nicht schaffst.« Er stieg wieder auf den Karren, und die Ochsen nahmen erneut langsam und kraftvoll ihren Weg auf.

»Danke . . .«, flüsterte Mikael.

Doch die drei waren inzwischen schon zu weit entfernt, um es zu hören.

Mikael sah ihnen nach. Dann betrachtete er die Kiepe, die die Männer für ihn bis dorthin gebracht hatten. Die Kiepe, die sie ihm um zwei Steine leichter gemacht hatten. Obenauf lag noch die Blume von Eloisa. Wieder, so dachte er, nahm sein Leben eine neue Richtung. Instinktiv ging sein Blick zu den Überresten der Burg, die kaum eine halbe Meile, aber doch ein ganzes Jahr seines Lebens von ihm entfernt lag. Da merkte er, dass sich sein Leben nicht nur veränderte, sondern dass es sich abermals auch viel zu schnell änderte. Und ihn überfiel eine solche Angst, dass er sich einen Moment lang wünschte, Eberwolf wäre da und würde ihn quälen.

Eine knappe Stunde später erreichte Mikael die aufgehäuften Steine, lud seine Last so ab, dass die Soldaten ihn nicht sehen konnten, und machte sich mit der leeren Kiepe auf den Rückweg.

»Morgen wirst du sechs Steine schleppen«, sagte einer der Soldaten.

»Und wenn du es auch morgen schaffst«, mischte sich einer von den drei Dorfleuten ein, die Mikael im Wald geholfen hatten und jetzt wieder die Bösen spielten, »ich schwöre, dann schirre ich die Ochsen von meinen Karren und dich davor.«

Die Soldaten lachten dreckig.

Agnete warf dem Mann erneut einen vernichtenden Blick zu. Genau wie die anderen Frauen.

Doch als die Männer abends nach Hause kamen und erzählten, was wirklich vorgefallen war, erfüllten Achtung und Bewunderung die Herzen ihrer Ehefrauen.

Am nächsten Tag schleppte Mikael sechs Steine bis in den Wald.

Und am Tag darauf sieben.

Doch als die Soldaten seine Kiepe mit acht Steinen beluden, fiel er hin und konnte nicht mehr aufstehen. Nun endlich waren die Soldaten zufrieden. Sie verzichteten darauf, Agnete auszupeitschen, und befahlen Mikael, in den nächsten zwei Wochen wie am ersten Tag fünf Steine zu schleppen. Tag für Tag wurden seine Beine kräftiger und gaben auf dem Weg nicht mehr so schnell nach. Ebenso stärkten sich seine Schultern und sein Rücken.

Am Ende der beiden Wochen blickte Mikael wieder zur Burgruine hoch, was er seit dem ersten Tag bewusst vermieden hatte. Und wie von einer geheimnisvollen Kraft gezogen stieg er mit der leeren Kiepe von dem Steinhaufen langsam hinauf zu dem Ort, an dem er auf die Welt gekommen und bis zum Tag des blutigen Überfalls aufgewachsen war.

Von dem gedrungenen Burgfried war nur noch ein Haufen rußgeschwärzter Steine übrig. Auf der entgegengesetzten Seite des Hofes drohte ein Flügel des Palas einzustürzen, lediglich eine einzige Säule stützte ihn noch. Die Eisenbänder, die zu seinem Halt beigetragen hatten, waren durch die Hitze des Feuers verbogen und hatten sich zusammengeballt, sodass sie nun wie riesige verrostete Eisenspäne aussahen.

Mikael blieb am Eingang zum Hof stehen. Dann wagte er endlich schweren Herzens den ersten Schritt und betrat die Burg.

Zu seiner Rechten erblickte er die Überreste der Wachstube. Dort, so wurde ihm bewusst, wäre er gestorben, wenn Eloisa ihn nicht gerettet hätte. Unter all diesen Steinen vermutete er die

Leichen der Soldaten und des Mädchens, das Agomar vergewaltigt und getötet hatte. Mikael sah sich um. Von den fünf Klafter hohen Festungsmauern war nur ein unregelmäßiger Ring übrig geblieben. Stallungen, Gehege, die Gesindehäuser und die Wehrgänge aus Holz gab es nicht mehr. Nur an wenigen Stellen sah man noch eine schwache, vom Feuer geschwärzte Spur davon, wenn zwischen den Steinen ein skelettartiges, verkohltes Stück Holz hervorragte. Der Palas selbst war in sich zusammengefallen. Dachböden und Decken hatten nachgegeben, und das ganze Bauwerk hatte sich in einen Haufen Steinquader verwandelt. Einzig die Kapelle hatte sich teilweise vor dem Zusammenbruch gerettet und stand noch. Mit dem eingestürzten Dach sah sie aus wie eine leere Muschel.

Mikael interessierte sich jedoch nicht für die Überreste der Burg. Langsam, aber unausweichlich führten ihn seine Beine und sein Herz zur Mitte des Burghofes. Und als er dort angekommen war, wo es ihn hinzog, fiel er auf die Knie. Er betrachtete die Stelle, an der sein Vater, seine Mutter und seine kleine Schwester gestorben waren. Sah, wie sich dort Erde, Asche und Blut vermischt hatten. Jetzt sollte ich eigentlich weinen, dachte er.

Plötzlich hörte Mikael ein Geräusch hinter sich. Doch als er herumfuhr, konnte er niemanden entdecken.

Also wandte er sich wieder nach vorn und starrte auf die Stelle des Hofes, die nur ihm allein eine furchtbare Geschichte erzählte. Er stützte die Hände auf den Boden. Sie waren stark, gerötet, von Schwielen und kleinen Schnitten überzogen, mit schwarzen Rändern unter den Fingernägeln. Dies waren nicht mehr die Hände des Erbprinzen Marcus II. von Saxia. Auch er war an jenem Tag im Burghof gestorben. Jetzt gehörten diese Hände Mikael Veedon, einem Leibeigenen.

Er versenkte die Finger im Boden und grub. Mit Schmerz und Eifer suchte er nach seinem Vater, seiner Mutter, seiner

Schwester. Suchte die Tränen, die er nicht mehr zu weinen vermochte.

Und während er auf der Suche nach sich selbst im Boden grub, spürte er plötzlich etwas Kaltes, Scharfkantiges zwischen den Fingern. Mit klopfendem Herzen holte er es hervor. Er kratzte die dunkle Erde ab, spuckte darauf, um sie abzuwaschen, und rieb mit dem Ärmel darüber. Und allmählich enthüllte das, was wie ein gewöhnlicher Stein ausgesehen hatte, seine wahre Gestalt. Es waren die Überreste eines goldenen Rings, der durch das Feuer seine Form verändert hatte. Und in dem geschmolzenen Metall saß, in der Mitte durchgebrochen, ein Stein. Ein Karneol. Als Mikael ihn vorsichtig säuberte, kam das Siegel der Fürsten von Saxia zum Vorschein. Es war der Ring seines Vaters. Der Ring, den er ihm nach seinem Tod hinterlassen hätte. Und den er wiederum seinem Erstgeborenen hätte hinterlassen sollen, in einer Reihe, von der die Fürsten von Saxia geglaubt hatten, sie würde niemals enden.

Wieder vernahm er hinter seinem Rücken ein Geräusch. Er fuhr herum und glaubte jenseits des Tores einen Schatten zu sehen.

»Wer ist da?«, rief er mit leicht zitternder Stimme.

Niemand antwortete.

Mikael betrachtete noch eine ganze Weile den Ring seines Vaters. Wieder dachte er, dass er jetzt eigentlich weinen sollte, aber er konnte es nicht. Er versteckte den Ring in seinen Kleidern und stand auf, um ins Dorf, in sein neues Leben zurückzukehren. Doch dann kniete er sich noch einmal hin und versenkte seine Hand in der aufgegrabenen Erde, nahm eine Hand voll und stopfte sie in die Tasche seines Kittels. Zwei Schritte weiter kniete er sich erneut hin, um eine Hand voll aufzuheben. Erst dann ging er durch das vom Feuer geschwärzte Burgtor und machte sich auf den Heimweg.

Im Wald hatte er weiter das unangenehme Gefühl, dass

jemand ihm folgte. Er meinte, Schritte zu hören, aber jedes Mal wenn er sich umwandte, verstummte das Geräusch.

So erreichte er die Kapelle Maria zum Schnee und betrat den dahinter liegenden kleinen Friedhof. Mit dünnen Rindenstreifen band er zwei Holzstücke zu einem schiefen Kreuz zusammen, das er in einer abgelegenen Ecke des Friedhofs in die Erde steckte. Vor dem Kreuz grub er ein Loch.

»Warte«, hörte er plötzlich eine Stimme in seinem Rücken.

Mikael drehte sich um.

Eloisa hielt ein gewölbtes Stück Rinde in der Hand. »Warte«, sagte sie noch einmal und verschwand in der Kapelle. Gleich darauf kam sie wieder heraus und trug die Rinde vorsichtig waagrecht vor sich her. »Weihwasser«, erklärte sie, als sie wieder bei Mikael angekommen war. »Ich weiß, was du vorhast. Ich habe dich in der Burg beobachtet. Aber ohne Weihwasser kann man niemanden begraben.«

Mikael spürte, wie ihm Tränen in die Augen stiegen. Die Tränen, die er bis zu diesem Augenblick nicht hatte weinen können.

»Los, mach weiter«, sagte Eloisa.

Daraufhin holte Mikael die Erde aus seiner Tasche und streute sie in das Loch, das er gerade gegraben hatte.

»Sprich ein Gebet«, forderte Eloisa ihn auf.

Mikael presste die Lippen fest zusammen. »Ich weiß nicht, was ich sagen soll.«

Eloisa kniete sich vorsichtig hin, um das Weihwasser in der Rinde ja nicht zu verschütten.

Mikael kniete sich neben sie.

»Gott«, begann Eloisa, »auch wenn wir nur zwei Kinder sind und keine Gebete kennen, wie Vater Timotej sie spricht, hast du sicher begriffen, was wir tun wollen. Wenn du also so gut bist, wie alle sagen, dann beschütze die Seelen von Mikaels Vater, Mutter und Schwester und führe sie ins Paradies.« Nun wollte sie das Weihwasser in das Loch gießen.

»Warte«, sagte jetzt Mikael. Er griff in die andere Tasche, in die er die zweite Hand voll Erde gesteckt hatte, und gab auch davon etwas in das Loch. »Und bringe auch Eilika ins Paradies.«

»Amen«, schloss Eloisa.

Mikael schluchzte.

»Du musst Amen sagen.«

»A...men.«

Eloisa versprengte das Weihwasser über die Erde. »Mach das Loch zu.«

Mikael streute Erde über die Erde im Loch.

Danach machten sie sich auf den Heimweg.

»Gilt das denn?«, fragte Mikael, bevor sie die Hütte betraten.

»Natürlich gilt das«, erwiderte Eloisa.

»Und warum hat Gregors Mutter das dann nicht auch getan?«

»Das weiß ich nicht. Hör schon auf. Das gilt!«, beendete Eloisa barsch das Thema.

Nachts auf seinem Lager drehte Mikael den Ring des Vaters zwischen den Fingern. Ein schweres Gewicht lastete auf seinem Herzen. Er schloss die Augen und sah vor sich, wie seine Mutter mit dem Dolch in der Brust zu Boden fiel, den misshandelten Körper ihrer kleinen Tochter an sich gepresst. Er sah, wie der Stolz in den Augen seines Vaters dem Schmerz wich, als er mit dem Blick die Augen seiner Frau festhielt, die langsam verloschen. Dann sah er Agomar vor sich, wie er das Schwert über dem Kopf seines Vaters schwang, der zwar kniete, aber noch nicht besiegt war. Und er glaubte, Ojsternigs grausame Stimme befehlen zu hören, man solle das Geschlecht der Fürsten von Saxia auslöschen.

Mit aller Kraft schloss Mikael seine Finger um den Ring, bis die vom Feuer verbogenen Ränder ihm die Haut aufrissen. Als er die Hand an die Lippen führte, spürte er den Geschmack seines eigenen Blutes auf der Zunge.

35

Hast du die Neue schon gevögelt?«, fragte einer der Ritter von der Leibwache einen Gefährten, der gerade in den Stall kam.

»Wen? Emöke?«, erwiderte der andere. »Nur einmal. Bei der bekomme ich eine Gänsehaut.«

»Die ist vollkommen verrückt«, sagte der Erste. »Sie sagt merkwürdige Dinge, während du sie besteigst ... Massimiano hat mir erzählt, dass er in einer Nacht sogar gemeint hat, jemand hätte ihr geantwortet ...«

»Massimiano ist ein Hohlkopf«, sagte der andere.

»Er hat mir erzählt ...«

»Es interessiert mich nicht, was Massimiano sagt!«, fuhr ihm der erste Ritter über den Mund, allerdings war seiner Stimme auch ein wenig Angst anzuhören.

»Er sagt, er hat ein blaues Leuchten gesehen, das nicht von einer Kerze stammte ...«

»Bist du taub? Mich interessiert solches Gewäsch nicht ...«

»Er sagt, dass sie von Nymphen beschützt wird ...«

»Du bist ein noch größerer Hohlkopf als Massimiano, wenn du diesen ganzen Unsinn glaubst!«, knurrte der Ritter. Dann stieß er den Stallburschen an, der sein Pferd sattelte. »Los, beeil dich, der Herr ist fast fertig.«

»Also, ich such mir auf jeden Fall eine andere Hure«, sagte der andere düster.

Inzwischen war Ojsternigs Kutsche in der Mitte des Hofes vorgefahren. Die Ritter, mit Schwert und Armbrust bewaffnet, schwangen sich auf ihre Pferde und stießen zu den beiden Trupps, die die Kutsche eskortieren sollten. An der Spitze des ersten Trupps trug ein junger Knappe die Standarte des Fürsten von Ojsternig. Agomar konnte sein Streitross kaum bändigen.

»Weißt du, wohin wir reiten?«, fragte einer der Ritter einen pummeligen Pagen, der auf dem Trittbrett hinten an der Kutsche stand und sich an einem glänzenden Messinggriff festklammerte.

»Klognfuat«, erwiderte dieser.

Der Ritter starrte ihn verständnislos an.

»Klognfuat«, wiederholte der Page. »So nennt man Klagenfurt am Wörthersee.«

»Und was wollen wir dort?«

Der Page zuckte mit den Achseln. »Glaubst du, der Herr wird das dir oder mir erzählen?«

In dem Moment trat Ojsternig aus dem Palas. Er trug eine mit Goldfäden durchwirkte Tunika aus italienischem Brokat und blank polierte schwarze Lederstiefel, die seitlich geschnürt waren. Seine Hände schmückten die Ringe seines Stammhauses. An seiner Seite hing an einer Goldkette ein langer Dolch mit edelsteinverziertem Griff, und auf der Brust prangte an einer goldenen Halskette mit breiten Gliedern ein runder Anhänger mit einem walnussgroßen Smaragd.

Hinter ihm lief Arialdus von Tarvis, der sich bemühte, mit ihm Schritt zu halten. Als Letzter folgte ein Page mit einer Eisentruhe, die mit einem gewaltigen Schloss versperrt war.

Ojsternig bestieg die Kutsche, Arialdus folgte ihm.

Nachdem der Page die Truhe eingeladen hatte und zu dem anderen Pagen auf das Trittbrett geklettert war, erteilte Agomar den Befehl zum Aufbruch.

Die Ritter des ersten Trupps gaben ihren Pferden die Sporen, die Standarte flatterte im trüben Morgenlicht. Der Kutscher ließ die Peitsche durch die Luft knallen, die vier Wallache warfen sich ins Geschirr, und die Kutsche setzte sich in Bewegung. Der zweite Trupp bildete die Nachhut. Einige Diener, die im

Hof zusammengelaufen waren, drückten sich gegen die Burgmauern und Erdwälle, um nicht über den Haufen geritten zu werden.

Ojsternig zog die schweren Samtvorhänge zu und klopfte mit einer Hand auf die Eisentruhe neben Arialdus. »Sobald Raühnval mir gehört, holzen wir den Wald ab, und dann werden wir so viel Geld verdienen wie mit der Mine zu ihren besten Zeiten«, sagte er. »Hast du gesehen, wie reich diese Bauerntölpel zusammengenommen sind?«

Arialdus nickte nicht sehr überzeugt.

»Was ist denn?«, fragte Ojsternig.

»Raühnval ist reich, weil es gut verwaltet wurde«, erwiderte der Verwalter, »und nicht vollkommen ausgepresst.«

»Wir dagegen werden es auspressen«, lachte Ojsternig und streckte die Beine unter den Sitz gegenüber. »Jetzt hör schon auf mit deinem Gejammer und lass mich in Ruhe.« Er griff zu einer Silberflasche, trank einen ordentlichen Schluck besten Rheinwein und betrachtete wieder die mit dem großen Schloss versperrte Truhe. Sie war voller Goldmünzen. Nach ihrem Besuch in Klagenfurt würde sie leer sein, aber das war es wert. Der Plan, den Arialdus von Tarvis ersonnen hatte, war einfach genial. Sie würden ihn in Klagenfurt in die Tat umsetzen, und der römisch-deutsche König würde nichts dagegen unternehmen können. Ojsternig schloss die Augen. Sobald er das Fürstentum Raühnval in seinen Besitz gebracht hatte, würde er Dutzende solcher Truhen füllen können.

Bis zum Fuß des nördlichen Gebirgspasses kamen sie zügig vorwärts. Dann zwang die Steigung sie, langsamer zu reiten, und der zuvor ohrenbetäubende Lärm aus Hufgetrappel und Eisenrädern auf Stein ließ nach. Hinter dem Pass und nach dem Abstieg auf der anderen Seite des Gebirges erreichte der Zug schließlich eine breite, unbefestigte Straße, auf der etliche Wagenkolonnen mit Handelsgütern aufeinanderfolgten.

Abends nahmen sie Quartier in einer Herberge, deren Wirt Ojsternig sein Zimmer überließ, während die Ritter im Gastraum und im Stall schliefen.

Am nächsten Morgen setzten sie ihre Reise fort, und gegen Abend erblickten sie inmitten einer Ebene ein Meer von Lichtern.

»Das ist Klognfuat, Euer Durchlaucht!«, rief der Kutscher ins Wageninnere.

Während sie in Klagenfurt am Wörthersee einfuhren, schlug Ojsternig die Vorhänge zurück, um die prächtige Stadt zu bewundern.

Die meisten Häuser der reichen Leute waren so groß wie sein Palas. Sie hatten drei oder sogar vier Stockwerke, die untere Hälfte der Gebäude war aus Stein gemauert, die obere Hälfte bestand aus abgelagertem Holz, und die hohen, schrägen Dächer waren mit Schiefer oder glänzenden Metallplatten gedeckt. Viele Häuser hatten im ersten Stock Balkone mit verzierten Holzgeländern, von denen kaskadenartig Blumen in Rot, Gelb und Lila herabhingen. Im Erdgeschoss waren vor den Läden große, gestreifte Zeltplanen gespannt. Wie riesige, rechteckige Schmetterlinge flatterten sie sanft im Wind und färbten das Straßenbild bunt. An allen Ecken und Enden roch es nach Brot, Süßigkeiten, Gewürzen und gekochtem Fleisch. Die Straßen waren mit großen, dunklen Steinen gepflastert, in denen sich das Licht der Laternen an den Hauswänden spiegelte, und überall drängte sich eine unvorstellbare Menge von Menschen, die geschäftig irgendwohin eilten, lachten, plauderten und Waren feilboten.

Ojsternig spürte Neid in sich aufkommen, als er an das düstere Dorf Dravocnik zurückdachte.

»Ich bin bereits mit Eurem Vater hier gewesen«, sagte Arialdus von Tarvis, als er Ojsternigs Blicke bemerkte. »Es ist wunderschön, nicht wahr?«

»Halt den Mund«, sagte Ojsternig barsch. Aber er sah weiter nach draußen. Ein Mann mit einer Haut so braun wie geröstete Haselnüsse erregte seine Aufmerksamkeit. Dieser war in merkwürdige Pluderhosen gekleidet, die aus Gold gewirkt zu sein schienen. Ihm folgten zwei Diener, ebenfalls dunkler Hautfarbe, mit breiten Schnurrbärten und Kopfbedeckungen, die aus gewickelten und mit goldenen Nadeln festgesteckten Tüchern bestanden. Die beiden Diener trugen einen Baldachin, unter dem ihr Herr mit stolz geschwellter Brust vorwärtsschritt. Davor und dahinter liefen Soldaten mit Schwertern, deren breite Klingen zur Spitze hin gebogen waren.

»Das ist ein türkischer Wesir«, erklärte Arialdus.

»Ich habe dir gesagt, du sollst still sein«, knurrte Ojsternig.

Obwohl es spät am Abend war, tummelten sich viele Menschen in den Straßen. Ein Trommelwirbel ließ Ojsternig aufhorchen. Er drehte sich in die entsprechende Richtung und sah zwei Gaukler, die einander brennende Fackeln zuwarfen und im Nachthimmel feurige Leuchtspuren hinterließen wie Sternschnuppen. Ihnen voraus lief ein junger Trommler, hinter ihnen kam ein rot gekleideter Tierdompteur, der an einer Kette einen Braunbären mit sich führte. »Kämpft mit dem Bären aus dem Montaschwald, oh mutige Bürger von Klagenfurt!«, rief der Trommler aus und ließ seine Stöcke wieder laut wirbeln. »Nur ein Pfennig! Und wer gewinnt, erhält zwanzig!« Der Bär trottete ruhig nebenher, anscheinend war er an das städtische Treiben gewöhnt.

»Ich würde zu gern Hundekämpfe mit dem Bären veranstalten«, sagte Ojsternig kurz darauf fasziniert.

Schließlich hielt der Tross vor einem prächtigen Gasthaus.

Der Wirt eilte herbei, um die Gäste mit zahlreichen Verbeugungen und Schmeicheleien zu begrüßen. Dann gab er den Dienern Anweisungen, das Gepäck abzuladen und sich um die Pferde zu kümmern.

»Warte«, gebot Ojsternig, als er aus der Kutsche stieg. In der Hand hielt er das Nachtgeschirr, in das er während der Reise seine Notdurft verrichtet hatte.

Der Wirt blieb stehen und hielt zum Zeichen seines unendlichen Respekts den Kopf gesenkt.

Ojsternig trat auf ihn zu und setzte ihm den Nachttopf umgekehrt wie einen Hut auf. »So sieht man gleich, dass du nicht irgendein Diener bist«, sagte er lachend. »Es sollen doch alle wissen, dass du mein Scheißepriester bist.«

Agomar und seine Männer brachen in schallendes Gelächter aus.

Der Wirt lächelte verlegen und gab unter dem Gespött der Soldaten weiter seine Anweisungen an die Diener.

Ojsternig aß getrennt von seinen Männern nur mit Agomar und Arialdus von Tarvis. Gleich nach dem Essen zog er sich zurück.

Am nächsten Morgen hatten die Soldaten frei. Sie blieben im Gasthaus, um zu trinken und die Schankmägde und die Frau des Wirts zu belästigen.

Ojsternig, Arialdus von Tarvis und Agomar dagegen begaben sich an den Stadtrand von Klagenfurt und suchten verstohlen ein großes, düsteres Kirchengebäude auf, das sich am Ostufer des Wörthersees erhob. Arialdus hatte eine breite Ledertasche umgehängt, und Agomar wich nicht von seiner Seite, die Hand immer am Schwert.

Ojsternig wurde vom Leiter des einzigen Waisenhauses von Kärnten empfangen.

»Wie ich Euch bereits angekündigt habe, wünscht Ihre Durchlaucht, einen Knaben bei sich aufzunehmen«, begann Arialdus von Tarvis.

»Darf ich höflichst darum bitten, den Namen Ihrer Durchlaucht zu erfahren?«, fragte der Leiter.

»Nein«, antwortete Agomar und starrte ihn stumm an.

Arialdus zog einen klingenden Beutel Münzen aus seiner Tasche und legte ihn auf den Schreibtisch.

Der Leiter betrachtete Ojsternig in seiner eleganten Kleidung und Agomar, der grimmige Gewaltbereitschaft ausstrahlte. Dann öffnete er den Beutel und sah neugierig hinein. »Ihr seid sehr großzügig, Euer Durchlaucht«, sagte er mit einem honigsüßen Lächeln. »Keine Sorge, ich werde Euer Geheimnis wahren.«

»Habt Ihr vorbereitet, worum ich gebeten habe?«, fragte Arialdus, während Ojsternig den Leiter gedankenverloren anstarrte.

»Ich habe einen Paravent und drei Stühle im Refektorium aufstellen lassen«, erwiderte der Leiter sogleich. »Der Paravent ist mit Löchern versehen, durch die die Herren die Kandidaten beobachten können, ohne selbst gesehen zu werden. Die Jungen warten im Nebenzimmer, und sobald die Herren es sich hinter dem ...«

»Fangen wir an«, unterbrach Ojsternig ihn und erhob sich.

Der Leiter sprang auf, verbeugte sich rasch und führte sie ins Refektorium, einen großen, schmucklosen Saal, in dem es nach Kohl und Zwiebeln roch.

Ojsternig, Arialdus und Agomar nahmen auf den Stühlen Platz, und die Jungen kamen nacheinander herein. Vor dem Paravent blieben sie jeweils stehen und nannten ihren Namen.

»Nein«, sagte Ojsternig jedes Mal, wenn er einen ungeeigneten Kandidaten ablehnte. Wenn er dagegen jemanden sah, der ihm für seine Zwecke geeignet schien, sagte er: »Stell dich an die Seite und warte.«

Nach der ersten Sichtung wurden die abgelehnten Jungen wieder in die Schlafsäle geführt. Die elf Auserwählten dagegen liefen ein zweites Mal am Paravent vorüber, langsamer diesmal und nackt.

Als ein magerer Blondschopf mit weichen Zügen an der

Reihe war, fiel Ojsternig eine breite Narbe an dessen rechter Schulter auf. »Dreh dich«, befahl er.

Der Junge blieb stehen und starrte misstrauisch auf den Paravent.

Der Leiter sorgte dafür, dass er sich drehte.

Ojsternig sah, dass die Narbe sich über die Schulter hinaus bis zur Mitte des Rückens zog, sie war breit und zerklüftet und sah aus wie verlaufener Honig.

»Eine Brandwunde, Euer Durchlaucht«, erklärte der Leiter. »Ein Streit. Der arme Junge wurde über die Glut eines Kamins gehalten ... Ich sehe ja ein, dass dies ein Makel ist, aber der Junge ... ist einer der klügsten und ...«

»Den nehme ich«, unterbrach Ojsternig ihn. »Lasst uns allein.«

Während der Leiter das Refektorium räumen ließ, sammelte der Junge seine Kleider auf.

»Zieh dich nicht an«, forderte Ojsternig ihn hinter dem Paravent auf.

Der Junge sah ihn boshaft an, und ein zweideutiges Lächeln erschien auf seinen Lippen.

Nachdem der Leiter die Tür hinter den anderen Jungen geschlossen hatte, blieb er erwartungsvoll stehen.

»Geht«, sagte Ojsternig.

»Wartet im Direktorat mit den Papieren auf uns«, fügte Agomar hinzu.

Sobald der Leiter den Saal verlassen hatte, stand Ojsternig auf und ging zu dem Jungen, der mit einer Hand an einer Brustwarze spielte. »Der Leiter hat gesagt, dass du klug bist. Das werden wir sehen. Du musst eine Geschichte auswendig lernen und sie glaubhaft erzählen können.« Er starrte den Knaben stumm an. »Wie alt bist du?«, fragte er dann.

»Zwölf.«

»Ab heute bist du zehn«, sagte Ojsternig. Er zeigte auf die

breite Ledertasche, die Arialdus in der Zwischenzeit geöffnet hatte. Kostbare Kleidung sah daraus hervor. »Zieh das an.«

»Wollt Ihr mich nicht lieber nackt?«, entgegnete der Junge.

Ojsternig schnellte vor wie eine Schlange. Ohne in seinem Blick die geringste Gefühlsregung erkennen zu lassen, packte er ihn an der Kehle und drückte zu.

Der Junge lief mit weit aufgerissenen Augen rot an und schlug um sich, ohne sich befreien zu können. Als seine Lider zu flattern begannen, ließ Ojsternig ihn los, und der Junge fiel wie ein leerer Sack zu Boden.

»Heb ihn auf!«, befahl der Fürst Agomar.

Der packte den Jungen unter den Achseln und stellte ihn wieder auf die Beine.

Ojsternig ohrfeigte den Jungen, bis dieser wieder zu sich kam. Dann starrte er ihn an. »Sehen wir mal, ob du tatsächlich so aufgeweckt bist«, flüsterte er und befahl Agomar, ihn loszulassen.

Der Junge fasste sich an den Hals. Dann schaute er nach unten auf die Kleider in der Ledertasche und begann zitternd, sich anzuziehen.

Als er fertig war, lächelte Ojsternig ihn auf seine grausame Art an. »Glaubst du, ich brauche so ein Jüngelchen wie dich?«, fragte er.

Agomar und der Junge warteten vor der Tür, als Ojsternig und Arialdus das Zimmer des Leiters betraten, der dort schon auf sie wartete.

»Dieser Junge ist niemals hier bei Euch gewesen«, sagte Arialdus.

Der Leiter reichte ihm zwei Pergamente. »Das sind die einzigen Dokumente, die bezeugen, wer er ist«, sagte er.

Arialdus nahm die Blätter und warf sie in den Kamin. Dann sah er den Leiter des Waisenhauses durchdringend an. »Gibt es denn kein Register mit einem Eintrag, wann er aufgenommen wurde?«

»Ja, in der Tat ...«, antwortete der Leiter und öffnete ein großes Buch. Er fand die Seite, tauchte die Feder ins Tintenfass und zog einen schwarzen Strich durch die Anmeldung des Jungen.

Arialdus nahm ihm das Buch aus der Hand, riss die ganze Seite heraus und warf sie ebenfalls ins Feuer.

»Aber Euer Durchlaucht ...«, stammelte der Leiter.

Ojsternig warf eine Goldmünze auf den Tisch. »Für das Pergament«, sagte er und ging.

»Ich wünsche Euch einen guten Tag, Euer Durchlaucht«, rief der Leiter ihm hinterher.

Nachdem sie das Waisenhaus verlassen hatten, kehrten sie wieder in den Stadtkern von Klagenfurt zurück. Während Agomar und der Junge in einem Wirtshaus zurückblieben, gingen Ojsternig und Arialdus über die Straße zur Kanzlei eines Notars, der auf Heraldik spezialisiert und am Hof des römisch-deutschen Königs Ruprecht III. akkreditiert war.

Der Notar erwartete sie bereits. »Es ist niemand hier, ganz so, wie Ihr es verlangt habt«, sagte er, als er sie einließ.

»Habt Ihr alles vorbereitet?«, kam Arialdus gleich zur Sache.

Ojsternig beschränkte sich darauf, das Geschehen stumm zu beobachten.

»Selbstverständlich. Die kaiserlichen Siegel sind absolut identisch, und die Beglaubigung ist über jeden Tadel erhaben.«

»Gut«, sagte Arialdus und nahm die Papiere. »Und jetzt vergesst alles.«

»Seid ganz beruhigt, Euer Durchlaucht«, sagte der Notar und verneigte sich vor Ojsternig. »Ihr seid sehr großzügig, und Euer Geld wird mir lange reichen.«

Ojsternig starrte ihn schweigend an. Dann erhob er zum ersten Mal seine Stimme. »Du hast gerade einen Fehler gemacht. ›Lange‹ reicht nicht. Du hättest sagen sollen ›für immer‹.«

»Was meint Ihr damit?«, fragte der Notar und hob eine Augenbraue.

Ohne ein weiteres Wort verließ Ojsternig die Kanzlei.

Im Gasthaus suchte er Agomars Blick und gab ihm ein knappes Zeichen mit dem Kopf. Mehr nicht.

Agomar nickte zurück, blieb sitzen und beobachtete durchs Fenster die Tür der Kanzlei, während Ojsternig und Arialdus mit dem gekauften Jungen in ihre Unterkunft zurückkehrten.

Noch vor Mittag brach die Karawane wieder Richtung Heimat auf.

Agomar ritt diesmal nicht am Kopf des Zuges.

Am selben Abend kam es in Klagenfurt am Wörthersee zu einem bedauerlichen Unfall. Ein Karren, den ein betrunkener Kutscher mit tief in die Stirn gezogener Kapuze lenkte, überfuhr einen Mann, der gerade auf dem Nachhauseweg war. Der Mann war sofort verloren. Die Pferde trampelten über seinen Leib hinweg, und die Räder des Karrens erledigten den Rest. Der Betrunkene hielt nicht an. Der Tote wurde als einer der einflussreichsten Bürger von Klagenfurt erkannt. Es handelte sich um einen Notar, der auf Heraldik spezialisiert und am Hof des römisch-deutschen Königs Ruprecht III. akkreditiert war.

Agomar stieß beim Nordtal wieder zu seinem Herrn. Er schlug die schwere Kapuze zurück und ritt kurz neben dem kleinen Fenster der Kutsche her, ohne ein Wort zu sagen. Dann nahm er aufrecht und stolz seinen Platz an der Spitze des Zuges ein und lauschte auf das Geräusch der Standarte des Fürsten von Ojsternig, die knatternd im Bergwind flatterte.

Am nächsten Tag ritten Ojsternig und seine Männer wieder ins Raühnval. Die Kutsche hielt bei der Kapelle an, und die Soldaten riefen die Leibeigenen herbei.

Als alle sich versammelt hatten, stieg Ojsternig aus. »Ich habe euch eine gute Neuigkeit zu verkünden«, sagte er freundlich. »Eine Neuigkeit, über die sich jeder von euch freuen wird.«

Die Leute schwiegen dazu. Es herrschte vollkommene Stille.

Mikael starrte Ojsternig an, aber an dem Tag erwiderte der Fürst seinen Blick nicht.

Ojsternig ließ aus der Kutsche einen elegant gekleideten, blonden Jungen aussteigen. »Erkennt ihr ihn?«, fragte er. Lächelnd sah er von einem Dorfbewohner zum anderen. Dann knöpfte er langsam, fast wie in einem feierlichen Ritual, das Wams des Knaben auf. Er zog es ihm aus, dann hieß er ihn sich umdrehen und zeigte der Menge die Brandnarbe. »Erkennt ihr ihn immer noch nicht?«, fragte er. »Euer Fürst ist wieder bei euch! Er hat wie durch ein Wunder den Brand überlebt! Und ebenso wie durch ein Wunder war es mir möglich, ihn zu finden. Seine Identität wird durch die Brandwunde bewiesen, die ihn entstellt, und durch offizielle Dokumente, die von einem Notar verfasst wurden«, verkündete er. »Hiermit gebe ich euch Marcus den Zweiten von Saxia zurück.«

Mikael spürte, wie das Blut ihm in den Adern gefror.

Agnete packte ihn bei der Hand und drückte sie fest, ihr gebieterischer Blick hieß ihn schweigen.

Eloisa riss vor Entsetzen die Augen weit auf.

»Und um den Vertrag zu ehren, den ich mit seinem Vater, meinem Freund und Verbündeten Marcus der Erste von Saxia, geschlossen habe, kurz bevor er durch die Hand der Rebellen starb, die ich dann selbst allesamt töten ließ«, fuhr Ojsternig fort, »wird der junge Marcus meine Tochter ehelichen. Unsere edlen Häuser werden somit vor den Augen Gottes und des römisch-deutschen Königs miteinander verbunden, möge Gott ihn beschützen!«

Noch immer schwiegen die Dorfbewohner. Keiner von ihnen fiel auf diese Komödie herein.

»Jubelt, Pöbel!«, befahl Agomar und zückte sein Schwert, woraufhin seine Männer es ihm gleichtaten.

Während sich schwache Hochrufe aus der Menge erhoben,

spuckte der Fürst auf den Boden und stieg wieder in die Kutsche. »Ich habe dich drangekriegt, Ruprecht der Dritte«, lachte er und sah Arialdus von Tarvis an, der sich den Betrug ausgedacht hatte. Dann gab er Befehl zum Aufbruch, und die Karawane zog zu seiner Burg.

Ich werde dich töten, Ojsternig, dachte Mikael in dieser Nacht abermals und mit neuer Leidenschaft, während er von Hass verzehrt wurde. Er lag auf seinem Strohsack und hielt den Ring seines Vaters fest umklammert.

Als Agnete bereits laut schnarchte, hörte er Eloisa flüstern: »Gute Nacht, Dummerjan.«

Da lächelte Mikael, und das Herz wurde ihm ein wenig leichter, als er dachte: Und dann werde ich dich heiraten.

DRITTER TEIL

36

Sechs Jahre später war Ojsternigs Molosser Harro alt geworden. Er schleppte sich nur mühsam vorwärts, seine Hinterbeine knickten zuweilen ein, sein Fell war ergraut, die einstmals spitzen Zähne waren gelb und stumpf geworden, und auf seinem Rücken hatten sich rötliche Krätzestellen gebildet. Seine Unterlider waren abgesunken, der Furcht erregende Blick von einst war erloschen, er sah nun ständig traurig aus. Ojsternig hatte ihn seinem Schicksal überlassen. Harro lebte nicht länger an seiner Seite, ja er wurde nicht einmal mehr im Palas geduldet. So hatte er sich einen schmutzigen Winkel im Hof gesucht, und dort schlief er fast den ganzen Tag, erschöpft vom Leben und ermattet vom Hunger, da er kein Anrecht mehr auf die Leckerbissen hatte, an die er gewöhnt war. Jetzt ernährte er sich von Abfällen wie jeder gewöhnliche Streuner. Misstrauisch ging er auf die Suche nach Essbarem, das große Maul weit geöffnet. Er keuchte ob der Anstrengung, weißlicher Speichel lief ihm über die wunde Schnauze und reizte sie. Doch sosehr er sich auch bemühte, nicht aufzufallen, entging er doch nicht der Aufmerksamkeit der Diener und Handwerker. Vielleicht erinnerten sie sich, wie sehr sie sich früher vor ihm gefürchtet hatten, weshalb sie jetzt, da er Ojsternigs Gunst verloren hatte und sich nicht mehr verteidigen konnte, ein besonderes Vergnügen dabei empfanden, ihn zu misshandeln. Wohl als eine Art verspätete Rache versäumte keiner es, ihm bei Gelegenheit einen Fußtritt zu versetzen, einen Stein nachzuwerfen oder ihm ein Stück Abfall wegzunehmen und es stattdessen an die anderen Hunde zu verfüttern, nur des Vergnügens wegen, ihm etwas vorzuenthalten. Sogar die kleinen

Kinder, durch deren Albträume jene einstmals so beeindruckende Kampfmaschine beständig gegeistert war, schlugen jetzt mit Stöcken nach ihm. Harro knurrte nicht einmal mehr, denn er hatte gelernt, dass dies die Wut seiner Peiniger nur noch anheizte. Aber er jaulte auch nie, denn er hatte seinen angeborenen Stolz.

Es war Spätherbst geworden, und an jenem Tag schien der Winter seine eisigen Krallen schon einmal auszustrecken, denn schwere, wässrige Schneeflocken fielen aus dem grauen Himmel in den Burghof zu Dravocnik, in dem es von Karren und Menschen nur so wimmelte.

Zwei junge Stallburschen hatten Harro in eine Ecke gedrängt und schlugen ihn mit einer Reitpeitsche, an deren Ende sie einen dicken Hufnagel gebunden hatten. Auf diese Weise in die Enge getrieben, fletschte Harro instinktiv die stumpfen Zähne, doch die Stallburschen lachten nur derb und schlugen noch härter zu.

»Lasst ihn in Ruhe«, sagte jemand hinter ihnen.

Lachend wandten die beiden sich um. »Was willst du, Bauer? Hast du etwa auch Lust auf Schläge?«, fragte einer der Burschen.

Der Junge, der vor ihnen stand, war sechzehn Jahre alt. Er war mindestens eine Spanne größer als sie, hatte breite Schultern und kräftige Hände. Er blickte sie ruhig an, doch eine halbkreisförmige Narbe, die sich vom Haaransatz bis fast zur linken Augenbraue zog, verlieh seinem Gesicht eine gewisse Härte.

»Oder willst du auch mal deinen Spaß mit dem Mistvieh haben?«, fragte der Stallbursche nach, mit eher gezwungenem Lachen, da er angesichts der kräftigen Statur des Jungen seine anfängliche Selbstsicherheit eingebüßt hatte.

Der Junge schwieg und starrte die beiden weiter an.

Die Stallburschen blieben noch kurze Zeit stehen, um das Gesicht zu wahren. Dann verschwanden sie eilends in Richtung Stallungen.

Da kniete sich der Junge hin und streckte die Arme nach Harro aus.

»Komm her«, sagte er.

Harro wedelte mit seinem Stummelschwanz. Schwankend erhob er sich auf die Hinterpfoten und fuhr mit der Zunge über Mikaels Gesicht.

Der umarmte den Hund gerührt, während Harro vor freudiger Überraschung fiepte wie ein Welpe.

Mikael sah sich um. Auf dem Hof herrschte geschäftiges Treiben, und niemand kümmerte sich um ihn.

Heute war ein bedeutender Tag. Endlich war der lange Wiederaufbau der Burg von Raühnval abgeschlossen, die der Brand vor sieben Jahren zerstört hatte. An diesem Morgen würde Ojsternig die so verhasste Burg seiner Vorfahren in Dravocnik verlassen und dorthin umziehen. Er hatte den Einwohnern des Raühnval befohlen, sich mit allen verfügbaren Transportmitteln, Wagen, Mauleseln oder Ochsen, ja sogar Schubkarren in seiner Burg einzufinden. Und sämtliche Besitztümer, von den kostbaren Teppichen bis zu den mit Schnitzereien verzierten Betten, von Lebensmitteln bis zum Geschirr waren für den Umzug zusammengepackt worden. Bewacht von Ojsternig und seinen Soldaten würden die Leute sie hoch zum Pass, ins Tal hinunter und dann wieder hinauf bis zur neuen Burg schaffen müssen. Nur Agnete und Eloisa hatte man verschont, weil sie an diesem Tag einem Kind auf die Welt helfen sollten.

Ojsternigs Herrschaftsgebiet und das Fürstentum Raühnval waren durch die Heirat der Prinzessin mit dem Jungen, der für Marcus II. von Saxia ausgegeben wurde, nun tatsächlich vereint. Der Plan des Verwalters Arialdus von Tarvis war aufgegangen, und König Ruprecht III. hatte Ojsternig als vorläufigen Regenten eingesetzt, bis der junge Prinz von Saxia volljährig sein würde. 1410, nach dem Tod von Ruprecht III., hatte sein Nachfolger Sigismund von Luxemburg, der neue römisch-deutsche König, diesen Beschluss bestätigt.

Und so wird Ojsternig seine Krallen noch tiefer in das Fürstentum schlagen, das er sich gewaltsam angeeignet hat, indem er meine Familie ausgelöscht hat, dachte Mikael, und ihn packte Zorn. Dravocnik hingegen würde er seinem jämmerlichen Schicksal überlassen. Alles, was er nicht mehr brauchte, ließ er einfach zurück.

Mikael drückte Harro kräftig an sich, der immer noch winselte, mit dem Schwanz wedelte und ihm überglücklich das Gesicht ableckte. Auch den großen Kampfhund würde man hier seinem Schicksal überlassen. Er würde bestimmt verhungern oder von irgendeinem Feigling erschlagen werden.

»Ich lasse dich nicht im Stich«, sagte Mikael, während er sich noch weiter hinunterbeugte und seinen Kopf unter Harros massigen Leib schob. Mit je einer Hand packte er dessen Hinter- und Vorderpfoten. Dann stand er mühelos auf und trug den Hund auf den Schultern, so wie die Hirten es mit den Lämmern machten, obwohl Harro wesentlich größer und schwerer war als ein ausgewachsenes Schaf. Früher hatte er beinahe zweihundert Pfund gewogen, doch jetzt wog er vermutlich nicht einmal mehr hundertfünfzig. »Du kommst mit mir«, sagte er zu ihm.

Einige von Ojsternigs Dienern beobachteten ihn, doch keiner schien in ihm den schmächtigen Jungen wiederzuerkennen, der früher einmal den Unrat aus dem Hof weggeschaufelt hatte. Niemand hielt ihn auf oder sprach ihn an. Nur eine Frau, deren Gesicht von Pockennarben gezeichnet war, nickte ihm freundlich zu. Ihre geröteten Augen ließen sie noch hässlicher aussehen. Ihr schwachsinniger Sohn Bassiano war vor einem Monat an einer Lungenentzündung gestorben. Mikael hatte es erst an diesem Morgen erfahren, als er sich von ihm verabschieden wollte und ihn nicht fand.

Mikael verließ die Burg durchs Tor und lief mit Harro auf

den Schultern durch die Straßen von Dravocnik, bis er schließlich das düster wirkende Dorf hinter sich ließ und sich an den Anstieg des Berges machte.

Er lächelte bei dem Gedanken, wie Agnete reagieren würde, wenn er mit dem Hund ankam. Bestimmt würde sie murren, ihn vielleicht sogar anschreien, doch am Ende, das wusste er, würde sie nachgeben, wie damals, als er ihr Hubertus als Haustier aufgezwungen hatte. Damals war er noch ein kleiner Junge gewesen.

»Sicher, du bist schon ein bisschen sperriger als eine Maus«, sagte er zu Harro und lachte. »Aber dafür kann man dich auch nicht so leicht mit einem Besen zerquetschen.«

Doch gleich wurde er wieder ernst, weil er an Eloisa dachte. Er hatte keine Zweifel, dass sie Harro mögen würde. Doch wie immer errötete er heftig vor Verlegenheit und Scham, als er daran dachte, dass er ihr gegenübertreten musste. Denn Eloisas Gegenwart war für ihn zu einer ständigen Qual geworden.

Es war etwa drei Jahre her, da hatten Eloisa und er sich gegen alle Verbote ganz allein in den Wald gewagt. Auf einer Lichtung hatte Eloisa, die inzwischen mit ihren dreizehn Jahren weibliche Rundungen bekommen hatte, sich heruntergebeugt, um einen Steinpilz zu pflücken. Es war heiß, sodass die oberen Knöpfe ihrer Bluse geöffnet waren, und so hatte Mikael ihren Busen gesehen, eine rosa Brustknospe, die so verführerisch wirkte wie eine Blüte. Gebannt hatte er sie weiter verstohlen beobachtet und dabei zum ersten Mal in seinem Leben gemerkt, dass er zum Mann wurde. Etwas in seiner Lendengegend schwoll an und drückte gegen den Stoff seiner Hose. Eloisa, die seine Augen auf sich spürte, hatte auf die Stelle zwischen seinen Beinen geblickt und gelacht. Dann hatte sie anzüglich gesagt: »Du hast da ja einen Stock in der Hose.« Mikael hatte das als Spott aufgefasst und war rot geworden. Ihm schlug das Herz bis zum Hals und sein Magen war wie zugeschnürt. Und dann hatte ihn dieses

Gefühl unkontrollierbarer Angst befallen. Da war er weggelaufen wie ein kleines Kind, verfolgt von Eloisas Gelächter. Doch nachdem er Hals über Kopf geflohen war, blieb er plötzlich stehen. Er konnte Eloisa nicht allein im Wald zurücklassen, das war viel zu gefährlich. Also war er umgekehrt, aber er hatte sich nicht gezeigt, sondern war Eloisa heimlich gefolgt, während sie ins Tal hinunterging. Und er hatte gesehen, wie sie weinte, ohne jedoch zu begreifen, warum sie so aufgelöst war. Abends dann hatte sie mit vor Wut hochrotem Gesicht und voller Verachtung gesagt: »Glaubst du etwa, ein dummer kleiner Junge wie du könnte mir je gefallen?« Mikael wäre vor Scham und Erniedrigung fast gestorben. Und obwohl er seit jenem Tag immer Lust verspürt hatte, ihr in den Ausschnitt zu schauen, fühlte er sich von da an stets unbehaglich in ihrer Gegenwart und fürchtete sich schrecklich davor, sie könnte ihn wieder auslachen.

Mikael blieb stehen, um Atem zu schöpfen, er hatte nun etwa die Hälfte des Anstiegs zurückgelegt. Er setzte Harro auf den Boden, holte das Roggenbrot aus dem leinenen Schulterbeutel und gab dem Hund die Hälfte davon ab. Harro machte sich darüber her und hatte das Brot trotz seiner stumpfen Zähne im Nu verschlungen.

»Das muss dir erst mal reichen«, sagte Mikael. »Eloisa wird dir gefallen«, seufzte er dann und streichelte den riesigen Kopf des Hundes. »Sie ist etwas ganz Besonderes. Nur leider gefalle ich ihr nicht … glaube ich zumindest.« Angst und Scham schnürten ihm bei dem Gedanken gleich wieder die Kehle zu, und er schüttelte heftig den Kopf, als wollte er ihn vertreiben.

Mikael betrachtete Dravocnik, das dort unter ihm lag, wie immer in roten und schwarzen Staub getaucht, der nur aus der Entfernung verblasste, doch jetzt allmählich von dem unaufhörlich fallenden Schneeregen weggewaschen wurde. In den vergangenen sechs Jahren hatte dort jede Woche mindestens ein Mann an einem der Galgen vor der Mine gehangen. Dennoch hatten sich die Reihen der Rebellen verstärkt. Die Armut, in die Ojsternig sie zwang, trieb die Bevölkerung zur Verzweiflung. In jedem Winter starben Bergleute und ihre Familien an Hunger und Entbehrungen, und das in weit größerer Zahl als am Galgen. Und je ärmer die Leute wurden und je weniger sie zu essen hatten, desto zahlreicher flohen sie in die Wälder oder suchten in den nahe gelegenen Städten nach Arbeit, in der schwachen Hoffnung, dass sie sich mehr als ein Jahr von Dravocnik fernhalten konnten, bis sie sich das Recht auf Freiheit erworben hatten.

In dieser Zeit hatte der Schwarze Volod, der Anführer der Rebellen, zahlreiche Raubzüge unternommen und dabei die Karawanen der Händler und die Gespanne mit Nachschub für Ojsternig angegriffen. Doch das wichtigste Ziel der Rebellen war es, sich dem unbarmherzigen Gesetz zu entziehen, das sie wie Sklaven an einen Ort band und sie wie Vieh zum Eigentum eines Herrn machte. Sie wollten doch nur woanders Arbeit finden, damit sie ihre Familien ernähren konnten. Kurz gesagt, die Bewohner von Dravocnik wollten einfach nur überleben. Das Wort Freiheit, das man allenthalben hörte, stand eigentlich für nichts anderes als für Brot. Ojsternig stellte sich jedoch taub für alle Forderungen, und im Laufe der Jahre war die Lage immer schwieriger geworden. Banden hatten sich gebildet, die sich der Kontrolle des Schwarzen Volod entzogen, denn dieser versuchte, seinen Leuten moralische Regeln aufzuerlegen: Sie sollten vor allem das Leben der anderen Leibeigenen achten, egal, ob Bergarbeiter oder Bauern. Viele der versprengten Grüppchen waren, vom Hunger getrieben, zu gemeinen Räubern geworden, zu Verbrechern, die auch jene angriffen, mit denen sie einst Seite an Seite die anstrengende Arbeit geteilt und mit denen sie abends im Wirtshaus gelacht und gescherzt hatten. Diese Leute töteten sie jetzt manchmal für ein Huhn, ein wenig Käse, einen Sack Mehl, ein Fass Bier oder Birnenwein.

In jenen Jahren war kein Bewohner des Raühnval mehr allein unterwegs, schon gar nicht im Wald. Man wagte sich auch kaum noch zum Pilzesammeln in den Mezesnigwald, denn jede Begegnung mit den Gesetzlosen konnte verhängnisvoll enden. Im Vergleich zur Bevölkerung von Dravocnik konnten sich die Leibeigenen im Raühnval jedoch noch glücklich schätzen. Obwohl Ojsternig ihnen immer größere Abgaben auferlegte, war es Agnete gelungen, die Bewohner weiterhin davon zu überzeugen, gemeinsam zu vergraben, was immer sie beiseiteschaffen konnten. So war selbst in den härtesten, entbehrungsvollsten Wintern niemand mehr verhungert. Und jedes Mal, wenn die Dorfleute ein Geldstück oder irgendein anderes Gut ausgruben, das ihnen half zu überleben, dachten sie an den Tag zurück, an dem der kleine Mikael sie gerettet hatte. Und sie segneten ihn jedes Mal, wenn sie in ein damit erkauftes Stück Pökelfleisch bissen.

»Also los«, sagte Mikael zu Harro und lud ihn sich wieder auf die Schultern.

In all den Jahren hatte Ojsternig ihn in Ruhe gelassen. Manchmal dachte Mikael, der Fürst hätte ihn vergessen, weil er zu sehr in Anspruch genommen wurde von dem Wiederaufbau der Burg, den Ränken am Hof von Ruprecht III. und später von Sigismund von Luxemburg, mit denen er seine Stellung als Herr über beide Fürstentümer offiziell absichern wollte, sowie von den Strafzügen gegen die Rebellen und Räuber. Zudem musste er sich immer neue Abgaben ausdenken, mit denen er das Letzte aus seinen Leibeigenen herauspresste, und war auch ständig damit beschäftigt, den Kahlschlag im Mezesnigwald voranzutreiben, der sich als lohnende Einnahmequelle erwiesen hatte. Ojsternig hatte ihn jedoch keineswegs vergessen, und jedes Mal, wenn er kam, um die Arbeiten an der Burg in Augenschein zu nehmen, ließ er ihn zu sich rufen.

Dann starrte er ihn nur stumm mit seinen Raubvogelaugen

an. Mikael begriff nicht, was er eigentlich von ihm wollte, aber er hielt seinem Blick stand.

Als er nur noch dreihundert Meter von dem von Ojsternigs Leuten bewachten Pass entfernt war, schlug Mikael den Weg über den Berg ein, um sie zu umgehen. Nach all dieser Zeit war ihm noch immer nicht wohl dabei, an dem Wachtposten vorbeizugehen. Und schon gar nicht mit Harro auf den Schultern. Er kletterte zwischen den vom Eis und der Kälte gespaltenen Felsen nach oben und stieg dann auf der anderen Seite hinunter ins Raühnval. Der Wald wich immer weiter zurück, weil die Holzfäller Ojsternigs ihn so unbarmherzig kahl schlugen. Dieser trieb nun mit den Stämmen einen lebhaften Handel, im Süden mit Venedig und im Nordosten mit dem Domkapitel von Bamberg. Mikael sah Dutzende jahrhundertealte Baumriesen, die nun gefällt und ihrer Rinde beraubt auf dem Boden lagen. Unmengen von Zweigen lagen in unordentlichen Haufen aufeinander und reckten ihre vertrockneten Blätter gegen den grauen Himmel. Wie erstarrte Leichen. Mikael musste unweigerlich an den Tag des blutigen Überfalls denken, an all die verrenkten Körper, die im Schein der lodernden Flammen wie leblose Gliederpuppen im Hof der Burg gelegen hatten. Er blieb stehen und kniff die Augen zusammen, dann schüttelte er den Kopf und suchte Halt an Harros Pfoten, um dieses schreckliche Bild zu verjagen. Schließlich nahm er seinen Weg wieder auf.

Als erste Folge der wilden Rodung der Wälder hatten die Wölfe sich immer öfter aus dem Unterholz vorgewagt. Deshalb bewegte sich Mikael auf seinem Weg nach unten sehr vorsichtig und lauschte auf jedes Geräusch, immer wieder sah er sich um. Inzwischen kannte er den Berg ganz genau. Und er überraschte sich bei dem Gedanken, dass er, als dies alles zu seinem Fürstentum und somit ihm gehörte, keineswegs gewusst hatte, bis wohin es sich erstreckte, wie er dort hätte überleben oder wohin er die Füße hätte setzen sollen, um nicht zu stürzen. Jetzt war der

Berg sein, und das nicht mehr aufgrund eines angestammten Rechts, sondern weil er ihn sich selbst erobert hatte, dachte er mit einem Lächeln auf den Lippen. Und niemand würde ihm das jemals wieder nehmen können.

In den vergangenen sechs Jahren hatte der alte Raphael ihm beigebracht, wie man die Felsen hinaufkletterte. Angefangen hatten sie mit kurzen Steigungen von dreißig Fuß, bei denen Raphael ihn anseilte. Er war gestürzt, aufgestanden, wieder gefallen und dann hatte er eines Tages ganz allein, ohne Seil, den Gipfel des Mosesfingers bestiegen. Oben angekommen, hatte er sich auf den nackten, eiskalten Fels gesetzt, eine Scheibe Schinken und altbackenes Brot gegessen und sich dabei zum ersten Mal frei gefühlt. Dann hatte er Raphaels Buch ausgepackt und laut daraus vorgelesen.

Während oben am Himmel ein Adler seinen beiden Jungen beibrachte, wie sie im Sturzflug künftig Murmeltiere und Kaninchen jagen sollten, hatte Mikael zum unzähligen Mal in den lateinischen Worten die Geschichte von dem Jungen gelesen, der den Fürsten von Ojsternig töten würde. Andere Geschichten fielen ihm nicht ein. Doch Raphael hatte ihm stets versichert, das würde schon noch kommen. Irgendwann wüsste er schon all die Geschichten, die ein gewöhnliches Leben zu einem erfüllten machten, hatte der alte Mann gesagt.

In diese Gedanken versunken, bemerkte Mikael das verdächtige Geräusch zu spät.

Auf einmal versperrten ihm zwei mit Messer und Stock bewaffnete Männer den Weg hinunter ins Tal. Er blieb stehen und drehte sich um. Hinter ihm schnitten ihm zwei weitere Männer den Fluchtweg ab.

»Gib uns alles, was du hast, dann müssen wir dich nicht töten«, sagte einer der Männer, der vor ihm stand. Sein Gesicht war von Hunger und Verzweiflung gezeichnet, doch sein Blick wirkte verschlagen.

»Ich habe nichts«, erwiderte Mikael, während Harro auf seinen Schultern die Gefahr wahrnahm und leise knurrte.

Der Mann musterte das Tier und grinste bösartig.

Die Räuber, die inzwischen die Wälder heimsuchten und sie den Wölfen streitig machten, waren früher ganz gewöhnliche Menschen gewesen. Das Wissen darum, dass sie nichts mehr zu verlieren hatten, hatte jedoch in einigen von ihnen die schlechteste Seite ihres Charakters zum Vorschein gebracht. Es hatte ihre dunkle Seele erweckt.

Als Mikael den Mann betrachtete, war er sicher, dass der ihn auf jeden Fall umbringen würde, und sei es nur um der Lust am Töten willen.

»Jeder hat immer noch irgendetwas«, sagte der Mann und kam mit erhobenem Messer auf ihn zu.

»Ich habe nichts«, wiederholte Mikael und versuchte, seine Stimme fest klingen zu lassen.

»Dann gib uns den Hund«, sagte der Mann und kam näher. »Essen wir eben den.«

Mikael merkte, dass die beiden Männer hinter ihm ebenfalls herandrängten.

Harro knurrte.

»Aus«, befahl Mikael ihm und ging langsam in die Knie, um Harro abzusetzen. Mit dem Hund auf den Schultern hatte er gar keine Möglichkeit, sich zu verteidigen, und gegen vier mit Messern und Stöcken bewaffnete Männer hatte er ohnehin schon einen schweren Stand. »Lasst mich gehen«, bat er, während die Angst ihm die Kehle zuschnürte. »Ich habe euch doch gesagt, dass ich nichts habe.«

Der Mann lachte. »Du hast den Hund. Gib uns den.«

»Den Hund kann ich euch nicht geben«, sagte Mikael und legte eine Hand auf den mit Geschwüren bedeckten Rücken von Harro, der unablässig knurrte.

»Dann holen wir ihn uns eben!«, rief der Mann und sprang vor.

Im gleichen Moment hörte Mikael ein Sirren, und er sah, wie sich die Augen des Mannes weiteten. Dann fiel sein Blick auf eine Pfeilspitze, die aus seiner Brust ragte. Der Mann schwankte, seine Knie gaben nach. Während er sich mit der Hand an die Brust fasste, fiel er nach vorn auf Mikael zu. Harro nahm seine ganze Kraft zusammen, schnellte vor, packte den Räuber an der Kehle und gab ihm mit seinen stumpfen Zähnen den Rest.

Die anderen drei Männer sahen sich um und überlegten fieberhaft, was sie tun sollten.

Da kam ein Reiter aus dem Wald. »Keine Bewegung!«, befahl er ihnen.

Er hielt keine Waffe in der Hand. An seinem Gürtel hing ein langer Dolch, über seiner Schulter ein Bogen und am Sattel ein Köcher mit Pfeilen.

Mikael bemerkte das Brandzeichen von Ojsternig auf dem rechten Hinterbein des Pferdes. Das war keines der mächtigen Kriegsrösser für die Ritter, sondern ein wendiger, geseckter Zelter für die Jagd. Doch dieser Mann konnte nicht zu Ojsternigs Soldaten gehören. Mikael nahm an, dass er das Pferd gestohlen hatte.

»Ich hatte euch gewarnt«, sagte der Mann zu den drei Räubern.

»Volod ... hör mal ...«, begann einer von ihnen.

Der Mann brachte ihn mit erhobener Hand zum Schweigen.

Nun wusste Mikael, dass er dem Schwarzen Volod gegenüberstand, dem Anführer der Rebellen, dem es seit Jahren gelang, sich einer Gefangennahme zu entziehen, obwohl auf ihn hohe Kopfgelder ausgesetzt waren. Doch er sah nicht aus wie ein Held, zumindest nicht so, wie Mikael ihn sich vorgestellt hatte. Der Mann war klein, hatte dichtes, schwarzes Haar, das zerzaust und schmutzig vom Kopf abstand, und hellblaue Augen, so wie manche Hunde in den Bergen, die aus Kreuzungen mit Wölfen hervorgegangen waren. Er trug eine abgewetzte Tunika aus Hirschleder, kniehohe Stiefel aus Braunbärenfell und einen Filzumhang, der an mehreren Stellen zerrissen und geflickt war. Der dichte Bart konnte nicht verbergen, wie mager dieses Gesicht mit den hohen, ausgeprägten Wangenknochen war. »Versteckt ihn im Gebüsch, damit man ihn vom Pfad aus nicht sieht«, befahl Volod den drei Räubern und zeigte auf die Leiche ihres Anführers.

Seine Stimme klang gebieterisch, aber keineswegs herablassend, dachte Mikael, den Volod bis jetzt keines Blickes gewürdigt hatte.

Nun wandte er sich an Mikael. »Das ist Ojsternigs Hund«, sagte er und zeigte auf Harro. Sonst nichts, aber seine Augen blickten Mikael durchdringend an.

»Nein. Jetzt ist es mein Hund«, erwiderte Mikael.

Volod stieg vom Pferd, während die Räuber den Toten aufnahmen, und zog den Pfeil aus der Brust des Mannes. Ohne sichtliche Anstrengung.

Trotz seiner geringen Körpergröße muss er sehr stark sein, dachte Mikael.

Volod wischte den Pfeil an der Kleidung des Toten ab, bevor die Männer ihn ins Gebüsch warfen, und steckte ihn zurück in den Köcher. »Ich gebe euch noch eine Gelegenheit. Die letzte«, sagte er zu den drei Räubern. »Ihr könnt euch uns anschließen. Aber nur nach meinen Regeln. Es werden keine Unschuldigen getötet und keine armen Teufel ausgeraubt.«

Die drei Räuber zögerten.

»Verschwindet. Ihr habt zu lange überlegt«, sagte Volod. »Ich brauche keine Leute, die mich hinterrücks wegen eines Kanten Brots abstechen. Aber sucht euch einen anderen Wald. Von jetzt an tragen drei Pfeile in meinem Köcher eure Namen, wenn ich euch hier noch einmal sehe.«

Die drei Räuber ergriffen schleunigst die Flucht.

Nun ging Volod zu Mikael.

Harro begann zu knurren.

»Halte ihn zurück, wenn du nicht willst, dass ich ihn töte«, sagte Volod hart. Er musterte Mikael schweigend, dann fragte er ihn: »Wer bist du?«

»Ich heiße ...«, begann Mikael, eingeschüchtert von dem durchdringenden Blick des Mannes.

»Ich habe nicht gefragt, wie du heißt, sondern wer du bist«, unterbrach Volod ihn.

»Ich bin ... Mikael Veedon ...«

»Junge, bist du dumm?«, fragte Volod und ballte eine Hand zur Faust. »Wer bist du? Einer von Ojsternigs Leuten?«

»Nein! Ich bin ... ein Leibeigener ... aus dem Raühnval ...«

Volod sah ihn weiter prüfend an. »Mach, dass du wegkommst«, sagte er schließlich. »Bald wird hier reichlich Blut fließen.« Er ging einen Schritt auf ihn zu, ohne sich um Harro zu kümmern, der wieder drohend knurrte. »Wenn ich sehe, dass du umkehrst, um Ojsternig zu warnen, dann trifft mein Pfeil dich dort«, sagte er entschieden und tippte auf einen Punkt auf Mikaels Stirn. »Genau hier zwischen die Augen. Hast du verstanden, Bauer?«

Mikael nickte kaum merklich, reglos, wie gelähmt von der alten kindlichen Furcht, die ihn nie verlassen hatte.

Eine beträchtliche Anzahl mit Bogen und Dolch bewaffneter Männer kam nun aus ihren Verstecken hinter Bäumen und Büschen hervor.

»Sieh zu, dass du wegkommst«, sagte Volod noch einmal.

Mikael nahm Harro auf die Schultern und machte sich auf den Weg. Als er sich nach etwa zwanzig Schritten umwandte, war von Volod und seinen Leuten nichts mehr zu sehen. Der Wald lag scheinbar verlassen da, und es herrschte wieder Stille.

Unterwegs dachte Mikael über Volod nach. Nur wenige Menschen waren ihm jemals begegnet, doch die Leute in den Dörfern sprachen viel von ihm. Es hieß, er sei ein außergewöhnlicher Mann, und schon jetzt rankten sich zahlreiche Legenden um ihn. Raphael und Agnete hatten gesagt, die Rebellen seien Leute, die nachts die Sonne fänden. Von da an hatte Mikael von außergewöhnlichen Männern, von Rittern ohne Fehl und Tadel geträumt. Volod glich jedoch in nichts den Helden seiner Träume. Er war ein ungehobelter Mann, klein von Statur, und sein Blick war grausam, sodass er sich äußerlich nicht von den Räubern unterschied, die Mikael angegriffen hatten.

Während er die Brücke über die Uqua hinter sich ließ und ins Dorf ging, wurde Mikael klar, wie sehr ihn diese Begegnung enttäuscht hatte.

Als er die Hütte erreichte, wuschen sich Agnete und Eloisa gerade draußen in einer Schüssel die Hände. Das Wasser war blutrot.

»Sucht Ojsternig jetzt auch schon für halb verreckte Hunde ein neues Heim?«, fragte Agnete misstrauisch.

»Nein. Er gehört zu mir«, erwiderte Mikael grimmig und ging auf die Tür zu.

Agnete versperrte ihm den Weg. »Mir kommt kein Hund ins Haus«, sagte sie.

»Dann werde ich eben auch nicht hineingehen. Heute Nacht werden wir im Heuschober schlafen, und dann baue ich mir ein eigenes Haus«, erklärte Mikael und setzte Harro ab. Wut stieg in ihm auf. Ein wenig wegen der Angst, die er gerade ausgestanden hatte, und auch wegen der Enttäuschung über die Begegnung mit Volod.

Agnete ging in die Hütte und knallte die Tür hinter sich zu.

Eloisa sah Mikael an. Dann den Hund.

Mikael erging es wie sonst auch, er erwiderte schüchtern ihren Blick, vergaß allen Ärger und erwischte sich staunend bei dem Gedanken, wie schön er sie fand. Eloisa war jetzt sechzehn Jahre alt. Glatte, kinnlange Haare umrahmten ihr Gesicht. Die

Augen strahlten blau und tief wie Bergseen, ihre Lippen wirkten samtig und weich wie reife Aprikosen. Ihr Körper war schlank und biegsam.

Nach einer Weile öffnete sich die Tür wieder. Agnete, hochrot im Gesicht, fuchtelte wild mit dem Finger herum und schrie: »Ich begreife nicht, wie du so stur sein kannst!« Dann gab sie Mikael eine Holzschüssel mit einem grünlichen, übel riechenden Brei. »Streich das auf seine wunden Stellen. Dann heilen sie schneller.«

»Wollt Ihr damit sagen, er darf im Haus schlafen?«, fragte Mikael mit einem kaum merklichen Lächeln.

»Hoffen wir, dass er sich ein paar von unseren Bettwanzen einfängt, dann ist er wenigsten zu etwas gut«, brummte Agnete zur Antwort. Dann richtete sie drohend den Finger auf Mikael. »Und was wird er fressen? Hast du dir das überlegt?«

»Die Hälfte von meinem Essen«, erwiderte Mikael ernst.

Agnete sah ihn an. Mikael hatte sich zum größten und stärksten Jungen des Tals entwickelt, nach Eberwolf. Er hatte breite Schultern, seine Oberschenkel und Arme waren so dick wie die Äste einer Eiche, die Hände packten so kräftig zu wie ein Schraubstock und sein Rücken war so kräftig, dass er eine Last von hundertfünfzig Pfund scheinbar mühelos den Berg hochgetragen hatte. Seine vormals blasse Haut hatte sich gebräunt, und die Sonne hatte sein blondes Haar noch mehr ausgebleicht, das er jetzt in einem Pferdeschwanz trug. Das rote Lederband, mit dem er ihn zusammenhielt, stammte aus dem alten Kinderkleid von Eloisa. Mikael hatte regelmäßige Gesichtszüge, und die Narbe auf der Stirn, die gebrochene Nase und die vielen vernarbten Wunden, die sein Heranwachsen wie die Kerben auf dem Stab eines Hirten markierten, verliehen seiner Schönheit etwas Männliches.

Agnete wusste genau, wann er sich welche Narbe zugezogen hatte. Bei seinem Anblick musste sie unweigerlich denken, dass er eher wie ein Krieger und nicht wie ein Bauer aussah. Dass er das genaue Ebenbild seines Vaters, des letzten Fürsten von Saxia war. Manchmal wunderte sie sich, wie blind und stumpfsinnig die Leute waren, denn Mikael sah ihm wirklich außerordentlich ähnlich.

Jetzt nahm sie ein Holzscheit und schleuderte es wütend nach ihm. »Er wird die Hälfte von deinem Essen bekommen, Junge?«, schrie sie ihn an. Sie hatte nie aufgehört, ihn so zu nennen.

Harro knurrte drohend.

Agnete nahm noch ein Scheit. »Da ist auch eins für dich, alter Flohteppich!«, drohte sie ihm.

Harro drängte sich eingeschüchtert an Mikael und knurrte leise.

»Du kannst dich ja kaum auf den Beinen halten«, sagte Agnete kopfschüttelnd zu dem Hund. Sie warf das Holzscheit auf den Boden. »Und dieser Esel will dir die Hälfte von seinem Essen geben!«, rief sie aus. Sie sah Mikael an und schimpfte: »Willst du etwa, dass er verhungert? Meinst du, die Hälfte von deinem Essen langt ihm, Junge? Das ist für ihn nur ein kleiner Happs. So ein Tier muss ordentlich Fleisch fressen!« Wieder richtete sie den Finger auf Mikael: »Also sieh zu, dass du endlich mal was mit Pfeil und Bogen triffst und fang ein paar Eichhörnchen, Vögel und Mäuse, wenn du nicht willst, dass er abkratzt.«

Mikael öffnete den Mund und wollte etwas sagen.

»Na gut, keine Mäuse, Himmelherrgottnocheins!«, rief Agnete aus und verdrehte die Augen. »Das könnten ja dann die Urenkel sein von...«

»Hubertus«, ergänzte Eloisa lachend.

Agnete betrachtete Mikael und Harro. »Ihr seid vielleicht ein schönes Paar«, brummte sie und ging zurück ins Haus. »Wirklich ein schönes Paar!«

»Du hast ihr Herz erobert«, erklärte Mikael Harro lächelnd. »Sie ist nur ein wenig grantig.« Er begann, den Brei auf Harros wunde Stellen zu schmieren.

Eloisa sah ihm dabei zu und sagte lachend: »Ich hoffe, er heißt nicht ebenfalls Hubertus.«

»Nein, das ist Harro«, antwortete Mikael.

Eloisa streckte die Hand aus und streichelte vorsichtig den riesigen Rücken des Molossers.

Harro winselte freundlich.

»Was für eine tiefe Stimme er hat«, bemerkte Eloisa.

»Hab keine Angst.«

Eloisa setzte sich auf den behauenen Tannenstumpf, der der Hütte als Türschwelle diente, und ließ dabei ein kleines Stück ihrer hübschen Beine sehen, schlank und zugleich kräftig. Sie sah Mikael auffordernd an.

Der Junge merkte, dass er rot wurde, während er sich neben sie setzte, und obwohl er nicht nahe genug herankam, dass sich ihre Beine berührten, ging sein Atem schneller.

In jenen sechs Jahren waren sie Seite an Seite aufgewachsen, und Mikael hatte durch sie eine verwirrende Gefühlswelt kennengelernt. So oft wie möglich arbeitete er auf den Feldern neben ihr, hörte sie vor Anstrengung keuchen, beobachtete die Schweißtropfen, die sich im Sommer auf ihrer Stirn bildeten, oder ihre von der Kälte geröteten Wangen im Winter. Abends bei Tisch setzte er sich neben sie und stellte sich vor, ihre Füße würden einander suchen. Er half ihr, Mützen aus Eichhörnchenschwänzen zu nähen, und dachte immer wieder an den Tag zurück, als sie noch Kinder waren und Eloisas Fingerkuppe seine Handfläche berührt hatte. Doch jedes Mal, wenn sich ihre Finger mit den Nadeln aus Knochen darin streiften, zog Mikael als Erster seine Hand zurück, aus Angst, sie könnte vor ihm zurückweichen, nachdem sie ihm vor drei Jahren gesagt hatte, er würde ihr niemals gefallen. Und jede Nacht, wenn er sich schlafen legte, verzehrte er sich stumm vor Sehnsucht, litt unter seiner Schüchternheit, die er einfach nicht überwinden konnte, und ängstigte sich vor der Vorstellung, Eloisa könnte ihn zurückweisen, ihn noch einmal auslachen. Und mit der Zeit wurde es immer schwieriger für ihn, sich ihr zu nähern, als hätten sich all die Tage, an denen es ihm nicht gelungen war, auf sie zuzugehen, zu einer undurchdringlichen Wand zwischen ihnen aufgetürmt.

Jetzt, hier auf der Schwelle, zu weit entfernt für eine Berührung, sagte sich Mikael, dass er versuchen musste, näher an Eloisa heranzurücken. Errötend stützte er seine zitternden Hände auf dem Baumstumpf ab, um seinen Körper anzuheben und an sie heranzurutschen, doch da schob Harro sich plötzlich zwischen sie, schmiegte sich an Eloisa und legte ihr den Kopf auf den Schoß.

»Wie schwer der ist!«, rief Eloisa erstaunt.

Harro seufzte tief und schloss entspannt die Augen.

»Er mag dich«, stellte Mikael fest.

Eloisa lächelte und streichelte den Hund.

Jetzt sollte ich auch Harro streicheln, dachte Mikael, dann würden sich unsere Hände berühren. Aber er konnte sich nicht bewegen, die Schüchternheit lähmte ihn. Schließlich wandte Mikael sich mit hochroten Wangen Eloisa zu, öffnete den Mund und stotterte mühsam: »Wenn du willst, ist es . . . unser Hund.«

Eloisas Augen füllten sich mit Tränen. »Ich habe mir immer einen Hund gewünscht«, sagte sie leise.

Mikael lachte töricht, um seine Verlegenheit zu verbergen.

»Dummkopf!«, schimpfte Eloisa und gab ihm einen heftigen Klaps auf den Arm.

Harro stieß ein dumpfes Grollen aus, beinahe ein Knurren, doch er hielt die Augen geschlossen.

Erschrocken zog Eloisa ihre Hand zurück. »Warum tut er das?«

»Er meint, du solltest dich nicht dafür schämen«, erklärte Mikael lächelnd.

Eloisa ließ die Tränen ungehemmt über die Wangen laufen und streichelte Harro wieder. »Dann wird es also unser Hund sein«, sagte sie. Doch dann fügte sie hinzu: »Du bist trotzdem ein Dummkopf.«

Mikael dachte darüber nach, dass er nicht einmal fähig war, die Hand des Mädchens zu nehmen, das er liebte, und sie zu streicheln. »Ja, ich weiß. Ich bin der König aller Dummköpfe.«

37

Ojsternig hielt die Zügel mit der rechten Hand und trieb seinem Pferd wütend die Sporen in die Flanken. Sein linker Arm hing schlaff an der Seite herab, und bei jedem Ruck durchfuhr ihn ein stechender Schmerz an der Stelle, wo sich der Pfeil in sein Fleisch gebohrt hatte. Hinter ihm sicherte Agomar mit drei Soldaten den Rückzug, sie waren die Einzigen, die den Hinterhalt der Rebellen überlebt hatten.

Er hatte nur eine lückenhafte Erinnerung an den Vorfall. Sie waren auf der Straße unterwegs ins Raühnval gewesen, als er plötzlich das Geräusch von Dutzenden schnalzenden Bogensehnen und das sich anschließende Sirren der Pfeile vernommen hatte. Der Soldat, der neben ihm ritt, hatte sich mit der Hand an den Hals gefasst, war gegen ihn gefallen und sein Blut war auf Ojsternigs Gewand gespritzt. Gleichzeitig waren noch weitere Soldaten stöhnend zu Boden gesunken. Das Pferd des Fürsten hatte sich aufgebäumt, fast hätte es ihn abgeworfen. Und während er seitlich im Sattel hing, hatte ein Pfeil ihn am Arm getroffen. Wenn sein Pferd nicht gescheut hätte, dachte Ojsternig schaudernd, hätte ihn dieser Pfeil wohl mitten in die Brust getroffen und getötet. Sie hatten keine Zeit gehabt, sich zu wehren oder gar einen Gegenangriff zu planen. Die Rebellen waren hinter den Büschen oder in den Bäumen verborgen gewesen, sie hatten ihnen eine tödliche Falle gestellt. Agomar war neben ihn geritten und hatte ihm zugeschrien, dass ihnen nur noch die Flucht blieb. Daraufhin hatte Ojsternig sein Pferd herumgerissen und war im Galopp den Berg hinaufgeprescht, während in seinen Ohren immer noch das Sirren der Pfeile und die Schreie der Rebellen hallten. Soweit er sich erinnerte, war von den Dorfbewohnern, die sie begleiteten, niemand verletzt worden, auch keins ihrer Tiere.

Sobald er merkte, dass er die Rebellen weit genug hinter sich gelassen hatte, ritt er langsamer. Voller Wut packte er den Pfeil und wollte ihn herausziehen. Doch sobald seine Finger auch nur leicht daran zogen, schmerzte die Wunde heftig.

»Nein, Euer Durchlaucht!«, warnte Agomar ihn. »Lasst ihn lieber stecken, bis wir Euch behandeln lassen können.«

Ojsternig starrte ihn zornig an. »Wie konnte das geschehen?«, schrie er ihn an.

Agomar dachte an den Hinterhalt, in den er vor Jahren seine eigenen Männer gelockt hatte. Für jeden blutigen Hinterhalt gab es nur eine Erklärung. »Ein Verräter«, erwiderte er.

»Ein Verräter?«, wiederholte Ojsternig. »Wer?«

»Das werden wir nie erfahren, Euer Durchlaucht«, sagte Agomar und schüttelte den Kopf. »Es könnte jeder gewesen sein. Alle wussten, dass Ihr heute ins Raühnval umziehen wolltet.«

»Wer?«, schrie Ojsternig trotzdem.

»Ein Diener aus der Burg«, antwortete Agomar und zuckte mit den Achseln, »oder einer der Bauern aus dem Raühnval. Jeder könnte Euch an die Rebellen verraten haben.«

Ojsternig erkannte, dass Agomar recht hatte. Sie würden wohl niemals herausfinden, wer geredet hatte. »Wir haben drei Galgen«, sagte er daraufhin grimmig. »Nächsten Sonntag will ich je einen Diener aus dem Palast, einen Bauern aus dem Raühnval und einen Bergarbeiter am Strick baumeln sehen. Kümmere dich darum.«

»Wie soll ich sie auswählen?«, fragte Agomar.

»Würfel sie aus«, erwiderte Ojsternig voller Verachtung.

»Wie Ihr befehlt.«

Ojsternig trieb sein Pferd ins Tal. »Wie viele Männer hast du verloren?«, fragte er Agomar.

»Vierzehn.«

»Sag dem Henker, er soll seine Messer schleifen«, sagte Ojsternig, dessen Körper immer noch vor Todesangst zitterte, die ihn jedoch beinahe erregte. »Ich will nämlich, dass vierzehn Menschen bei lebendigem Leib vor aller Augen gehäutet werden. Und stell sicher, dass die Menge auch wirklich zusieht. Auch alle Dorfbewohner aus dem Raühnval. Ich will, dass auf die Haut eines jeden Verurteilten der Name eines Soldaten geschrieben wird, der heute sein Leben verloren hat. Ab jetzt sollen die Rebellen wissen, wenn sie einen von uns töten, ist das so, als töteten sie einen von jenen, die sie angeblich beschützen. Das sollen auch die Leibeigenen aus meinem Fürstentum erfahren. Dann werden sie die Rebellen hassen, so wie sie uns hassen.« Als er durch Dravocnik ritt, beschützt von den Soldaten, die mit gezücktem Schwert zum Angriff bereit waren, zischte er finster: »Jetzt herrscht Krieg.« Aber die Todesangst verließ ihn nicht. Sie hockte wie ein Rabe auf seiner Schulter.

Er ritt zum Hospital des Klosters und streckte sich dort auf einem Lager neben dem Altar aus, wo man für die Bettlägerigen die Messe abhielt. Er bekreuzigte sich mehr aus Aberglauben denn aus innerer Überzeugung. Gleich darauf kam ein Mönch herbeigeeilt, der ihm den Ärmel aufriss, um seinen Arm freizulegen. Dann beschnitt er mit einer Schere die Pfeilspitze und zog mit einer schnellen, geübten Bewegung den Fremdkörper heraus.

Ojsternig schrie vor Schmerz.

Der Mönch spülte die Wunde mit lauwarmem Würzwein aus. Dann bereitete er einen Breiumschlag aus Ziegenmist, Schweineschmalz und Bleiweiß, beschmierte damit sorgfältig die Eintritts- und die Austrittswunde und wickelte einen festen Verband darum. »Jetzt müsst Ihr ruhen, Euer Durchlaucht«, sagte der Mönch.

Ojsternig stand wortlos auf, verließ das Kloster und kehrte auf seine Burg zurück, die inzwischen fast gänzlich leer geräumt war. Er befahl, ein großes Feuer im Kamin zu entzünden, ließ sauberes Stroh bringen und streckte sich darauf aus. Achtlos schüttete er zwei Becher Birnenwein in sich hinein. Dann gab er Agomar ein Zeichen. »Bring den Schlappschwanz her«, sagte er zu ihm. »Sofort.«

Kurz darauf kam ein junger Mann herein. Er stellte sich träge vor Ojsternig hin, während er noch schnell sein weites Hemd in die Hosen stopfte, deren zweifarbige Beine – eins grün, eins schwarz – die Farben der Fürsten von Saxia repräsentierten.

Ojsternig betrachtete ihn stumm. Der Junge war offiziell sechzehn Jahre alt, aber in Wirklichkeit war er schon achtzehn. Als Ojsternig ihn dem Waisenhaus abgekauft hatte, um ihn als Marcus II. von Saxia auszugeben, den letzten Erben des Fürstenhauses, hatte er gehofft, der Junge würde noch größer werden. Doch in den sechs Jahren, die seither vergangen waren, war der Junge weniger als eine Spanne gewachsen. Er war von einer sinnlichen, beinahe weiblichen Schönheit. Sein Körper hatte sich an den Schenkeln wie auf der Brust gerundet und war insgesamt weicher geworden. Alles an ihm war weich, und Ojsternig hatte bemerkt, wie die Soldaten ihm nachschauten, wenn er hüftschwingend durch den Großen Saal lief. Er wirkte immer so, als hätte er sich gerade von einem Liebeslager erhoben. Seine Haare sahen stets ungekämmt aus, als hätte eben noch eine Hand darin gewühlt und sie zerzaust. Alles an ihm ließ an die träge Sinnlichkeit von sexuellem Vergnügen, Lust und Hingabe denken. Und die für sein Alter allzu dunklen Augenringe, das Einzige, was ein wenig Farbe in sein blasses, bartloses Gesicht brachte, wirkten wie die Brandzeichen des lasterhaften Lebens, das aus jedem seiner Blicke sprach.

»Am Sonntag wirst du mich zu den Galgen begleiten, Schlappschwanz«, sagte Ojsternig zu dem Jungen.

»Ich sehe gern zu, wenn jemand gehängt wird«, erwiderte Marcus. Seine Stimme klang warm und weich.

Ojsternig starrte ihn verächtlich an. Der Junge war schwach, lasterhaft und hinterhältig. »Vierzehn Männer werden bei lebendigem Leib gehäutet«, sagte er. »Und du wirst auf das Gerüst steigen, das Messer vom Henker entgegennehmen und den ersten Schnitt tun.«

Marcus wurde blass.

Ojsternig lachte. »Man muss sich die Hände schmutzig machen, wenn man ein guter Fürst werden will.« Er leerte noch einen Becher Birnenwein. Dann verfinsterte sich seine Miene wieder. »Seit zwei Jahren teilst du nun schon das Bett mit meiner Tochter, und noch immer ist kein Erbe in Sicht«, sagte er grimmig. Die Prinzessin war inzwischen neunzehn Jahre alt und Ojsternig hatte jedes sexuelle Interesse an ihr verloren. Als sie noch ein Mädchen war, hatte sie ihrer Mutter geähnelt, und deshalb hatte Ojsternig sich von ihr angezogen gefühlt. Aber als Lukrécia zur Frau heranreifte, hatte sie sich nicht die sinnliche Anziehungskraft ihrer Mutter bewahrt, und Ojsternig hatte sie immer seltener nachts zu sich gerufen.

»Vielleicht ist Eure Tochter unfruchtbar«, sagte Marcus frech.

Ojsternig verzog keine Miene. »Komm näher!«, befahl er.

Marcus tat einen Schritt auf ihn zu.

»Näher«, sagte Ojsternig. »Knie dich hier neben mich.«

Der Junge ließ sich auf die Knie nieder und beugte dann sein Gesicht auf gewohnt sinnlich-träge Weise zu Ojsternig vor, als erwarte er, ein Geheimnis ins Ohr geflüstert zu bekommen.

Da schlug Ojsternig ihn mitten ins Gesicht. »Oder vielleicht vergeudest du ja deinen besten Samen bei den Burghuren«, zischte er, »und wenn du meiner Tochter beiwohnst, sind deine Eier leer.« Er kniff ihm in die Backe und verdrehte die Haut zwischen seinen Fingern.

Marcus stöhnte vor Schmerz.

»Die Verrückte gefällt dir am besten, berichten mir meine Männer«, sagte Ojsternig. Damit meinte er Emöke.

»Sie ist eben immer verfügbar«, erklärte der junge Mann mit schmerzverzerrter Stimme. Seine wulstigen Lippen leuchteten unnatürlich rot, als hätte gerade ein Liebhaber im Rausch der Leidenschaft hineingebissen.

Ojsternig ließ ihn los und stieß ihn weg.

Marcus fiel nach hinten. »Ich warte eben nicht gern auf eine Hure«, fauchte er giftig. Aber es lag keine Kraft in seinen Worten, er klang nur trotzig. »Die anderen haben Angst vor ihr, sie sagen, dass sie mit den Toten und den Feen spricht . . .«

»Nein«, unterbrach ihn Ojsternig. »Eigentlich gefällt sie dir, gerade weil sie verrückt ist. Weil sie nicht sieht, wer du wirklich bist.« Er lachte bitter. »Denn du gehst bloß zu den Huren, um bei den Soldaten sein zu können, nicht wahr?« Ojsternig bemerkte, dass aus der Nase des Jungen ein wenig Blut tropfte. Dort hatte ihn sein Schlag getroffen Er streckte eine Hand aus und tauchte den Daumen in das rote Rinnsal. Dann färbte er damit die Lippen des Jungen. »So, jetzt bist du vollkommen«, sagte er. »Verschwinde.«

Marcus rührte sich nicht. Er starrte Ojsternig aus seinen lasterhaften Augen an.

»Verschwinde!«, schrie Ojsternig ihn an.

Da sprang Marcus auf und wich zurück, wie ein Hund, der fürchtet, getreten zu werden. Er lief davon.

Wieder allein, starrte Ojsternig nachdenklich ins Kaminfeuer. Der römisch-deutsche König Sigismund von Luxemburg hatte die Entscheidung des verstorbenen Ruprecht III. bestätigt und ihn bis zur Volljährigkeit von Prinz Marcus II. von Saxia zum vorläufigen Regenten ernannt. Was bedeutete, dass er noch weitere fünf Jahre ungestört über die nunmehr vereinten Fürstentümer herrschen konnte. Doch Ojsternig traute dem Jungen nicht über den Weg. Er war hinterhältig und verkommen. Marcus könnte ihn mithilfe eines Verräters, der sich davon einen Aufstieg oder andere Vorteile erhoffte, vergiften. Und aus diesem Grund war das Schicksal des vorgeblichen Prinzen von Saxia besiegelt. Er hatte zunächst nur dem einen Zweck gedient, die beiden Fürstentümer unter einer Herrschaft zu vereinen. Doch nun musste er noch einen zweiten Zweck erfüllen, und das war der einzige Grund, weshalb er überhaupt noch am Leben war: Er musste die Nachkommenschaft sichern. Sobald Ojsternig einen Erben hatte, würde Marcus sterben. Dem Namen nach würde dann zwar die Prinzessin über das Fürstentum von Saxia herrschen, doch Ojsternig machte sich wegen seiner Tochter keine Gedanken. Er würde weiter an ihrer statt regieren. »Ich habe jedes Recht dazu«, sagte er und lachte leise vor sich hin. »Im Grunde war ich ja ihr erster Mann.« Jedoch war noch kein Erbe in Sicht. Wahrscheinlich war seine Tochter wirklich unfruchtbar, denn er selbst hatte ihr ja ebenfalls beigewohnt, und auch ihm hatte sie damals kein Kind geschenkt.

Ojsternig starrte weiter in die Flammen und trank, bis er in Schlaf sank.

Während der Nacht begann seine Armwunde schmerzhaft zu pochen, und am folgenden Tag verstärkte sich der Schmerz noch. Ojsternig zitterte vor Kälte. Wieder spürte er, wie Todesangst ihm die Kehle zuschnürte. Der Mönch des Klosters, der ihn verarztet hatte, wurde gerufen.

»Das ist normal«, sagte dieser. »Der Breiumschlag sorgt dafür, dass Eiter fließt, der Euch von den schlechten inneren Säften befreit.«

Zwei Tage später hatte Ojsternig hohes Fieber.

»Ruft lieber den Barbier, Euer Durchlaucht«, riet Agomar ihm.

Der Barbier des Dorfes, ein großer Mann mit einem enormen Bauch, zog inzwischen nurmehr faule Zähne und richtete gebrochene Knochen, aber früher war er als Feldscher mit in den Krieg gezogen. Er wickelte den Verband ab und schüttelte bestürzt den Kopf. »Ziegenmist«, brummte er missbilligend.

»Das hat der Arzt angeordnet«, sagte Ojsternig.

»Der Arzt? Ihr meint wohl, der Mönch«, entgegnete der Barbier. »Euer Durchlaucht, bei allem Respekt, wenn es wirklich so gesund wäre, würden wir jeden Abend in Scheiße baden und am Morgen frisch wie die Jugend aufstehen.«

»Sprich deutlich, ohne Umschweife«, fuhr Ojsternig ihn an.

»Die Wunde muss man sich selbst überlassen«, erklärte der Barbier. »Um die Blutung zu stillen, kann man einen Brei aus einem Kraut darauf geben, das wir ›Hirtentäschel‹ nennen. Aber jetzt ist es dafür reichlich spät.«

»Tu das, was du tun musst«, befahl Ojsternig.

Der Barbier nahm den Umschlag des Mönchs mit einem Leinenlappen ab, ließ sich einen Krug mit warmem Wein reichen und spülte damit die Eintrittswunde oberflächlich. Dann füllte er ein kleines, fast durchsichtiges Fläschchen aus einer Schweinsblase, an die man eine lange dünne Tülle aus Zinn angebracht hatte, mit dem Wein. »Jetzt werde ich Euch wehtun, Euer Durchlaucht«, warnte er und steckte die Tülle in die Wunde. Dann drückte er zu. Ein Strahl aus warmem Wein, vermischt mit Blut und Eiter, spritzte aus dem entgegengesetzten Loch.

Ojsternig stöhnte und presste die Zähne aufeinander.

»Gut, nun ist die Wunde ausgespült.« Der Barbier verband den Arm wieder. »Das ist alles«, sagte er.

Ojsternig sah ihn an und sagte drohend: »Wenn ich den Arm verliere, dann wirst auch du einen verlieren.«

Der Barbier wurde blass. »Ihr werdet den Arm nicht verlieren, Euer Durchlaucht«, versicherte er.

»Umso besser für dich«, schloss Ojsternig.

Am Morgen des nächsten Tages pochte die Wunde nicht mehr, und das Fieber war gesunken.

Drei Tage später, am Sonntag, konnte Ojsternig, wenngleich immer noch blass und geschwächt, den Hinrichtungen beiwohnen. Er sah sich oftmals beunruhigt um, da er einen Pfeil aus dem Hinterhalt fürchtete. Unter der prächtigen Tunika hatte er sein Kettenhemd angelegt.

Auf dem Platz vor der Mine drängte sich die Menge.

Ojsternig suchte mit dem Blick nach Mikael. Als er ihn entdeckt hatte, bedeutete er ihm, er möge näher kommen. Er hieß einen seiner Soldaten absitzen und befahl Mikael: »Steig in den Sattel!«

Mikael saß auf.

Ojsternig legte ihm eine Hand auf die Schulter, um allen zu zeigen, dass dieser Junge sein Eigentum war. »Ich will dich hier an meiner Seite.«

Dann setzte sich der Karren mit den drei zum Strang Verurteilten in Bewegung. Die Menge hielt den Atem an. Einer nach dem anderen fiel ins Leere. Die Männer zappelten wild mit weit aufgerissenen Augen, die fast aus den Höhlen platzten, den Mund zu einem stummen Schrei verzerrt. Und je mehr sie mit den Beinen in der Luft strampelten, desto fester zog sich die Schlinge zu. Als Erster starb ein alter Diener aus der Burg. Als sein Genick mit einem trockenen Knacken brach, sträubten sich allen Umstehenden die Haare. Der Zweite war ein Bergarbeiter um die fünfzig. Sein Gesicht lief rot an, dann quoll seine bläulich verfärbte Zunge aus dem Mund. Aus dem bestürzten Schweigen der Menge erhob sich der verzweifelte Schrei seiner Frau, und ein kleiner Junge, der mit tränenüberströmtem Gesicht neben ihr stand, schrie: »Vater!« Er lief zu dem baumelnden Leichnam, als wollte er ihn vom Galgen reißen, obwohl er kaum an die inzwischen schlaff herabhängenden Beine seines Vaters herankam. Doch ein Soldat versetzte ihm eine so kräftige Ohrfeige, dass der Junge zu Boden fiel. Der Letzte, der starb, war Cvetko Radu, ein Leibeigener aus dem Raühnval, ein Mann so stark wie ein Bär, der niemals in seinem Leben auch nur einer Fliege etwas zuleide getan hatte. Mikael sah, wie Urin die Hose des Bauern erst vorn befleckte, dann an einem Bein hinablief und schließlich von den krampfartig zitternden bloßen Füßen auf den Boden tropfte. Cvetkos Tochter verlor das Bewusstsein, kurz bevor der Körper ihres Vaters am Strick erschlaffte.

Als die drei Männer tot waren, verstärkte Ojsternig den Griff um Mikaels Schulter und musterte ihn.

Mikael wandte sich nicht zu ihm um. Er weinte um Cvetko. In all den Jahren hatte er an seiner Seite auf den Feldern die Erde aufgehackt, aber er hatte sich nie mit ihm beschäftigt. Und nun, während Cvetko wie eine Vogelscheuche aus Stroh am Galgen baumelte, bereute er es, dass er ihn niemals angesprochen hatte. Dass er keine Erinnerung an diesen herzensguten Mann hatte, der aus einer puren Laune des Fürsten heraus sein Leben verloren hatte.

Ojsternig winkte nun dem vorgeblichen Prinzen, er solle zum Henker aufs Gerüst steigen.

Marcus hatte sich wie zu einem höfischen Ball herausgeputzt. Er trug ein Wams aus Goldstoff, das seine gerundeten Hüften betonte, und in die wild zerzausten Haare hatte er ein violett-gelbes Band geschlungen, das mit sinnlichem Schwung wie ein Zopf auf seine weiche Brust fiel.

»Vierzehn brave Soldaten sind in dem feigen Hinterhalt gestorben, den uns eine Horde von Gesetzlosen bereitet hat«, verkündete Ojsternig der Menge und ließ dabei weiter seine Hand auf Mikaels Schulter liegen, als wäre der sein Knappe. Keinem der Bewohner des Raühnval, die Ojsternigs Hab und Gut transportieren sollten, war ein Haar gekrümmt worden. Als die Rebellen gesehen hatten, dass der Fürst und diejenigen seiner Soldaten, die nicht schwer verletzt waren, Hals über Kopf flüchteten, waren sie aus dem Wald gekommen, hatten die Karren geplündert und den verwundeten Soldaten die Kehlen durchgeschnitten. Dann hatten sie die Pferde der Soldaten mit Proviant, Gold und Silber beladen und waren im Mezesnigwald verschwunden.

»Und heute werden wegen des Schwarzen Volods, dieses feigen Meuchelmörders, vierzehn von euch statt seiner sterben«, fuhr Ojsternig fort. »Und so wird es von nun an jedes Mal geschehen.« Er schaute in die Menge. »Prinz Marcus II. von Saxia wird selbst mit der Häutung beginnen, zum Zeichen dafür, dass wir ein einziges, starkes Fürstentum sind, das fest zusammensteht.« Und damit bedeutete er dem ehemaligen Waisenjungen, der blass wie ein Leichentuch geworden war, er solle beginnen.

Der Henker reichte dem vorgeblichen Prinzen das Messer. Vor ihnen stand zitternd der erste der Verurteilten, ein alter Mann, der von zwei Soldaten an den Armen festgehalten wurde. Der Henker zeichnete mit einem Stück Kohle eine Linie vom Nacken des Todgeweihten bis ganz ans Ende des Rückens zum Steißbein. Dann noch zwei weitere Linien vom Nackenansatz zu den Schultern hin.

Marcus hielt das Messer in der Hand. Er zitterte genauso heftig wie der alte Mann, der vor ihm stand.

Die übrigen dreizehn Verurteilten waren ebenfalls nackt und standen, an Händen und Füßen gefesselt, hinter ihnen aufgereiht. Neun Männer und vier Frauen. Drei von den Männern waren fast noch Kinder. Etliche Verurteilte weinten. Eine der Frauen war zu Boden gesunken.

Als der Henker sah, dass Marcus keine Anstalten machte zu handeln, packte er auf ein Zeichen Ojsternigs hin dessen Hand mit dem Messer und setzte es am Nackenansatz des alten Mannes an. Er stieß die Klinge in die Haut des Unglückseligen und führte sie dann nach unten, sodass er tief in den Rücken des laut schreienden Mannes schnitt, der sich so heftig wehrte, dass die beiden Soldaten ihn kaum halten konnten.

Als der Henker seine Hand losließ, wich Marcus nach hinten zurück, krümmte sich zusammen und erbrach sich auf die Balken des Galgengerüsts.

Ojsternig lachte, aber man spürte seine Verachtung. »Du bist

nicht wie er, nicht wahr?«, raunte er Mikael ins Ohr. »Er empfindet nur Ekel. Du hingegen ... du leidest mit ihnen.« Er
lächelte. »Und das macht dich schwach.«

Mikael antwortete nicht. Er dachte an die erste Hinrichtung,
der er zusammen mit Ojsternig beigewohnt hatte, damals hatte
er sich ebenfalls erbrochen. Er wandte den Kopf ab, um nichts
mehr sehen zu müssen.

Ojsternig lachte und packte Mikael beinahe wütend bei den
Haaren, damit sein Kopf dem Galgen zugewandt blieb.

Der Henker hatte inzwischen die Haut des alten Mannes
vom Nacken bis zu den Schultern eingeschnitten. Dann hob er
dort, wo zwei Schnitte sich kreuzten, die Enden der Haut mit
dem Messer an.

Der alte Mann wimmerte wie ein kleines Kind.

Nun legte der Henker das Messer hin und packte die Haut-
enden mit zwei Flachzangen, deren Spitzen wie Entenschnabel
geformt waren. Er zog die Haut mit einem Ruck ab, wie man es
bei Rehen und Kaninchen machte.

Die Schreie des Alten konnten das schreckliche Geräusch
nicht übertönen, mit dem sich die Haut vom Fleisch löste.

Ojsternig stöhnte wohlig dazu, während er Mikael weiter an
den Haaren gepackt hielt.

Der Junge riss den Mund auf, doch es kam kein Laut heraus.
Er suchte Eloisas Augen.

Aber Eloisa sah nicht zu ihm hin. Sie verfolgte schluchzend,
mit tränennassen Wangen das Geschehen auf dem Gerüst. Und
die ganze Menge weinte mit ihr.

Da schloss Mikael die Augen und hielt sie die ganze unendlich lange Zeit der Hinrichtungen geschlossen. Doch in seinen
Ohren gellten trotzdem noch die Schreie der Verurteilten, und
er hörte das schreckliche Geräusch der Haut, wenn sie von den
Leibern gezerrt wurde.

Die abgezogenen Häute wurden der Menge wie Jagdtrophäen

präsentiert, dann nagelte Agomar sieben davon auf den großen Balken über dem Eingang der Mine. Auf jede schrieb er den Namen eines toten Soldaten, den er vorher laut verkündete. Die anderen sieben sollten an dem Geländer der Brücke über die Uqua angebracht werden, die ins Raühnval führte.

»Und jetzt verschwinde«, sagte Ojsternig zu Mikael, als alles vorüber war.

Mikael glitt vom Pferd und ging mit zitternden Beinen zu Eloisa und Agnete. Eloisa konnte gar nicht mehr aufhören zu weinen, und in ihren Augen stand die blanke Angst. Dennoch brachte Mikael es nicht über sich, sie in die Arme zu nehmen.

»Geht nun nach Hause!«, schrie Ojsternig. »Und denkt immer daran, dass von heute an euer wahrer Feind der Schwarze Volod ist.«

Die Menge lief schweigend auseinander, alle hielten den Kopf gesenkt und waren noch ganz benommen von dem durchlebten Grauen. Die Angehörigen der Opfer dagegen blieben vor dem Gerüst stehen und warteten verzweifelt, dass ihre Lieben endlich am Blutverlust starben, doch sie konnten sie nicht ansehen.

Ojsternig blickte seinen Leibeigenen hinterher, dann sagte er zu Agomar: »Wir brauchen neue Soldaten.«

»Die werden wir unter den Bauerntölpeln nicht finden«, erwiderte Agomar. »Sie haben nicht die geringste Ahnung, wie man kämpft.«

»Wir können es doch den jüngsten beibringen«, sagte Ojsternig. »Vielleicht ist unter ihnen ja der eine oder andere Haudrauf.«

»Aber wie sollen wir sie auswählen?«, fragte Agomar.

»Ich habe da eine Idee«, sagte Ojsternig, und seine Augen funkelten boshaft. »Wir müssen sie aufziehen. So wie jedes gute Schlachtvieh.«

38

Tagelang weigerte sich Mikael, mit den anderen zur Arbeit zu gehen. In der Nacht schlief er nicht, und wenn doch, erwachte er kurz darauf schreiend aus seinen Albträumen. Bei Morgengrauen nahm er Pfeil und Bogen, legte sich Harro über die Schultern und verschwand im Wald. Er suchte die Klamm auf, in der er mit Eloisa Pfifferlinge gesammelt hatte und wo sie mit den Fingerspitzen über seine Handfläche gefahren war. Dort setzte er sich auf einen toten Stamm, auf dem sich ledrige Baumpilze angesiedelt hatten. Währenddessen streifte Harro glücklich durch den Wald, steckte seine Schnauze in die Mäuselöcher und die Eingänge von Hermelin- und Wieselhöhlen, beschnupperte die Fährten von Rehen und Hirschen und sträubte sein Fell, wenn er auf Wolfsspuren stieß. Mikael beobachtete ihn eine Weile, doch seine Gedanken kehrten unweigerlich zu den grauenhaften Ereignissen des vorangegangenen Sonntags zurück. Zu den Verzweiflungsschreien der lebendig Gehäuteten. Zu den Klagen ihrer Angehörigen. Aber vor allem spürte er wieder Ojsternigs Hand schwer auf seiner Schulter. Er sagte sich, dass er sie hätte abschütteln müssen, dass er vom Pferd steigen und ihm all seine Verachtung ins Gesicht hätte schreien müssen, selbst wenn sie ihn deswegen aufgehängt hätten. Aber er hatte es nicht getan. Er war reglos sitzen geblieben. Und das trieb ihn am meisten um. Er hatte Angst gehabt. Er war ein Feigling. Wie Gregor, als man ihm Emöke genommen hatte. Wie alle Leibeigenen, die am Sonntag dabei gewesen waren.

Seit der Nacht, in der er sich vorgenommen hatte, Ojsternig zu töten und Eloisa zu heiraten, waren sechs Jahre vergangen. Aber bislang hatte er keinen dieser beiden Pläne umgesetzt.

»Du bist nichts«, sagte er sich und spürte eine Leere in seinem Herzen.

Jeden Morgen war er bereits bei Tagesanbruch in den Feldern. Felder, die nicht ihm gehörten, sondern dem Lehnsherrn, der über das Fürstentum herrschte. Er pflügte Land, das nicht seines war und auch niemals sein würde. Er erntete Früchte, die nicht sein Eigentum waren. Jeden Tag lebte er von morgens bis abends ein Leben, das nicht ganz ihm gehörte. Und am Abend legte er sich nach dem Essen auf sein ärmliches Lager, hatte nichts und versank in einem dunklen Schlaf.

»Du bist nichts!«, wiederholte er sich. »Du bist ein Leibeigener. Nicht besser als Vieh.« Und dann fühlte er wieder diese schreckliche Leere in seinem Herzen.

Ojsternig hatte ihm die Hand auf die Schulter legen können, weil er ein Nichts war. Aus dem gleichen Grund hatte Ojsternig unschuldige Menschen töten können: weil sie nichts waren. Denn sie waren keine Männer, Frauen oder Kinder, sondern Hunde, Kühe, Ziegen, Esel. Lasttiere, Schlachtvieh. Leibeigene.

Wenn die Dunkelheit über den Wald hereinbrach, legte er sich Harro wieder über die Schultern und kehrte zur Hütte zurück.

»Ich will, dass du morgen zu Raphael gehst«, sagte Agnete eines Abends.

»Warum?«

»Weil du mich vor den anderen in Verlegenheit bringst«, erwiderte Agnete hart. »Hier rackern alle bis zum Umfallen.«

Aber Mikael erkannte, dass es um etwas anderes ging. Und er wusste auch, dass Agnete ihm das niemals verraten würde.

»Ich werde mich um Harro kümmern«, sagte Eloisa.

»Nein, er kommt mit«, entgegnete Mikael knapp. Dann stand er auf und streckte sich auf seinem Lager aus. Seit jenem

Sonntag sprach er ungern, selbst mit Eloisa wollte er sich nicht unterhalten, und er antwortete auch nicht, wenn sie ihm eine gute Nacht wünschte. Er glaubte fest, dass auch sie ihn verachtete, weil er sich nicht gegen Ojsternig aufgelehnt hatte.

Am nächsten Tag nahm er Harro auf die Schultern und stieg den Mezesnig hinauf. Er wählte nicht den Pfad, der über den Pass führte, denn er kannte den Wald besser als jeder andere im Tal und hatte keine Angst vor den Wölfen.

Als er bei der »Höhle des Drachen« ankam, empfing ihn der alte Raphael mit einem breiten Lächeln auf den Lippen. »Was machst du hier, mein Junge?«

»Agnete hat mir aufgetragen, dass ich zu Euch gehen soll«, antwortete Mikael und setzte sich auf den Boden.

»Und du bist ein folgsamer Junge«, sagte Raphael lachend. Dann betrachtete er Harro, der ihn misstrauisch belauerte. »Mir ist bereits zu Ohren gekommen, dass du einen Hund hast.« Ohne Scheu ging er auf Harro zu. Zwei Schritt von dem Tier entfernt kniete er sich mit dem Rücken zu ihm hin, aber er streckte eine Hand nach hinten zu ihm aus.

Harro lief zu ihm und schnupperte an seiner Hand. Dann wedelte er mit dem Schwanz.

Da drehte Raphael sich um und strich ihm im Aufstehen grob über den Kopf. »Ein wunderbares Tier.« Er setzte sich neben Mikael. »Wenn du ihm den Rücken zudrehst, begreift er, dass du ihm nichts tun willst.«

»Ihr wisst wohl alles, oder?«, sagte Mikael gereizt.

Raphael schwieg und betrachtete die Berge, die sich vor ihnen erstreckten. Es war ein klarer Tag, und Schnee hatte die höchsten Gipfel weiß eingefärbt. »Ich sehe, du bist mal wieder bester Laune«, sagte er belustigt.

Mikael zuckte mit den Achseln. »Und, kann ich bleiben?«

»Ja, aber dafür musst du für mich Holz schlagen«, antwortete Raphael.

Mikael starrte in den Wald. »Ojsternig wird ihn zerstören.«

»Ja. Er zerstört alles.«

Mikael erhob sich und holte eine Axt aus dem Werkzeugschuppen. Beim Schließen der Tür fiel ihm die Hacke ins Auge, das erste Werkzeug, mit dem er umzugehen gelernt hatte. Der Anblick versetzte ihm einen Stich. Dann ging er in den Wald und arbeitete bis zum Abend. Er schleppte die Baumstämme, die er gefällt hatte, zur Lichtung, zersägte sie dort zu Klötzen und spaltete die größeren mit der Axt.

»Du bist stark geworden«, bemerkte Raphael später beim Essen.

Mikael antwortete nicht.

»Hast du noch das Buch, das ich dir gegeben habe?«, fragte der alte Mann.

Mikael nickte und senkte den Kopf tiefer über die mit Fleisch angereicherte Gemüsesuppe.

Schweigend beendeten sie ihr Mahl. Dann öffnete Raphael eine Steingutflasche. »Trink langsam, der ist stark«, riet er Mikael, während er zwei Stumpen füllte.

Mikael trank. Seine Kehle zog sich zusammen, und dann breitete sich eine intensive Wärme in seinem Magen aus.

»Es ist ein Schnaps, den die Mönche von Dravocnik brennen. Er ist gut für die Verdauung.«

Mikael merkte, wie das Getränk seine Verhärtungen löste. »Habt Ihr gehört, was am letzten Sonntag geschehen ist?«

»Ja«, erwiderte Raphael ernst.

»Sie waren nichts als Schlachtvieh«, eiferte sich Mikael grimmig. »Wie kann Gott nur so etwas zulassen?« Er konnte seine Wut kaum zügeln.

»Glaubst du, ich bin ein Priester und weiß, was Gott denkt?«, erwiderte Raphael. »Was meinst du, selbst wenn er eingreifen wollte, könnte er denn wirklich alle Ungerechtigkeiten dieser Welt beheben?« Er beugte sich zu Mikael vor. »Wenn man

Ojsternig und alle Schurken vom Antlitz der Erde tilgt, dann sind da immer noch die Kinder, von denen eins den Winter überlebt und das andere nicht, oder die Frauen, von denen eine viele Kinder bekommt, und die andere ist unfruchtbar. Und selbst wenn alle Ungerechtigkeiten und alles Unglück ausgelöscht wären, dann gäbe es bestimmt noch ein Feld, auf dem mehr Hafer wächst als auf einem anderen. Wäre das nicht auch ungerecht?«

»Und wozu braucht man dann Gott?«, fragte Mikael empört.

»Sehe ich aus wie ein Priester?«, wiederholte Raphael.

»Nein.« Mikael wirkte noch düsterer als vorher.

Wieder breitete sich Schweigen aus.

Raphael stand auf, um sich schlafen zu legen.

»Das Leben ist zum Erbrechen«, sagte Mikael.

»Das Leben ist für sich genommen weder gut noch schlecht«, widersprach Raphael.

»Ihr redet immer bloß!«, fuhr Mikael zornig auf. »Ihr lebt hier oben zurückgezogen auf dem Berg, und alles andere berührt Euch nicht. Ihr wisst ja nicht, was das Leben ist.«

Der alte Mann streckte sich auf seinem Lager aus und zog das Wolfsfell über sich. »Ja, vielleicht hast du recht.«

In dieser Nacht schlief Mikael kaum, und als er am nächsten Morgen erwachte, war er müde und übel gelaunt. »Ihr habt Euch geirrt«, fuhr er Raphael an, während dieser die Suppe vom Vortag für das Frühstück aufwärmte.

»Worin?«, fragte Raphael, ohne sich umzudrehen.

»Als ich ein Kind war, habt Ihr mir gesagt, dass Hass nicht lange Befriedigung schafft«, sagte Mikael. »Aber das stimmt nicht.«

»Ach nein?«, sagte Raphael scheinbar abwesend.

Mikael schoss das Blut in den Kopf. »Nein!«

»Aber der bittere Nachgeschmack im Mund bleibt«, sagte Raphael.

Mikael zuckte mit den Schultern. »Man gewöhnt sich daran. Und schließlich bemerkt man ihn nicht einmal mehr.«

Raphael drehte sich um und schaute ihm direkt in die Augen. »Du lügst«, sagte er und wirkte sehr ernst dabei.

»Was weißt du denn schon davon, alter Mann?«, rief Mikael schrill.

Raphael sah ihn weiter unverwandt an und schwieg. In seinen Augen lag ein tiefer Schmerz, wie bei jemandem, der nicht zurückblicken, der sich der eigenen Vergangenheit nicht stellen möchte, obwohl sie ihm immer im Nacken sitzt.

Dieser Blick rührte Mikael an, und er spürte, wie etwas in seinem Inneren zerbrach. Er drehte sich um und rannte aus der Hütte, ehe Raphael ihm das ansehen würde.

»Mikael!«, rief der Alte, als er ihn eingeholt hatte.

»Dieser Mann hat meinen Vater umgebracht, und ich ... ich ...«, platzte es aus Mikael heraus. Als er sich umdrehte, war sein Gesicht von Wut und Schmerz verzerrt.

»Du hast keinen Vater ...«, begann Raphael.

»Und ich hatte doch einen Vater! Es war Fürst Marcus I. von Saxia!«, schrie Mikael. »Ihr braucht mir nicht immer etwas anderes vorzusagen! Ich hatte einen Vater! Ich habe gesehen, wie man ihm den Kopf abgeschlagen hat! Und ich weiß, wer den Befehl gegeben hat, ihn umzubringen!« Er kramte aufgeregt in seinen Taschen, bis er den in den Flammen geschmolzenen Ring in der Hand hielt, den er vor sechs Jahren in den Ruinen der Burg gefunden hatte. »Schaut her!«, schrie er mit Tränen in den Augen. »Das ist der Ring meines Vaters!« Er sank zu Boden. Harro näherte sich ihm und leckte ihm die Tränen ab. »Und ich bin nicht in der Lage, ihn zu rächen ...«, sagte er leise. »Das ist die einzige Geschichte, die in Eurem dummen Buch geschrieben steht.«

Raphael holte sich einen dreibeinigen Schemel und stellte ihn vor Mikael hin.

»Vielleicht dachte ja auch mein Vater, dass Leibeigene nichts wert sind. Dass sie keine Menschen, sondern bloß Vieh sind«, sagte Mikael.

»Dein Vater war ein gerechter Fürst ...«

»Was wisst Ihr schon darüber?«

»Frag seine Untertanen ...«

»Seine Knechte!« Mikael ballte die Fäuste. »Sein Vieh!«

»So will es das Gesetz unserer Welt ...«

»Es ist ein ungerechtes Gesetz!«

»Es ist nur dann ungerecht, wenn der Fürst ungerecht ist«, sagte Raphael.

»Und was soll ich jetzt tun?«, fragte Mikael verzweifelt und wandte dem alten Mann sein tränenüberströmtes Gesicht zu.

Raphael blickte ihn plötzlich streng an. »Hör um Gottes willen auf, hier rumzuflennen!«, schnauzte er ihn an. »Du bist schließlich kein kleiner Junge mehr. Werde endlich ein Mann.«

Seine Worte verletzten Mikael tief.

»Das Lebensziel eines Mannes ist es, zu dem zu werden, der er dann eben sein wird, nicht mehr und nicht weniger«, fuhr Raphael hart und unbarmherzig fort. »Daher mach endlich den ersten Schritt, entscheide, wer du werden willst, und hör mit dem Gejammer auf.«

Mikael starrte ihn unverwandt an.

»Du hast ein großes Herz«, sagte Raphael leise. »Höre darauf!«

»Ich habe genug von diesem Blödsinn! Das ist nicht wahr!«, schrie Mikael. »Ich bin nichts als ein Feigling, und was Ihr sagt, ist bloß das Geschwätz eines alten Mannes!« Er stand auf, legte sich Harro über die Schultern und verschwand im Wald.

Als er das Raühnval erreichte, brach gerade die Dämmerung herein. Er ging zu dem kleinen Friedhof hinter der Kapelle Maria zum Schnee. Dort betrachtete er nachdenklich das Holzkreuz, das seit sechs Jahren die Stelle bezeichnete, an der er die

Asche seiner Eltern, seiner kleinen Schwester und die von Eilika begraben hatte. Er blieb davor stehen, doch er fand keine Worte für ein Gebet. Noch immer spürte er Ojsternigs Hand auf seiner Schulter, so wie am Tag der Hinrichtungen, und er empfand tiefe Verachtung für sich selbst.

»Ich habe dich zurückkommen sehen«, hörte er Eloisa hinter ihm sagen.

Mikael drehte sich nicht um, aber sein Herz schlug höher. Er hörte Harro fröhlich fiepen. Und erst in dem Moment wurde ihm bewusst, dass am Sonntag auch Eloisa auf dem Gerüst hätte stehen können. Am liebsten hätte er sich umgedreht, sie umarmt und festgehalten. »Wann endet all dieses Grauen, wenn wir es nicht selbst beenden?«, fragte er stattdessen mit abwesend klingender Stimme.

»Was heißt das?«

»Wir zählen nicht«, sagte Mikael düster. »So will ich nicht leben.«

»Und wie willst du dann leben?«, fragte Eloisa ihn.

»Wie willst du denn leben?«, fragte Mikael zurück. »Gefällt es dir etwa zu wissen, dass du eines Tages einfach nur so aus einer Laune heraus gehenkt werden könntest?«

»Wir können nichts dagegen tun.«

»Oh doch, das können wir!«, rief Mikael aus. »Ich habe den Schwarzen Volod kennengelernt.« Das hatte er noch niemandem anvertraut.

»Lass das ja niemanden hören!«, sagte Eloisa besorgt.

»Ja, genau, seien wir schön still! So wie Lämmer, die darauf warten, zur Schlachtbank geführt zu werden!« Mikael spürte erneut Wut in sich hochkochen. Er kam sich so ohnmächtig vor. Und so feige. »Als ich klein war, habe ich nichts bemerkt«, sagte er, und Wut und Verachtung ließen seine Stimme zittern. »Doch auch damals wart ihr, du und die anderen, Leibeigene, Besitz. Der einzige Unterschied lag darin, dass ihr meinem

Vater gehört habt. Aber bestimmt wart ihr auch für ihn nichts wert. Genau wie für Ojsternig!«

In dem Moment hallte der Klang eines Horns durchs Tal.

»Was ist das?«, fragte Eloisa.

Aber Mikael hatte es gar nicht gehört, so sehr war er mit den Gefühlen beschäftigt, die in seinem Inneren tobten. »Mein Vater war genau wie Ojsternig!«, schrie er beinahe heraus. Wütend trat er gegen das Holzkreuz.

Eloisa schlug ihn ins Gesicht.

Mikael starrte sie an. Dann hob er das Kreuz auf und drückte es ihr in die Hand. »Los doch, schlag mich damit! Wenn du mir wehtun willst, musst du dich schon etwas anstrengen«, sagte er bitter zu ihr. »Ich bin kein kleiner Junge mehr.«

Eloisa richtete das Holzkreuz und rammte es wieder in die Erde. »Aber du bist auch noch kein Mann«, sagte sie und ging davon.

Mikael wurde heiß vor Demütigung und Zorn. Zum zweiten Mal an diesem Tag sagte jemand zu ihm, dass er kein Mann sei. »Eloisa!«, schrie er.

Eloisa blieb beim Friedhofstor stehen und sah ihn an. »Was ist?«, fragte sie.

Mikael stand stumm da und ballte die Fäuste.

Eloisa betrachtete ihn noch einen Moment, dann ging sie weiter.

»Eloisa!«, schrie er erneut.

»Lass mich in Ruhe, Mikael Veedon!«, entgegnete Eloisa, ohne sich umzuwenden, und verließ den Friedhof.

Mikael ballte die Fäuste noch fester. Er hätte ihr nun hinterherlaufen sollen, ihr sagen sollen, was er für sie empfand. Aber er brachte es nicht über sich. »Du bist nur ein Junge!«, beschimpfte er sich verächtlich. »Du bist nichts als ein jämmerlicher, feiger Junge!« Mit Tränen der Enttäuschung in den Augen drehte er sich zu Harro um. »Geh nach Hause.«

Der große Hund sah zu Agnetes Hütte.

»Geh nach Hause, Harro!«, schrie Mikael.

Zögernd lief das Tier auf die Hütte zu.

Da setzte sich auch Mikael in Bewegung und rannte aus dem Friedhof. »Eloisa!«, schrie er. Doch er verstummte abrupt, als er einen Zug von Karren und Reitern sah, der vor der Kapelle angehalten hatte. Alle Dorfbewohner waren zusammengelaufen und umringten nun den Tross.

Ojsternig saß kerzengerade auf seinem Pferd und starrte misstrauisch in die Gegend. Er hatte sich zwei ärmlich gekleidete Kinder umgebunden, eins vor die Brust, eins hinten vor den Rücken, um sich damit wie mit einem menschlichen Schild gegen die Pfeile der Rebellen zu schützen. Der kleine Junge auf seinem Rücken heulte.

Mikael beugte sich vor. Seine Augen suchten Eloisa in der Menge, aber er konnte sie nicht entdecken.

»Ab heute wird der Fürst in der neuen Burg wohnen«, verkündete Agomar laut. »Ihr werdet Häuser für die Waldarbeiter Ihrer Durchlaucht errichten sowie Pferche und Ställe. Nächste Woche wird eine Herde von dreihundert Schafen hier eintreffen, außerdem fünfzig Kälber und zwei Zuchtstiere. Und richtet den Rebellen aus, dass für jedes Stück Vieh, das sie stehlen, einer von euch einen Finger verlieren wird.«

Mikael drängte sich auf der Suche nach Eloisa durch die Menge.

»Ihre Durchlaucht sucht neue Knappen und Soldaten!«, fuhr Agomar fort. »Alle jungen Burschen im Dorf sollen sich am nächsten Sonntag in der Burg einfinden, um auf die Probe gestellt zu werden. Jeder, der nicht erscheint, wird als Rebell und Verräter betrachtet!«, schrie er drohend. »Es werden Wettkämpfe stattfinden, und ihr werdet kämpfen, um zu siegen.«

»Oder um zu sterben!«, sagte Ojsternig, und sein schallendes

Lachen übertönte das Weinen des Kindes auf seinem Rücken. Dann gab er seinem Pferd die Sporen und ritt hinauf zur Burg.

Der Zug von Karren und Reitern folgte ihm.

Wie Hunde, dachte Mikael. Und plötzlich lief ihm ein Angstschauder den Rücken hinab. Er dachte, dass er sterben könnte, wenn er zu Ojsternigs Vergnügen kämpfte. Wie Kampfhunde, dachte er.

In dem Moment entdeckte er Eloisa, die schnell aus dem Dorf hinauslief. Er sah, dass sie zur Brücke über die Uqua ging, wo man die Häute der Gefolterten aufgehängt hatte. Eloisa blieb dort stehen und berührte eine nach der anderen.

Mikael musste warten, bis alle Karren und Reiter an ihm vorübergezogen waren, ehe er die Straße überqueren konnte. Währenddessen wuchs seine Angst. Ihm wurde bewusst, wie wenig sein Leben wert war, genau wie das der anderen.

»Eloisa!«, schrie er, sobald er vorwärtskam, und rannte Hals über Kopf zur Brücke.

Aber Eloisa hörte ihn nicht. Sie überquerte den Fluss und folgte dann dem Kiesbett der Uqua.

Mikael lief schneller, sodass die Bretter der Brücke unter seinen Schritten laut erzitterten. Aus dem Augenwinkel sah auch er die Häute der armen Opfer, die dort am Geländer hingen. Wir sind nichts wert, dachte er erneut. Und plötzlich wurde ihm klar, dass er keine Angst hatte, sondern Lebenslust ihn erfüllte. Er erinnerte sich an jene Nacht, als alle dachten, er wäre tot, und er in dem dunklen Loch unter Agnetes Hütte zu Hubertus gesagt hatte: »Ich werde leben!« Und abermals wurde ihm klar, dass er nicht unter einer Luke versteckt bleiben konnte, dass er nicht stillhalten konnte. Denn das war kein Leben.

Mikael rannte das steile Flussbett des Gebirgsbachs hinab. »Eloisa!«, rief er. Er blieb stehen und hoffte auf eine Antwort, doch es war kein Laut zu hören. Er lief weiter hinunter und kletterte über einen Haufen Zweige, die das Hochwasser dort angeschwemmt hatte. »Eloisa!«, schrie er erneut.

Da trat Eloisa hinter einem Busch hervor. »Was ist?«, fragte sie ihn genauso herausfordernd wie gerade eben.

Mikael rannte auf sie zu. Er dachte nicht. Er überlegte nicht. Er nahm einfach nur ihre Hand, drückte sie und sah Eloisa leidenschaftlich an.

Eloisa versuchte, ihm die Hand zu entziehen, doch Mikael hielt sie nur noch stärker fest.

»Nein . . .«, sagte er mit rauer Stimme. »Ich weiß, dass ich für dich bloß ein Dummkopf bin und dass ich dir niemals gefallen werde, aber ich . . . aber du . . .«, stammelte er und brach ab.

Eloisas Lippen öffneten sich leicht, ohne dass sie es bemerkte.

Und auch Mikaels Lippen öffneten sich leicht.

Da führte Eloisa seine Hand, die ihre hielt, an ihren Mund und küsste sie. »Hör jetzt nicht auf, Mikael Veedon«, flüsterte sie.

Mikaels Finger strichen zärtlich über ihre Lippen, ganz sacht und scheu, und er dachte, dass sie viel weicher als Moos waren. Seine Knie zitterten, und all der Mut, der ihn bis hierher in ihre Arme getrieben hatte, verließ ihn.

Eloisas Augen füllten sich mit Tränen.

»Warum weinst du?«, fragte Mikael verwirrt.

»Weil du so lange dafür gebraucht hast«, erklärte Eloisa.

»Aber du hast doch gesagt . . .«, stotterte Mikael.

»Ich weiß, was ich gesagt habe«, erwiderte Eloisa. »Aber warum hast du es geglaubt?«

Mikael errötete. »Weil ich ein Dummkopf bin . . .«

Eloisa küsste seine Fingerkuppen. Dann leckte sie mit ihrer Zungenspitze darüber und biss hinein, erst zaghaft, dann fester.

Mikaels Gesicht wurde vor Verlegenheit noch röter.

Ihrer beider Atem beschleunigte sich.

»Was . . . soll ich tun?«, fragte Mikael.

Eloisas Hand fuhr durch Mikaels blondes Haar, sie zerrte beinahe grob daran.

Mikael neigte sich leicht nach hinten und öffnete den Mund.

Da begann Eloisa ebenfalls, mit den Fingern zärtlich seine Lippen zu erkunden, und beide ließen einander nicht einen Moment aus den Augen. Dann drängte sie ihn sanft weiter nach hinten, bis er auf der Wiese zu liegen kam. Sie kniete sich über ihn und näherte ihren Mund dem seinen.

Sie küssten sich nicht sofort. Ihre Lippen verharrten kurz voreinander, so nah, dass kein Finger dazwischengepasst hätte. Kaum wahrnehmbar öffneten und schlossen sie sich und saugten den Atem des anderen ein.

»Wie lang hast du mich warten lassen . . .«, flüsterte Eloisa. »Wie lang . . .«

»Wie lang . . .«, wiederholte Mikael.

Und dann küssten sie sich. Mit ungeschickter, doch unaufhaltsamer Leidenschaft verschlangen sie ihre Zungen ineinander, stießen mit den Zähnen gegeneinander, verbissen sich, spürten mit den Fingern dem Kuss nach, ihrem ersten Kuss, wie um ihn sich für immer ins Gedächtnis einzubrennen.

Eloisas Hand glitt an Mikaels Brust hinab, und er erschauerte unter der Berührung. Dann fuhr sie weiter zu seinen Lenden und betastete sein hartes Glied. »So fühlt sich ein Mann an, wenn er eine Frau begehrt«, keuchte sie und gab sich selbstsicher. »Das haben mir die älteren Mädchen erzählt.« Dann hockte sie sich auf ihn. Sie nahm seine Hand, führte sie zwischen ihre Schenkel unter ihren Rock und ließ ihn ihren feuchten Schoß fühlen. »Und so fühlt sich eine Frau an, wenn sie einen Mann begehrt«, stöhnte sie, bäumte sich auf und schloss die Augen vor Lust.

Mikael, der anfangs wie erstarrt gewesen war, erkundete sie

nun bebend mit den Fingern und entdeckte jene aufregende Feuchte, die ihren Schoß weitete.

Eloisa öffnete seine Hose und sah auf die Stelle zwischen seinen Beinen.

Mikael wollte instinktiv seine Blöße bedecken, doch dann hielt er inne.

Eloisa streichelte ihn und merkte, dass auch er feucht geworden war. Sie sah ihm eindringlich in die Augen, ein Hauch Angst lag in ihrem von Verlangen verschleierten Blick. Sie packte sein Glied und führte es in sich ein. »Und das tun ein Mann und eine Frau, wenn sie einander begehren ...«, keuchte sie. »Zumindest ... glaube ich ... das.« Dann presste sie ihn heftig an sich.

Mikael spürte einen Druck, einen Widerstand, dann zerriss etwas, und ein warmer, weicher Strom umfloss ihn.

Eloisa stöhnte schmerzerfüllt auf. »Nicht ... aufhören ...«, flüsterte sie, während der Schmerz einem wohligen Lustgefühl wich, und sie begann, sich immer schneller über ihm auf und ab zu bewegen. Sie nahm ihn in sich auf, rieb ihren Schoß gegen seinen Unterleib und klammerte sich an seinen Haaren fest.

Plötzlich, ohne dass einer von ihnen beiden darauf gefasst gewesen wäre, erbebten ihre Körper fast gleichzeitig. Und je mehr sich ihre Lust zum endgültigen Vergnügen hin steigerte, umso leidenschaftlicher trieben sie einander an.

Keiner von beiden schrie, als sie den Höhepunkt erreichten. Sie verharrten reglos, zitternd, erschrocken und überrascht, mit stummen Mündern und aufgerissenen Augen, und erkannten im Blick ihres Gegenübers dieselbe Verwunderung, dieselbe Angst, dieselbe Lust.

Ganz allmählich, als die Zuckungen ihres Schoßes abebbten, sank Eloisa über Mikael zusammen. Und so blieben sie liegen, gegeneinandergepresst wie ein einziger Leib, bis es dunkel geworden war.

»Hast du gewusst, dass ein Mann und eine Frau so glücklich sein können?«, fragte Eloisa.

»Dann bin ich also jetzt ein Mann?«, fragte Mikael mit einem strahlenden Lächeln.

»Hast du es gewusst?«, wiederholte Eloisa und schmiegte ihren Kopf an seine Brust.

»Woher sollte ich das wissen?«, fragte Mikael und streichelte zärtlich ihre glatten Haare. »Ich habe ja sogar geglaubt, dass Jungs aus dem Hintern zur Welt kommen.«

Und dann mussten beide lachen.

39

In den folgenden Tagen schienen Mikael und Eloisa die Welt um sie herum überhaupt nicht wahrzunehmen. Sie hatten nur Augen füreinander.

Alles, was Mikael so unerreichbar erschienen war, war jetzt natürlich und Teil seines Lebens geworden. »Ich bin endlich aus dem dunklen Loch herausgekommen«, sagte er sich immer wieder. War es ihm vorher unmöglich gewesen, Eloisa auch nur flüchtig zu berühren, nutzte er nun jede Gelegenheit, ihrem Körper nahe zu kommen. Sooft er konnte, nahm er ihre Hand, streichelte ihren Busen oder schnupperte in ihrem Nacken an ihren Haaren. Und Eloisa suchte den Kontakt zu ihm genauso häufig. Mikael wusste nie, ob er sie zuerst berührt hatte oder sie ihn, als er es gerade tun wollte. Sie waren so sehr von dem gleichen Verlangen erfüllt, das ihre Herzen im selben Takt schlagen ließ, so sehr im Einklang, dass es sie ganz schwindelig machte. Und sobald Agnete abends eingeschlafen war, eilte Eloisa zu seinem Lager neben dem Kamin und schmiegte sich an ihn. Sie erforschten einander, schenkten einander Lust, verschmolzen miteinander. Und sie waren so blind für ihre Umgebung, dass sie glaubten, niemand hätte etwas davon bemerkt.

Eines Abends streckte Mikael unter dem Tisch ein Bein aus, um nach Eloisas Fuß zu tasten. Als er ihn gefunden hatte, fuhr er mit seinen Zehen zärtlich bis zum Knöchel hoch. Doch plötzlich erhielt er einen kräftigen Tritt gegen das Schienbein.

»Das ist *mein* Fuß, du Dummkopf«, schimpfte Agnete.

Mikael wurde rot, und Eloisa konnte nur mühsam ein Kichern unterdrücken.

»Das ist ja nicht mehr zum Aushalten mit euch beiden!«, zeterte Agnete und schlug mit der Faust auf den Tisch. Dann wurde sie ernst und nahm Mikaels und Eloisas Hand. »Wo soll das denn hinführen?« Ihre Augen blickten sorgenvoll. »Erinnerst du dich an Gregor?«, sagte sie zu Mikael. Und mit einem Blick zu Eloisa: »Und du, weißt du noch, was mit Emöke passiert ist?« Sie packte die Hände der beiden jungen Leute und drückte sie ganz fest. Wut und Schmerz erfüllten ihr Gesicht. »Ich weiß nicht, was ihr gerade erlebt. Das ist mir im ganzen Leben nicht widerfahren«, sagte sie, und ihre Stimme klang dabei tieftraurig. »Aber seid ihr denn sicher, dass dies ein Glück ist? Ihr seid Eigentum eines grausamen Menschen, der sich vom Unglück anderer nährt. Er ist euer Herr, und er bestimmt über euer Leben.« Dann ließ Agnete ihre Hände los, und zum ersten Mal in ihrem Leben streichelte sie ihre Wangen. »Ihr seid doch meine Kinder ... und ich will nicht, dass euch etwas zustößt.« Sie hatte Tränen in den Augen.

In dieser Nacht kam Eloisa nicht zu Mikael. Und Mikael fand keinen Schlaf. Nun, da er im Leben wirklich etwas zu verlieren hatte, spürte er zum ersten Mal mit ungewohnter Intensität die ganze Bürde seines Daseins als Leibeigener. Sein Leben gehörte nicht ihm, genau wie seine Liebe zu Eloisa. Denn für Ojsternig war er nicht mehr als ein Stück Vieh.

Kaum war er am nächsten Morgen mit Eloisa allein, sagte er zu ihr: »Wir müssen fliehen.«

»Und wohin?«, fragte Eloisa verschreckt.

»Das weiß ich nicht. Aber wenn wir uns ein Jahr lang in einer Stadt durchschlagen können, sind wir vom Gesetz her freie Leute«, antwortete Mikael.

Eloisa schüttelte entschieden den Kopf. »Wir können meine Mutter nicht allein hier zurücklassen«, sagte sie, und ihre brüchige Stimme ließ ihren inneren Widerstreit der Gefühle erahnen. »Es würde sie umbringen ...«

»Und was ist mit uns?« Mikael packte Eloisa bei den Schultern. »Sterben wir hier etwa nicht?«

Eloisas Miene wurde angespannt. Sie brachte kein Wort heraus und schüttelte langsam den Kopf. »Ich ...«, sagte sie schließlich, aber dann verstummte sie.

»Ich was?«, fragte Mikael, und sein Stimme klang hart.

»Sie hat dich aufgezogen. Sie hat dir das Leben geschenkt, das du jetzt führst ...«

»Nein, das warst du!«

Eloisa strich ihm sanft über die Lippen. »Du weißt doch, dass ich recht habe, oder nicht?«, sagte sie mit der Sanftheit einer erwachsenen Frau.

Mikael gebot ihrer Hand Einhalt und drehte den Kopf zur Seite. Wütend starrte er Eloisa an. Dann sagte er mit zusammengebissenen Zähnen: »Der Herr beschließt, mit wem sich seine Tiere paaren sollen. Und seine Tiere lehnen sich niemals dagegen auf! Ja, du hast recht!«, schrie er zornig.

Eloisa erstarrte zu Eis. »Du bist nur ein verzogener, aufgeblasener, egoistischer kleiner Junge«, zischte sie ihn an. »Du wärst ein großartiger Fürst geworden.« Sie wandte ihm den Rücken zu und gesellte sich zu Agnete.

Mikael arbeitete den ganzen Tag über stumm vor sich hin, in düstere Gedanken versunken.

Abends sagte er leise zu Eloisa: »Ich muss mit dir reden.«

Kaum war Agnete eingeschlafen, huschte Eloisa zu ihm und schlüpfte unter seine Decke.

»Es reicht nicht, mit dem schönsten Mädchen der Welt zu schlafen, um ein Mann zu sein, richtig?«, sagte Mikael.

»Nein.«

»Ich will ein Mann werden.«

»Danke«, flüsterte Eloisa schließlich, nachdem sie lange geschwiegen hatte. Sie zog ihn an sich und küsste ihn. »Wir schaffen das.«

»Wir schaffen das«, wiederholte Mikael ihre Worte.

»Ich habe Angst ...«, sagte Eloisa.

»Wovor?«

»Morgen ist Sonntag. Und du wirst kämpfen müssen.«

»Ich werde nicht kämpfen«, erklärte Mikael. »Ich bin nicht sein Hund.«

Eloisa verfiel in Schweigen. Doch dann streichelte sie ihn, und kurz darauf brachte ihr keuchender Atem alle Gedanken zum Verstummen. Doch nachdem sie ihr Liebesspiel beendet hatten, wiederholte Eloisa: »Ich habe Angst ...«

Als Mikael am nächsten Tag mit Agnete und Eloisa bei der Burg ankam, drängten sich im Hof schon die Menschen.

Trotz der Kälte und des schlechten Wetters, das sich jeden Morgen mit einem wolkenverhangenen bleigrauen Himmel ankündigte, hatten die Holzfäller Ojsternigs jede Menge Bäume, fast ausschließlich Buchen, gefällt, und die Bewohner hatten sie ins Dorf gebracht und begonnen, damit die zukünftigen Hütten der neu hinzugekommenen Familien der Holzfäller und die Ställe für Schafe und Kühe zu bauen. Der Berg sah aus, als hätte man ihm eine tiefe Wunde beigebracht. Manchmal konnte man bei Tagesanbruch beobachten, wie die Rehe sich dort verloren umsahen.

Während die Neuankömmlinge und die Talbewohner angefangen hatten, Bekanntschaft miteinander zu schließen und ihr zukünftiges Zusammenleben auszuloten, wenngleich misstrauisch und mit genau gewählten Worten, war es, besonders unter den jungen Leuten, nur um ein Thema gegangen: die Auswahlkämpfe, die der Fürst am Sonntag abhalten würde. Viele der Burschen warteten mit gespannter Aufregung. Die Möglichkeit, Knappe oder Soldat zu werden, erfüllte ihre Nächte mit Träumen von Ruhm und Ehre, und sie stellten sich bereits ein Leben ohne Feldarbeit vor. Eberwolf war an diesem Morgen als Erster erschienen.

Beim Betreten des Burghofs bemerkte Mikael, dass dort ein Podium errichtet worden war, auf dem Ojsternig, Agomar, Prinzessin Lukrécia und Prinz Marcus, Arialdus von Tarvis und der Burgpfarrer saßen. Um das Podium standen dicht gedrängt die Diener, die Soldaten, die Talbewohner, die jungen Männer, die auf die Auswahlkämpfe warteten, und die Soldatenhuren. Mikael entdeckte unter ihn auch Emöke.

Er betrachtete das sechzig mal dreißig Fuß große Rechteck direkt vor dem Podium, das von zwei an dicken, in die Erde gerammten Holzpfählen festgemachten Seilen umspannt war, und er musste an einen Viehpferch denken. Dann hob er den Kopf und schaute auf die wiederaufgebaute Burg. Sie glich beinahe vollständig der, in der er aufgewachsen war. Er sah hoch zu dem Fenster, hinter dem einmal sein Zimmer gewesen war. Er konnte förmlich das rauchige Holz im Kamin riechen und die weiche, mit Gänsedaunen gefüllte Matratze seines Bettes fühlen, auf der er warm unter der mit feinem Linnen überzogenen Decke aus Wolfspelz geschlafen hatte. Er musste auch an die treue Eilika denken, seine Kinderfrau, die auf einem armseligen Strohlager am Fußende seines Bettes geschlafen hatte. Damals hatte er das für selbstverständlich gehalten. Er hatte sich nie gefragt, ob es richtig war, dass Eilika, die er zu lieben behauptete, dort schlief wie ein Hund.

»Für mich war sie auch nicht mehr als ein Stück Vieh«, flüsterte er.

»Was hast du gesagt?«, fragte Eloisa, die neben ihm stand.

Mikael sah sie an. Er erinnerte sich an den Tag, an dem er ihr seine Hirschpastete gegeben hatte. Jetzt, wo er wie alle Leibeigenen erfahren hatte, was Hunger bedeutete, wusste er, was Eloisa empfunden haben musste, als sie diesen Leckerbissen verzehrte. Ihm jedoch hatte diese feine, besondere Speise nichts bedeutet. »Du hast mir für ein Stück Hirschpastete das Leben gerettet«, sagte er zu ihr.

Eloisa schaute ihm in die Augen. Dann ließ sie den Blick über den Burghof schweifen und sah ihn genau wie Mikael rot vor Blut und vom Feuer verwüstet vor sich. »Das war das Beste, was ich je in meinem Leben gegessen habe«, erwiderte sie.

Mikael schämte sich. Er hatte ihr die Pastete nur gegeben, um sie loszuwerden, weil er mit Eilika Verstecken spielen wollte, mit Eilika, seinem treuen Hund. »Das ist alles nicht richtig …«, flüsterte er.

Im gleichen Moment erhob sich Agomar. »Ihr geht der Reihe nach an eurem Fürsten vorbei«, befahl er den Burschen, von denen viele schon ungeduldig mit den Füßen stampften wie junge Stiere.

Eberwolf stieß den Jungen vor ihm mit der Schulter beiseite und trat als Erster vor das Podium. Trotz der Kälte trug er ein ärmelloses Wams, das seine muskulösen Oberarme zur Geltung brachte. Er wusste genau, dass er allen an Stärke überlegen war, und zweifelte deshalb nicht, dass man ihn auswählen und sich sein Leben von dem Moment an von Grund auf ändern würde.

Ojsternig warf ihm vom Podium aus einen flüchtigen Blick zu. »Ich erinnere mich an dich«, sagte er zu ihm. »Du bist der gemeine Kerl.«

Eberwolf, der mit stolzgeschwellter Brust dagestanden hatte, sackte in sich zusammen, als hätte er einen Tritt in den Magen empfangen.

»Mal sehen, was du kannst«, sagte Ojsternig und entließ ihn mit einem Wink. »Geh hinter die Absperrung und stell dich rechts auf.«

Mikael fiel auf, dass Marcus, der vorgebliche Prinz, Eberwolf interessiert musterte. Eberwolf bemerkte dies ebenfalls und verbeugte sich linkisch vor ihm.

Der zweite Junge, der sich vorstellte, hatte große Hände, aber schmale Schultern und einen leichten Buckel.

Ojsternig lachte bei seinem Anblick. »Du da, nach links«,

sagte er zu ihm. Dann warf er seiner Tochter einen Blick zu, die abwesend und gelangweilt wirkte.

Der zweite Junge stieg über die Absperrung und stellte sich auf die andere Seite gegenüber von Eberwolf.

»Der Hirte wählt das Schlachtvieh aus«, flüsterte Mikael düster.

»Sei still, um Gottes willen!«, ermahnte Agnete ihn.

Die Jungen des Dorfes unterzogen sich einer nach dem anderen der Musterung. Ojsternig teilte sie in zwei Gruppen auf, indem er sie entweder auf die rechte oder auf die linke Seite schickte.

Mikael hatte die Burschen beobachtet. Diejenigen, die hofften, Soldaten zu werden und der Feldarbeit zu entkommen, verhielten sich wie Rüden, wenn sie auf ein anderes Männchen stießen. Sie versuchten, größer und stärker zu erscheinen, als sie waren. Die Ängstlichen hingegen bewegten sich wie Opfer mit gesenktem Blick und eingezogenen Schultern.

»Tritt vor, Dreckschaufler, du bist dran«, rief Ojsternig Mikael.

Eloisa drückte kurz seine Hand. »Geh und mach bitte keinen Unsinn«, ermahnte sie ihn.

»Dreckschaufler, beweg dich!«, rief Ojsternig gebieterisch.

»Geh nur, Junge, hab keine Angst«, ermunterte Agnete ihn.

»Er ist kein Junge mehr«, widersprach Eloisa.

Mikael war tief bewegt. Furchtlos und entschlossen ging er auf das Podium zu.

Ojsternig sah ihn nicht an, sondern fixierte einen Punkt hinter ihm.

Besorgt wandte Mikael sich um und begriff, dass Ojsternig Eloisa anstarrte, die seinem Blick stolz standhielt.

Sieh ihn nicht an, dachte Mikael besorgt.

Dann wandte sich Ojsternig Mikael zu. »Nach links«, befahl er.

Mikael kletterte über die Seile der Absperrung und ging zu den anderen Jungen.

Die Leibeigenen verfolgten gespannt das Geschehen.

Agomar fuhr fort. »Ihr seid zwei Mannschaften«, verkündete er den Burschen. Er winkte zwei Diener herbei, die schmale grüne und schwarze Leinenbänder bereithielten. »Die rechte Mannschaft bindet sich die schwarzen Bänder um den Hals, die linke die grünen. Das sind die Hausfarben unserer Herren, des Fürsten von Ojsternig und des Fürsten Marcus II. von Saxia.«

Mikael spürte Wut in sich aufsteigen. Zornig ballte er die Fäuste.

Die Diener verteilten die farbigen Bänder, und die Jungen banden sie sich um den Hals. Die Schwarzen auf der rechten Seite waren zwanzig, die Grünen auf der linken nur neunzehn.

»Ihr seid Feinde«, erklärte Agomar ihnen. »Auf das Zeichen eures Fürsten hin fangt ihr alle an, gegeneinander zu kämpfen. Eine Mannschaft gegen die andere. Die Schwarzen gegen die Grünen. Es gibt keine Regeln. Jede Art von Schlägen ist erlaubt.« Er setzte sich wieder.

Das ist ein Hundekampf, dachte Mikael wutentbrannt und wandte sich nach Eloisa um. Er sah, wie besorgt sie war. Dann beobachtete er, wie Agnete sie an sich zog und ihr einen Arm um die Schultern legte.

Ojsternig nahm ein besticktes Taschentuch und hob es hoch in die Luft. »Wenn dieses Taschentuch den Boden berührt, beginnt der Kampf.«

Die Angehörigen der Jungen drängten sich verwirrt und ängstlich aneinander.

Mikael war sich bewusst, dass er auf dem Boden stand, auf dem sein Vater tapfer gegen Agomar und seine Leute gekämpft hatte, am gleichen Ort, wo dieser gestorben war. Leidenschaftliche Wut loderte in ihm auf. Doch als er die Schwarzen ansah, begriff er, dass nicht sie seine Feinde waren. Das ist ein Hunde-kampf, dachte er wieder, diesmal sogar mit noch mehr Über-zeugung.

Ojsternig ließ das Taschentuch fallen, das kurz durch die Luft wehte und sich dann auf die Bretter des Podiums legte.

»Krieg!«, brüllte Agomar.

»Kämpft nicht«, sagte Mikael zu den Jungen seiner Mann-schaft. »Zeigt denen dort, dass wir keine Hunde sind.«

Die Burschen sahen ihn verständnislos an. Einige machten ein paar zaghafte Schritte auf ihre Gegner zu. Andere lächelten unsicher.

»Krieg, zum Teufel!«, schrie Agomar.

Daraufhin trat Eberwolf vor, nachdem er sich bei Ojsternig und Prinz Marcus mit einem Blick rückversichert hatte, und schubste einen Jungen von den Grünen, der höchstens halb so kräftig war wie er.

Ojsternig lachte. »Los, gemeiner Verräter! Mach ihn fertig«, stachelte er ihn an.

Eberwolf holte aus und traf den Jungen mit der Faust am Kinn, sodass dieser der Länge nach zu Boden fiel.

Die anderen aus den beiden Mannschaften hatten sich bis jetzt noch nicht gerührt.

»Wir sind nicht seine Hunde«, wiederholte Mikael. »Wir sind nicht seine Hunde.«

Ojsternig sprang verärgert auf. Er zeigte auf einen von den Grünen. »Wer ist deine Mutter?«, fragte er ihn.

Der Junge beugte sich vor und suchte unter den Zuschauern nach seiner Mutter. Zögernd wies er auf sie.

»Schneid ihr ein Ohr ab«, befahl Ojsternig einem seiner Sol-daten, der eilfertig sein Messer zückte und auf die Frau zuging, während diese Schutz in den Armen ihres Mannes suchte.

»Nein ...«, sagte der Junge kaum hörbar.

»Dann kämpfe!«, schrie Agomar ihn an.

Der Junge rührte sich immer noch nicht, auch nicht, als der Soldat seine Mutter gepackt hatte.

»Kämpfe, mein Sohn«, flehte sein Vater, während er versuchte, seine Frau dem Soldaten zu entwinden. »Kämpfe für deine Mutter!«, wiederholte er mit Tränen in den Augen.

Der Junge ballte krampfhaft die Fäuste und stürzte sich brüllend auf einen von den Schwarzen, schlug blind auf ihn ein.

Er traf seinen überraschten Gegner voll in den Bauch. Doch indem er sich nach dem Schlag umdrehte, um zu sehen, ob der Soldat von seiner Mutter abgelassen hatte, gab er dem Burschen von den Schwarzen Zeit, aufzustehen und ihn in den Nacken zu schlagen.

Sofort hieben alle aufeinander ein.

Die Jungen stürzten sich in den Kampf. Einige hatten sich schon oft geprügelt, andere seltener, doch in dem Durcheinander, das jetzt entstand, schlugen und traten alle wild um sich.

Manche Burschen fielen gleich zu Boden, andere wichen erschrocken vor einem Angriff zurück, doch es gab auch viele, die sich von dem Kampf anheizen ließen und jeden Skrupel vergaßen.

Und es dauerte nicht lange, bis die Gesichter der Jungen von Blut gezeichnet waren.

Mikael war erst noch stehen geblieben, doch als er sah, dass seine Mannschaft zu unterliegen drohte, hatte er sich ins Gemenge gestürzt und versucht, die Schwächsten zu schützen. Er fing die Schläge ab, erwiderte sie jedoch nicht. Er beschränkte sich einzig und allein darauf, sich und andere zu verteidigen, und wiederholte dabei ständig: »Wir sind nicht so! Wir sind nicht seine Hunde.«

Ojsternig beobachtete ihn begeistert. »Den Dreckschaufler hätte ich gern in der Schlacht an meiner Seite«, sagte er zu Agomar. »Jemand wie der fällt dir weder in den Rücken, noch nimmt er die Beine in die Hand.«

Agomar zeigte auf Eberwolf, der sich erbarmungslos seinen Weg zwischen den Kämpfenden freischlug: Er griff von hinten an, stürzte sich auf die Schwächsten, trat seinen Angreifern in den Unterleib, biss zu, wenn er einen Gegner umklammert hatte, und versetzte schlimme Kopfstöße, wann immer jemand in seine Nähe kam. »Aber der wird am Ende stehen bleiben«, stellte Agomar fest.

Ojsternig sah sich wieder nach seiner Tochter um. Er bemerkte, dass Lukrécia Mikael anstarrte und ihr Blick nicht länger abwesend wirkte.

Nach einiger Zeit war Mikaels Gesicht das blutigste von allen. Noch immer erwiderte er, wenn möglich, keinen Schlag. Mehrmals stellte er sich Eberwolf entgegen, wenn der auf jemanden einprügelte, der schon am Boden lag. Irgendwann rannte Mikael zu einem rothaarigen Jungen, der einen etwas untersetzteren Rothaarigen mit den Fäusten bearbeitete. »Er ist doch dein Bruder, Richard!«, schrie er ihn an und drängte ihn zurück.

Richard wirkte wie besessen, doch Mikaels Aufschrei schien ihn einen Augenblick lang aufzurütteln. Er blieb stehen und sah seinen Bruder an, dessen Nase gebrochen war. Doch gleich danach stürzte er sich, erregt vom Kampf wie ein Tier, auf einen anderen Burschen und hieb wie wild mit Händen und Füßen auf ihn ein.

»Wirf dich auf den Boden und gib auf!«, riet Mikael dem rothaarigen Jungen, den er verteidigt hatte.

»Nein!«, schrie der und stürzte sich auf seinen Bruder.

Schließlich waren noch zehn Schwarze und zwei Grüne auf den Beinen. Einer der beiden war Mikael, der andere Fabio, der Sohn des Mannes, der am Pflug arbeitete. Im Gegensatz zu seinem Vater war er weder stark noch hochgewachsen, aber er war wendig und schnell und geschickt im Raufen. Unter den Schwarzen war Eberwolf. Die Burschen starrten einander keuchend an. Es war eindeutig, wer siegen würde.

»Bis zum Ende!«, schrie Ojsternig.

Mikael spuckte auf den Boden. Sein Speichel war blutrot.

»Kreisen wir sie ein«, sagte Eberwolf zu seinen Kampfgefährten.

Die zehn Schwarzen bildeten einen Kreis, der sich immer enger um Mikael und Fabio schloss, die sich mit erhobenen Fäusten Rücken an Rücken postiert hatten.

Als die Schwarzen nur noch einen Schritt von dem Angriff entfernt waren, der das Ende bringen würde, sah Mikael sie auffordernd an. »Wir sind nicht so! Wir sind nicht so, wie er uns haben will!« Er schüttelte wild den Kopf. »Beweist ihnen, dass wir nicht so sind!«, forderte er sie wütend auf.

Doch die Schwarzen stürzten sich jetzt wie ein Rudel Wölfe gemeinsam auf sie. Und sie ließen nicht eher ab, bis sie die beiden verbliebenen Grünen auf den Boden gezwungen hatten.

Ojsternig lachte höhnisch.

Mikael kniete jetzt, wie damals sein Vater. Genau an der Stelle, wo man ihn getötet hatte. Und wie sein Vater blickte er nun stolz auf zu Eberwolf, der sich näherte, um ihm den Rest zu geben.

Der Junge schlug ihm seine zusammengeballten Hände in den Rücken.

Mikael fühlte einen unerträglichen Schmerz und fiel mit dem Gesicht nach vorn in den Staub.

Daraufhin erklärte Ojsternig die Schwarzen zu Siegern und verkündete, dass für den folgenden Sonntag Einzelkämpfe angesetzt würden.

Eberwolf sah den Fürsten triumphierend an.

Doch Ojsternig würdigte ihn keines Blickes. Er stand auf und ging.

Prinz Marcus jedoch schlenderte auf seine gewohnt träge Art zu Eberwolf hinüber. »Du bist ein wahrer Sieger«, sagte er mit seiner wohlklingenden Stimme. »Und wenn du weiter siegst, darfst du zum Lohn irgendwann meine Hure vögeln.«

Eberwolf verbeugte sich beinahe bis zum Boden. »Danke, Herr.«

Marcus, der nicht gewohnt war, dass sich jemand vor ihm verbeugte oder ihn mit »Herr« ansprach, tätschelte Eberwolfs Wange und sagte: »Wir werden noch große Dinge gemeinsam tun.« Und während er sich entfernte, drehte er sich noch einmal um und zwinkerte ihm zu.

»Kannst du aufstehen?«, fragte Eloisa Mikael.

Mikael sah sie an. Er spürte die Berührung ihrer Hände auf seinem Gesicht, aber sein Herz war voller Verzweiflung. »Wir sind nicht so ... Wir sind keine wilden Hunde ...«, stieß er schmerzerfüllt hervor. »Wir sind nicht so ... oder?«

Eloisa antwortete ihm nicht.

40

Kümmer du dich um Harro«, sagte Mikael zwei Tage später zu Eloisa.

»Wohin gehst du?«, fragte sie.

Schweigend sahen die beiden einander an. Eloisas Blick wirkte besorgt.

»Kümmer dich um Harro«, wiederholte Mikael und ging.

Sein ganzer Leib war voller blauer Flecken, doch körperlichen Schmerz beachtete er nicht mehr. Er war stark geworden, wie jedes Lasttier.

Mit schnellen Schritten durchquerte er das Dorf, wo die neuen Häuser für die Holzfäller und ihre Familien wuchsen.

Als er die Brücke über die Uqua erreichte, blieb er kurz bei den am Geländer aufgehängten Häuten stehen. Er sah, dass die Mäuse sie von unten angeknabbert hatten. Mikael berührte die Häute nacheinander und sprach dabei die Namen der sieben Opfer laut aus. Obwohl er Gott nicht mehr verstand und auch mit dem Glauben haderte, bekreuzigte er sich sieben Mal. »»Du wirst im Blut leben, genau wie ich und alle unsere Vorfahren. Das ist unser Schicksal und unser Fluch«, sagte er leise und wiederholte damit die letzten Worte, die sein Vater an ihn gerichtet hatte, bevor man ihn getötet hatte. Und wie zum Abschluss nach einem Gebet fügte er hinzu: »Amen.«

Entschlossen drang er in den Wald vor. Ihm gingen die beiden rothaarigen Brüder nicht aus dem Kopf, die in dem von Ojsternig befohlenen Kampf brutal aufeinander eingeschlagen hatten. Immer wieder sah er diese blinde, ungezügelte Wut vor sich, mit der die zehn Schwarzen sich auf ihn und den anderen von den Grünen übrig gebliebenen Jungen gestürzt hatten. Und er dachte an Eloisa, die ihm die Antwort schuldig geblieben war, als er sie gefragt hatte: »Wir sind nicht so, oder?«

Aber genau nach dieser Antwort verlangte es Mikael. Irgendwer musste sie ihm geben. Allerdings konnte das nicht Raphael sein. Seine Abgeklärtheit war nicht das, was Mikael jetzt brauchte. Er suchte nach etwas anderem.

Er machte sich an den Anstieg durch den Mezesnigwald, immer weiter nach oben bis zur Klamm mit den Paukenschlegeln. Schließlich erreichte er den in der Mitte gespaltenen Felsen, aus dem eine verkrüppelte Schwarzkiefer wuchs und der die Grenze markierte, ab der es gefährlich war, weiter in den wilden Wald vorzudringen. Als Mikael noch klein war, hatte er über den Baum in dieser Höhe gestaunt. Aber heute überkam ihn bei dessen Anblick nur Traurigkeit, und er dachte, dass sie alle gezwungen waren, in kargem Boden ihre Wurzeln zu schlagen und zu lernen, ohne Nahrung auszukommen. Wieder sah er zu der Schwarzkiefer auf. Sie hätte sich jeden Platz im Wald aussuchen können, um zu wachsen, aber wie alle schien wohl auch sie zu empfinden, dass der Wald nicht ihr gehörte, dass sie es nicht wert sei, ihre Wurzeln in fetten, feuchten Boden zu schlagen, und so hatte sie sich mit dem Fels begnügt. So war das Leben, das Agnete ihm anschaulich beschrieben hatte, als er noch ein kleiner Junge war. Eines Tages hatte Mikael sie gefragt, warum die Kühe im Dorf so dürr waren, und Agnete hatte ihm geantwortet: »Unsere Kühe fressen das, was übrig bleibt. So wie wir.« Und als Mikael sie in seiner kindlichen Unschuld gefragt hatte, warum die Kühe dann nicht ausreißen und sich einen besseren Ort suchen würden, hat Agnete ihm gesagt: »Weil sie sind wie wir. Wir nehmen ja auch nicht Reißaus.«

Bedrückt drang er tiefer in den Wald vor.

Er suchte den Schwarzen Volod. Den einzigen Menschen, der die Antwort auf seine Frage haben würde.

Mikael hatte eine schwache Erinnerung an dessen vermutliches Versteck. Er musste etwa auf die halbe Höhe des Berges hinaufsteigen und dann in eine schmale Felsschlucht klettern, die man leicht übersah, weil ihr Eingang nicht mehr als ein schmaler Spalt zwischen unerklimmbaren Kalkblöcken war. Er hatte sie nur einmal auf seinen Wanderungen gesehen, deshalb war er sich nicht sicher, ob er sie wiederfinden würde. Nachdem er jedoch eine Stunde gelaufen war, fasste er Mut, da er glaubte, einige markante Wegpunkte wiederzuerkennen: eine Buche, deren mächtiger Stamm durch Blitzschlag gespalten war, einen Stein, der wie eine Frosch aussah, und eine Wurzel, die sich wie eine angriffsbereite Schlange in die Luft erhob. Er sah sich um. Niemand kannte den Wald besser als er. Er bemerkte abgeknickte Zweige an den Brombeeren, niedergestampftes Farnkraut. Das konnte natürlich auch nur eine Hirschfährte sein, aber Mikael folgte dennoch der Spur.

Er war so darin vertieft, auf den Boden zu achten, dass er sich nicht über den Ruf eines Auerhuhns wunderte, der von der Spitze eines Baumes kam, viel zu weit oben für einen solchen Vogel. Und er hörte auch nicht den des anderen Auerhuhns, der aus einiger Entfernung antwortete. Plötzlich verlor sich die Spur. Das Unterholz war vollkommen unbeschädigt, und es gab keinerlei Anzeichen, dass hier jemand oder etwas vorbeigekommen war. Und genau das ist verkehrt, dachte er. Der Wald wirkte wie unberührt.

Im gleichen Moment griff ein Mann ihn von hinten an. Er war von einem Lärchenast heruntergesprungen, auf dem er sich verborgen hatte, und hatte ihn überrascht. Der Mann hielt ihm ein Messer an die Kehle und fragte ihn drohend: »Was suchst du?«

Mikael spürte, wie die scharfe Klinge gegen seine Haut drückte. Er leistete keinen Widerstand. »Ich suche den Schwarzen Volod«, antwortete er.

»Ich kenne keinen Schwarzen Volod«, sagte der Mann und erhöhte den Druck auf Mikaels Kehle.

Mikael schluckte und merkte, dass sein Adamsapfel sich dabei an der Messerklinge rieb. Er schwieg.

»Wer bist du?«, fragte der Mann.

»Ich heiße Mikael Veedon. Ich . . . ich bin ein Bauer.«

»Und was willst du?«

»Ich will mit dem Schwarzen Volod reden.«

»Ich kenne keinen Schwarzen Volod«, wiederholte der Mann.

»Dann lass mich gehen«, sagte Mikael. »Ich suche keinen Streit.«

Wieder hörte man im Wald den Ruf des Auerhuhns.

Der Mann antwortete darauf.

Und gleich ertönten zwei weitere Rufe von anderen Stellen im Wald. Dann tauchten drei mit Bogen und Dolchen bewaffnete Männer auf.

»Wer ist das?«, fragte einer von ihnen, ein baumlanger Kerl, dessen Wams zerrissen war.

»Er sagt, er ist Bauer, Malvoglio«, antwortete der Mann, der immer noch sein Messer an Mikaels Kehle hielt.

»Das ist ein Spion«, erklärte ein pickliger Junge, dessen gelbliche Haut anzeigte, dass er nicht genug zu essen bekam. »Töten wir ihn.«

»Ich bin ein Freund«, sagte Mikael.

»Töten wir ihn«, wiederholte der Junge mit den Pickeln.

»Sei still, Baldo!«, fertigte Malvoglio ihn kurz ab. »Lass ihn los«, befahl er dann dem Mann, der Mikael mit dem Messer bedrohte.

Mikael fühlte, wie der Druck auf seine Kehle nachließ. Der Mann stieß ihn von sich weg.

Malvoglio legte einen Pfeil in seinen Bogen, spannte ihn und zielte auf Mikael. »Wenn du dich bewegst, schieße ich dir ins Auge«, sagte er.

»Töte ihn, Malvoglio«, ereiferte sich der schmächtige Junge wieder.

»Ich hab gesagt, du sollst still sein!«, fuhr Malvoglio auf, hielt aber weiter den Bogen schussbereit. »Was suchst du hier?«, fragte er Mikael.

»Ich will zum Schwarzen Volod«, antwortete Mikael.

Malvoglio musterte ihn lange. Sein Arm, der den Bogen hielt, zitterte schon von der Anstrengung. Man sah ihm an, dass auch er Hunger litt.

Mikael griff in die Tasche, die über seiner Schulter hing.

»Halt!«, schrie Malvoglio daraufhin.

Mikael breitete ergeben die Arme aus. »Hier drin ist Brot«, sagte er und wies mit dem Kinn auf die Tasche. »Nehmt es euch.«

Die Männer zögerten. Dann wies Malvoglio den Jungen an: »Sieh nach.«

Der Junge kam vorsichtig näher und richtete sein Messer gegen Mikaels Bauch. »Eine Bewegung, und du bist tot«, sagte er. Doch inzwischen war seine Hand schon in Mikaels Tasche geglitten, hatte das Roggenbrot gepackt und war zurückgesprungen. Er betrachtete das Brot, als hätte er so etwas seit Wochen nicht gegessen. Dann biss er hinein und kaute so gierig, dass er sich beinahe daran verschluckt hätte.

»Baldo«, rief Malvoglio.

Der Junge zog den Kopf ein und hustete. Er gab das Brot an einen der anderen Männer weiter, der es zwar begehrlich ansah, es dann aber doch unter seinem Gewand verstaute.

»Wenn wir dich zu ihm bringen und er sagt, dass du nicht in Ordnung bist ...«, sagte Malvoglio und senkte seinen Bogen, »gibt es für dich keinen Weg zurück. Dann begraben wir dich hier.«

Mikael lief es eiskalt den Rücken herunter. »Das Wagnis gehe ich ein.«

»Verbindet ihm die Augen«, sagte Malvoglio zu einem der Männer. Der nahm sein Halstuch ab und tat wie geheißen. Danach befahlen sie Mikael, sich um sich selbst zu drehen, bis er das Gleichgewicht verlor und hinfiel. Sie zogen ihn hoch, und zwei der Männer packten ihn an den Armen und ließen ihn in eine Richtung laufen. Mikael stieg ihr strenger Geruch in die Nase. Nach einer Weile bogen sie nach rechts ab, kurz darauf nach links und wieder nach rechts. So fuhren sie fort, bis Mikael jede Orientierung verloren hatte.

Mikael hörte, wie Zweige beiseite geschoben wurden, dann trieb man ihn auf einem felsigen Untergrund vorwärts. Irgendwo in der Ferne hörte er Wasser sprudeln. Sie mussten sich in einer Art Gang zwischen den Felsen befinden, da die Männer, die ihn führten, sich ab und zu an ihn drängten.

Nach einem kurzen, unebenen Wegstück fühlte Mikael Gras unter seinen Füßen. Die Männer blieben stehen. Mikael hörte Stimmen, die plötzlich verstummten.

»Volod!«, brüllte Malvoglio.

Mikael merkte, dass jemand sich ihnen näherte.

»Er sagt, er will mit dir sprechen«, erklärte Malvoglio.

Mikael spürte, wie eine Hand ihm die Binde abnahm, und sah sich dem Schwarzen Volod gegenüber, der ihn mit seinen hellen Wolfsaugen anblickte.

»Ach, du bist's, der Bauer«, sagte Volod gleichgültig. »Wie geht es deinem Hund?«

»Er ist alt«, antwortete Mikael, »aber zäh.«

Volod verzog die Mundwinkel zu einem freudlosen Lächeln. Auch ihn hatte der Hunger gezeichnet.

Der Mann, der das Brot unter seinem Gewand verborgen hatte, reichte es Volod.

Volod betrachtete es. »Brot ...«, murmelte er. »Malvoglio, teil es mit den anderen.«

»Möge Gott dich segnen, Volod«, erwiderte Malvoglio.

Mikael sah sich um. Sie befanden sich auf einer kleinen, von hohen Felswänden umgebenen Lichtung. Der Ort wirkte wie eine vor den Augen der Welt verborgene natürliche Festung. Der Boden hier war eben, genau in der Mitte wuchs eine riesige Lärche, und aus einer Felswand sprudelte ein kleiner Wasserfall, der sich in einen klaren Teich ergoss. Mikael zählte etwa zwanzig Männer, die durchweg erschöpft und abgemagert wirkten.

Malvoglio ging zu ihnen und brach das Brot in genau so viele Stücke, wie Männer um ihn waren. Dann näherte sich noch ein Junge, der stark hinkte. Malvoglio, der das letzte verbliebene Stück Brot in der Hand hielt, reichte es ihm ohne zu zögern im Ganzen. Der Junge schluckte es gierig, ohne es überhaupt zu kauen. Da brach ein anderer Mann das, was von seinem Stück übrig war, in der Mitte durch und gab Malvoglio eine Hälfte. Und die anderen, die ihr Brot noch nicht aufgegessen hatten, folgten seinem Beispiel.

»Was willst du hier?«, fragte Volod Mikael brüsk.

»Eine Antwort«, sagte Mikael, sichtlich bewegt von der Szene, die er eben verfolgt hatte. »Aber ich glaube, ich habe sie schon gefunden.«

Volod drehte ihm den Rücken zu und ging auf eine Höhle zu, die Mikael zuvor nicht bemerkt hatte. »Dann leb wohl«, sagte er.

Mikael folgte ihm.

Drinnen war die Luft wärmer. In drei mit Steinen umlegten Feuerstellen knisterten die Flammen.

»Eichhörnchen«, erklärte Volod und wies auf einen kleinen Spieß. »Man muss eben nehmen, was man kriegt. Es gibt nur wenig Hirsche, und die Wölfe sind besser darin, sie zu jagen, als wir.« Er lächelte, doch sein Blick ging ins Leere. »Eigentlich schmecken Eichhörnchen gar nicht so übel ... wenn du nichts anderes zu beißen hast.«

Mikel setzte sich auf den Platz, den Volod ihm zugewiesen

hatte. »Habt Ihr von den Hinrichtungen gehört, Herr?«, fragte er.

Auf Volods Gesicht flammte Wut auf, dann verzerrte es sich vor Schmerz. »Genau deswegen leiden wir Hunger. Wir greifen Ojsternigs Versorgungskarren nicht mehr an. Wir können doch nicht zulassen, dass dieser Hurensohn euch umbringt wie die Ratten.« Seine Miene verfinsterte sich.

»Das ist doch nicht Eure Schuld, Herr«, sagte Mikael.

»Doch, das ist es. Ich habe versagt«, erwiderte Volod voller Reue. »Denn ich habe ihn nicht getötet, als ich die Gelegenheit dazu hatte. Diese Toten lasten schwer auf meinem Gewissen.« Er sah Mikael an. »Und hör endlich auf, mich ›Herr‹ zu nennen und mit ›Ihr‹ anzureden.«

»Verzeiht... äh, verzeih.«

»Sag mir, warum du hier bist. Und verschwende meine Zeit nicht mit Geschwätz.«

Mikael erzählte ihnen von dem Wettkampf am vergangenen Sonntag. Er erklärte, was er in den Augen der Jungen beobachtet hatte, als sie aufeinander einprügelten. »Wir sind doch nicht so, oder?«, fragte er schließlich.

Volod sah ihn mit seinen Wolfsaugen an. »Doch, genau so sind wir, Junge«, sagte er dann hart.

»Das stimmt nicht! Ich habe gerade gesehen, wie sich deine Leute ein Brot geteilt haben ...«

»Wir sind genauso«, unterbrach Volod Mikael grob. Dann schwieg er eine ganze Weile. »Wir haben verwundeten Soldaten die Kehle durchgeschnitten, als sie wehrlos am Boden lagen. Ohne zu zögern. Wie wilde Hunde.«

»Und ist das falsch?«, fragte Mikael.

»Das weiß ich nicht, Bauer. Du stellst zu schwierige Fragen für einen wie mich.« Volod wies mit der Hand auf die Männer vor der Höhle. »Ich weiß nicht, wie lange es noch dauert, bis wir ebenfalls zu gemeinen Räubern werden. Wir können uns kaum auf den Beinen halten. Der Hunger lässt einen nicht schlafen, wusstest du das?«

»Nein . . .«

»Er lässt einen nicht schlafen«, wiederholte Volod. Seine Stimme klang erschöpft. »Das Leben wird einem zu lang. Und die Nächte zu dunkel. Und irgendwann weißt du nicht mehr, was richtig und was falsch ist.« Er seufzte und schüttelte den Kopf. »Wir müssen von hier weg.«

»Wohin?«, fragte Mikael.

»Ganz gleich, irgendwohin, wo es etwas zu essen gibt«, erklärte Volod mit einem bitteren Lächeln.

»Ihr könnt uns nicht im Stich lassen!«, rief Mikael aus.

Volod musterte ihn lange. »Wer bist du, dass du mir das sagst?«

»Was ist Freiheit?«, fragte Mikael.

Volod schüttelte den Kopf. »Das weiß ich nicht, Bauer. Keiner von uns ist frei geboren, deshalb weiß es auch keiner von uns. Das ist nur so eine Vorstellung im Kopf. Doch im Augenblick bestimmt der Hunger unsere Vorstellung von Freiheit.«

»Was sollen wir tun, wenn ihr geht?«, fragte Mikael.

»Was ihr tun sollt?«, schrie Volod wütend. »Ihr sucht doch nur jemanden, der euch den Arsch abwischt, weil ihr es nicht selber könnt!« Er packte Mikaels Hand und presste sie fest zusammen. »Du hast mich gefragt, ob wir wilde Tiere sind wie die Jungen, die wie Hunde miteinander gerauft haben. Ja. Die Antwort lautet Ja. Der einzige Unterschied ist, dass wir für unsere Sache kämpfen und nicht einfach nur zusehen wie ihr.«

»Wo wollt ihr hin?«

»Das geht dich nichts an.«

»Und was sollen wir tun?«

»Ihr werdet selbst entscheiden müssen, ob ihr Männer seid oder, wie du sagst, Tiere«, erklärte Volod ernst. »Wir kämpfen für unsere Würde. Und wenn du genug von dieser ganzen

Scheiße hast und ein Mann bist, wirst auch du feststellen, dass du ein wilder Hund bist.«

»Bitte geh nicht«, flehte Mikael. »Ohne dich wird auch für uns jede Hoffnung enden.«

»Umso schlimmer für euch. Denn das heißt, dass eure Hoffnung nicht viel wert ist«, sagte Volod und kniff die Augen zu schmalen Schlitzen zusammen. »Ich muss an mich und meine Leute denken. Und ich werde nicht zulassen, dass aus diesen mutigen Männern gemeine Räuber werden. Ich werde nicht zulassen, dass sie ihre Würde verlieren. Das ist alles, was uns noch geblieben ist. Unsere einzige Errungenschaft.«

Mikael blieb stumm sitzen, er hatte den Kopf mutlos zwischen die Schultern gezogen.

»Zeit für dich zu gehen«, sagte Volod knapp. »Und vergiss, wie du hierhergekommen bist.«

»Ich will mit euch ziehen«, sagte Mikael plötzlich.

»Nein.«

»Warum nicht?«

»Du würdest meinen Männern nur das Essen wegnehmen. Ich kann keinen Bauern brauchen, der nicht kämpfen kann und nur hehre Worte im Mund führt.«

Mikael wurde rot.

»Geh jetzt«, sagte Volod zu ihm.

Mikael stand auf. »Ich hoffe, du findest nachts die Sonne.«

Volod hob die Augenbrauen. »Was bedeutet das?«

»Vor vielen Jahren habe ich zwei alte Leute sagen hören, ihr Rebellen seid Leute, die nachts die Sonne suchen.«

Volods Gesicht verhärtete sich. »Sinnloses Gewäsch. Geh jetzt.«

Mikael wurden erneut die Augen verbunden, und wieder führten die Männer ihn auf Umwegen durch den Wald, damit er die Orientierung verlor. Dann nahmen sie ihm die Binde ab und warteten, bis er gegangen war.

Als Mikael das Dorf erreichte, sah er dort Eberwolf inmitten einer Gruppe von Jungen stehen, die alle ein schwarzes Band um den Hals trugen. Er überlegte kurz, ob er einen anderen Weg nach Hause wählen sollte, um ihnen auszuweichen. Doch dann ging er kurz entschlossen einfach geradeaus weiter.

»Wir sehen uns Sonntag in der Burg, Ziegendreck«, rief Eberwolf, als er an ihm vorüberkam.

Mikael lief stumm weiter. Er hielt den Blick gesenkt und hatte den Kopf zwischen den Schultern eingezogen, so wie früher, während Eberwolf und seine Kumpane ihn auslachten. Doch dann blieb er stehen, drehte sich um und ging zurück.

Eberwolf stieß sich von dem Zaun ab, an den er sich gelehnt hatte, und baute sich in überheblicher Pose vor ihm auf.

Mikael sah ihn schweigend an. Und plötzlich fühlte er etwas Wunderbares.

»Weißt du was?«, sagte er schließlich und genoss dabei dieses ungewohnte Gefühl, das er gerade in sich entdeckt hatte.

»Was, Ziegendreck?«

»Ich habe keine Angst vor dir ... Elderstoff«, sagte Mikael ganz ruhig und ging davon.

»Ich heiße Eberwolf!«, schrie der andere ihm nach.

Mikael drehte sich nicht um.

41

Am nächsten Sonntag hatten sich die Mannschaften der Schwarzen und der Grünen auf den beiden gegenüberliegenden Seiten des abgesteckten Geländes aufgestellt. Auf dem Podium hatten wie beim letzten Mal Ojsternig, Agomar, Arialdus von Tarvis, Prinzessin Lukrécia, Prinz Marcus und der Burgpfarrer Platz genommen. Die Angehörigen der teilnehmenden Jungen drängten sich mit bangen Gesichtern im hinteren Teil des Hofes zusammen. Rund um die Seile hatten sich zahlreiche Diener und Soldaten des Hofes versammelt, die meisten mit einem Krug Starkbier in der Hand. Auch die Huren hatten sich eingefunden, sie standen in einem kleinen Grüppchen etwas abseits.

Es war ein kühler Tag, aber der Himmel war klar und leuchtete in einem so reinen Blau, wie man es nur im Gebirge findet. Die Sonne warf klar umgrenzte Schatten auf den Boden des Burghofes.

Die Schwarzen, die sich nach dem überragenden Sieg vom letzten Sonntag stark fühlten, scharrten ungeduldig mit den Füßen wie Pferde, denen der Händler Pfeffer in den Hintern gerieben hatte, damit sie sich besser verkauften. Die Grünen dagegen standen unschlüssig herum, vollkommen eingeschüchtert von dem, was sie erwartete.

»Heute werdet ihr Mann gegen Mann kämpfen«, verkündete Agomar. »So kann jeder von euch seine Fähigkeiten beweisen.«

Eberwolf ballte in freudiger Erregung die Fäuste. Er sah kurz zum Prinzen hinüber und verbeugte sich leicht vor ihm, und

Marcus erwiderte seinen Gruß mit einer sachten Neigung des Kopfes.

Mikael stand inmitten seiner Gruppe und war in Gedanken versunken. Die Begegnung mit Volod hatte ihn zutiefst aufgewühlt. Er wusste nicht, ob er ihn weiter bewundern sollte. Volods zynische Einstellung hatte ihn ziemlich durcheinandergebracht. Er war zu ihm gegangen, um eine einzige Antwort zu erhalten, und stattdessen war er mit vielen neuen Fragen zurückgekehrt. Darüber hatte er lange mit Eloisa gesprochen.

»Das ist kein Held!«, hatte Mikael am Ende empört ausgerufen. »Du bist geblendet von dem, was man sich über ihn erzählt. Aber du weißt rein gar nichts!«

»Nach allem, was du mir erzählt hast, weiß ich zumindest, dass er kein Mann ist, der bloß schöne Worte im Mund führt«, hatte Eloisa ebenso erregt entgegnet.

Daraufhin hatte sich Mikael gekränkt zurückgezogen. Er hatte die Unterhaltung abgebrochen, und auch in der Nacht hatte er Eloisa die kalte Schulter gezeigt.

Aber jetzt, da seine Kampfgefährten sich ängstlich um ihn scharten, weil sie sich daran erinnerten, wie er sich beim letzten Mal für jeden von ihnen eingesetzt hatte, sah er ein, dass Volod recht hatte. Sie suchten wirklich nach jemandem, der ihnen den Arsch abwischte, weil sie nicht einmal dazu allein in der Lage waren, um es mit seinen Worten zu sagen.

Mikael drehte sich um und suchte unter den Dorfbewohnern hinten im Hof nach Eloisa. Als er ihren Blick auffing, legte er sich eine Hand aufs Herz.

»Jetzt wird unser geliebter Herr, der Gebieter über euer Leben, die ersten beiden Kämpfer auswählen«, verkündete Agomar.

Ojsternig stand auf und sah zu den Schwarzen hin.

Eberwolf trat einen Schritt vor.

Ojsternig überging ihn und deutete auf einen kleineren, gedrungenen Jungen mit einem etwas dümmlichen Gesichtsausdruck. »Du«, sagte er. Dann wandte er sich den Grünen zu.

Alle Jungen außer Mikael schauten zu Boden.

»Seht mich an!«, schrie Ojsternig gebieterisch.

Die Grünen hoben erschrocken die Augen, und jeder betete innerlich, dass der Fürst nicht ihn auswählte.

Ojsternig deutete auf einen hageren, großen Jungen von etwa dreizehn Jahren, der zu schnell in die Höhe geschossen war, um Muskeln zu entwickeln, daran hatte auch die harte Feldarbeit nichts ändern können. Er hatte eine Hühnerbrust und herabhängende Schultern.

»Die beiden Kämpfer sollen vortreten!«, rief Agomar.

Ojsternig bemerkte, dass Mikael den Jungen der Grünen am Arm packte, als dieser zögerte, und ihm etwas zuflüsterte. Und dann sah er, dass er mit dem anderen genauso verfuhr. »Was hat er gesagt?«, fragte er Agomar.

Agomar schüttelte den Kopf.

»Würde«, sagte die Prinzessin.

Ojsternig drehte sich verwundert zu seiner Tochter um, die selten das Wort ergriff. »Würde?«, fragte er und zog eine Augenbraue hoch.

Lukrécia sagte nichts weiter. Aber sie blickte unbeirrt zu Mikael hinüber.

Zornig holte Ojsternig das bestickte Taschentuch aus seiner italienischen Ärmeltunika, die mit Goldfäden durchwirkt war. Dann wandte er sich an seine Tochter, die weiterhin Mikael beobachtete: »Gefällt dir das Schauspiel etwa nicht, meine Tochter?«

»Doch, sehr«, erwiderte Lukrécia.

»Und dennoch hast du nur Augen für den Dreckschaufler«, stellte er fest.

»So wie Ihr, Vater«, gab Lukrécia zurück.

»Aber um ihn geht es doch gar nicht«, sagte Ojsternig empört.

»Meint Ihr?«

»Du solltest lieber deinen Gatten ansehen«, ermahnte Ojsternig seine Tochter.

»Ich sehe ihn nicht öfter an, als Ihr es tut«, antwortete Lukrécia.

Ojsternig starrte sie wortlos an. Dann wandte er sich dem eingegrenzten Gelände zu und machte Anstalten, das Taschentuch fallen zu lassen, zum Zeichen, dass der Kampf beginnen möge.

Inzwischen hatte sich Emöke aus der Gruppe der Huren entfernt und war zu Mikael gegangen. Sie packte ihn am Arm und sagte: »Du weißt, dass Gregor jetzt nicht mehr im Haus seiner Mutter wohnt, nicht wahr?«

Mikael ergriff ihre Hand und schaute sie voller Mitleid an. Er war mehrmals kurz davor gewesen, ihr zu sagen, dass Gregor tot war, hatte es dann aber doch nicht übers Herz gebracht. »Du weißt also, dass ...«

»Aber ja«, antwortete Emöke.

»Es tut mir leid, ich ...«

»Er lebt jetzt hier«, unterbrach Emöke sein Gestammel, und ein verklärtes, irres Lächeln lag in ihrem Blick. »Er lebt bei mir hier in der Burg.«

Mikael wurde noch trauriger zumute.

Ojsternig hatte die Unterredung mit hoch erhobenem Taschentuch beobachtet.

»Ich soll dir etwas von Gregor ausrichten«, fuhr Emöke in ihrer verträumten Stimme fort.

»Also gut, dann rede«, sagte Mikael und ließ sich auf ihren Wahnsinn ein.

»Gregor lässt dir ausrichten, dass du kein Feigling bist wie er.«

Mikael lief ein Schauder den Rücken hinab. Woher kannte sie seine Gedanken? Er wich einen Schritt zurück.

Aber Emöke hielt ihn fest. »Hab keine Angst«, beruhigte sie ihn, während ihre Augen sich in einer Welt verloren, die nur sie sehen konnte. »Er hat mir gesagt, dass er dir nach Kräften helfen wird.«

Mikael fühlte Tränen in seinen Augen aufsteigen.

»Na, sagst du die Zukunft voraus, Verrückte?«, warf Ojsternig mit einem hämischen Grinsen ein.

Emöke drehte sich zu dem Fürsten um. Sie betrachtete ihn und hielt dabei den Kopf schräg, so wie Tiere einem ungewohnten Geräusch lauschen.

»Nur zu, lass auch uns an deinen Prophezeiungen teilhaben«, spottete Ojsternig weiter. »Unterhalte uns vor dem Wettkampf wie ein guter Hofnarr.«

»Was willst du wissen, Herr?«, fragte Emöke.

Mikael hielt sie am Arm zurück. »Emöke, nein . . .«

»Lass sie los!«, befahl Ojsternig barsch.

Mikael gehorchte. Er sah zu Eloisa hinüber, die das Geschehen ebenfalls besorgt verfolgte.

Emöke trat vor das Podium. »Was willst du wissen, Herr?«

Die Soldaten, die alle durch die Bank abergläubisch waren, wurden unruhig.

Ojsternig ließ seinen Blick über die Menschen gleiten, die neben ihm oben auf dem Podium saßen, dann deutete er auf Arialdus von Tarvis. »Sag mir, was siehst du? Ist er mir treu?«

Emöke starrte den betagten Verwalter an. »Du bist ein guter Mensch«, sagte sie zu ihm. »Aber du bist gezwungen, dir Schlechtes auszudenken. Und wie ein Fluss, der ins Tal drängt, wird es dir niemals, nicht für einen einzigen Augenblick deines Lebens, gelingen, einen anderen Weg einzuschlagen.«

Ojsternig grinste. »Das Orakel spricht, dass du mir treu sein wirst, Arialdus. Gut für dich«, sagte er.

Doch das Gesicht des alten Mannes wirkte auf einmal traurig, und seine Schultern sackten kaum wahrnehmbar nach unten.

»Was hast du zu dem Jungen gesagt?«, fragte Ojsternig Emöke.

»Ich habe ihm etwas von meinem Mann ausgerichtet, Herr.«

»Dein Mann ist tot, Verrückte. Er hat sich aufgehängt«, sagte Ojsternig brutal.

Emöke ließ nicht erkennen, ob sie ihn gehört hatte, sondern starrte ihn weiterhin unbeirrt an.

»Kannst du auch die Zukunft des Jungen vorhersagen?«, fragte Ojsternig weiter.

»Gewiss, Herr.« Emöke wandte sich Mikael zu. »Er wird sein Schicksal mit dem Schwert erfüllen, durch das alle zu einem werden. Aber zuerst wird er ein Verbrechen begehen müssen, das kein Verbrechen ist.«

»Was heißt das?«, fragte Ojsternig.

»Ein jedes Ding will heißen, was es heißt, Herr«, erwiderte Emöke.

Ojsternig deutete auf Agomar.

Emöke betrachtete ihn aufmerksam. Dann stieg sie in das abgesperrte Rechteck, in dem die Jungen kämpfen sollten, und starrte dort auf den Boden, als suche sie etwas. Während sie still herumlief, kicherten die Diener, die keine Angst vor ihr hatten. Plötzlich schien Emöke gefunden zu haben, wonach sie gesucht hatte, denn sie blieb stehen und legte eine Hand auf den Boden. Dann wandte sie sich zu Agomar um. »Hier«, sagte sie und sah ihn an.

»Hier was?«, fragte Agomar arrogant in dem Versuch, seine innere Anspannung zu verbergen.

»Hier«, wiederholte Emöke. »Es wird hier geschehen. Auf dieselbe Art und Weise wie bei ihm.«

»Was denn?«, knurrte Agomar erregt.

»Und er selbst wird entscheiden, ob er dir diesen Dienst erweisen wird.«

Mikael zog es den Magen zusammen. Das war genau die

Stelle, an der sein Vater ermordet worden war. Und Agomar hatte ihn getötet.

Agomar spuckte in Emökes Richtung aus, so wie man vor Hexen ausspuckte. »Du bist nur eine jämmerliche Verrückte.«

Ojsternig bemerkte seine Unruhe. Belustigt drehte er sich zu Marcus um. »Und was sagst du über diesen Schwächling?«

Emöke ging zum Podium zurück und blickte den vorgeblichen Prinzen flüchtig an. »Du wirst niemals mehr besitzen als das Gewand von jemand anderem«, sagte sie schlicht.

»Aber ich werde dich so oft besitzen, wie ich will«, fauchte Marcus feindselig zurück.

Ein Großteil der Soldaten lachte.

»Und meine Tochter?«, fragte Ojsternig.

»Herrin«, sagte Emöke zu der Prinzessin, und in ihrer Stimme schwang Traurigkeit mit, »es tut mir leid, du wirst einen kleinen Mann haben. Aber er wird nicht deiner sein.«

»Das macht nichts, gute Frau«, erwiderte Lukrécia mit abwesendem Lächeln. »Ich kenne schon so viele zu kleine Männer.«

»Und zum Abschluss sag mir etwas über die Jungen«, forderte Ojsternig Emöke auf, überaus erheitert von dieser unvorhergesehenen Abweichung vom Programm. »Wähle den aus, der das Turnier gewinnen wird.«

Emöke wandte sich ohne zu zögern der Mannschaft der Schwarzen zu. Aber während sie auf sie zulief, wurden ihre Schritte immer zögernder. Als sie vor Eberwolf stand, betrachtete sie ihn zunächst lange, dann schlug sie sich die Hände vor die Augen. Als sie sie wieder herunternahm, waren ihre Wangen tränenüberströmt. Sie starrte Eberwolf kopfschüttelnd an und brachte kein Wort heraus. »Du wirst selbst Engel zum Weinen bringen«, sagte sie schließlich schmerzerfüllt. »Und du wirst in deinem eigenen Dreck enden.« Schließlich wandte sie sich wieder Ojsternig zu, während ihr weiter die Tränen herabliefen.

»Schön, das war sehr unterhaltsam«, sagte Ojsternig und lachte gezwungen, denn genau wie die anderen Anwesenden hatte ihn ein leichtes Unbehagen erfasst. »Ich werde darüber nachdenken, ob ich dich zum Hofnarr befördern soll. Aber ich sehe schon, dass du zur Schwermut neigst.«

Emöke trocknete ihre Tränen. »Und du, Herr, willst du nicht wissen, was die Zukunft für dich bereithält?«

Ojsternig starrte sie wortlos an.

Emöke richtete einen Finger auf ihn und presste die Lippen fest aufeinander. Ihr Finger hing zitternd in der Luft wie ein Fluch. »Du ... wirst lieben!«, sagte sie schlicht.

Ojsternig lachte schallend laut auf. »Das wird niemals geschehen!«, sagte er belustigt. »Du bist doch nicht so gut als Wahrsagerin. Aber wenigstens hast du mich zum Lachen gebracht, Verrückte.« Dann befahl er seinen Soldaten: »Schafft sie weg!«

Die Soldaten packten Emöke grob an den Armen und schleiften sie in den Palas.

Ojsternig blieb stumm sitzen. Er spürte, dass alle Blicke auf ihn gerichtet waren. Dann stand er auf. »Aus, vorbei, verschwindet alle!«, ordnete er an. »Ich habe genug.« Nach diesen Worten verließ er das Podium und zog sich in seine Gemächer im ersten Stock zurück.

Er wusste nicht warum, aber die Verrückte hatte ihn verwirrt. Das Ganze ergab keinen Sinn, sagte er sich immer wieder. Er war von Natur aus kalt wie Eis, er hegte keinerlei Gefühle. Wie sollte er da so etwas wie Liebe empfinden können? Das war lächerlich. Und doch begann, während er sich das mit erzwungener Beharrlichkeit immer wieder sagte, etwas in seinem Inneren aufzubrechen.

»Nein!«, schrie er empört.

Er ging in den Raum, in dem sich die Huren aufhielten. Aber dort fand er Emöke nicht. Man sagte ihm, dass sie beim Prinzen wäre. Als Ojsternig dessen Zimmer erreichte, war die Tür nur angelehnt. Durch den Spalt sah er Emöke, die mit hochgeschobenem Rock über einen Tisch gebeugt stand. Eberwolf nahm sie gerade heftig schnaufend von hinten, und Marcus feuerte ihn belustigt an. Seine Augen funkelten lüstern, während er voller Inbrunst Eberwolfs Hinterbacken knetete und sie im Takt seiner Stöße nach vorne schob.

Ojsternig blieb stehen. Wie erstarrt beobachtete er die Szene.

Da sah Emöke auf, als hätte sie ihn gehört. Sie blickte ihm direkt in die Augen, und ihre Lippen bewegten sich langsam, als ob sie etwas flüsterte.

42

Die Verrückte sah ihn an, ihr Blick war ernst und eindringlich. Sie waren allein, standen einander gegenüber. Er hörte, wie der Atem der Verrückten stockte. Und wie sein Atem gemeinsam mit dem ihren zum Erliegen kam. Er schnappte nach Luft, ihm war, als ob er ertränke. Und dann, einen Moment, ehe er tatsächlich starb, lächelte die Verrückte und atmete weiter. Und zusammen mit ihr bekam auch er wieder Luft, keuchend, wie nach langer Atemlosigkeit.

Ojsternig wachte schweißgebadet und schreiend auf.

Augenblicklich war sein Kammerdiener besorgt zur Stelle.

»Verschwinde, du Trottel«, fuhr Ojsternig ihn an.

Der Diener verbeugte sich und schloss die Tür hinter sich.

Ojsternig lag keuchend unter seinem Wolfsfell. Er schwitzte, doch gleichzeitig fror er. Wegen einer Kälte, die nicht von draußen ins Zimmer drang oder von den grauen Steinwänden abstrahlte, einer Kälte, die weder mit dem erloschenen Feuer im Kamin zu tun hatte noch mit dem eisigen Herbst, dessen kalter Hauch über das dicke Fenster strich und glitzernde Spinnweben aus Eis auf das Glas zeichnete. Diese Kälte war anders als die tröstliche Eiseskälte in seinem Herzen, die er sein Leben lang empfunden hatte. Sie war hassenswert. Als wäre in seinem Inneren etwas erstarrt und wartete darauf, gelöst zu werden.

»Was geschieht mit mir?«, fragte er sich voller Angst.

Er fuhr sich mit zitternder Hand durch die Haare. Sie waren klatschnass und klebten an seinen Schläfen und an seiner Stirn.

»Du ... wirst lieben«, hatte diese Verrückte ihm geweissagt, und ihre Stimme war in ihn gefahren wie der Fluch einer Hexe.

Ojsternig wusste, dass Flüche von Menschen, denen ein Unrecht widerfahren war, die mächtigste Wirkung von allen hatten. Die Verrückte hatte ihn verhext. Der Teufel hatte ihr den Schlüssel in die Hand gedrückt, der ihr unmittelbaren Zugang zu seinem Herzen verschaffte. Und sie war dort eingedrungen. Hatte ihn verflucht. Sie hatte einen Spalt aufgerissen, und durch diesen Spalt drang Wärme in ihn ein. Ist das die Wärme von Gefühlen?, fragte er sich. War ihm deswegen so kalt? Warum hatte diese verfluchte Hexe ihn mit der Krankheit der Gefühle geschlagen?

»Nein!«, schrie er erneut.

Er würde niemals schwach werden.

Und doch blieb er den ganzen Tag bis zum späten Abend im Bett liegen, eingerollt in sein schützendes Wolfsfell.

Du ... wirst lieben. Ojsternig kam es nun so vor, als habe er selbst mit eigener Stimme diesen Fluch ausgesprochen. Als ob er in seinem Innersten die Möglichkeit zugelassen hätte, tatsächlich lieben zu können.

»Vater ...«, sagte er leise und versuchte, auf sein Herz zu hören. »Vater ...«, sagte er wieder und klang dabei fast wie ein Kind. Und dann: »Mutter ...« Er verharrte reglos, in Erwartung. Und vermeinte mit einem Mal ein Kribbeln in der Brust zu spüren, dort, wo das Herz saß.

»Nein!«, schrie er wieder und erhob sich ruckartig.

Er rief nach dem Kammerdiener, der ihm beim Ankleiden behilflich sein sollte. Dann verließ er sein Zimmer und eilte zu den Stallungen, wo er sich sein schnellstes Pferd satteln ließ. Nachdem er den Befehl gegeben hatte, das Burgtor zu öffnen, nahm er noch eine Fackel und ließ sie sich anzünden.

»Wohin reitet Ihr, Herr?«, fragte Agomar besorgt, den die Stallburschen benachrichtigt hatten, und stellte sich ihm in den Weg.

»Verschwinde!«, befahl Ojsternig, woraufhin Agomar hastig zur Seite trat.

Da gab Ojsternig seinem Pferd die Sporen. Er preschte im vollen Galopp durch das Dorf, ließ die Bretter der Brücke über die Uqua erzittern und folgte dann der Straße durch den Wald hinauf zum Pass. Als er merkte, dass das Tier erschöpft war und langsamer wurde, spornte er es mit wilder Wut an. Schließlich erreichte er den Pass und riss seinem schäumenden Ross mit den Sporen die Flanken blutig, während er es den Abhang hinuntertrieb. Ojsternig würdigte Dravocnik keines Blickes, als er wütend durch das Dorf stürmte. Er ritt zu der Burg, in der er auf die Welt gekommen war und die nunmehr verlassen dalag. Sein Pferd ließ er einfach im Hof stehen, ohne es anzubinden, während er mit der Fackel in der Hand hinauf in den ersten Stock rannte.

Dort blieb er vor einer mächtigen Tür aus Eichenholz stehen. Das Herz klopfte ihm bis zum Hals.

Er trat vorsichtig ein, obwohl er wusste, dass niemand dort war.

Das Licht der Fackel fiel auf ein kahles Zimmer mit grauen Wänden aus kaltem Stein.

Er ging zu der Stelle, an der einst sein Bett gestanden hatte, dann schloss er die Augen und wartete lauschend ab. Das Kribbeln in seinem Herzen schien sich gelegt zu haben. Da bemerkte er einen Spiegel aus poliertem Messing, der auf dem Boden vergessen worden war. Er nahm ihn auf, voll banger Erwartung, was er wohl darin erkennen würde, und hob ihn vor sein Gesicht. Ausgiebig betrachtete er den Ausdruck seiner Augen, suchte darin nach einer Spur von Gefühlen.

»Vater, warum liebt Ihr mich nicht?«, fragte er.

Er starrte weiter in den Spiegel. Nichts.

»Mutter, warum verachtet Ihr mich?«, fragte er und versuchte, wie ein kleiner Junge zu klingen.

Erneut lauschte er. Nichts. In seinem Herzen gab es keine Gefühle.

Da lachte er schallend auf. »Du wirst *nicht* lieben!«, schrie er befriedigt.

Und er schlug den Spiegel entzwei.

Danach kehrte er zur Burg von Raühnval zurück, doch diesmal trieb er sein Pferd nicht an. Und mit jedem Schritt, den das Tier vorwärtstrottete, kehrte seine alte, ungezügelte Grausamkeit zurück. Der Riss, der sich in seinem Herzen aufgetan hatte, schloss sich wieder. Die Angst wich zurück und verließ ihn, als wäre sie niemals ein Teil von ihm gewesen. Seine Gefühlskälte, die sich wie eine zähe, dunkle Decke über alles legte und es verbarg, hüllte ihn wieder ein. Er dachte an die Toten, die seinen Weg pflasterten. Er dachte an die unschuldig Gehäuteten, an die Gehenkten, an Agomars in einem Hinterhalt niedergemetzelte Bande, an seinen alten Hauptmann, den er ohne das geringste Bedauern verraten hatte, an seinen Befehl, das Fürstenhaus derer von Saxia auszulöschen. Er dachte an das Blut, das ihn nährte und seinen Durst stillte. An das Unrecht, das sein Fürstentum regierte. An die Gewalt, die ihn erregte. An seine Frau Lukrécia, die er mit Gewalt genommen hatte, nachdem er sie brutal geschlagen hatte, und an seine Tochter, der er die Unschuld und die Lebensfreude geraubt hatte. Er dachte an all die Schreie, die laut gellend seine Ohren befriedigt hatten.

»Du wirst *nicht* lieben!«, schrie er erneut und genoss den Triumph.

Doch als er die Burg im Raühnval erreichte, klang ihm erneut der Fluch der Verrückten in den Ohren.

Und Ojsternig kannte nur einen Weg, ihn zum Verstummen zu bringen.

Am nächsten Morgen verkündete ein Bote, dem beständiger Trommelwirbel vorauseilte, im ganzen Tal: »Emöke Albath, besser bekannt als die Verrückte, wurde im Namen des Allmächtigen Gottes und seiner Gerechtigkeit hier auf Erden der Hexerei angeklagt!« Der Burgpfarrer, der die Anklage pro forma aufgesetzt hatte, nachdem Emöke für schuldig befunden worden war, begleitete den Boten.

Die Bauern ließen ihre Hacken, Sägen und Äxte fallen und hörten auf, die Heuschober zu füllen, die Holzfäller rissen sich die Mützen aus Murmeltierpelz vom Kopf, die Mütter lösten ihre Säuglinge von der Brust, und alle rannten dem Boten, dem Trommler und dem Burgpfarrer hinterher, sodass sich eine stumme Prozession bildete, während der Mann, der die schlimme Nachricht verbreiten sollte, wieder und wieder aus vollem Hals rief: »Emöke Albath, besser bekannt als die Verrückte, wurde im Namen des Allmächtigen Gottes und seiner Gerechtigkeit hier auf Erden der Hexerei angeklagt! Und nach eingehender Untersuchung durch den Diener Gottes auf Erden Vater Nikolaus aus Worms wurde sie für schuldig befunden, einen schändlichen Pakt mit Satanas höchstpersönlich geschlossen zu haben. Daher wurde sie vom Herrn dieser Ländereien, dem Fürsten Marcus II. von Saxia, vertreten durch seinen Regenten Fürst Ojsternig, dazu verurteilt, in drei Tagen, am Freitag, dem Tag der Buße, im Burghof bei lebendigem Leib verbrannt zu werden, auf dass ihre verfluchte Seele gereinigt werde!«

Mikael drückte Eloisas Hand.

»Das dürfen wir nicht zulassen!«, sagte er. Und seine Stimme klang so hart und entschlossen, dass Eloisa ein eiskalter Angstschauder den Rücken hinablief.

43

Wir sind nichts wert, verstehst du, Eloisa? Er kann Emöke einfach so, aus einer puren Laune heraus, bei lebendigem Leib verbrennen lassen!« Mikaels Stimme brach. Er stand in dem Heuschober, in den sie sich zurückgezogen hatten, und sah Eloisa mit vor Zorn geröteten Augen an. »Er entscheidet über unsere Leben so leichten Herzens, wie wir beschließen, einem Huhn den Hals umzudrehen. Genau das sind wir! Hühner! Hunde! Vieh!«

Eloisa schüttelte langsam den Kopf, man konnte in ihren Augen lesen, wie besorgt sie war. »Du kannst das nicht tun, Mikael!«, sagte sie leise.

»Oh doch! Ich werde es tun!«, schrie Mikael beinahe. »Ich werde es tun, weil ich keiner von Ojsternigs Hunden sein will!«

»Aber dann wirst du sterben!«, rief Eloisa.

»Ich werde nicht sterben!«, widersprach Mikael. Er sah sie an. »Und wenn doch, dann bin ich wenigstens nicht als ein Stück Vieh von Ojsternig gestorben.«

Eloisas Augen schauten erschrocken, doch dann verhärteten sich ihre Züge, und wilder Zorn erfüllte ihren Blick. Sie trommelte Mikael mit all ihrer Kraft gegen die Brust. »Was glaubst du eigentlich, wer du bist?«, schrie sie ihn an.

Mikael schloss die Arme um sie und hielt sie fest. Er konnte spüren, wie der Körper des Mädchens erbebte, als würde sie von einem Fieber geschüttelt. »Ich werde nicht sterben!«, wiederholte er.

Eloisa machte sich los und schlug ihm ins Gesicht, während Tränen und Angst ihr den Blick trübten. »Wenn du stirbst, werde ich jeden Sonntag auf dein Grab spucken.«

»Ich werde nicht sterben!«, sagte Mikael. Dann umarmte er sie erneut und hielt sie so lange fest, bis sie sich beruhigt hatte. »Aber ich muss von hier verschwinden«, sagte er schließlich.

Eloisa schüttelte den Kopf und schlang die Arme um seine Taille. »Nein . . .«, flüsterte sie schwach.

»Ich kann nicht bleiben . . .«

»Nein«, sagte Eloisa. Langsam löste sie sich von ihm und sah ihn eindringlich an. Sie fuhr ihm zärtlich mit der Hand übers Gesicht, strich mit einem Finger über die Narbe an seiner Stirn und berührte seine Augenbrauen. Dann schloss sie die Augen. »Beweg dich nicht.« Nun streichelte sie erneut die Narbe an seiner Stirn, die Augenbrauen, die Lider, fuhr seinen Nasenrücken entlang, die Lippen, das Kinn und die Ohren. »Ich muss mir jeden Teil von dir genau einprägen«, sagte sie und hielt die Augen weiter geschlossen, »damit ich dich wenigstens in Gedanken zärtlich berühren kann, wenn du nicht mehr bei mir bist.« Sie seufzte, erfüllt von einem Schmerz, der so groß war, dass er sich nicht mit Worten ausdrücken ließ. »Und Gott allein weiß, wie sehr ich darum bete, dass du morgen nicht mehr hier sein wirst.« Sie öffnete die Lider und sah ihn durchdringend an. »Denn wenn du morgen noch hier bist . . . heißt das, dass du tot bist.«

Sie standen noch immer in dem alten Heuschober am Rand des Dorfes. Draußen war es kühl, und dunkle Wolken hingen am Himmel, doch das Heu wirkte einladend und verströmte einen angenehmen Duft.

Mikael breitete seinen alten Umhang aus. Dann streckte er sich mit Eloisa darauf aus. Sie sahen einander lange in die Augen, ohne etwas zu sagen.

»Los jetzt, Dummerjan«, sagte Eloisa und versuchte zu lächeln. »Was ist, küsst du mich nun endlich oder nicht?«

Mikael näherte seinen Mund Eloisas Lippen, die sich öffneten und seine Zunge aufnahmen. Es wurde ein sanfter inniger

Kuss, der einzige traurige Kuss, den sie sich jemals gegeben hatten. Dann fuhr Eloisa mit ihren Händen unter sein Hemd und grub ihre Nägel in seinen Rücken. Mikael stöhnte, als sie ihn zerkratzte. Seine Augen füllten sich mit Tränen. Vielleicht war es ihr letztes Mal. Er packte sie an den Haaren und zerrte so heftig an ihnen, als wollte er sie ausreißen. Eloisa biss ihn in die Lippen, bis sie Blut schmeckte.

»Beiß du mich auch!«, forderte sie ihn auf.

Mikael biss ihr in die Lippe.

»Fester!«

Mikael biss zu, bis er ihr Blut in seinem Mund schmeckte, das sich mit seinem vermischte.

»Jetzt bin ich dein«, flüsterte Eloisa. »Und du bist mein.«

Da drang Mikael in sie ein, und sie empfing ihn stöhnend. Sie liebten sich in aller Wut und Verzweiflung, kratzten, bissen und würgten sich, bis sie beinahe erstickten. Und als sie den Gipfel höchster Lust erreichten, empfanden beide zugleich tiefsten Schmerz.

Auf dem Rückweg gingen sie wortlos nebeneinanderher, bis sie in Sichtweite ihres Zuhauses kamen.

»Wir müssen es meiner Mutter sagen«, bemerkte Eloisa.

»Nein«, erwiderte Mikael. »Die würde mir glatt ein Bein abschneiden, nur damit ich es nicht versuche.«

»Und ich würde ihr helfen«, sagte Eloisa grimmig.

»Das stimmt nicht«, sagte Mikael. »Du weißt, dass es richtig ist und dass ich es tun muss.«

»Nein, das weiß ich nicht. Auf wen soll ich denn hören, auf meinen Kopf oder auf mein Herz? Die beiden sagen mir unterschiedliche Sachen.«

»Wirst du dich um Harro kümmern?«, fragte Mikael.

»Ich würde es selbst dann tun, wenn ich ihn hasste«, antwortete Eloisa. »Er ist alles, was mir von dir bleiben wird.«

Als sie an der Hütte ankamen, beugte sich Mikael nach

unten, um den alten Molosser zu umarmen. Er drückte ihn so heftig an sich, dass der Hund das Gleichgewicht verlor. Dann stahl er aus den Wintervorräten ein großes Stück getrockneten Fisch und gab es ihm, nachdem er es kleingebrochen hatte, damit Harro es auch mit seinen wenigen verbliebenen Zähnen fressen konnte. Er fragte sich, ob er ihn je wiedersehen würde.

Am Abend nahm Mikael nach dem Essen Agnetes Hand, ehe sie vom Tisch aufstanden.

»Was machst du da, Junge?«, fragte Agnete überrascht und verlegen und versuchte, sie ihm zu entziehen.

Aber Mikael hielt sie fest. Jetzt hätte er gerne etwas Bedeutungsvolles gesagt. Doch er schwieg, blieb einfach so sitzen, drückte ihre Hand und sah sie an.

»Bist du jetzt völlig verblödet, Junge?«, sagte Agnete grantig. »Wenn du nicht sofort meine Hand loslässt, schlage ich dich windelweich.«

Mikael lachte und ließ ihre Hand fahren. Aber sein Lachen klang nicht froh.

Agnete sah ihn kurz an, dann schüttelte sie den Kopf. »Wir sollten jetzt schlafen, morgen müssen wir uns wieder auf den Kohlfeldern den Buckel krumm schuften.« Damit legte sie sich hin.

Zwei Stunden vor Sonnenaufgang stand Mikael auf. Er streichelte ein letztes Mal Harro, der leise und noch schlaftrunken kurz winselte.

Eloisa wartete an der Tür auf ihn, mit einem Leinenbeutel in der Hand, in den sie vier kleine Brotlaibe, drei dicke Scheiben Schinken, ein Tuch mit fünf eingesalzenen Fischen, eine Flasche Starkbier und zwei Decken gepackt hatte. Sie folgte ihm nach draußen und lehnte die Tür an.

»Hier, nimm«, sagte sie leise und reichte ihm ein großes Messer. »Ich hoffe, du musst es nicht benutzen.«

Mikael steckte es sich in den Gürtel. Dann packte er Pfeil und Bogen in den Beutel.

»Weißt du jetzt auch genau, wo der Geheimgang ist?«, fragte Eloisa.

»Ja, du hast es mir mindestens hundert Mal gesagt«, erklärte Mikael mit einem Lächeln.

»Die Latschenkiefer wird mittlerweile gewachsen sein, und du musst ...«

»Das hast du mir auch schon gesagt.«

»Ja, ich weiß«, seufzte sie.

Es waren weder Mond noch Sterne am Himmel zu sehen. Die Nacht war so dunkel, dass sie kaum das Gesicht des anderen erkennen konnten.

»Hast du auch die Kerzen und den Feuerstein eingepackt?«

»Ja.«

Sie schwiegen, reglos einander zugewandt.

»Es ist richtig so, und du weißt das«, sagte Mikael leise und nahm Eloisas Hand. »Wenn keiner den Anfang macht, wird es immer so bleiben. Doch es muss sich etwas ändern.«

»Aber warum musst ausgerechnet du derjenige sein?«, fragte Eloisa mit brüchiger Stimme.

»Weil ich mich nicht aufhängen will wie Gregor.«

Eloisa schwieg.

»Wirst du auf mich warten?«, fragte Mikael.

Eloisa strich zärtlich über sein Gesicht, und ihr war, als würde das Herz in ihrer Brust zerspringen. »Ich werde bis ans Ende der Welt auf dich warten.«

Mikael zog sie an sich. »Unsere Welt wird niemals enden«, flüsterte er ihr ins Ohr.

Eloisa spürte, dass sie ihre Tränen nicht mehr lange zurückhalten konnte. Fast barsch schob sie ihn von sich fort. »Du bist ein schrecklicher Dummerjan, weißt du das?«

»Ja ... ich weiß ...«

»Dann verschwinde endlich, worauf wartest du denn noch?«

Mikael drehte sich um. Dann tat er ganz langsam den ersten Schritt, der ihn von Eloisa fortbringen würde. Mühsam ging er voran, als würden seine Füße in Treibsand versinken. Fort von Eloisa. Fort von Agnete. Fort von seinem ganzen bisherigen Leben.

»Möge Gott dich segnen, Mikael Veedon«, rief Eloisa ihm hinterher. »Ich werde auf dich warten...« Als sie Mikaels Schritte nicht mehr durch die Nacht hallen hörte, kehrte sie in die Hütte zurück. Ihr graute vor der Zukunft, die sich wie ein schrecklicher Abgrund vor ihr aufgetan hatte und sie verschlingen würde.

Mikael erreichte die Brücke über die Uqua, überquerte sie und versteckte seinen Leinenbeutel in einem dichten Gebüsch, nachdem er vorher eine Scheibe Schinken und ein Brot in seine kleinere Umhängetasche gepackt hatte.

Dann kehrte er um und lief hinauf zur Burg.

Sein Plan war einfach. Aber er wusste nicht, ob er auch wirklich aufgehen würde.

Während er auf dem von Raureif gesäumten Weg, der zur Burg führte, vorwärtslief, stellte er fest, dass er große Angst hatte. Mehr als einmal musste er anhalten, weil ihm der Atem stockte. Mehr als einmal überlegte er, ob er nicht umkehren sollte. Aber schließlich sah er die Burgmauern vor sich. Bei ihrem Anblick verwandelte sich seine Angst in blanke Panik. Seine Brust wurde eng, seine Beine zitterten, die Furcht machte ihn blind und taub und erschütterte ihn bis in den letzten Winkel seiner Seele. Und als sie so schlimm geworden war, dass Mikael schon dachte, er würde darüber verrückt, verschwand sie genauso schlagartig, wie sie über ihn gekommen war. Mikael lauschte auf sein Herz, das sich allmählich beruhigte, und spürte, wie seine Lungen sich wieder mühelos mit Luft füllten. Nun konnte er sogar die düstere Stille der Nacht ertragen, die langsam der Morgenröte wich. Und erst da wusste er mit Gewissheit, dass er die Kraft haben würde, seine Aufgabe zu erfüllen. Dass er seinen Plan bis zum Ende ausführen würde.

Vorsichtig, damit niemand ihn sehen konnte, ging er um den Hügel herum, auf dem sich die Burg erhob, bis er deren Ostseite erreichte. Dort kletterte er die Böschung hinauf. Oben an den mächtigen Mauern angekommen lief er zum Nordeck und zählte fünfzig Schritte ab.

»Fünfzig *kleine* Schritte«, hatte Eloisa ihm noch eingeschärft, weil sie selbst sie abgezählt hatte, als sie noch ein kleines Mädchen gewesen war.

Am Ende dieser Strecke sah er sich die Burgmauern genauer an. Er erkannte den felsigen Untergrund, den Eloisa ihm beschrieben hatte. Die Burg war von dichten Büschen umgeben, doch genau am Felsansatz stand eine alte, verkrüppelte Latschenkiefer. Hastig schob er die Zweige beiseite, stach sich dabei an den dicken, nach Harz duftenden Nadeln und fand dann mühelos den Eingang zum Geheimgang.

Zutiefst aufgewühlt starrte Mikael ihn an und blieb stehen. Aus diesem schmalen, schwarzen Loch, vor dem er nun stand, hatte ihn vor sieben Jahren ein kleines Mädchen mit schmutzigem Gesicht und hellblonden, kurz geschnittenen Haaren an den Füßen nach draußen geschleppt, während die Burg in Flammen versank, und ihm so das Leben gerettet.

»Wegen einer Scheibe Hirschfleischpastete«, murmelte er.

Er war tief bewegt. Eloisa hatte ihm zwar davon erzählt, aber er hatte den Eingang nie gesehen. Hinter diesem Geheimgang hatte sein neues Leben begonnen. Und die Erinnerung daran hatte ihn zu seinem Plan angeregt.

Nun stand er dort, wo alles angefangen hatte. Jetzt würde er den Gang in die andere Richtung zurückgehen, und wenn er Glück hatte, würde er nun seinerseits jemandem ein neues Leben schenken.

Emöke.

Mikael machte einen Schritt nach vorn. Sofort umfing ihn Dunkelheit, und er zündete mit dem Feuerstein eine Kerze an. In ihrem Licht konnte er einen engen Gang erkennen, der unter der Burg in den Felsen gehauen worden war. Nach etwa dreißig Fuß, die er auf allen vieren zurücklegen musste, wurde der Gang breiter, sodass er sich aufrichten und nur leicht gebückt weiterlaufen konnte. Im Kerzenschein konnte er noch die Spuren erkennen, die Hacke und Meißel im Fels hinterlassen hatten. Der Boden war feucht, aber gut geglättet. Nach weiteren gut hundertfünfzig Fuß verbreiterte sich der Gang ein wenig zu einem kleinen Raum. An den Wänden hingen Halterungen für Fackeln, die inzwischen fast völlig vom Rost zerfressen waren. Die Fackeln, die dort einst in den Ringen gesteckt hatten, waren inzwischen verfault, und ihre Überreste waren herabgefallen. Das Pech, mit dem sie überzogen waren, hatte sich wie schwarze Blutflecken auf dem Boden ausgebreitet.

Mikael bemerkte die schmale, in den Fels gehauene Treppe, die steil nach oben führte, ganz so, wie Eloisa es ihm beschrieben hatte.

»Wie hast du den Geheimgang denn überhaupt entdeckt?«, hatte Mikael sie am Vortag gefragt, als sie sich den Plan ausgedacht hatten.

»Weil ich eine Spielverderberin bin«, hatte Eloisa geantwortet und gelacht. »Das war eines der ersten Dinge, die du zu mir gesagt hast, nachdem du mich erst als dumm und ungezogen beschimpft hast.« Und Mikael hatte sich wieder an den Tag erinnert, als er ihr seine Scheibe Hirschpastete gegeben hatte, aus Angst, sie würde Eilika sein Versteck verraten. Er hatte sie sogar schwören lassen, nichts zu sagen. »Ich schwöre ... weißt du, dein Kinderkram ist mir ohnehin egal«, hatte Eloisa darauf geantwortet und weiter seine Pastete angestarrt. Und da hatte er zu ihr gesagt: »Du siehst aber aus wie eine Spielverderberin.«

Versonnen lächelnd betrachtete er nun die Treppe und fragte sich wieder einmal, wie es einem neunjährigen Mädchen hatte gelingen können, ihn aus der Burg zu schleppen.

Er stieg weiter nach oben. Jetzt dröhnte sein Herzschlag erneut in seinen Ohren, und seine Knie waren wieder etwas weicher geworden. Er stützte sich an der Felswand ab, als könnte er dort Kraft schöpfen. Am oberen Ende der Treppe sah es so aus, als endeten die Stufen unmittelbar an einer fest gemauerten Decke, doch Eloisa hatte ihm erklärt, dass sich der Stein in der Mitte bewegen ließ. Er drückte leicht dagegen. Erde und Staub, die sich in den letzten Jahren in den Spalten abgesetzt hatten, regneten auf ihn herab. Aber dann ließ sich der Stein herausnehmen. Er kam ihm ungewöhnlich leicht vor. Als Mikael ihn genauer untersuchte, stellte er fest, dass er aus Holz war. Allerdings war er so bemalt, dass er wie ein Stein wirkte. Jeder, selbst ein neunjähriges Mädchen, hätte ihn anheben können. Eine geniale Idee.

Vorsichtshalber löschte er die Kerze. Eloisa hatte ihm zwar erklärt, dass er in einem Keller schräg neben der Küche herauskommen würde, wo niemals jemand vorbeiging, aber Mikael wusste nicht, ob sich nach dem Wiederaufbau nicht etwas in den Abläufen auf der Burg geändert hatte. Er blieb stehen und lauschte. Nichts war zu hören. Dann kletterte er auch noch die letzten Stufen hoch und fand sich in einem niedrigen, feuchtkalten Raum wieder, der direkt in den Felsen gehauen war. Daher hatte sich das Feuer hier auch nicht ausbreiten können. Eloisa war sich also sicher gewesen, dass der Geheimgang immer noch begehbar war. Im Raum stand ein wenig Gerümpel herum: ein wackeliger Tisch, zwei Fässer mit ausgeschlagenem Boden, Stühle ohne Sitzflächen und Truhen, die von Mäusen angeknabbert worden waren.

Mikael wandte sich nach rechts. In der Wand war eine kleine Tür eingelassen. Sie sah neu aus, bestimmt war die alte den

Flammen zum Opfer gefallen. Als Mikael die Hand nach dem Griff ausstreckte, betete er stumm, dass sie nicht von außen verschlossen sein möge. Mit einem leisen Quietschen schwang die Tür jedoch mühelos auf.

Im kalten Licht der Morgendämmerung konnte man einen weiteren kleinen Raum erkennen. Er lag etwas versetzt unterhalb der Küche, die sich auf Höhe des Burghofs befand. Mikael atmete noch einmal tief durch, ballte die Fäuste, um etwas von seiner Spannung abzubauen, zog sich die Kapuze über den Kopf, damit man ihn nicht erkannte, und stieg dann die sieben Stufen nach oben, die hinter der Küche endeten.

Er hörte, dass die Köche und Küchenmägde dort bereits eifrig bei der Arbeit waren. Sie holten Brot aus dem Ofen und drehten brutzelnde Schinken an ihren Spießen. Mit gesenktem Kopf lief er an der offen stehenden Küchentür vorbei, und schon stand er mitten im Hof. Hier war noch so gut wie niemand auf den Beinen. Mikael eilte zu dem kleinen Gebäude, in dem die Huren untergebracht waren. Er hoffte, dass Emöke noch dort war und nicht im Kerker, denn dann wäre sein Plan gescheitert. Doch mit einigem Recht konnte er annehmen, dass man bei Emöke nicht fürchtete, sie könnte fliehen. Eine Flucht wäre für jeden schwierig, wenn nicht gar unmöglich gewesen, selbst für einen bewaffneten Krieger. Also war kaum anzunehmen, dass es der Verrückten glücken würde, an den fünf Wachen des Burgtores vorbeizukommen.

Mit eingezogenem Kopf spähte Mikael vorsichtig ins Innere des Gebäudes, in dem die Huren lebten.

Er entdeckte sie sofort. Sie saß ein wenig abseits, blickte heiter und gelassen und unterhielt sich mit jemandem, den offenbar nur sie sehen konnte. Doch außer ihr waren dort noch andere Frauen, sodass Mikael nicht einfach hineinspazieren und sie mit sich nehmen konnte. Vielleicht hätte eine der Huren Alarm geschlagen, und sei es auch nur, weil sie um ihr eigenes

Leben fürchtete. Doch ihm fiel auch nichts ein, mit dem er Emökes Aufmerksamkeit hätte erregen können.

In dem Moment runzelte sie die Stirn, als hätte ihr unsichtbares Gegenüber ihr etwas Merkwürdiges gesagt. Sie sah hinüber zur Tür und begegnete Mikaels Blick. Sofort stand sie auf und ging zu ihm. Die anderen Frauen beachteten sie nicht weiter.

Als sie vor Mikael stand, wirkte sie überhaupt nicht überrascht und stellte keine Fragen. Sie sah ihn nur an.

»Gehen wir, Emöke«, sagte Mikael mit angststickter Stimme. Als sie sich nicht rührte, nahm er ihre Hand. »Komm bitte mit«, sagte er. Und plötzlich musste er wieder an den Tag zurückdenken, als Ojsternig ihn gezwungen hatte, Emöke von dem Feld zu holen, auf dem sie umherirrte, noch ganz gefangen in dem Schmerz, über den sie ihren Verstand verloren hatte. Auch an jenem Tag hatte Mikael gesagt: »Komm bitte mit.« Und er hatte sie Ojsternig übergeben. Vielleicht fühlte er sich deswegen verpflichtet, sie zu befreien. Weil er sich für ihr Schicksal verantwortlich fühlte.

Emöke lächelte ihn an und ließ sich folgsam über den Hof führen. Sie kamen an der Küche vorbei, stiegen die sieben Stufen nach unten in den kleinen Abstellraum und schlüpften durch die Bodenöffnung des Geheimgangs. Mikael setzte den falschen Stein wieder ein, und erst als sie die Treppe hinter sich gelassen hatten, stellte er fest, dass er die ganze Zeit den Atem angehalten hatte. Keuchend schnappte er nach Luft.

Emöke wirkte heiter und gelassen. Sie stellte noch immer keine Fragen.

»Komm, Emöke«, sagte Mikael zu ihr, ließ ihre Hand los und betrat als Erster den Geheimgang.

»Komm, Gregor«, sagte Emöke hinter ihm.

Als sie zu der Stelle kamen, an der der Gang sich verengte, ehe er schließlich ins Freie führte, blieb Mikael stehen. »Wir müssen hier warten, bis es dunkel ist«, sagte er und breitete seinen Umhang aus. »Setz dich, Emöke.«

Die Frau gehorchte und starrte schweigend vor sich hin.

Eine Stunde später kroch Mikael vor zum Ausgang, wo er jedoch hinter den Zweigen der Latschenkiefer geduckt verharrte. Er sah, wie Reiter die Felder und das Unterholz durchkämmten. Sie suchten also bereits nach ihnen. Wenn Emöke und er gleich aus der Burg geflohen wären, hätte man sie bestimmt gefunden. Sie mussten also hier mitten in der Höhle des Feindes ausharren, auch wenn es noch so beängstigend war. Mit Einbruch der Dunkelheit würde man die Suche bis zum nächsten Morgen aufgeben. Das war ihre Gelegenheit: Wenn es ihnen in der Nacht gelang, sich unbemerkt möglichst weit von der Burg zu entfernen, stünden die Aussichten nicht schlecht, dass sie heil davonkämen.

Gegen Mittag teilten sie sich eine Scheibe Schinken. Aber keiner von ihnen rührte das Brot an.

Mikael musste ununterbrochen an Eloisa denken.

»Verstehst du, was wir tun, Emöke?«, fragte Mikael, und das Herz war ihm schwer. »Du wirst nie mehr hierher zurückkehren.«

»Ich nicht. Du aber schon.« Emöke sah ihn mit ihren ausdruckslosen Augen an, als wäre sie ganz woanders. »Hier wird sich dein Schicksal vollenden.«

Mikael senkte den Blick und blieb bis zum Abend still sitzen. Er wusste, dass es nun Zeit zum Aufbruch war. Wenn man sie fand, würde man sie töten. Mikael wusste nicht, ob er wirklich bereit war zu sterben, wie er es Eloisa gesagt hatte. Und die Angst hielt ihn hier in diesem finsteren Gang fest, so wie sie ihn in dem dunklen Loch unter Agnetes Hütte festgehalten hatte, als er noch ein kleiner Junge war. Er konnte sich nicht aufraffen, bis er plötzlich ein raschelndes Geräusch am Eingang hörte. Sie haben uns gefunden!, dachte er entsetzt.

»Kommt raus!«, flüsterte eine Stimme.

Mikael blieb vor Überraschung der Mund offen stehen.

»Bist du da, Mikael?«, fragte eine ängstliche Stimme. »Sag mir, dass du da bist.«

Und da überwältigte Mikael unendliche Freude. So schnell er konnte, kroch er zum Ausgang und kümmerte sich nicht darum, dass er sich an dem harten, kalten Fels Hände und Knie aufschürfte. Sobald er draußen war, stürzte er auf Eloisa zu und umklammerte ihre Schultern. »Warum? Warum? Das ist doch Wahnsinn«, beschimpfte er sie mit rauer Stimme. Aber gleichzeitig hielt er sie fest umschlungen, von Gefühlen übermannt, die er nicht unterdrücken konnte.

Eloisa klammerte sich mit verzweifelter Inbrunst an ihn. »Weil ich dich ein letztes Mal sehen wollte«, schluchzte sie. »Weil ich mich mit meinen eigenen Augen davon überzeugen musste, dass du noch lebst ...«

»Das ist Wahnsinn ...«

»Und weil ich dir sagen wollte ...«, Eloisa machte eine Pause, als würden die folgenden Worte sie unendliche Überwindung kosten, »dass ... das, was du tust ... richtig ist. Und dass ich stolz auf dich bin.«

Mikael weinte vor Freude, er presste Eloisa noch fester an sich, und seine Tränen vermischten sich mit ihren.

»Emöke ...?«, fragte Eloisa.

»Sie ist hier bei mir.« Mikael drehte sich zum Eingang des Gangs um. »Komm heraus, Emöke.«

Als Emöke kurz darauf erschien, umarmte Eloisa auch sie. Doch Emöke schien es gar nicht wahrzunehmen und verharrte teilnahmslos. Besorgt drehte Eloisa sich zu Mikael um.

»Wir werden es schaffen«, beruhigte er sie. Er streichelte ihr übers Gesicht, fuhr ihr zärtlich mit den Fingern über die Lippen. »Ich will, dass du jetzt gehst.«

»Nein!«, widersprach Eloisa heftig.

Mikael packte sie bei den Schultern. »Als ich dir gesagt habe, dass wir beide davonlaufen sollten, hast du mir geantwortet, dass du deine Mutter nicht allein lassen kannst.«

»Ich begleite euch nur bis zur Brücke.«

»Nein«, widersprach Mikael. »Wenn sie uns dort finden ...«

Eloisa presste ihm die Hand auf den Mund. »Sag es nicht! Wag es ja nicht, es auszusprechen!«

»Dann geh jetzt«, sagte Mikael.

Eloisa schmiegte sich noch einmal mit aller Kraft an seine Brust und hielt ihn fest.

Mikael machte sich entschlossen los. »Dann geh jetzt«, wiederholte er.

»Mach dir keine Sorgen, Eloisa«, sagte Emöke.

Eloisa sah sie an, und als sie ihr Spiegelbild in diesen verrückten Augen entdeckte, fühlte sie sich auf einmal beruhigt, ohne dass es dafür einen vernünftigen Grund gab.

»Ich werde zurückkommen, das schwöre ich dir«, sagte Mikael mit brüchiger Stimme.

»Ja, du wirst zurückkommen«, sagte Eloisa und nickte heftig. Dann verschwand sie schnell und leise wie eine Katze im Dunkel der Nacht.

Kurz darauf sagte Mikael zu Emöke: »Gehen wir.«

Als sie sich der Brücke näherten, bemerkte Mikael, dass Ojsternig dort zwei Wachen postiert hatte. Sie saßen etwa dreißig Schritt vor der Brücke auf dem Boden, den Rücken zur Brücke gewandt. Vor ihnen brannte ein Lagerfeuer, und sie ließen eine Weinflasche zwischen sich hin und her gehen. Dabei lachten sie und unterhielten sich. Ihre Schwerter hatten sie in den Boden gebohrt, im Licht des Feuers sahen sie aus wie zwei zitternde Kreuze.

Eins für mich und eins für Emöke, dachte Mikael erschauernd.

Wenn man in den Wald wollte, gab es zu dieser Jahreszeit nur den Weg über die Brücke. Die Uqua führte noch viel reißendes, eiskaltes Wasser, sodass weder er noch Emöke die Nacht überleben würden, falls sie hindurchwateten. Mikael spürte, wie die Hoffnung ihn verließ.

Ich war ein Narr, schalt er sich.

Aber wenn sie dort im Tal blieben, hätten sie noch weniger Chancen zu überleben.

Er schaute zu den beiden Soldaten. Sie hatten der Brücke den Rücken zugekehrt, weil sie zwar jeden aufhalten sollten, der versuchte, das Tal zu verlassen, aber nicht die, die hineinwollten. Sie tranken weiter und lachten dazu.

»Komm«, flüsterte er Emöke zu. Er nahm sie bei der Hand und machte einen weiten Umweg, bis er eine Stelle nördlich der beiden Männer erreichte, wo die Uqua breiter und flacher verlief. Dann liefen sie im Flussbett, das sich weiter oben im Lauf tief ins Erdreich gegraben hatte, wieder vorsichtig zur Brücke zurück. Etwa fünfzig Schritt davon entfernt sagte er zu Emöke: »Zieh deine Schuhe aus und sei ganz leise.« Die einzige Möglichkeit bestand darin, unbemerkt hinter den Soldaten auf die Brücke zu gelangen und dann darauf zu hoffen, dass sie sie nicht hören oder sich umdrehen würden, wenn sie darüberliefen.

Das schaffen wir niemals, dachte er, und sein Herz klopfte wie verrückt.

Er drückte Emökes Hand. »Gehen wir.«

Dann machten sie sich auf den Weg. Mikael hätte nicht sagen können, wie lange sie brauchten, bis sie auf der Brücke standen. Nun hätte nur einer der Soldaten sich umdrehen müssen, und das wäre ihr Ende gewesen. Er umklammerte das große Messer, um sich Mut zu machen. Aber er wusste, dass er damit wenig ausrichten konnte gegen zwei Schwerter und zwei Soldaten, die damit umzugehen wussten und es gewohnt waren, zu töten.

Er setzte einen Fuß auf die erste Bohle der Brücke. Emöke folgte ihm sanft, ohne sich anmerken zu lassen, ob sie besorgt war. Mikael ging los. Am liebsten wäre er gerannt, doch er bewegte sich betont langsam und setzte vorsichtig einen Fuß vor den anderen. Das andere Ende der Brücke schien ihm meilenweit entfernt.

Das schaffen wir niemals, dachte er erneut.

Auf halber Strecke knarrte plötzlich ein Balken beängstigend laut, als er sich unter seinem Gewicht bog. Mikael stockte der Atem. Seine Muskeln erstarrten, und er drehte sich mit schreckgeweiteten Augen zu den Soldaten um. Dieses Geräusch mussten sie in der Stille der Nacht doch gehört haben.

»Hab keine Angst«, sagte Emöke und sah ihn mit ihren verrückten Augen und ihrem verklärten Lächeln an.

»Sei um Gottes willen still«, zischte Mikael.

»Sie können uns nicht hören«, sagte Emöke. Sie deutete auf die Wachen, die immer noch laut grölend Wein tranken. »Gregor hält ihnen die Ohren zu, siehst du ihn denn nicht?« Dann schritt sie zügig und ohne besondere Vorsicht aus und führte Mikael sicher auf die andere Seite der Brücke.

44

Inzwischen waren sie schon zwei Stunden unterwegs.

Mikael hatte den Beutel mit den Vorräten, die Decken und den Bogen aus dem Versteck geholt und war in den Wald vorangegangen. Doch dort kam man nur mühsam vorwärts. Es herrschte undurchdringliche Dunkelheit, und so gut er sich mittlerweile auch in dem Wald zu orientieren vermochte, sahen sie doch nicht, wo sie ihre Füße hinsetzten, und stolperten oft. Je höher sie stiegen, desto unangenehmer machte sich die Kälte bemerkbar. Mikael hatte Emöke die Decken umgelegt, aber während er sie an der Hand führte, merkte er, dass sie dennoch zitterte. Seine Beine waren inzwischen auch ganz steif und alle Muskeln krampfhaft angespannt. Doch wenn sie anhielten, würden sie vielleicht erfrieren. Sie mussten unbedingt einen Unterschlupf finden.

»Schaffst du es, Emöke?«, fragte Mikael.

»Ja«, antwortete sie, doch ihre klappernden Zähne ließen ihn zweifeln.

»Wir sind gleich da«, log er. Es gab nur einen Ort, an dem sie nicht erfrieren würden, und der lag noch eine gute Stunde Weges entfernt. Er zog seinen Umhang aus und legte ihn Emöke zusätzlich über die Schultern. Dann ging er weiter.

Als sie den Wald hinter sich ließen und nicht mehr durch die Bäume geschützt waren, wurde es erneut kälter. Emöke schleppte sich nur noch vorwärts, sie war am Ende ihrer Kräfte. Doch jetzt hatten sie es fast geschafft. Die »Höhle des Drachen« war kaum noch dreihundert Fuß entfernt.

Als Mikael anklopfte, spürte er Hände kaum noch.

Aus der Hütte drang Gepolter, dann ging das Licht einer Laterne an, und schließlich öffnete Raphael mit einem langen Messer in der Hand die Tür.

»Junge«, sagte er, doch er wirkte keineswegs überrascht. Vielmehr schien er ihn erwartet zu haben. Er warf einen schnellen Blick auf Emöke, bevor er beiseitetrat. »Kommt herein.«

»Ich will Euch keine Schwierigkeiten bereiten«, sagte Mikael drinnen. »Bei Tagesanbruch verschwinden wir.«

Raphael antwortete darauf nicht, sondern legte stumm einen großen Stapel Holzscheite in den Kamin und fachte die Glut wieder an. Dann entkorkte er die Flasche Kräuterlikör der Mönche von Dravocnik und füllte damit großzügig zwei Becher, einen für Mikael und einen für Emöke. Er wies die junge Frau an, sich nahe ans Feuer zu setzen, nahm ihr die vollkommen durchnässten Decken und den Umhang ab und hüllte sie in zwei wärmende Wolfsfelle. Dann zog er ihr die dünnen Schuhe aus, kniete sich vor sie hin und massierte ihr kräftig die eiskalten Füße.

Mikael saß stumm da und beobachtete ihn vor Kälte zitternd.

»Trink, mein Junge«, befahl Raphael ihm. »Du bist stärker als sie, doch auch du kannst dir den Tod holen. Es wird Zeit, dass du das merkst. Wärm dir die Füße, denn wenn du auch nur einen Zeh verlierst, wirst du tagelang nicht laufen können. Und ich nehme an, dass ihr einen langen Weg vor euch habt.«

Mikael setzte sich neben Emöke, zog seine durchweichten Filzstiefel aus und massierte sich folgsam die Füße.

»Trink doch endlich, mein Gott!«, wiederholte Raphael mit Nachdruck. Dann führte er Emöke den Becher an die Lippen. »Und du auch, Frau!«

»Sie heißt Emöke«, sagte Mikael.

»Das weiß ich schon«, erwiderte Raphael düster, während er ihr weiter die Füße knetete. »Glaubst du etwa, nachdem die einen ganzen Tag alles nach ihr abgesucht haben, wäre die Neuigkeit nicht bis hierher durchgedrungen?«

Emöke hatte sich inzwischen unter den Wolfsfellen wie ein kleines Kind zusammengerollt und war sofort eingeschlafen. Raphael maß ihre Füße aus und wickelte sie dann in eine wollene Decke. Er stand auf und suchte im flackernden Licht der Laterne etliches Werkzeug und Material zusammen: ein dickes Stück Filz, einige Wolfspelze, ein Kaninchenfell, ein Hirschfell und ein großes Stück grobes Leder, ein kurzes Messer, Metalldraht, gewachstes Hanfgarn, Zangen und Nadeln. Schweigend setzte er sich an den Tisch und schnitt erst das grobe Leder, dann den Filz zu. Er fädelte den Hanffaden durch das Nadelöhr, und während er mit den Zangen beides zusammenhielt, nähte er den Filz an das Leder.

Mikael setzte sich neben ihn.

Raphael unterbrach seine Arbeit und schenkte ihm noch mehr Kräuterlikör ein.

Mikael trank ihn gehorsam. In seinem Kopf drehte sich alles, doch die Kälteschauer ließen allmählich nach.

Der Alte nahm seine Näharbeit wieder auf. Dann hielt er plötzlich inne und sah Mikael an. »Was sollte diese Wahnsinnstat?«, fragte er ihn.

Mikael schwieg.

Kopfschüttelnd nähte Raphael weiter.

Mikael merkte, wie die Müdigkeit ihn übermannte. Er legte den Kopf auf den Tisch und schloss die Augen. »Ich habe vergessen ... Euer Buch ... mitzunehmen ...«, stammelte er und schlief schließlich ein.

»Das brauchst du nicht mehr«, flüsterte Raphael, und ein Lächeln kräuselte seine faltigen Lippen.

Als Mikael erwachte, war Raphael nicht in der Hütte. Es dämmerte bereits. Auf dem Tisch standen zwei Paar Stiefel aus Filz mit Sohlen aus festem Leder, die mit Kaninchenfell gefüttert und mit Wolfspelz überzogen waren, ein Obergewand aus Hirschfell mit einem Kaninchenpelzkragen, zwei Hosen aus gekochter Wolle und ein weiteres Obergewand aus Wolfsfell. Der alte Mann hatte die ganze Nacht durchgearbeitet.

Mikael stand auf und trat vor die Tür.

»Bleib gefälligst drinnen, mein Junge! Bist du blöd?«, hörte er Raphael neben sich sagen.

Mikael wandte sich um. Er sah, dass der alte Mann gerade etwas in einen großen Lederbeutel füllte, doch er konnte nicht erkennen, was es war. An einer Seite des Beutels war ein langes, schmales Futteral aus Filz angebracht. »Was ist das?«, fragte Mikael.

»Geh hinein, verdammt noch mal!«, rief Raphael.

Mikael trat zurück in die Hütte. Inzwischen war auch Emöke aufgewacht und sah ihn lächelnd an.

»Wie fühlst du dich?«, fragte Mikael.

Emöke lächelte ihn weiter stumm an.

Kurz darauf war Raphael wieder bei ihnen. Er zeigte auf die Kleidungsstücke, die auf dem Tisch lagen, und sagte: »Legt eure Sachen ab und zieht das da an.«

Emöke stand auf und ließ das leichte Kleid zu Boden gleiten, das sie in der Burg als Hure getragen hatte. Beim Anblick ihres nackten Körpers wandte Mikael sich ruckartig ab und errötete heftig.

Raphael lachte schallend. Er reichte ihr eine der Hosen, holte noch ein Hemd aus dicker Wolle, half ihr beim Anziehen und kürzte die Ärmel mit einem Messer auf die richtige Länge. Dann half er ihr, das Obergewand aus Hirschfell mit dem Kaninchenfellkragen überzustreifen. »Das wird dich warm halten«, sagte er und streichelte ihr wie einer Tochter über den Kopf. Schließlich wandte er sich Mikael zu. »Brauchst du etwa auch Hilfe?«, fragte er ihn.

Mikael nahm die Kleider und zog sich verlegen mit dem

Rücken zu ihnen an. Die Stiefel waren warm und bequem, genau wie die wollenen Hosen und das Pelzgewand.

»Wir warten bis zum Sonnenuntergang«, sagte Raphael dann und bereitete eine kräftige Mahlzeit aus Kaninchenfleisch, Haferbrei, Honig und Starkbier zu.

»Und wenn sie kommen?«, fragte Mikael, während er das Essen in sich hineinstopfte.

»Dann werden wir unsere Haut teuer verkaufen«, erwiderte Raphael düster. Als er sah, dass Mikael daraufhin ganz blass wurde, lachte er schallend. Er schüttelte belustigt den Kopf. »Dann werdet ihr euch dort verstecken«, sagte er und zeigte auf eine Luke. Er zwinkerte Mikael zu. »Na, du kennst das ja schon, oder?«

Mikael schämte sich, dass er Raphael seine Furcht gezeigt hatte.

»Angst zu haben ist gut«, erklärte der alte Mann. »Und du hast schon ausreichend Mut und Leichtsinn bewiesen«, fügte er ein wenig stolz hinzu. »Ruht euch jetzt aus. In den nächsten Tagen werdet ihr eure ganze Kraft brauchen.«

Emöke streckte sich auf dem Strohlager aus.

Raphael sah zu ihr hinüber.

Sie schien seine Augen auf sich zu spüren und starrte zurück. Die beiden wechselten einen langen Blick, bis Emöke schließlich lächelnd die Augen schloss.

»Und was werden wir bei Sonnenuntergang tun?«, fragte Mikael.

»Was war denn dein Plan?«, erwiderte Raphael.

Mikael errötete heftig. »Ich hatte gar keinen ...«

»Na ja«, sagte Raphael und zuckte nur mit den Schultern. »Du hattest immerhin einen guten Plan, um Emöke zu retten. Und du wusstest, dass du hierherkommen musstest. Das ist schon sehr viel für einen Jungen.«

»Ich bin doch kein ...«, wollte Mikael gerade widersprechen, doch als er in Raphaels faltenüberzogenes Gesicht sah und merkte, dass der alte Mann ihn voller Stolz anlächelte, lachte er auf. »Was tun wir also bei Sonnenuntergang?«, fragte er erneut.

»Wir warten auf einen Freund«, erklärte Raphael.

»Auf wen?«

»Jemanden, den du kennst.«

»Eloisa?«, fragte Mikael und strahlte gleich über das ganze Gesicht.

Raphael zog traurig die Augenbrauen zusammen. »Nein, mein Junge . . . Es tut mir leid.«

»Werdet Ihr über Eloisa wachen?«, bat Mikael eindringlich.

Raphael nickte ernst. Dann stand er auf. »Wenn ihr jemanden kommen hört, versteckt euch dort in dem Verschlag. Ich habe zu tun«, sagte er und machte Anstalten, die Hütte zu verlassen.

»Wo geht Ihr hin?«, fragte Mikael.

Doch Raphael antwortete ihm nicht und schloss die Tür hinter sich.

Die Zeit in der Hütte wollte nicht vergehen, und Mikael musste ständig an Eloisa denken. Sein Herz schmerzte, als hätte er hohes Fieber. Sein Körper erbebte in Erinnerung an die Lust, die sie gemeinsam erlebt hatten. In seinem Kopf wechselten ununterbrochen sehnsuchtsvolle und schreckliche Bilder einander ab.

Eine Stunde vor Sonnenuntergang kam Raphael zurück. Er führte vier Schafe mit sich, die er auf der Wiese weiden ließ. Dann ging er in die Hütte und schaffte ein Fässchen mit getrocknetem Rehfleisch nach draußen. Als er zurückkam, hatte er den Lederbeutel bei sich, den er am Morgen vor der Hütte gefüllt hatte.

»Setz dich«, sagte Raphael und ging zum Tisch.

Mikael setzte sich ihm gegenüber.

Der Alte schnürte das Filzfutteral auf, öffnete es und zog ein Schwert mit einem kunstvoll verzierten Heft heraus, in das drei große Smaragde eingelassen waren. Er legte das Schwert zwischen sich und Mikael auf den Tisch.

Mikaels Blick glitt bewundernd über die prachtvolle Waffe. Die Klinge aus gehärtetem Stahl glänzte sorgsam gepflegt. Alles in allem glich die Waffe dem Schwert seines Vaters. Es war das Schwert eines Fürsten.

»Für einen Krieger ist sein Schwert weit mehr als eine Waffe«, begann Raphael mit seiner dunklen Stimme, den Blick starr auf die Klinge vor sich gerichtet. »Es ist seine Seele. Es ist das, was ihn ausmacht. Sein Schicksal.«

Mikael beobachtete den alten Mann, während er erzählte, und auf einmal kam er ihm verändert vor. Ein nie gesehener Stolz lag in Raphaels Augen. Aber auch entsetzlicher Schmerz. Und vielleicht sogar Scham, dachte er.

»Der Eigentümer dieses Schwerts«, fuhr Raphael fort, »hat ihm keine Ehre gemacht.« Dann schwieg er lange, in seine Gedanken versunken. Sein Blick ging zu Mikael. »Du hast jetzt die Gelegenheit, diese edle Waffe wieder in Ehren einzusetzen. Sie von der Schande zu reinigen, mit der ihr Vorbesitzer sie befleckt hat.« Er schob das Schwert zu Mikael hin.

Mikael wich beinahe ängstlich zurück.

»Fass es an«, sagte Raphael.

Mikael streckte scheu die Hand nach der Klinge aus.

»Nein. Nimm es am Heft«, sagte Raphael mit Nachdruck, als sei er gewohnt, Befehle zu erteilen.

Mikael atmete tief durch. Dann schloss sich seine Hand vorsichtig um den Schwertgriff.

»Kräftig! Wie ein Mann!«, rief Raphael.

Mikael verstärkte den Griff.

»Und jetzt heb es hoch.«

Mikael erhob das Schwert.

»So, jetzt gehört es dir«, sagte Raphael. »Und du ihm.«

Mikael blieb mit halb erhobenem Schwert stehen und wusste nicht, was er tun sollte. »Also wart Ihr ein Ritter?«, fragte er schließlich.

Raphael schwieg.

»Gehörte das Schwert Euch?«

»Der Mann, dem es gehörte, ist vor vielen Jahren gestorben«, antwortete Raphael. »Er war ein Unwürdiger, über den es sich nicht lohnt, auch nur ein Wort zu verlieren.«

»Das glaube ich nicht.«

Raphael sah ihn ruhig an. »Glaub doch, was du willst ... Mikael.«

Im gleichen Augenblick bemerkten sie, dass Emöke nicht mehr bei ihnen in der Hütte war, und sprangen beunruhigt auf. Raphael rannte aus der Hütte, Mikael legte das Schwert ab und folgte ihm.

Raphael war nicht weit gekommen. Schweigend stand er da und deutete auf die Mitte der Wiese.

Dort sah Mikael Emöke sitzen, eingehüllt in eine Art Nebel, der ihre Konturen verwischte. Und dieser Nebel schien sich nur um sie herum zu bewegen.

»Bring sie wieder hinein, mein Junge«, sagte Raphael und bekreuzigte sich.

Mikael ging zu Emöke, und erst als er nur noch wenige Schritte von ihr entfernt war, begriff er, was er da eigentlich sah.

Sie saß ganz aufrecht mit überkreuzten Beinen da, ihre Hände ruhten auf den Knien. Und um sie herum flatterten Hunderte Schmetterlinge in allen Farben. Weiße, gelbe, himmelblaue und bunt gemusterte.

Er blieb erschrocken stehen. »Emöke ...«, sagte er mit zitternder Stimme. »Komm hinein ...«

Emöke stand auf, und einen Moment später waren die Schmetterlinge in der Dunkelheit verschwunden.

»Wie hast du das gemacht?«, fragte Mikael, immer noch verwirrt von dem, was er gerade beobachtet hatte.

»Was gemacht?«, erwiderte Emöke.

Mikael sagte nichts mehr. Als sie wieder in der Hütte waren, bemerkte er, dass auch Raphael blass geworden war.

Kurz darauf hörten sie ganz in der Nähe ein Pferd wiehern.

Raphael bedeutete Mikael, er solle keine Angst haben. »Kommt«, sagte er. »Es ist Zeit zum Aufbruch.«

Draußen erwartete sie der Schwarze Volod auf dem Zelter, den er Ojsternig gestohlen hatte. Er sah von Emöke zu Mikael, dann neigte er respektvoll den Kopf vor Raphael.

»Die beiden werden mit dir gehen«, sagte der alte Mann.

»Ich habe schon klargestellt, dass ich keinen Bauern brauchen kann, der meinen Leuten das Essen wegnimmt«, erwiderte Volod.

»Er wird gar nichts wegnehmen«, erklärte Raphael und zeigte auf die vier Schafe und das Fässchen mit dem Rehfleisch. »Er hat genug dabei, um auch euch auf dem Weg zu ernähren.«

»Du gehst also wirklich?«, fragte Mikael enttäuscht dazwischen. »Du überlässt alle hier ihrem Schicksal?«

»Mit deinem Heldenstück hast du ganz schön für Wirbel gesorgt, Bauer«, sagte Volod. »Im Wald wimmelt es von Soldaten. Selbst wenn ich bleiben wollte, wäre es jetzt nicht mehr möglich. Früher oder später würden sie uns erwischen.«

»Das tut mir leid ...«

»Und mir tut es leid, dass ich eine Frau und einen Bauern mitschleppen muss, der nicht einmal kämpfen kann«, erwiderte Volod an Raphael gewandt.

Der Alte hielt schweigend seinem Blick stand. »Hol deine Sachen, Mikael«, sagte er schließlich.

Mikael nahm den Lederbeutel mit dem Filzfutteral und das Schwert.

Volods Blick ging zu der eindrucksvollen Waffe. »Kann er damit umgehen?«

»Er wird es schnell lernen«, antwortete Raphael.

»Dann muss ich also Amme spielen?«

»Nein«, entgegnete Raphael ernst. »Sein Lehrer sein.«

»Warum hast du es ihm nicht beigebracht?«

»Weil ich gehofft habe, dass er es niemals brauchen würde«, antwortete Raphael. »Aber offensichtlich ist das seine Bestimmung.« Er legte Mikael die Hand auf die Schulter, mit feierlichem Ernst wie bei einem Ritterschlag. »Ich habe immer gewusst, dass aus ihm kein guter Bauer wird.«

Die beiden Männer sahen einander schweigend an.

Volod senkte zuerst den Blick. »Wie Ihr befehlt, Baron«, sagte er mit tiefer Ehrerbietung.

Mikael drehte sich verwundert zu Raphael um.

»Ich danke dir, Volod«, sagte Raphael, ohne Mikael anzusehen. Doch der feste Griff um seine Schulter wirkte herzlich wie ein Abschied.

»Wir müssen gehen. Die Männer warten schon auf uns«, sagte Volod. Er nahm das Fässchen Rehfleisch von Raphael entgegen und befestigte es an seinem Sattel, dann wendete er sein Pferd und trieb es im Schritt auf den Wald zu. »Weißt du wenigstens, wie du deine Herde zu führen hast, Bauer?«, rief er lachend über die Schulter.

»Steck das Schwert in das Futteral«, sagte Raphael. Der alte Mann trieb die Schafe zusammen, band sie mit einem Seil am Hals zusammen und reichte Mikael ein Ende des Stricks. »Bind sie nachts nicht los. Tagsüber werden sie dir von allein folgen.« Raphael umarmte Mikael und drückte ihn fest an sich. Als er ihn losließ, sah Mikael, dass seine Augen feucht waren.

»Möge Gott dich beschützen . . .«

»Komm, Emöke«, sagte Mikael und ging auf den Wald zu, an

459

dessen Rand Volod ihn auf seinem nervös tänzelnden Zelter erwartete.

»Warum hast du ihn Baron genannt?«, fragte Mikael ihn, als er bei ihm angelangt war.

»Hat er dir seine Geschichte nicht erzählt?«

»Nein ...«

»Dann will er wohl nicht, dass du sie erfährst«, sagte Volod. »Und jetzt beeilt euch. Dass eins klar ist: Wir werden nicht auf euch warten. Ich werde nicht zulassen, dass ihr unsere Reise aufhaltet.«

Mikael hielt mit einer Hand das Seil mit den Schafen, in der anderen Emökes Hand. Und alle ließen sich brav von ihm führen.

»Der Alte weiß es nicht, aber alle haben ihm längst verziehen. Er hat seine Schuld abgebüßt«, sagte Emöke, nachdem sie einige Schritte gegangen waren. »Eines Tages solltest du ihm das sagen.«

»Was hat man ihm verziehen?«

Emöke antwortete nicht.

Und dann brach schlagartig die Dunkelheit über sie herein.

45

Um sie herum war es stockfinster. Doch Volod zögerte nie, und Mikael wie Emöke folgten ihm ohne ein Wort. Sie stiegen eine Schlucht nach unten, die Mikael nicht kannte und die in einem Tal endete. Doch es war weder das Raühnval noch das Tal von Dravocnik.

An einer Stelle, wo der Wald lichter wurde, stießen sie zu Volods Männern, die inzwischen ein Lager aufgeschlagen und ein großes Feuer angezündet hatten.

Mikael bemerkte, dass die Rebellen ihn mit Respekt betrachteten.

»Wir warten hier, bis es hell wird«, sagte Volod zu Mikael. »Der letzte Teil des Abstiegs ins Kanaltal besteht fast nur aus Fels. Nachts könnte das unser Tod sein. Bind deine drei Schafe an.«

»Es sind vier«, stellte Mikael richtig.

»Nein, es sind drei«, sagte Volod. »Heute Abend werden meine Männer essen.«

Die ganze Nacht hindurch saßen die Männer in ihre Decken gehüllt um das Feuer, schliefen kaum, unterhielten sich leise miteinander und zerbissen wie ausgehungerte Hunde sogar noch die Knochen des Schafes.

Und Mikael saß die ganze Nacht in sich versunken da, als würde er zum ersten Mal begreifen, was er getan hatte. Du hast Eloisa verlassen, dachte er immer wieder, und sein Leben erschien ihm noch dunkler als die Nacht, die ihn einhüllte. Trotz des Feuers ließ ihn eine Kälte in seinem Innern erschauern, die Angst vor der ungewissen Zukunft, zu der er sich selbst verdammt hatte.

Vor Tagesanbruch stand er auf und verließ das Lager. Es kam ihm vor, als bekäme er dort keine Luft. Er ging zu einer großen Buche und umarmte ihren Stamm.

»Ich weiß ja nicht, wie du das angestellt hast, Junge«, sagte Volod kurz darauf hinter ihm. »Aber du hast Mut bewiesen.«

Mikael fuhr herum, verlegen und erschrocken zugleich.

Volod sah ihn eindringlich an. »Die Angst kommt immer erst danach«, sagte er zu ihm. »Das ist eben so.«

Mikael schwieg.

»Du begreifst noch nicht, was du getan hast«, fuhr Volod fort, »aber in den Herzen der Leute hier wiegt deine Tat weit mehr als hundert Angriffe auf Ojsternigs Handelskarawanen.« Er betrachtete ihn ernst. »Von heute an bist du kein Bauer mehr.«

»Und was bin ich jetzt?«, fragte Mikael.

»Ich werde dich den Umgang mit dem Schwert lehren, aber ich bin nicht dazu da, dir zu sagen, wer du bist«, erwiderte Volod trocken. »Ich habe es schon Raphael erklärt, und jetzt sage ich es dir: Erwarte nicht, dass ich die Amme für dich spiele.« Er schlug ihm auf die Schulter. »Jetzt komm und hilf. Wir brechen auf.«

Mikael folgte ihm.

Die Männer löschten das Feuer und legten die Decken zusammen. Emöke beobachtete sie dabei, aber wie immer wirkte es, als würde sie die anderen gar nicht wahrnehmen.

»Wie geht es dir?«, fragte Mikael sie.

Emöke lächelte ihn an, sagte aber nichts. Dann starrte sie wieder ins Leere.

Mikael wusste nicht, was er für Emöke empfand. Ihretwegen hatte er beschlossen, sein Leben zu ändern, Eloisa zu verlassen. Einen Augenblick lang überkam ihn heftiger Zorn auf sie. Doch dann sagte er sich, dass sie ihn ja um nichts gebeten hatte. Alles, was er tat, hatte er allein beschlossen. Vielleicht war es ein wenig voreilig gewesen, aber er hatte es selbst entschieden. Da erinnerte er sich an einen der ersten Sätze, die Agnete an dem Tag zu ihm gesagt hatte, als Eloisa ihn gerettet hatte: »Im Leben musst du deine Wahl treffen.« Und das hatte er getan. Weil eine Stimme in seinem Inneren ihm sagte, dass die Welt sich ändern musste.

Inzwischen hatte sich einer von Volods Männern Emöke genähert. Er sah sie lüstern an. »Du bist eine von den Burghuren, stimmt's?«, fragte er und fuhr sich mit der Hand über den Latz.

Mikael stellte sich zwischen sie und suchte den Blick des Mannes. »Lass sie in Ruhe«, sagte er entschieden. Und er wunderte sich, wie fest seine Stimme klang.

»Wozu nehmen wir wohl eine Hure mit?«, fragte der Mann herausfordernd, und seine Hand glitt vom Latz zu seinem Messer.

»Lass sie in Ruhe«, wiederholte Mikael, und erneut war er von der eigenen Ruhe und Entschlossenheit überrascht.

Volod beobachtete das Ganze aus einiger Entfernung. »Niemand fasst diese Frau an!«, sagte er laut. »Oder er bekommt es mit mir zu tun!«

Der Mann, der Mikael herausfordernd gegenüberstand, nahm die Hand vom Messer. »Warum schleppen wir sie dann überhaupt mit?«, fragte er Volod wutentbrannt. »Sie wird uns nur aufhalten. Was zum Teufel sollen wir mit einer Frau?«

»Heute Abend hast du gegessen, Paolo. Und wenn du einen vollen Magen hast, dann hast du das ihr zu verdanken. Das scheint mir ein guter Grund zu sein«, sagte Volod. »Wenn sie nicht mit uns Schritt hält, werden wir sie zurücklassen. Der Junge weiß Bescheid.«

Paolo zuckte mit den Schultern. Er warf Emöke einen letzten lüsternen Blick zu, dann ging er zu seinen Leuten und half ihnen beim Packen.

Mikael drehte sich zu Emöke zu, die nichts bemerkt zu haben

schien, und kauerte sich neben sie. »Wir müssen gleich aufbrechen, Emöke«, sagte er sanft zu ihr. Und als er in ihre klaren, leeren und schutzlosen Augen blickte, wurde ihm bewusst, dass er jederzeit wieder versuchen würde, sie zu retten. Er würde nicht zulassen, dass man sie wie Schlachtvieh röstete. Wenn es nach ihm ginge, würde sich in der Luft nie wieder der Gestank nach verbranntem menschlichem Fleisch ausbreiten. Er war kein kleiner Junge mehr wie damals, als die Burg seines Vaters überfallen wurde. Heute würde ich an der Seite meines Vaters sterben, dachte er.

Doch dann wurden seine Überlegungen durch einen Schrei jäh unterbrochen. Er fuhr herum und sah, dass einer von Volods Männern einen Pfeil umklammert hielt, der seinen Hals durchbohrt hatte.

Und gleich darauf fiel ein Trupp Soldaten über sie her.

Es waren ein knappes Dutzend Männer, also nur etwa ein Drittel der Anzahl, die Volod um sich versammelt hatte, doch sie waren beritten und hatten die Überraschung auf ihrer Seite.

Volod reagierte als Erster. Er sprang auf seinen Zelter und trieb ihn an, als wollte er fliehen. Doch tatsächlich wollte er bloß Zeit gewinnen, um sein Schwert zu ziehen, denn nach ein paar Fuß riss er sein Pferd herum und stürmte laut schreiend im Galopp gegen die Soldaten.

Seine Männer waren nicht so schnell wie er, sodass zwei unter den Hieben der Angreifer starben, ohne dass sie sich hätten wehren können.

»Die Verrückte!«, schrie einer der Soldaten, als er Emöke bemerkte, die in dem ganzen Durcheinander vollkommen ruhig sitzen geblieben war.

Mikael rannte zu seinem Lederbeutel und versuchte, die Verschnürung des Schwertfutterals zu lösen. Doch seine Hände zitterten, und inzwischen ritt der Soldat mit wirbelndem Schwert auf Emöke zu.

Volod schnitt ihm den Weg ab und traf ihn mit einem gezielten Stoß unter der Achsel, sodass die Schwertspitze in die Lücke unter dem Ärmelausschnitt seines Kettenhemds glitt. Die Klinge drang zwischen den Rippen hindurch mitten ins Herz des Soldaten. Er war sofort tot.

Der Kampf tobte immer erbitterter. Volods Männer hatten ihre Überraschung überwunden und verteilten sich eilig im Wald nach einem Plan, den sie offensichtlich bereits im Vorfeld besprochen hatten. Dadurch zwangen sie die Angreifer, ihre geschlossene Reihe zu verlassen. Außerdem konnten sie so aus der Deckung der Bäume heraus die Feinde mit ihren tödlichen Pfeilen unter Beschuss nehmen.

Ein zweiter Soldat erreichte Emöke, bückte sich aus dem Sattel hinunter und packte sie an den Haaren, zerrte sie daran fast vom Boden hoch.

»Nein!«, schrie Mikael verzweifelt, der bis zu diesem Moment wie gelähmt stehen geblieben war. Er stürzte auf den Reiter zu und holte ihn mit so heftigem Schwung aus dem Sattel, dass dieser seinen Helm verlor.

Kämpfend wälzten sich die beiden am Boden. Der Soldat wehrte sich heftig, er wollte überleben, wollte töten. Mikael beschränkte sich auf die Verteidigung, und so gewann der Soldat bald die Oberhand. Er hatte einen langen, spitzen Dolch in der Hand und war drauf und dran, ihn ihm in die Kehle zu stoßen. Mikael versuchte, die Hand des Soldaten aufzuhalten, aber der andere war entschlossener und befand sich in einer deutlich günstigeren Position.

Mikael schloss die Augen, bereit, den tödlichen Stoß zu empfangen. Doch dann hörte er einen dumpfen Aufprall, und der Soldat sank leblos über ihm zusammen. Als Mikael die Augen wieder öffnete, sah er Emöke vor sich, die einen großen Stein in der Hand hielt.

Mikael schüttelte den Soldaten ab und stand auf.

Emöke stand noch da, den Stein in der Hand, doch ihr Blick verlor sich schon wieder im Leeren.

Er nahm ihr sanft den Stein aus der Hand und warf ihn auf den Boden.

»Lasst ihn nicht entkommen!«, hörte er Volod rufen. »Ach, verflucht!«

Mikael drehte sich um und sah, wie ein Reiter, der von einem Pfeil in der Seite getroffen worden war, davonritt.

»Schnell weg von hier!«, befahl Volod. »Nehmt ihre Pferde.«

Mikael zählte am Boden neun Soldaten Ojsternigs. Und fünf Rebellen. Einer von ihnen war Malvoglio, der im Versteck der Rebellen das Brot unter seinen Gefährten aufgeteilt hatte. Ein Hieb hatte ihm den Körper von der Brust bis zum Unterleib aufgeschlitzt, so tief, dass man die Rippen sah und die Eingeweide herausquollen.

Volods Männer fingen die Pferde der getöteten Soldaten ein. Es waren sieben. Eines war mit seinem Reiter, der sich als Einziger hatte retten können, davongepprescht, ein weiteres war durch einen Pfeil gestorben und eins war in den Wald entlaufen.

Der Soldat, der mit Mikael gekämpft hatte, stöhnte auf. Emökes Stein hatte ihn nur betäubt.

Volod ging auf ihn zu. Er hob den Dolch des Soldaten auf und hielt ihn Mikael hin. »Mach ein Ende!«, sagte er.

Mikael wich erschrocken zurück.

»Nimm den Dolch«, schrie Volod.

Mikael gehorchte mit zitternder Hand. Er sah den Soldaten an, der dort auf dem Boden allmählich wieder zu sich kam.

Volod stellte einen Fuß auf den Rücken des Mannes und drückte ihn so gewaltsam zu Boden. »Mach ein Ende!«, wiederholte er und sah Mikael mit eiskaltem Blick an.

Mikael schüttelte den Kopf.

Daraufhin packte Volod den Soldaten bei den Haaren und

466

zerrte dessen Kopf hoch. Er presste Mikaels Hand mit dem Messer an dessen freiliegende Kehle und trennte sie mit einem knappen, entschiedenen Schnitt durch.

Mikael ließ das Messer fallen und wich zwei Schritte zurück. Er konnte den Blick nicht von dem sterbenden Mann abwenden, dessen Körper zuckte, während langsam das Leben aus ihm wich.

»Das ist das Leben, das du gewählt hast, Junge«, sagte Volod. Er nahm die Zügel des Pferdes, das dem Soldaten gehört hatte, und reichte sie Mikael. »Jetzt gehört es dir. Du hast es dir verdient.«

Mikael stockte der Atem.

Kurze Zeit später waren sie unterwegs.

Keiner sagte ein Wort.

Mikael hatte Emöke aufsitzen lassen. Er selbst lief neben dem Pferd her, in einer Hand hielt er die Zügel, in der anderen das Seil mit den drei Schafen.

Knapp eine Stunde später erreichten sie das karge Kanaltal, das von steilen Bergen umschlossen war. In seiner Mitte verlief sprudelnd die Fella. Die Sonne versteckte sich hinter dem Gipfel des Montasch. Sie folgten dem Lauf des Gebirgsbachs, und nach zwei Meilen erreichten sie das Eisental.

»Dieses Gebiet gehört zur Republik Venedig«, erklärte Volod Mikael.

Doch Mikael hörte ihn nicht. In den vergangenen Jahren hatte er Dutzende Menschen sterben sehen, oft unter schrecklichen Umständen, aber bislang war niemand durch seine Hand gestorben. Erst jetzt begriff er, dass bis zu diesem Morgen der Tod für ihn etwas gewesen war, das ihn nicht unmittelbar anzugehen schien. Doch nun war er persönlich betroffen. Der Tod war ein Teil seines Lebens geworden, und er würde auch sein weiteres Leben bestimmen. Er hatte ihn bereits verändert, für immer und unumkehrbar.

Und während er so an den felsigen Ufern der Fella entlanglief, fiel Mikael auf, dass er am Morgen keine einzige Träne vergossen hatte. Nun war also auch seine Kindheit vorbei, in der ein Schmerz oder eine Schuld mit Tränen fortgewaschen werden konnten. Nein, er würde nicht weinen.

Sie legten knapp fünfzehn Meilen zurück, bis sie kurz vor Sonnenuntergang die kleine Stadt Pontêbe erreichten, wie sie dort genannt wurde.

»Wir übernachten hier«, Volod deutete auf eine Scheune, »und bitten um Gastfreundschaft.« Er löste ein Schaf von Mikaels Schnur und zog es zum Bauernhaus hin.

An diesem Abend aßen sie in der Scheune nicht nur Schaffleisch, sondern auch frisch gebackenes Brot, und tranken Rotwein dazu.

Als sie schlafen gingen, bemerkte Mikael, dass Paolo erneut Emöke anstarrte.

»Bleib bei mir«, sagte Mikael zu ihr.

Dann schlief er ein, seine Hand fest um den Dolch des getöteten Soldaten geschlossen. Auch der gehörte jetzt ihm.

Kaum war er morgens erwacht, quälte ihn der Gedanke, dass Eloisa sich seiner schämen würde, wenn sie erführe, dass er nun ein Mörder war.

Als er die Scheune verließ, sah er Volod mit einem alten Mann reden, dessen langer Schnurrbart vergilbt und voller Krümel war. Beide blickten gen Norden.

Der alte Mann wies auf die Bergkette vor ihnen. »Ihr müsst dort die Schlucht zwischen den Bergen hinauf. Zuerst Richtung Norden, später haltet ihr euch etwas nach Westen, dann wieder nach Norden«, erklärte er. »Bis zum Bergkamm sind es etwa sechs oder sieben Meilen, dort seid ihr auf viertausend Fuß Höhe. Von dort geht ihr hinunter ins Tal, ihr könnt es nicht verfehlen. In der Ebene folgte ihr einem Bach ... ich erinnere mich nicht an seinen Namen ... Richtung Westen. Er führt euch nach Kirchbach. Doch die Strecke schafft ihr nicht an einem Tag, insgesamt sind das mindestens zwanzig Meilen, und wenigstens zehn davon über die Berge.«

»Wir werden es schaffen«, sagte Volod.

»Niemals«, widersprach der alte Mann und schüttelte den Kopf.

»Wir schaffen das, sage ich dir«, beharrte Volod.

»Du bist stur wie ein Maulesel.« Der alte Mann spuckte auf den Boden.

»Nein, ich bin so stur wie du, Alter.«

Der Mann lachte. »Ihr werdet es nicht schaffen«, wiederholte er im Gehen. »Heute Nacht schlaft ihr im Regen, und zwar am Eingang des Tals, und erst morgen wird es Euch nach Kirchbach führen. So wahr es einen Gott gibt!«

Volod lachte ebenfalls. Als er Mikael bemerkte, wurde er jedoch sofort wieder ernst. »Klammere dich nicht an den Dolch, Junge«, sagte er zu ihm.

Erst jetzt stellte Mikael fest, dass er immer noch den Dolch des Soldaten in der Hand hielt.

»Leg ihn weg«, sagte Volod. »Heute ist ein neuer Tag. Klammere dich nicht an die Vergangenheit.«

Als sie in die Scheune zurückkamen, lag Paolo auf Emöke und schob gerade ihren Rock hoch.

Bevor Volod eingreifen konnte, hatte Mikael sich schon auf den Mann gestürzt und presste ihm die Klinge seines Dolches gegen die Kehle.

»Nicht, Junge«, befahl Volod ihm und hielt seinen Arm fest.

Mikael zitterte vor Zorn, während er in Emökes unschuldige Augen blickte.

»Überlass ihn mir«, sagte Volod und zog Mikael von Paolo fort. Dann fasste er dem Mann von hinten zwischen die Beine und presste ihm die Hoden zusammen.

Paolo schrie vor Schmerz auf.

»Ich kastrier dich wie einen Kapaun!«, knurrte Volod böse, ohne seinen Griff zu lockern. »Das ist die letzte Warnung. Und dann lasse ich dich liegen, bis du verblutest, egal wo wir sind. Hast du mich verstanden?«

Paolo nickte wimmernd.

Volod zerrte ihn an seinen Hoden hinter sich her, während der andere vor Schmerzen laut jaulte.

»Wie geht es dir?«, fragte Mikael Emöke besorgt.

Sie sah zu dem Mann, der ihr hatte Gewalt antun wollen. Doch in ihrem Blick lag kein Hass, und wie immer schwieg sie.

»Macht euch bereit!«, befahl Volod seinen Leuten. »Uns erwartet ein beschissener Tag!«

Bei Sonnenuntergang hielten Männer und Pferde erschöpft an den Ufern eines Baches an, genau am Eingang zum Tal. Ganz so, wie der alte Mann es vorhergesagt hatte, würden sie erst am nächsten Tag nach Kirchbach kommen. Und auch in dem anderen Punkt hatte der Alte recht behalten: Als sie schliefen, prasselte ein eiskalter Regen auf sie nieder.

In dieser Nacht träumte Mikael von Eloisa. Sie stand ganz allein im Raühnval. Es war dunkel, und das Dorf lag verlassen da. Eloisa breitete weinend Mikaels Umhang auf dem schlammigen Untergrund aus und legte sich darauf. Ein Mann trat zu ihr, drückte sie mit einem Fuß auf den Boden und öffnete seinen Hosenlatz. Dann sah man sein Gesicht. Es war Paolo. Mit einem kräftigen Ruck zerriss er Eloisas Rock und spreizte ihre Beine, bis ihr blondes Schamhaar entblößt war. Geifernd stürzte er sich auf sie. Er schlug sie ins Gesicht und vergewaltigte sie so brutal, als wollte er sie zerreißen. Im Traum kam Mikael von hinten heran, packte den Mann bei den Haaren, hob seinen Kopf an und schnitt ihm die Kehle durch. Sein Blut spritzte Eloisa ins Gesicht. Mikael beugte sich über sie und küsste sie. Paolos Blut benetzte ihre Lippen.

Als er am nächsten Morgen aufwachte, stellte Mikael fest,

dass er sich am Dolch des toten Soldaten verletzt hatte. Er hatte einen Schnitt in der Hand, der beinahe bis auf die Sehne ging.

Alle anderen waren schon wach und starrten ihn an.

»Geh und wasch dich, Junge«, sagte Volod zu ihm.

Mikael eilte zum Bach und kniete sich auf die Felsen am Ufer.

Die aufgehende Sonne beschien die Wasseroberfläche, und Mikael sah in seinem Spiegelbild, dass sein Gesicht blutrot war.

»Du wirst im Blut leben, genau wie ich und alle unsere Vorfahren«, hatte sein Vater ihm am Tag des blutigen Überfalls gesagt. »Das ist unser Schicksal und unser Fluch.«

46

Jeden Morgen beobachtete Eloisa voller Sorge, wie die Soldaten zur Suche nach Emöke in die Wälder aufbrachen. Und jeden Abend bei Sonnenuntergang hielt sie gespannt die Luft an, wenn die Bohlen der Brücke über die Uqua bei ihrer Rückkehr unter den Hufen der Pferde erzitterten. Jeden Morgen betrat sie die Kapelle Maria zum Schnee, kniete nieder und betete zur Muttergottes, zum Jesuskind und allen Schutzheiligen, deren verblasstes, grob gemaltes Abbild auf dem steinernen Altar zu sehen war, dass man Mikael nicht finden möge. Und jeden Abend, wenn die Wachen unverrichteter Dinge zurückkehrten, ging Eloisa noch einmal zur Kapelle, um ihnen zu danken. Den übrigen Tag zwischen diesen beiden kurzen Momenten durchlebte sie in so großer Anspannung, als würde sie ununterbrochen den Atem anhalten. In der Nacht fiel sie schließlich in einen unruhigen Schlaf, in dem sie von denselben Ängsten gequält wurde wie tagsüber, und weinte ihr Kissen nass.

Nachdem sie ihrer Mutter den Grund für Mikaels Verschwinden verraten hatte, musste sie sich zunächst bittere Vorwürfe anhören. »Wie konntest du so etwas zulassen?«, hatte Agnete geschrien und sich dann auf sie gestürzt, um wie entfesselt auf sie einzuschlagen. Als schließlich ihr Schmerz und ihre Sorge alle Wut verdrängt hatten, war Agnete in Tränen ausgebrochen und hatte ihre Tochter an sich gezogen. »Nein ... mein Kind ... nein ...«, hatte sie immer wieder vor sich hin gemurmelt, wie betäubt vor Schmerz. Und auch sie hatte es sich zur Gewohnheit gemacht, jeden Morgen und jeden Abend voller Sorge die Soldaten zu beobachten.

Dann kehrte eines Tages noch am Vormittag ein einzelner Soldat ins Raühnval zurück. Er war verletzt und sank auf der Dorfstraße ohnmächtig von seinem Pferd. Ein Pfeil steckte in seiner Seite, er musste viel Blut verloren haben. Keiner der Bewohner rührte einen Finger. Sie sahen in seine Richtung, doch keiner lief zu ihm hin, um ihm zu helfen. Vielleicht hofften sie ja, er möge hier vor ihren Augen verrecken.

Agnete sagte jedoch irgendwann, man solle ihn ins nächstgelegene Haus bringen, eines der Wohngebäude, die man für die Holzfäller neu errichtet hatte. Dort ließ sie ihn auf den großen Tisch legen, zog den Pfeil aus seiner Seite und versorgte seine Wunde.

»Warum tust du das?«, fragte Eloisa sie leise.

»Weil dieser Mann womöglich Mikael begegnet ist«, gab Agnete ebenso leise zurück. »Und wenn er nicht stirbt, kann er uns vielleicht sagen, ob er noch am Leben ist.«

Eloisas Augen wurden feucht. »Wenn er ihn getötet hat«, sagte sie dann, und ihre Stimme klang hart und entschlossen, »werde ich ihn umbringen, nachdem du ihn gerettet hast.«

»Nein. Den bring ich dann schon selbst um«, erklärte Agnete grimmig.

Die Nachricht von der Rückkehr des verletzten Soldaten verbreitete sich schnell bis zur Burg, und am frühen Nachmittag betrat Ojsternig in Begleitung von Agomar und zehn bewaffneten Reitern die Hütte des Holzfällers, nachdem er zuvor die Tür mit einem Fußtritt geöffnet hatte.

Der Soldat erlangte gerade das Bewusstsein wieder.

Ojsternig schüttelte ihn brutal und befahl ihm zu reden.

»Ich habe … die Verrückte gesehen … Euer Durchlaucht«, brachte der Verletzte stockend hervor. »Sie ist … bei den … Rebellen.«

»Habt ihr sie getötet?«, fragte Ojsternig. Emökes Verschwinden hatte ihm keine Ruhe gelassen. Zuerst hatte er die Huren foltern lassen, von denen eine an ihren Verletzungen gestorben war. Die anderen hatten schwere Wunden davongetragen, doch keine hatte ihm sagen können, wie Emöke die Flucht gelungen war. Dann hatte Ojsternig befohlen, die Wachen vom Burgtor auszupeitschen, aber diese hatten Stein und Bein geschworen, es sei unmöglich, dass sie ungesehen dorthinaus gekommen wäre. Emökes Flucht blieb weiterhin ein Rätsel. Und unter den Soldaten hatte sich abergläubische Furcht verbreitet, denn ihr unerklärliches Verschwinden gab den Gerüchten um sie nur noch weitere Nahrung.

»Nein ... Euer Durchlaucht ... wir haben sie nicht ... töten können ...«, antwortete der Soldat erschöpft.

»Verfluchte Taugenichtse!«, schrie Ojsternig und schlug ihm ins Gesicht. Dann wandte er sich an Agomar und die anderen Reiter. »Habt ihr gehört?«, brüllte er ihnen zu und schwang wütend die Fäuste durch die Luft. »Sie wurde von den Rebellen befreit! Das war keine Hexenkunst!«

Die Reiter blickten betreten zu Boden. Keiner wagte zu sprechen, aber alle dachten ausnahmslos dasselbe: Wenn es keine Hexenkunst war, was dann? Wie kann sich eine Frau ohne die Hilfe des Leibhaftigen in Luft auflösen?

»Wo sind die Rebellen und diese verfluchte Hurenhexe?«, fragte Ojsternig den verletzten Soldaten. »Wie viele sind es?«

»Sie waren um die dreißig ... Euer Durchlaucht ...«, stöhnte der Soldat. »Wir haben viele ... von ihnen getötet ... bevor sie uns ...« Er schloss die Augen und ergab sich kurz seinem Schmerz. »Sie fliehen ...«, fuhr er fort. »Sie waren ... Sie wollten ... ins Kanaltal ... Ich denke, sie suchen ... Schutz auf venezianischem Gebiet ...«

»Agomar, stell einen Trupp von fünfzig Mann zusammen!«, befahl Ojsternig. »Sofort! Wir müssen ihnen hinterher! Ich will diese Hure zurück, tot oder lebendig!«

»Inzwischen müssten sie schon recht weit sein«, gab Agomar

zu bedenken. »Wir können nicht bewaffnet in venezianisches Gebiet vordringen.«

»Jetzt! Sofort!«, schrie Ojsternig noch lauter. Dann wandte er sich an den verletzten Soldaten und packte ihn an der Kehle. »Wo seid ihr auf sie gestoßen?«

»An der Südflanke ... des Mezesnig ... wo der Wald endet ... und Fels und Geröll beginnen ...«

Ojsternig wandte sich an die verbliebenen Reiter seiner Eskorte. »Wisst ihr, wo das ist?«

Die Männer schüttelten den Kopf.

»Ich weiß es!«, drängte Eberwolf sich auf, der draußen vor der Tür gelauscht hatte.

Unter den Dorfbewohnern erhob sich ein finsteres Raunen. Ahlwin, Eberwolfs Vater, wurde rot vor Scham und ging mit gesenktem Kopf davon.

»Du bleibst hier und wartest auf Agomar«, befahl Ojsternig einem der Reiter. »Richte ihm aus, dass wir Zeichen hinterlassen werden, damit sie den Weg finden. Und dein Pferd wird der da nehmen«, fuhr er fort und deutete auf Eberwolf. Dann verließ er die Hütte, schwang sich aufs Pferd und ritt, gefolgt von seinen Männern und Eberwolf, im gestreckten Galopp zum Mezesnigwald.

Wenig später bemerkte Agnete, dass auch Eloisa verschwunden war. Und mit bangem Herzen erriet sie sofort, wohin sie wollte.

Eloisa kannte den Berg ebenso gut wie Mikael: In den letzten Jahren hatten sie ihn trotz aller Verbote ausgiebig erkundet. Sie wusste, dass Eberwolf der Straße fast bis zum Gipfel folgen würde, um dann auf der Südseite wieder hinabzusteigen. Sie dagegen würde einen kürzeren Weg wählen, der für Pferde unpassierbar war.

Nur ihre Mutter und sie wussten, wenn Emöke bei den Rebellen war, musste Mikael ebenfalls dort sein.

Mit klopfendem Herzen und tränenverschleiertem Blick stolperte Eloisa über Steine und Wurzeln. Und während die niedrigen Äste ihr das Gesicht zerkratzten, ihr Kleid von Brombeerranken zerrissen wurde und sie sich Knie und Hände aufschlug, musste sie immer wieder an die Worte des verletzten Soldaten denken. »Wir haben viele von ihnen getötet«, hatte er gesagt. War Mikael darunter? Würde sie ihn gleich hier niedergemetzelt am Boden vorfinden, als Fraß für die wilden Tiere?

Als sie den Waldrand erreicht hatte und dann die dahinterliegende steile Felswand entlanglief, die zum Kanaltal hin abfiel, hatte ihre Angst sich ins Unermessliche gesteigert. Nachdem sie etwa dreihundert Fuß weit gekommen war und schon befürchtete, den Schauplatz des Kampfes verpasst zu haben, bemerkte sie plötzlich einen süßlichen Geruch, der nicht hier in den Wald gehörte. Sie blieb stehen, weil die Beine ihr den Dienst versagten. Sie wusste, dass dorthinter dem dichten Gestrüpp der Tod wartete. Doch gleich darauf bahnte sie sich mit angehaltenem Atem einen Weg durch die niedrigen Latschenkiefern und Rhododendronbüsche.

Sie kam auf einer kleinen Lichtung heraus. Hier war der Geruch des Todes kaum zu ertragen. Als sie die Leichen von etwa fünfzehn Männern auf dem Boden liegen sah, schlug Eloisa die Hände vor den Mund und schloss entsetzt die Augen. Einen Moment lang blieb sie wie erstarrt stehen und atmete die todesgeschwängerte Luft ein.

Doch dann hörte sie Hufgetrappel.

Ojsternig konnte jeden Moment da sein.

Ohne nachzudenken, stürzte sie auf die Toten zu. Jedes Mal wenn sie sich über einen Leichnam beugte, unterdrückte sie ihren quälenden Brechreiz und sagte leise wie im Gebet: »Du bist nicht Mikael.« Dann packte sie den Toten bei den Schultern und drehte ihn um. Und jedes Mal wenn sie sich überzeugt hatte, dass es nicht Mikael war, sagte sie trotz all des Grauens um sie herum: »Danke, Gott.«

Noch ehe die von Eberwolf hierhergeführten Reiter ebenfalls den Schauplatz des Kampfes erreichten, hatte Eloisa sich Gewissheit verschafft, dass Mikael nicht unter den Toten war. Sie versteckte sich im Unterholz und sah hinab ins Tal, wo Ojsternigs Fürstentum endete und Mikael nun vielleicht in Sicherheit war.

Dann kehrte sie unbemerkt ins Raühnval zurück.

»Er lebt«, sagte sie zu Agnete.

Ihre Mutter drückte sie fest an sich. Dann nahm sie ihre Tochter bei der Hand, und sie gingen zusammen zur Kapelle Maria zum Schnee, traten ein und knieten sich Seite an Seite auf ein knarrendes Kniebrett. Obwohl beide nicht gewöhnt waren, Gebete zu sprechen, dankten sie der Muttergottes und baten sie, weiter über Mikael zu wachen.

Zwei Tage später, nachdem Ojsternig die Verfolgung der Rebellen aufgegeben hatte, um nicht mit der Republik Venedig in Konflikt zu geraten, erschien er wieder auf den Feldern des Raühnval, die bereits mit Frost überzogen waren. Er zeigte den Soldaten Agnete, woraufhin die Männer die Hebamme grob an den Armen packten und sie brutal vor ihn hin zerrten.

Eloisa rannte erschrocken hinterher, und alle Dorfbewohner taten es ihr gleich.

»Man hat mir berichtet, dass dein Sohn verschwunden ist!«, rief Ojsternig wutentbrannt.

Eberwolf, der neben ihm stand, sah äußerst befriedigt drein.

»Das ist nicht mein Sohn!«, brauste Agnete zur Überraschung aller auf, und sie schien noch wütender zu sein als Ojsternig selbst. »Das ist nur ein undankbarer Bastard, den ich auf dem Markt in Dravocnik gekauft habe. Soll ihn doch der Teufel holen!«

Eloisa sah sie erstaunt an.

Und mit ihr Ojsternig, der eigentlich erschrockenes Jammern und winselnde Bitten um Gnade erwartet hatte.

»Und wenn Euer Durchlaucht ihn finden und herschaffen könnten, und wenn Ihr dann noch so großmütig wärt, ihn mir zu übergeben, ehe Ihr ihn Eurer gerechten Strafe unterzieht ...« Agnete schüttelte drohend die geballte Faust. »Oh! Verzeiht mir, aber ich weiß nicht, ob ich ihn dann für Euch am Leben lassen würde, so wahr mir Gott helfe! Verflucht soll er sein!«

Ojsternig runzelte verblüfft die Stirn.

Eloisa sah, wie ihre Mutter verstohlen hinter ihrem Rücken die Finger überkreuzte, um ihren Fluch ungültig zu machen.

»Er ist einfach davongelaufen, Euer Durchlaucht!«, fuhr Agnete grimmig fort. »Zwei Tage, bevor dieses unselige Weib Emöke verschwand.«

Auf Eberwolfs Gesicht machte sich Enttäuschung breit.

Ojsternig fuhr zu ihm herum. »Idiot!«, herrschte er ihn an und schlug ihn mit der Reitgerte ins Gesicht. Dann wandte er sich wieder Agnete zu. »Dieser Dummkopf hier meint, dein Junge hätte etwas mit der Flucht der verrückten Hexe zu tun.«

Agnete schüttelte den Kopf und zeigte angewidert auf Eberwolf. »Euer Durchlaucht, Ihr selbst habt ihn einen Idioten und Dummkopf genannt. Bei allem Respekt, kann man so einem Glauben schenken? Der verfluchte Junge ist bereits zwei Tage vorher abgehauen.« Sie spuckte aus. »Ich hatte ihn richtig gern. Gott und alle hier können das bezeugen. Aber er hat meine Zuneigung und mein Vertrauen missbraucht ... Und jetzt hoffe ich bloß noch, dass er als Fraß für die Wölfe geendet ist.« Wieder kreuzte sie heimlich die Finger hinter ihrem Rücken.

Eloisa war voller Bewunderung für ihre Mutter, weil es ihr tatsächlich gelang, Ojsternig von ihrer Geschichte zu überzeugen.

Der Fürst sah Agnete noch eine Weile zweifelnd an. »Du hast bei dem verletzten Soldaten gute Arbeit geleistet«, sagte er schließlich. »Wenn sein Fieber weiter sinkt, wird er sich vielleicht wieder erinnern, ob dein Sohn bei den Rebellen war.«

»Das wünsche ich mir von Herzen, Euer Durchlaucht«, antwortete Agnete. »Aber ich habe Euch bereits gesagt, dass ich ihn nicht mehr als meinen Sohn betrachte.«

Ojsternig riss wortlos sein Pferd herum und ritt davon.

Da trat die alte Astrid an Agnete heran. »Der Junge ist nicht schon zwei Tage vor Emökes Flucht verschwunden«, sagte sie.

Agnete blieb beinahe das Herz stehen.

»Er hat ihr geholfen«, fuhr Astrid fort.

»Red nicht solchen Unsinn, du dummes, altes Weib!«, fauchte Agnete sie an, doch man sah ihr ihre Angst an.

»Das wissen doch alle hier«, sagte Astrid.

Agnete drehte sich zu den Dorfbewohnern um und sah, dass alle sie anschauten. Und zwar mit tiefem Respekt.

»Dieser Junge ist etwas Besonderes«, fuhr Astrid sanft fort.

Agnete betrachtete sie misstrauisch, in ihrem Blick lag eine unausgesprochene Frage.

»Keiner von uns wird etwas sagen, da mach dir keine Sorgen«, versicherte Astrid. »Aber das gilt vielleicht nicht für den verletzten Soldaten.«

Am Abend sah Eloisa, wie ihre Mutter wieder einen Umschlag für die Wunde des Mannes vorbereitete. Und dann beobachtete sie, dass Agnete außerdem noch ein kleines versiegeltes Tonfläschchen mitnahm.

Wie jeden Abend verließ die Hebamme das Haus, um den Soldaten zu versorgen.

Als sie zurückkehrte, sagte sie zu Eloisa: »Ich muss noch einmal zur Kapelle.«

Eloisa begleitete sie und kniete sich neben sie.

Agnete betete ganz leise, aber Eloisa konnte verstehen, dass sie die Muttergottes um Vergebung bat.

In derselben Nacht starb der Soldat.

47

Als sie Kirchbach im Bezirk Hermagor erreichten, waren Mikael, Emöke, Volod und seine Männer bis auf die Knochen durchnässt. Der Regen hatte nicht einen Moment aufgehört, die ganzen zehn Meilen seit ihrem Aufbruch vom Lager, dann weiter im Tal bis hin zu ihrer Ankunft in der kleinen Stadt waren die Tropfen unerbittlich auf sie eingeprasselt.

Als die Einwohner Kirchbachs um die fünfundzwanzig Reiter herannahen sahen, die zwar wie Bettler gekleidet, aber mit Schwertern und Pfeil und Bogen bewaffnet waren, drängten sie alle an ihre Fenster und vor die Türen der Läden.

Volod lenkte seine Leute zum Hauptplatz und wartete dort im strömenden Regen.

Kurz darauf ritt ein kleiner Trupp Soldaten unter dem Befehl eines betagten Hauptmanns im blauen Waffenrock auf sie zu.

Der alte Mann hielt sein Pferd etwa ein Dutzend Fuß vor ihnen an. »Wer seid ihr?«, fragte er mit fester Stimme.

Volod ritt ihm entgegen. »Wir sind niemand.«

Der alte Mann musterte ihn schweigend. Er strahlte Selbstsicherheit aus, früher musste er ein starker Mann gewesen sein. Und aus seiner stolzen Haltung ließ sich schließen, dass er in mehr als einem Krieg gekämpft hatte.

»Wir sind auf der Durchreise«, fuhr Volod fort. »Wir suchen nur einen Platz zum Schlafen, wo wir unsere Sachen trocknen können.«

»Seid ihr auf der Flucht?«, fragte der Alte.

»Wir suchen einen Platz zum Schlafen, wo wir unsere Sachen

trocknen können«, wiederholte Volod. »Morgen Früh verschwinden wir wieder.«

»Werdet ihr verfolgt?«, beharrte der Hauptmann.

Volod sah ihn wortlos an. Dann schüttelte er den Kopf. »Nein.«

»Seid ihr Räuber?«, fragte der alte Mann.

»Nein«, antwortete Volod voller Stolz.

Der alte Hauptmann wirkte befriedigt. Er nickte. Dann lenkte er sein Pferd, das ebenso betagt war wie er, neben das von Volod und legte eine Hand auf das Brandzeichen von Ojsternig. »Dieses Pferd gehört dir nicht«, bemerkte er.

»Nein.«

Der alte Mann starrte ihn an. Seine Augen waren schwarz wie die Nacht, was in dieser Gegend eher selten vorkam. Sie sahen aus wie funkelnde Kohlestücke, das Alter hatte ihren Glanz noch nicht erlöschen lassen. »Es gibt hier nur zwei Orte, wo es Platz für euch zum Schlafen gibt«, sagte er schließlich. »Im Kerker oder im Kloster.« Er lächelte. »Bei den Mönchen isst man besser.«

Auch Volod lächelte. »Dann werden wir bei den Mönchen übernachten, wenn Ihr ein gutes Wort für uns einlegt.«

»Und morgen Früh verschwindet ihr wieder«, fügte der Hauptmann hinzu und wurde erneut ernst.

»Morgen Früh verschwinden wir wieder.«

»Kommt mit«, sagte der alte Mann und wendete sein Pferd. Er überquerte den Platz und bog hinter der Kirche in eine Gasse, die sie zu einem mächtigen, aus Stein und Holz errichteten Gebäude führte. Sie mussten nicht einmal klopfen, der Bruder Pförtner stand schon vor der Tür. »Ruf den Prior«, beschied der Hauptmann ihm in befehlsgewohntem Ton, der keine Fragen zuließ.

Der Bruder Pförtner ging ins Kloster zurück, und wenig später erschien der Prior in Begleitung von drei anderen Mönchen.

Er war ein kleiner, beleibter Mann mit einem freundlichen Gesicht und geröteten Wangen.

»Bruder Stanislaus, habt Ihr heute Nacht noch Platz in Eurem Hospital?«, fragte der alte Hauptmann ihn.

Bruder Stanislaus betrachtete die durchnässten Männer. Dann verzog er den Mund. »Auch für die Frau?«, sagte er und wies mit seinem rundlichen Kinn Richtung Emöke.

»Wollt Ihr sie etwa draußen im Regen stehen lassen, nur weil sie einen Rock statt Hosen trägt?«, fragte der Alte.

»Ist sie ein gottesfürchtiges Weib, oder ist sie . . .?« Der Prior ließ die Frage offen.

»Sie ist meine Schwester«, sagte Mikael rasch, der den ganzen Weg zu Fuß zurückgelegt und sein Pferd, auf dem Emöke ritt, am Zügel geführt hatte.

Volod drehte sich überrascht zu ihm um.

Dem alten Hauptmann entging dieser Blick nicht, aber er schwieg.

Emöke sah wie immer abwesend ins Leere.

»Was ist mit ihr?«, fragte Bruder Stanislaus Mikael misstrauisch.

»Sie redet nicht gern, Bruder«, sagte Volod. »Sie wird sich in eine Ecke setzen, und Ihr werdet nicht einmal merken, dass sie da ist. Und der Junge . . . ihr Bruder . . . wird bei ihr bleiben und sich um sie kümmern.«

Der Prior sagte immer noch nichts, sondern überlegte.

»Wir werden alle nass, Bruder Stanislaus«, warf der alte Hauptmann drängend ein.

»Also gut«, schnaubte der Prior. »Kommt herein. Aber in meinem Kloster werden keine Waffen getragen.«

»Dessen könnt Ihr gewiss sein«, sagte der Alte. »Wenn sie bleiben wollen, werden sie mir ihre Waffen übergeben, und sie erhalten sie morgen Früh von mir zurück, wenn wir unsere Stadt verlassen.« Er wandte sich an Volod. »Sind wir uns einig?«

Volod musterte ihn. Dann legte er sein Schwert und seinen Bogen ab. »Ich vertraue Euch.«

»So wie ich euch vertraue«, erwiderte der Alte mit einem verschmitzten Lächeln.

Alle Männer übergaben ihm nun ihre Waffen. Als Mikael an der Reihe war und das Futteral von seinem Beutel löste, rutschte Raphaels Schwert ein wenig heraus, sodass der prächtige Griff zu sehen war.

Der alte Hauptmann riss kurz die Augen auf und erstarrte im Sattel seines Kleppers. Aber er sagte nichts, nahm Mikael nur das Schwert ab und schloss hastig das Futteral.

Mikael hatte sich gerade im großen Saal des Klosters, der sechzig mal dreißig Fuß maß und über zwei Kamine an den beiden Schmalseiten beheizt wurde, sein Lager aus dem von den Mönchen herbeigeschafften Stroh gerichtet, als einer von den Soldaten des Hauptmanns auf ihn zukam. »Der Hauptmann will dich unter vier Augen sprechen«, sagte er. »Folge mir.«

Mikael drehte sich zu Emöke um. Dabei begegnete er Volods Blick.

»Geh«, sagte Volod und setzte sich neben Emöke. »Ich werde auf ... deine Schwester aufpassen«, erklärte er lächelnd.

Mikael folgte dem Soldaten aus dem Kloster. Es hatte aufgehört zu regnen, aber Mikael trug immer noch seine nassen Sachen am Leib. Der Mann führte ihn durch die Straßen Kirchbachs, bis sie ein niedriges, gedrungenes Gebäude mit zwei Eingängen erreichten. Die linke Tür führte zu den Kerkern, die rechte in das Heim des alten Hauptmanns.

Als Mikael eintrat, empfing ihn der alte Mann mit ernstem Gesicht und bedeutete dem Soldaten, sie allein zu lassen. Er hielt Raphaels Schwert in der Hand.

»Bist du ein Dieb, Bursche?«, fragte er Mikael.

»Nein, Herr«, antwortete der Junge gekränkt.

Der alte Mann zeigte auf das Schwert in seiner Hand. »Wo hast du es dir genommen?«, fragte er weiter.

»Ich habe es nicht ... *genommen*. Es wurde mir geschenkt«, sagte Mikael.

»Und von wem?«, fragte der alte Mann.

Mikael kam es so vor, als zitterte seine Stimme leicht. »Von seinem rechtmäßigen Besitzer«, antwortete er.

Der Hauptmann musterte ihn schweigend. In seinen Augen konnte man lesen, dass er tief bewegt war. »Sag mir seinen Namen.«

»Der alte Raphael.«

»Der alte Raphael«, wiederholte der Hauptmann. »So nennst du ihn?«

»Ja, Herr.«

»Dann lebt er also«, murmelte der alte Mann leise vor sich hin, als spräche er zu sich selbst. Er betrachtete weiter gedankenverloren das Schwert. Schließlich packte er es mit beiden Händen bei der Klinge und hielt es Mikael unter die Nase. »Und warum hätte er es dir geben sollen?«

»Er hat mir gesagt ...« Mikael brach verlegen ab.

»Was hat er dir gesagt, Bursche?« Die Stimme des Hauptmanns klang wieder gebieterisch.

»Er hat mir gesagt ...« Mikael erinnerte sich noch genau an Raphaels Worte, aber er brachte sie kaum über die Lippen. »Er hat mir gesagt ... ›Der Eigentümer dieses Schwerts hat ihm keine Ehre gemacht. Du hast jetzt die Gelegenheit, diese edle Waffe wieder in Ehren einzusetzen. Sie von der Schande zu reinigen, mit der ihr Vorbesitzer sie befleckt hat.‹«

Die Augen des Alten füllten sich mit Tränen, und ein wehmütiges Lächeln huschte über seine faltigen Lippen. »Ja, das klingt nach ihm«, murmelte er. »Er ist es wirklich.« Er hielt weiter die Klinge des Schwertes umklammert und hing seinen Gedanken nach. Dann raffte er sich auf. »Annabel!«, schrie er. »Annabel, zum Himmel noch eins! Wo seid ihr denn alle?«

Eine füllige Frau, die gut zwanzig Jahre jünger war als der alte Hauptmann, erschien unverzüglich in der Tür.

Der alte Mann zeigte auf Mikael. »Such ein paar Kleider für ihn heraus!«, ordnete er an. »Der Bursche holt sich ja noch den Tod, wenn wir ihn weiter so nass hier herumsitzen lassen. Und häng seine Kleider zum Trocknen auf«, sagte er. »Der Junge bleibt heute Abend zum Essen hier. Und da es keinen willkommeneren Gast geben könnte, dreh einer fetten Gans den Hals um!«

Die Frau wandte sich um Gehen.

»Ach, Annabel ... und beeil dich!«

Die Frau lächelte und verschwand.

»Er lebt ...«, sagte der Alte gut gelaunt und setzte sich neben den Kamin, während seine Hände weiterhin das Schwert festhielten.

Mikael wurde von einer Dienstmagd in das Zimmer des Hauptmanns gebracht, wo er trockene Kleidung vorfand. Die Magd nahm seine Sachen mit und hängte sie in der Küche neben dem großen Kamin auf einer Schnur zum Trocknen auf.

Bei Einbruch der Nacht war der Tisch reich gedeckt. Der alte Mann setzte sich, sah Annabel an, seine Frau, und sagte: »Weißt du, wie er ihn nennt?« Er schlug lachend mit der Hand auf den Tisch. »Den alten Raphael!« Er lachte noch lauter. Und den ganzen Abend wiederholte er immer wieder ungläubig: »Der alte Raphael!« Und jedes Mal lachte er erneut und schüttelte den Kopf. Aber er beantwortete keine von Mikaels Fragen. Erst beim Abschied sagte er zu ihm: »Zeig dieses Schwert von hier bis nach Lienz, und du kannst gewiss sein, dass sich dir alle Türen öffnen werden, von den ärmlichsten Hütten bis hin zu den prächtigsten Häusern. Du wirst immer wie ein Herr aufgenommen werden.« Dann schaute er ihn ganz ernst an. »Aber stell keine Fragen ... über den alten Raphael.«

»Warum?«, fragte Mikael prompt.

»Weil er seine Geschichte begraben wollte, Bursche. Und wir haben die Pflicht, seinen Wunsch zu respektieren«, sagte der alte Mann feierlich. »Und du solltest seinen Wunsch umso mehr achten, da er dir das große Vorrecht gewährt hat, den Gegenstand zu tragen, der ihm in seinem früheren Leben am meisten bedeutet hat.« Der alte Mann sah ihn an. »Schwör es, Bursche«, sagte er.

»Ich schwöre es«, sagte Mikael tief bewegt.

Der Hauptmann sah ihn wieder lange an. »Es muss etwas ganz Besonderes an dir sein, wenn er dir sein Schwert anvertraut hat«, sagte er schließlich. »Und wenn du ihn noch einmal sehen solltest ... dann richte ihm bitte Grüße von mir aus.«

»Ich weiß ja gar nicht, wie Ihr heißt, Herr ...«

Der alte Mann lächelte. »Halte dich nicht mit Namen auf. Sie sind unwichtig.« Er öffnete den Waffenrock und entblößte zwei schreckliche Narben am Oberkörper – eine führte vom Nabel zum Brustbein, und die andere verlief quer über die Brust –, die in ihrer Überschneidung ein lila schimmerndes, wulstiges Kreuz bildeten. »Erzähl ihm davon. Dann wird er wissen, wer ich bin.«

Als Mikael ins Hospital des Klosters zurückkehrte, schliefen alle Männer schon, bis auf Volod.

»Was wollte er?«, fragte er.

»Er ist ein Freund von ... vom Baron«, antwortete Mikael.

»Und, hat er dir seine Geschichte erzählt?«

»Nein.«

Volod lächelte und nickte. »Er muss einmal ein tapferer Soldat gewesen sein. Jetzt schlaf. Morgen brechen wir früh auf.«

Mikael legte sich neben Emöke. Aber er konnte nicht einschlafen. Später in der Nacht strich er ihr übers Haar, vorsichtig, um sie nicht zu wecken, und dachte dabei an Eloisa. Und er fühlte eine große Leere in seinem Herzen.

Am nächsten Tag, als sie ihre Sachen packten, traten fünf Männer aus der Gruppe mit gesenkten Köpfen vor Volod, als hätten sie ein schlechtes Gewissen.

»Volod«, sagte schließlich einer von ihnen verlegen, »die Mönche haben erzählt, dass es hier Kupfer- und Zinkminen gibt.«

Volod sah ihn an. Er wusste, dass der Mann in Dravocnik Bergarbeiter gewesen war. Genau wie sein Vater und sein Großvater. »Wir brechen in einer Stunde auf«, sagte er. »Wenn ich euch dann nicht sehe, heißt das, ihr habt dort Arbeit gefunden.«

»Volod, wir ...«, fing ein anderer Mann an.

Volod stand auf und unterbrach ihn mit einer knappen Handbewegung. »Die Pferde nehmen wir mit. Genau wie die Schwerter. Ein Bergarbeiter braucht kein Schwert. Die Bögen könnt ihr behalten.«

Die fünf Männer kamen sich wie Verräter vor und schämten sich.

Doch Volod umarmte sie nacheinander herzlich. »Ihr wart ausgezeichnete Weggefährten«, sagte er. »Möge Gott euch segnen. Ich hoffe, dass ich eure hässlichen Fratzen in einer Stunde nicht mehr sehe.«

Die Männer, die sich von ihrer Verlegenheit nicht vollkommen frei machen konnten, verließen das Hospital. Aber man sah ihnen an, dass sie glücklich waren.

»Du lässt sie einfach so gehen?«, fragte Mikael verwundert.

»Aber sicher«, antwortete Volod, ohne zu zögern. »Und sogar mit Freuden.«

»Warum?«

»Hast du ihre Augen gesehen?«, fragte Volod. »Ich weiß nicht, ob das, was sie gefunden haben, Freiheit ist. Aber ein Mann muss sich eine Arbeit suchen können, seine Frau und seine Kinder ernähren können. Er darf nicht an einen Herrn gefesselt sein, der ihn aus purem Stolz in den Abgrund mitreißt, ohne von seinem unbedeutenden, erbärmlichen Leben überhaupt Notiz zu nehmen.« Er legte Mikael eine Hand auf die Schulter. »Schau in ihre Augen. Sie haben einen Grund gefunden, für den es sich zu leben lohnt. Und vielleicht ist das ja letztendlich Freiheit: Einen Grund zu haben, für den es sich zu leben lohnt. Wer bin ich, dass ich ihnen das verwehren würde? Kannst du das begreifen?«

»Aber was ist mit unserem Kampf?«, rief Mikael empört.

Volod schüttelte den Kopf. »Du nimmst den Mund voll mit hohlen Worten, Bauer, das habe ich dir schon einmal gesagt.«

Mikael wurde rot.

»Die Männer gehören mir nicht«, sagte Volod. »Wenn ich das auch nur einen Moment annehmen würde, wäre ich selbst nicht mehr frei.«

Eine Stunde später waren die Männer nicht zurückgekehrt.

Es war ein sonniger Tag. Der Himmel schien vom Regen der vergangenen Tage wie blank gewaschen, und die Mauern der Häuser glänzten.

Der alte Hauptmann erschien mit seinen Leuten und gab ihnen die Waffen zurück. Als Letztes überreichte er Mikael mit großem Respekt sein Schwert.

»Wohin wollt ihr?«, fragte er.

»Nach Konstanz«, antwortete Volod.

Mikael drehte sich überrascht zu ihm um. Mit einem Mal wurde ihm klar, dass er nie danach gefragt hatte, ob sie ein bestimmtes Ziel hatten.

Der alte Mann wurde ernst. »Das sind fast dreihundert Meilen!«, rief er aus. »Es wird eine lange, beschwerliche Reise.«

Volod nickte.

Auch der Hauptmann nickte. »Reitet bis ans Ende des Tals«, sagte er und wies nach Westen. »Dann wendet euch nach Norden ins Gebirge. Dort sind die Berge nicht so hoch, der Kamm liegt bei nicht einmal dreitausend Fuß. Auf der anderen Seite steigt ihr hinab ins Tal und folgt dem Lauf der Drau bis nach Lienz. Dort solltet ihr bis zum Frühling bleiben. In den Bergen liegt jetzt schon viel Schnee.«

»Wir werden so weit kommen, wie wir können«, erwiderte Volod.

Wieder nickte der alte Mann. »Ja, ich weiß«, sagte er lächelnd. Er überreichte Volod eine Pergamentrolle. »Bis nach Lienz wird dieser Passierschein sicherstellen, dass ihr keine Schwierigkeiten bekommt und überall gastfreundlich aufgenommen werdet. Danach seid ihr auf euch selbst gestellt.«

»Danke«, sagte Volod.

»Noch ein Letztes«, sagte der alte Mann. »Es wäre besser, du sagst, die Frau sei dein Weib.« Er zwinkerte ihm zu. »Die Schwester eines Burschen wird nicht so geachtet wie die Gemahlin eines Kriegers.«

Volod lächelte. »Ihr seid weise.«

»Einen anderen Vorzug hält das Alter leider nicht bereit.«

Dann brachen Volod und seine Leute auf. Mikael hatte jetzt ein eigenes Pferd, und die Mönche luden Brot und Käse und Wein auf die vier Tiere, die keinen Reiter mehr tragen mussten.

»Ein Geschenk der Stadt«, sagte der Prior und sah zum alten Hauptmann hinüber, der ihm wahrscheinlich von Mikaels Schwert berichtet hatte.

Nach einem Dutzend Meilen erreichten sie Köttschach und übernachteten dort. Wie versprochen sorgte der Passierschein für eine freundliche Aufnahme. Und als Mikael sein Schwert herausholte, wurde ihnen zu Ehren sogar ein Spanferkel gebraten.

Am Morgen hatten noch einmal sieben von Volods Männern Arbeit in den umliegenden Gold-, Silber-, Eisenerz- und Bleiminen gefunden.

So ritten nur noch fünfzehn Männer und eine Frau Richtung Berge und folgten dem Lauf der Drau.

Zwei Tage später erreichten sie Lienz. Wieder benutzten sie den Passierschein, um Gastfreundschaft zu erhalten. Und auch hier zeigte Mikael sein Schwert.

Obwohl ihnen jeder davon abriet, ritten sie weiter. Sie wählten ein schmales Tal und folgten dem Lauf des Isel bergauf nordwestwärts. Dann wandten sie sich nach Südwesten und ritten an einem felsigen Gebirgsbach entlang, den die Einheimischen Schwarzach nannten.

Der Weg wurde nun immer steiler, und sie versanken bis zu den Waden im Schnee. Nach wenigen Meilen befanden sie sich schon auf viertausend Fuß Höhe. Als die Nacht hereinbrach, waren sie immer noch unterwegs ohne Aussicht auf einen Unterschlupf. So entzündeten sie ein Feuer unter freiem Himmel und wärmten sich mit Wein. Aber eines der Pferde starb, und die Männer hatten am nächsten Morgen Frostbeulen an Händen und Füßen.

Sie zogen weiter, und als sie immer tiefer im Schnee einsanken, überlegten sie schließlich, ob sie nicht umkehren sollten. Doch kurz vor Sonnenuntergang sahen sie die Häuser eines kleinen Dorfes.

»Ihr seid in Sankt Jakob im Defereggertal«, sagte der Ortsvorsteher und ließ angstvoll seinen Blick über die bedrohlich aussehenden Männer schweifen. »Wir sind arme Leute. Nehmt uns bitte nicht das Wenige, das wir haben.«

»Wir bitten euch lediglich um Gastfreundschaft, guter Mann«, antwortete Volod. »Wir sind auf dem Weg nach Konstanz.«

Der Ortsvorsteher runzelte die Stirn. Weder er noch die anderen Dorfbewohner waren je weiter als bis zum Ortsrand gekommen. Er hatte keine Vorstellung, wo Konstanz lag.

»Man hat uns gesagt, wir müssten zum Antholzer See und

von dort an den Bergen entlang bis nach Bruneck«, erklärte Volod.

»Keiner schafft es zu dieser Jahreszeit zum See«, sagte der Ortsvorsteher und schüttelte den Kopf. »Droben liegt jetzt schon mindestens sieben Fuß hoch Schnee. Ihr müsst bis zum Frühling warten. Es ist schon ein Wunder, dass ihr lebend bis hierher gekommen seid.«

»Könnt ihr uns Gastfreundschaft gewähren?«, fragte Volod.

Der Ortsvorsteher senkte den Kopf. »Wir sind arme Leute, Herr...«

»Wir können euch drei Pferde geben«, sagte Volod.

Die Augen des Ortsvorstehers weiteten sich vor Über-raschung. »Drei Pferde?«, rief er. Dann wandte er sich an die anderen Dorfbewohner, die die Unterhaltung verfolgt hatten. »Drei Pferde sind zu viel«, sagte er in aller ehrlichen Unschuld.

»Nein, drei Pferde sind ein angemessener Preis«, meldete sich da eine Frau zu Wort. »Wir müssen kochen und unsere Vorräte mit ihnen teilen. Außerdem, wo sollen sie schlafen? Im Heu-schober? Dort würden sie erfrieren. Daher müssen wir im Heu-schober einen Kamin errichten und ihnen von unserem Holz abgeben. Drei Pferde sind sogar noch wenig.«

Volod musterte die Frau, die die Hände in die Hüften ge-stemmt hatte. »Wir werden euch auch noch drei Sättel geben. Aber mehr können wir nicht bezahlen«, sagte er.

»Drei Pferde und drei Sättel, einverstanden«, sagte die Frau, und ihre Augen strahlten freudig. »Aber ihr werdet auch Holz schlagen und helfen, wo es nötig ist.«

»Verzeiht meiner Frau, Herr...«, sagte der Ortsvorsteher.

»Deine Frau hat nichts getan, weswegen ich ihr verzeihen müsste«, antwortete Volod. Dann sah er wieder zu der Frau. »Aber du wirst uns genügend zu essen geben, und gleich mor-gen werdet ihr euch an die Arbeit machen und den Kamin bauen. Und du wirst uns auch warme Decken geben.«

Die Frau nickte zum Zeichen, dass sie einverstanden war. Sie wirkte mehr als zufrieden über das Geschäft. In den umliegenden Dörfern gab es niemanden, der drei Pferde besaß. »Und wir bringen noch die Kühe im Heuschober unter. Ihre Fürze werden euch ebenfalls wärmen!«, rief sie lachend aus.

Volods Männer und die Bauern stimmten gemeinsam in das Lachen ein.

Die Frau des Ortsvorstehers richtete drohend einen Finger auf Volod. »Werdet ihr die Frauen in Ruhe lassen?«

»Wenn sie uns in Ruhe lassen«, gab Volod spöttisch zurück.

»Die verheirateten werden euch schon in Ruhe lassen, so wie du es sagst«, antwortete die Frau. Aber sie schien ihre eigenen Worte nicht ganz ernst zu nehmen, denn sie zwinkerte ihm neckisch zu.

Als die Männer in den Heuschober kamen, hatten die Bauern bereits das Heu auf eine Seite geschaufelt und fünf Kühe hineingeführt. Sie begannen, Stroh für ein Nachtlager auszubreiten.

»Morgen Früh wirst du das Schwert aus dem Futteral holen«, sagte Volod nach dem Abendessen zu Mikael. »Es ist an der Zeit, aus dir einen Krieger zu machen.«

Mikael überlief ein aufgeregter Schauer.

»Und jetzt schlaf«, sagte Volod.

In dieser Nacht sang Emöke.

Keiner hatte sie je zuvor singen hören.

Ihre Stimme war so sehr von Schmerz und Leidenschaft erfüllt, und das Lied, das sie sang, war so anrührend, dass in jener Nacht allen Männern das Herz aufging.

Und jeder von ihnen dachte an seine Frau, die irgendwo in der Ferne weilte.

48

Warum hast du mich gezwungen, den Soldaten zu töten?«, fragte Mikael Volod.

Sie standen einander im Schnee gegenüber, die Schwerter in der Hand. Der Himmel erstrahlte in klarem Blau, und die Sonne brachte die über Nacht zu Eis gefrorene Oberfläche des Schnees zum Glitzern. Sie standen mitten auf einer Lichtung, kaum eine halbe Meile von Sankt Jakob entfernt.

»*Ich* habe ihn getötet«, erwiderte Volod.

»Meine Hand hat den Dolch geführt«, widersprach Mikael.

»Nein, meine Hand hat deine geführt. Du hättest die Waffe fallen gelassen«, erklärte Volod. »Mein Arm hat deinen geführt.«

»Warum musste der Mann sterben?«, fragte Mikael mit tränenverschleierten Augen.

Noch immer hörte er nachts das schmatzende Geräusch der Klinge beim Durchtrennen der Luftröhre und spürte das warme Blut auf seinen Händen.

»Wenn es dich so ängstigt, dass diese Sünde auf deiner Seele lasten wird, beruhige dich«, sagte Volod. »Sie gehört ganz mir. Ich nehme sie gern auf mich.«

»Warum musste der Mann sterben?«, fragte Mikael noch einmal.

Volod hob sein Schwert und griff ihn an.

Mikael führte sein eigenes instinktiv quer dazu und wehrte den Schlag ab. Doch er hielt die Waffe nicht fest genug gepackt, und sie entglitt seinen Händen.

Daraufhin ließ Volod seine Klinge von der Seite her in einem vernichtenden Hieb durch die Luft zischen, bis er eine Handbreit vor dem Hals des Jungen innehielt. »Du bist tot!«, sagte er zu ihm. Dann wich er einen Schritt zurück, senkte sein Schwert und stieß es so tief in den Schnee, dass es im Boden stecken blieb. Er entfernte sich zwei Schritte seitwärts von seiner Waffe und wies auf Mikaels Schwert, das immer noch auf dem Boden lag. »Heb es auf und greif mich an!«, befahl er ihm mit harter Stimme.

Mikael sah wie gelähmt auf sein Schwert.

Volod nahm eine Hand voll Schnee und schleuderte sie Mikael ins Gesicht. Er schrie ihn an: »Jetzt heb es schon auf, Bauer!«

Schamrot im Gesicht nahm Mikael sein Schwert auf, schwang es über dem Kopf und stürzte sich auf Volod, der dem Angriff ganz gemächlich auswich. »Das ist keine Hacke, Bauer!«, verhöhnte er ihn.

Als Mikael einen zweiten Schlag führen wollte, stürzte sich Volod, unbewaffnet wie er war, auf ihn und rammte ihm seinen Kopf in den Bauch.

Mikael ließ wieder das Schwert fallen, fiel nach hinten und krümmte sich keuchend im Schnee.

Volod packte Mikaels Schwert und setzte ihm einen Fuß auf die Brust, sodass er sich nicht bewegen konnte. Er packte die Waffe mit beiden Händen und ließ sie kaum zwei Fingerbreit neben Mikaels Kehle in den Boden niedersausen. »Du bist tot«, sagte er wieder. Er blieb stehen und starrte ihn schweigend aus seinen Wolfsaugen an, die keinerlei Gefühl verrieten. Weder Hass noch Zorn, weder Mitleid noch Verachtung. Er sah ihn einfach nur an. Dann gab er Mikael frei und entfernte sich zwei Schritte, wobei er dem Jungen den Rücken zuwandte. »Nimm das Schwert«, sagte er.

Mikael packte den Schwertgriff und wollte sich daran hochziehen.

Aber Volod fuhr blitzschnell herum und trat nach seiner

Hand. Das Schwert wirbelte durch die Luft. Volod zog einen Dolch aus einem Ärmel, warf sich auf beiden Knien über Mikael und stach schnell und präzise nach Mikaels rechtem Auge, wobei er diesmal genau einen Fingerbreit davor anhielt.

Mikael keuchte und versank immer tiefer im Schnee.

»Du bist tot«, sagte Volod zum dritten Mal. Er stand auf und zog sein Schwert aus dem Boden. »Ende der ersten Lehrstunde!«, rief er ihm zu, schon auf halbem Weg nach Sankt Jakob, ohne auf ihn zu warten.

Mikael blieb auf dem Boden liegen, während der Schnee ihm die Wangen gefror. Als ihm zu kalt wurde, kehrte auch er um.

Bis zum Abend ging Volod ihm aus dem Weg.

Nach dem Essen jedoch setzte er sich mit zwei Krügen Bier neben ihn und reichte ihm einen davon.

Beide tranken stumm.

»Was hast du heute gelernt?«, fragte Volod, während er seinen Krug absetzte.

»Dass du besser mit dem Schwert umzugehen weißt als ich?«, antwortete Mikael gereizt.

Volod schlug ihm mit dem Handrücken auf den Mund, ohne ihn anzusehen.

Seine Leute wandten sich zu ihnen um und verstummten.

»Versuch das nie wieder, Bauer!«, zischte Volod drohend. »Vergeude nicht meine Zeit, sonst sehe ich mich nicht mehr an das Versprechen gebunden, das ich Raphael gegeben habe.«

Mikael schlug die Augen nieder. Seine Lippe brannte, und er kam sich vor wie ein nichtsnutziger Trottel.

Volod packte Mikael am rechten Handgelenk und hielt es wie in einem Schraubstock fest. »Das Schwert ist ein Teil von dir«, sagte er eindringlich. »Es gehört zu deinem Körper. Es ist dein Arm.« Er verstärkte den Griff sogar noch. »Verlierst du deinen Arm etwa so leicht? Ist es so einfach, ihn dir abzureißen?« Er warf sich mit der gesamten Kraft seines Körpers seitwärts und zerrte Mikael brutal am Handgelenk mit sich.

Der fiel prompt von seinem Schemel.

»Dein Arm hängt noch fest an deiner Schulter, siehst du?«, sagte Volod und half ihm auf. »Wenn du aber dein Schwert verlierst, ist es, als hättest du deinen Arm verloren.« Er stand auf, nahm Mikaels Schwert und rammte es mit gewaltigem Schwung in einen Balken des Heuschobers. Die gehärtete Klinge bohrte sich tief in das Holz. »Komm her«, sagte Volod.

Mikael ging zu ihm. Er spürte die Augen aller Männer auf sich gerichtet.

»Pack das Schwert!«, befahl Volod ihm.

Mikaels Finger schlossen sich um den Schwertgriff.

»Das Schwert ist dein Arm«, sagte Volod und umfasste Mikaels Handgelenk. »Finger, Handfläche, Heft . . . sind eins. Sie sind fest miteinander verbunden. Man kann sie nicht trennen, genauso wie deine Hand durch das Gelenk mit dem Unterarm verbunden ist und der Unterarm durch den Ellenbogen mit dem Oberarm und der Arm mit dem übrigen Körper durch das Schultergelenk.« Mit der freien Hand tippte er Mikael gegen die Brust. »Und dort, in der Mitte deines Körpers, ist das Herz. Hör ihm zu. Was sagt es?«

Mikael wusste nicht, was er darauf antworten sollte.

»Hör ihm zu, spürst du es?«, fuhr Volod fort.

Mikael nickte verlegen.

»Leg deine linke Hand auf das Herz«, sagte Volod, »und sag mir, was du spürst und hörst.«

Mikael legte eine Hand auf die Brust und wurde rot. »Bum . . . bum . . . bum«, sagte er stockend.

»So klingt das Herz eines Bauern«, sagte Volod verächtlich. »Das Herz eines Kriegers sagt: ›Hältst du . . . lebst du . . . hältst du . . . lebst du . . . hältst du . . . lebst du . . .‹ Hast du mich verstanden?«

»Ja ...«, sagte Mikael zögernd.

Volod griff blitzschnell zu und zerrte an Mikaels Handgelenk.

Mikaels Hand glitt vom Schwertheft.

»Du bist tot«, zischte Volod ihn an. Er wandte sich seinen Leuten zu. »Kommt alle her«, forderte er sie auf. »Jeder hat nur einen Versuch, und es gilt auch nur mit einer Hand, hier an seinem Handgelenk.« Er deutete auf Mikaels Faust, die das Heft des Schwerts inzwischen wieder fest umklammerte. »Wer ihn dazu bringt, dass er loslässt, bekommt morgen die Hälfte seines Abendessens.«

Mikael überstand die ersten vier Männer. Beim fünften musste er sich geschlagen geben.

Am nächsten Tag gab es keine Übungsstunde auf der Lichtung. Mikaels Schwert blieb den ganzen Tag im Holzbalken des Heuschobers stecken. Am Abend musste er die Hälfte von seinem Essen und der Bierration an den Mann abgeben, der ihn besiegt hatte.

»Auf ein Neues«, verkündete Volod, als sie das Essen beendet hatten.

Während Mikaels Finger sich fest um den Schwertgriff schlossen, tippte Volod ihm mit einem Finger auf die Brust. »Hältst du ... lebst du ... hältst du ... lebst du ... hältst du ...«, sagte er leise im Takt, als wollte er seinen Herzschlag nachahmen.

An diesem Abend hielt Mikael neun Männern stand. Doch der zehnte besiegte ihn.

Am dritten Abend überstand er sieben Angriffe.

Volod tastete Mikaels Arm ab. »Hier bist du stark, Bauer«, sagte er. Dann berührte er seine Brust über dem Herzen. »Aber dort bist du schwach.«

Mikael legte sich abseits von den anderen auf das Stroh und wickelte sich fest in seine Decke. Er war entmutigt und fühlte sich einsam. Am liebsten wäre er nach Hause gelaufen und in sein früheres Leben zurückgekehrt. Er sehnte sich danach, sich in Eloisas Arme zu flüchten. Was sollte er eigentlich hier, mitten im Nichts?

Auf einmal raschelte etwas neben ihm. Jemand umarmte ihn von hinten. Er begriff, dass es Emöke war, die sich neben ihm ausgestreckt hatte. Mikael versteifte sich und rührte sich nicht.

Emöke blieb eine Weile stumm liegen. Dann begann sie zu singen.

Seit dem ersten Abend hier hatte sie das nicht mehr getan.

Doch diesmal sang sie nur eine Melodie ohne Worte, in der sehnsüchtige und heitere Töne einander abwechselten.

Emöke verstummte. »Setz du die Worte ein«, flüsterte sie ihm ins Ohr. »Sag ihr alles, was du willst.«

»Wem?«, fragte Mikael.

Emöke antwortete nicht.

»Eloisa?«, fragte Mikael nach.

Emöke legte ihm eine Hand aufs Herz.

Ja, sie meint Eloisa, dachte Mikael.

»Sie wird dir die nötige Kraft geben«, flüsterte Emöke. Dann sang sie wieder ihr Lied. Und diesmal war es ein Liebeslied. Mal heiter, mal traurig, leidenschaftlich, melancholisch, sinnlich und verzweifelt.

Mikael überließ sich ihrem Gesang. Manchmal kam es ihm beinahe so vor, als wäre Eloisa bei ihm. Er konnte den Duft ihres Körpers riechen, spürte ihren Atem. Ihm schien es, als könne er ihre Haare, ihre Lippen, ihren Busen liebkosen. Er küsste ihren Hals, ihre Hände, versenkte die Hand zwischen ihren Beinen und fühlte die feuchte Wärme ihres Schoßes. Er spürte ihre Haut zwischen seinen Zähnen, während er sie zärtlich biss. Er glaubte, vor Schmerz sterben zu müssen, dann wieder bemerkte er, dass er laut lachte.

Und die ganze Nacht über litt er nicht unter der Kälte.

Als Mikael am folgenden Abend zu seinem Schwert ging, das immer noch in einem Balken steckte, und dessen Griff packte, stimmte Emöke hinten im Heuschober erneut das Lied an, das sie in der Nacht davor gesungen hatte.

Mikaels Finger schlossen sich fest um das Heft.

Keinem der Männer gelang es, sie loszureißen.

»Hast du dein Herz gefunden, Bauer?«, sagte Volod schließlich zu ihm. Er lächelte verhalten, und seine Wolfsaugen wurden ganz schmal.

Mikael lächelte zurück, während Emökes Lied verklang.

Auf einmal packte Volod ihn am Handgelenk und zog kräftig daran.

Von dem plötzlichen Angriff überrascht ließ Mikael das Heft los. »Du hast mich betrogen!«, beklagte er sich gekränkt.

»Das stimmt«, gab Volod zu. Dann nahm er Mikaels Kopf zwischen seine Hände und zwang den Jungen damit, ihn anzusehen. »Deshalb habe ich den Soldaten getötet«, sagte er ganz ernst. »Auch er hätte . . . betrügen können. Er hätte einen Dolch nehmen und ihn einem meiner Männer in den Rücken stoßen können.«

Mikael schloss die Hand fest um den Schwertgriff und sah Volod herausfordernd an. »Versuch es noch einmal«, sagte er.

»Nein«, erwiderte Volod lachend. »Ich weiß genau, dass du es jetzt nicht loslassen würdest.« Er schlug ihm auf die Schulter und nickte anerkennend. Dann wandte er sich an seine Männer. »Morgen wird jeder von euch dem Jungen einen Löffel Suppe abgeben. Er hat euch alle besiegt.« Dann drehte er sich noch einmal um und sagte lächelnd zu Mikael: »Zieh das Schwert dort raus. Morgen bekommst du die zweite Lehrstunde.«

Mikael sah zu Emöke. »Danke«, sagte er leise, obwohl sie ihn nicht hören konnte. Dann versuchte er, das Schwert aus dem Balken zu ziehen. Er brauchte jedoch eine knappe halbe Stunde, bis es ihm gelang.

Die ganze Zeit über lachten Volod und seine Männer aus vollem Hals.

Doch das berührte Mikael nicht, als er sich schlafen legte. Er hatte noch Emökes Melodie im Ohr, die ihn zu Eloisa brachte.

49

Die zweite Lehrstunde ist auch die letzte«, sagte Volod.

Mikael stand in der Mitte der verschneiten Lichtung und sah ihn an, die Finger fest um den Schwertgriff geschlossen.

»Sie ist die letzte, denn sie endet nie«, fügte Volod hinzu. »Sie dauert ein ganzes Leben.«

»Was muss ich tun?«, fragte Mikael.

»Du musst meine Angriffe überleben«, erwiderte Volod und zog seine Wolfsaugen zu Schlitzen zusammen. »Bis zu dem Tag, an dem du mich angreifen kannst, sodass ich deine Angriffe überleben muss.« Er legte ihm die Schwertklinge auf die rechte Schulter. »Aber denk daran, du wirst immer jemandem begegnen, der stärker ist als du. Lerne von deinem Feind, dann wirst du dich, wenn du dem Tod entgehst, seiner Kraft bemächtigen.« Volod legte ihm die flache Klinge auf die andere Schulter, wie bei einem Ritterschlag. »Ein Krieger ist die Summe aller Krieger, die er besiegt hat.«

Mikaels Herz schlug laut in der Brust.

»Zieh dich aus«, sagte Volod.

Mikael starrte ihn verblüfft an.

»Leg deine Kleider ab, Bauer.«

Zögernd entledigte sich Mikael seines Obergewandes aus Wolfsfell und des dicken Hemds.

»Alles«, sagte Volod.

Mikael zog die lederne Hose aus und stand nun mit seinen wollenen Hosen in den Stiefeln da, die Raphael für ihn genäht hatte.

»Alles!«, befahl Volod. »Du musst nackt sein.«

Mikael gehorchte. Er zuckte zusammen, als seine bloßen Füße mit dem Schnee in Berührung kamen. Außerdem schämte er sich.

Volod rammte sein Schwert in die Erde und begann, sich seinerseits auszuziehen.

Als auch er vollkommen nackt war, sah Mikael, dass der Körper des Mannes überall von schrecklichen Narben bedeckt war. Sie zogen sich über Brustkorb, Arme und Beine. Volod drehte sich um. Sein Rücken war ebenfalls von einem dichten Netz aus Narben gezeichnet.

»Jede von denen«, sagte Volod und fuhr dabei beinahe zärtlich über die Zeichen auf seinem Körper, »war eine der besten Lehrstunden, die ich jemals bekommen habe. Jede Wunde steht für einen Hieb, den ich mir angeeignet habe, eine Parade, die ich gelernt habe. Und alle Narben zusammen erzählen mein Leben und haben mich zu dem gemacht, was ich heute bin.«

Mikael klapperte vor Kälte mit den Zähnen.

»Hör auf zu bibbern!«, befahl Volod.

Mikael versuchte, sein Zittern zu unterdrücken. Seine Füße waren inzwischen starr vor Kälte, sodass er sie kaum noch spürte.

»Ich bin kein Waffenmeister«, sagte Volod, während er zwei Stöcke nahm, etwa so lang wie Schwerter, die er am Vorabend entrindet und nun mitgebracht hatte. Einen warf er Mikael zu.

Der fing ihn im Fluge auf und merkte dabei, dass auch seine Hände vor Kälte fühllos geworden waren.

»Raphael hätte dich die Schwertkunst richtig lehren können«, fuhr Volod fort. »Ich kenne längst nicht so viele Kniffe wie er.« Er schnellte vor, und nachdem er vorgegeben hatte, er würde Mikael von vorn angreifen, traf er ihn seitlich in die Rippen. »Du bist tot«, sagte er.

Mikael verzog das Gesicht vor Schmerz, als er den Schlag empfing.

Volod wich zurück in seine Ausgangsstellung. »Ich bin auf

der Straße aufgewachsen. Mein Lehrmeister ist jeder gewesen, der mich herausgefordert hat.« Er schnellte wieder vor und wiederholte den Angriff und die Finte.

Mikael parierte den heftigen Schlag.

Volod nickte. Dann wiederholte er den Angriff noch einmal, doch diesmal war die Finte keine, und Mikael, der sich schon auf einen Seitenhieb eingestellt hatte, wurde frontal von einem Stockschlag getroffen.

»Du bist tot«, sagte Volod.

Mikael lief das Blut über die Stirn. Er senkte den Stock.

Im gleichen Moment schlug Volod erneut zu, er traf den Jungen genau in den Magen, sodass dieser rückwärts in den Schnee fiel.

»Ja, ich weiß schon, ich bin tot!«, schrie Mikael wütend.

Volod musterte ihn. »Das ist kein Spiel, Bürschchen«, fuhr er ihn streng an. »Steh auf!«

Mikael rappelte sich auf. Er zitterte am ganzen Körper.

»Hier zählt nur eins, nämlich dass du überlebst, denk daran«, sagte Volod. »Dir ist nicht kalt. Du fühlst weder Hunger, Schmerz, Wut noch Sehnsucht. Du bist weder traurig noch fröhlich. Du bist nicht verliebt. Nicht müde. Nicht betrunken. Oder verwundet.« Er griff ihn mit einem mächtigen Hieb von der Seite her an.

Mikael parierte. Er spürte, wie das Holz in seiner Hand erzitterte, doch er ließ nicht los, sondern schlug selbst zurück.

Volod wich ihm aus. »Es gibt kein Morgen für dich«, sagte er. »Nur das Heute. Das Hier und Jetzt.«

Mikael griff ihn zunächst von vorn an, doch dann änderte er die Richtung des Hiebs und machte daraus einen Schlag in die Seite, genau wie der, den er hatte einstecken müssen.

Volod parierte den Angriff ohne Schwierigkeiten, aber er nickte zufrieden. »Siehst du, jetzt ist ein wenig von mir in dich eingedrungen.« Er beschäftigte Mikael mit ein paar einfachen

Hieben, die nur dazu dienten, seine Deckung zu lockern. »Wofür kämpfst du, Junge?«, fragte er ihn.

»Für die Freiheit«, antwortete Mikael voller Begeisterung.

Volod traf ihn am Bein. »Red keinen Unsinn!«, schrie er. Und er traf ihn wieder, diesmal in die Seite und in den Unterleib.

Mikael sank in sich zusammen und rang nach Atem.

Volod drückte ihm die Spitze des Stockes zwischen die Schulterblätter. »Du kämpfst für das Leben, das Überleben.« Dann stieß er heftig zu, und Mikael fiel vornüber in den Schnee. Volod drückte ihm mit einem Fuß den Kopf nach unten.

Mikael glaubte zu ersticken.

»Du kannst für die Freiheit leben«, sagte Volod und hielt ihn weiter am Boden. »Aber kämpfen musst du für das Leben.«

Als Volod endlich den Fuß wegnahm, schnappte Mikael mit weit aufgerissenem Mund nach Luft.

»Zieh dich an«, sagte Volod. Und er tat das Gleiche.

Auf dem Rückweg zum Heuschober fragte Mikael ihn: »Warum bist du Rebell geworden?«

»Weil ich nicht anders konnte.«

»Was ist Freiheit?«

»Ich habe es dir schon gesagt. Freiheit ist nur ein Wort. Für einen wie mich bedeutet es nichts.«

»Warum kämpfst du dann?«, fragte Mikael unbeirrt weiter.

Inzwischen hatten sie den Heuschober fast erreicht. Volod führte ihn zu einem Schweinestall. »Hausschweine fressen Abfälle aus dem Trog und wälzen sich im Dreck«, sagte er und deutete auf die Tiere. »Wildschweine sind auch Schweine, aber sie finden ihr Fressen im Wald. Und sie wälzen sich nicht in ihrem eigenen Dreck.« Er packte den Jungen im Genick und schleppte ihn in den Heuschober, wo die Kühe angebunden standen und ergeben trockenes Heu kauten. »Schau sie dir an. Hirsche, die eigentlich nichts anderes sind als Kühe, wühlen im Schnee nach saftigem Grün, das die Kälte überlebt hat.« Volod holte zwei

Krüge mit Bier und setzte sich neben das Feuer in dem Kamin, den die Einwohner von Sankt Jakob inzwischen errichtet hatten. Einen Krug reichte er Mikael, dann begann er gedankenverloren zu trinken.

Mikael setzte sich neben ihn.

»Warum hast du die Verrückte gerettet?«, fragte Volod.

»Nenn sie nicht so!«, sagte Mikael.

»Ihre Stimme klingt wie die eines Engels, aber sie ist verrückt«, beharrte Volod. »Was kümmert dich eine arme verrückte Frau? Warum hast du sie gerettet und dabei sogar dein eigenes Leben aufs Spiel gesetzt?«

Mikael wich seinem Blick aus. »Weil es ... richtig war.«

Volod sah ihn respektvoll an. »Ja«, sagte er ernst. »Das ist der einzige Grund. Weil es richtig war.« Auf einmal wurden seine Augen feucht. Er schwieg eine ganze Weile. Dann sah er Mikael wieder an. »Gibt es jemanden, der dir etwas bedeutet? Eine Frau?«

»Ja«, sagte Mikael, und ihm wurde heiß.

»Und du hast sie verlassen, um die Verrückte zu retten?«, fragte Volod.

»Ja ...«, flüsterte Mikael schuldbewusst.

Volod lächelte, aber er schien weit weg zu sein. Ein tiefer Schmerz erfüllte seine Augen. »Ich hatte eine Frau und drei Kinder«, sagte er schließlich mit heiserer Stimme. »Sie starben in einem Winter, das ist viele Jahre her.« Volod warf ein Stück Holz ins Feuer, aber seine Wut wirkte gebremst. Es war, als hätte ihn auf einmal alle Kraft verlassen. »Dass sie starben, war meine Schuld. Weil ich sie mit meiner Hände Arbeit nicht ernähren konnte ...« Seine Stimme senkte sich zu einem gramerfüllten Flüstern ab. »Zuerst starb mein Jüngster, er war kaum ein Jahr alt. Wir wussten, dass er es nicht schaffen würde. Selbst wenn wir ihm das bisschen Essen gegeben hätten, das wir aus dem Abfall herausholten. Deshalb entschied ich, ihm nichts zu geben. Die anderen beiden hatten bessere Aussichten zu überleben ... Ich teilte also nicht mehr durch drei, sondern gab alles an die beiden Großen. Nach wenigen Tagen war er tot. Ich habe sein Wimmern noch in den Ohren. Dann wurde mein Ältester krank. Er litt drei lange Wochen, bis er von uns ging. Danach traf es meine Frau. Sie sparte sich das Essen vom Munde ab, damit ihr letzter Sohn nicht verhungerte ... Aber ich glaube, dass nicht der Hunger, sondern der Schmerz sie getötet hat. Der dritte meiner Söhne starb im Frühling, als ich gerade Hoffnung geschöpft hatte, er könnte es schaffen.« Volod schüttelte düster den Kopf. »Weißt du, wie er starb?« Jetzt liefen ihm Tränen über die Wangen. »Ich hatte die Kruste einer Fleischpastete im Abfall für ihn gefunden ... Ein kleines Stück, nicht größer als ein Finger. Er hat es nicht gleich gegessen, weil er es sich aufheben wollte. In diesem Moment war er der glücklichste Junge auf der Welt. Er hatte die Mutter und zwei Brüder verloren und war so mager, dass er sich kaum auf den Beinen halten konnte, aber so ein dreckiges Stückchen Fleischkruste machte ihn zum glücklichsten Jungen auf der Welt ...« Bei der Erinnerung lächelte Volod einen Augenblick. Dann verhärtete sich sein Gesicht. »Ein alter Mann hatte ihn beobachtet ... und hat ihn niedergestochen, um sie ihm abzunehmen.« Volod verstummte und versank in die Welt seines eigenen Schmerzes. Dann sah er Mikael an. »Ich bereue noch heute, dass ich den alten Mann getötet habe«, sagte er wütend.

Mikael hielt seinem Blick nicht stand. »Warum ...?«, fragte er leise.

»Weil nicht dieser alte Mann meinen Sohn getötet hat«, sagte Volod düster. »Ich selbst habe es getan. Ich allein habe ihn, meine Frau und meine anderen beiden Kinder getötet. Ich.«

»Nein ...«, flüsterte Mikael.

»Doch, Junge«, sagte Volod entschieden. »Du fragst mich, was Freiheit ist und nimmst den Mund voll mit diesem hohlen

Wort«, fuhr er fort. »Wie soll einer wie ich das wissen? Ich war früher auch wie diese Schweine dort, die sich im eigenen Dreck suhlen und darauf warten, dass der Herr ihnen den Trog füllt. Einer wie die Kühe dort drüben, die willenlos mit einem Seil um den Hals angebunden stehen und sterben, wenn der Bauer stirbt, der ihnen das Heu bringt. Können diese Schweine und Kühe wissen, was Freiheit ist?« Er verbarg sein Gesicht in den Händen. »Ich war Bergarbeiter. Die Mine gab nichts mehr her, und der Herr bezahlte mir meinen Lohn nicht. Aber er ließ mich auch nicht ziehen, damit ich mir Arbeit in einer anderen Mine suchen konnte. Denn ich war ja sein Schwein, seine Kuh.« Volod hob einen Holzspan auf. »Das ist die Freiheit für einen wie mich.« Er warf ihn ins Feuer. Dann füllte er sich erneut den Krug und hielt ihn hoch. »Das ist die Freiheit für einen wie mich«, wiederholte er und trank. Er breitete die Arme aus und bezog damit den ganzen Heuschober ein. »Das ist die Freiheit für einen wie mich. Hier zu sein. Weil ich es so will.« Er legte Mikael die Hand auf die Schulter. »Denn, sieh mal, für einen Knecht beschränkt sich die Freiheit einzig und allein darauf, zu überleben, Frau und Kinder vor dem Tod zu bewahren. Und nur dafür kämpfe ich. Für dieses einfache, bescheidene, armselige Recht. Wenn die Menschen sich dies erkämpft haben, dann können sie sich vielleicht den Luxus erlauben, zu überlegen, was das Wort Freiheit bedeutet. Aber ich nicht ... Ich lebe vom Hass, von Reue ... und Scham.«

Mikael schwieg.

Volod packte ihn bei den Schultern. »Du hast etwas getan, was ich selbst nicht zustande gebracht habe. Du hast dein Leben aufs Spiel gesetzt und die Verrückte gerettet ... nur, weil das richtig war.« Er lächelte Mikael an, aber er schien wieder weit entfernt zu sein. »Vielleicht wirst du mich eines Tages lehren, was Freiheit bedeutet.«

»Nein ... ich ...«

»Dein Weib kann stolz auf dich sein, Junge«, unterbrach Volod ihn. »Meiner Frau war das leider nicht vergönnt. Genauso wenig wie meinen Kindern.« Er schwieg eine Weile. Dann sprang er plötzlich auf. Sein Gesicht wirkte jetzt so hart und undurchdringlich wie immer. »Und heute Abend ficke ich eine Frau aus dem Dorf, die es kaum erwarten kann, sich mit jemandem, den sie für einen Helden hält, im Heu zu wälzen ... Dabei ist der doch nur ein armer Teufel, der beim Höhepunkt den Namen seiner Frau stöhnen wird.« Er lachte bitter auf und verließ den Heuschober.

Mikael war wie gelähmt, Volods Worte drückten ihn nieder wie Mühlsteine.

An diesem Abend setzte er sich zum Essen abseits von den anderen, weit entfernt vom Feuer in einen dunklen Winkel der Scheune. Er dachte darüber nach, wie sein Leben verlaufen wäre, wenn Ojsternig nicht seine ganze Familie ausgelöscht hätte, wenn er Prinz Marcus II. von Saxia geblieben wäre. Und er fühlte tiefe Scham, denn er hätte nicht sagen können, ob es ihm gelungen wäre, gerecht zu sein und immer richtig zu handeln.

Und während er sich die schmerzenden Blutergüsse rieb, die ihm Volod am Morgen auf der Lichtung mit dem Stock zugefügt hatte, wurde ihm zu seiner Überraschung klar, dass sein neues Leben ein Geschenk war. Eine Gelegenheit, mit der ihn das Schicksal bedacht hatte. Und nach all diesen Jahren begriff er endlich zur Gänze, was Raphael ihm bei ihrem ersten Treffen in Agnetes Hütte gesagt hatte: »Von nun an liegen zwei Wege vor dir. Du kannst das Schicksal verfluchen, weil es dir die Eltern geraubt hat, dein Fürstentum und all deine Schätze und Besitztümer, im Grunde alles, was du je hattest ... Oder du kannst dem Schicksal danken, weil du noch am Leben bist. Und je nachdem, welche dieser beiden Sichtweisen du wählst, wirst du so ein Mensch oder ein anderer, beide sind vollkommen verschieden und werden zwei vollkommen verschiedene Leben führen.« Zur Schlafenszeit ging Mikael zu Emöke und legte den Kopf in ihren Schoß.

»Sing, Emöke«, sagte er.

Und die Stimme der Verrückten brachte ihn wieder zu Eloisa.

50

Als Eloisa bei den anderen Dorfbewohnern eintraf, die sich in der Nähe der Brücke über die Uqua versammelt hatten, schien selbst die Sonne sich dessen zu schämen, was dort gerade geschah, und verbarg sich hinter den dunklen Wolken, die ein kalter Wind schnell von Norden herantrieb.

Niemand sagte etwas. Man hörte nur das Geräusch der Spaten auf dem gefrorenen Boden.

»Wie haben sie es herausgefunden?«, fragte Eloisa halblaut die alte Astrid, die neben ihr stand.

Astrid antwortete nicht. Doch ihr Blick ging, wie der aller Anwesenden, zu Eberwolf, der neben dem Loch stand, das die Soldaten gerade aushoben.

Ojsternig, Agomar und Prinz Marcus saßen aufrecht und stumm auf ihren Pferden. Zehn Soldaten mit gezückten Schwertern hatten einen schützenden Kreis um sie herum gebildet. Und neben dem Prinzen stand Eberwolf.

Eloisa drehte sich zu dessen Vater Ahlwin um. Der hünenhafte Schmied stand mit gesenktem Kopf und schamrotem Gesicht bei seiner laut schluchzenden Frau und drückte sie fest an sich.

Eine der Schaufeln stieß gegen einen harten Gegenstand.

»Eine Truhe!«, rief einer der Soldaten.

Prinz Marcus lächelte Eberwolf verschwörerisch zu.

»Holt sie heraus!«, befahl Ojsternig.

Alle Dorfbewohner zitterten innerlich.

Eloisa ging zu Agnete. »Mutter...«, sagte sie mahnend.

»Du Schwein!«, zischte Agnete und starrte Eberwolf an.

Die Truhe wurde hervorgeholt.

»Öffnet sie!«, ordnete Ojsternig an.

Ein Soldat hob den Deckel der Truhe. Darin waren alle Habseligkeiten, die die Bewohner des Raühnval vor Ojsternig hatten verbergen können.

»Ich sollte euch alle aufhängen!«, schrie Ojsternig wütend und zugleich befriedigt, während er vom Pferd stieg, um den Inhalt der Truhe zu begutachten. Dann ließ er seinen Blick über seine Leibeigenen schweifen.

Den Männern und Frauen stand die Angst deutlich ins Gesicht geschrieben. Sie fürchteten Ojsternigs Strafe. Und die künftige Armut.

»Diese Güter sind beschlagnahmt!«, verkündete Ojsternig und stieg wieder in den Sattel.

»Euer Durchlaucht ...«, fing Vater Timotej schüchtern an.

Ojsternig sah verächtlich auf ihn hinab. »Was ist, Pfaffe?«

Der Pfarrer der Kapelle Maria zum Schnee zog den Kopf ein. »Euer Durchlaucht ... das ist alles, was diese Leute besitzen ...«

»Ja und?«, sagte Ojsternig und lächelte böse.

»Euer Durchlaucht ... Das sind Kleinigkeiten ... Nur ein paar Münzen, die jeder ...«

Ojsternig schnitt ihm mit einer gebieterischen Handbewegung das Wort ab. »Kleinigkeiten, die zusammengenommen ein Vermögen ausmachen, Pfaffe.«

»Euer Durchlaucht ... So begreift doch ... Es ist weit mehr, als Eure Leibeigenen Euch schulden ... Wenn Ihr doch so barmherzig sein wollt und ...«

»Ich bin mehr als barmherzig«, rief Ojsternig wütend aus. »Ich sollte sie blutig peitschen und dann aufhängen lassen! Sie haben ihren Herrn betrogen!« Er ließ den Blick erneut über die Leute gleiten. »Es ist mehr, als sie mir schulden? Nun gut, ich werde alles nehmen, als Preis für die gerechte Bestrafung, die mir rechtmäßig zusteht, und sie am Leben lassen. Ist das vielleicht nicht barmherzig?«

Vater Timotej senkte den Blick und wich zurück in den Kreis der Dorfbewohner.

»Mit diesem kleinen Obolus werde ich meinen Aufenthalt in Konstanz bestreiten«, verkündete Ojsternig. »Euer geliebter Herrscher hat seine Edelleute wegen des Streits um die drei Päpste geladen. Nach der Schneeschmelze reise ich ab. Und ihr werdet Euch an der Gewissheit erfreuen, dass dieses Geld mir den Aufenthalt in Konstanz angenehmer gestalten wird.« Er sah zu Vater Timotej. »Ihr seid doch glücklich? Antworte!«

»Ja ... Euer Durchlaucht ...«, flüsterte der Pfarrer fast unhörbar.

»Gut«, sagte Ojsternig mit einem höhnischen Lachen und wollte gerade sein Pferd wenden, als Prinz Marcus sein Schwert zog und mit der Klinge Eberwolfs Schulter berührte. »Es ist das Verdienst Eures treuen Leibeigenen, dass wir den Betrug dieses Gesindels aufgedeckt haben.«

Ojsternig starrte ihn an und zog die Augenbrauen hoch.

»Ich selbst habe ihm geraten, Euch seine vollkommene Ergebenheit zu beweisen«, fuhr Prinz Marcus fort und senkte leicht die trägen Lider. »Ich glaube, zum Lohn dafür hat er verdient, dass Ihr ihn in Euer Heer aufnehmt. Und mit Eurer Zustimmung werde ich ihn zu meinem Schildknappen machen. Vielleicht wird er eines Tages sogar ein berittener Soldat Eurer Leibwache werden.«

Ojsternig lenkte sein Pferd vor Eberwolf. »Du willst einer meiner Soldaten werden?«, fragte der Fürst ihn.

»Ja, Euer Durchlaucht!«, rief Eberwolf aus und fiel vor Ojsternig auf die Knie.

»Du Schwein!«, zischte Agnete wieder.

Ojsternig musterte ihn. »Ich habe dir einmal gesagt, dass du einen Charakter hast, der zu nichts taugt«, sagte er leise. »Dass du hinterhältig und gemein bist und in deinem Leben nur Diener oder Verräter sein kannst.«

Enttäuscht wandte sich Eberwolf Marcus zu.

»Sieh mich an!«, befahl Ojsternig ihm.

Eberwolf zog den Kopf ein.

»Ich habe mich geirrt.«

Auf Eberwolfs Gesicht erschien ein Lächeln.

»Ich habe mich geirrt«, wiederholte Ojsternig. »Denn du bist beides. Diener und Verräter.«

Eberwolf wollte sich zu Marcus umdrehen, aber er widerstand der Versuchung. Das Lächeln war wieder von seinem Gesicht verschwunden.

»Du wirst niemals zu meinen Soldaten gehören«, sagte Ojsternig.

»Herr, er war Euch nützlich ... Er verdient ...«, empörte sich Marcus.

»Ich weiß sehr gut, was er verdient«, unterbrach Ojsternig ihn barsch. »Er wird Diener und Verräter sein. Er wird mir dienen und seine Leute verraten.« Er trieb sein Pferd noch näher an Eberwolf heran und zog sein Schwert. Verächtlich schlug er Marcus' Waffe von Eberwolfs Schulter und legte die eigene Klinge darauf. »Von diesem Moment an wirst du mein Aufseher in diesem Tal sein. Du wirst die Aufgabe haben zu überwachen, ob die Leute mein Gesetz befolgen. Und du hast die Befugnis, diejenigen, die es übertreten, zu melden und sie einsperren zu lassen.« Er wandte sich den Dorfbewohnern zu, die stumm alles beobachtet hatten. »Wer gegen ihn die Hand erhebt, handelt gegen mich und wird mit dem Tode bestraft.« Dann zeigte er mit dem Finger auf Eberwolf. »Und du, mach deine Sache gut als Diener und Verräter. Wenn ich nämlich herausfinde, dass du jemanden bevorzugt hast oder absichtlich weggeschaut hast, lasse ich dich von deinen eigenen Leuten steinigen.« Er verzog seine schmalen Schlangenlippen zu einem höhnischen Grinsen und steckte sein Schwert ein. »Für deine Arbeit als Aufseher erhältst du einen Schilling weniger als ein Soldat, weil du weniger wert bist als ein Soldat. Du kannst jedoch ein Schwert bekommen und darfst bei den Burghuren liegen. So ist es beschlossen.« Er sah Marcus verächtlich an. »Und du ... Schlappschwanz ... versprich in Zukunft nur, was du auch halten kannst.« Er wandte sich an seine Soldaten: »Ihr da, ladet die Truhe auf«, befahl er und gab seinem Pferd die Sporen.

Eberwolf wollte ihm schon folgen, doch als Ojsternig dies bemerkte, hielt er ihn auf. »Nein, du bleibst hier, Aufseher«, befahl er. »Pass auf, dass die da nichts Beleidigendes gegen deinen Herrn und Gebieter sagen.« Er lachte. »Und genieß deine neue Stellung im Kreise deiner Leute!«

Kaum hatten Ojsternig und seine Männer sich entfernt, ging Ahlwin Hand in Hand mit seiner Frau zu Eberwolf. »Du hast Schande über unsere Familie gebracht«, sagte er laut, damit alle ihn hörten. »Von heute an bist du nicht mehr unser Sohn!« Er spuckte ihm ins Gesicht. Seine Frau brach in Tränen aus.

Eberwolf wischte sich das Gesicht ab, dann sah er seinen Vater hasserfüllt an. »Ich bin nicht mehr dein Sohn und auch keiner mehr von euch«, sagte er und schloss mit seinem Blick alle Dorfbewohner ein, die ihn schweigend anstarrten. Dann wandte er sich seinem Vater zu und stieß ihn weg. »Wenn du mich noch einmal respektlos behandelst ... lasse ich dich aufhängen.«

Vater Timotej trat zwischen Ahlwin und Eberwolf. »Junge, um Gottes willen ...«

»Von heute an ist der Herr von Ojsternig mein einziger Gott, Pfaffe!«, unterbrach Eberwolf ihn.

»Gott sei deiner Seele gnädig, Junge«, stammelte Vater Timotej.

»Er sei deiner Seele gnädig, Pfaffe«, gab Eberwolf gehässig zurück. »Denn wenn ich merken sollte, dass du das Gesetz deines Lehnsherrn übertrittst, wirst du behandelt wie jeder von denen hier, da wird dich auch dein Messgewand nicht retten.« Weil niemand sich rührte und alle ihn weiterhin voller Verachtung anstarrten, schrie er: »Geht an die Arbeit, Knechte!«

Die Leute zerstreuten sich langsam in düsterem Schweigen. Jetzt haben wir nichts mehr, dachte jeder bei sich.

»Du Schwein ...«, zischte Agnete mit zusammengebissenen Zähnen und ging nach Hause. »Diesen Winter werden durch deine Schuld viele an Hunger sterben, du widerliches Schwein. Und wenn nicht diesen Winter, dann bei der nächsten Hungersnot.«

Eloisa folgte ihr schweigend. Sie sagte auch kein Wort, als sie die Hütte erreichten. Stumm setzte sie sich auf die Schwelle und streichelte Harro, als würde sie damit Mikael streicheln. Und sie blieb dort sitzen, bis es dunkel wurde. Ihr ging nur ein Gedanke durch den Kopf, und den konnte sie mit niemandem teilen.

An diesem Abend rührte sie ihr Essen kaum an. Sie richtete kein Wort an ihre Mutter und antwortete nur einsilbig auf deren Fragen.

»Was hast du?«, fragte Agnete, als sie schlafen gingen.

Eloisa antwortete nicht und legte sich neben Harro in die Nähe des Kamins.

Als sie bei Tagesanbruch aufstand, war sie vollkommen steif, und jeder Knochen tat ihr weh. Doch kaum hatte sie die Augen geöffnet, meldete sich sofort wieder diese Sorge und trieb sie um.

»Bist du wegen Mikael so komisch?«, fragte Agnete sie, während sie die Brühe für das Frühstück aufwärmte. »Niemand hat diesem Schwein Eberwolf erzählt, dass Mikael Emöke gerettet hat. Jeder hier wusste, dass man ihm nicht trauen kann. Aus lauter Vorsicht reden sie nicht einmal darüber, wenn sie allein sind.« Ihre Augen erfüllte Stolz. »Aber jeder von ihnen trägt die

Tat des Jungen in seinem Herzen.« Sie sah ihre Tochter an. »Bist du deswegen in Sorge?«

Eloisa schüttelte den Kopf.

»Ist es, weil wir jetzt noch weniger haben als vorher?«

Wieder schüttelte Eloisa den Kopf.

»Keine Sorge, wir schaffen das schon«, brummte Agnete. »Uns kriegt man so schnell nicht klein, wir sind hart im Nehmen.«

Eloisa nickte schwach.

»Was hast du denn nur?«, fragte Agnete barsch.

Eloisa zuckte mit den Schultern. »Nichts . . .«

»Nichts«, äffte Agnete sie nach. »Nur gut, dass du nichts hast. Ich dachte schon, du hättest was.« Sie füllte die Brühe in zwei Holzschüsseln. »Komm essen.«

Eloisa rührte sich nicht vom Fleck und drückte sich an Harro.

»Lass den alten Flohteppich los und komm essen«, sagte Agnete in einem Ton, der keinen Widerspruch duldete.

Eloisa stand auf und setzte sich an den Tisch.

»Iss jetzt, oder die Brühe wird kalt!«, brauste Agnete auf, als sie sah, wie ihre Tochter die Schüssel verträumt ansah.

Eloisa nahm den Löffel, tauchte ihn in die Brühe und führte ihn zum Mund. Sie hatte kaum den ersten Schluck genommen, da sprang sie schon auf und rannte aus der Hütte.

»Eloisa!«, rief Agnete ihr nach. Sie stand auf und ging zu ihrer Tochter.

Eloisa stand gekrümmt da, klammerte sich am aufgestapelten Brennholz fest und erbrach sich.

»Geht es dir nicht gut?«, fragte Agnete besorgt und legte ihr die Hand an die Stirn. »Was hast du, mein Kind?«

Eloisa richtete sich auf. Sie rang nach Atem.

Agnete wischte ihr den Mund sauber. »Was hast du, mein Kind?«, fragte sie noch einmal.

Eloisas Augen füllten sich mit Tränen, während sie sich mit erschrockenem Blick abwandte.

»Was . . .?«, bedrängte Agnete sie.

Eloisa schloss die Augen. »Ich glaube, ich bin schwanger . . .«

Agnete wurde blass. »Du glaubst . . .?« Mehr brachte sie nicht heraus.

Eloisa schluchzte laut und umarmte ihre Mutter, als wäre sie wieder ein kleines Mädchen. »Ich werde . . . ein . . . Kind bekommen . . . Mutter«, stammelte sie unter Schluchzen.

Agnete blieb stumm und stocksteif stehen. Doch allmählich erwiderte sie die Umarmung ihrer Tochter, drückte sie an sich und streichelte ihr über den Rücken. »Bist du froh oder traurig darüber?«, fragte sie leise.

»Ich weiß es nicht . . .«, antwortete Eloisa noch leiser.

51

Innerhalb von drei Wochen war im Dorf Sankt Jakob so viel Schnee gefallen, dass er bis an die Fensterbänke der Holzhäuser reichte. Mit der Hilfe von Volods Männern hatten die Dorfbewohner Schneisen zwischen den Häusern und entlang der Hauptstraße frei geschaufelt. Der am Wegrand zusammengeschobene Schnee türmte sich dort übermannshoch auf.

Trotzdem ging Mikaels Unterricht weiter.

Mikael und Volod versanken auf dem Weg zur Lichtung beinahe bis zur Hüfte im Schnee. Die ersten beiden Tage ohne Niederschläge hatte Volod ihn angewiesen, ein dreißig mal dreißig Schritt großes Feld frei zu schaufeln, und in den nächsten beiden Tagen hatte er ihn gezwungen, mit dicken Rindenstücken unter den Stiefeln darauf auf und ab zu laufen, um ihr Übungsfeld zu ebnen und den verbliebenen Schnee festzutreten. An manchen Stellen hatte Volod Wasser darübergegossen. Den Tag darauf gab es dort Flächen mit festem Schnee, auf denen man gut vorwärtskam, und solche, die der Nachtfrost in rutschige Eisplatten verwandelt hatte und die nun in der Sonne wie Spiegel glänzten.

Jeden Tag kämpften Mikael und Volod dort nackt und ohne die Kälte zu spüren mit den Stöcken gegeneinander. Doch von Woche zu Woche ersetzte Volod die Schlagstöcke durch immer dickere und schwerere Exemplare, bis sie nach etwa anderthalb Monaten mit kleinen Baumstämmen gegeneinander kämpften, die schwer zu handhaben waren und so viel wogen, dass sie nur mit beiden Händen geführt werden konnten. Gleichzeitig mussten sie darauf achten, nicht auf den Eisflächen zu landen, wo sie unausweichlich das Gleichgewicht verloren hätten.

»Danach wird dir dein Schwert so leicht wie ein Schilfrohr vorkommen«, war einer der wenigen Sätze, die Volod zu Mikael sagte. Und ein anderer war: »Pinkel dir auf die Füße, wenn wir fertig sind. Das wird dich vor Frostbeulen schützen.«

Ansonsten beschränkte er sich darauf, ihn immer wieder anzugreifen und dabei seinen ganzen Vorrat an Hieben und Finten auszuspielen.

Nachdem sie eine Woche lang mit Baumstämmen gekämpft hatten, kehrte Volod zu den allerersten Stöcken zurück. Doch diesmal rammte er zwei dicke Pfähle in den Boden, befestigte zwei Seile daran und band deren Enden an Mikaels Knöcheln fest, sodass der sich nur noch drei Schritte in jede Richtung bewegen konnte. Dann griff Volod ihn heftig an, sodass Mikael immer weiter zurückweichen musste, bis die Seile sich zum Äußersten spannten und Mikael nicht mehr weiter nach hinten konnte. Oft fiel er hin. Doch die Kälte lenkte ihn nicht mehr ab, und auch wenn er am Boden lag, wusste er, wie er Schlägen ausweichen und sie parieren musste.

Nach weiteren zwei Wochen brachte Volod einen Esel zur Lichtung mit. Er legte Mikael ein Seil um die Hüfte und band es an dem Tier fest. Während er Mikael angriff, schrie er auf den Esel ein, damit der sich erschreckte. Das Tier bewegte sich daraufhin ruckhaft, sodass Mikael immer wieder das Gleichgewicht verlor und seine Hiebe, mit denen er selbst angriff oder sich verteidigte, nicht mehr so genau setzen konnte.

Gegen Ende Januar verkündete Volod schließlich, dass jetzt die Zeit gekommen sei, mit echten Schwertern zu kämpfen.

An dem Morgen, als er Raphaels Schwert endlich in der Hand hielt, überkam Mikael eine starke Ergriffenheit, die seinen Atem beschleunigte. Dichte Dampfschwaden umwölkten sein Gesicht. Sein Körper war noch stärker geworden. Seine Arme reagierten schnell und kraftvoll, die Finger waren nun wie mit dem Schwertgriff verschmolzen. Die Beine standen fest auf dem Boden und waren dennoch flink und beweglich, und sein Kopf konzentrierte sich einzig und allein auf das, was er tat, ohne sich ablenken zu lassen. Er versenkte sich voll und ganz in den Kampf, um die Hiebe seines Gegners vorherzuahnen, zu parieren und ihn mit plötzlichen Angriffen zurückzuschlagen.

»Ich werde dich nicht schonen«, sagte Volod zu ihm. »Wenn ich deine Deckung durchbreche, wird meine Klinge deine Haut, deine Muskeln und dein Fleisch verletzen.«

Mikael sah ihn reglos an.

»Für mich wirst du weder ein Bauer noch ein Junge sein«, sagte Volod.

Diese Worte erfüllten Mikael mit Stolz. Er atmete tief durch und ging leicht in die Knie. Er war auf alles gefasst.

So kämpften sie den ganzen Februar über. Volods Klinge traf ihn an der linken Schulter, am rechten Oberschenkel, an der Seite, dort wo die Leber saß, an der Schläfe, an der linken Hand, an beiden Knien und Schienbeinen. Und von jeder Wunde trug er eine Narbe davon.

»Ich werde dich nie besiegen«, sagte Mikael eines Nachmittags erschöpft und vollkommen niedergeschlagen.

»Zieh dich an!«, befahl Volod ihm. Er setzte sich auf den Boden.

Mikael zog sich an und setzte sich neben ihn.

Schweigend sahen die beiden zu, wie die Sonne zügig hinter den Berggipfeln versank.

»Weil du noch nicht weißt, was für ein Tier du bist«, sagte Volod plötzlich, ohne den Blick von dem Himmel abzuwenden, der feuerrot aufflammte.

Mikaels Blick blieb ebenfalls weiter auf den Horizont gerichtet. Der Anblick des Sonnenuntergangs erinnerte ihn an Blut und Tod.

»Welches Tier bist du?«, fragte Volod.

Mikael erinnerte sich daran, mit welchen Worten sein Vater

ihm das Fürstenhaus derer von Saxia beschrieben hatte. »Ein Wolf«, antwortete er.

Volod lachte laut. »Ein Wolf? Du?« Er lachte noch einmal.

Mikael verstummte gekränkt.

»Versuch nicht zu sein, was du zu sein erwartest«, erklärte Volod ihm darauf wieder ganz ernst.

»Ich bin ein Wolf«, wiederholte Mikael trotzig.

»Nein«, widersprach Volod und betrachtete den feuerroten Himmel. »Du besitzt nicht die Grausamkeit eines Wolfs. Du kämpfst nicht wie er. Du greifst fast immer von vorn an. Ein Wolf dagegen springt seine Beute von der Seite oder von hinten an. Er sucht eine ungeschützte Stelle. Er ist erbarmungslos. Und hinterhältig.«

Die Sonne verschwand nun endgültig, und allmählich brach die Nachtkälte herein, während der Himmel jene fahle Farbe annahm, die der Dunkelheit vorausgeht.

Volod stand auf und machte sich auf den Rückweg.

»Wie soll ich denn herausfinden, was für ein Tier ich bin?«, fragte Mikael, als er zu ihm aufschloss.

Volod zuckte mit den Schultern. »Irgendwann wirst du es einfach wissen. Dann spürst du es in dir selbst«, antwortete er. »Doch damit das geschieht, musst du dich selbst befragen. Und dein Herz für die Antwort öffnen. Du musst in dich hineinhören.«

»Ich wäre gern ein Bär«, sagte Mikael.

»Ich wäre auch gern so groß und stark wie du«, sagte Volod lachend, »aber ich bin es nicht.« Dann liefen sie wieder schweigend vorwärts, kämpften sich mühsam durch den Schnee. »Und warum wärst du gern ein Bär?«

»Weil er das stärkste Tier im Wald ist«, erwiderte Mikael. »Nur ein Bär kann einen anderen Bären besiegen.«

»Was für ein Unsinn!«, rief Volod aus. »Selbst der stärkste Bär kann durch das Gift einer winzig kleinen Viper sterben, wenn sie ihn nahe genug am Herzen beißt. Oder durch einen Pfeil, der so zerbrechlich ist, dass jedes Kind ihn ganz leicht zerknicken kann.«

Als sie schon den Heuschober vor sich sahen, blieb Volod auf einmal stehen und sah Mikael eindringlich an. »Du bist, was du bist, und du wirst nie der sein, der du nicht bist oder der du sein willst.« Bevor sie eintraten, sagte er zu ihm: »Wir werden nicht mehr kämpfen, bevor du nicht erkannt hast, was für ein Tier du bist.«

Viele Tage lang stellte Mikael sich vor, er sei ein Wolf, ein Bär, ein Königsadler, ein Fuchs, ein Falke. Es gab kein Raubtier, über das er nicht nachdachte. Er stellte sich vor, wie er spitze Reißzähne oder einen scharfen Schnabel im Fleisch seiner Beute versenkte. Doch jedes Mal wenn er zu Volod gehen und ihm sagen wollte, er wisse jetzt, was für ein Tier er sei, hielt ihn etwas zurück.

Eines Morgens sah er Emöke in einem Kreis von Männern und Frauen vor dem Heuschober sitzen.

Die Märzluft verbreitete sich mit einer Milde, die den Schnee aufweichte und die Eiszapfen, die all die langen Monate an den Dächern der Häuser gehangen hatten, allmählich zum Schmelzen brachte.

Mikael ging auf sie zu. »Emöke, kannst du mir sagen, welches Tier ich bin?«, fragte er sie.

Volod hörte es. »Frag nicht sie«, fuhr er ihn an. »Das musst du selbst in deinem Herzen erkennen. Sonst wirst du nie wirklich dieses Tier sein, selbst wenn sie dir die richtige Antwort vorsagen würde.«

Emöke stand auf und ging.

Den ganzen Tag lang streifte Mikael ziellos durch den Wald. Als er abends zurückkam, stocherte er lustlos in seinem Essen. Dann legte er sich in einer Ecke aufs Stroh nieder.

Emöke gesellte sich zu ihm, setzte sich neben ihn und zog

seinen Kopf in ihren Schoß. »Schlaf jetzt«, flüsterte sie und strich über seine langen Haare.

»Ich bin nicht müde«, erwiderte Mikael und wollte sich ihr entwinden.

Emöke hielt ihn zurück. »Schlaf jetzt«, sagte sie noch einmal. »Gregor wird dir helfen.« Dann begann sie zu singen, eine eingängige Melodie, die sich ständig wiederholte.

Kurz darauf begann Mikael, sich seltsam zu fühlen. Wie betrunken. Er glitt allmählich in einen schweren Schlaf, während er Emökes Gesang und dem Klopfen seines eigenen Herzens lauschte, das ihm in den Ohren dröhnte. Dann verblasste Emökes Stimme, und er hörte nur noch den gleichmäßigen Schlag seines Herzens. Plötzlich fand er sich auf einer Lichtung wieder. Er erkannte sie. Dort hatten Eloisa und er als Kinder Pilze gesammelt. Die Lichtung lag verlassen da, doch sein Herzschlag war noch schneller, noch lauter geworden, sodass die Erde darunter zu erbeben schien. »Schau hin«, sagte eine Männerstimme. Und im Traum wusste Mikael, dass es Gregor war. Er schaute hoch und sah vor sich einen gewaltigen Hirsch mit einem majestätischen Geweih, der ihn mit hocherhobenem Kopf vom anderen Ende der Lichtung ansah. Dampfend stieg der Atem aus seinen Nüstern und umgab ihn wie dichter Rauch. Kurz darauf stieß der Hirsch ein tiefes Röhren aus, bei dem sich alle Muskeln seines kräftigen Halses anspannten, er stampfte mit den Vorderhufen auf die Erde und stürmte dann mit gesenktem Kopf auf Mikael zu. Die Erde erzitterte unter der Wucht seiner mächtigen Hufe. Mikael hatte Angst. »Beweg dich nicht«, hörte er Gregors Stimme hinter sich. Der Hirsch in seinem Lauf war wunderbar anzusehen, er holte kräftig aus und war schnell wie ein Pfeil. Als er kaum noch einen Schritt von Mikael entfernt war, stemmte sich das Tier mit seinen Hufen in die Erde und riss sie beinahe wie beim Pflügen auf. Sein Atem traf Mikael mitten im Gesicht. »Atme mit ihm«, hörte er

Gregor sagen. Mikael spürte, wie der warme Atem des Tiers in seine Lungen drang. Plötzlich war der Hirsch verschwunden, und Mikael sah, wie sein eigener Atem mächtig aus seinen Nasenlöchern drang. »Lauf!«, hörte er wieder Gregors Stimme. Und Mikael lief so schnell wie noch nie in seinem ganzen Leben, überquerte mit einem einzigen Sprung einen Bach, bis er schließlich eine Hirschkuh erreichte. Sie schien keine Angst vor ihm zu haben. Im Gegenteil, sie empfing ihn freundlich, senkte den Nacken mit angelegten Ohren und rieb ihren Kopf an seiner Brust. Dann hörte man ein schwaches, beinahe weinerliches Röhren aus dem dichten Wald. Und Mikael wusste, dass irgendwo da draußen ein Hirschkalb war.

Am nächsten Morgen wachte er schweißgebadet auf.

Emöke schlief mit dem Rücken gegen die Wand des Heuschobers gelehnt, ihre Hand war immer noch in seinen Haaren vergraben. Ihr Gesicht war blass und von Erschöpfung gezeichnet. Als Mikael sich bewegte, schlug sie die Augen auf. »Hat er dir geholfen?«, fragte sie mit schwacher Stimme.

Mikael nickte verwirrt.

»Ich wusste es«, sagte sie und drehte sich zum Schlafen auf die Seite.

Nach dem Abendessen ging Mikael zu Volod. »Ich weiß jetzt, was ich bin«, sagte er. »Ich bin ein Hirsch.«

Volod sah ihn an und kniff die Augen zusammen. Er nickte. »Ab morgen kämpfen wir wieder mit den Schwertern.«

Fünf Tage später bog Mikael nach einer Reihe gnadenloser Hiebe Volods Arme nach unten und schlug ihm das Schwert weg. Er hielt ihm die eigene Waffe an die Kehle.

»Du bist tot«, sagte er.

52

Als Mikael sich am Abend schlafen legte, bettete er seinen Kopf in Emökes Schoß und dachte an den großen Hirsch, in dessen Körper er gefahren war. Und er wusste auch, dass die Hirschkuh Eloisa war. Dann kam ihm das Jungtier in den Sinn, das sich irgendwo im Wald versteckt hatte. »Aber Eloisa hat doch gar kein Kind«, sagte er laut. Emöke antwortete nicht darauf, aber sie sang wieder ihr Schlaflied.

Am nächsten Morgen kündigte Volod an, dass sie bald nach Konstanz weiterreisen würden.

Als sie in der kommenden Woche wirklich aufbrachen, waren vier von Volods Männern nicht mehr dabei.

Drei hatten beschlossen, bei ihren neuen Frauen zu bleiben, und die Einwohner von Sankt Jakob hatten ihnen zu Ehren ein großes Fest veranstaltet, bei dem die Ehen geschlossen und sie feierlich in die Dorfgemeinschaft aufgenommen wurden.

Der vierte, Lucio, ein ehemaliger Bergarbeiter, hatte den ganzen kurzen Winter über, den sie im Heuschober von Sankt Jakob verbracht hatten, nicht einen Moment aufgehört, seine Frau und seine zwei Kinder zu vermissen, die er in Dravocnik zurückgelassen hatte, als er sich den Rebellen anschloss. Solange sie im Mezesnigwald geblieben waren, hatte er jede sich bietende Gelegenheit genutzt, um nachts ins Tal hinabzusteigen und seiner Familie etwas zu essen zu bringen, obwohl seine Frau als Magd in der Burg durchaus in der Lage war, ihre beiden Kinder allein durchzubringen. Doch in den einsamen Nächten im Heuschober war Lucio klar geworden, dass er seine Familie wahrscheinlich nie mehr wiedersehen würde, wenn er die Reise mit den anderen fortsetzte. Daher hatte er am Hochzeitstag seiner Gefährten den Entschluss gefasst, umzukehren. Er konnte nicht ohne seine Frau und seine Kinder leben.

»Wenn sie dich erwischen, wirst du gehenkt«, hatte Volod ihm gesagt.

»Wenn ich sie nicht mehr wiedersehe, sterbe ich auch«, hatte Lucio geantwortet.

Er wirkte so leidend, als würde eine Krankheit ihn von innen auszehren, und Volod begriff, dass er wirklich vor Sehnsucht sterben würde. »Sei vorsichtig und möge Gott dich segnen«, hatte er zu ihm gesagt und ihm eine Hand auf die Schulter gelegt.

Als Mikael erfuhr, dass Lucio umkehren würde, hatte er ihn beiseitegenommen. »Kannst du Eloisa Veedon, der Tochter der Hebamme im Raühnval, eine Botschaft überbringen?«, hatte er ihn gefragt, und allein dieser Funke Hoffnung hatte seine Stimme brüchig werden lassen.

Lucio hatte ihm versichert, dass er sein Möglichstes tun werde. »Was soll ich ihr sagen?«

»Dass ich am Leben bin«, hatte Mikael geantwortet. Dann war er schrecklich rot geworden und verstummt.

»Junge, ich gehe nur aus Liebe dem Tod entgegen«, hatte Lucio gesagt und ihn angelächelt. »Es gibt nichts, dessen du dich mir gegenüber schämen müsstest.«

Mikaels Augen hatten sich mit Tränen gefüllt. »Sag ihr … dass ich ganz ihr gehöre«, hatte er schließlich gestammelt.

Lucio hatte ernst genickt. Von dem inneren Schmerz, der ihn bis zu dem Tag zu verzehren schien, war ihm jetzt nichts mehr anzumerken. »Und ich werde ihr ausrichten, dass du zurückkommst«, hatte er hinzugefügt. Dann hatte er sein weiß-rot geschecktes Pferd gewendet, mit dem man ihn unter Tausenden erkennen würde, und ohne Bedauern oder Angst seine Rückreise angetreten. Er hatte sich nicht einmal mehr umgedreht.

Am nächsten Morgen machten sich Mikael, Emöke, Volod

und die neun verbliebenen Männer im gnädigen Schein einer milden Spätwintersonne wieder auf den Weg. Die Frau des Ortsvorstehers hatte ihnen Pökelfleisch und eingelegte Fische mitgegeben, dazu fünf große Schläuche mit Wein. Der kleine Zug folgte der Schwarzach bis zum Ende der Ackerflächen, die noch unter einer dünnen, mit Schlamm vermischten Schneedecke verborgen lagen. Dann bog die Gruppe nach Südwesten ab, so wie es ihnen die Ältesten von Sankt Jakob beschrieben hatten. Sie drangen in einen dichten Tannenwald vor, wo der Pfad bald steil bergan führte.

Als sie zu einem kleinen See gelangten, dem Obersee, stellte sich Mikael, während sie die Pferde tränkten, neben Volod. »Warum reisen wir nach Konstanz?«, fragte er.

»Weil die ganze Welt dort sein wird«, erwiderte Volod.

Oben, auf fünftausend Fuß, lag der Schnee noch recht hoch. Sie mussten absitzen und banden sich jene seltsamen Gerätschaften unter die Füße, die die Einwohner von Sankt Jakob ihnen geschenkt hatten. Es handelte sich um ovale Gestelle aus abgelagertem Holz, in deren Mitte gegerbte Lederstreifen zu einer Art Netz verflochten waren. »Damit werdet Ihr nicht so tief im Schnee einsinken«, hatte der Ortsvorsteher voller Stolz über dieses Geschenk gesagt. Sie banden auch Eichhörnchenfelle um die Hufe der Pferde, damit sie nicht erfroren. Vor ihnen lag noch ein Anstieg auf sechstausend Fuß Höhe. Als sie ihre Vorbereitungen getroffen hatten, setzten sie ihren Weg fort.

Sie führten die Pferde am Zügel und kämpften sich schleppend und mühsam vorwärts.

In der Nacht schliefen sie im Schutz der Bäume: Sie hatten in ihrer Mitte ein Feuer gemacht und einen Kreis aus brennenden Fackeln um sich in den Schnee gesteckt. Außerdem hielten sie abwechselnd Wache, denn der Wald hallte vom Heulen der Wölfe wider, die gegen Ende des Winters abgemagert und ausgehungert waren.

Am nächsten Tag konnten die Gefährten endlich auf der anderen Seite des Berges hinabsteigen, und am Abend erreichten sie den Antholzer See, der an einigen Stellen noch zugefroren war, schließlich befand er sich auf einer Höhe von viertausendfünfhundert Fuß. Sie schlugen ihr Lager am steinigen Ufer auf, aßen Pökelfleisch und tranken Wein.

»Sing, Emöke«, sagte einer der Männer, als sie rund um das Lagerfeuer saßen.

Emöke stimmte ein trauriges Lied an, und alle sahen hoch zum Sternenhimmel und auf den Vollmond, der sein geisterhaftes Licht über die ruhige Oberfläche des Sees warf.

Mikael dachte an Lucio. Vermutlich hatte er jetzt ungefähr die halbe Strecke seines Wegs nach Haus zurückgelegt. Der Junge beneidete ihn um seinen Mut und seine Liebe, die so stark waren, dass er den Tod riskierte, nur um seine Frau wiederzusehen. Er fragte sich, ob seine Liebe zu Eloisa genauso stark war. Und er hoffte, dass Lucio ihr seine Botschaft überbringen konnte. Dann betete er darum, dass Ojsternig und seine Soldaten ihn nicht aufgreifen würden. Diese Botschaft war wie ein Faden, zwar so dünn und leicht zu zerreißen wie ein Spinnennetz, aber dennoch würde er sie für einen Moment wieder vereinen. Und als die Traurigkeit ihm das Herz schwer werden ließ, nahm Emöke seine Hand, ohne ihren Gesang zu unterbrechen, und drückte sie fest.

Am nächsten Morgen konnten sie wieder aufsitzen, weil die Schneedecke dünner geworden war. Mikael lenkte sein Pferd neben Volod, der wie immer einsam an der Spitze der kleinen Gruppe ritt.

»Und dann?«, fragte er Volod.

»Und dann was?«, fragte Volod zurück.

»Du hast gesagt, in Konstanz ist die ganze Welt. Und dann?«

Volod drehte sich zu ihm um. Er sah ernst und feierlich aus.

»Dann werden auch wir dort sein, Junge.«

Zwei Tage später erreichten sie die Stadt Bruneck, über der sich alles beherrschend die alte Burg erhob. In der Stadt wimmelte es von Menschen – Händlern und Fuhrleuten –, war sie doch ein wichtiger Handelsknotenpunkt zwischen Augsburg und Venedig.

Volod führte seine Leute in ein Gasthaus, wo er einen Preis für die Übernachtung und ein reichliches Abendessen aushandelte.

»Wie sollen wir das bezahlen?«, fragte Mikael.

Volod gab keine Antwort, sondern verließ grußlos das Gasthaus. Bei seiner Rückkehr spät in der Nacht hatte er einen Lederbeutel voller Münzen dabei.

»Wo hast du die her?«, fragte Mikael, als er die Münzen klirren hörte.

»Schlaf«, sagte Volod nur und wickelte sich in seine Decke.

In dieser Nacht dachte Mikael an Ojsternig. Er erinnerte sich, dass er sich selbst geschworen hatte, ihn umzubringen, um seine Familie zu rächen. Doch nun, nach all den Monaten bei den Rebellen, nachdem er Eloisa verlassen hatte, weil es richtig gewesen war, Emöke zu retten, wurde ihm bewusst, dass die Rache nebensächlich geworden war. In seinem Herzen war etwas viel Größeres herangereift. Er dachte an Eloisa, an Agnete, an alle Bewohner des Raühnval, an seine Leute eben, und da kniete er sich hin und legte sich eine Hand aufs Herz. »Ich schwöre, wieder Gerechtigkeit in diese Täler und auf diese Berge zu bringen«, sagte er leise und feierlich. »Und ich werde keinen Frieden finden, ehe ich nicht diesen Schwur erfüllt habe, denn meine Worte entspringen jeder Faser meines Herzens, und zwischen den Buchstaben, aus denen sie bestehen, fließt mein Blut.«

Am nächsten Morgen wurden sie an den Toren der Stadt von einem Trupp Wachsoldaten angehalten. Volod zeigte ihnen den Passierschein des Hauptmanns aus Kirchbach.

»Der gilt hier nicht«, sagte der Anführer der Wachen.

»Wen sucht Ihr denn? Etwa einen Strauchdieb?«, fragte Volod.

»Was weißt du darüber?«, fragte der Anführer misstrauisch.

»Haltet Ihr etwa jeden Tag die Leute an, die auf dieser Straße kommen und gehen?«, fragte Volod zurück und zuckte mit den Schultern. »Wohl kaum, nehme ich an. Also muss wohl ein Verbrechen geschehen sein.«

»Und wenn schon? Was hat das mit deinem Passierschein zu tun? Ich habe dir schon gesagt, dass der hier nicht gilt.«

»Aber er zeigt dir, dass wir keine Räuber sind«, sagte Volod und sah der Wache fest in die Augen.

Der Anführer der Soldaten schnaubte empört auf, dann bedeutete er seinen Männern, sie vorbeizulassen.

»Und, was ist denn jetzt geschehen?«, fragte Volod, der es nicht eilig zu haben schien.

»Ein Händler wurde um seinen Beutel erleichtert, als er ein Hurenhaus aufgesucht hat«, erwiderte der Anführer der Wachen.

»Dann ist ihn das Schäferstündchen wohl teurer zu stehen gekommen, als er gedacht hatte!«, sagte Volod lachend.

Der Wachsoldat stimmte in sein Gelächter ein. »Verschwindet, ich vergeude nur meine Zeit mit euch«, sagte er schließlich immer noch lachend zu Volod. Dann wandte er sich den nachfolgenden Reisenden zu und befahl ihnen anzuhalten.

Eine Meile später ritt Mikael an Volods Seite. »Das ist nicht richtig. Wir sollten keine Diebe sein.«

»Geh mir nicht auf den Sack mit deinem Kindergeschwätz«, sagte Volod, gab seinem Pferd die Sporen und ritt voraus. Dann führte er die kleine Gruppe am Ufer der Rienz entlang. Sie ritten weiter bis in die Dunkelheit und kamen schließlich in ein breites Tal, das von vier Bergen umschlossen wurde. Dort schlugen sie ihr Lager auf.

»Wir sind das, was wir sein können. Vergiss das nicht«, sagte Volod vor dem Einschlafen zu Mikael.

Am nächsten Tag folgten sie dem Eisack und wandten sich wieder bergan nach Nordwest in ein kaltes, enges Tal. Innerhalb von zwei Tagen hatten sie Sterzing erreicht.

Auch hier handelte Volod mit dem Gastwirt einen Preis für das Abendessen und ein Zimmer aus, in dem sie alle zusammen nächtigen sollten, um sich gegenseitig zu wärmen.

Als es dunkel wurde, hörte Mikael, wie Volod den Gasthof verließ.

Bei Sonnenaufgang war er zurück. Und am Morgen sagte er dem Gastwirt, dass sie noch eine Nacht bleiben würden. Er zahlte im Voraus, und Mikael sah, dass der Inhalt des Beutels auf die Hälfte geschrumpft war.

In der folgenden Nacht ging Volod zu Mikael und flüsterte ihm ins Ohr: »Ich brauche deine Hilfe. Bist du dabei?«

Mikael nickte und folgte ihm nach draußen.

Ohne ein weiteres Wort führte Volod ihn zu einem Steinhaus, das man offensichtlich befestigt hatte. Die niedrigen Fenster waren durch massive Gitter geschützt. Volod zeigte Mikael ein Fenster im ersten Stock. »Ich muss dort hinauf«, sagte er. »Und dafür muss ich bei jemandem auf die Schultern steigen, der so groß ist wie du.«

»Was ist da drinnen?«, fragte Mikael.

»Silber«, antwortete Volod. »Das hier ist der Hauptumschlagplatz für die Minen aus dem Ridnauntal und dem Pflerschtal.«

»Woher weißt du das?«

»Man muss bloß seine Augen und Ohren offen halten.«

»Und was willst du hier?«

»Bist du so dumm oder tust du nur so, Junge?«

»Ich bin nicht dumm!«, empörte sich Mikael, der sich noch gut daran erinnerte, wie oft man das zu ihm gesagt hatte, als er jünger war.

»Sei leiser«, flüsterte Volod. »Wenn du nicht dumm bist, dann stell auch keine dummen Fragen.« Er sah ihn an und fragte: »Bist du dabei?« Und er fügte hinzu: »Es ist gefährlich. Wenn sie uns erwischen, knüpft man uns auf.«

Mikael spürte, wie die Angst ihm den Magen zusammenzog.

»Wenn du nicht willst, geh einfach wieder schlafen«, sagte Volod.

»Jetzt steig schon auf«, sagte Mikael, stützte sich an der Hauswand ab und ging in die Knie, während sein Herz wie wild in seiner Brust klopfte.

Volod kletterte auf seine Schultern, und Mikael richtete sich auf.

»Verflucht, ich komm nicht ran«, knurrte Volod.

Da packte Mikael seine Füße und stemmte ihn hoch, ohne größere Anstrengung streckte er die Arme mitsamt seiner Last nach oben. Während er mit zusammengepressten Kiefern ausharrte, hörte er, wie Volod mit einem Messer das Fenster aufbrach. Kurz danach war er hineingeklettert.

Mit klopfendem Herzen blieb Mikael vor dem Haus stehen.

»He, du da, was machst du denn hier?«, fragte auf einmal eine Stimme hinter ihm.

Erschrocken fuhr Mikael herum. Ein Wachsoldat kam auf ihn zu. Er wirkte ganz so, als wollte er unverzüglich Alarm schlagen. Mikael stürzte sich auf ihn, weniger aus Mut denn aus Angst, und packte ihn bei der Kehle, um ihn am Schreien zu hindern.

Der Wachsoldat wehrte sich und schlug ihm mit der Faust auf die Nase.

Da verstärkte Mikael in seiner Panik den Griff um die Kehle des Mannes.

Der Soldat legte die Hände an den Hals und versuchte, Mikaels Finger zu lösen, während er verzweifelt nach Luft schnappte.

In dem Moment hörte Mikael hinter sich einen dumpfen Aufprall. Und gleich darauf erhielt der Wachsoldat einen Schlag auf die Schläfe, woraufhin er bewusstlos in sich zusammensackte.

»Lass ihn jetzt, Junge«, sagte Volod hinter ihm und zerrte an Mikaels Armen. »Lass ihn los!« Und als Mikael seine Umklammerung nicht löste, versetzte er ihm eine Ohrfeige.

Benommen öffnete Mikael die Finger, mit denen er den Hals des Wachsoldaten krampfhaft umschlossen hatte, als fände er erst jetzt in die Wirklichkeit zurück.

Volod zerrte den schlaffen Körper in eine dunkle Gasse und versteckte ihn unter Abfällen. »Los, gehen wir, schnell«, sagte er zu Mikael.

Sie rannten zum Gasthaus, weckten die Männer und verließen Sterzing in aller Heimlichkeit noch vor Sonnenaufgang.

»Was hattest du denn vor? Ihn umzubringen?«, fragte Volod Mikael vorwurfsvoll, während sie eine schmale, steile Klamm zum Brenner hochritten.

»Ich ...«, stammelte Mikael.

»Du hast auf mich herabgesehen und mich einen Dieb geschimpft«, fuhr Volod fort, »und dann bringst du einen Unschuldigen um?«

»Ich hatte Angst ...«

»Wozu habe ich dich mehrere Monate nackt im Schnee kämpfen lassen, damit du deine Gefühle beherrschen lernst, wenn du bei der erstbesten Gelegenheit den Kopf verlierst?«, sagte Volod hart. »Ich muss mich auf dich verlassen können, Junge.«

»Es tut mir leid ...«

»Das schert mich einen Dreck, ob es dir leidtut!«, schrie Volod, und seine Stimme hallte wütend durch den verlassenen Wald.

Drei Tage lang sprach er nicht mehr mit Mikael, bis Innsbruck in Sicht kam auf der anderen Seite der hohen und unwegsamen Berge, die sie gerade überquert hatten.

»Komm mit. Und vergiss dein Schwert nicht«, sagte Volod zu Mikael, nachdem er mit dem Wirt des Gasthauses Zum Braunen Bär geredet hatte.

Mikael folgte ihm auf die Brücke über den Inn. Volod hatte ihm einen schweren Lederbeutel zu tragen gegeben. Am Stadtrand betrat Volod den Laden eines Schmieds.

»Der Wirt vom Braunen Bär schickt uns«, sagte Volod zu dem Mann. »Wir haben etwas für einen gewissen Goldschmied, den du gut kennst.«

Der Schmied führte sie in einen Nebenraum der kleinen Werkstatt. »Lasst sehen«, sagte er knapp.

Volod gab Mikael ein Zeichen, dem Schmied den Beutel zu überreichen.

»Vier Pfund«, sagte Volod.

Der Schmied holte acht grobe Silberbarren aus dem Sack. Er wog sie in der Hand. »Vier Pfund«, bestätigte er. »Lasst das Silber hier und kommt heute Abend wieder. Dann werdet Ihr Euer Geld erhalten.«

»Hältst du mich etwa für dumm?«, fragte Volod. »Der da«, sagte er und zeigte auf Mikael, »wird hier bei den Barren Wache halten, bis du mit deinem Gaunerfreund wieder zurück bist. Und den wirst du wissen lassen, dass ich den Preis für gestohlenes Silber kenne.« Volod bohrte ihm den Zeigefinger in die kräftige Brust, die über und über mit kleinen Narben überzogen war, die das flüssige Metall hinterlassen hatte, wenn es beim Schmelzen spritzte. »Und lass dich nicht davon beirren, dass er noch so jung aussieht. Ich lasse ihn hier bei dir, weil er sein Schwert besser zu führen weiß als ich. Wenn du versuchst, ihn zu betrügen, wird er dir ohne zu zögern mit einem Streich den Kopf abhauen. Und solltest du versuchen, ihn an die Wachen oder eine Schar Galgenstricke auszuliefern, wird er seine Haut teuer verkaufen. Falls du das überlebst, komme ich zurück und werde die Seele des armen Jungen rächen. Haben wir uns verstanden?«

Der Schmied schluckte schwer. Dann nickte er.

Mikaels Beine zitterten.

»Du stehst nackt mitten im Schnee, aber du spürst die Kälte nicht«, flüsterte Volod ihm beim Gehen ins Ohr.

Mikael setzte sich neben die Silberbarren in eine Ecke. Dort blieb er bis zum Abend sitzen, ohne etwas zu essen oder zu trinken, und seine Hand hielt den Griff des Schwertes fest umklammert.

Nach Anbruch der Dunkelheit kam der Schmied in Begleitung des Goldschmieds zurück, eines dürren, grauhaarigen Mannes, der seine Umgebung trotz seines fortgeschrittenen Alters mit hellwachen Augen beobachtete. Der Goldschmied wog die Silberbarren und händigte Mikael wortlos einen Sack voller klingender Münzen aus.

Mikael steckte ihn aufgeregt ein.

»Willst du nicht nachzählen?«, fragte der Goldschmied erstaunt.

Mikael spürte, wie ihm vor Angst die Kehle eng wurde. Er hatte einen Fehler begangen. Nun stellte er sich vor, nackt im Schnee zu stehen. Und dass ihm nicht kalt war. Der Kampf war das Einzige, was zählte. »Wenn die Summe nicht stimmt . . .«, sagte er und versuchte, seine Stimme fest klingen zu lassen, »werde ich dich finden.«

»Die Summe stimmt«, sagte der Goldschmied verängstigt.

»Dann brauche ich ja nicht nachzuzählen«, sagte Mikael.

Der Goldschmied zog den Kopf ein und wandte sich an den Schmied. »Du hast doch auch gesehen, dass ich den korrekten Preis abgezählt habe, sag es ihm«, forderte er ihn mit bebender Stimme auf.

»Ja, Junge«, bestätigte der Schmied, sichtlich beeindruckt von dem Schwert mit den drei großen Smaragden.

»Ich verschwende hier nur meine Zeit«, sagte Mikael, der jetzt nur noch so schnell wie möglich zum Gasthaus zurückkehren wollte.

Die zwei traten beiseite, um ihm den Weg frei zu machen.

Mikael schritt so gemächlich, wie es ihm möglich war, zur Tür. Doch sobald er um die Ecke des Ladens gebogen war, rannte er los, dass ihm die Luft wegblieb.

Als er das Gasthaus erreichte, ging er sofort zu Volod und überreichte ihm den Beutel mit dem Geld.

Volod öffnete ihn und zählte zehn große Goldstücke ab. Dann sah er zu Mikael auf.

Der stand wie gebannt da und schaute ihn mit einem Lächeln auf den Lippen an.

»Was gibt's?«, fuhr Volod ihn grob an. »Erwartest du etwa, dass ich ›Gut gemacht‹ sage wie zu einem kleinen Kind?«

Während Mikael mit feuerrotem Kopf zu seinem Lager schlich, flüsterte Volod lautlos: »Gut gemacht, Junge.«

Mikael legte sich neben Emöke. Die Frau wirkte überhaupt nicht erschöpft, und Mikael bewunderte sie für ihre Zähigkeit. So wie Emökes Kopf anscheinend die meiste Zeit anderswo weilte, so schien auch ihr Körper nicht unter Kälte, Hunger oder Erschöpfung zu leiden, als verhielte es sich mit ihm ebenso. Nur einmal hatte sie müde gewirkt: nach der Nacht, als sie ihm den Traum von dem Hirschen geschenkt hatte.

»Hast du niemals Angst, Emöke?«, fragte Mikael sie. Ursprünglich hatte er sie für eine Idee gerettet. Aber nach all den Monaten, die sie gemeinsam verbracht hatten, hatte er sie tatsächlich lieb gewonnen wie eine Schwester. Er umarmte sie.

»Nein«, antwortete Emöke.

»Wie schaffst du das?«

Emöke streichelte ihm sanft über die Wange. »Ich weiß, dass du da bist, um mich zu beschützen.«

In dieser Nacht dachte Mikael vor dem Einschlafen wieder

an den Tag zurück, als der alte Raphael ihm beigebracht hatte, wie man das Erdreich auflockerte. »Du hast heute ein ganzes Stück Land vollkommen allein aufgehackt. Und darauf kannst du stolz sein«, hatte er zu ihm gesagt, obwohl die Hacke, die er dabei benutzt hatte, nur in seiner Fantasie existierte, genau wie die aufgelockerten Erdschollen. Aber er erinnerte sich genau, wie stolz er gewesen war.

»Sag mir noch einmal, warum du keine Angst hast, Emöke«, bat er sie, während ihm bereits die Augen zufielen.

»Weil du da bist, um mich zu beschützen«, wiederholte Emöke sanft.

Und Mikael schlief voller Stolz ein.

53

Eloisa wusste nur zu gut, dass es Sünde war, den Tod eines Menschen herbeizuwünschen. Doch es gab Tage, an denen sie hoffte, das Kind, das seit knapp fünf Monaten in ihrem Schoß heranwuchs, würde sterben. Wenn das geschah, lief sie schnell zur Kapelle und kniete sich vor die Statue der Maria zum Schnee. Die Madonna trug ein rotes Kleid, darüber einen grün gefütterten blauen Umhang, der auch ihr Haupt bedeckte, und hielt das Jesuskind im Arm. Eloisa betrachtete sie lang und stumm, bis sie Gewissheit hatte, dass der schreckliche Gedanke aus ihrem Kopf verschwunden war. Und erst dann konnte sie mit ihr reden. Sie betete nicht. Sie bat lediglich, die Muttergottes möge ihr helfen, die Last, die sie in sich trug, als einen Segen anzunehmen. Und dass sie ihr beibrachte, eine gute Mutter zu sein. Sie, die vor allen Dingen Mutter war, musste sie doch verstehen. Aus Eloisas Mund drang jedoch nur ein Flüstern, damit niemand anderer sie hören konnte.

Denn sie hielt diese Schwangerschaft streng geheim und hatte auch ihre Mutter gebeten, ihre Entscheidung zu respektieren.

Wenn sie nicht darüber sprach, war es, als ob sie dieses Kind gar nicht erwartete. Und trotz der hartnäckigen Blicke, mit denen ihre Mutter jeden Abend ihren Bauch musterte, tat Eloisa sich selbst gegenüber meist so, als wäre sie gar nicht in anderen Umständen. Indem sie diesen Gedanken nicht zuließ, ließ sie auch die große Angst nicht zu, die sich ihrer immer wieder zu bemächtigen drohte.

Manchmal, wenn sie vergebens gegen den Wunsch ankämpfte, alles zu leugnen, hasste sie Mikael. Mikael, der fortgegangen war. Der eine Idee über ihre gemeinsame Zukunft gestellt hatte. Der sie verlassen hatte. Alleingelassen hatte.

Aber diese Stimmung hielt immer nur kurz an.

Denn die Liebe, die sie für Mikael empfand, kannte nur wenige Momente des Zweifels. Die übrige Zeit fühlte Eloisa noch seine Hände auf ihrem Körper, seine zärtlichen Berührungen, seine Küsse. Sie spürte ihn in sich, seinen keuchenden Atem, der sich mit ihrem eigenen zu einer Melodie vereinte. Es gab Tage, an denen diese Empfindungen so stark waren, dass ihr davon schwindelte und sie sich an einem Zaun oder einer Wand abstützen musste, um nicht das Gleichgewicht zu verlieren.

»Ich gehöre ihm«, hatte sie eines Tages ihrer Mutter anvertraut.

Agnetes Augen hatten sich an jenem Tag mit Tränen gefüllt.

An einem besonders milden Morgen Anfang März bat Eloisa Agnete um Erlaubnis, einmal nicht auf den Feldern arbeiten zu müssen. Sie überquerte die Brücke der Uqua und lief dort im Flussbett weiter bis zu der Stelle, an der sie und Mikael sich zum ersten Mal geliebt hatten. Sie legte sich auf die Wiese, wo sie beide gelegen hatten, zog die Stiefel aus und gab sich mit geschlossenen Augen der Sonne hin, so wie sie sich Mikael hingegeben hatte.

Während sie in Gedanken zu diesem Moment zurückkehrte, bewegte sich etwas in ihrem Bauch. Aber es war keine kräftige Bewegung, eher glich sie dem Flattern eines Vogels.

»Nein!«, schrie sie erschrocken auf.

Sie breitete die Arme aus, als hätte sie Angst davor, die Hände um den Bauch zu legen. Um das Kind.

»Nein …«, wiederholte sie leiser.

Eloisa war schweißgebadet. Sie sah auf ihre nackten Füße. Ihre Knöchel waren angeschwollen. Da ging sie zum Flussufer, hob ihren Rock ein wenig an und tauchte die Füße ins Wasser.

Sofort spürte sie Erleichterung. Aber dann war da wieder dieses Flattern im Bauch.

»Nein . . . nein . . .«

Sie ging weiter, bis das Wasser ihr bis zu den Knien reichte. Die Kälte betäubte ihre Glieder.

Da war wieder dieses Flattern.

Eloisa rannte ans Ufer und riss sich die Kleider fast vom Leib, als ob sie glühend heiß wären, bis sie völlig nackt dastand. Dann ging sie wieder zum Fluss und tauchte Beine und Arme ein. Den Bauch. Sie musste ihren Bauch betäuben. Als sie vom eisigen Wasser umschlossen wurde, bis ihr beinahe der Atem stockte, spürte sie, wie ihr Bauch sich verhärtete, sich spannte wie ein Trommelfell. Dennoch blieb sie weiter im Wasser und schüttelte immer wieder trotzig den Kopf in stummer Verleugnung.

»Sch. . . sei still . . .«, murmelte sie erschrocken. »Beweg dich nicht . . .«

»Mit wem sprichst du?«, hörte sie da jemanden von gegenüber fragen.

Eloisa sah auf und erkannte, dass Eberwolf sie mit belustigter Miene vom anderen Ufer aus beobachtete. Sofort bedeckte sie mit einer Hand ihre Scham. Und mit dem anderen Arm die Brust. Doch es gab kein Entkommen.

Eberwolf deutete mit einem Finger auf ihren Bauch. »Ich wette, das da ist der Bastard von Ziegendreck!«, rief er und lachte schallend.

Eloisa errötete vor Scham und spürte einen schmerzhaften Stich. Da legte sie zum ersten Mal eine Hand auf ihren Bauch, als wollte sie ihn beschützen. Abgrundtiefer Hass erschütterte sie bis ins Innerste, und sie presste die Zähne aufeinander. Wütend starrte sie Eberwolf an. Zwei Menschen waren in diesem Winter verhungert, nachdem man ihnen alles genommen hatte. Durch seine Schuld. Weil er ein Verräter war. Weil er sie an Ojsternig verkauft hatte.

»Der Bastard von Ziegendreck!«, wiederholte Eberwolf dümmlich, als wäre es ein besonders gelungener Witz. Dann schob er sein Becken in einer obszönen Bewegung vor und zurück.

Eloisa starrte ihn aus zusammengekniffenen Augen an, während der Hass in ihrem Inneren sich ins Unermessliche steigerte. »Nun ja, *du* kannst Prinz Marcus ganz bestimmt keinen Bastard schenken«, zischte sie voller Verachtung.

Eberwolf riss die Augen auf und ballte wütend die Fäuste.

Eloisa sah, dass er vor Scham feuerrot geworden war. Sie hatte seinen wunden Punkt getroffen. »Inzwischen wissen ja alle, dass dir Frauen nicht gefallen«, platzte sie spöttisch heraus.

Ein Kind aus dem Dorf hatte vor ein paar Tagen auf einer Lichtung Eberwolf und Marcus beobachtet. Eberwolf stand über ihn gebeugt, beide hatten die Hosen heruntergelassen und er nahm den Prinzen von hinten.

»Das wirst du mir büßen, du Hure!«, schrie Eberwolf und kam durch das Wasser auf sie zu.

Plötzlich begriff Eloisa, dass sie eine Dummheit begangen hatte. Sie war hier ganz allein mit Eberwolf, und sie war nackt. Sie hätte ihn nicht herausfordern dürfen. So schnell sie konnte, rannte sie zu ihren Kleidern. Doch ihr blieb keine Zeit mehr, sie anzuziehen. Sie sammelte sie hastig auf und rannte mit bloßen Füßen in den Wald hinein.

»Wo willst du denn hin, du Schlampe?«, schrie Eberwolf wie von Sinnen hinter ihr her.

Da wurde Eloisa klar, dass Eberwolf sie früher oder später einholen würde, wenn sie weiter in den Wald rannte. Sie änderte ihre Richtung und kehrte zum Fluss zurück, im Lauf verlor sie noch ihren Rock, der sich in einem Dornengestrüpp verfangen hatte. Sie folgte dem Flussbett zurück zur Brücke und kletterte dort wieder auf den Weg hinauf.

Hinter ihr erzitterten die Bohlen der Brücke schon unter Eberwolfs kräftigen Schritten.

»Hilfe!«, schrie Eloisa in ihrer Angst und rutschte in einer Schlammpfütze aus. Sie stand wieder auf und rannte weiter, nackt und verzweifelt wie sie war, zu den Feldern, auf denen die Dorfbewohner bei der Arbeit waren. »Hilfe! Helft mir!«

Die Männer ließen augenblicklich ihre Werkzeuge fallen und eilten zu ihr, sie erreichten sie gerade in dem Moment, als Eberwolf sie an den Haaren gepackt und zu Boden geschleudert hatte.

»Halt!«, befahl Eberwolfs Vater Ahlwin und stellte sich zwischen die beiden.

»Aus dem Weg!«, schrie Eberwolf mit wutverzerrtem Gesicht.

Ahlwin rührte sich nicht. Zwei andere Männer traten neben ihn.

Eloisa lag auf dem Boden, sie machte sich möglichst klein und versuchte, ihre Blöße zu bedecken.

Andere Bauern kamen herbei und kreisten Eberwolf fast ein.

»Ihr könnt mir nichts anhaben, sonst wird der Prinz euch hängen!«, schrie Eberwolf, doch in seiner Stimme schwang eine Spur Angst mit.

Die Männer sagten nichts, doch sie gingen noch einen Schritt auf ihn zu.

Eberwolf wich zurück.

»Wag es ja nicht, unsere Frauen anzufassen«, sagte Ahlwin. »So wahr mir Gott helfe, dafür würde ich mich gern aufknüpfen lassen!«

Eberwolf wich noch einen Schritt zurück.

Nun kam auch Agnete dazu, alarmiert von den Schreien. Sie half Eloisa auf, zog ihren eigenen Umhang aus und bedeckte ihre Tochter damit. Sie drückte sie an sich und schaute dann zu Eberwolf. »Möge Gott dich verfluchen!«

»Ich werde dich auspeitschen lassen. Du bist eine Hure wie deine Tochter«, sagte Eberwolf, während er unter den verächtlichen Blicken aller weiter zurückwich.

»Möge Gott dich verfluchen!«, wiederholte Agnete.

»Möge Gott dich verfluchen!«, sagte eine andere Frau.

»Ich werde euch alle aufhängen lassen!«, drohte Eberwolf mit ängstlicher, schwacher Stimme.

»Das wäre weniger schlimm, als mit der Schande weiterleben zu müssen, dich geboren zu haben«, sagte Eberwolfs Mutter, die in den vergangenen Wochen so viel geweint hatte, dass sie nun keine Tränen mehr hatte. Sie drängte sich an ihren Mann und stimmte ein: »Möge Gott dich verfluchen ...«

»Möge Gott dich verfluchen«, murmelten nun alle Frauen, eine nach der anderen.

Eberwolf fühlte sich bedroht. Seit er zum Aufseher des Tals ernannt worden war, hatte er den Hass der Leute, die einmal seinesgleichen gewesen waren, mühelos ertragen. Weil er ihre Angst spürte. Aber jetzt kam es ihm vor, als fürchteten sie ihn nicht mehr, weil sie ihn dafür verachteten, dass er zum Liebhaber des verkommenen Marcus geworden war. Er errötete, zunächst aus Scham, doch dann blickte er auf Eloisa, und da überkam ihn wieder der Zorn. Er hasste sie. Seit ihren Kindertagen, als sie ihn vor allen lächerlich gemacht hatte. Und das Gleiche geschah jetzt wieder. Mit hochrotem Kopf zeigte er mit dem Finger auf sie: »Diese Hure ist keine Jungfrau mehr. Sie trägt den Bastard von Mikael Veedon im Leib, der von Fürst Ojsternig als Rebell geächtet worden ist!« Mit blutunterlaufenen Augen starrte er Eloisa an. »Der Fürst wird dich wie Emöke behandeln. Du wirst die neue Soldatenhure!« Er lachte gezwungen auf, dann drehte er sich um und schlich mit verkrampften Beinen langsam fort, in steter Furcht, ein Messer in den Rücken gerammt zu bekommen.

Als er weit genug entfernt war, wandte sich Agnete ihrer

Tochter zu. »Was hat er dir angetan?«, fragte sie besorgt und legte ihrer Tochter instinktiv eine Hand auf den Bauch.

Eloisa, der diese Berührung unangenehm war, machte sich los. »Nichts«, sagte sie.

»Und warum bist du nackt?«, bohrte Agnete weiter nach.

Eloisa blickte sich um, sah die Männer und Frauen des Dorfes an. Alle Blicke waren jetzt auf sie gerichtet. Und jeder hier wusste nun, dass sie schwanger war. »Lasst mich in Ruhe, Mutter«, schrie sie und rannte nach Hause.

Als sie bei der Hütte ankam, kümmerte sie sich nicht um Harro, der sie freudig begrüßte. Sie weinte bitterlich und suchte nur nach einem Platz, wo sie sich verstecken konnte. Da fiel ihr Blick auf die Luke, unter der sich Mikael als Kind verborgen hatte. Sie öffnete die Falltür und kauerte sich auf dem alten, verfaulten Stroh zusammen, das nach Mäusekot stank.

»Komm heraus, mein Kind!«, sagte Agnete wenig später.

»Nein!«, antwortete Eloisa, die weiter herzzerreißend weinte. »Nein!«

»Ich bitte dich, mein Kind ...«

»Ich kann nicht! Ich habe Angst ... Lasst mich in Ruhe!«, schrie Eloisa. Sie schluchzte ein paarmal auf, und dann drängten mit einem Mal all die Anspannung, all die Angst, die sich über den Tag in ihr angesammelt hatten, mit Macht heraus. »Ich will dieses Kind nicht!«, schrie sie, so laut sie konnte

Darauf folgte eine lange Stille, bis Agnete entgegnete: »Es ist Mikaels Kind ...«

»Den hasse ich auch!«, schrie Eloisa, und ihre Stimme brach. »Er hat mich im Stich gelassen ... Ich ... ich ...«

»Komm raus, mein Engel ...«

»Nein ...«

»Komm schon ...«

Wieder herrschte Schweigen.

Eloisa hörte allmählich auf zu schluchzen. Und dann jammerte sie wie ein kleines Mädchen: »Jetzt wissen es alle, Mutter . . .«

»Komm . . .«, sagte Agnete.

Langsam stieg Eloisa die Treppe hinauf. Als sie das besorgte Gesicht ihrer Mutter sah, musste sie wieder weinen und klammerte sich an ihren Schultern fest.

Agnete strich ihr übers Haar.

»Ich war . . . noch nie da unten«, stammelte Eloisa unter Schluchzen. Sie presste sich noch enger an ihre Mutter. »Ich vermisse Mikael so sehr . . .«

Agnete wusste nicht, was sie darauf erwidern sollte. Sie hatte keine Ahnung von der Liebe. Sie hatte dieses Gefühl zwischen Mann und Frau nie erlebt. So streichelte sie einfach weiter schweigend über das Haar ihrer Tochter.

»Ich habe Angst . . .«, wiederholte Eloisa.

»Komm, legen wir uns hin«, sagte Agnete und führte sie zum Lager.

Dort legte sie sich neben Eloisa und drückte sie fest an ihren Busen, wiegte sie zärtlich wie ein Kind.

»Mutter, erinnert Ihr Euch daran, wie ich mich gewaschen habe, weil Mikael gesagt hatte . . . ich wäre schmutzig . . .«

»Ja, mein Engel.«

Eloisa spürte einen schmerzhaften Stich im Bauch. Sie stöhnte.

»Was hast du, mein Kind?«, fragte Agnete besorgt.

»Ich lag im Sterben, erinnert Ihr Euch?« Eloisas Stimme war ein Flüstern.

»Was hast du, mein Kind?«

»Und Mikael hat mir die Handschuhe zurückgegeben . . . nicht wahr?«

»Ja, mein Schatz.« Agnete rückte etwas von ihr ab und betrachtete aufmerksam ihr Gesicht. »Sag, geht es dir nicht gut?«

»Und Ihr ... hattet Angst ...«, Eloisa verzog ihr Gesicht vor Schmerz, »dass ich sterben würde ...«

»Ja, mein Engel ... große Angst ...« Agnete stand auf und ging zu ihren Kräuterfläschchen. »Sprich weiter«, sagte sie besorgt, während sie angespannt einige Zutaten vermengte, die sie dann in einen Krug gab und in etwas Leichtbier auflöste.

»Ihr habt Euch so große Sorgen gemacht ...«, stammelte Eloisa weiter, »weil Mütter ...«

Agnete kehrte wieder zu ihr zurück. »Trink das, dann fühlst du dich gleich besser.«

»Weil Mütter ...« Eloisas Augen standen voller Tränen. »Eine gute Mutter will nicht, dass das eigene Kind stirbt, nicht wahr?«

»Sicher ... Trink, mein Schatz ...«

»Warum will ich dieses Kind dann nicht?« Eloisas Stimme war nur ein Flüstern. Ein angstvolles Flüstern. »Ich ... ich bin ... keine gute Mutter ...«

»Trink, bitte ...«

Eloisa starrte sie an, ohne sie wahrzunehmen. Dann schloss sie die Augen, während ein weiterer stechender Schmerz sie erneut aufstöhnen ließ.

Agnete wachte die ganze Nacht bei ihr und wischte ihr mit einem kalten Tuch den Schweiß von der Stirn.

»Mikael ... warum hast du mich alleingelassen?«, wiederholte Eloisa immer wieder im Schlaf, während sie sich unruhig hin und her wälzte.

Im Morgengrauen klopfte es an der Tür.

Agnete ging hinüber, um zu öffnen.

Vor ihr stand ein Mann, der abgezehrt und erschöpft wirkte. »Bist du die Hebamme?«, fragte er sie.

»Ich habe jetzt keine Zeit. Es tut mir leid für deine Frau, guter Mann, aber meine Tochter ...« Agnete wollte ihm die Tür vor der Nase zuschlagen.

Der Mann drückte mit einer Hand dagegen. »Es geht nicht um meine Frau«, sagte er. »Ich bin wegen deiner Tochter hier.«

»Was hat meine Tochter damit zu tun?«, fragte Agnete misstrauisch.

»Wer ist da, Mutter?«, fragte Eloisa leise.

»Niemand«, antwortete Agnete.

»Heißt du Eloisa Veedon?«, fragte der Mann über Agnete hinweg.

Eloisa, die immer noch schwach war, drehte den Kopf in die Richtung, aus der die Stimme kam.

»Ich habe eine Botschaft für dich«, sagte der Mann.

»Verschwinde«, knurrte Agnete und stieß ihn zurück.

»Von Mikael«, fügte der Mann hinzu.

Agnete erstarrte.

»Mikael . . .?«, fragte Eloisa.

»Ja«, erwiderte der Mann.

Agnete trat beiseite. »Tritt ein«, sagte sie und schloss sofort die Tür hinter ihm.

Eloisa versuchte, sich aufzurichten. Sie war blass, aber ihre Augen strahlten. »Mikael?«, wiederholte sie, wie um sich selbst zu überzeugen.

Der Mann ging auf sie zu. »Er lässt dir ausrichten, dass er lebt und dass es ihm gut geht.«

Eloisas Augen füllten sich mit Tränen. Sie öffnete und schloss die Lippen, als wollte sie etwas sagen, aber sie brachte nur ein paar unartikulierte Laute heraus. Sie lächelte stumm.

Der Mann nahm ihre Hand. »Er sagt, dass du nicht verzweifeln sollst«, fuhr er fort, und in seiner Stimme lag die Wärme von jemandem, der die Liebe und ihre Leiden kennt. »Er sagt, dass er so bald wie möglich zurückkehren wird.«

Eloisa begann leise zu weinen, doch sie lächelte.

Agnete schüttelte erst den Kopf, dann bewegte sie sich unruhig hin und her, um ihre Rührung zu unterdrücken.

»Und er sagt ...«, fuhr der Mann fort, während er ihre Hand noch stärker drückte, »er sagt ...«

»Heraus damit, was sagt er denn nun, verdammt noch mal«, brummte Agnete angespannt.

»Er sagt ... dass er ... dir gehört.«

Eloisa schluchzte laut auf, obwohl sie eigentlich vor Freude hätte jubeln wollen.

»Dass er ganz und gar ... dir gehört«, schloss der Mann.

Ohne weiter nachzudenken umarmte Eloisa ihn.

Der Mann war verlegen. Er löste sich aus ihren Armen. »Ich muss gehen«, erklärte er. »Wenn man mich erwischt, bin ich erledigt ...«

»Nein, warte!«, rief Eloisa und packte ihn am Ärmel. »Sag ihm, dass ich ...«

»Nein, Mädchen«, unterbrach der Mann sie gleich. »Ich glaube nicht, dass ich ihn noch einmal wiedersehe.« Er stand auf und ging zur Tür.

»Wie heißt du?«, fragte Agnete.

»Lucio«, erwiderte der Mann.

»Du hast Freude in dieses Haus gebracht, Lucio«, sagte Agnete und öffnete die Tür. »Möge Gott es dir vergelten.«

Lucio lächelte und nickte. Auch er wirkte gerührt. »Richte deinem Gott aus, er soll mir noch einen Tag lassen. Ich werde zusehen, dass der mir ausreicht. Mein Leben ist wieder so schön geworden wie einst«, murmelte er im Gehen.

Als Agnete sich umdrehte, sah sie, dass Eloisa aufgestanden war. »Was machst du denn da, du Unglückswurm?«

»Wo ist der Trank, den Ihr mir gestern Abend geben wolltet, Mutter?«, fragte Eloisa und strahlte über das ganze Gesicht. »Wir müssen Euer Enkelchen doch bei bester Gesundheit halten«, rief sie. Sie ergriff Agnetes Hände und tanzte auf wackligen Knien mit ihr durch den Raum, während Harro glücklich kläffend um sie herumschwänzelte.

Dann ließ Eloisa sich erschöpft auf ihr Lager fallen und strich zum ersten Mal, seit sie entdeckt hatte, dass sie schwanger war, zärtlich über ihren gewölbten Bauch. »Mikael wird zurückkehren«, sagte sie versonnen. »Er wird zurückkehren, und ich werde ihm ein Kind schenken.« Sie drehte sich zu ihrer Mutter um und lächelte sie freudig an.

In dem Moment wurde die Tür eingetreten.

Auf der Schwelle erschien Eberwolf. Ein bösartiges Grinsen verzerrte seine Züge.

»Folge mir zur Burg, Hure!«, sagte er. »Der Fürst will dich sehen.«

54

Nach Emökes Flucht war Ojsternig außer sich gewesen vor Wut. Doch als er entdeckt hatte, dass zudem Mikael verschwunden war, hatte sich sein Zorn ins Unermessliche gesteigert. Blinder Wahnsinn brannte seitdem wie ein Fieber in seiner Seele.

So seltsam es ihm selbst schien, er fühlte sich von Mikael verraten. Das Ganze ergab keinen Sinn, sagte er sich immer wieder. Doch er vermisste den Dreckschaufler. Und dieses Gefühl war ihm gleichermaßen unheimlich wie unangenehm.

Er hatte ein Kopfgeld auf ihn ausgesetzt. Ihn als Rebellen geächtet. Dennoch hatte er befohlen, Mikael lebend zu ihm zu bringen. Und alle glaubten daher, dass er ihn anschließend eigenhändig töten wollte.

Lange Zeit hatte er das selbst angenommen.

Doch eines Nachts plötzlich hatte er begriffen, dass er ihm vielmehr verzeihen würde.

Zwischen ihm und dem Jungen bestand eine Verbindung, die er sich nicht erklären konnte. Er wollte dies eigentlich nicht hinnehmen, doch er kam nicht dagegen an. In den Momenten, in denen er Mikael vermisste, überfielen ihn düstere Vorahnungen, die wie ein Fluch auf ihm lasteten. Genau wie die Prophezeiungen der Verrückten. Vielleicht war beides ja eng miteinander verknüpft. Vielleicht ging es um Gefühle.

Und nun, hier auf seinem Stuhl aus Eichenholz, in dessen Lehne geflügelte Ungeheuer eingeschnitzt waren, die ihm mit ihren furchterregenden Köpfen über die Schulter sahen, ließ ein neuer Plan sein Herz höher schlagen. Seit dem Vorabend hatte sich wieder einiges verändert. Immer wieder krampften sich seine Hände um die Armlehnen, während er seinen Gedanken nachhing. Eine Erregung, die ihn an nichts anderes mehr denken ließ, hatte sich seiner bemächtigt, und er bemühte sich vergebens, sie zu zügeln, während er in Erwartung des Mädchens, das er zu holen befohlen hatte, die Stunden zählte, die einfach nicht vergehen wollten.

Am vorherigen Abend war dieser Schwächling von Schwiegersohn zu ihm gekommen, um bei ihm mit einer feigen Geschichte ein gutes Wort für den Aufseher des Raühnval einzulegen. Der hätte ihm nämlich verraten, dass eines der Dorfmädchen ein Kind erwarte, das sie ohne vorhergehende Hochzeit und ohne Erlaubnis des Herrn empfangen hatte. Marcus zufolge hatte das Mädchen den Aufseher beleidigt und die Leibeigenen gegen ihn aufgestachelt, weshalb sie nun eine gehörige Strafe verdiene. Der Aufseher hatte vorgeschlagen, sie zu den Soldatenhuren zu stecken, so wie es jeder schamlosen Metze gebührte.

Ojsternig hatte Marcus' Bericht zerstreut zugehört und eigentlich schon beschlossen, ihm seine Erlaubnis zu verweigern, allein um des Vergnügens willen, ihn zu enttäuschen. Doch dann hatte der Schwächling in einer Bemerkung etwas erwähnt, das Ojsternig überrascht und sofort seine Aufmerksamkeit gefesselt hatte.

Bei dem betreffenden Mädchen handelte es sich um die Tochter der Hebamme.

Ojsternig erinnerte sich genau an sie. Sie hatte Mikaels Hand gedrückt, als er die Jungen aus dem Dorf gegeneinander hatte kämpfen lassen. Sie war seine Frau. Mikaels Frau.

»Und wen hält er für den Vater dieses Kindes?«, hatte er Marcus gefragt.

Der Schwächling hatte die Achseln gezuckt. Er wusste es nicht.

Daraufhin hatte Ojsternig den Aufseher umgehend zu sich befohlen, und dieser hatte seinen Verdacht bestätigt.

»Das ist ganz sicher der Bastard vom Dreckschaufler«, hatte Eberwolf gesagt.

Ojsternig hatte erst den Aufseher, dann Marcus angesehen. Er wusste, was die beiden miteinander trieben. Aber es war ihm gleichgültig.

»Bringt sie her«, hatte er befohlen.

Er hatte die ganze Nacht kein Auge zugetan.

Mikaels Kind, war sein ständiger Gedanke.

Und während er mit wachsender Ungeduld auf das Erscheinen des Mädchens wartete, hatte er beschlossen, was mit ihr geschehen sollte.

Ein Diener hüstelte diskret.

Ojsternig hob den Kopf.

»Das Mädchen ist jetzt hier, Euer Durchlaucht«, sagte der Diener.

Ojsternig starrte ihn lange schweigend an, während sich sein Herzschlag beschleunigte. »Bring sie herein«, sagte er schließlich.

Die doppelflügelige Tür des Großen Saals öffnete sich, und das Mädchen kam auf unsicheren Beinen herein. Die Hebamme war bei ihr und stützte sie, sie wirkte sehr besorgt. Direkt hinter den beiden kam der Aufseher. Und an seiner Seite, träge und geziert wie immer, Prinz Marcus.

Doch Ojsternig hatte nur Augen für das Mädchen.

Und sie, wenngleich blass und erschöpft, hielt seinem Blick stand.

Ja, Ojsternig erinnerte sich genau an sie. Als die Wettkämpfe zwischen den Jungen aus dem Dorf ausgetragen wurden, hatte sie abgesehen von Mikael als Einzige nicht den Kopf gesenkt, sondern ihn ohne Furcht angestarrt.

»Verschwindet, ihr beiden!«, sagte Ojsternig zu Marcus und Eberwolf.

»Soll der Bewacher nicht seine gerechte Genugtuung dieser schamlosen kleinen Hure gegenüber erhalten?«, beschwerte sich Marcus erstaunt.

»Verschwinde«, befahl Ojsternig ihm eiskalt.

Marcus verneigte sich verärgert und verließ hüftschwenkend den Saal, gefolgt von Eberwolf.

Ojsternig bedeutete den Dienern, die Türen hinter sich schließen. »Lasst uns allein.«

Einer von ihnen packte auch gleich Agnete am Arm, die sich kräftig wehrte.

»Die Hebamme kann bleiben«, beschied Ojsternig.

Kaum hatten sich die Flügel der großen Tür geschlossen, richtete Ojsternig einen Finger auf Eloisas Bauch.

»Du weißt, dass das Kind, das du in dir trägst, mir gehört.«

Eloisa legte schützend eine Hand vor ihren Bauch und schwieg.

Ojsternig sah sie wortlos an.

»Euer Durchlaucht ...«, begann Agnete.

»Sei still!«, befahl Ojsternig. Dann wandte er sich wieder an Eloisa. »Dein Kind ist wie alle Abkommen meiner Leibeigenen nach dem Gesetz mein Eigentum. So wie du. Und deine Mutter.«

Eloisa schwieg weiterhin. Doch obwohl es ihr nicht gut ging, senkte sie den Blick immer noch nicht.

»Weißt du, was der Aufseher von mir wollte?«, fuhr Ojsternig fort. »Er hat gesagt, du hättest meine Leibeigenen aufgestachelt, sich gegen mich aufzulehnen.«

»Euer Durchlaucht«, griff Agnete ein, »das stimmt nicht! Er hatte ihr die Kleider vom Leib gerissen und wollte sie ...«

»Ich habe gesagt, du sollst schweigen!«, zischte Ojsternig drohend.

Agnete senkte den Kopf.

Eloisa hingegen sah ihn immer noch stolz an.

»Wer ist der Vater des Kindes?«, fragte Ojsternig, weil er von ihr die Bestätigung wollte.

»Ich weiß es nicht«, sagte Eloisa müde.

Ojsternig lächelte grausam. »Oh doch, das weißt du ganz genau.«

Eloisa schwieg.

»Wenn du es mir nicht sogleich sagst, werde ich dir den Bauch aufschlitzen und dem Bastard selbst die Kehle durchschneiden.«

»Um Gottes willen, Kind, sag es ihm!«, flehte Agnete.

»Hör auf deine Mutter, bevor ich die Geduld mit dir verliere«, drohte Ojsternig.

»Der Vater meines Kindes ist Mikael Veedon«, sagte Eloisa nach kurzem Zögern herausfordernd und versuchte sich dabei so aufrecht wie möglich zu halten.

»Das Kind eines Rebellen!« Ojsternigs Gesicht leuchtete auf. Nun war der Augenblick gekommen, dem Mädchen zu eröffnen, welches Schicksal sie erwartete. »Ich sollte dich aufhängen lassen«, begann er und fühlte mehr Freude, als er je in sich vermutet hätte. »Aber ich werde mich damit begnügen, mir das Kind zu nehmen, das du zur Welt bringst.«

Auf Eloisas Gesicht wechselten Überraschung und Angst einander ab, ehe sie wieder stolz seinem Blick standhielt. Sie wich einen Schritt zurück. »Ich werde nicht zulassen, dass Ihr ihm etwas antut«, sagte sie und hielt die Hände über ihren Bauch.

Ojsternig lachte schallend. »Ihm etwas antun?«, rief er aus. »Ich werde diesem Kind viel mehr Gutes zuteilwerden lassen, als du es je könntest.« Er sah sie schweigend an, ein Lächeln kräuselte seine Schlangenlippen, weil ihr entsetzter Gesichtsausdruck ihn belustigte. Der Plan war ihm nach der schlaflosen Nacht plötzlich im Morgengrauen in den Sinn gekommen. »Alle Kinder, die in meinem Reich geboren werden, gehören mir«, sagte er beinahe sanft und genoss den Klang der eigenen Worte. »Aber dieses Kind wird mir mehr gehören als alle anderen . . .« Er ließ den Satz unbeendet.

Eloisa knetete unruhig ihre Hände. Sie begriff nicht. Doch in ihrem Herzen ahnte sie, dass der Fürst gleich etwas Ungeheuerliches sagen würde.

Ojsternig stand auf und ging auf sie zu. Er legte ihr eine Hand auf den Bauch, und als Eloisa versuchte, ihm auszuweichen, packte er sie an der Kehle. Sein Griff war stark und entschlossen. Lächelnd streichelte er ihren Bauch.

»Meine Tochter hat mir immer noch keinen Erben geschenkt . . .«, flüsterte Ojsternig.

Eloisa riss erschrocken die Augen auf und schüttelte langsam den Kopf.

». . . denn ihr Schlappschwanz von Ehemann ist bloß ein widerlicher Sodomit. Deshalb habe ich beschlossen . . .«

»Nein . . . nein . . .«, flüsterte Eloisa verzweifelt.

». . . mir dieses Kind zu nehmen . . .«

Eloisas Augen füllten sich mit Tränen.

». . . und offiziell verlautbaren zu lassen, Prinzessin Lukrécia hätte es geboren . . .«

»Nein!«, schrie Eloisa und versuchte sich loszureißen.

Ojsternig gab sie mit einem Lachen frei. »Doch!«, schrie er ihr triumphierend ins Gesicht.

Eloisa wich ruckartig zurück, lief so schnell sie konnte zu der großen Tür und versuchte vergeblich, sie zu öffnen. Schließlich sank sie keuchend auf dem Boden zusammen.

»Euer Durchlaucht . . .«, mischte sich Agnete ein.

Ojsternig schlug ihr heftig ins Gesicht. »Wie oft muss ich dir noch erklären, dass du schweigen sollst?« Dann ging er gemächlich zu seinem Stuhl zurück und setzte sich. Als er wieder anfing zu sprechen, klang seine Stimme fest und entschlossen. »Von heute an wirst du in der Burg wohnen. Du wirst ein warmes

Zimmer haben, unter Decken aus Wolfsfell schlafen und das beste Essen von meinem Tisch bekommen ... Denn ich möchte, dass mein Enkel stark und gesund heranwächst.« Er lächelte zufrieden. »Ich werde noch heute verkünden, dass meine Tochter Lukrécia schwanger ist.« Er schwieg kurz. »Mit meinem Erben«, sagte er feierlich.

»Das könnt Ihr nicht tun! Jeder hier weiß, dass ich ein Kind erwarte!«, schrie Eloisa mit letzter Kraft. Sie spürte einen stechenden Schmerz im Unterleib.

»Leider wird dein Kind tot zur Welt kommen«, erklärte Ojsternig lächelnd. »So wird die Mitteilung lauten. Wenn du oder deine Mutter etwas anderes sagt, werde ich euch für Lügnerinnen erklären, euch die Füße abschneiden und euch an der Decke meines Zimmers aufhängen lassen. Und dann werde ich dabei zusehen, wie ihr Tropfen für Tropfen verblutet.«

»Nein ...«, stöhnte Eloisa, während ein weiterer Stich sie aufstöhnen ließ. Sie lag noch immer zusammengesackt neben der Tür. Und dann traf sie ein dritter, noch stärkerer Krampf.

»Tochter!«, rief Agnete entsetzt und kniete sich neben sie.

»Was ist?«, fragte Ojsternig alarmiert und sprang auf.

»Euer verdammter Aufseher!«, schrie Agnete außer sich vor Wut. »Er hat ihr die Kleider vom Leib gerissen, sie bis in den Wald verfolgt und sie dort zu Boden geworfen! Er wollte sie umbringen! Ihr wollt wissen, was los ist?« Sie zeigte auf ihre Tochter, die sich vor Schmerzen wand. »Ihr werdet keinen Erben haben, das ist los!«

Ojsternig stürzte auf sie zu und packte sie am Hals. Er starrte sie mit aufgerissenen Augen an und zischte tonlos: »Rette das Kind! Oder du wirst es bereuen.« Dann hob er Eloisa hoch und stieß mit einem Fußtritt die Tür auf.

Er befahl, im Zimmer neben seinem Schlafgemach ein Feuer anzuzünden und die Hebamme in einen Wagen zu setzen und sie eilig nach Hause zu fahren, damit sie dort die nötigen Arzneien hole. »Ihr gebt ihr alles, was sie verlangt! Und wenn noch etwas fehlt, eilt ins Kloster und lasst euch dort vom Kräutermönch alles geben, was sie benötigt!«, schrie er. Dann stieg er mit Eloisa auf den Armen die Treppe des Palas hinauf und legte sie oben im Zimmer sanft auf das Bett. »Tu mir das nicht an, Mädchen«, flüsterte er.

Am nächsten Tag nahm Ojsternig in blindem Zorn Eberwolf das Schwert ab und verkündete, dass er nicht länger Aufseher des Dorfes sei und somit auch nicht mehr unter seinem Schutz stehe. Zurück in der Burg nahm er Marcus beiseite und sagte ihm: »Wenn ich herausfinde, dass du deinem Liebhaber auf irgendeine Art geholfen hast, kastriere ich dich eigenhändig wie einen Eber.«

Prinz Marcus ließ sich davon nicht beeindrucken. »Dann benötigt Ihr jetzt einen neuen Aufseher«, erwiderte er kühl. Und mit einem honigsüßen Lächeln auf den Lippen fragte er: »Darf ich die Ehre haben, ihn für Euch auszuwählen?«

Am Nachmittag ging Ojsternig zu Eloisa, um sich nach ihr zu erkundigen. »Wie geht es ihr?«, fragte er Agnete, für die man am Fußende des Bettes ihrer Tochter ein Strohlager bereitet hatte.

»Das lässt sich noch nicht sagen«, erwiderte Agnete, die sich seit ihrer Rückkehr mit allen ihr zur Verfügung stehenden Mitteln um ihre Tochter gekümmert hatte. »Aber ich glaube, dass sie es vorerst überstanden hat.«

In Ojsternigs Augen glomm so etwas wie Dankbarkeit auf.

»Ich tue das nicht für Euch«, erklärte Agnete daraufhin.

»Es ist mir egal, für wen du es tust, Alte«, antwortete Ojsternig.

Er ließ seine Tochter Lukrécia in Eloisas Zimmer rufen. »Diese Frau trägt dein Kind im Bauch«, sagte er ihr. »Behandele sie so, wie du selbst behandelt werden möchtest.«

»Ich bin noch niemals so behandelt worden, wie ich es mir gewünscht hätte, Vater«, erwiderte Lukrécia und sah ihn herausfordernd an. »Ich hoffe, diese Fremde da hat mehr Glück als ich.«

»Der Vater des Kindes ist der Dreckschaufler«, sagte Ojsternig. »Wenn ich mich nicht irre, hattest du eine Schwäche für den Jungen.« Als er sah, dass seine Tochter nach dieser Enthüllung aufmerksam Eloisa betrachtete, die blass und kraftlos im Bett lag, lächelte er zufrieden. »Gut, meine Liebe. Tu, was du tun musst«, sagte er und ging. Dann suchte er Agomar auf, der hoch oben auf einem Turm stand, von dem aus man das Tal überblickte.

Der Hauptmann verneigte sich vor ihm.

»Ich muss nach Konstanz reisen«, sagte Ojsternig zu ihm, »um dem Befehl des Königs zu folgen. Ich kann es nicht länger aufschieben.«

»Ihr müsst stolz sein, dass der König Euch an seiner Seite haben will, Euer Durchlaucht«, sagte Agomar. »Das ist eine große Ehre.«

Ojsternig lächelte abschätzig. »Sigismund von Luxemburg ist zwar zum *Rex Romanorum* gewählt worden, aber man hat ihn nicht zum Kaiser gekrönt. Jetzt will er der ganzen Welt seine Stärke beweisen. Er hat alle Adligen zu sich berufen, ohne Ausnahme. Es gibt also keinen Grund, stolz zu sein«, erwiderte er. »Nur dass die wichtigeren und mächtigeren Fürsten sich vielleicht mit einer Ausrede dieser lästigen Pflicht entziehen können, während ich diese Möglichkeit nicht habe.«

»Ich bin bereit, wann immer Ihr aufbrechen wollt«, sagte Agomar.

»Nein. Du kommst nicht mit. Ich werde fünfzig Männer auf die Reise mitnehmen, die anderen bleiben hier und stehen unter deinem Befehl. Du wirst in meinem Auftrag handeln. Bestrafe, töte, vergewaltige, tu, was du willst. Aber beschütze das Mädchen. Wenn ihr etwas zustößt, werde ich dich nach meiner Rückkehr zur Verantwortung ziehen.«

»Ihr wird nichts geschehen«, versicherte Agomar.

Dann sahen sie hinunter zum Dorf, hinter dem langsam die Sonne unterging.

Agomar wies auf Eberwolf, der von einem Dutzend Männer verfolgt wurde. Sie sahen, wie er verzweifelt an die Tür einer Hütte klopfte.

»Das ist das Haus seiner Eltern«, erklärte Agomar.

Schweigend sahen die beiden, dass die Haustür verschlossen blieb. Wie die Männer Eberwolf erreichten und von hinten mit den Hippen auf ihn einhieben, mit denen sie sonst die verdorrten Äste der Obstbäume abhackten.

Oben auf dem Turm hörten Ojsternig und Agomar nicht die Schmerzensschreie Eberwolfs, der durch die Hand seiner eigenen Leute starb.

Erst als er tot war und die Männer sich von der Hütte entfernt hatten, öffnete sich die Tür. Eberwolfs Vater blieb auf der Schwelle stehen, den Kopf in den Händen vergraben. Seine Frau kauerte sich über den niedergemetzelten Körper ihres Sohnes, der in einer Blutlache mitten im Dreck lag.

Einen Augenblick schien es Ojsternig und Agomar, dass ein Windhauch das Wehgeschrei der Frau zu ihnen herübertrug. Der einzige, weit entfernte Laut in dieser stummen Tragödie.

Ojsternig zuckte mit den Schultern, als hätte er etwas Belangloses beobachtet. Dann ging er, um seine Befehle für die Reise nach Konstanz zu erteilen.

55

Jetzt trennen uns nur noch hundertfünfzig Meilen von unserem Ziel«, hatte Volod seinen Männern am Tag des Aufbruchs verkündet. Das lag nun zwei Wochen zurück. »Aber dank dem Jungen haben wir genug Geld zum Essen und Schlafen und um in Konstanz eine angemessene Unterkunft zu finden.«

Von dem Tag an hatten die Männer Mikael mit anderen Augen betrachtet. Jedes Mal wenn sie sich einen Bissen in den Mund schoben, sahen sie ihn dankbar an. Und jedes Mal, wenn sie sich auf einem trockenen Lager ausstreckten, nickten sie ihm anerkennend zu.

»Aber das stimmt doch gar nicht«, hatte Mikael Volod ein paar Tage später gesagt.

»Du bist lästiger als eine Schmeißfliege, Junge«, hatte Volod erwidert. »Wann wirst du lernen, nicht ständig hohle Worte im Mund zu führen?«

»Erzähl mir wenigstens, warum du das getan hast«, hatte Mikael beharrt.

»Weil die Verrückte mir gesagt hat, dass dich ein wichtiges Schicksal erwartet«, hatte Volod geantwortet. »Und ich will, dass meine Männer wissen, dass sie sich auf dich verlassen können, für den Fall, dass du sie einmal brauchst.«

»Deine Männer verlassen sich auf dich«, hatte Mikael entgegnet.

Volod hatte darauf nichts erwidert. Stumm und in sich gekehrt hatte er seinen Gedanken nachgehangen. Die Verrückte hatte ihm eines Abends vorhergesagt, dass Konstanz sein Grab sein würde, und Volod war darüber tief erschüttert.

Jetzt, nachdem zwei Wochen und drei Tage zügiger Reise hinter ihnen lagen, breitete sich am Ende der Ebene der riesige Bodensee mit seinen tiefblauen Wassern vor ihnen aus.

Unterwegs war ein Mann gestorben. Woran, wussten sie nicht. Eines Morgens, als sie sich auf der Flanke der letzten unwirtlichen, verschneiten Bergausläufer befanden, die sie noch überwinden mussten, war er einfach nicht mehr erwacht. Sie hatten mit ihren Schaufeln ein Loch ausgehoben, soweit das in dem vereisten Boden möglich war, und Volod hatte ein Gebet gesprochen. Allerdings hatten sie sich nicht damit aufgehalten, den Gefährten zu betrauern, und waren unverzüglich wieder aufgebrochen. Keiner der Männer konnte sich ein weiches Herz erlauben.

Nun zeichnete sich der See endlich am Horizont ab.

»Dort hinten in der Stadt hat sich die ganze Welt versammelt«, sagte Volod mit Blick auf Konstanz. »Und wir werden auch dabei sein.«

Sie brauchten noch einen ganzen Tag, bis sie das südöstliche Ufer erreichten. Dort erfuhren sie in einem kleinen Fischerdorf, dass es nach Konstanz noch mehr als zwanzig Meilen waren. Dicht an dicht gedrängt übernachteten sie in einem riesigen Bootsschuppen, zusammen mit anderen Reisenden, die zum selben Ziel unterwegs waren: drei Kaufleute mit einem Dutzend Gehilfen, zwei Schauspieler, eine Gruppe von sieben Frauen, die sagten, sie wären Dienstmägde, Stickerinnen und Wäscherinnen, dabei aber verdächtig nach Huren aussahen, und zwei Priester, ein Italiener und ein Franzose, die jeweils von fünf Novizen begleitet wurden und einander misstrauisch beäugten.

Am nächsten Tag setzten sie die Reise gemeinsam fort.

Die Händler reisten mit vierspännigen Pferdekarren, die unter schweren Wachstuchplanen mit Waren vollgeladen waren, und die Gehilfen, die ihre langen Dolche offen zeigten, hatten ein wachsames Auge auf sie. Auch die Frauen hatten einen Karren, aber nur einen zweirädrigen, der von zwei mageren Gäulen gezogen wurde. Die Schauspieler dagegen waren zu Fuß unterwegs, ihre Schuhsohlen waren schon sichtbar durchgelaufen. Sie zogen abwechselnd einen Handkarren, auf den sie ihre Kostüme, Instrumente und bemalten Leinwände geladen hatten. Damit bebilderten sie die Geschichten, die sie auf den Marktplätzen vortragen wollten. Die beiden Priester ritten auf Pferden, deren prächtige Geschirre mit den Insignien der jeweiligen Mönchsorden geschmückt waren. Der Italiener, den die Novizen Monsignore nannten, kam vom päpstlichen Hof in Rom und war ein Augustiner Chorherr vom Lateran, der Franzose war Abt eines Benediktinerklosters in Avignon. Die Novizen liefen zu Fuß hinter ihnen her und führten Maultiere am Zügel, die ebenfalls prächtige Geschirre hatten und mit allem Lebensnotwendigen für die Reise und den Messgewändern ihrer Herren beladen waren.

Auf der Straße, die um den See führte, stießen andere Reisende zu ihnen, die alle nach Konstanz wollten, und vergrößerten ihre Gruppe, sodass sie nach knapp zehn Meilen schon mehr als hundert Leute zählte. Und Mikael sah, dass davor und danach noch mehr Volk kam, soweit das Auge reichte.

Die neu Hinzugekommenen gingen oft zu den geistlichen Herren und fragten sie, wie sie sich denn zum Schisma stünden und zu dem vom römisch-deutschen König Sigismund von Luxemburg einberufenen Konzil.

So erfuhr Mikael, dass der Italiener für seinen Papst Gregor XII. Partei ergriffen hatte, der Franzose dagegen für Benedikt XIII. war.

»Es gibt zwei Päpste?«, fragte er verwundert einen der Novizen aus dem Gefolge des italienischen Kardinals.

»Zwei?«, erwiderte der. »Drei!«

»Aber nur einer ist der wahre Papst«, sagte einer der französischen Novizen. »Es lebe Benedikt XIII., der Gesalbte des Herrn!«

Der italienische Novize spuckte aus. »Wie kann der Nachfolger von Clemens VII. der Gesalbte des Herrn sein?«

Die anderen italienischen Novizen spien in Richtung der Franzosen aus.

Da klaubten die Franzosen Steine auf, und gleich darauf war die schönste Rauferei im Gange.

Die umstehenden Leute trennten die Streithähne mit Mühe und konnten sie auch danach kaum zurückhalten.

Der italienische Domherr und der französische Abt maßen einander mit bösen Blicken.

»Schismatiker!«, schimpfte der Italiener.

»Usurpator!«, gab der Franzose zurück. »Nicht einmal das römische Volk akzeptiert diesen falschen Papst!«

Der Italiener zuckte mit den Achseln. »Das Volk *ist* nicht Gott«, rief er mit verächtlicher Miene, »das Volk *gehört* Gott! Es muss sich dem Willen Gottes beugen! Und Gott will, dass sein Reich von Gregor XII. regiert wird!«

Da reckte ein Predigermönch, der in einer staubigen, verschlissenen Kutte zu Fuß unterwegs war, ein einfaches Holzkreuz gen Himmel und schrie mit gewaltiger Stimme: »Tut Buße, oh ihr Antichristen!« Dann wandte er sich an das Volk, das ihn neugierig begaffte. »Was wissen diese Männer Satans von Gott? Männer, die sich an ihren Höfen mit Fleisch vollstopfen, ohne die Fastenzeiten einzuhalten, die Wein trinken, bis sie besoffen sind, die Schmuck anlegen wie Fürsten, die zu lasterhaften Weibsbildern gehen und Rom wie Avignon mit Bastarden bevölkern!« Er blickte um sich und nickte feierlich, in dem Bewusstsein, dass er die Aufmerksamkeit des niederen Volks erregt hatte. »Das Konzil von Pisa hat im Namen Gottes und Christi, seines eingeborenen Sohnes, nur einen Papst gewählt und anerkannt! Und das ist Johannes XXIII.! Ehre sei Gott in der Höhe!«

»Gegenpapst!«, schrie der römische Geistliche.

»Gegenpapst!«, stimmte der französische Abt ein.

»Häretiker!«, gab der Predigermönch mit noch mehr Eifer zurück. »Ihr seid die Erben von Sodom und Gomorra! Von Babel und seinem mit Erbsünden angefüllten Turm!« Dann wandte er sich an die Menge. »Schaut euch nur ihre Pferde an! Ihre Kleider! Seht ihre Lasttiere an, die unter den weltlichen Gütern fast zusammenbrechen!«

Unter den Leuten erhob sich empörtes Raunen.

»Antichristen!«, schrie der Mönch weiter, und die Adern an seinem Hals traten hervor. »Schaut sie euch an und sagt mir, ob ihr auch nur einen schwachen Abglanz Gottes in ihren Augen erkennen könnt!«

Ein Bursche packte eine Handvoll Schlamm, warf diese nach dem französischen Abt und beschmutzte dessen Kutte damit. Das war wie ein Zeichen. Die Menge sammelte Dreck und Steine auf und zielte damit auf die beiden Geistlichen, die angesichts der gefährlichen Lage ihren Pferden die Sporen gaben und die Flucht ergriffen.

»Dem Zorn und der Rechtsprechung des Königs entkommt ihr nicht!«, rief der Predigermönch ihnen mit dröhnender Stimme nach. »Er wird euch in Ketten werfen und für eure Gotteslästerungen bestrafen!«

Die Menge feierte den Mönch wie einen Helden. Und ohne etwas vom Schisma und den drei Päpsten zu verstehen oder die Gründe nachvollziehen zu können, die zu diesem Konzil geführt hatten, beschlossen sie, dass der wahre Papst der sein musste, dem dieser Mönch den Vorzug gab.

»Und so wird es bleiben, bis ein neuer Prediger sich hervortut und ihnen sagt, was sie denken sollen«, raunte Volod mit Blick auf die Menge Mikael zu und schüttelte besorgt den Kopf. Dann saß er ab und ging zu dem Mönch. »Was wisst Ihr über einen Geistlichen namens Jan Hus?«, fragte er ihn. »Es heißt, er wäre ein frommer Mann, der für Recht und Freiheit kämpft.«

Der Mönch funkelte ihn an. »Ein frommer Mann?«, schrie er erbost. Dann reckte er Volod einen gelblichen Finger mit langem, schwarz umrandetem Nagel entgegen. »Er wurde exkommuniziert! Wie kann er da fromm sein?«

»Wer hat ihn exkommuniziert!?«, fragte Volod überrascht.

»Die Kirche.«

»Welche Kirche?«, erkundigte sich Mikael.

»Was meinst du denn mit ›welche Kirche‹, Junge?«, gab der Mönch zurück und rollte schrecklich die Augen. »Es gibt nur eine Kirche!«

»Aber drei Päpste!«, antwortete Mikael. »Welcher von diesen dreien hat ihn denn exkommuniziert?«

Der Mönch lief feuerrot an. »Gott hat ihn exkommuniziert!«

»Persönlich?«, fragte Mikael nach.

»Hüte dich davor, blasphemisch zu werden!«, ereiferte sich der Mönch.

»Das wollte ich nicht«, erwiderte Mikael. »Aber so wie Ihr es darstellt, scheint Gott höchstpersönlich eingegriffen zu haben, um diesen Jan Hus zu exkommunizieren.«

»Hüte deine Zunge, du bist auf dem besten Weg zum Ketzer.« Der Mönch fühlte sich zunehmend unwohl mit dem Verlauf, den dieses Gespräch nahm.

Die Leute um sie herum lachten, als sie sahen, dass er gegenüber einem jungen Burschen in Erklärungsnöte geriet.

»Ich will ja nichts Böses sagen, Vater«, fuhr Mikael fort. »Ich will nur verstehen. Und deswegen frage ich Euch, die Ihr von diesen Dingen bestimmt mehr wisst als ich.«

Der Mönch wurde noch röter. »Gott hat durch seine Diener gesprochen, du unwissender Tölpel!«, rief er aus und betrachtete die Angelegenheit damit als erledigt.

»Durch den Papst?«, fragte Mikael. »Gott spricht durch den Papst, so wurde es uns gelehrt.«

»Sicher spricht Gott durch den Papst, du Dummkopf!«

»Aber durch welchen von den dreien?«, fragte Mikael mit einem Lächeln auf den Lippen.

Die Menge lachte höhnisch.

Der Mönch schwang wutentbrannt sein Kreuz vor Mikaels Gesicht.

»Bruder, heißt das, die drei Päpste sind sich untereinander einig, diesen Mann zu exkommunizieren?«, fragte eine Frau.

»Was hat dieser Jan Hus denn getan?«, wollte ein anderer wissen.

»Ich komme aus Deutschland«, sagte ein dritter Mann. »Jan Hus hat die Armut der Kirche gepredigt, er ist gegen Ablasshandel, Ämterkauf und Bestechlichkeit ...«

»Schweig, Ketzer!«, schrie der Mönch.

»Versucht doch mal, von den drei Päpsten auch nur eine Münze aus ihrer eigenen Tasche zu fordern, ihr werdet schon sehen, wie schnell sie sich da einig werden!«, spottete jemand aus der Menge.

Wieder erhob sich empörtes Gemurmel.

»Möge Gott sich eurer armen Seelen erbarmen!«, schrie der Mönch.

»Und mögen die Päpste sich unserer Geldbeutel erbarmen!«, gab eine Frau zurück.

Darauf folgten schallendes Gelächter und weitere Sticheleien gegen die Geistlichen. Als der Mönch seine Schritte etwas beschleunigte, um sich von der Gruppe abzusetzen, sammelte derselbe Bursche, der als Ersten den französischen Abt mit Schlamm beworfen hatte, einen Pferdeapfel von der Straße und schleuderte ihn dem Mönch an den Kopf, genau auf die Tonsur.

»Die Perücke passt zu dir!«, schrie einer, was die Menge mit weiterem Gelächter quittierte.

Der Mönch ging noch schneller, bis er fast rannte, während er weiter sein Holzkreuz gen Himmel reckte.

»Nur zu, geh zu deinen Glaubensbrüdern!«, schrie man ihm hinterher. »Ihr seid doch alle gleich!«

Volod sah Mikael mit einem belustigten Lächeln an. »Siehst du, wie lange Johannes XXIII. als einzig wahrer Papst gegolten hat? Ein einfacher Bauer wie du genügte, um ihn vom Thron zu stoßen«, fügte er hinzu, und in seiner Stimme schwang ein wenig Traurigkeit mit.

Viele der Menschen, die das Streitgespräch verfolgt hatten, gingen nun zu Mikael, klopften ihm auf die Schulter und beglückwünschten ihn.

»Die würden dich sofort zum Papst machen, wenn sie könnten«, sagte Volod lachend und schwang sich wieder in den Sattel. Als auch Mikael aufgesessen war, sagte er zu ihm: »Du hast mich einmal gefragt, was aus den Leuten vom Raühnval werden soll, wenn ich fortgehe. Und ich habe dir geantwortet, dass sie nur auf der Suche nach einem anderen Fürsten wären, der für sie die Entscheidungen treffen soll. Erinnerst du dich?«

»Eigentlich hast du gesagt: ›Ihr sucht doch nur jemanden, der euch den Arsch abwischt, weil ihr es nicht selber könnt‹«, korrigierte Mikael ihn lachend.

»Verstehst du jetzt, was ich meinte?«, fragte Volod. »Sie sind nur wankelmütige Schafe.«

»Vielleicht weil die, die sie führen sollen, unehrliche Menschen sind und sie deshalb im Grunde ihres Herzens wissen, dass sie nicht auf sie vertrauen können«, erwiderte Mikael. »Wenn sie einen ehrenwerten Anführer hätten, würden sie ihm bestimmt folgen.«

Volod sah ihn ernst an. »Du wirst einmal ein ehrenwerter Anführer. Und vielleicht werden sie dir folgen«, sagte er. »Aber im Moment bist du bloß ein Bauer, der sich als Philosoph aufspielt.«

Mikael verstummte. Plötzlich kam ihm alles viel komplizierter vor, als er es sich vorgestellt hatte. »Aber welcher Weg führt denn dann zur Freiheit?«, fragte er eine halbe Meile später.

Volod deutete auf die Stadt, die jetzt dicht vor ihnen lag. »Das ist der einzige Weg, den ich mir mit meinem beschränkten Hirn vorstellen kann«, erwiderte er. »Und falls es auf unsere Frage eine Antwort gibt, dann hoffe ich, dass wir sie dort finden.«

Mikael lief ein Schauder den Rücken hinab, und er wusste nicht, ob vor Aufregung oder aus Furcht.

Dann wandte sich Volod Emöke zu. »Sing für diese armen Trottel, Verrückte«, forderte er sie freundlich auf.

Als sie in Konstanz einritten, sang Emöke immer noch mit verträumtem Blick, und die Menschen strömten wie in einer Prozession hinter ihr her, als folgten sie einer Madonna.

VIERTER TEIL

56

Furcht und erstauntes Entsetzen – anders hätte Mikael seine Gefühle nicht beschreiben können, die ihn beim Anblick von Konstanz überwältigten.

Die Stadt wirkte wie im Belagerungszustand. Rund um die Mauern hatten sich Zeltstädte gebildet, die eine mindestens fünf Mal so große Fläche bedeckten wie die eigentliche Ansiedlung. Es gab Zelte, die wie aus kostbaren Stoffen errichtete Paläste aussahen, auffallend bunt gestreift und von vergoldeten Pflöcken mit bunt bemalten Holzspitzen getragen, sodass sie wie kleine Kathedralen wirkten. Banner wehten von jedem Zelt herab: die des römisch-deutschen Königs oder der zahlreich vertretenen hohen und niederen Adelshäuser, von militärischen oder kirchlichen Würdenträgern. Durch die Lager zogen sich Straßen, auf denen Tag und Nacht Soldaten zu Fuß oder hoch zu Pferde patrouillierten, mit Läden, Stallungen, Wachstuben und Latrinen, mit Werkstätten von Huf- oder Waffenschmieden, Schneidereien sowie Pferchen für die Nutztiere. Und rund um jedes Lager hatte man hohe Palisaden errichtet, mächtig und stark wie bei Festungen, mit Laufgräben, massiven Toren und Türmen, auf denen bewaffnete Wachen das Kommen und Gehen der Lieferanten, Bäcker, Dienstmägde, Wäscherinnen und der offiziellen Delegationen kontrollierten. In der Nacht wurden auf den Wehrgängen, in den Straßen und rund um die Zelte Abertausende von Fackeln angezündet, sodass es aussah, als stünde Konstanz in Flammen: Das Licht auf Erden war so hell, dass der Himmel mit seinen Sternen dagegen verblasste.

In jedem Lager waren mehr Menschen versammelt, als

Mikael jemals in seinem Leben gesehen hatte. Und es gab viele Dutzende dieser Lager in allen erdenklichen Größen.

Man nahm an, dass mehr als fünfzigtausend Menschen hier zusammengekommen waren, wo doch die Stadt für gewöhnlich nur etwa sechstausend Einwohner zählte.

Die bedeutendsten und prächtigsten Häuser von Konstanz waren für die hohen Besucher beschlagnahmt worden.

Es ging das Gerücht, dass allein der königliche Hofstaat mehr als zehntausend Personen umfasste mit all seinen Adligen, Ankleidedamen und Kammerzofen mit ihren Mägden, mit den Würdenträgern, Schreibern, Geistlichen und Beichtvätern, den Haushofmeistern und Hufschmieden, den Ärzten, Köchen, Küchenjungen, Harfen- und Lautenspielern, Wäscherinnen, Apothekern, einfachen Knechten und Stallburschen, ganz zu schweigen vom königlichen Heer.

In den Straßen der Stadt drängte sich von morgens bis abends das Volk. Oft half nichts anderes, als sich mit den Ellenbogen seinen Weg zu bahnen, und wenn der Menschenstrom plötzlich und unerwartet in eine andere Richtung drängte, wurde man mitgezogen wie von einem reißenden Fluss. Fiel ein Greis oder ein Kind unglücklich, wurden sie zuweilen niedergetrampelt und starben, ohne dass jemand es bemerkte.

Mikael betrachtete beeindruckt die Unmengen an Lebensmitteln, die auf täglich eintreffenden Karren mit Nachschub transportiert wurden, um überall die festlichen Tafeln zu bereichern, an denen der maßlose Appetit der Edelleute gestillt werden sollte. Doch übertraf das Ausmaß an Überresten der Festmähler bei Weitem das der tatsächlich einverleibten Speisen, und man lud die Reste vor den Toren der Stadt auf vier Abfallhalden ab. Auf diesen Hügeln von Unrat und faulenden Resten, von denen ein ekelerregender Gestank ausging, tummelte sich ein Heer von Armen und Bettlern, die sich oft bis aufs Blut um das stritten, was von den Gelagen übrig geblieben war. Wer dabei zu Tode kam, blieb einfach liegen, Abfall unter Abfällen, nackt und bloß, denn selbst die zerschlissenste Kleidung wurde sogleich gestohlen. Und so wurden die sterblichen Überreste zusammen mit den anderen Abfällen zum Fraß für die Raben, Geier, Ratten, Hunde, Katzen, Füchse und Würmer.

In den Straßen trieb sich allerlei Gesindel herum: Betrüger, Diebe, Räuber, Halsabschneider. Und Huren jeden Alters – alte, junge, ja, sogar kleine Mädchen. Auf jedem Platz innerhalb und außerhalb der Stadtmauern, gerade auch in den ärmlichsten, planlos errichteten Lagern, wo die Menschen auf der nackten Erde, im Freien oder auf Karren übernachteten und ihre wenige Habe sorgsam bewachten, trugen Schauspieler und Bänkelsänger, die sich untereinander eifersüchtig bekriegten, ihre improvisierten Stücke vor, die mal feierlich von Heldentaten, mal lustig von derben Streichen kündeten. Es gab Feuerspucker, Nagelfresser und Schwertschlucker, Messerwerfer, Zauberer, Akrobaten und Schlangenmenschen. Wahrsagerinnen, die die Zukunft aus Karten, Glaskugeln, aus der Handfläche oder einem Blick ins Auge des Ratsuchenden weissagten. Dazu Astrologen, die den Himmel und die Sterne befragten und sagenhaften Reichtum oder zukünftige Katastrophen vorhersahen. Gelehrte Doctores, die Elixiere für ein langes Leben feilboten und in ihrem Sortiment auch Liebestränke führten, Mixturen zur Stärkung der Manneskraft oder der Fruchtbarkeit, und Düfte, dank derer man sich nie mehr waschen musste. Zahnreißer übten mit verrosteten Zangen ihr Handwerk aus und ließen dazu ihre leidende Kundschaft auf einem Stuhl Platz nehmen, den sie einfach in irgendeiner Häusernische aufgestellt hatten. Barbiere schnitten Haare mit denselben Instrumenten, mit denen sie gerade jemanden zur Ader gelassen hatten und die sie zwar regelmäßig schärften, aber nicht reinigten. Und dann gab es Zwerge, in solcher Vielzahl, dass sie für sich genommen ein ganzes Heer von Verwachsenen hätten stellen können. Und überall – in den Kirchen, Straßen, Klöstern, ja selbst auf den Feldern, auf denen das Schlachtvieh weidete – sah man Hundertschaften von Priestern, mit zerschlissenen Kutten oder kostbaren Roben, schwarz, braun oder purpurfarben, aus grobem Hanf und zuweilen auch mit Büßergürtel. Alle predigten mit großem Eifer, in dem sie sich zuweilen bis aufs Blut geißelten, vom Ende der Welt und der Wiederauferstehung des Fleisches, von Vergebung und Strafe, von Nachsicht oder Unnachgiebigkeit, von Liebe und Hass, Krieg und Frieden, und priesen mit dem Kruzifix in der Hand Gottes Gaben an, ganz so, wie all die anderen Händler ihr Brot und ihre Wurst feilboten, ihre Braten und Kuchen. Und dann gab es noch die Tiere – Tanzbären, sprechende Hunde, Elefanten und Giraffen, Schlangen, die dick waren wie Eichenäste und ein Lamm auf einmal hinunterwürgten, Löwen und Leoparden. Und ebenso wie die Tiere wurden Mohren aus Afrika zur Schau gestellt, mit Pelzen bekleidet und barfuß, mit Ringen in der Nase oder Knochen in den Ohren. Ihre Leiber hatten sie mit merkwürdigen Zeichen bemalt, und manche trugen Antilopenhörner auf dem Kopf. Einige schwarzhäutige Frauen, die ihre Brüste mit den dunklen Knospen offen zeigten, trugen Maulkörbe, damit sie ihre Herren nicht bissen, wenn sie, gemeinsam an Ketten gefesselt, als Sklavinnen oder Liebesdienerinnen an den Meistbietenden verkauft wurden.

Und zwischen all diesem Volk wurden wie Wesen aus einer anderen Welt und unerreichbar wie die Götter des Olymp hochherrschaftliche stolze Ritter und geheimnisvolle Edeldamen in Sänften aus glänzender Seide herumgetragen, deren bewaffnete Eskorten sich den Weg mit Piken und Stöcken freiräumten und sich keinen Deut darum scherten, ob sie dabei Mensch oder Tier trafen.

Bei ihrer Ankunft in diesem babylonischen Tollhaus fanden Mikael, Emöke, Volod und seine acht Männer keine Unterkunft in einem Gasthaus. Daher kauften sie ein großes Zelt, das sich später als löchrig erwies, und errichteten es an der Stelle, die ihnen von den Beamten von Konstanz zugewiesen wurde, nachdem diese eine Karte voller merkwürdiger Zeichen zu Rate gezogen hatten. Um überhaupt einen Platz zu erhalten, hatten Volod und seine Gruppe eine Gebühr entrichten müssen, und das, obwohl es sich um ein sumpfiges Gebiet ohne Entwässerungskanäle handelte. Die Latrinen dort waren nur durch eine Palisade aus Schilfrohr vor den Blicken der Passanten verborgen und wenig mehr als tiefe Gräben im Boden, über die man zwei schwankende Holzbretter gelegt hatte, auf die sich die Menschen einfach hinhockten, nachdem sie die Hosen heruntergelassen oder die langen Gewänder nach oben geschoben hatten. Auf jede »Hundertschaft von Ärschen«, so hatte der Stadtverordnete sich ausgedrückt, kam eine Latrine, und die wurde nie vor Ablauf von zwei Wochen geleert.

»Sind wir hier wirklich am richtigen Ort, um nach der Freiheit zu suchen?«, fragte Mikael Volod zweifelnd und zeigte auf die im Lager zusammengedrängte Menschenmenge. »Und suchen die dort alle auch danach?«

Volod gab keine Antwort.

»Sie kommen mir vor wie Schmeißfliegen auf einem Kadaver«, fuhr Mikael fort.

Volod nickte ernst, auch er wirkte bestürzt. »Und die Welt selbst scheint dieser Kadaver zu sein.«

Den ganzen nächsten Tag streifte Mikael zusammen mit Volod durch die Stadt und die überfüllten Lager.

Sogar auf dem See herrschte reges Treiben – Hunderte Schiffe und Boote waren dort unterwegs. Die kleineren Boote gehörten den Fischern, die den Fang des Tages verkauften, während ihre Frauen aus Weiden und Binsen geflochtene Körbe feilboten und dazu Blumen, die schnell ihren Duft verloren und wenig später welkend zum allgemeinen Gestank beitrugen, der deutlich ausgeprägter war als die einladenden Düfte der Bäckereien und des auf den vielen Lagerfeuern nahe des Sees gebratenen Fleisches. Es gab auch große Segelboote mit Reihen von dreißig, vierzig Rudern, auf denen die Adligen das Wasser durchpflügten, um der Insel Reichenau oder Mainau einen Besuch abzustatten oder den Rhein flussabwärts bis zu den Wasserfällen von Schaffhausen zu befahren.

Als es Abend wurde, setzte sich Mikael vor das zerschlissene Zelt, das sie für sich aufgebaut hatten. Zu der Angst und dem erstaunten Entsetzen hatte sich nun auch noch das unbehagliche Gefühl gesellt, fehl am Platz zu sein.

»Was mache ich hier überhaupt?«, fragte er sich laut, ohne jemanden direkt anzusprechen. Er erhielt keine Antwort, und unendliche Wehmut überwältigte ihn.

Auch Emökes Gesang war an diesem Abend traurig.

Aus den umliegenden Zelten kamen ein paar Leute näher, um ihr zu lauschen.

»Wer ist das?«, fragte eine junge Frau mit langen schwarzen Haaren und stark geschminkten Augen.

Der Mann neben ihr zuckte mit den Achseln. »Halt irgendeine Sängerin«, sagte er.

»Ich habe gehört, dass sie ›die Verrückte‹ genannt wird«, mischte sich jemand ins Gespräch.

In den folgenden Tagen machte die Nachricht die Runde, dass der vom Konzil in Pisa gewählte Papst Johannes XXIII. aus Konstanz geflüchtet sei.

»Da waren es bloß noch zwei«, sagten die Leute, die sich in den nächsten Tagen mal auf die Seite des einen, mal auf die des anderen Papstes schlugen, je nachdem, welcher Predigermönch sie gerade einwickelte.

Anfang Mai mussten Mikael und Volod feststellen, dass das Geld, das sie für das geraubte Silber erhalten hatten und das ihnen so reichlich erschienen war, solange sie in kleineren Dörfern und in unwirtlichen Berggegenden unterwegs gewesen waren, allmählich zur Neige ging. Konstanz war ein unersättliches Monster, dessen Schlund ständig gierig Nachschub forderte.

»Ein Brot kostet so viel wie eine Scheibe Rindfleisch«, sagte Volod eines Abends.

»Und eine Scheibe Rindfleisch kostet so viel wie ein viertel Lamm«, ergänzte einer der Männer kopfschüttelnd.

»Und ein viertel Lamm so viel wie ein ganzes Lamm!«, sagte ein anderer.

»Alles ist hier vier Mal so teuer!«, rief Mikael. »Die Geier bereichern sich auf Kosten der Schmeißfliegen, was für ein Irrsinn!«

Bedrücktes Schweigen breitete sich aus. Die Wirklichkeit war nicht zu leugnen. Je höher die Preise stiegen, desto mehr Verbrechen wurden begangen. Neue Kerker wurden gebaut, die, kaum standen sie, schon wieder aus allen Nähten platzten. Und es wurden immer mehr Galgen errichtet und Menschen hingerichtet. Dieben wurde die Hand abgeschlagen, Verleumdern die Zunge herausgeschnitten, und Vergewaltiger wurden geblendet oder kastriert. Huren verkauften sich in den Kaschemmen für ein paar Becher billigen Weins. Selbst Priester gingen ungerührt an Männern und Frauen vorbei, die sich hastig gegen eine Mauer gelehnt auf der Straße paarten wie die Tiere.

Inzwischen waren aufgrund der schlechten hygienischen Verhältnisse, der Ansammlung von Menschenmassen auf engem Raum und der Unterernährung Seuchen ausgebrochen, und Heerscharen von Flöhen und Wanzen und Schwärme von Mücken und Fliegen trugen ihr Übriges zur Verbreitung der Krankheiten bei. Als Erstes machte sich die Krätze breit. Die Menschen häuteten sich beinahe selbst durch ihr heftiges Kratzen. Dann entzündeten sich die Wunden, und wenn die Kranken andere Leute berührten, steckten sie diese an. Später bildeten sich endlose Schlangen vor den Latrinen wegen des schrecklichen Durchfalls, der mit dem Typhusfieber einherging und manchmal sogar zum Tod führte. Füchse, die angelockt vom Überfluss an Speiseresten in die Lager kamen, bissen Hunde und Katzen, die daraufhin die Hundswut bekamen. Und die wiederum griffen mit schäumendem Maul Menschen an, ehe sie starben, und infizierten sie ebenfalls. Andere Leute begannen Blut zu spucken, und dann gesellte sich auch noch die Schwindsucht zu der langen Liste von Krankheiten. Die mangelhafte Ernährung hatte zur Folge, dass vor allem die Jüngsten und die Ältesten an Auszehrung starben oder mit Nachtblindheit geschlagen wurden.

Die Hospitäler der Klöster waren überbelegt, und die Mönche kümmerten sich nur noch um die, die eine Geldspende fürs Kloster erübrigen konnten. Wenn in der einen Kirche ein Pfarrer den einen Papst pries, eilten sogleich dessen Gegner herbei, wetterten gegen ihn und versuchten die Gläubigen davon zu überzeugen, in die Kirche nebenan zu gehen, wo man Lobreden auf den »einzig wahren« Papst anstimmte.

»Ich komme mir vor wie auf dem Jahrmarkt«, bemerkte Mikael eines Tages.

»Das *ist* ein Jahrmarkt«, berichtigte Volod ihn.

Und jeden Abend sang Emöke am Lagerfeuer. Herzzerreißende Lieder voller lang gezogener, schmerzlicher Töne, die in die Übelkeit erregende Luft des Lagers aufstiegen. Und immer mehr Leute versammelten sich neugierig um das Zelt.

»Wer ist das denn nun? Weiß das jemand?«, fragte an einem Abend wieder die langhaarige Frau mit den stark geschminkten Augen.

»Es ist, als würden die Engel selbst ihr diese Melodien eingeben«, bemerkte eine alte Frau.

Mikael sah, dass einige der Anwesenden nickten. Emökes Gesang hatte sie berührt.

Zwei Abende später hatten sich doppelt so viele Menschen um das Zelt versammelt. Einige waren sogar eigens aus anderen Lagern gekommen.

»Wer ist das?«, fragten sie.

»Sie spricht mit den Engeln«, sagte einer.

Und so wuchs mit jedem Abend die Schar der Leute, die Emöke lauschen wollten.

Emöke selbst schien nichts davon zu bemerken. Sie saß draußen vor dem Zelt und sang. In ihren Liedern erkannten die Leute, die in ihrer Verzweiflung überall nach Trost suchten, die eigenen Gefühle wieder, vor allem Traurigkeit und Angst. Und wenn Emöke aufhörte zu singen, sagten viele, dass sie sich besser fühlten, erleichtert, heiter und hoffnungsvoll.

Eines Abends, als Emöke vor einer inzwischen schon beträchtlichen Menschenmenge sang, lief ein unterernährter kleiner Junge, der sich kaum noch auf den Beinen halten konnte und an Nachtblindheit litt, bitterlich weinend fast in Emöke hinein. Er war auf der Suche nach seiner Mutter, von deren Hand er gerissen worden war.

Emöke hörte sofort auf zu singen und schloss ihn in ihre Arme. Dann begann sie ein neues, sanftes Lied, das ihm Mut schenken sollte, während sie ihn fest im Arm hielt und sanft wiegte. Als der erschöpfte Junge sich beruhigt hatte, nahm Emöke, ohne ihren Gesang zu unterbrechen, ein Stück Pökelfleisch und gab es ihm. Der Junge verschlang es gierig. Emöke bedeutete Mikael, ihr ein Stück Brot zu reichen, und der Junge aß auch das. Dann schlief er ein.

Als sich am nächsten Abend vor dem Zelt die Menschen einfanden, drängte sich eine schmutzige Frau mit kaum mehr als Lumpen auf dem Leib durch die Menge und kniete vor Emöke nieder. Sie führte den kleinen Jungen an der Hand, und Tränen rannen ihr übers Gesicht, während sie immer wieder von Emöke zu ihrem Kind und wieder zu Emöke sah. Sie brachte kein Wort heraus. Schließlich beugte sie sich vor und küsste Emökes Füße. Dann wandte sie sich der Menge zu und sagte mit vor Rührung brüchiger Stimme: »Er kann sehen! Mein Junge kann wieder richtig sehen!«

Erstauntes Raunen machte sich breit.

»Ein Wunder!«, schrie eine Greisin, fiel auf die Knie und bekreuzigte sich.

»Ein Wunder!«, stimmten viele andere ein.

Die Frau schob ihren Sohn zu Emöke hin. »Segne ihn, heilige Frau!«

Und alle hörten sie.

Mikael sah, dass Emöke wie immer verloren vor sich hin blickte, als wäre sie gar nicht anwesend, als ginge sie das alles nichts an. Aber sie streichelte dem kleinen Jungen über den Kopf und gab ihm ein Stück Brot.

»Was geht hier vor?«, fragte Mikael Volod.

Doch Volod schien in Gedanken versunken zu sein und antwortete ihm nicht.

»Segne unsere Seelen!«, rief jemand aus dem Volk.

Und dann trat ein Mann in kostbaren Gewändern, vielleicht ein reicher Kaufmann, aus der Menge nach vorn, löste ein dünnes Goldkettchen von seinem Hals und legte es zu Emökes Füßen nieder. Er nahm ihre Hand und küsste sie. »Sie ist eine Heilige!«, sagte er zu den Menschen.

»Sing für uns, Heilige!«, schrie eine Frau.

»Sing für uns, Heilige!«, wiederholte die Menge einstimmig.

Und während Emöke sang, traten die Menschen nacheinander vor, berührten ihren Rock, ihre Hände, Füße oder Haare und ließen dafür eine Gabe zurück. Münzen, Armbänder, etwas zu essen, eben das wenige, was sie hatten.

»Was geht hier vor?«, fragte Mikael wieder.

Volod lachte bitter auf. »Siehst du das denn nicht? Jetzt sind auch wir Teil des Jahrmarkts von Konstanz!«

57

Nach zwei Wochen strenger Bettruhe stand fest, dass Eloisa und ihr ungeborenes Kind außer Gefahr waren.

Sobald Agomar davon erfuhr, schickte er einen Boten nach Konstanz, um Ojsternig die gute Nachricht zu überbringen. Dann suchte er Eloisa in ihrem Zimmer auf. »Du darfst den Raum trotzdem nicht verlassen«, sagte er zu ihr. »Du wirst hier deine Mahlzeiten einnehmen und . . .«

»Sie muss an die frische Luft!«, ging Agnete gleich dazwischen.

»Halt den Mund, altes Weib!«, fuhr Agomar sie an. »Der Fürst hat mir aufgetragen, dafür zu sorgen, dass ihr nichts geschieht. Und hier drinnen ist sie in Sicherheit.«

»Dann kommt das Kind eben schwachbrüstig auf die Welt, bleich wie ein Höhlenungeheuer und verwachsen!«, ereiferte sich Agnete. »Und was wirst du deinem Herrn dann erzählen?«

»Was meinst du damit?«, fragte Agomar verwirrt.

»Verstehst du etwas von Kindern? Oder von schwangeren Frauen?«, fuhr Agnete ihn an. »Ich schon. Das ist mein Beruf. Eine Frau muss frische Luft atmen, muss das Licht der Sonne in sich aufnehmen, herumlaufen und das Blut in den Adern in Bewegung bringen. Sonst stirbt das Kind in ihrem Schoß ab und . . .«

»Schon gut.« Agomar schnitt ihr mit einer knappen Handbewegung das Wort ab. »Sie kann in den warmen Stunden des Tages nach draußen und im Burghof spazieren gehen . . .«

»Im Wald!«

»Das kommt nicht infrage«, erwiderte Agomar bestimmt.

»Die Sonne scheint auch im Hof. Das Mädchen wird die Burg auf keinen Fall verlassen. Sie wird immer von zwei Soldaten begleitet werden, und keiner außer Prinzessin Lukrécia darf sich ihr nähern oder sie ansprechen.«

»Dann lebt sie ja wie eine Gefangene!«

Agomar ging drohend auf Agnete zu. »Altes Weib, dein Tochter *ist* eine Gefangene, falls du das immer noch nicht begriffen hast.« Er wandte sich brüsk ab und verließ den Raum. Vor der Tür hielten zwei Soldaten Wache. »Hier darf niemand hinein außer mir, der Prinzessin und der Magd, die das Essen bringt und sauber macht. Falls ihr diesen Befehl nicht befolgt, lasse ich euch von den Hunden die Eier abbeißen!«

Nachdem die Tür zugefallen war, senkte sich düstere Stille über den Raum.

Eloisa legte eine Hand auf ihren wachsenden Leib. Seit sie das Kind beinahe verloren hätte, hatte sie so viel Liebe zu ihm entwickelt, wie sie es nie erwartet hätte. Aber ich werde es dennoch verlieren, dachte sie jeden Tag voller Schmerz. Man würde es ihr wegnehmen. Sie setzte sich vor das schmale Fenster, das auf das Tal ging, und ließ den tränenverschleierten Blick über die Landschaft schweifen. »Mutter«, fragte sie leise, »kann das Kind die Qualen meines Herzens spüren?«

»Genauso, wie es deine Liebe spürt«, erwiderte Agnete.

»Aber im Augenblick ist mein Schmerz so viel größer«, flüsterte Eloisa.

Agnete schwieg.

Ihre Tochter deutete auf einen Punkt jenseits der Brücke über die Uqua. »Dort hinten haben wir uns zum ersten Mal geliebt ...«

Agnete lief geschäftig hin und her, als würde sie das Zimmer aufräumen, und versuchte so, ihre Ergriffenheit zu unterdrücken.

»Und wenn Mikael zurückkommt ... kann ich ihm sein Kind nicht geben.«

»Ihr werdet andere haben . . .«

»Aber nicht dieses!« Eloisa fuhr voller Zorn und Verzweiflung herum. »Wir müssen etwas unternehmen, Mutter!«

»Ach, Kind . . .«

»Nein! Hört zu! Wir müssen fliehen«, fuhr Eloisa fort.

»Das ist unmöglich . . .«

»Das ist nicht unmöglich!«, beharrte das Mädchen und klammerte sich mit aller Kraft an diese schwache Hoffnung. »Es darf nicht unmöglich sein . . .«, murmelte sie, nicht mehr ganz so entschieden.

»Oh doch, es ist unmöglich, mein Kind«, seufzte Agnete.

Eloisa sah wieder durch das Fenster hinaus auf das Tal. Sie wusste, dass ihre Mutter recht hatte. Was konnten sie allein schon gegen den Fürsten ausrichten? Vor ihrer Hütte bemerkte sie Harro. »Gebt Ihr Mikaels Hund auch genug zu fressen?«

Agnete nickte. »Ja, um den alten Flohteppich kümmere ich mich schon, nur keine Sorge.«

Als es Zeit für das Mittagessen war, begleitete Prinzessin Lukrécia die Magd, die die Speisen brachte.

»Es gibt eine kräftige Fleischbrühe«, sagte Lukrécia. »Und Spanferkel mit Pflaumen und Kastanien.«

»Pflaumen sind nicht gut für Schwangere, sie bekommen davon Durchfall«, keifte Agnete sie an.

»Es tut mir leid, das wusste ich nicht«, erwiderte die Prinzessin sanft.

Agnete zuckte mit den Schultern. »Na ja, dann klauben wir sie eben raus«, brummte sie.

Eloisa starrte weiter aus dem Fenster. Als sie sich umdrehte, fiel ihr Blick auf das Seidenkleid der Prinzessin. Über dem Bauch wölbte es sich leicht. Da wallte Zorn in ihr auf gegen diese Frau, die ihr das Kind wegnehmen würde. »Nun, wie geht Eure Schwangerschaft voran, Prinzessin?«, fragte sie in scharfem Ton.

Lukrécia errötete heftig.

»Lass uns allein«, befahl die Prinzessin der Magd.

Nachdem diese das Essen auf dem Tisch neben Eloisa angerichtet hatte, verließ sie den Raum.

Sobald sich die Tür geschlossen hatte, berührte Lukrécia verlegen ihren vorstehenden Bauch. »Das ist nur ein Kissen ...«, murmelte sie.

»Ach, was Ihr nicht sagt!«, brauste Eloisa auf.

Lukrécia wich zurück, als hätte sie eine Ohrfeige erhalten, und wurde wieder rot. »Ich weiß, dass ihr mich hasst ...«, sagte sie leise.

Eloisa starrte sie wortlos an, ihre Augen funkelten hart.

»Es tut mir leid«, sagte Lukrécia und senkte den Kopf. Dann ging sie zur Tür. »Genießt euer Mahl.«

»Wie fühlt es sich an, wenn man einer anderen Frau das Kind wegnimmt?« Eloisa konnte sich nicht zügeln, sie ballte die Hände zu Fäusten und blickte die Prinzessin hasserfüllt an.

Lukrécia verharrte an der Tür, die Hand auf der Klinke. Sie schloss die Augen und sank noch weiter in sich zusammen, als würde Eloisas Hass ihre Schultern wie eine körperliche Last niederdrücken. Dann verließ sie den Raum, ohne sich umzudrehen oder etwas zu sagen.

Agnete spuckte auf den Boden. Dann ging sie zum Tisch und legte etwas von dem Spanferkel auf den Teller ihrer Tochter. »Iss.«

Eloisa setzte sich und begann, die Pflaumen herauszusuchen.

»So ein Unsinn, iss sie ruhig, die tun dir gut, du dummes Kind«, sagte Agnete.

»Aber Ihr ...«

»Schwangere Frauen neigen eher dazu, dass ihr Darm träge wird. Also sind Pflaumen gut für sie«, brummte Agnete. »Ich hätte alles gesagt, nur um grob zu sein und sie ins Unrecht zu setzen.«

»Ich hasse sie«, sagte Eloisa.

»Du hast kein Hehl daraus gemacht, sie hat es bestimmt begriffen«, sagte Agnete und lächelte stolz. »Aber übertreib es nicht.«

»Was könnte sie mir denn schon antun?«

»Im Moment nichts«, erwiderte Agnete. »Aber das gilt nicht für die Zukunft. Sie ist von Stand, und du wirst nach der Geburt wieder nur eine Leibeigene sein.«

»Das ist mir gleich.«

»Mag sein, aber mir ist es nicht gleich«, sagte Agnete und beendete die Unterhaltung. »Jetzt iss und sei still.«

Als es Nacht wurde, schlüpfte Eloisa unter die Decken aus Wolfspelz, die mit feiner Wolle gefüttert waren. Agnete blies die Kerze aus, dann streckte auch sie sich auf ihrem Strohlager am Fußende des Bettes aus.

»Mutter«, sagte Eloisa nach einer Weile, »erinnert Ihr Euch daran, was Mikael damals als Erstes gesagt hat, nachdem er durch die Luke geklettert war: ›Es gibt kein Bett ...‹?«

»Ja ...«

»Und als Ihr darauf ›Nein‹ geantwortet habt, sagte er: ›Aber ich bin es gewohnt, in einem Bett zu schlafen.‹«

Agnete lächelte. »Ja, ich erinnere mich gut.«

»Damals kam mir das schrecklich dumm vor«, fuhr Eloisa fort, und auch sie musste lächeln. »Aber jetzt, wo ich selbst in einem Bett schlafe ... in einem richtigen Bett, so eins wie das, in dem Mikael geschlafen hat ... jetzt verstehe ich, was er damit sagen wollte. Wisst Ihr was? Ich glaube, vor diesen Wochen hier hätte ich mir niemals vorstellen können, was schlafen wirklich heißt. Und trotz all meines Kummers ...«, sie musste kurz schlucken, »trotz meiner Angst ... schläft es sich in manchen Nächten richtig gut. Ich fühle mich schuldig und weiß, dass es nicht richtig ist, aber es ist, als würde all die Müdigkeit der letzten Jahre von mir abfallen.« Sie dachte wieder voller Wehmut an

Mikael. »Er war so klein, so voller Angst ... Es muss schlimm für ihn gewesen sein, in dieses dunkle Kellerloch hinabzusteigen ...«

»Schon damals war Mikael viel stärker als wir alle«, sagte Agnete. »Aber kein Löwe weiß, wie stark er ist, bis nicht jemand kommt und ihn herausfordert.«

»Und glaubt Ihr, Mikael hat begriffen, dass er ein Löwe ist?«

»Ich weiß es nicht«, antwortete Agnete. »Dieser Junge ist in vielerlei Hinsicht ein Rätsel.« Als sie fortfuhr, merkte Eloisa ihr an, wie stolz sie war. »Wenn du hören könntest, wie sie jetzt im Dorf über Mikael reden.« Sie lächelte und schüttelte den Kopf. »Damals haben sie keinen Pfifferling auf ihn gegeben ... und jetzt ...«

»Jetzt?«, fragte Eloisa verträumt.

»Weißt du noch, wie unsere Männer ihm geholfen haben, die Steine zur Burg zu schleppen? Sie haben etwas getan, das sie bis dahin nicht über sich gebracht hätten. Nur für ihn.« Agnete lächelte bei dem Gedanken. »Schon damals achteten sie ihn, weil er unsere Ersparnisse vor Ojsternigs gierigen Krallen gerettet hatte. Und damals war er nur ein klapperdürrer Junge. Dann bei den Wettkämpfen ... Die Leute werden nie vergessen, wie er Ojsternig die Stirn geboten hat, wie er die anderen Burschen ermutigt hat, sich gegen ihn aufzulehnen ... Keiner von ihnen hätte jemals gedacht, dass jemand so etwas wagen könnte. Und dann hat er Emöke gerettet.« Agnete wurde ganz warm ums Herz vor Stolz. »Sie reden über ihn wie über einen Helden. Und weißt du, warum? Weil er nicht nur uns und Emöke gerettet hat ... Er hat uns gezeigt, dass man versuchen kann, die Fesseln zu sprengen ... dass man auch einem Mächtigen gegenüber den Kopf hoch tragen kann ... dass man nicht immer buckeln muss ... Ich glaube, dass er eine Saat ausgebracht hat, die früher oder später aufgehen wird. Hoffnung.«

»Würde«, sagte Eloisa mit Tränen in den Augen. »Er sprach

immer von Würde, erinnert Ihr Euch, Mutter?« Gedankenverloren hielt sie inne. »Er ist etwas Besonderes.«

»Ja, der Junge ist etwas Besonderes.« Sie seufzte. »Wer weiß, vielleicht stimmt es ja doch, dass bei Fürsten anderes Blut durch die Adern fließt als bei uns.« Sie lächelte im Dunkeln vor sich hin. »Jetzt schlaf, du musst dich ausruhen.«

Wieder machte sich Stille breit. Aber kurz darauf begann Eloisa wieder zu sprechen.

»Mutter . . .«

»Was gibt es denn noch?«

»Wollt Ihr denn nicht auch schlafen?«

»Das versuche ich gerade«, erwiderte Agnete gereizt.

»Nein, ich meine, richtig schlafen«, sagte Eloisa. »Wollt Ihr Euch nicht neben mich legen? Das Bett ist groß genug für uns beide.«

»Vermisst du etwa den wärmenden Lufthauch meiner Darmwinde?«, sagte Agnete lachend.

Auch Eloisa lachte. »Kommt schon, ich will, dass Ihr mich in den Arm nehmt.«

Agnete stand auf und schlüpfte zu ihrer Tochter unter die Decken. Sobald sie sich ausgestreckt hatte, schnaubte sie wohlig auf. »Ah! Was für eine Wohltat!«, rief sie aus. Sie drehte sich auf die Seite. »Ach, das ist das Paradies auf Erden!« Dann drehte sie sich auf die andere Seite. »Oh, das tut gut!« Schließlich legte sie sich wieder auf den Rücken. »Was für ein Genuss! Oh, wie schön! Wie . . .«

»Mutter!«

»Was gibt's? . . . Oh, welch Wohltat für meine wehen Knochen! Der reinste Balsam!«

»Mutter, wenn Ihr nicht auf der Stelle damit aufhört, verbanne ich Euch wieder in Euer Hundekörbchen!«

Agnete schwieg. Aber nur kurz. »Ah! Was für eine Erleichterung!«

Eloisa schlief mit einem Lächeln auf den Lippen ein, in ihren Ohren hallten noch die entzückten Seufzer ihrer Mutter nach. Eine Hand lag dabei immer auf ihrem Bauch, in dem ihr Kind heranwuchs, das sie bereits jetzt abgöttisch liebte. Und für diese Nacht vergaß sie Trauer, Angst und Sorge.

In den folgenden Tagen, als Eloisa immer mehr zu Kräften kam, ging sie in den wärmsten Stunden des Tages im Burghof spazieren, immer von zwei Wachen begleitet, die niemandem erlaubten, sich ihr zu nähern.

»Darf ich ein wenig mit dir laufen?«, fragte eines Nachmittags Lukrécia.

Eloisa zuckte mit den Achseln. »Kann ich Euch daran hindern?«, erwiderte sie barsch.

Lukrécia gesellte sich an ihre Seite, sagte aber kein Wort.

Am nächsten Nachmittag gingen sie wieder gemeinsam spazieren. Und auch am Tag darauf, aber niemals richtete die Prinzessin das Wort an Eloisa.

Am vierten Tag fragte Eloisa sie: »Was wollt Ihr von mir?« Sie legte den Kopf schief und setzte mit einem sarkastischen Lächeln hinzu: »Außer meinem Kind natürlich?«

»Ich weiß es nicht«, sagte Lukrécia schlicht. »Ich bin immer allein . . .«

»Dann schafft Euch einen Hund an«, erwiderte Eloisa hart.

Lukrécia lächelte traurig. »Du hast recht.« Dann machte sie Anstalten zu gehen.

»Wartet«, hielt Eloisa sie auf. »Ihr werdet Euch mein Kind nehmen, und dann wollt Ihr auch meinen Mann, nicht wahr? Ich habe gehört, was Euer Vater gesagt hat . . .«

Lukrécia bedeutete ihr zu schweigen. »Nicht hier«, flüsterte sie mit einem schnellen Seitenblick auf die Wachen. »Willst du heute Abend mit mir speisen? Dann werde ich auf deine Frage antworten.«

Am Abend saßen sich die beiden jungen Frauen an einer

reich gedeckten Tafel gegenüber und aßen mit silbernen Messern von fein ziselierten Tellern aus Silber.

»Du hast mich gefragt, ob ich deinen Mann will«, sagte Lukrécia zu Eloisa, während sie lustlos etwas von der Wachtel mit Brot-Rosinen-Walnuss-Füllung in süß-saurer Honigsauce auf ihrem Teller aß.

Eloisa musterte sie in angespanntem Schweigen.

Lukrécia verzog ihre Lippen zu einem wehmütigen Lächeln. »Ich habe zwei Männer in meinem Leben gehabt.« Sie schwieg und sah Eloisa eindringlich an, ohne die Lider zu senken.

Eloisa las tiefe Traurigkeit in ihren Augen.

Lukrécias Wangen färbten sich rot, während sie unruhig im Essen herumstocherte. Sie seufzte tief. »Der erste war mein Vater, als ich fast noch ein Kind war«, sagte sie schließlich.

Eloisa setzte fast das Herz aus.

»Der zweite ist mein Gemahl«, fuhr Lukrécia fort, als ob das Reden ihr jetzt leichter fiele. »Ein Sodomit, der mich verachtet ... der mich nur von hinten nimmt wie eine Hündin.« Nun lächelte sie anzüglich.

Aber Eloisa konnte auf einmal den ganzen Schmerz sehen, der sie bedrückte.

»Ich hasse die Männer«, fuhr Lukrécia fort. »Oder besser, ich habe Angst vor ihnen ...« Sie legte eine Hand auf die von Eloisa.

Eloisa spürte, wie weich und zart ihre Haut war.

»Du kannst also beruhigt sein«, schloss Lukrécia. »Ich werde deinem Mann niemals nachstellen.«

»Aber warum hat Euer Vater dann gesagt ...?«, fragte Eloisa verwundert.

»Es stimmt, dass ich Mikael mit Wohlgefallen betrachtet habe«, erwiderte Lukrécia. »Aber mein Vater kennt nur schmutzige Gedanken ... Und er glaubt, alle wären so wie er.« Sie umklammerte Eloisas Handgelenk. »Ich habe deinen Mikael beobachtet, weil er dem Blick meines Vaters standhielt. Weil er bereit war, sich ihm zu stellen.« Ihre Augen füllten sich mit Tränen. »Ich habe Neid auf ihn empfunden, keine Lust. Weil er stark ist. Ich dagegen . . .«, ihre Stimme brach, »ich bin . . . so schwach.«

Eloisa betrachtete sie schweigend und empfand tiefes Mitleid. Aber dann fiel ihr Blick wieder auf das mit einem Kissen aufgepolsterte Kleid der Prinzessin, und sie wehrte sich gegen dieses Gefühl gemeinsamen Leids. Die Prinzessin würde ihr das Kind fortnehmen. Sie umklammerte ihren Bauch, in dem sie Mikaels Kind trug. »Ich muss gehen«, sagte sie harsch. »Habt Dank für das Mahl.«

Nach diesem Abend jedoch veränderte sich ihr Verhältnis zur Prinzessin. Sie fühlte zwar immer noch Zorn, wenn sie daran dachte, dass diese ihr das Kind fortnehmen würde, doch es gelang ihr nicht mehr, sie nur als Feindin zu sehen. Der Schmerz und die Trauer, die sie in ihren Augen gelesen hatte, als sie ihr ihre schrecklichen Geheimnisse anvertraute, hatten eine Tür in ihrer Seele aufgestoßen. Lukrécia war ebenfalls ein Opfer von Ojsternig. Und so trafen und besuchten die beiden jungen Frauen einander immer öfter.

Anfangs unterhielten sie sich über nichts Bestimmtes, aber bald mischten sich Gefühle und Vertrautheit in ihre Gespräche, mochten sie noch so banal oder oberflächlich sein. Eloisa las das große Unglück der Prinzessin in ihren erloschenen Augen. Und Lukrécia fühlte den ganzen Schmerz der jungen Mutter, der sie das Kind nehmen würde.

Die Schwangerschaft verlief unter Agnetes aufmerksamer Fürsorge ohne weitere Komplikationen. Dank der nahrhaften und regelmäßigen Mahlzeiten wirkte Eloisa trotz ihrer Sorgen wie aufgeblüht. Ihre Brüste waren voll geworden, die Haut ihres Gesichts hatte sich gestrafft und einen seidigen Glanz bekommen. Ihr Bauch wurde allmählich so groß, dass er sie behinderte.

»Ich habe ausgerechnet, dass dein Kind im Tierkreiszeichen Zwilling auf die Welt kommen wird«, sagte Lukrécia eines Morgens, als sie auf einer Steinbank im Hof die milde Aprilsonne genossen.

»Ihr kennt Euch mit den Sternen aus?«, fragte Eloisa voller Bewunderung.

»Ich kenne mich mit gar nichts aus«, erwiderte Lukrécia achselzuckend. »Aber ich habe nichts Unterhaltsameres zu tun außer Sticken und Lesen.«

»Ich kann nicht lesen«, sagte Eloisa traurig.

»Möchtest du, dass ich es dir beibringe?«, fragte Lukrécia freudig.

»Würdet Ihr das wirklich tun?«, rief Eloisa überrascht.

»Dann könnten wir zusammen lesen, was in den Sternen über dein Kind zu lesen steht!«, sagte Lukrécia und klang nun so begeistert wie ein kleines Mädchen.

Eloisa stiegen vor Rührung die Tränen in die Augen. »Ihr seid die Einzige, die ›dein Kind‹ sagt«, erklärte sie dankbar, »bei den anderen heißt es immer bloß ›das Kind der Prinzessin‹.«

»Das hier ist mein Kind«, sagte Lukrécia lachend und riss aus ihrem Kleid das Kissen, das die Schneiderin jede Woche stärker mit Schafsvlies ausstopfte.

Eloisa lachte mit ihr, doch gleich darauf wurde sie wieder traurig. »Aber am Ende werdet doch Ihr diejenige sein, die ein Kind aus Fleisch und Blut in Händen hält.«

Auch Lukrécia wurde ernst. »Manchmal denke ich an die Weissagung von dieser Frau, die geflohen ist. Erinnerst du dich? ›Du wirst einen kleinen Mann haben‹, hat sie gesagt, ›aber er wird nicht deiner sein.‹« Sie brach bestürzt ab. »Es tut mir so leid. Ich werde ihm die größtmögliche Liebe einer Frau schenken, die nicht weiß, was die Liebe ist.« Sie streckte eine Hand nach Eloisa aus und berührte ihr Gewand. »Aber du wirst ihn jeden Tag sehen können. Und dort aushelfen, wo ich versage.« Sie lächelte.

»Wenn Euer Vater es mir erlaubt«, sagte Eloisa düster. Sie stand auf und schüttelte den Kopf. »Falls er mich nicht tötet. Falls er mich nicht an einen anderen Herrn verkauft.« Dann ging sie fort.

Lukrécia sagte nichts. Sie starrte auf ihr Kissen aus Schafswolle.

Am nächsten Tag, während sie unter den wachsamen Augen der Soldaten spazieren gingen, packte sie Eloisa am Arm und flüsterte ihr zu: »Ich habe niemals für mich gekämpft. Ich habe immer gedacht, dass ich dazu keine Kraft habe. Aber für dich und dein Kind werde ich kämpfen. Das ist ein Versprechen. Ich weiß nicht, was ich tun kann, aber ich werde kämpfen. Glaubst du mir?«

Eloisa betrachtete die Prinzessin, die im milden Licht der Frühlingssonne vor ihr stand. »Ja«, erwiderte sie. »Ihr seid ein guter Mensch.«

Je öfter sich die beiden jungen Frauen sahen und ihre dunkelsten Geheimnisse, ihre Ängste und Hoffnungen austauschten, desto inniger wurde ihre Verbindung, die sich mehr und mehr zu einer widersinnigen Freundschaft entwickelte. Und für beide wurden die Tage dadurch weniger hart, weniger schrecklich, ja zuweilen sogar heiter.

Allmählich blickte Eloisa ihrer Zukunft vertrauensvoller entgegen. Doch dann hörte sie eines Tages, als sie sich nach dem Spaziergang auf ihr Bett gelegt und mit einem verträumten Lächeln auf den Lippen an Mikael gedacht hatte, vor ihrer Tür ein Geräusch und leises Flüstern. Agnete war gerade nicht da, weil sie ins Dorf gegangen war, um den alten Harro zu versorgen, daher stand Eloisa auf und öffnete vorsichtig die Tür.

Durch den Spalt bemerkte sie, dass die Wachen eingeschlafen waren. Und dann sah sie Prinz Marcus, der sich vor der Tür seines Zimmers mit Lelio unterhielt, dem ehrgeizigen jungen Mann, den Arialdus von Tarvis vor Kurzem zu sich berufen hatte, damit er ihm bei der Verwaltung der beiden Fürstentümer half.

»Euer Durchlaucht«, sagte Lelio gerade leise, aber dennoch laut genug, dass Eloisa ihn verstehen konnte, »ist Euch eigentlich bewusst, dass Ihr für Prinz Ojsternig, sobald er einen Erben hat, bloß noch ... wie soll ich sagen? ... nun ja, ein Hindernis für seine Pläne darstellt?«

»Ja und?«, fragte Marcus, träge wie immer. Dann sah er sich vorsichtig um und senkte die Stimme. »Was könnte ich denn tun?«

»Wenn der Erbe nicht geboren wird«, antwortete Lelio, »hättet Ihr mehr Zeit, um Euch etwas zu überlegen.« Er verneigte sich mit einem schmierigen Lächeln. »Und ich würde mich geehrt fühlen, wenn ich Euch dabei dienen und beraten dürfte.«

»Und wie kann der Erbe nicht geboren werden?«, fragte Marcus. Seine Augen blitzten bereits bösartig auf, aber er wollte, dass Lelio sich klarer ausdrückte.

»Es gibt Gifte, die keine Spuren hinterlassen«, sagte Lelio. »Wenn Euer Durchlaucht mir die Erlaubnis dazu geben ...«

»Ich werde dir keine Erlaubnis zu einem Mord erteilen«, sagte Marcus.

Lelio zog erschrocken den Kopf ein. »Euer Durchlaucht, ich meinte doch nicht ...«

»Aber falls dem Bastard dieser Hure rein zufällig etwas zustoßen sollte ...«, unterbrach Marcus ihn und ließ seinen Satz unvollendet.

Eloisa sah das bösartige Grinsen des vorgeblichen Prinzen.

»In dem Fall«, beendete Marcus das Gespräch, »könnte ich mich äußerst erkenntlich zeigen.«

58

An euch zwei muss man sich wenden, wenn man etwas von der Heiligen will, richtig?«

Mikael wandte sich um. Die Frage kam von einem jungen Mann, er mochte ungefähr fünfundzwanzig Jahre alt sein, der auf das Zelt zuging. Er hinkte, sein linkes Bein war mindestens eine Spanne kürzer als das rechte, sodass sein Körper sich bei jedem Schritt zur Seite neigte, als wäre er mit dem Fuß in ein Loch getreten. Seine Kleidung bestand aus verschiedenfarbigen Flicken und war grellbunt, das Wams hatte lange flatternde Puffärmel. Um den Hals trug er eine goldene Kuhglocke.

Volod verzog verächtlich den Mund. »Was willst du, Hinkebein?«, fragte er.

Der junge Mann riss seine grünen, lebhaften Augen auf, breitete die Arme aus und deutete eine übertriebene schiefe Verbeugung an. »Oh grundgütiger, höflicher Herr, die Stürme des Lebens haben mich gebeutelt und verbogen. Gebt mir keine Schuld daran«, sagte er und blieb vor ihnen stehen. Dann sah er Volod mit vorgeblicher Bewunderung an. »Aber Ihr dagegen! Ihr steht so aufrecht und fest wie das Glied eines erhitzten Jünglings! Möge Gott Euch immer schön hart erhalten!« Mikael musste lächeln und fühlte sich gleich zu dem Mann hingezogen.

Auf dem Gesicht des Hinkenden, der immer noch Volod ansah, erschien ein Schatten, als würde er sich plötzlich über etwas sorgen. »Aber ich frage mich, was Ihr beim ersten Windstoß anfangt, so steif und aufrecht, wie Ihr seid? Beugt Ihr Euch oder zerbrecht Ihr?«

»Bevor ich ein arschkriechender Wurm werde wie du, zerbreche ich lieber«, erwiderte Volod verächtlich.

»Oh, Euer Integrität – höchstes aller Wunder!«, rief der Hinkende aus und faltete die Hände wie zum Gebet. »Was könnte ein Mann denn mehr vom Leben wollen, als wegen irgendeines lächerlichen Furzes zu sterben?« Er verbeugte sich noch einmal. »Herr, ich bewundere Euch so sehr, dass ich auf der Stelle kotzen könnte!«

Mikael grinste nun unverhohlen.

Volod warf ihm einen vernichtenden Blick zu. »Siehst du nicht, dass der ein Narr ist? Ein Nichtsnutz, der davon lebt, die Reichen und Vornehmen zum Lachen zu bringen.«

»Nicht nur die Vornehmen, mein nicht vornehmer Herr«, erwiderte der Hinkende. »Ich bin sicher, wenn Ihr die Arschbacken nicht so fest zusammenkneifen würdet, könnte auch Euch einmal auf Eure Art ein Lachen entfahren.«

Mikael lachte belustigt auf.

»Oh, welche Überraschung!«, sagte der Narr und zeigte auf Mikael. »Dieser ausgestopfte Schwachkopf bringt sogar Laute hervor! Ihr solltet ihn im Zirkus zur Schau stellen, zusammen mit ähnlich einzigartigen, sehenswerten Kreaturen wie einer Katze, die miaut, einem Hund, der bellt, oder einem Pferd, das wiehert. Das würde bestimmt ein großer Erfolg!«

Mikael lachte wieder, keineswegs gekränkt.

»Also, ehrenwertes aufrechtes Glied und ausgestopfter Schwachkopf, es heißt, man muss sich an Euch wenden, wenn man etwas von der Heiligen will«, fing der Narr wieder an. »Wie es der Zufall will, hat mein hochgeschätzter Herr, ein Esel, der nicht mal I-ah schreien kann, von diesem neuesten Blödsinn, den die Gosse von Konstanz in die Welt gesetzt hat, gehört, und will Eure Heilige Krächzentia für einen Abend an seinen Hof verpflichten. Vorausgesetzt, Ihr Herren haltet eine Bühne, auf der es nicht so zum Gotterbarmen stinkt wie bei Euren üblichen

Zuhörern, nicht für zu unschicklich. Obwohl auch die Seelen der Leute dort, die sich unter all der Seide, dem Parfüm und weißer Haut verbergen, kaum lauterer sind als Scheißhaufen, die von einem Gewitterregen reingewaschen wurden.« Er klopfte mit der Hand auf seine Hüfte, von der eine Lederbörse herabhing. »Würdet Ihr für fünf jämmerliche Goldzechinen Euer Einverständnis geben?«

»Und wenn ich dir jetzt die Kehle durchschneide und mir das Geld nehme?«, fragte Volod. »Glaubst du etwa, dein Herr würde dich suchen kommen, Hinkebein?«

Der Narr tat fürchterlich erschrocken. Er schnallte sofort die Börse ab und warf sie Volod zu, der sie im Fluge auffing. »Um Himmels willen! Nehmt sofort mein Schätzchen hier!«

Volod leerte die Börse auf seine Handfläche aus. »Knöpfe ...«

»Aber von allererster Güte«, erklärte der Narr.

Mikael musste wieder lachen.

»Mein Herr mag ja ein Esel sein«, sagte der Narr schulterzuckend, »aber er ist kein Dummkopf. Und er hängt an seinem Geld, wie alle Reichen.« Er grinste. »Wenn Ihr seine Einladung annehmt, werdet Ihr dort bezahlt. So sicher wie das Amen in der Kirche.« Er holte sich die Geldbörse und die Knöpfe zurück. Dann legte er einen Finger an die Stirn, als hätte er noch etwas vergessen. »Ach ja«, sagte er zu Volod. »Obwohl ›Hinkebein‹ als Name für mich wirklich sehr originell ist ... und Euer Talent für raffinierte Spitznamen beweist ... Solltet Ihr dieses Namens trotzdem einmal überdrüssig werden und mich stattdessen lieber höflicherweise Ungeheuer, Missgeburt, Schandmal, Lahmer, Unrat oder schlechter Scherz der Natur rufen mögen, so verspreche ich Euch, dass ich immer darauf hören werde. Ihr könnt mich aber auch bei meinem Namen nennen. Ich heiße Berni.«

»Die Frau ist nicht käuflich, Hinkebein«, erklärte Volod.

»Dann habe ich mich gestern Abend also geirrt«, klagte Berni enttäuscht. »Mir kam es so vor, als hättet ihr beide Münzen vom Boden aufgesammelt.«

Volod versteifte sich. »Das sind freiwillige Gaben. Wir verlangen nichts.«

»Auch bei meinem Herrn handelt es sich natürlich nur um eine freiwillige Gabe.«

»Für die er die Frau wie ein Jahrmarktswunder ausstellen möchte.«

Berni sah sich um. »Natürlich, ich verstehe Euch. Hier ist das etwas *ganz anderes*.«

»Verschwinde, Hinkebein«, fuhr Volod ihn an.

Berni verbeugte sich wieder übertrieben. »Euer Integrität, ich verabschiede mich.« Er drehte sich um und entfernte sich mit seinem schwankenden Gang, bei dem die Kuhglocke um seinen Hals ständig bimmelte.

Mit finsterer Miene kehrte Volod ins Zelt zurück.

Mikael sah dem Narren nach, der auf dem morastigen Boden des Zeltlagers nur mühsam vorwärtskam, was die Menge mit derben Späßen kommentierte. Dann betrat er ebenfalls das Zelt.

Emöke saß in einer Ecke, sie hatte die Augen geschlossen und redete in ihrem imaginären Dialog mit Gregor vor sich hin. Volod hatte sich an einen aus zwei Böcken und einem Brett schnell zusammengestellten Tisch gesetzt und goss sich etwas zu trinken ein.

Mikael beobachtete ihn. Seit ihrer Ankunft in Konstanz hatte Volod sich verändert. Er verbrachte Stunden im Zelt, um zu trinken. Seine Wolfsaugen waren trüb geworden. Und seine Leute liefen ohne Ziel und Beschäftigung durch das Zeltlager und hatten nichts Besseres zu tun, als Streit zu suchen. Mikael fühlte sich von Tag zu Tag unwohler, und mit diesem Unbehagen wuchs seine schlechte Laune.

»Was wollen wir eigentlich hier?«, fragte er Volod verärgert.

»Lass mich in Ruhe«, erwiderte Volod und goss sich Wein nach.

»Du hattest gesagt, wir würden hier nach Antworten suchen«, fuhr Mikael in anklagendem Ton fort. »Stattdessen hockst du hier in diesem dreckigen Zelt und besäufst dich den ganzen Tag.«

»Es ist doch nicht meine Schuld, wenn man den einzigen Mann, mit dem ich reden wollte, gefangen genommen hat.«

»Nein.« Mikael blieb hartnäckig. »Aber du hattest mir gesagt, hier käme die ganze Welt zusammen, und deshalb seien auch wir hier. Weil es wichtig wäre.« Er breitete die Arme aus und zeigte auf das schäbige Innere des Zelts. »Und nun sieh uns an. Wir sitzen hier fest, die Luft ist schlecht, wir betrinken uns wie in einem Wirtshaus und ...«

»Hör auf!« Wütend knallte Volod den Becher auf das Brett, das als Tischplatte diente. Dann goss er sich wieder Wein nach.

Mikael beobachtete ihn bebend vor Zorn. Er fühlte sich betrogen. Er war Hunderte Meilen von Eloisa entfernt und wusste nicht mehr, aus welchem Grund. »Ich hatte einen Traum«, sagte er traurig. »Genau wie du. Wir wollten, dass in unserer Welt Gerechtigkeit herrscht.«

»Du kannst nicht ganz allein die Welt verändern, Bauer«, sagte Volod mit schwerer Zunge.

»Dann verändern wir sie doch alle gemeinsam!«, rief Mikael aus.

Volod verzog nur stumm das Gesicht und trank weiter. »Die Leibeigenen erwarten ...«

»Ja, ja, ich weiß, du wiederholst es ja ständig!«, fuhr ihm Mikael über den Mund. »Sie erwarten, dass ihnen jemand den Arsch abwischt, weil sie es allein nicht können.«

»Genau.«

»Dann gehen wir eben nach Hause! Bringen wir ihnen bei, wie sie sich allein den Arsch abwischen können!«

»Eher dreht sich die Erde um die Sonne«, murmelte Volod.

»Dann werde ich der Sonne sagen, sie soll stehen bleiben, und der Erde, sie soll sich um die Sonne drehen, wenn es denn hilft!«

»Du bist wirklich ein Dummkopf, Bauer.« Volod lachte höhnisch und goss sich erneut Wein nach.

Mikael sah ihn an. »Der Narr hat recht.« Seine Stimme zitterte vor Wut, und er hatte die Absicht, Volod zu verletzen. »Wir leben hier auf Emökes Kosten wie Schmarotzer.«

Volod hob den Kopf. Seine Augen wirkten erloschen. »Niemand hält dich zurück. Wenn du willst, dann dreh dich um und verschwinde.«

Mikael ballte die Fäuste. »Genau das habe ich vor, ehe ich noch werde wie du!« Er rannte wütend aus dem Zelt, wobei er einen Mann beiseitestieß, der so früh am Tag schon betrunken zurückkam.

Direkt vor dem Zelt sprach eine Frau ihn an. Sie hielt einen schmalen Silberreif mit einem herzförmigen Anhänger aus Koralle in der Hand. »Das ist für die Heilige«, sagte sie und hielt ihm das billige Schmuckstück hin. »Damit sie für mich betet.«

»Der Mann, der das Geld entgegennimmt, sitzt da drinnen«, antwortete Mikael grob.

Er stob mit wütenden Schritten davon und tappte dabei mit voller Absicht in die Schlammpfützen. Als er die Palisade erreichte, die das Lager schützend umgab, bemerkte er eine Gruppe kleiner Jungen, die mit Stöcken etwas bunt Geflecktes vor sich hertrieben. Dabei wurde ihr Krakeelen immer wieder vom Klingeln einer Kuhglocke übertönt, wenn es ihnen schwankend auswich. Mikael erkannte den Narren wieder. Inzwischen hatten die Jungen ihn eingeholt und ihn mit ihren Stöcken, die sie ihm zwischen die ungleichen Beine gesteckt hatten, zu Fall gebracht. Der Narr zappelte im Schlamm wie ein Käfer auf dem Rücken.

»Lasst ihn in Ruhe!«, schrie Mikael und rannte auf die Jungen zu. »Lasst ihn in Ruhe!«, wiederholte er, während er sich auf den ersten stürzte, der ihm unterkam. Er versetzte ihm einen so heftigen Stoß, dass der Knabe durch die Luft nach hinten flog. Ein anderer hob seinen Stock und versuchte, Mikael damit zu treffen. Doch der wich dem Hieb geschickt zur Seite aus und kam überraschend hinter ihm zu stehen. Er nahm dem überrumpelten Jungen den Stock ab und schlug ihn damit in die Nieren. Der Junge schrie vor Schmerz und sank auf die Knie. Mikael wirbelte den Stock herum und vertrieb so die anderen. »Verschwinde!«, brüllte er als Letztes den Jungen an, dem er in die Nieren geschlagen hatte. Der stand stöhnend auf und rannte ebenfalls davon.

Da streckte Mikael dem Narren die Hand hin und half ihm aufzustehen.

Berni betrachtete seine schlammverschmierten Kleider. Er lächelte halbherzig. »Na ja, ein guter Narr soll ja wohl die Kinder belustigen, oder etwa nicht?«, sagte er.

»Feiglinge«, knurrte Mikael immer noch wütend.

»Jetzt muss ich mich wohl bei dir bedanken, was?«

Mikael bemerkte, dass Berni aufgehört hatte, den Narren zu spielen. Sein Gesicht war ganz ernst geworden. Er sah genauer hin. Vielleicht war es auch nur niedergeschlagen.

»Wenn du auch nur versuchst, mich zu bemitleiden, gehe ich schnurstracks zu den Jungen zurück und lasse mich verprügeln«, sagte Berni zynisch. »Das ist mir lieber.« Dann fügte er versöhnlicher hinzu: »Daran bin ich wenigstens gewöhnt.«

Mikael sah ihn stumm an. Er erinnerte sich noch gut an die Zeiten, als er der Schwache gewesen war.

»Trotzdem danke«, presste Berni hervor.

Mikael zuckte nur die Schultern.

»Was ist nun?«, fragte Berni ihn. »Habt ihr eure Meinung wegen der Heiligen geändert?«

»Nein«, erwiderte Mikael nur, doch er blieb stehen und sah ihn an.

»Na gut. Ich habe mich bei dir bedankt. Was stehen wir beide dann hier noch herum und halten Maulaffen feil? Wir können uns verabschieden, oder?«

»Ja ...«, erwiderte Mikael, doch er rührte sich nicht vom Fleck.

»Hör mal, Schwachkopf«, sagte Berni, »ich brauche zweimal so lange wie jeder andere, um dahin zurückzukehren, wo ich hergekommen bin, und wenn du mir nicht endlich sagst, was du willst, werde ich erst spät in der Nacht da sein.«

»Ich begleite dich. Dann verlierst du durch mich keine Zeit.«

Berni sah Mikael ehrlich erstaunt an. »Heißt das etwa, dass du mich erst rettest und dich dann nicht einmal schämst, mit einem wie mir durch die Straßen dieser verkommenen Stadt zu gehen?«

Mikael schüttelte verwundert den Kopf. »Warum sollte ich mich schämen?«

Berni zog die Stirn in Falten. »Du bist schon ein komischer Vogel, weißt du das? Vielleicht bist du noch schwachköpfiger, als ich dachte.«

»Schwachkopf ist wirklich originell als Name für mich ... aber du kannst mich auch Blödian, Idiot, Dummkopf oder Trottel rufen, und ich verspreche dir, dass ich immer darauf hören werde«, sagte Mikael mit einem verschmitzten Grinsen in Erinnerung an vorhin. »Oder du kannst mich bei meinem Namen nennen. Ich heiße Mikael.«

Berni lächelte. »Geh zu meiner Rechten, schwachköpfiger Mikael«, erklärte er ihm und hinkte los. »Oder wenn du unbedingt zu meiner Linken laufen willst, halte wenigstens einen Schritt Abstand, sonst bekommst du regelmäßig eins auf die Nierchen, weil ich meinen Kopf nicht im Zaum halten kann«, sagte er lachend.

So kämpften sie sich bis zum südlichen Stadttor von Konstanz vor.

»Wenn es mir je in den Sinn kommen sollte, mich zu verlieben, und wenn ich dann auch noch eine Frau fände, die meine Liebe erwiderte«, sagte Berni, als er ein verliebtes Paar sah, das sich in Zärtlichkeiten erging, »weißt du, was ich dann tun würde?«

Mikael schüttelte den Kopf.

»Ich würde sie stutzen. Ich würde ihr das linke Bein abhacken, bis es so kurz wäre wie meins. Und weißt du auch warum?«

Mikael schüttelte wieder stumm den Kopf.

»So könnten wir Arm in Arm laufen, ohne alle paar Schritte zu stolpern«, fuhr Berni fort. »Ein Hüftlahmer allein, der humpelt und stolpert. Aber zwei davon, die sich bei der Hand halten und sich im gleichen Rhythmus wiegen ... das ist, als würden sie tanzen.«

Mikael lächelte.

»Du machst nicht viele Worte, was?«, sagte Berni.

Mikael schüttelte wieder nur den Kopf.

»Also, ich mag dafür kein Schweigen, lieber rede ich mit mir selbst wie die Verrückten«, erklärte der Narr. »Die Stille ist betäubend laut.«

Mikael wusste nicht warum, aber er mochte diesen Spaßvogel. Er war vermutlich der erste interessante Mensch, dem er seit seiner Ankunft in Konstanz begegnet war.

»Was macht ihr hier? Weshalb seid ihr hierhergekommen?«, fragte Berni.

»Das weiß ich nicht mehr.«

»Seid ihr hier, um euch mit der Heiligen eine goldene Nase zu verdienen?«, fragte Berni wieder.

»Nein!«, rief Mikael daraufhin entrüstet aus.

Berni blieb stehen und sah ihn verwundert an. »Willst du

etwa damit sagen, sie ist keine Betrügerin?«, fragte er ein wenig zweifelnd.

»Emöke singt, das ist alles. Das hat sie schon immer getan«, antwortete Mikael. »Bevor wir hier eintrafen, hat man sie die Verrückte genannt. Und jetzt ist sie die Heilige.«

»Und irgendwann, wenn man genug von ihr hat, wird man sie Hexe nennen und auf dem Scheiterhaufen verbrennen«, sagte Berni ernst und ging weiter.

Mikael lief ein Schauder den Rücken hinunter. Hatte er Emöke vor Ojsternigs Scheiterhaufen gerettet, damit sie am Ende hier in Konstanz verbrannt wurde? Doch er verdrängte diesen Gedanken. »Und warum bist du hier?«

»Ich folge meinem Herrn«, erwiderte Berni.

»Und wer ist das?«

»Seine Exzellenz, der hochedle Graf Chapuys de Rêves«, verkündete Berni feierlich. »Der doch nur einer der Schoßhunde des römisch-deutschen Königs ist, so wie ich seiner bin.«

»Und du hast keinen Hund?«, fragte Mikael lächelnd.

»Nein, ich bin der Letzte in der Reihe«, erklärte Berni ernst. »Nach mir kommt nur noch mein Schatten.«

Unterdessen erreichten sie im Wiegeschritt, begleitet von den Misstönen der Kuhglocke und den erbarmungslosen Kommentaren der Leute, ein beeindruckendes Gebäude im Stadtkern, vor dem zahlreiche Soldaten Wache hielten. Inzwischen war es Mittag geworden.

»Zeit, dass wir etwas zu beißen bekommen«, sagte Berni. »Du hast dir ein paar Reste verdient, weil du mich so brav begleitet hast.«

Sie gingen an den Wachen vorbei, die sehr angespannt wirkten.

»Was haben die denn?«, fragte Mikael verwundert, während sie das Haus betraten. »Warum sind hier so viele Soldaten?«

In der Küche nahm Berni sich eine frisch gebratene Perlhuhnbrust und gab Mikael die Hälfte ab. »Komm«, sagte er und führte ihn zur Hintertür hinaus auf die Rückseite des Hauses und weiter bis zu einem schmalen Fenster, das vergittert war und zu einem kleinen Kellerraum gehörte.

Durch das Fenster konnte Mikael in dem feuchten, dunklen Raum einen Mann mit einem dichten grauen Bart erkennen, der in einem schwarzen Predigergewand auf dem Boden kniete und betete.

»Meinem Herrn wurde die undankbare Pflicht übertragen, Kerkermeister dieses armen Ketzers zu sein«, erklärte Berni. »Er muss die Wachsoldaten für die Kerker von Konstanz stellen, wo der Ketzer gefangen sitzt, weil der König den Stadtwachen nicht traut. Und an Tagen wie diesen, wenn eine Abordnung Bischöfe den Ketzer zu sprechen wünscht, lässt er ihn zu sich nach Hause schaffen, damit die Männer der Heiligen Mutter Kirche auch angemessen speisen können, was in den Kerkern unmöglich ist.«

Mikel betrachtete den Gefangenen. Er konnte kaum älter als Mitte vierzig sein, doch er sah krank und ausgezehrt aus und wirkte wie ein Greis. Auf der schmalen Adlernase glitzerten Schweißtropfen, das schmale Gesicht war eingefallen und die Haut stumpf und blass. Doch als er ihre Anwesenheit bemerkte und den Blick hob, sah Mikael seine eindringlichen dunklen Augen, die im Zwielicht des Kellerraums wie glühende Kohlen funkelten.

»Wer ist das?«, fragte Mikael.

»Seinen Namen darf man in diesen Zeiten nicht laut aussprechen«, erwiderte Berni. Doch dann trat er neben ihn und flüsterte ihn ihm ins Ohr.

Eine knappe halbe Stunde später riss Mikael außer Atem die Zeltvorhänge auf. »Volod! Volod«, rief er ganz aufgeregt.

Volod hob den Kopf und richtete seine von zu viel Wein abgestumpften Augen auf ihn.

Mikael packte ihn an den Schultern und schüttelte ihn kräftig. »Volod, hör zu!«

Die einst scharfen Wolfsaugen taten sich schwer, sich auf ihn zu konzentrieren. »Was willst du noch?«, lallte Volod.

»Ich habe Jan Hus gesehen!«, rief Mikael.

Volod schüttelte den Kopf, um seine Betäubung loszuwerden, und setzte sich aufrecht hin. »Sag das noch mal!«

»Ich habe Jan Hus gesehen! Und vielleicht habe ich sogar eine Möglichkeit gefunden, wie wir mit ihm sprechen können!« Er ging zu Emöke und strich ihr liebevoll über die Haare. »Emöke«, fragte er sie, »würdest du gern für einen vornehmen Mann in seinem Haus singen?«

59

Siehst du die Heilige Muttergottes?«, fragte ein strenger Geistlicher, dessen vorstehende Zähne ihn wie eine große fette Ratte aussehen ließen. Der ganz in Schwarz gekleidete Kirchenmann musterte die vor ihm stehende Emöke mit dem Blick eines Inquisitors.

Auf Wunsch des Grafen Chapuys de Rêves hatte Emöke für die Darbietung ihre Lumpen gegen ein elegantes Kleid aus orangefarbenem Florentiner Samt mit türkisfarbenen Ärmeln getauscht.

Mikael an Emökes Seite war angespannt. Er versuchte, den Gesichtsausdruck des Grafen zu deuten, der neben dem Geistlichen saß. Der Adlige war nach der französischen Mode gekleidet, mit gelben und blauen Gewändern aus Damast, und die vielen Ringe an seinen Fingern glitzerten im Licht der Kerzen. Er wirkte gelangweilt. Volod, der zum ersten Mal seit vielen Tagen nüchtern war, stand wenige Schritte hinter Mikael.

Außer dem Hausherrn und dem Kirchenmann waren in dem weitläufigen Saal mit reich verzierter Kassettendecke noch der junge Sekretär des Geistlichen und Berni zugegen. Vor der Tür warteten die Gäste, die schon darauf brannten, die Heilige singen zu hören.

Doch der Geistliche hatte darauf bestanden, Emöke vor der Darbietung zu befragen, damit niemand Gefahr lief, in einem Augenblick, in dem die Heilige Mutter Kirche am Rande des theologischen Abgrunds der drei Päpste taumelte, gefährlichem Irrglauben zu erliegen.

»Antworte. Siehst du die Heilige Muttergottes?«, fragte der Kirchenmann noch einmal.

»Nein«, erwiderte Emöke.

»Hörst du, wie sie dir etwas zuflüstert?«

»Nein.«

»Gibt dir der Heilige Petrus ein, welcher der drei Päpste der wahre ist?«

»Nein.«

»Sprichst du mit den Toten?«

»Nur mit meinem Ehemann.«

Auf dem Gesicht des Geistlichen erschien das grausame Lächeln des Inquisitors, der die Verfehlung entdeckt hat. »Du willst also sagen, dein Ehemann ist tot und du redest mit ihm?«

Mikael erstarrte innerlich.

»Sollte eine Frau nicht immer mit ihrem Ehemann sprechen, Exzellenz?«, fragte Emöke ganz gelassen den Grafen. Im Saal blieb es einen endlosen Moment totenstill.

Dann lachte Graf Chapuys de Rêves spöttisch.

»Da gibt es wohl kaum etwas zu lachen, Graf«, ermahnte ihn der Kirchenmann, doch er bemerkte sofort, dass er sich einem Edelmann von so hohem Rang gegenüber im Ton vergriffen hatte. »Eigentlich wollte ich sagen, Exzellenz...«, fuhr er wesentlich milder fort, »diese Frau ist seltsam, meint Ihr nicht auch?«

»Mein Herr hat sich seine eigenen Kaninchenhäuter und Federrupfer mitgebracht, Euer Halbheiligkeit, als würde man hier in Konstanz die Kaninchen mit Fell und die Fasanen mit Federn essen«, ergriff Berni frech das Wort. »Und Ihr fragt ausgerechnet ihn, ob er jemand anderen für seltsam hält?«

Der Graf lachte belustigt über diese Wende.

»Wir müssen den Propheten folgen, die sagen...«

»Um Gottes willen! Zitiert hier nicht die Propheten!«, unterbrach Berni den Geistlichen abermals. »Die Bibel führt nur die auf, die ins Schwarze getroffen haben.«

Der Graf lachte wieder.

Und auch Mikael musste trotz seiner Anspannung lächeln.

»Euer Narr sollte lernen, seine Zunge in Zaum zu halten, wenn er nicht auf dem Scheiterhaufen enden will«, erklärte der Kirchenmann verärgert.

»Wer will mich schon brennen sehen? Da würdet Ihr nur Euer Holz verschwenden«, entgegnete Berni. »Die ganze Stadt wartet doch nur darauf, dass Ihr diesen Ketzer röstet. Das ist Euer größtes Spektakel.«

Der Kirchenmann wurde rot vor Wut. »Exzellenz, legt dieser Missgeburt Zügel an«, rief er erzürnt.

»Ihr ehrt mich«, erwiderte Berni sofort und verbeugte sich. »Es ist ein Vorzug, in Euren Augen eine Missgeburt zu sein. Ich habe nämlich herausgefunden, dass auch der Heilige Judas eine war.«

Der Geistliche sprang wütend auf. »Wie kannst du es wagen?!«

»Euer Allerheiligste Halbheiligkeit, Ihr müsstet eigentlich wissen, dass es sich ganz genau so verhält«, erwiderte Berni mit weit aufgerissenen Augen, als wäre er tatsächlich sehr verwundert. »Dieser Tage habe ich unter den Reliquien, die in feierlichen Prozessionen durch die Straßen von Konstanz getragen und in den Kirchen dem Volk gezeigt wurden, allein fünfundzwanzig Finger des Heiligen Judas gezählt. Dazu sieben Oberschenkelknochen, zwei Schädel, an die hundert Zähne und so viele Rippen, dass mir davon ganz schwindelig geworden ist. Und jeder dieser heiligen Knochen wurde als echte Reliquie ausgestellt. Also wenn die Geistlichen die Wahrheit sprechen, und ich als guter Christenmensch glaube selbstverständlich, dass die Kirche niemals lügt, muss ich doch daraus schließen, dass der Heilige Judas eine Missgeburt mit zwei Köpfen, unglaublich vielen Zähnen, einer Hand mit zwölf und der anderen mit dreizehn Fingern, sieben Beinen und einem wenigstens drei

Klafter hohen Brustkorb war, damit er all diese Rippen fassen konnte.«

Der Graf lachte schallend laut. Dann wandte er sich an den Geistlichen. »Also, wie viel Schaden kann wohl durch ein Weib entstehen, das uns einen Abend lang die Zeit mit seinem Gesang vertreibt?«

»Wie viel Schaden kann wohl durch ein Weib entstehen, das seinem Mann im Paradies einen Apfel reicht?«, konterte der Geistliche und zog sarkastisch die Augenbrauen hoch.

Der Graf warf ihm einen vernichtenden Blick zu. »Dann passen wir eben heute Abend auf, dass dieses Weib keine Äpfel verkauft«, entgegnete er mit harter Stimme. »Doch jetzt werden wir sie endlich anhören«, fuhr er ungeduldig fort. »Denn der König hat mich um mein Urteil gebeten, bevor er ihr seine Aufmerksamkeit schenkt. Und ich möchte ihm nur ungern mitteilen, dass ... Eure Halbheiligkeit, wie mein Narr sagt ... mir aufgrund engstirniger Wortklaubereien verboten hat, seine Neugier zu befriedigen.«

Der Geistliche erbleichte.

»Ich sehe, wir haben uns verstanden«, sagte der Graf lächelnd. »Ihr und Euer Sekretär werdet uns sicher die Gnade erweisen, nicht an der Darbietung teilzunehmen, um sie nicht mit Euren sauertöpfischen Mienen zu verderben. Und jetzt verschwindet.« Er wandte sich der Flügeltür zu, hinter der die Diener schon lauschten. »Möge das Fest beginnen!«

Die Türflügel öffneten sich sogleich, und eine elegant gekleidete bunte Menge strömte laut schwatzend in den Saal, während der Geistliche und sein Sekretär peinlich berührt zum Ausgang eilten.

Zwei Diener führten Emöke zu einem mit Seide verkleideten Podest im hinteren Teil des Saals.

Mikael und Volod setzten sich davor, Berni schloss sich ihnen an.

»Wann werden wir Jan Hus sehen?«, fragte Volod ungeduldig.

»Vielleicht wird es gar nicht möglich sein«, erwiderte Berni.

»Nur deswegen sind wir hier, Hinkebein!«, fuhr Volod auf.

Mikael sah Volod verärgert an. Die letzten Wochen hatten sein Vertrauen in ihn untergraben. »Gib Ruhe, Volod«, ging er ihn scharf an. »Hätten wir auf dich gewartet, säßen wir noch besoffen im Zelt.«

»Verschwende deine Zeit nicht damit, mich ständig zu verteidigen«, sagte Berni lächelnd.

Mikael war hochrot im Gesicht und starrte Volod weiter wütend an.

»Weißt du was? Dein größter Fehler ist, dass du zu wenig lachst«, sagte Berni zu Mikael. »Leute wie du glauben, dass das Herz das Leben und die Seele bestimmt. Doch jeder Fleischer könnte dir erklären, dass das Herz nur ein Organ wie all die anderen ist, das man auf eine Waage legen kann. Niemand hingegen kann ein Lachen aufwiegen. Lachen macht dich leicht und verleiht dir Flügel.« Er sah Emöke an. »Die Heilige hat Humor. Ihr Geist kann fliegen.«

Kaum hatten sich die Gäste auf die Stühle gesetzt, die eine Schar Diener rasch herbeigeschafft hatte, wies der Graf auf die Bühne.

»Emöke, sing«, flüsterte Mikael ihr zu.

Doch in diesem Moment allgemeinen gespannten Schweigens war plötzlich ein quietschendes Geräusch zu vernehmen, und kurz darauf sah man, wie eine alte Frau mit harten, durchdringenden Augen auf einem mit Samt gepolsterten Stuhl, der auf Holzräder montiert war, von zwei Hofdamen hereingeschoben wurde. Ihre Haare waren unter einer mit kostbaren Edelsteinen bestickten Haube verborgen. Sie wirkte winzig, denn ihr Körper war durch das Alter verschrumpelt wie eine

Trockenpflaume. Ihre Hände waren zu Fäusten verkrampft und ruhten auf den Armlehnen des beweglichen Stuhls.

»Mutter!«, rief der Graf und eilte auf sie zu. Dann blickte er ihre beiden Begleiterinnen vorwurfsvoll an. »Der Arzt hat ihr doch Bettruhe verordnet.«

»Ich will ... sie hören ...«, sagte die alte Gräfin mit leiser, brüchiger Stimme, aber in einem Ton, der keinen Widerspruch duldete.

Der Graf nickte bestürzt, und zwei Diener machten vor dem Podest einen Platz für sie frei.

Als wieder Ruhe eingekehrt war, sah Emöke nur auf die alte Frau und zögerte zu singen.

»Emöke, sing«, forderte Mikael sie noch einmal auf.

Doch Emöke verließ das Podium und ging zielstrebig auf die alte Gräfin zu.

Die beiden Hofdamen versperrten ihr den Weg.

Die alte Frau starrte Emöke mit ihren harten Augen an und zischte: »Lasst sie doch ... vorbei ... ihr Närrinnen ...«

Daraufhin traten die beiden Edelfrauen zur Seite.

Emöke näherte sich der alten Frau und nahm deren rechte Hand. Unter den bestürzten Blicken der anwesenden Adligen, die nicht fassen konnten, dass eine Frau aus dem Volk eine Angehörige ihres Standes so intim berührte, streichelte sie sie sanft. Langsam bog sie die verkrampften Finger gerade, bis sie ganz entspannt waren. »Lasst sie los, Herrin«, flüsterte Emöke der alten Frau zu. Sie legte die offene Hand der Frau auf die Armlehne des Stuhls. Dann nahm sie die andere Hand und öffnete auch diese. »Lasst sie los, Herrin«, sagte Emöke wieder.

Die Alte sah Emöke weiter aus ihren harten, verbitterten Augen an und schloss die Hände ruckartig wieder, als wären es zwei Fangeisen.

»Lasst sie gehen, sie vergiftet Euren Kopf und lässt Euren

Körper absterben.« Emöke sprach zu der Gräfin, als wären nur sie beide im Raum.

Die Adligen wohnten dem Ganzen schweigend bei, peinlich berührt von dem unvorhergesehenen Zwischenfall. Einige hüstelten.

»Was soll sie gehen lassen?«, fragte der Graf.

Emöke schien ihn nicht gehört zu haben, ihre Augen waren weiter allein auf die alte Frau gerichtet. Plötzlich drehte sie sich um, kehrte zum Podium zurück und ließ mit einer Stimme, die an den Stimmbändern kratzte, eine spröde, unangenehme Melodie ertönen.

Die Adligen murrten abgestoßen.

Mikael begriff nicht, was dort gerade geschah. So hatte Emöke noch nie gesungen. Er sah den Grafen an und bemerkte, dass der unzufrieden und finster dreinschaute.

Während sich Unruhe im Raum ausbreitete, sah Emöke unbeirrt die alte Frau an und sang. Sie hatte ihre Hände ebenfalls zu Fäusten verkrampft, und ihr Gesicht zeigte eine erschreckende Wut. Doch kurz bevor der Graf einschritt, um die Darbietung abzubrechen, wurde ihre Stimme klarer, die Melodie weicher, ihre Hände öffneten sich wieder, wie eine aufgehende Blüte, die gerunzelte Stirn glättete sich, und die Wut wich aus ihrem Gesicht.

Die Zuschauer verstummten, fasziniert von dieser Verwandlung. Der Graf, der bereits aufgestanden war, setzte sich wieder.

Die alte Frau öffnete ebenfalls langsam ihre Hände.

Emökes Gesang klang jetzt herzzerreißend, als erfülle ihn ein alter tiefer Schmerz. Aus ihren Augen tropften Tränen. Ihre Hände, die sich nun wieder vollkommen geöffnet hatten, gingen zur Brust, als wollte sie sich vor Verzweiflung die Kleider vom Leib reißen. Und als der Schmerz, von dem sie sang, den Höhepunkt erreicht hatte, änderte sich die Melodie wieder. Sie wurde weicher, glich einem Schlaflied, das zwar nicht fröhlich wirkte, doch erfüllt war von einer tiefen Ruhe, als hätte sie sich ergeben. Ihre Stimme klang wie ein sanft plätschernder Bach, der ruhig und gelassen alle Reste der Wut und des Schmerzes, von denen sie gesungen hatte, mit sich forttrug.

Mikael sah, wie die alte Frau die geöffneten Hände an die Brust legte. Und wie auf ihrer faltigen Wange eine Träne erschien.

Das Publikum war verstummt und starrte gebannt auf das Geschehen. Der Graf sah seine Mutter zutiefst erschrocken an.

»Versuchen wir es«, sagte Berni leise. »Kommt.«

Mikael und Volod folgten ihm möglichst unauffällig an der Wand entlang zur Tür. Berni führte sie über einen langen Gang zu der Treppe ins Kellergeschoss, doch dort sahen sie sich sogleich einem Dutzend bewaffneten Männern gegenüber.

»Was willst du?«, fragte der Hauptmann der Wachen Berni.

»Wir wollen den Gefangenen sehen«, erwiderte der.

Der Hauptmann lachte harsch. »Hältst du mich etwa für blöd, Narr?«, sagte er. »Niemand darf zu ihm. Befehl des Grafen.«

»Na komm, das sind zwei Freunde«, erklärte Berni und wies auf Mikael und Volod.

»Wessen Freunde?«, fragte der Hauptmann. »Von dem Ketzer?«

»Meine Freunde.«

»Deine Freunde? Dann sind sie wohl Narren wie du?« Der Hauptmann wandte sich an seine Leute. »Die wollen den Ketzer zum Lachen bringen!«

Die Wachen lachten höhnisch.

»Der Ketzer hat nichts zu lachen, der Prozess geht seinem Ende entgegen, und man errichtet schon den Scheiterhaufen«, sagte der Hauptmann. »Und jetzt verschwindet, ehe ich die Geduld verliere.«

»Wir können für das Entgegenkommen bezahlen«, erklärte Mikael. »Für uns ist es sehr wichtig, mit ihm zu sprechen.«

»Und für mich ist es sehr wichtig, dass ich nicht am Galgen ende. Niemand darf mit dem Ketzer sprechen.«

»Was können wir schon tun? Wir sind unbewaffnet«, fuhr Mikael fort.

Der Hauptmann zog sein Schwert. »Verschwindet«, sagte er.

Die Wachen hinter ihm griffen ebenfalls zu ihren Waffen.

Volod drehte sich um und ging. »Kann man dümmer sein als ich? Einem Narren vertrauen?«, rief er wütend aus, während sie den Gang zurückliefen.

»Ihr habt ihn doch gehört«, verteidigte sich Berni. »Für den Ketzer nähert sich das letzte Stündchen, und man fürchtet, dass seine Anhänger einen Handstreich versuchen . . .«

Volod betrat, ohne ihn eines Wortes zu würdigen, den Saal, gerade in dem Moment, als Emöke aufhörte zu singen.

Die adelige Menge war bis ins Innerste erschüttert. Man hatte einfach nur die Darbietung einer Sängerin erwartet. Doch jetzt glaubten alle, sie hätten etwas ganz anderem beigewohnt, selbst wenn sie es nicht hätten beschreiben können. Es war, als hätten sich bei einem jedem von ihnen die verborgensten Winkel der Seele aufgetan. Statt Beifall hörte man nur verwirrtes, verlegenes Raunen. Die Augen einiger Damen waren feucht vor Rührung. Die Männer dagegen versuchten, sich ihre innere Bewegtheit nicht anmerken zu lassen, und sobald die Diener mit den Karaffen französischen Weins und den Platten voller Speisen kamen, stürzten sie sich lautstark darauf.

Der Graf ging zu seiner Mutter. »Ihr habt geweint?«, fragte er überrascht.

Die alte Frau antwortete nicht, sondern winkte stattdessen Emöke zu sich heran.

Mikael half ihr vom Podium und führte sie zu der Gräfin.

Die Hände der alten Frau waren nun nicht mehr zu Fäusten verkrampft. Ihr faltiges Gesicht hatte sich entspannt und seine erstarrte Härte verloren. »Wer bist du, Mädchen?«, fragte sie. Mikael bemerkte, dass sogar ihre Stimme die Rauheit verloren hatte. »Wenn du Flügel hättest, würde ich glauben, du bist ein Engel.«

»Engel haben keine Flügel, Herrin«, sagte Emöke. »Sie sind doch keine Tauben. Sie haben nicht einmal einen Körper.«

»Und wie sind sie dann beschaffen?«, fragte die Alte.

»Sie sind gar nicht beschaffen, Herrin«, erwiderte Emöke. »Sie sind ein Rascheln.«

»Ein Rascheln?«

»Ja, wie von Seide.« Emöke beugte sich hinunter und näherte ihren Mund dem Ohr der alten Frau. »Habt Ihr denn niemals das Gefühl, eine Eurer Damen sei ins Zimmer gekommen, und wenn Ihr Euch umdreht, ist da niemand?«, flüsterte sie. »Doch erzählt ja nicht herum, dass Ihr die Engel hören könnt, sonst halten sie Euch für verrückt.«

Die alte Frau sah sie an und, in ihren Augen funkelte ein kaum merkliches Lächeln. Sie wandte sich an ihren Sohn. »Gib dem Mädchen, was immer es verlangt«, sagte sie zu ihm.

»Sie wird fünf Goldzechinen erhalten, wie ausgemacht«, erwiderte der Graf.

»Geld!«, fuhr die Alte auf und sah Emöke an. »Interessiert dich Geld, Mädchen?«

Emöke schüttelte den Kopf.

Die alte Frau nahm Emökes Hand in ihre vom Krampf gezeichneten Finger. »Ich danke dir, Mädchen. Du und ich wissen, wobei du mir geholfen hast, nicht wahr?«

Emöke sah sie mit ausdruckslosen Augen an.

»Herrin«, nutzte Mikael die Gelegenheit und senkte ehrerbietig den Kopf. »Darf ich Euch um etwas bitten?«

Die alte Frau sah ihn an und zog eine Augenbraue hoch. »Ich wette, du interessierst dich für Geld.«

»Nein, Herrin«, antwortete Mikael.

»Und was ist deine Bitte?«

»Ich will mit Jan Hus sprechen.«

»Das ist unmöglich!«, rief der Graf entsetzt.

»Sei still«, sagte die alte Frau. Sie sah von Mikael zu Emöke. »Du kümmerst dich um sie?«

»Ja, Herrin.«

»Ihr seid schon ein seltsames Gespann«, sagte die Gräfin belustigt. »Und warum willst du mit dem Ketzer sprechen?«

»Das geht auf keinen Fall, Mutter«, meldete sich der Graf entschieden zu Wort, bevor Mikael antworten konnte. »Ich bin für ihn verantwortlich und kann das nicht zulassen.«

Die alte Frau sah Emöke durchdringend an. »Ist es wichtig?«, fragte sie.

Emöke nickte stumm.

»Lass sie mit dem Ketzer reden«, sagte die Gräfin daraufhin zu ihrem Sohn.

»Nein, Mutter . . .«

»Ich habe versprochen, dieser Frau zu geben, was auch immer sie verlangt. Sie will nichts für sich und hat ihren Lohn diesem Burschen da überlassen«, fiel die Gräfin ihm ins Wort. Dann wandte sie sich an ihre Begleiterinnen. »Bringt mich auf mein Zimmer, Närrinnen.«

»Mit dieser Frau ist einfach nicht zu reden«, seufzte der Graf und sah seiner Mutter nach. Dann sagte er zu Mikael: »Kommt, ich bringe euch zu Jan Hus.«

Mikaels Herz tat einen Sprung.

60

Als sie erneut vor den Wachen standen, gab der Graf den Befehl, sie sollten beiseitetreten.

Berni konnte sich nicht verkneifen, den Hauptmann zu verspotten: »Und, wer von uns beiden ist jetzt der Narr?«

Der Hauptmann lief rot an vor Zorn.

Berni zwinkerte Mikael zu. »Los, nun lach schon«, flüsterte er ihm zu.

Während Mikael, gefolgt von Emöke und Volod, hinter dem Grafen die dunklen Stufen hinunterging, spürte er, wie sein Herz immer schneller schlug. Nun sollten sie also den Mann treffen, für den sie die weite Reise nach Konstanz auf sich genommen hatten. Den Mann, der sich gegen die Kirche aufgelehnt hatte, indem er furchtlos deren Verbrechen, Bestechlichkeit und den unseligen Ablasshandel angeprangert hatte. Den Mann, der die Mächtigen nicht fürchtete und der sich keinem der drei Päpste gebeugt hatte. Dieser Mann würde nun all seine Fragen beantworten, dachte Mikael aufgeregt.

Bevor sie den für den Ketzer vorübergehend als Kerkerzelle eingerichteten Raum betraten, mussten sie an weiteren Wachen vorbei. Die Männer traten beiseite und verneigten sich vor dem Grafen. Dann holte der Kerkermeister klimpernd seinen großen Schlüsselbund hervor und öffnete die beiden Schlösser an der Tür.

»Ihr habt nur wenig Zeit«, sagte der Graf zu Mikael.

Mikael nickte angespannt, während Emöke ihm beruhigend über den Rücken strich.

Der Graf rief in die Zelle: »Jan Hus aus Husinec, du hast

Besuch.« Dann drehte er sich zu Mikael, Volod und Emöke um. »Tretet ein.«

Mikael wagte sich als Erster vor. Die Zelle war feucht und kalt, obwohl es Sommer war. Es roch durchdringend nach Urin. Als ihre Augen sich an das Dämmerlicht gewöhnt hatten, bemerkte Mikael in einer Ecke ein randvoll gefülltes Nachtgeschirr, dessen sich keiner angenommen hatte. In der Zelle gab es nichts außer einer Pritsche, die mit zwei Eisenketten an Ringen in der Wand befestigt war. Von dieser Pritsche warf eine Talgkerze, die fast heruntergebrannt war, ihren flackernden Schein auf eine magere, schwarz gekleidete Gestalt, die davor kniete und in ihren ausgezehrten Händen ein aufgeschlagenes Gebetbuch hielt.

Mikael blieb eingeschüchtert in der Tür stehen, aber Volod stieß ihn unsanft vorwärts, um an ihm vorbeizukommen, und näherte sich dem knienden Mann. Emöke nahm Mikaels Hand und drückte sie.

»Herr«, sagte Volod, »wir sind gekommen, um mit Euch zu sprechen.«

Jan Hus wandte sich nicht einmal um.

»Herr?«, fragte Volod erneut.

Jan Hus rührte sich nicht, er studierte weiter das Gebetbuch in seiner Hand, als wäre er allein in seiner Zelle.

»Wir haben jenseits des Gebirges, wo wir leben, von Euch gehört«, fuhr Volod fort. »Wir haben mehr als dreihundert Meilen zurückgelegt, um Eurer Stimme zu lauschen.«

Jan Hus wandte sich langsam um und betrachtete Volod. Trauer lag in seinen Augen. Sein langer Bart war ungepflegt und verfilzt, das schwarze Gewand schmutzig und voller Löcher. »Ich habe Euch nichts zu sagen«, erklärte er leise. »Geht.« Dann wandte er sich um und las weiter in seinem Gebetbuch.

Mikael und Emöke standen immer noch im Dunkeln an der Tür.

»Herr . . .«, setzte Volod noch einmal an.

Aber Jan Hus hörte ihn nicht, so vertieft war er schon wieder in seine Gebete.

»Ihr seid auch nicht anders als die anderen«, brauste Volod wütend auf. »Ihr predigt nur für Euch allein, für Euren Hochmut, und habt kein Ohr für das einfache Volk.«

Jan Hus reagierte nicht.

Volod wandte sich zur Tür. »Gehen wir«, sagte er zu Mikael und lief an ihm vorbei. »Wir haben uns in diesem Mann geirrt.«

»Nein, ich will bleiben«, entgegnete Mikael.

»Wozu? Ist es so unterhaltsam, ihm dabei zu lauschen, wenn er Gebete murmelt wie jeder andere Pfaffe?«

Mikael spürte, dass Emöke seine Hand fester drückte. »Ich gehe nicht von hier fort, bis man mich vertreibt«, sagte er.

Volod schnaubte empört auf. »Sie sind doch alle gleich . . .«, brummte er. »Auch er wollte sich Macht verschaffen, nur ist ihm das nicht gelungen.«

Alle schwiegen. Mikael fühlte sich merkwürdig. Er war verwirrt, als hätte er im Nebel völlig die Orientierung verloren. Er hatte Emöke gerettet, er war bereit gewesen, sein Leben hinzugeben, weil es richtig war, weil er die Welt verändern wollte. Aber jetzt wusste er nicht mehr, was richtig war. Die Ideale, die er verfolgt hatte, schienen sich aufzulösen, je länger er sich im Sumpf von Konstanz aufhielt.

Nach einer Weile sagte der Graf: »Eure Zeit ist um. Ihr müsst gehen.«

Jan Hus sprach weiter seine Gebete.

Der Kerkermeister betrat die Zelle und bedeutete Volod und Emöke zu gehen.

Da sagte Jan Hus, ohne den Blick von seinem Buch zu heben: »Ich werde auf eine Frage antworten.«

Volod näherte sich wieder, als Hus sich zu ihnen umdrehte.

»Nein«, sagte er und deutete mit seinem dürren Finger auf Mikael. »Ihm.«

Mikaels Aufregung nahm zu, und er ließ Emökes Hand los.

Jan Hus wandte sich zu dem Kerkermeister um und sagte: »Nur ihm allein.«

Der Angesprochene forderte Volod und Emöke stumm auf, den Raum zu verlassen.

Mikaels Herz schlug heftig, als er ihre Schritte draußen im Gang verklingen hörte.

»Komm zu mir«, sagte Jan Hus und erhob sich schwerfällig.

Mikael trat näher.

Jan Hus nahm die Kerze, ohne sich um den heißen Talg zu kümmern, der ihm über die Finger lief, und leuchtete Mikael ins Gesicht. Im flackernden Licht der Kerze funkelten die Augen des Ketzers wie glühende Kohlen.

Mikael konnte darin einen ganzen Kosmos von Gefühlen entdecken. Kraft und Entschlossenheit, Erschöpfung und Schicksalsergebenheit, Glauben und Mut, Angst und Trauer.

Jan Hus nickte ihm zu. »Wer bist du?«, fragte er und hielt Mikael die Kerze so nah vors Gesicht, dass dieser die Hitze der Flamme spürte.

»Ich weiß es nicht«, erwiderte Mikael wie gebannt.

Jan Hus nickte wieder und fragte ihn: »Warum bist du hier?«

Und wieder antwortete Mikael: »Ich weiß es nicht.«

Jan Hus betrachtete ihn lange. »Du bist aufrichtig«, sagte er.

Mikael spürte, dass seine Knie unter dem brennenden Blick des ernsten Mannes weich wie Butter wurden.

»Stell mir deine Frage«, sagte Jan Hus.

Mikael hatte sich seit Tagen auf diesen Augenblick vorbereitet, seit er eine Möglichkeit gesehen hatte, ihn tatsächlich zu treffen. Im Grunde schon seit er in Konstanz war. Ja, eigentlich schon vorher auf der Reise. Er wollte von ihm erfahren, was

Freiheit ist. Er öffnete den Mund, aber die Frage blieb ihm im Halse stecken. Als ob sie sinnlos geworden wäre. Schweigend verharrte er und verlor sich in Jan Hus' eindringlichen Augen hinter der Kerze, die gleich erlöschen würde.

Der Gefangene rührte sich nicht und schwieg. Er wartete ab.

»Was muss ich tun?«, fragte Mikael kurz darauf und wunderte sich selbst über die Frage, die unmittelbar aus seinem Herzen gekommen zu sein schien. »Was muss ich tun, um mich nicht zu verlieren?«, fragte er, fast ohne zu bemerken, was er gesagt hatte.

Jan Hus sah ihn lange an. Dann erlosch die Kerze endgültig, nachdem sie noch einen kurzen Moment hoch aufgelodert war.

Und in der Dunkelheit hörte Mikael die tiefe Stimme von Jan Hus fast wie im Traum, er begriff kaum, woher sie kam.

»Such die Wahrheit ...« Jan Hus klang erschöpft. »Lausche auf die Wahrheit ... lerne die Wahrheit ... liebe die Wahrheit ... sage die Wahrheit ... halte dich an die Wahrheit ... verteidige die Wahrheit mit deinem Leben ... denn die Wahrheit wird dich frei machen ...« Dann brach seine Stimme und ließ den Satz unvollendet, verlosch wie die Kerze.

Mikael war wie gelähmt. Dann streckte er langsam einen Arm vor, denn er hatte das Bedürfnis, diesen Mann zu berühren, der ihn so tief in seinem Innern erschüttert hatte. Aber seine Hand tastete ins Leere. Jan Hus war verschwunden. Mikael erschrak, fast glaubte er, ihre Begegnung sei nicht mehr als ein Traum gewesen.

Plötzlich fiel ein Lichtschein in die Zelle, und Mikael sah, dass Jan Hus wieder mit dem Gebetbuch in der Hand vor seiner Pritsche kniete.

Der Kerkermeister kam herein und stellte die neue Kerze neben den Häretiker, der ihn gar nicht zu bemerken schien.

»Gehen wir«, sagte er zu Mikael und führte ihn an einem Arm nach draußen.

Während sie die Zelle verließen, erschien der Graf in der Tür. »Jan Hus aus Husinec, morgen Früh wirst du Kardinal Oddo von Colonna überstellt werden, auf dass ein Urteil über dich gefällt werde. Meine Verantwortung endet damit. Möge Gott mit dir sein und dich immer gut beraten.«

Jan Hus antwortete nicht.

Hinter ihnen verriegelte der Kerkermeister die Tür.

»Was hat er dir gesagt?«, fragte Volod Mikael, während sie die dunklen Treppen nach oben stiegen.

Mikael antwortete nicht. In ihm tobte ein Aufruhr der Gefühle. Auf einmal war er sich der Schwere seines Körpers bewusst, während ihm ums Herz federleicht war.

Als sie wieder den weitläufigen Empfangssaal erreicht hatten, sagte der Graf: »Amüsiert euch, esst, trinkt. Und dann geht zu meinem Sekretär, um euren Lohn abzuholen.«

Mikael nickte abwesend.

Berni kam ihnen entgegen.

»Und bleibt hier in der Gegend«, fügte der Graf hinzu, der nebenbei schon wieder den anderen Gästen zulächelte und sie mit Gesten grüßte. »Ich habe für die kommenden Wochen weitere Abendeinladungen geplant und würde dann wieder ... die Dienste eurer ... Heiligen benötigen.«

»Also? Was hat er dir gesagt?«, fragte Volod, kaum dass der Graf sie verlassen hatte.

Mikael starrte ihn an. »Dass ich ... die Wahrheit suchen soll.«

»Und das ist alles?«, fragte Volod enttäuscht.

»Ja.«

Volod schüttelte den Kopf. »Sie sind doch alle gleich, sie führen bloß leere Worte im Mund, genau wie du. Los, lasst uns etwas trinken, damit der Abend wenigstens zu etwas gut war.«

»Nein, bleib nicht hier«, sagte da Emöke zu Mikael und drückte eindringlich seine Hand.

Mikael lächelte sie an. »Nein, wir werden nicht bleiben.«

»Macht doch, was ihr wollt«, knurrte Volod finster und ging zu einem Diener, der Wein ausschenkte.

Mikael empfand wieder tiefe Verachtung für diesen Mann, den er einst als Helden angesehen hatte. Aber diese Zeiten schienen ihm nun so weit entfernt, als gehörten sie zu einem anderen Leben. Volod war nur ein Mann mehr voller Wut, Groll und Enttäuschung, der nun sein wahres Gesicht zeigte.

»Das stimmt nicht«, sagte Emöke.

»Was?«, fragte Mikael.

Emöke gab keine Antwort und zog ihn zum Ausgang des Saals.

»Vergesst nicht, dass das Leben nur eine Posse ist«, rief Berni ihnen nach. »Lach, mein Bruder!«

Mikael bemerkte erstaunt, dass Emöke sich noch einmal umdrehte und Berni anlächelte.

Auf dem Weg zurück zu ihrem Zelt beobachtete Mikael die Menschen, die sich in den Straßen drängten, obwohl es inzwischen Nacht geworden war. Es kam ihm vor, als wüssten sie nicht, wohin sie gingen, noch, was sie tun sollten, genau wie er. Er sah zu Emöke, die mit gewohnt leerem Blick vorwärtsschritt, als könnte nichts sie berühren. »Was sollen wir hier?«, fragte er sie, ohne jedoch eine Antwort zu erwarten.

»Du hast noch nicht die Kraft, nach Hause zurückzukehren«, erwiderte sie überraschend. »Es ist ein langer Weg.«

Mikael betrachtete sie verwundert. Dann schüttelte er den Kopf. »Hier gibt es keine Wahrheit«, sagte er finster und musste wieder an die Worte von Jan Hus denken.

»Ein Pilz verbirgt sich unter einem von Millionen Blättern im Wald«, sagte Emöke. »Aber das bedeutet nicht, dass es unmöglich ist, ihn zu finden.«

Schweigend liefen sie nebeneinander weiter durch die schwatzende Menge.

»Du bist gar nicht verrückt, oder?«, fragte Mikael schließlich.

»Lach, mein Bruder!«, sagte sie, und dann begann sie zu singen, aber nicht auf ihre gewohnte Art, sondern ganz wie ein fröhliches junges Mädchen.

61

Agnete beobachtete stumm die Dienerin, die Eloisa das Essen brachte.

Sie hieß Lucilla, war noch keine zwanzig und recht ansehnlich. Unter ihrem Gewand zeichneten sich ein üppiger Busen und wohlgerundete Hüften ab, die sie ein wenig zu stark schwingen ließ. Wie jeden Tag in den vielen Wochen hier auf der Burg stellte die Magd das Tablett auf den Tisch und warf einen misstrauischen Blick auf die fette schwarz-rot gefleckte Katze mit langem, dichtem Fell, die träge auf dem Bett lag. »Wozu haltet ihr euch dieses hässliche Tier?«, fragte sie.

»Das fragst du mich fast jeden zweiten Tag«, antwortete Agnete. »Du kannst demjenigen, der dir aufgetragen hat, hier herumzuschnüffeln ...«

»Wer denn? Keiner hat mir gesagt ...«

»Du kannst demjenigen, der dir aufgetragen hat, hier herumzuschnüffeln«, unterbrach Agnete sie gleich, »ausrichten, dass wir sie halten, weil sie eine ausgezeichnete Gesellschaft für eine Wöchnerin ist, die in dieser Burg wie eine Gefangene leben muss. Und sagt gleich dazu, dass Ihre Durchlaucht uns gestattet hat, sie zu halten«, sagte sie und meinte Lukrécia damit.

»Ach so, na, wenn die Prinzessin es erlaubt hat ...«, sagte Lucilla abfällig.

Agnete überhörte ihren Hohn geflissentlich und fuhr fort: »Und du kannst deinem Herrn auch sagen, dass wir eine Katze für eine ausgezeichnete Gesellschaft halten, weil sie wesentlich weniger Lärm macht als gewisse Hühner mit ihrem Gegacker.« Sie wedelte mit den Händen durch die Luft, als wäre die Dienerin ein Huhn, das sie verjagen wollte. »Husch, mach, dass du rauskommst!«

Schmollend zuckte Lucilla mit den Schultern und verließ den Raum.

»Zum Teufel mit dir und wem sonst noch!«, rief Agnete in Richtung der Tür, als diese ins Schloss fiel.

Eloisa, die neben der Katze auf dem Bett lag, lachte. Aber ihr Lachen klang nicht heiter, sondern angespannt. Das war sie inzwischen vor jeder Mahlzeit, seit sie die Unterhaltung zwischen Marcus und dem schmierigen Gehilfen des Verwalters belauscht hatte. Sie legte schützend eine Hand auf ihren Bauch, denn sie war in höchster Angst, dass ihrem Kind etwas zustoßen könnte. Jede Nacht quälten sie deswegen schreckliche Albträume.

Agnete nahm ein Keramikschüsselchen und legte eine der mit Kastanien und Speck gefüllten Wachteln hinein. »Los, komm her, Eva, und möge Gott dir gnädig sein«, sagte sie zu der Katze.

Eva erhob sich träge vom Bett, gähnte, reckte und streckte sich und sprang dann auf den Boden. Sie schleppte einen riesigen Bauch mit sich herum.

Gleich nachdem Eloisa entdeckt hatte, dass Marcus und der Gehilfe des Verwalters etwas gegen das Kind in ihrem Schoß im Schilde führten, damit Ojsternig keinen Erben bekäme, hatte Agnete Eva in ihre Kammer gebracht. »Aber warum gerade eine arme trächtige Katze?«, hatte Eloisa schwach protestiert. Agnetes Antwort war knapp ausgefallen: »Es gibt Gifte, die Menschen töten können. Aber es gibt auch andere, die zu einer Fehlgeburt führen.« Und so hatte von jenem Tag an Eva von jeder Speise gekostet, die für Eloisa bestimmt war.

Eva ging zum Schälchen, schnupperte kurz daran und begann zu fressen.

Agnete beobachtete aufmerksam, wie die Katze sich verhielt.

»Mutter ...«, sagte Eloisa.

»Warte«, erwiderte Agnete, ohne den Blick von Eva abzuwenden.

»Mutter ...« Eloisas Stimme klang dringlicher.

»Jetzt lenk mich doch nicht ab, Himmelnocheins«, brummte Agnete.

»Mutter ... meine Fruchtblase ist geplatzt.«

Einen kurzen Moment hörte man im Raum bloß das schmatzende Knacken, mit dem Eva die Knochen der Wachtel zerbiss. Dann stürzte Agnete zum Bett und lüftete Eloisas Rock. Auf dem Wolfsfell darunter hatte sich ein großer, feuchter Fleck ausgebreitet. »Heilige Jungfrau Maria«, murmelte Agnete, »es ist so weit.« Als sie die Augen wieder zu ihrer Tochter hob, blickten sie ruhig und entschlossen. »Du weißt schon, dass das hier bloß der Anfang ist ...«, sagte sie.

»Ich habe Angst«, sagte Eloisa.

»Angst wovor?«, fragte Agnete. »Ein Kind zur Welt zu bringen ist die natürlichste Sache der Welt. Dafür sind wir Frauen geschaffen worden.«

»Ich habe Angst«, wiederholte Eloisa. Grenzenlose Furcht stand in ihren Augen.

»Du hast Dutzenden Frauen bei der Geburt zugesehen ...«, fuhr Agnete fort.

»Und einige von ihnen sind gestorben ...« Eloisa weinte fast.

»Aber dir wird das nicht passieren.«

»Warum?«, fragte Eloisa wie ein kleines Kind.

»Weil du meine Tochter bist«, sagte Agnete entschieden. »Dir kann das nicht passieren.«

»Warum?«

»Weil ich es nicht zulasse.«

Eloisa schien sich etwas zu beruhigen.

»Das ist erst der Anfang«, wiederholte Agnete. »Du weißt ja

selbst, wie das läuft. Jetzt werde ich dir erst einmal deine hübschen rosa Schenkel und Pobacken abtrocknen. Und du, bleib einfach liegen und atme ganz ruhig. Vielleicht kommen die Wehen erst in ein paar Stunden.«

»Ja ...«

»Braves Kind.« Agnete zog die Wolfsfelldecke unter ihrer Tochter weg, dann nahm sie ein sauberes Leinentuch und trocknete sie. Sie beugte sich über ihren Schoß und roch daran. Dann nickte sie »Das dauert noch etwas. Bleib schön brav liegen, während ich kurz alles Nötige hole.«

»Nein!«, rief Eloisa aufgeregt. »Lass mich nicht allein!«

»Und wen soll ich losschicken, um Wasser zu erhitzen und alles zu holen, was ich brauche?« Agnetes Blick fiel auf die Katze. »Eva?«

Die Katze miaute.

»Ich will nicht allein bleiben ...«

»Eloisa, jetzt hab dich nicht so wie ein kleines Mädchen ...«

»Ich habe ein schlimmes Gefühl, Mutter ...«

»Jetzt beschwör doch das Übel nicht herauf, du Unglückswurm!«, rief Agnete und bekreuzigte sich mit der einen Hand, während sie mit Zeigefinger und kleinem Finger der anderen Teufelshörner formte, um jedes Unheil abzuwehren. »Ruf das Böse nicht herbei!« Dann richtete sie drohend einen Finger auf ihre Tochter. »Du bleibst hier. Und rühr dich nicht.« Dann verließ sie den Raum.

Eloisa blieb einige Momente wie erstarrt liegen.

Eva, die inzwischen ihre Wachtel aufgefressen hatte, sprang auf den Tisch und machte sich über das restliche Essen her. Das Licht der Kerze warf ihren Schatten furchterregend groß an die dahinter liegende Wand, und Eloisa kniff ängstlich die Augen zu. Da flackerte plötzlich die Kerze zischend auf. Das Tier schrak zusammen, sprang mit einem Satz vom Tisch und stieß dabei einen Bierkrug um. Eloisa schrie erschrocken auf.

Und in dem Moment spürte sie die erste Wehe so heftig, dass es ihr den Atem raubte. »Mutter...«, wimmerte sie, als der Schmerz von ihr abließ. Und wieder hatte sie eine dumpfe Todesahnung. Verzweifelt umklammerte sie ihren Bauch, in dem ihr Kind nach draußen drängte.

Erst bei der dritten Wehe kam Agnete wieder und trug zwei große, dampfende Eimer mit kochendem Wasser herein. »Ich habe in der Küche Anweisung gegeben, dass die ganze Nacht über ein Topf mit Wasser auf dem Feuer stehen soll. Das hier wird wahrscheinlich kalt sein, wenn wir es brauchen«, sagte sie. Dann legte sie auf dem Tisch ordentlich einige Hanftücher bereit sowie ein scharfes Messer, Zwirn und zwei gekrümmte Nadeln. Daneben stellte sie ein Fässchen Schweineschmalz.

Wenig später trat Prinzessin Lukrécia ins Zimmer.

»Ach, da seid Ihr ja schon, Euer Durchlaucht. Seid Ihr hier, um nachzusehen, dass *Eurem* Kind auch nichts passiert?«, fuhr Agnete sie an. Die Hebamme traute der Prinzessin nicht über den Weg und beäugte sie immer noch misstrauisch, obwohl Eloisa ihr von ihrer Freundschaft berichtet hatte.

»Ich kann mich Agomar nicht anvertrauen«, sprudelte es hastig und aufgeregt aus Lukrécia heraus. »Ich wollte zu ihm und ihm von Marcus' Plan erzählen, aber dann habe ich gehört...« Abrupt brach sie ab, als sie erkannte, dass etwas nicht stimmte. »Was geht hier vor?«

»Hier geht vor, dass das Kind an die Tür klopft«, brummte Agnete.

Lukrécia eilte sofort zu Eloisa, die ausgestreckt auf dem Bett lag. »Wie geht es dir?«, fragte sie besorgt.

»Wie soll es ihr schon gehen, Euer Durchlaucht?«, fauchte Agnete giftig und stieß sie beiseite. »Lasst ihr Luft zum Atmen, Ihr erdrückt sie ja.«

Lukrécia machte folgsam Platz, während Eloisa ihr ein verängstigtes Lächeln schenkte.

Agnete hatte inzwischen wieder den Rock ihrer Tochter angehoben. »Haben sie schon eingesetzt?«, fragte sie überrascht.

Eloisa nickte.

»Wie viele?«

»Drei.«

»Drei«, wiederholte Agnete und zog sich einen Stuhl neben das Bett.

Gleich darauf hatte Eloisa die vierte Wehe. Sie schrie auf, klammerte sich am Laken fest und bog den Rücken durch, während ihre Hände sich im Schmerz verkrampften.

Lukrécia schlug sich eine Hand vor den Mund und riss entsetzt die Augen auf.

Agnete blieb ungerührt. Als der Schmerz verebbte, begann sie leise zu zählen, bis die nächste Wehe einsetzte. »Du bist ganz schön schnell, mein Kind«, sagte sie, als auch diese vorbei war. »In nicht einmal einer Stunde wirst du lachend dein Kind im Arm halten und ihm die Brust geben.«

Eloisa begann zu schwitzen. »Mir ist heiß . . .«

»Das hältst du aus«, sagte Agnete gleichmütig.

Lukrécia nahm ein Tuch vom Stapel, den Agnete vorbereitet hatte, ging ums Bett herum und fächelte Eloisa damit Luft zu.

Agnete beobachtete sie gereizt, sagte aber nichts.

Die Abstände zwischen den Wehen wurden immer kürzer, bis Agnete, die immer wieder die Entwicklung zwischen Eloisas Beinen überprüft hatte, schließlich sagte: »Na also, sie weitet sich. Wenn ich es dir sage, musst du pressen.« Sie ging zum Tisch, öffnete das Gefäß mit dem Schweineschmalz und verteilte eine etwa walnussgroße Menge auf ihren Händen. Dann ging sie zu Eloisa zurück und schob zwischen zwei Wehen erst zwei Finger in die Scheide ihrer Tochter, dann die ganze Hand, um sie abzutasten.

Eloisa war bleich geworden und schwitzte heftig. Der Wehenschmerz erschöpfte sie sehr und ließ sie kaum zu Atem kommen.

»Das haben wir gleich«, sagte Agnete, doch mit jeder Wehe wurde ihre Stimme unsicherer. Sie ging wieder zum Tisch und schmierte ihren ganzen Unterarm bis hoch zum Ellenbogen ein. Dann ließ sie erneut ihre Hand in die Scheide gleiten und schob ganz langsam und mit geschlossenen Augen, fast so, als wollte sie nur mit ihren Fingerspitzen etwas erkennen, noch den Arm hinterher.

Lukrécia sah, dass Agnete missbilligend das Gesicht verzog. »Was geht hier vor?«, fragte sie ängstlich.

Agnete antwortete nicht, sondern tastete weiter die Gebärmutter ihrer Tochter ab, während sich auf ihrem Gesicht langsam Sorge breitmachte.

»Was geht hier vor?«, fragte Lukrécia wieder.

»Geht und holt jemanden. Ich brauche Hilfe«, sagte Agnete mit belegter Stimme. »Und lasst Wein bringen ... Nein, etwas Stärkeres. Schnaps.«

»Aber was geht denn hier vor?«, fragte Lukrécia erschrocken.

»Nun lauft schon!«, schrie Agnete sie an. Dann fasste sie sich und sagte ruhiger: »Geht, Euer Durchlaucht ... Bitte.«

Verstört eilte Lukrécia aus dem Raum.

»Was ist, Mutter?«, fragte Eloisa mit schwacher Stimme.

»Nichts, worüber du dir Sorgen machen müsstest, mein Schatz«, antwortete Agnete.

»Das ist nicht wahr ...«

»Natürlich ist das wahr ...«

»Nein, das ist nicht wahr ...«

»Du warst schon immer ein Sturkopf ...«

»Ich weiß, dass etwas nicht in Ordnung ist«, keuchte Eloisa. »Ich hatte ... diese schlimme Vorahnung ... Ich habe es Euch doch gesagt, nicht wahr?«

»Und wenn der Teufel höchstpersönlich hier an deinem Bett erschiene, müsste er mich schon mit Gewalt wegschleppen, denn ich lasse nicht zu, dass meiner Tochter etwas Böses geschieht«, sagte Agnete. Doch ihre Augen waren angsterfüllt. »Dir wird nichts zustoßen, so wahr mir Gott helfe.«

»Lass bitte das Kind nicht sterben, Mutter . . .«

Lukrécia kehrte zurück, völlig außer Atem, weil sie gerannt war. Sie trug eine Flasche in der Hand.

»Und?«, fuhr Agnete sie an.

»Es kommt gleich eine Magd, die bereits zwei Kinder geboren hat«, erwiderte Lukrécia. Dann reichte sie Agnete die Flasche. »Hier, der Schnaps.«

Agnete entkorkte die Flasche. »Es wird alles gut gehen«, sagte sie, während ihre Tochter sich unter einer weiteren heftigen Wehe krümmte. Die Hebamme ging zum Tisch und nahm das Messer. Nachdem sie es mit ein wenig Schnaps gereinigt hatte, wandte sie sich mit leiser Stimme an Lukrécia: »Es bleibt nicht mehr viel Zeit, Euer Durchlaucht. Und es wird kein schöner Anblick. Ich rate Euch, zieht Euch in Eure Gemächer zurück und haltet Euch die Ohren zu.«

Lukrécia erbleichte und wich einen Schritt zurück. »Was habt Ihr mit dem Messer vor?«, flüsterte sie.

In dem Moment kam Lucilla herein, die Dienerin, die vorher das Abendessen gebracht hatte. »Ihr habt nach mir verlangt?«, fragte sie.

Agnete musterte Lucilla und sah dann Lukrécia vorwurfsvoll an. »Soll das die Magd sein, die Ihr gerufen habt?«

»Nein . . .«, entgegnete Lukrécia.

»Keiner außer mir hat die Erlaubnis, dieses Zimmer zu betreten. Ich bin für die da zuständig«, sagte Lucilla, und ein feines Lächeln umspielte ihre Lippen, als sie auf Eloisa deutete.

»Sagt Agomar, dass ich sie nicht um mich haben will«, sagte Agnete zu Lukrécia.

»Ich kann nicht ... Agomar ...«, setzte Lukrécia an, doch sie konnte nicht erklären, was sie sagen wollte, noch den Grund nennen, weshalb sie vorhin so besorgt ins Zimmer gekommen war.

»Agomar selbst schickt mich«, sagte Lucilla herausfordernd.

Lukrécia drehte sich zu Lucilla um, als ob sie erst jetzt erkannte, wen sie vor sich hatte. »Dann ... bist du also die Magd, die Agomars Bett teilt«, stellte sie fest.

Die Dienerin stemmte trotzig die Hände in die Hüften. »Ja und?«, erwiderte sie verächtlich.

Agnete sah, dass Lukrécia den Kopf einzog und unfähig war, dem etwas entgegenzusetzen.

Lucilla starrte Lukrécia unverschämt an. Sie wusste, wie wenig Gewicht deren Wort hatte. »Wollt Ihr mir etwas sagen ... Prinzessin?«

Doch Lukrécia blieb stumm, sie kam nicht gegen ihren Mangel an Selbstbewusstsein an.

»Verschwinde von hier, wenn du nicht willst, dass ich dir dein hübsches Frätzchen zerschlage!«, schrie Agnete und stieß die Dienerin fort.

»Es kommt aber niemand sonst, um Euch zu helfen, denk daran, altes Weib!«, sagte Lucilla und verließ betont langsam den Raum.

Agnete schloss die Tür hinter ihr.

Eloisa stöhnte auf.

Daraufhin weiteten sich Lukrécias Augen schreckerfüllt, und sie fragte bang: »Was sollen wir denn jetzt tun?«

Agnete sah sie eindringlich an. »Dann müsst Ihr Euch eben die Hände schmutzig machen, Euer Durchlaucht.«

Lukrécia schluckte schwer. »Was soll ich tun?«, fragte sie dann mit gepresster Stimme.

»Vor allem krempelt erst einmal die da hoch, Euer Durchlaucht«, sagte Agnete und zeigte auf die langen Ärmel aus kostbarem Stoff von Lukrécias Kleid. »Blut lässt sich aus Seide nur schwer entfernen.«

Eloisa schrie vom Bett her.

»Ich komme, mein Kind«, sagte Agnete sanft. Dann trat sie nah an Lukrécia heran und flüsterte ihr ins Ohr, sodass Eloisa es nicht hören konnte: »Ich hätte das hier lieber nicht benutzt. Aber ich muss sie schneiden. Sonst sterben beide, sie und das Kind. Und vielleicht stirbt das Kind trotzdem. Es liegt verkehrt herum, und außerdem hat sich die Nabelschnur um seinen Hals gewickelt.« Sie schloss kurz die Augen und presste die Lippen fest zusammen. »Es wird hässlich und schmerzhaft, Euer Durchlaucht. Glaubt Ihr, Ihr werdet das schaffen?«

Die totenblasse Lukrécia, die sich inzwischen mit banger Miene die Ärmel bis hinter die Ellenbogen hochgerollt hatte, versuchte zu nicken. Aber ihr Kopf bewegte sich kaum, und ihre Augen füllten sich mit Tränen.

»Ich brauche Eure Hilfe«, sagte Agnete energisch und packte sie an den Schultern.

»Ich werde es schaffen«, flüsterte Lukrécia, aber sie brachte den Satz so ängstlich heraus, dass er eher wie eine Frage klang.

Agnete nahm das Schweineschmalz, und während sie damit auch die Hände und Unterarme von Lukrécia bestrich, sah sie der Prinzessin beschwörend in die Augen. »Ja, Ihr werdet es schaffen.« Dann reichte sie ihr die Flasche Schnaps. »Gebt ihr das. Aber hebt noch ein wenig für später auf.«

Als Lukrécia sich Eloisa näherte, schrie diese gerade unter einer Wehe auf. Die Prinzessin sprang erschrocken nach hinten und ließ die Flasche aufs Bett fallen.

Agnete hob sie auf und drückte sie ihr fest in die Hand. »Ihr müsst es schaffen.«

Lukrécia kehrte zu Eloisa zurück und gab ihr zu trinken.

Die spuckte hustend aus, sobald ihr der Schnaps brennend die Kehle herunterlief.

»Trink, bitte«, sagte Lukrécia.

Eloisa starrte sie angsterfüllt an, dann wandte sie sich an Agnete: »Lasst mein Kind nicht sterben, Mutter ...«

»Hier drinnen stirbt so schnell niemand!«, schrie die Hebamme. Sie ging zu ihrer Tochter und versetzte ihr eine schallende Ohrfeige. »Hast du mich verstanden?« Dann schrie sie Lukrécia an: »Jetzt gebt ihr endlich zu trinken, bei allen Heiligen!«

Nach einigen Schlucken Schnaps trübte sich Eloisas Blick.

»Jetzt ist es so weit«, sagte Agnete da. »Kommt her«, befahl sie Lukrécia. Sie deutete auf Eloisas Schoß. »Steckt eine Hand rein, bis Ihr das Kind fühlt. Dann sucht nach dem Köpfchen, tastet Euch vor bis zum Hals und haltet mit zwei Fingern die Nabelschnur weg, damit das Kind nicht erstickt.«

Lukrécia starrte auf Eloisas Scham und rührte sich nicht.

»Helft mir, meine Tochter zu retten, ich flehe Euch an, Euer Durchlaucht«, bat Agnete verzweifelt.

Lukrécia ließ schüchtern eine Hand in Eloisa hineingleiten und versuchte die Tränen zurückzuhalten, die ihr in den Augen brannten.

»Könnt Ihr es fühlen?«, fragte Agnete.

Lukrécia nickte.

»Habt Ihr die Nabelschnur gefunden?«

Wieder nickte Lukrécia.

»Gut, dann zieht sie vorsichtig weg.«

Lukrécia bewegte ihre Hand in Eloisas Schoß.

»Jetzt schließt die Augen, Euer Durchlaucht«, sagte Agnete. »Und lasst nicht los.« Sie kam noch einmal mit ihren Lippen ganz nah an Lukrécias Ohr und flüsterte so leise, dass ihre Tochter sie nicht hören konnte: »Eloisa wird schreien. Ich werde ihr sehr wehtun, möge Gott mir verzeihen.«

»Was habt Ihr vor?«, fragte Lukrécia und schluchzte fast dabei.

»Lasst auf keinen Fall los, was immer auch passiert«, sagte

Agnete. »Gleich werde ich auch meine Hand hineinschieben und wir ziehen das Kind gemeinsam heraus. In Ordnung?«

Lukrécia nickte.

»Schließt die Augen!«, sagte Agnete wieder. Dann seufzte sie einmal tief auf, versenkte das scharfe Messer vorsichtig in Eloisas Schoß und schnitt dann mit einem knappen, genauen Schnitt die Haut durch.

Eloisa schrie vor Schmerz auf und versuchte sich loszureißen, aber Agnete hielt sie mit ihrer freien Hand fest.

Lukrécia schluchzte hemmungslos, als der Blutgeruch in ihre Nase drang. Sie war sicher, dass sie gleich ohnmächtig würde. Doch dann spürte sie Agnetes Finger neben ihrer Hand, und das Kind begann herauszugleiten.

Gleich darauf war es draußen.

»Es ist ein Junge«, sagte Agnete. Mit einem geübten Handgriff löste sie die Nabelschnur vom Hals des Säuglings, dessen Gesicht blau angelaufen war. »Atme bitte«, flüsterte sie. Und sie beugte sich über die vollen kleinen Lippen und hauchte ihnen ihren eigenen Atem ein.

Gleich darauf hustete das Neugeborene und stieß seinen ersten Schrei aus.

»Danke, Heilige Jungfrau«, sagte Agnete mit gepresster Stimmte. Sie sah, dass Lukrécias Hand immer noch die Nabelschnur umklammert hielt. »Jetzt könnt Ihr loslassen, Euer Durchlaucht«, sagte sie dankbar.

Lukrécia löste die Finger und öffnete die Augen. Als sie das viele Blut auf dem Bett sah, die tief klaffende Wunde zwischen Eloisas Beinen und den blau angelaufenen Säugling, schrie sie entsetzt auf.

»Es ist vorbei, Euer Durchlaucht«, sagte Agnete. »Es ist vorbei.«

Lukrécia sackte erleichtert in sich zusammen und ließ ihren Tränen freien Lauf.

Agnete band schnell die Nabelschnur ab und schnitt sie durch. Dann legte sie Eloisa, die anscheinend das Bewusstsein verloren hatte, das Kind in den Arm und versetzte ihr ein paar leichte Klapse.

Daraufhin öffnete Eloisa die Augen. »Mein Kind ...«, flüsterte sie, benommen von ihren Schmerzen.

»Es ist ein Junge. Es geht ihm gut, du kannst ihn streicheln. Du warst sehr tapfer. Aber jetzt musst du noch ein Letztes tun, mein Kind«, sagte sie zu ihr und küsste sie auf die Stirn. »Du musst noch einmal ein wenig pressen.«

Als Eloisa den Mutterkuchen ausstieß und Lukrécia den leicht muffigen Geruch wahrnahm, der von ihm ausging, musste sie sich übergeben.

Agnete nahm eine gekrümmte Nadel und den Zwirn. »Haltet sie fest, damit sie das Kind nicht fallen lässt«, befahl sie Lukrécia. Dann nähte sie die Wunde, nachdem sie diese mit ein wenig Schnaps gereinigt hatte. Sie tupfte das Blut ab und überprüfte stumm, dass die Blutung versiegte. Schließlich lächelte sie zufrieden. Sie sah Eloisa an, die von ihren Schmerzen völlig erschöpft war und ihr Kind nur schwach an sich drückte. »Ich hätte auch den Teufel höchstpersönlich daran gehindert, euch beide mitzunehmen«, sagte sie.

Eloisa lächelte schwach.

»Jetzt müssen wir das Kind waschen«, sagte Agnete sanft zu ihr.

Lukrécia streckte schüchtern eine Hand nach dem Säugling aus. »Lasst mich das machen.«

Agnete stieß sie grob zur Seite. »Noch ist es nicht Euer«, sagte sie verbittert.

Lukrécia errötete und senkte den Blick. »Entschuldigt ...«, stammelte sie, als überblickte sie erst jetzt die Lage: Auf Verlangen ihres Vaters würde sie Eloisa dieses Kind fortnehmen, das sie unter solchen Mühen geboren hatte. »Es tut mir leid ...«

Agnete sah sie hasserfüllt an.

In dem Moment wurde die Tür gewaltsam aufgestoßen und Agomar erschien mit aus der Hose hängendem Hemd auf der Schwelle. »Wie könnt ihr es wagen, die Frau fortzujagen, die ich für euch ausgesucht hatte?«, knurrte er.

»Bevor ich mir von dieser Hure helfen lasse ...«, begann Agnete außer sich vor Wut.

Agomar war sofort bei ihr und packte sie so fest an der Kehle, dass sie beinahe erstickte. »Hier gibt es nur eine Hure, und das ist deine Tochter!«, zischte er ihr ins Gesicht. »Ich gebe hier die Befehle!«

Plötzlich hallte Lukrécias Stimme gebieterisch durch den Raum: »Lass sie los!«

Agomar drehte sich überrascht um.

Und ebenso Agnete.

»Lass sie los!«, wiederholte Lukrécia bestimmt. Sie packte Agomar an dem Arm, mit dessen Hand er immer noch Agnetes Kehle umschloss.

Verwundert ließ Agomar Agnete los.

Lukrécia stellte sich zwischen die beiden und blickte ihn herausfordernd an. Ihre Haare waren zerzaust, ihre Arme blutverkrustet, ihr Kleid voll mit Erbrochenem, sie war blass und Schweiß perlte von ihrer Stirn. Zudem war sie fast zwei Spannen kleiner als der Hauptmann.

Doch der entschlossene Ausdruck ihrer Augen ließ Agomar zurückweichen.

»Raus!«, sagte Lukrécia.

Agomar zögerte.

»Ich befehle es dir!« Lukrécia hielt sich aufrecht und zeigte einen Stolz und eine Stärke, die sie nie in sich vermutet hätte. »Erinnere dich daran, wer ich bin.« Sie starrte ihn gebieterisch an. »Und wage es nicht, noch einmal ohne meine Erlaubnis hier einzudringen.«

Agomars Nasenlöcher weiteten sich vor unterdrücktem Zorn, aber er verneigte sich stumm, verließ das Zimmer und schloss die Tür hinter sich.

Nachdem er gegangen war, schien Lukrécia wieder in sich zusammenzusacken.

Agnete betrachtete sie jetzt mit Respekt und aufrichtiger Bewunderung.

»Marcus hat Agomar vorgeschlagen, meinen Vater umzubringen«, sprudelte es nun aus Lukrécia heraus. Sie hatte den beiden Frauen den Rücken zugewandt. »Er hat dem Hauptmann versprochen, ihm gegen eine Leibrente das Fürstentum zu überlassen. Er sagt, er möchte nicht für den Rest seines Lebens an einem so schrecklichen Ort verfaulen. Und ich habe das gierige Funkeln in Agomars Augen gesehen.« Sie drehte sich um. »Jetzt sind wir wirklich ganz auf uns allein gestellt.«

Agnete musterte sie schweigend. Sie nahm das Kind, das allmählich eine rosige Farbe annahm, und reichte es Lukrécia. »Wascht Ihr es«, sagte sie.

Lukrécia spürte erneut, wie ihr die Tränen in die Augen schossen. Sie sah zu Eloisa.

»Ihr habt uns verteidigt ...«, sagte Eloisa schwach und versuchte zu lächeln.

Da nahm Lukrécia verlegen den Säugling entgegen.

»Wascht Ihr ihn ... Prinzessin«, wiederholte Agnete respektvoll. So hatte sie noch nie zu Lukrécia gesprochen. Sie tauchte einen Lappen aus Hanf in das lauwarme Wasser und reichte ihn ihr. »Zuerst das Köpfchen. Ganz vorsichtig.« Und dann schnauzte sie sie an: »Haltet ihn fester! Das ist keine Puppe!«

62

Durch einen Boten, der auf dem Weg sein Pferd beinahe zuschanden geritten hatte, war Ojsternig die Botschaft überbracht worden, dass Eloisa drei Wochen zuvor, am 14. Juni 1415, einen Sohn zur Welt gebracht hatte. Mutter und Kind, so die Nachricht, seien wohlauf.

»Nun habe ich meinen Erben«, hatte Ojsternig sich zufrieden gesagt. Alles verlief wie geplant. Aufgeregt hatte er die nächsten Schritte entworfen. Zuerst musste er Marcus' »Fortgang«, wie er es nannte, auf den Weg bringen. Wäre er ihn einmal los, würde er im Namen seiner Tochter die Vormundschaft über den neuen Erben übernehmen und könnte so weitere achtzehn Jahre über beide Fürstentümer herrschen.

Doch sehr schnell war seine Begeisterung wieder in schlechte Laune umgeschlagen. Drei Monate war er nun schon in Konstanz und konnte seine eigentlichen Ziele nicht verfolgen. In der umtriebigen Stadt fühlte er sich wie ein Gefangener und langweilte sich gnadenlos. Jeden Tag musste er sich an den Hof des Königs begeben, mit dem er noch nie ein Wort gewechselt hatte, und sich dort stundenlang mit den anderen Adligen zeigen, weil Sigismund von Luxemburg sämtlichen dort beim Konzil versammelten Kirchenfürsten seine Macht demonstrieren wollte. Durch ihre Anwesenheit wollte er ihnen deutlich machen, dass er von allen Lehnsherren als König anerkannt und geschätzt wurde und dass deshalb niemand, nicht einmal der neue Papst, über den dort so heftig gestritten wurde, sein Ansehen, seine Vormachtstellung und seinen Einfluss auf die Angelegenheiten Europas in Zweifel ziehen konnte. Doch während die Angehörigen der älteren und mächtigeren Adelshäuser oft vom König und seinen Beamten um Rat gefragt wurden, brauchte man die unbedeutenderen Lehnsherren wie Ojsternig nur als Staffage, und sie mussten auf Bänken ausharren, die am Rand des Hofes aufgestellt worden waren. Sie waren nur Statisten. Ojsternig durfte nicht einmal an den Jagdgesellschaften teilnehmen, da der König und seine Favoriten das wenige noch in den Wäldern rund um Konstanz verbliebene Wild mit niemandem teilen wollten. Fernerhin war ihm auch der Zutritt auf die königlichen Schiffe verwehrt, die zu Rundfahrten auf den See aufbrachen oder den Rhein bis zu den Wasserfällen von Schaffhausen hinabfuhren.

Ihm blieb nur, den anderen Adligen von ähnlich niederem Rang zuzuhören, die sich in Prahlereien ergingen in dem Versuch, sich wenigstens mit Worten über ihre Rolle als armselige Statisten zu erheben.

Ojsternig lebte in einem der Zelte, die die königlichen Beamten um den von Sigismund von Luxemburg gewählten Wohnsitz hatten errichten lassen. Der Boden aus festgestampfter Erde war mit schäbigen, mottenzerfressenen Teppichen bedeckt. Sein Bett war mit staubigen Vorhängen vom übrigen Raum abgeschirmt, wo er von einem schmutzigen Esstisch speiste. Tagsüber war es im Zelt drückend heiß, und nachts stiegen durch die Feuchtigkeit üble Gerüche auf. Das Abendessen wurde durch Schwärme von Mücken gestört, und die Latrine bestand aus einem Loch, auf das man einen geborstenen Balken gelegt hatte. Wenn Ojsternig schon vor der Nachricht, dass Eloisa einen Sohn geboren hatte, seinen erzwungenen Aufenthalt kaum ertragen konnte, bebte er jetzt vor Wut und fühlte sich gefangen wie ein Raubtier im Käfig.

Als er am Nachmittag vom Hof des Königs zurückkehrte, erwartete ihn bereits ein Sekretär. Ojsternig empfing ihn in einem mit Samt gepolsterten Stuhl, dessen Armlehnen mit

Intarsien verziert waren. Er hatte ihn von einem Händler in Konstanz erworben.

»Seine Hochwürdigste Exzellenz, der Graf Chapuys de Rêves«, begann der Sekretär äußerst förmlich, »Herr über die Provinz Forez, Minister für die niedere Gerichtsbarkeit, Schlüsselmeister des ...«

»Kommt zur Sache«, unterbrach Ojsternig ihn missgelaunt.

Der Sekretär verneigte sich ehrerbietig, doch in seinen Augen konnte man die ganze Verachtung lesen, die er für diesen unbedeutenden Bergfürsten empfand, der nicht einmal die Etikette einzuhalten wusste. »Mein hochwürdigster Herr hat die Freude, Euer Durchlaucht heute Abend in seine Residenz einzuladen, um an einer höchst interessanten Darbietung teilzunehmen, die mein ausgezeichneter Herr zu Ehren der Adligen im Gefolge des ...«

»Dankt dem Grafen«, unterbrach Ojsternig ihn wieder. »Doch ich fühle mich heute Abend nicht ganz wohl und sehe mich gezwungen, seine Einladung abzusagen.« Er stand auf, um dem anderen damit das Ende der Unterredung zu bedeuten. Während der letzten Monate hatte man ihn zu Dutzenden Veranstaltungen eingeladen, die die Adligen aus Langeweile oder Geltungssucht gaben. Und er hatte sich immer geweigert, daran teilzunehmen.

Der Sekretär zog verächtlich eine Augenbraue hoch und rührte sich nicht vom Fleck. »Erlaubt, dass ich Euch die Lage genauer schildere, was ich wohl in der Eile versäumt habe und wofür ich Euch untertänigst um Verzeihung bitte.«

»Was ist denn noch?«, fragte Ojsternig grob.

Der Sekretär sah ihm nun direkt in die Augen. »An der Darbietung heute Abend wird auch der König teilnehmen«, sagte er ohne weitere Umschweife.

Ojsternig begriff sofort, was dies bedeutete. Das war keine Einladung, sondern ein Befehl. »Ihr könnt dem Grafen versichern, dass ich mich glücklich und geehrt fühle, am heutigen Abend teilzunehmen«, erwiderte er.

Der Sekretär lächelte in boshafter Zufriedenheit. »Ich freue mich feststellen zu können, dass Euer Unwohlsein nur vorübergehender Natur war«, sagte er mit kaum verhohlenem Spott.

»Ihr könnt jetzt gehen«, fuhr Ojsternig ihn verärgert an.

»Noch ein Letztes, edler Herr«, fuhr der Sekretär mit Blick auf das Schwert an Ojsternigs Seite fort. »Waffen sind im Saal nicht erlaubt, und Eure Leibwache muss draußen warten, nachdem sie ihre Waffen an die Offiziere Ihrer Majestät abgeliefert hat, bis der König den Wohnsitz des Grafen Chapuys de Rêves verlassen hat.«

»Selbstverständlich«, entgegnete Ojsternig kühl.

»Ich erlaube mir hiermit, Euch daran zu erinnern, dass Ihr am morgigen Tag, dem sechsten Juli, der Urteilsverkündung im Prozess gegen Meister Jan Hus aus Husinec beizuwohnen habt, die im Dom unserer Lieben Frau abgehalten wird«, fügte der Sekretär hinzu.

»Versichert, wem auch immer, dass ich bei dieser Veranstaltung ebenfalls nicht fehlen werde«, erwiderte Ojsternig. »Konstanz entwickelt sich ja zu einer richtiggehend weltläufigen Stadt.«

Der Sekretär verneigte sich knapp.

»Morgen gibt es also gerösteten Ketzer«, sagte Ojsternig zu ihm. »Und was steht heute Abend auf dem Programm?«

»Eine Sängerin«, antwortete der Sekretär. »Vielleicht habt Ihr schon von ihr gehört. Man nennt sie die Heilige.«

Am späten Nachmittag betrat Mikael umschwirrt von einem Schwarm nach Blut dürstender Mücken das Zelt.

In den Wochen, die auf seine Begegnung mit Jan Hus gefolgt waren, war er für sich geblieben. Er hatte viele Stunden am Seeufer verbracht, fernab von dem regen Treiben, und oft ging sein Blick nach Westen, über die großen Bergketten hinweg, die dort im Nebeldunst verschwammen. Er kam sich vor wie ein Gefangener, war gezwungen, Emöke fast jeden Abend zu einer Einladung bei irgendeinem Adligen zu begleiten, die darum wetteiferten, dass sie bei ihnen auftrat. Dieses Leben war sinnlos. Er hatte bemerkt, dass selbst Emöke von Abend zu Abend ein wenig von dem Zauber einbüßte, der ihren Gesang erfüllte. Konstanz verdarb sogar sie.

Während er an jenem Nachmittag Steine in den trüben See warf, hatte er wie jeden Tag nach Westen in Richtung Raühnval geblickt, das gut dreihundert Meilen entfernt lag, und einen Stich im Herzen gespürt. Er hatte die Augen fest zugekniffen und sich Eloisas Gesicht vorgestellt. Ihre Augen so blau wie Bergseen, die Lippen, samtweich wie Aprikosen, die glatten, kinnlangen Haare. Und dann ihre Hände, ihre Brüste, ihre Beine. Für ihn war die Luft von ihrem Duft erfüllt gewesen, und er hatte in seinen Ohren den Klang ihrer Stimme gehört. Hatte sich in ihr gespürt.

Als er die Augen wieder geöffnet hatte, war sein einziger Gedanke: Ich muss nach Hause. Das war eine Wahrheit, und er musste auf die Wahrheit hören, so wie Jan Hus es ihm geraten hatte.

Doch auf dem Rückweg zum Zeltlager hatten seine Beine gezittert. »Du hast noch nicht die Kraft, nach Hause zurückzukehren. Es ist ein langer Weg«, hatte Emöke zu ihm gesagt.

Als er ins Zelt schlüpfte, sah er Volod mit einer Flasche Wein in der Hand am Tisch sitzen. Eine zweite lag leer auf dem Boden.

»Wir müssen gehen«, sagte Mikael zu ihm, als suchte er bei ihm die Kraft, die er bei sich selbst nicht fand.

Volod sah ihn mit trüben Augen an. »Immer noch das gleiche Lied?«, nuschelte er gelangweilt.

Mikael setzte sich. »Morgen wird das Urteil gegen Jan Hus gesprochen«, sagte er und zog ihn am Ärmel.

»Ach ja?«, antwortete Volod gleichgültig.

»Man hat auf einer Wiese inmitten von gepflegten Gärten einen Scheiterhaufen errichtet«, fuhr Mikael fort und ereiferte sich. »Sein Schicksal ist schon beschlossene Sache.«

»Amen«, antwortete Volod abwesend.

»Das ist keine Gerechtigkeit!«, rief Mikael aus.

»Du ödest mich an«, sagte Volod, setzte die Flasche an den Mund und trank. »Dein Jan Hus interessiert mich einen Scheißdreck.«

»Meiner?!«, schrie Mikael wutentbrannt. Ihm stieg der strenge Körpergeruch von Volod in die Nase, der sich immer mehr gehen ließ. Er hatte sich seit vielen Tagen nicht gewaschen, und seine Kleider waren mit Wein und Erbrochenem befleckt. Mikael riss ihm die Flasche aus der Hand. »Was ist mit dir los?«, schrie er ihn an.

»Gib mir den Wein wieder«, fuhr Volod ihn an.

»Was ist mit dir los?«, fragte Mikael noch einmal.

Volod sprang auf und versuchte, sich die Flasche zurückzuholen. Doch er schwankte und griff daneben. Murrend setzte er sich wieder. »Ich habe den Glauben verloren. Willst du das von mir hören?«

»Wenn das mit dir geschehen ist, dann ja«, erklärte Mikael.

Volod zuckte mit den Schultern. »Vielleicht habe ich ihn auch nie wirklich gehabt.«

»Das glaube ich nicht.«

»Junge, du bist ein kleinlicher Moralist. Ich habe genug von dir.« Volod streckte die Hand nach der Flasche aus.

»Du hattest mal ein großes Herz voller Mut. Aber dieser Ort hier raubt es dir«, sagte Mikael verächtlich und gab ihm die Flasche zurück. »Ich schäme mich dafür, dass ich dich einmal bewundert habe«, sagte er hasserfüllt.

»Das ist mir ganz gleich!«, antwortete Volod mit der Flasche in der Hand, doch er zögerte, daraus zu trinken. In seiner Stimme lag immer noch Schmerz.

»Du hast mich verraten«, zischte Mikael.

»Verdammt, jetzt ist es aber genug!«, schrie Volod und schleuderte die Flasche weit von sich. Sie flog gegen die Zeltwand, doch der Stoff milderte den Aufprall, sodass sie nicht zerbrach. Volod blieb reglos, aber angespannt sitzen und starrte Mikael keuchend an. Er schaute an sich herunter auf die verschmutzten Kleider und berührte sie, fast als wollte er sie Mikael zeigen. »Du fragst, was mit mir los ist, Junge ...« Seine Stimme klang müde und abwesend. Er schüttelte kaum merklich den Kopf, holte tief Luft und sagte schließlich, ohne Mikael anzusehen: »Ich habe Angst, Junge ...«

Mikael zog erstaunt die Augenbrauen hoch. »Angst ... wovor?«

Volod hob den Kopf und sah ihn an. Ein zynisches Lächeln kräuselte seine Lippen. Dann wandte er sich zu Emöke um, die etwas abseits von ihnen saß.

»Vor ihr ...?«, fragte Mikael.

»Vor dem, was sie mir gesagt hat.«

»Was hat sie dir denn gesagt?«

Volod stand auf und holte sich die Flasche zurück. Er trank den darin verbliebenen Rest aus, dann ließ er sie fallen und kehrte torkelnd zum Tisch zurück. »Ich habe Angst zu sterben. Und jetzt verschwinde, Junge«, lallte er müde.

»Was hat sie dir denn gesagt?«

Volod legte den Kopf auf die Arme.

»Du hast doch nie Angst vor dem Tod gehabt«, sagte Mikael.

»Weil ich immer gedacht habe, dass ich wenigstens eine Chance hätte, dem Tod zu entkommen«, erklärte Volod, ohne ihn anzusehen. »Doch jetzt ist es anders. Du willst wissen, was sie mir gesagt hat? ›Konstanz wird dein Grab sein.‹ Die Verrückte, der Teufel soll sie holen, hat ein unwiderrufliches Urteil gesprochen.«

»Sie kann sich irren. Sie hat schon einen Haufen Unsinn erzählt, seit ich sie kenne«, log Mikael, den Volods Geständnis tief berührte.

Volod hob den Kopf und sah ihn an. »Ich fühle, dass sie sich nicht irrt.«

Nach kurzem Schweigen nickte Mikael. »Ja, ich glaube auch, dass sie sich nicht irrt. Sieh nur, wie du dich hast gehen lassen. Ist dieses Leben, das du führst, nicht auch eine Art Tod?«

»Verschwinde«, sagte Volod bitter. »Ich brauche weder dein Mitleid noch deine verdammte Philosophiererei.«

»Volod«, sagte Mikael und senkte die Stimme, »was tun wir hier? Es kommt mir vor, als wären wir Teil einer vollkommen sinnlosen Geschichte ...«

»Es gibt keine Geschichte«, schnitt Volod ihm barsch das Wort ab. »Geschichten werden von Troubadouren für die Idioten erfunden.«

Mikael musste an das Buch denken, das Raphael ihm geschenkt hatte, als er ein kleiner Junge war. Es war eine Ewigkeit her, dass er darin gelesen hatte, doch er erinnerte sich noch genau, was Raphael damals zu ihm gesagt hatte. »Das stimmt nicht. Wir selbst sind unsere Geschichten.«

Volod lachte nur höhnisch.

»Hilf mir ...«, bat Mikael auf einmal und packte Volod am Arm.

Der Mann befreite sich ärgerlich.

Mikael sah ihn stumm an. Dann stand er auf und ging zu Emöke. »Es ist Zeit«, sagte er sanft zu ihr. »Du musst heute Abend vor dem Grafen singen. Der König wird ebenfalls anwesend sein.«

Emöke sah ihn an.

»Ich verspreche dir, es ist das letzte Mal«, sagte Mikael ihr.

»Ja, ich weiß.«

Mikael schien es, als legte sich kurz ein trauriger Schleier über ihre Augen. »Gehen wir«, sagte er.

Als sie am Tisch vorüberkamen, stand Volod mühsam auf. »Ich komme mit zum Fest.«

»Was willst du denn da in deinem Zustand?«, sagte Mikael bitter.

»Ich will den guten französischen Wein beim Grafen trinken«, nuschelte Volod, und sein Gesicht war zu einem verzweifelten Lächeln verzogen.

»Du kannst dich ja kaum auf den Beinen halten«, sagte Mikael und wollte schon das Zelt verlassen.

»Er kann sich doch auf dich stützen«, flüsterte Emöke.

Mikael drehte sich überrascht um.

Und Emöke sagte unendlich sanft zu ihm: »Er kann dir nicht helfen, also solltest du jetzt ihm helfen.«

Ojsternig ritt auf seinem gesattelten Pferd durch die Menge, die sich auf den Straßen von Konstanz drängte. Er war auf dem Weg in die Residenz des Grafen Chapuys de Rêves. Die beiden Reiter an der Spitze seines Zuges hatten Mühe, die Leute dazu anzuhalten, ihnen den Weg freizugeben. Das Fußvolk sah meist nur kurz zu Ojsternig auf, und obwohl der seine besten Kleider trug, erkannten die Menschen in ihm sofort einen der unbedeutenden Adligen, da sie doch ganz anderen Prunk gewöhnt waren. Und weil sie seinen geringen Rang erkannt hatten, hatten sie es nicht eilig, zur Seite zu gehen, als wollten sie ihm zu verstehen geben, wie wenig er bedeutete.

So brauchte Ojsternig mit seinen Soldaten beinahe eine Stunde, um sich den Weg durch einen Strom von Gauklern,

Akrobaten, Betrunkenen, Huren, Spezereikrämern, Feldschern, Händlern und bloßen Neugierigen zu bahnen.

»Ihr kommt spät, Herr«, sagte der Gehilfe des Zeremonienmeisters würdevoll, der die Aufgabe hatte, die Gäste im Hof der Residenz zu empfangen. »Ihr werdet nur einen Platz weit hinten bekommen.«

»Das macht nichts, so werde ich auch als einer der Ersten gehen können«, erwiderte Ojsternig.

»Würdet Ihr mir bitte Euer Schwert übergeben?«, sagte der Mann. »Und jede andere Waffe, die Ihr bei Euch tragt, Herr.«

»Ich habe keine weiteren Waffen«, log Ojsternig, der von Agomar gelernt hatte, stets einen Dolch im rechten Ärmel seines Obergewandes zu verbergen.

»Eure Leibwache wird draußen bei den Pferden warten, aber zuerst wird auch sie ihre Waffen an den Hauptmann der Wache des Königs abgeben müssen«, fuhr der Mann eintönig fort, denn er wiederholte diesen Satz nun schon zum aberdutzendsten Mal an diesem Abend. »Ihr wisst schon, eine Vorsichtsmaßnahme.«

»Ja, ja«, fertigte Ojsternig ihn kurz ab. »Geht Ihr hin und sagt es ihnen.« Er selbst schritt über einen mit feinsten Kieseln aus dem See ausgelegten Pfad auf den Eingang des Gebäudes zu. Rauchende Fackeln auf langen Pfosten, die neben die niedrigen, ordentlich gestutzten Buchsbaumhecken in den Boden gerammt worden waren, leuchteten ihm den Weg.

Ein Page geleitete ihn in einen weitläufigen, von einer Menge Höflingen bevölkerten Saal. Ojsternig stellte sich voller Neid vor, wie großzügig geschnitten und angenehm kühl die Räume dieser Residenz im Gegensatz zu seinem Zelt sein mussten. Er setzte sich ein wenig in sich gekauert und mit gesenktem Kopf hin, damit er niemanden grüßen und sich nicht an den förmlichen und überaus langweiligen Gesprächen der Höflinge beteiligen musste. Nur einmal spähte er verstohlen nach der ersten

Stuhlreihe, wo der König saß. Allerdings sah er nur dessen Nacken. Sigismund von Luxemburg hatte zehn Adlige als Begleitung, die Einzigen im Saal, denen es erlaubt war, Waffen zu tragen.

Als Graf Chapuys de Rêves die Attraktion des Abends ankündigte, verstummte das Publikum in gespannter Erwartung.

Ojsternig stützte die Ellenbogen auf die Oberschenkel ab und hielt den Kopf weiterhin gesenkt, um unliebsamen Blicken zu entgehen.

Dann erhob sich aus der Stille die Stimme einer Frau.

Ojsternig schnaubte gelangweilt. Er hasste solche Darbietungen. Doch schon nach einigen Tönen erfasste ihn ein seltsames Gefühl, als würde der Gesang etwas in seinem Innern bewegen. Unruhig rutschte er auf seinem Stuhl hin und her, am liebsten wäre er aufgestanden und gegangen. Er sah sich um. Der Zeremonienmeister und seine Schar Pagen standen bei den Türen und schienen sie zu bewachen wie Kerkermeister. Es wäre sicher aufgefallen, wenn er jetzt verschwunden wäre. Also zwang er sich, sitzen zu bleiben, obwohl das Unbehagen in ihm wuchs. Es kam ihm vor, als würde es sich im Einklang mit dem Gesang dieser Frau steigern, der ein Unglück anzukündigen schien.

Als er die Anspannung nicht mehr ertragen konnte, wandte Ojsternig den Blick zur Bühne.

Mikael saß mit Volod und Berni hinter der Bühne. Volod war vom Wein schläfrig geworden und döste vor sich hin, während Mikael und Berni sich leise unterhielten. Mikael genoss die Gesellschaft des Narren, es waren die einzigen Momente, in denen er sich ein Lächeln gestattete.

Plötzlich übertönte eine erregte Stimme von hinten aus dem Saal Emökes Gesang.

»Diese Frau ist eine Hexe!«

Daraufhin erhob sich empörtes Raunen.

Mikael sprang auf. So unmöglich es ihm erschien, meinte er doch, die Stimme zu erkennen. Er beugte sich hinter der Bühne vor.

»Diese Frau ist eine Hexe! Sie wurde zum Tod auf dem Scheiterhaufen verurteilt und konnte fliehen! Verhaftet sie!«

Mikael machte am Ende des Saals eine Gestalt aus, und ihm gefror das Blut in den Adern. Schnell drehte er sich zu Volod um.

»Ojsternig!«, rief er und schüttelte ihn, um ihn wach zu bekommen. »Volod, Ojsternig ist hier!«

Volod zuckte kaum.

Inzwischen hatte Emöke aufgehört zu singen.

Im Saal herrschte nun lautes Stimmengemurmel. Einige protestierten gegen die Unterbrechung, andere sprangen auf. Die Adligen von der Eskorte des Königs hatten die Hände an ihre Schwerter gelegt.

Ojsternig stieß die Höflinge beiseite und versuchte, die Bühne zu erreichen. Sein Gesicht war rot angelaufen, und er hatte die Augen weit aufgerissen. »Verhaftet sie! Diese Frau wurde wegen Hexerei verurteilt!«

Mikael sprang auf die Bühne und packte Emöke am Arm. In diesem Moment begegnete sein Blick dem Ojsternigs.

Es war, als bliebe die Zeit stehen.

Mikael und Ojsternig starrten einander an.

Dann richtete Ojsternig einen Finger auf Mikael. »Du . . .«, stammelte er.

Mikael schob Emöke von der Bühne herunter, während das Publikum in helle Aufregung geriet und die Adligen aus der Begleitung des Königs einen Kreis um ihn schlossen und ihre Schwerter zogen.

»Er ist ein Rebell! Verhaftet ihn!«, schrie Ojsternig.

Alle wandten sich nun Mikael zu.

Plötzlich ging alles sehr schnell.

Ojsternig drängte sich zwischen den Leuten zur Bühne vor und zog unterwegs den Dolch aus dem Ärmel. Mikael packte Emökes Hand und suchte verzweifelt einen Weg nach draußen. Die Adligen der Leibwache wussten nicht, ob sie sich auf ihn oder auf Ojsternig stürzen sollten, der mit erhobener Waffe nach vorne kam. Berni drängte Mikael hinter die Bühne und öffnete ein großes Fenster in der Rückwand des Saales.

»Springt da runter!«, rief er.

Volod schien endlich zu merken, was um ihn herum geschah, aber er war immer noch betäubt vom Wein.

»Komm schnell, Ojsternig ist hier!«, schrie Mikael ihn an.

Endlich erhob Volod sich schwankend.

Mikael half Emöke auf das Fensterbrett des weit geöffneten Fensters. Dann versetzte er ihr einen Stoß, gerade als Ojsternig ihn erreichte und brüllend mit hervorquellenden Augen den Dolch auf ihn herabsenkte.

In dem Moment warf sich Volod zwischen Mikael und die Klinge, die nun tief in seine rechte Seite eindrang. Volod entfuhr ein Stöhnen, dann traf er Ojsternig hart mit dem Kopf an der Nase.

Ojsternig fiel nach hinten, doch er stand sofort wieder auf. Den Dolch immer noch in der Hand, stand er neuerlich zum Angriff bereit. »Flieh, Junge!«, schrie Volod, der nun hellwach war, weil der Schmerz ihn aus seiner Benebelung gerissen hatte. Taumelnd stellte er sich Ojsternig erneut in den Weg.

Mikael sprang auf das Fensterbrett. Dort blieb er stehen und packte Volod fest am Kragen. »Ich lasse dich nicht zurück!« Mit einem heftigen Ruck zog er ihn hoch und schleuderte ihn geradezu aus dem Fenster.

So ging Ojsternigs Hieb ins Leere.

Mikael sprang als Letzter aus dem Fenster und lief zu Emöke, die den verwundeten Volod stützte.

Außer sich vor Wut wollte Ojsternig ihnen folgen, doch zwei Adlige aus der Leibwache des Königs drückten ihm ihre Schwerter in den Rücken und befahlen ihm, stehen zu bleiben und den Dolch fallen zu lassen.

Im Hof waren die dort versammelten Soldaten zusammengelaufen, weil sie das Lärmen gehört hatten. Die Männer sahen, wie Mikael, Volod und Emöke wegliefen, und ein Dutzend von ihnen stellte sich ihnen mit gezückten Schwertern entgegen.

»Verkauf deine Haut teuer, Junge«, zischte Volod, der sich hinkend vorwärtsschleppte.

In seiner Stimme erkannte Mikael den Stolz des Rebellen wieder, der er einmal gewesen war.

»Kommt nur, ihr Hunde«, knurrte Volod leise.

Mikael blieb einen Moment stehen, dann kam ihm eine Idee. Er stürzte mit erhobenen Händen auf die Leibwachen zu. »Schnell! Da hinein!«, schrie er. Er eilte auf den Hauptmann zu und zeigte auf das offene Fenster. »Ein Anschlag auf das Leben des Königs! Verrat!«

Der Trupp blieb stehen. Die Männer zögerten.

»Schnell! Ihr dürft keine Zeit verlieren!«, rief Mikael wieder. »Verrat! Verrat!«

Nun stürzten die Leibwachen auf den Eingang der Residenz zu und machten ihnen den Weg zur Flucht frei.

Mikael packte Volod an den Schultern und schleifte ihn mehr oder weniger hinter sich her. »Los, komm!«, sagte er zu Emöke. »Du darfst auf keinen Fall stehen bleiben.«

Sie hatten das äußere Tor am Ende des Hofes erreicht, als Mikael Ojsternig wütend brüllen hörte: »Dreckschaufler!«

Mikael drehte sich um.

Ojsternig beugte sich wie ein Wahnsinniger aus dem Fenster und konnte von den zwei Adligen kaum zurückgehalten werden. Er wirkte wie besessen. Sein Gesicht war wegen Volods Kopfstoß blutüberströmt.

»Dreckschaufler!«, schrie er blind vor Zorn. »Ich habe deine Frau! Und ich habe mir deinen Sohn genommen!« Und dann lachte er wie ein Verrückter.

63

Mikael hatte das Zeltlager wie im Schlafwandel erreicht. Auf ihrer Flucht hatte er das Gewicht von Volod überhaupt nicht wahrgenommen, den er den ganzen Weg über stützen musste, und war vorwärts gestolpert, ohne sich zu vergewissern, ob Emöke ihm auch folgte. Die ganze Zeit hatte er nur Ojsternigs verzerrtes Gesicht vor Augen gehabt, als dieser ihm die schrecklichen Worte hinterher geschrien hatte: »Ich habe deine Frau! Und ich habe mir deinen Sohn genommen!« Und er hatte Ojsternigs wahnsinniges Lachen in den Ohren, das jedes Geräusch in seiner Umgebung überdeckte.

Erst als er im Zelt war und Volod auf ein Lager gebettet hatte, erkannte er, dass dieser ihm das Leben gerettet hatte.

Volods Gesicht war kreidebleich. Emöke kniete sich neben ihn, öffnete seine Jacke und zerriss das blutgetränkte Hemd. Ojsternigs Dolch war oben rechts tief in seine Seite eingedrungen. Nachdem Emöke die Wunde mit Wein ausgewaschen hatte, sah man ganz deutlich, dass nicht nur die obere Hautschicht verletzt war, sondern auch Muskelfasern und darunter die dunkle Masse der Leber, aus der eine grünliche Flüssigkeit quoll. Mit einer Gewandtheit und Ruhe, die Mikael erstaunte, betupfte Emöke mit einem in Wein getränkten Stück Stoff die Wunde und legte Volod dann mit Streifen aus seinem Hemd einen festen Verband an.

Volod lächelte sie erschöpft an. »So hast du also recht behalten, was, Verrückte?«, sagte er. Dann wandte er sich Mikael zu, der sich ebenfalls neben ihn hingekniet hatte. »Ein Anschlag auf das Leben des Königs ... Was für eine Scheißidee«, flüsterte er. »Aber sie hat gewirkt. Für einen Bauern bist du ziemlich schlau . . .«, fügte er beinahe belustigt hinzu. Dann verzog er sein Gesicht vor Schmerzen. Er nahm Mikaels Hand. »Hier könnt ihr nicht bleiben. Jeder weiß, wo wir wohnen. Man wird euch hier suchen.«

»Ich lasse dich nicht zurück«, sagte Mikael und schüttelte entschlossen den Kopf.

»Sei nicht kindisch.« Volod schnappte nach Luft. »Ich sterbe.«

»Ich lasse dich nicht zurück«, wiederholte Mikael. Er goss einen Becher Wein ein und hielt ihn Volod hin. »Trink.«

Volod schüttelte den Kopf. »Ich verneble mir nicht mehr das Hirn. Ich will wach sein, wenn der Tod mir die Rechnung präsentiert.«

Mikael standen Tränen in den Augen, als er sagte: »Du wirst nicht sterben . . .«

Doch Volod lächelte ihn nur traurig an.

»Ich sattele die Pferde«, sagte Mikael. »Wir gehen fort.«

»Ich kann mich nicht im Sattel halten, Bauer . . . Ich bin nicht so stark wie du . . .«

»Nein, du bist sogar noch stärker«, sagte Mikael trotzig.

»Glaub mir, Junge . . .«, sagte Volod ganz ruhig. »Ich schaffe es nicht.«

Mikael sprang auf und schleuderte wütend den Becher weg. Er hatte Mühe, die Tränen zurückzuhalten. »Nein!«, schrie er und lief hinaus, nachdem er Raphaels Schwert umgegürtet hatte.

Eine knappe halbe Stunde später kam er zurück. Er kniete sich neben Volod und schob seine Arme unter dessen Körper. Dann hob er ihn mit einem kräftigen Schwung hoch. »Emöke«, sagte er, »beeil dich, hol deine Sachen.«

Draußen vor dem Zelt standen zwei gesattelte Pferde, eins für Mikael und eins für Emöke, und ein zweirädriger Karren, der mit einem Gestänge an Volods Reittier befestigt war. Mikael legte Volod vorsichtig auf der mit Stroh gepolsterten Ladefläche ab.

»Wo willst du denn hin?«, sagte jemand hinter ihnen. Dann tauchte Berni hinkend aus der Dunkelheit auf.

»Wir gehen weg«, erklärte Mikael.

»Aber nicht heute Nacht. Ihr habt großen Wirbel verursacht, nach euch wird überall gesucht. Sie werden bald hier sein. Die Straßen sind voll mit Soldaten.«

Mikael legte eine Hand an sein Schwert.

»Das wird dir nichts nützen«, sagte Berni. »Zunächst müsst ihr euch verstecken. Und morgen könnt ihr dann Konstanz verlassen, am besten mitten am Tag.«

»Mitten am Tag?«, fragte Mikael stirnrunzelnd. »Was für ein Unsinn!«

»Morgen wird Jan Hus zum Scheiterhaufen geführt«, erklärte Berni. »Da werden große Aufregung und heilloses Durcheinander herrschen. Niemand wird auf euch achten, ihr mischt euch einfach unter die Menge.«

»Hör auf den Narren ...«, ließ sich Volod vom Karren vernehmen. »Das ist ein guter Plan.« Er sah Emöke mit einem wehmütigen Lächeln an. »Und morgen werdet ihr auch nicht mehr das Problem haben, einen Sterbenden mitzuschleppen, hab ich recht, Verrückte?«

Emöke sah ihn eindringlich an. Dann nickte sie sanft.

»Nein!«, schrie Mikael.

»Willst du allen verraten, dass ihr hier seid?«, fuhr Berni ihn an und legte ihm hastig eine Hand über den Mund.

Mikael machte sich wütend los. In seinen Augen standen Tränen. »Nein«, wiederholte er leise.

»Ich weiß einen Ort, an dem man euch nicht suchen wird«, sagte Berni.

Einen endlosen Moment lang herrschte Stille.

»Komm schon, Junge«, erklärte Volod müde. »Ich habe keine Lust, auf diesem Karren zu verrecken.«

»Gehen wir«, entschied Mikael. »Los, steig auf«, sagte er zu Berni.

Berni kletterte mit Mühe auf den Karren und trieb das Pferd an. Mikael und Emöke saßen auf und ritten neben ihm her. Unterwegs hatte Mikael die Hand immer fest am Schwertknauf.

Berni fuhr den Karren bis an den See. Dort deutete er auf ein großes Schiff, das mit dem Wappen des Grafen Chapuys de Rêves geschmückt war. »Hier hält nur ein Diener Wache. Den können wir bestechen. Niemand wird euch hier vermuten.«

»Und wenn der Diener sich später doch entschließt, uns zu verraten?«, fragte Mikael. »Nein, wir müssen das anders regeln.« Auf einmal schien die Schwäche, die ihn all die Monate handlungsunfähig gemacht hatte, von ihm abgefallen zu sein. Sein Kopf war wieder klar, und er überlegte blitzschnell. Er sah zum Boot hin, dann stieg er aus dem Sattel und suchte den Boden ab. Er fand einen dicken Stock. »Wo ist der Diener?«, fragte er Berni.

»Wahrscheinlich in einer Koje, aber ich weiß nicht, in welcher«, erklärte Berni.

»Ich werde ihn finden.«

»Narr . . .«, mischte Volod sich ein. »Du musst ihm helfen.«

»Und wie?«, fragte Berni besorgt.

»Dich kennt er . . . lock ihn nach draußen . . .«

In Bernis Augen stand Angst. Er suchte Emökes Blick.

Sie lächelte ihn einfach an.

»Gehen wir«, brummte Berni, und seine Stimme zitterte leicht. »Ich bin wirklich ein Dummkopf.«

Mikael kletterte als Erster leise an Bord und versteckte sich in einer dunklen Ecke. Berni rief den Diener, der, als er ihn erkannte, fluchend auf dem Deck erschien und sich beschwerte, weil der Narr ihn geweckt hatte. Er kam nicht mehr dazu, Berni zu fragen, was er wollte, da hatte Mikael ihn schon mit dem Stock am Kopf getroffen. Der Diener verdrehte die Augen und fiel wie ein leerer Sack zu Boden. Mikael schleppte ihn in eine Ecke, wo er nicht gesehen werden konnte, fesselte ihn mit einem Schiffstau und knebelte ihn mit einem Lumpen. Dann kehrte er ans Ufer zurück. Er hob Volod hoch, trug ihn an Bord und legte ihn in einer leinenen Hängematte ab. Anschließend ging er wieder an Land, versteckte den Wagen, band die Pferde an und brachte Emöke ebenfalls aufs Schiff.

Berni zitterte am ganzen Körper wie Espenlaub.

»Du bist wirklich ein guter Narr«, sagte Volod und lachte schallend. »Du bringst sogar Tote zum Lachen.« Doch gleich darauf musste er husten und stöhnte mit schmerzverzerrtem Gesicht.

Dann wurde es still.

»Narr ...«, keuchte Volod, als er sich ein wenig erholt hatte. »Meinst du, du könntest noch etwas für mich tun?«

»Was ...?«

»Geh zu unserem Zelt ... und sag meinen Männern, dass ich im Sterben liege ... Und dass ich ihnen Lebwohl sagen will ...«

Als Berni das Schiff verließ, liefen Mikael die Tränen übers Gesicht.

»Lass das, Junge ...«, sagte Volod. »Komm her ...«

Mikael ging zu ihm.

»Trockne deine Tränen ... Ich bin glücklich, so zu sterben ...« Er lächelte Mikael an. »Heute Nachmittag im Zelt ... habe ich einen Augenblick lang geglaubt ... dass du recht hast ... und ich als Trunkenbold verrecken würde ...«

»Stattdessen hast du mir das Leben gerettet«, flüsterte Mikael und versuchte die Tränen zurückzuhalten. »Bitte verzeih mir, Volod. Ich habe dir gesagt, ich schäme mich dafür, dass ich dich einmal bewundert habe, und ...«

»Hör schon auf, Junge, werd bloß nicht rührselig ...«, schnitt Volod ihm das Wort ab. »Heute Abend habe ich mich gerettet ... nicht dich ... begreifst du, was ich meine?«

Mikael nickte.

»Gut. Das wäre also erledigt«, erklärte Volod. »Verschwinde schnell von hier, Junge. Du hattest von Anfang an recht. Hier ist nur Dreck ...« Er holte mühsam Luft und kämpfte gegen den Schmerz an.

Mikael sah, dass Volods Augen wieder so eindringlich funkelten wie die eines Wolfs.

»Jan Hus hat dir gesagt, du sollst die Wahrheit suchen ...«, fuhr Volod fort. »Das ist richtig. Als ich gesagt habe, dass ich ihn verachte, tat ich das nur, weil er mich für nicht gut genug befunden hatte. Weil er gesehen hat, dass ich als Mann nichts tauge und er seine Worte an mich nur verschwendet hätte ... Und ich habe sein Urteil über mich nicht ertragen, weil ich wusste, dass er damit recht hatte. Aber er hat in deinem Herzen gelesen und mit dir geredet. Finde deine Wahrheit ... Sie wird dir die Kraft verleihen, das zu tun, was du für unmöglich hältst ...«

Nun konnte Mikael die Tränen nicht länger zurückhalten. »Du warst ein guter Lehrmeister«, sagte er.

»Junge, willst du mich zu Tode langweilen?«

Da musste Mikael lächeln.

Volod wandte sich Emöke zu: »Ich habe deine Stimme immer gemocht, Verrückte. Sing bitte ein letztes Mal für mich.«

Emöke setzte sich neben ihn.

Volod sah Mikael an. »Weißt du, was das Lächerlichste an der ganzen Sache ist? Dass ein Mann der Berge wie ich auf dem Wasser stirbt. Auf einem Schiff, wie ein Matrose ...« Er lächelte und schloss leicht die Augen. »Sing, Verrückte ...«

Emöke stimmte eine sanfte Melodie an, die von den Bergen erzählte, von schneebedeckten Gipfeln, von klaren, blauen Himmeln, von einem Land, das nach Moos, nach Pilzen, nach Baumharz, nach Honig roch. Der strenge Geruch von Kuhmist lag darin und der stechende von frisch geschnittenem Heu, der erfrischende Dunst, der nach Sommergewittern aufstieg, und der Duft brennender Holzscheite im Kamin. In ihrem Gesang hörte man das erhabene Flügelrauschen des Adlers, das majestätische Schreiten eines Hirschs, die schwerfälligen Schritte eines Bären, den flinken Lauf eines Hasen und das kühne Springen eines Rehbocks, das raschelnde Gleiten einer Viper, das kaum merkliche Trippeln eines Hermelins, den hellen Pfiff des Murmeltiers, den unliebsamen Ruf des Auerhahns, den nächtlichen Gesang der Nachtigall, den geheimnisvollen Schrei der Nachteule, das Summen der Bienen. Und das Murmeln des Baches, das silberne Lachen der Wasserfälle, das träge Tropfen des in der Frühlingssonne schmilzenden Schnees, das Raunen der Gräser auf der Wiese und das Rascheln der Blätter im Wind.

Als sie verstummte, hatte Volod aufgehört zu atmen.

64

Mikael schreckte vor Tagesanbruch aus dem Schlaf hoch. »Ich habe deine Frau! Und ich habe mir deinen Sohn genommen!« Ojsternigs Ausruf hallte noch immer in seinen Ohren wider.

Er drehte sich zu Emöke um, die ihn ansah, als hätte sie nur darauf gewartet, dass er erwachte.

»Kehren wir nach Hause zurück?«, fragte sie.

Mikael nickte. »Ja.«

Emöke lächelte.

»Ich kann Eloisa nicht in Ojsternigs Klauen lassen«, sagte Mikael. »Das ist meine erste Wahrheit.« Er sah sie an. »Ich habe einen Sohn . . .«

Emöke lächelte wieder.

»Du musst mit mir kommen«, sagte Mikael. »Möge Gott uns beschützen.« Er stand auf und ging zu Volods leblosem Körper. »Berni hat deine Männer nicht hergebracht. Es tut mir leid«, sagte er, als ob Volod ihn noch hören könnte. Dann sah er zu Emöke. »Ich muss ihn in geweihter Erde begraben.«

Er ging an Land. Etwas weiter am Seeufer entdeckte er einen alten Fischer, der gerade seine Netze entwirrte, und ging zu ihm. »Wo begrabt Ihr Eure Toten, guter Mann?«, fragte er ihn.

Der alte Mann deutete hinter sich.

»Ist das auch geweihte Erde?«

Der alte Mann nickte.

Mikael ging zurück aufs Schiff und kam kurz darauf mit Volods Leiche auf den Armen wieder. Er hatte sie in ein Stück Segeltuch gewickelt, das er in einer Kabine gefunden hatte. Nun legte er sie auf den Karren und lenkte diesen zu einer kleinen Kapelle, einem Holzbau, kaum größer als eine Kammer, der mit Fischernetzen und einem großen ausgestopften Wels geschmückt war. Hinter der Kapelle stand eine Hütte, die genauso ärmlich wirkte wie das Gotteshaus selbst. Mikael musste mehrmals klopfen, ehe der Pfarrer verschlafen öffnete. »Ich muss jemanden begraben«, sagte er. »Könnt Ihr für seine Seele beten?«

Der Pfarrer starrte ihn stumm an.

»Ich werde Euch bezahlen«, versicherte Mikael. »Ich gebe Euch auch Geld für fünfzig Messen. Und für einen Grabstein.« Er holte eine der Goldmünzen hervor, die sie vom Grafen Chapuys de Rêves erhalten hatten.

Der Pfarrer riss die Augen auf, griff schnell nach der Münze und gab Mikael dann einen Spaten, mit dem er das Grab ausheben konnte. Er sprach die Gebete für die Beerdigung mit einer Inbrunst, die er bei den armen Fischern für gewöhnlich nicht an den Tag legte, half Mikael, Volods Leiche mit Erde zu bedecken, und fragte ihn dann beim Abschied: »Und was soll nach Eurem Wunsch auf dem Grabstein stehen?«

»Der Schwarze Volod. Geboren in den Bergen, gestorben auf dem Wasser.«

Wieder zurück auf dem Schiff ging Mikael zu Emöke, die am Bug saß. »Wir warten, bis es Tag ist, dann brechen wir auf«, sagte er.

Emöke sah voller Wehmut hinaus auf den See.

»Was tust du da?«, fragte Mikael.

»Gregor geht«, antwortete sie. »Ich verabschiede mich von ihm.«

»Warum geht er?«

»Er macht Platz«, sagte Emöke mit Tränen in den Augen. »Er gibt mich frei.«

»Aber warum?«

Emöke antwortete nicht, sondern starrte nur weiter auf die Wasseroberfläche des Sees, über die Nebelgespenster irrten.

Am späten Vormittag traf Berni völlig aufgelöst auf einem Esel ein. »Gott sei Dank, ihr seid noch hier!«, rief er aus und schaute sofort zu Emöke.

»Wo warst du? Hast du Volods Männer nicht gefunden?«, fragte Mikael. Dann erst bemerkte er, dass Berni nicht sein buntes Narrenkostüm trug, sondern einen schlichten, grauen Kittel und eine braune Barchenthose. Er hatte auch die Kuhglocke abgelegt. »Warum bist du so gekleidet?«

»Gehen wir, jetzt ist keine Zeit für Erklärungen!«, sagte Berni. »Man hat das Urteil gesprochen. Wir müssen da sein, ehe Jan Hus aus dem Dom kommt.«

Mikael und Emöke folgten ihm in die Stadtmitte von Konstanz. Als sie dort eintrafen, wurde Jan Hus schon durch die Straßen geführt.

»Kommt, wir mischen uns unters Volk«, sagte Berni. »Lasst uns dicht beisammen bleiben, damit wir uns nicht verlieren.« Er wandte sich zu Emöke um.

Sie lenkte ihr Pferd neben Bernis Esel.

Als sie am Domfriedhof vorbeikamen, sahen sie einen hohen Scheiterhaufen, in dem schon die Bücher des Ketzers brannten.

Mikael, Berni und Emöke drängten sich durch den Strom von Menschen, die Jan Hus folgten. Sie waren alle bewaffnet, als ob die ganze Stadt sich gegen einen einzigen Mann, der bereits in Ketten geführt wurde, zur Wehr setzen müsste.

Mikael sah, dass die Kirchenmänner Jan Hus einen mindestens zwei Spannen hohen Hut aus Papier auf den Kopf gesetzt hatten, auf den drei Teufel gemalt waren. Da stand auch noch etwas geschrieben, aber das konnte er nicht entziffern. Die Menge schmähte den Ketzer, und zwar immer heftiger, je mehr er mit lauter Stimme seine Unschuld beteuerte.

Als sie zu der Wiese kamen, auf der der Scheiterhaufen errichtet war, sagte Berni: »Jetzt sollten wir uns davonmachen.«

»Nein«, widersprach Mikael.

»Was ist schon so Großartiges daran, zuzusehen, wie ein armer Kerl geröstet wird?«

»Überhaupt nichts«, erwiderte Mikael. »Aber er hat sich nicht von mir abgewandt, und deshalb werde auch ich mich nicht von ihm abwenden. Obwohl mich dieses Spektakel anwidert.«

Als Jan Hus den Scheiterhaufen erreichte, fiel er auf die Knie, um zu beten. Die Papierkrone rutschte zu Boden. Der Verurteilte hob daraufhin den Kopf, betrachtete die Menge und lächelte.

»Nein, du bist kein Teufel«, sagte Mikael leise und sah ihn an. Einen Moment lang kam es ihm vor, als hätte Jan Hus seinen Blick aufgefangen.

Die Menge schrie den Söldnern zu, die den Ketzer begleitet hatten, sie sollten ihm die Papierkrone wieder aufsetzen.

Einer der Söldner hob sie auf und zeigte sie erst der Menge, ehe er sie Hus wieder auf den Kopf drückte und dazu rief: »Soll er doch zusammen mit seinen Herren, den Teufeln, verbrannt werden, denen er auf der Erde gedient hat!«

Die Meute johlte und klatschte dem Söldner Beifall.

Jan Hus wurde nackt ausgezogen und mit Seilen an den Pfahl in der Mitte des Scheiterhaufens gefesselt. Man legte ihm eine Kette um den Hals, damit sein Kopf nicht nach vorne fiel.

Während der Henker mit einer Fackel den Scheiterhaufen in Brand setzte, öffnete Jan Hus den Mund und sprach.

Mikael konnte wegen der grölenden Menge zwar nicht alles verstehen, aber er hörte ihn immerhin deutlich sagen: »Heute trete ich froh dem Tod entgegen.«

Das Feuer loderte schnell auf und hüllte Jan Hus ein.

Die Leute verstummten, weil sie nun auf die schrecklichen Schmerzensschreie des Verurteilten warteten.

Doch über dem düsteren Prasseln der Flammen, die sich durch das Holz fraßen, erhob sich nur eine sanfte Melodie, die Jan Hus angestimmt hatte. Während das Feuer sein Fleisch verzehrte, beendete Jan Hus seinen Lobgesang und setzte sofort zu einem zweiten an.

Und Emöke sang mit ihm.

Ehe Jan Hus, dem die schreckliche Hitze des Feuers offenkundig nichts anhaben konnte, unerschrocken noch ein drittes Lied singen konnte, fuhr ein plötzlicher Windstoß in das Feuer, und die Flammen verbrannten sein Gesicht und seine Zunge.

Mikael sah, dass der Verurteilte weiter den Mund bewegte, und ihm schien, dass dieser jetzt ein Vaterunser sprach.

Kurz darauf hatten die Flammen die Seile und den Körper von Jan Hus verzehrt. Seine verkohlten Überreste wurden nur noch von der Kette um den Hals am Pfosten gehalten.

»Gehen wir, um Gottes willen«, drängte Berni wieder.

»Gehen wir«, sagte Mikael, nachdem er sich bekreuzigt hatte.

Während sie sich entfernten, hörten sie ein schreckliches Krachen, dass es ihnen die Haare aufstellte. Mikael drehte sich um und sah, dass der Henker die verkohlten Überreste vom Pfosten, an den sie gefesselt waren, gerissen hatte und nun die Knochen zerschlug, um sie erneut ins Feuer zu werfen, auf dass von Jan Hus nichts anderes bliebe als Asche.

»Die Asche wird im Rhein verstreut«, sagte Berni. »So wird es keine Reliquien für seine Anhänger geben, und Jan Hus wird für immer vom Antlitz der Erde ausgelöscht.«

»Sie werden ihn niemals auslöschen können«, sagte Mikael, der sich in Herz und Seele gestärkt fühlte. »Die Wahrheit kann durch nichts ausgelöscht werden.«

»Stimmt«, knurrte Berni. »Sie ist wie die Pest ... Früher oder später tritt sie doch wieder zutage.«

Schweigend ritten sie weiter, bis sie jenseits der Stadtmauern waren. Die Wachen hatten sie in ihrem Ärger darüber, dass sie selbst dem Spektakel nicht beiwohnen konnten, das seit Monaten die Fantasie aller Leute in Konstanz beflügelt hatte, einfach durchgewinkt.

»Ich habe den Graf sagen hören, Ojsternig habe vom König die Erlaubnis erhalten, wieder in sein beschissenes Fürstentum zurückzukehren«, berichtete Berni nach einer Weile.

»Es ist ein wunderbares Land«, sagte Mikael. »Und überhaupt nicht beschissen.«

»Wie auch immer, Ojsternig ist wohl davon überzeugt, dass du ebenfalls zurückkehren wirst.«

Mikael schwieg. Er dachte an Eloisa und an seinen Sohn, von dem er bis zum Vortag nichts gewusst hatte. Dies rief wieder die Erinnerung an jenen seltsamen Traum wach, den er, geleitet von Emökes betörendem Gesang, in Sankt Jakob gehabt hatte, und in dem er herausgefunden hatte, was für ein Tier er war. In dem Traum hatte er eine Hirschkuh gesehen, und er hatte gewusst, dass sie für Eloisa stand, aber darin war auch ein Jungtier vorgekommen, das klagend im Wald nach ihm rief. Er drehte sich zu Emöke um. Sie wusste Bescheid.

Berni wies auf einen nahen Stall. »Dort«, sagte er.

»Dort was?«, fragte Mikael.

Berni ließ seinen Esel bis vor den Stall traben und stieg ab. Er ging hinein und kam kurz darauf mit sechs von Volods Männern zurück.

Mikael saß ab. »Volod ist ohne euch gestorben«, sagte er vorwurfsvoll.

»Ja, der Narr hat uns erst heute Morgen gefunden, und er hat gesagt, dass wir bestimmt zu spät kommen würden«, erklärte niedergeschlagen einer von ihnen, der Manuele hieß.

Mikael schwieg dazu.

»Volod hat uns gesagt, wir sollen dir vertrauen, auch wenn du bloß ein junger Hüpfer bist«, fuhr Manuele fort. »Erlaube uns, dass wir dir folgen. Wo auch immer du hingehst.«

»Ich kehre nach Hause zurück«, sagte Mikael mit versteinerter Miene.

»Dann werden wir mit dir kommen«, sagte Manuele.

Warum sollte ich ihnen vertrauen?, überlegte Mikael bitter. Doch dann erinnerte er sich an Volod. Er hatte auch ihn verurteilt. Und Volod hatte ihm später ohne zu zögern das Leben gerettet. Er hatte sich in ihm geirrt. Er dachte, dass er wirklich ein Moralist war, ganz so, wie Volod es ihm immer vorgeworfen hatte. Als er die mit gesenktem Kopf vor ihm stehenden Männer betrachtete, die um so vieles älter waren als er und zum Teil sogar seine Väter hätten sein können, fühlte er sich auf einmal tief bewegt. »Zu Hause erwartet mich vielleicht der Tod«, sagte er und erinnerte sich wieder an Lucios Worte, des Ersten von ihnen, der umgekehrt war. »Ich habe eine Frau und einen Sohn, für die ich sterben würde. Aber ihr? Überlegt es euch gut.«

»Ich muss den alten Lamberto in mir wiederfinden«, sagte Lamberto, ein anderer aus der Gruppe. »Das ist ein guter Grund zum Sterben. Zumindest war es das einmal.«

»Auch für mich«, ließ sich noch jemand vernehmen.

»Wir waren damals bereit zu sterben«, sagte ein anderer. »Warum sollten wir das nicht wieder sein? Vielleicht fühle ich mich dann endlich wieder lebendig.«

Mikael sah sie einen nach dem anderen an. Und ihm wurde bewusst, dass sie auf ihn zählten, um die nötige Kraft für das aufzubringen, was sie allein nicht erreichen konnten. Ganz genau so war es ihm ergangen. Aber jetzt war alles anders. Volod hatte ihm ein wichtiges Erbe hinterlassen. Erst jetzt erkannte er, dass Volod auf der gesamten Reise nach Konstanz alles dahingehend vorbereitet hatte, dass seine Männer nicht ohne Anführer zurückblieben. Und als er in die Augen der Rebellen blickte, die hier ihr Ziel aus den Augen verloren hatten, erkannte Mikael weiter, dass Volod schon vor langer Zeit beschlossen hatte, er solle sie anführen. Dass er derjenige sein sollte, der diesen Männern Kraft, Vertrauen und Hoffnung auf eine bessere Welt vermittelte. Und er begriff, dass er nicht allein Eloisas und seines Sohnes wegen ins Raühnval zurückkehren konnte. Er war sich nicht sicher, ob er diesem Erbe wirklich gewachsen war. Doch er wusste, dass er sich ihm nicht entziehen konnte. Tief bewegt umarmte er Manuele. Und dann die übrigen Männer, einen nach dem anderen. »Das ist Volods Gruß«, sagte er gerührt.

Auch die Männer waren bewegt, und er las in ihren Gesichtern Scham darüber, dass sie ihren Anführer im Stich gelassen hatten.

»Wie ist er gestorben?«, fragte Manuele.

»Wie er gelebt hat. Mutig«, erwiderte Mikael.

Die Männer nickten.

»Warten wir noch auf jemanden?«, fragte Mikael, der festgestellt hatte, dass zwei Männer fehlten.

»Nein«, antwortete Manuele. »Paolo ist jetzt der Beschützer einer Hure ...«

Mikael tat es nicht leid um ihn. Er hätte Paolo niemals verzeihen können, dass er versucht hatte, Emöke zu vergewaltigen.

»... und Modric ist bei einer Schlägerei gestorben.«

Mikael nickte. »Habt ihr eure Waffen?«, fragte er.

Alle bejahten, mit Ausnahme von Manuele.

»Ich nicht ...«, stammelte er verlegen und errötete. »Ich habe mein Schwert ... gegen etwas Wein und eine Nacht mit einer Hure eingetauscht ...«

Mikael ging zu seinem Pferd und holte ein Bündel. Er warf es Manuele zu. »Das ist Volods Schwert«, sagte er. »Halte es in Ehren.«

Manuele, ein großer, kräftiger Mann mit einem von Hieben

verunstalteten Gesicht, brach daraufhin in Tränen aus wie ein kleines Kind.

Mikael drehte sich zu Berni um. »Es ist Zeit, Lebewohl zu sagen.«

»Nein, ich komme mit euch«, sagte Berni. »Vorausgesetzt, ihr wollt einen Krüppel dabeihaben.«

»Warum?«, fragte Mikael überrascht.

»Hör mal, ich kann natürlich keine großen Reden schwingen wie ihr Helden hier. Davon bekomme ich Bauchschmerzen«, sagte Berni grinsend. »Sagen wir einfach, ich komme mit, um dir etwas beizubringen, was du nicht kannst.«

»Und das wäre?«

»Lachen«, sagte Berni.

Mikael lächelte. »Hast du dir das auch gut überlegt?«, fragte er.

»Überlegt? Was soll mein Spatzenhirn da schon groß überlegen?«, erwiderte Berni. »Ich kann nicht mal zwei Sachen gleichzeitig machen. Und im Moment bin ich voll und ganz damit beschäftigt, diesem stinkenden Sturkopf hier zu zeigen, wo es langgeht«, sagte er und zeigte auf den Esel.

Die Männer lachten.

»Dann also los«, sagte Mikael und sprang auf sein Pferd.

Eine Stunde später lenkte Berni seinen Esel an Mikaels Seite.

»Hast du es dir anders überlegt, Narr?«, fragte Mikael.

»Nein, Schwachkopf«, erwiderte Berni. »Ich habe noch einen anderen Grund, mit euch zu kommen.« Er schaute zu Emöke hinüber, die mit heiterer Miene hinter ihnen ritt. »Ich weiß nicht, ob sie eine Heilige ist. Aber es ist schön, in ihrer Nähe zu sein.« Und dann ergänzte er nachdenklich: »Vielleicht weil sie in ihrer Seele genauso verkrüppelt ist wie ich.«

Schweigend ritten sie weiter.

Dann sagte Berni noch: »Aber ich habe keine Waffe.«

»Umso besser«, antwortete Mikael lachend. »Dann kannst du dir wenigstens nicht wehtun.«

Je weiter sie ritten, desto mehr fiel die Lähmung, die ihn in Konstanz befallen hatte, von Mikael ab. Er wusste nicht, was er im Raühnval vorfinden würde. Er wusste nicht, was mit Eloisa, dem Kind oder mit Agnete war. Aber er spürte jetzt die Kraft in sich, für sie zu kämpfen, für sie und seine Männer und für all die Pläne, die gerade in ihm heranreiften.

Er drehte sich zu Emöke um. »Sing, Verrückte!«

65

Eins der vier Kätzchen, die Eva knapp eine Woche nach der Geburt von Eloisas Sohn geworfen hatte, griff mit einem tollpatschigen Satz Harros Stummelschwanz an. Der alte Hund, der seit dem Tag, als man ihn zurück in die Burg gebracht hatte, nur noch Glück empfand, seufzte geduldig, als die winzigen Krallen des Kätzchens seine ledrige Haut traktierten.

Zu jeder anderen Zeit hätten Eloisa, Agnete und Lukrécia sicher aus vollem Herzen darüber gelacht.

Aber an diesem Morgen dröhnten im Burghof erneut die Trommeln des Todes.

Die Frauen hatten einander versprochen, nicht an das Fenster zu treten. Doch je mehr sich der alles entscheidende Moment näherte, desto häufiger wanderten ihre Blicke unruhig dorthin.

Lukrécias Kammerzofe, die ihr seit jeher treu ergeben war, hatte ihnen von einem Gespräch zwischen Agomar und Marcus berichtet, das sie in helle Aufregung versetzt hatte. Lukrécia hatte ja selbst vor einigen Wochen belauscht, wie Marcus Agomar die Herrschaft über das Fürstentum versprochen hatte, falls er selbst Fürst würde. Und an diesem Tag hatte die Kammerzofe gehört, wie Agomar zu Marcus sagte: »Es darf nur noch uns beide geben. Wir können niemandem trauen.« Was nichts anderes bedeuten konnte, als dass Agomar seinen Vorschlag angenommen hatte.

Die Trommeln des Todes, die in diesem Moment im Burghof von der unmittelbar bevorstehenden Hinrichtung kündeten, bestätigten ihre Vermutung.

Eloisa hielt es nicht mehr aus und ging zum Fenster.

Agnete hatte sie sofort eingeholt und wollte sie an einem Arm von dort wegziehen. »Schau nicht hin. Schlimme Gefühle verderben die Milch«, sagte sie.

Eloisa wandte sich ihrem Kind zu, das ahnungslos selig in seiner Wiege schlief. Jedes Mal wenn sie es betrachtete, versetzte es ihr einen schmerzhaften Stich ins Herz, und es wurde immer schlimmer, je näher der Tag kam, an dem Ojsternig zurückkehren und es ihr endgültig fortnehmen würde. Der Kleine hatte eine gesunde, rosige Haut und blonde Haare, die bald zu weichen Locken wachsen würden. Er sah aus wie Mikael, aber er hatte die blauen Augen von Eloisa.

Die Trommeln verstummten.

»Lelio Depretis!«, verkündete Agomar im Hof. »Du wurdest wegen Hochverrats zum Tode verurteilt. Du hast einen heimtückischen Anschlag auf den rechtmäßigen Thronerben geplant. Dein Kopf und dein Leib werden nicht zusammen begraben werden.«

»Nein! Habt Mitleid!«, jammerte der Gehilfe des Verwalters mit Todesangst in der Stimme.

Wieder erschollen düstere Trommelwirbel.

»Und danach sind wir dran!«, sagte Lukrécia und knetete nervös die Hände.

»Nein«, widersprach Agnete bestimmt.

Eloisa und Lukrécia sahen sie erstaunt an.

»Ich habe lange darüber nachgedacht«, erklärte Agnete. »Wenn sie uns töten, ehe Euer Vater kommt, laufen sie Gefahr, dass jemand aus der Burg flieht, um ihn zu warnen. Dann würde es zu einem Kampf zwischen ihnen und Eurem Vater kommen.« Sie betrachtete Lukrécia. »Deshalb werden sie warten, bis er zurück ist. Und sosehr es mir auch gegen den Strich geht, wir müssen uns auf seine Seite schlagen. Sobald er in die Burg zurückgekehrt ist, müsst Ihr mit ihm reden und ihm den Plan der Verräter enthüllen. Das ist unsere einzige Hoffnung.«

Die Trommeln verstummten.

Man hörte Lelio Depretis jammern.

Sogleich waren alle drei Frauen am Fenster.

Sie sahen den Widerschein von Metall, als die schwere Axt des Henkers auf den Richtblock niedersauste, auf dem der Gehilfe des Verwalters von zwei Soldaten festgehalten wurde. Die Klinge glitt mit einem Schmatzen durch die Haut, zerschnitt mit einem satten Knacken den Knochen und bohrte sich schließlich mit einem dumpfen Laut in das massive Holz. Lelios Kopf rollte in den Staub des Burghofs. Die drei Frauen meinten zu sehen, wie sich der Mund des Gehilfen des Verwalters öffnete und schloss, als wollte er noch etwas sagen. Seine Augen standen weit offen. Das Blut sprudelte aus dem Halsstumpf, während der schlaffe Körper vor dem Richtblock in sich zusammensackte.

Die Soldaten sahen stumm zu.

Agomar und Marcus standen dicht beieinander und beobachteten das Geschehen.

Arialdus von Tarvis, der alte Verwalter, war totenbleich und hielt den Kopf gesenkt.

Dann löste sich plötzlich eine Frau aus der Gruppe Bediensteter, die der Hinrichtung stumm beigewohnt hatten. Ihr Gesicht war tränenüberströmt, die Haare zerrauft. Mit sichtlicher Verzweiflung warf sie sich Agomar zu Füßen.

»Herr«, rief sie unter Tränen, »gebt mir den Kopf, ich bitte Euch . . . ich flehe Euch an!« Sie schlug sich an die Brust. »Herr, erweist mir die Gnade, meinen Sohn im Ganzen beerdigen zu dürfen, damit er am Tag der Wiederauferstehung nicht ohne Kopf vor dem Jüngsten Gericht erscheinen muss!«

»Die Entscheidung liegt beim Prinzen, nicht bei mir«, erwiderte Agomar und verneigte sich leicht vor Marcus.

»Du erbärmlicher Feigling!«, zischte Agnete durch die zusammengebissenen Zähne.

Marcus lächelte die Frau hinterhältig an. »Du wirst den Kopf deines Sohns erhalten«, sagte er zu ihr.

Die Frau schluchzte erneut los. »Danke, Euer Durchlaucht! Möge Gott Euch segnen!«

Marcus packte Lelios Kopf bei den Haaren, das hinterhältige Lächeln umspielte weiter seine Lippen.

Die Frau lief weinend und mit geöffneten Armen auf ihn zu.

Kurz bevor sie ihn jedoch erreicht hatte, drehte sich Marcus einmal um die eigene Achse und schleuderte den Kopf hoch in den klaren Himmel, sodass er hinter der Burgmauer zu Boden fiel. Marcus lachte grausam und forderte sie auf: »Hol ihn dir, altes Weib!«

Die Frau blieb einen Augenblick bestürzt stehen, dann rannte sie schreiend vor Schmerz hastig nach draußen.

Eloisa, Agnete und Lukrécia sahen, wie sie dem Kopf ihres Sohnes hinterherrannte, der den steilen Abhang hinabkullerte und bei jedem Aufprall gegen den Felsen die Richtung änderte. Die Frau war alt und schaffte es nicht, ihn einzuholen. Sie fiel und stand wieder auf, unter dem Hohngelächter der Soldaten, die sie eifrig anfeuerten, schneller zu laufen. Schließlich blieb der Kopf am Fuß des Hügels liegen. Als die Frau ihn endlich erreicht hatte, hob sie ihn auf, drückte ihn an ihre Brust und streichelte immer wieder über die Haare ihres Sohnes.

»Die Vorstellung ist vorbei!«, rief Agomar. Dann sah er Marcus an und wies lächelnd mit dem Kinn zu dem Fenster, an dem die drei Frauen das Geschehen entsetzt verfolgt hatten.

Marcus wandte sich daraufhin zu ihnen um und verbeugte sich spöttisch.

»Erbärmliche Feiglinge!«, knurrte Agnete. Sie nahm ihre Tochter in den Arm und drückte sie fest an sich. Dann ließ sie sie mit einem Ruck los, da ihre Geste sie zu sehr an das erinnerte, was die alte Mutter des hingerichteten Verwaltergehilfen eben getan hatte.

Düsteres Schweigen senkte sich über den Raum. Keine der drei Frauen brachte ein Wort heraus.

Kurz darauf schwang die Tür auf, ohne dass jemand geklopft hätte.

Agomar und Marcus stürmten frech herein.

Eloisa sah, dass die Hand des Prinzen, mit der er den Kopf geschleudert hatte, noch blutverschmiert war.

Marcus bemerkte ihren Blick, sah auf seine blutige Hand herab und wischte sie dann langsam an seiner Brust ab, während er Eloisa nicht aus den Augen ließ. Seine ockerfarbene Jacke aus glänzender Florentiner Seide färbte sich blutrot.

»Von jetzt an dürft Ihr dieses Zimmer nicht mehr verlassen«, sagte Agomar.

»Das gilt auch für Euch … meine Gemahlin«, fügte Marcus hohnlächelnd hinzu und trat einen Schritt vor. Doch als Harro knurrte, hielt er erschrocken inne.

Agomar zog sein Schwert.

»Nein!«, schrie Lukrécia. »Bitte nicht …«

Agomar warf ihr einen Blick zu und steckte sein Schwert langsam wieder ein. Mit einem verächtlichen Seitenblick auf Harro und die Katze mit ihren Jungen sagte er: »Hier sieht es aus wie in einer Menagerie!«

»Meine Mutter muss jeden Tag ins Dorf, Herr«, sagte Eloisa. »Sie muss die Salben für das Kind mischen.«

»Das wird sie hier tun«, erwiderte Agomar hart.

»Das geht nicht, Herr«, widersprach Eloisa. »Sie muss dafür täglich frische Kräuter sammeln.«

Agomar überlegte schweigend.

»Was ist schon dabei, wenn die Alte die Burg verlässt!?«, fragte Marcus. Er ging zu der Wiege des Säuglings, der die ganze Zeit geschlafen hatte, und strich ihm über das Köpfchen.

Agnete hielt Eloisa am Arm zurück.

Marcus lächelte sie honigsüß an. »Mein Sohn bleibt uns doch«, sagte er. »Und auch die kleine Hure da«, fügte er mit Blick auf Eloisa hinzu. Er richtete einen Finger drohend auf Agnete. »Wenn du länger als drei Stunden fort bist, könnte einem von den beiden ein schlimmer Unfall zustoßen.« Seine Hand zerrte unvermittelt hart an den Haaren des Säuglings und riss ihn aus dem Schlaf.

Der Kleine öffnete die Augen und brüllte los.

»Ja, dieses Zimmer ist wirklich eine Menagerie«, sagte Marcus und lachte wieder.

Eloisa eilte zu dem Säugling, nahm ihn hoch und wiegte ihn in ihren Armen, um ihn zu beruhigen.

»Lass ihn!«, fuhr Marcus sie mit bösartig funkelnden Augen an. »Gib ihn seiner Mutter!«

Agomar lachte belustigt. Doch als Eloisa den Säugling nur noch fester an sich drückte, schrie er sie an: »Hast du den Prinzen nicht gehört? Gib das Kind sofort seiner Mutter!«

Eloisa reichte den Säugling zögernd Lukrécia.

Die nahm das immer noch heftig weinende Kind und wiegte es unbeholfen.

»Was für ein anrührendes Bild!«, sagte Marcus.

»Wir haben uns verstanden, Alte?«, fragte Agomar Agnete. Er verließ den Raum, ohne eine Antwort abzuwarten.

Marcus folgte ihm mit wiegenden Hüften.

Nachdem sie die Tür hinter sich geschlossen hatten, riss Eloisa das Kind Lukrécia beinahe aus den Armen.

Die Prinzessin zog beschämt die Schultern hoch. »Es tut mir leid ...«, stammelte sie.

Agnete sah ihre Tochter fragend an. »Was für Salben?«, fragte sie. »Und welche Kräuter?«

Eloisa zuckte mit den Achseln. »Mir ist keine bessere Ausrede eingefallen«, antwortete sie. »Aber so kommt wenigstens eine von uns beiden aus der Burg ...« Hoffnung blitzte in ihren Augen auf. »Falls Mikael zurückkehrt.«

Agnete nickte und bewunderte die Geistesgegenwart ihrer Tochter.

Eloisa schnürte ihr Mieder auf, holte eine Brust heraus und legte mit einem herausfordernden Blick auf Lukrécia den Säugling an. Sie wusste zwar, dass die Prinzessin keine Schuld traf, doch sie kam nicht dagegen an. Jedes Mal wenn sie an die Zukunft dachte, verabscheute sie Lukrécia.

Das Kind hörte augenblicklich auf zu weinen und begann zu saugen.

»Du hast ihm noch keinen Namen gegeben«, versuchte Lukrécia die angespannte Atmosphäre zu lockern.

»Es ist nicht mein Kind«, erwiderte Eloisa hart. Aber sie konnte den Schmerz in ihrer Stimme nicht verbergen.

»Such du einen Namen aus«, beharrte Lukrécia. »Es ist dein Sohn.«

»Nicht mehr lange.«

»Jetzt gib ihm schon einen Namen«, sagte auch Agnete.

»Dann soll er Marcus III. heißen«, sagte Eloisa bestimmt.

Agnete runzelte die Stirn, doch sie schwieg.

Lukrécia dagegen wirkte überrascht. »Aber das ist der Name, den mein Vater ihm geben wird!«, rief sie verwundert aus.

Eloisa sah sie an. »Nein«, sagte sie voller Stolz. »Das ist der Name, der ihm zusteht.«

66

Mit jeder Meile, die er seiner Heimat näher kam, fühlte Mikael, wie alles von ihm abfiel und die letzten Zweifel verschwanden. Er hatte nun endlich eine Antwort auf die Fragen, die er monatelang in seinem Kopf gewälzt hatte. Volod hatte ihm immer gesagt, dass er nie erfahren hätte, was Freiheit ist. Es sei nur ein Wort, hatte er stets wiederholt. Die Rebellen würden sich aus dem einfachen Grund gegen Ojsternig auflehnen, weil sie überleben wollten. Sie kämpften, um ihre Kinder satt zu bekommen, um nicht zu verhungern, weil sie an ein Stück Land oder eine Mine gefesselt waren. »Vielleicht wirst du mir eines Tages beibringen, was Freiheit ist«, hatte Volod irgendwann einmal gesagt. Und jetzt, während er allein an der Spitze vor seinen Männern ritt, kam es Mikael vor, als wüsste er immer genauer, wonach er suchte und wofür er kämpfen würde. Die Mächtigen wollten keine Freiheit, weil sie sonst zu viele ihrer Privilegien aufgeben müssten. Ihre absolute Freiheit war nur möglich, weil sie diese allen anderen nahmen. Diese Erkenntnis zeichnete sich mit jeder Meile klarer in Mikaels Kopf ab. Die Notwendigkeit, die eigenen Kinder satt zu bekommen, war sehr viel mehr als ein schlichtes Alltagsbedürfnis. Es war der Beweis, dass einige, zu viele, nur wie Vieh angesehen wurden. Ein Mensch kann keinen anderen Menschen besitzen, sagte sich Mikael immer wieder. Hier musste man ansetzen. Die Ketten sprengen. Und zwar alle gemeinsam. Das ist die erste Freiheit der neuen Welt, die kommen wird, dachte er.

Für Eloisa, für seinen Sohn und für Agnete zu kämpfen bedeutete gleichzeitig, für alle zu kämpfen. Und je mehr er darüber nachsann, desto stärker erfüllte ihn der drängende Wunsch, so schnell wie möglich nach Hause zurückzukehren. Die Hast, mit der er ungeduldig sein Pferd antrieb und damit auch alle anderen anspornte, ihm zu folgen, der Wind, der ihm im Gebirge ins Gesicht blies, all das schien die Schwere, den Schmutz, das Laster und die innere Betäubung von ihm zu nehmen, die sich ihm in Konstanz wie eine Krankheit auf Leib und Seele gelegt hatten.

»Wir sollten sie Constanzitis nennen, deine neue Krankheit, gegen die es kein Heilmittel gibt«, sagte Berni im Scherz.

Mikael lachte.

»Lernst du etwa zu lachen? Das ist ja wirklich mal was Neues!«, rief Berni. »Ich tue dir also gut.«

Mikael wandte sich um und schaute auf Lienz zurück, das inzwischen schon am Horizont hinter ihnen verschwand, dann folgte er weiter dem Lauf der Drau. »Nein, nicht du, sondern das hier!«, erklärte er, und seine Augen funkelten begeistert, als er die Arme ausbreitete und auf das Tal, die Berge und den tiefblauen Sommerhimmel zeigte. »Atme tief ein!«, forderte er ihn lächelnd auf. »Es riecht schon nach zu Hause. Das Einzige, was gegen Constanzitis hilft.« Er zeigte auf einen unbestimmten Punkt vor ihnen am Ende des Tals. »Heute Abend werden wir in Kirchbach sein, und morgen Früh geht es weiter«, sagte er versonnen. »Es ist nicht mehr weit«, flüsterte er rau und verlor sich wieder in den Gedanken, die ihm die Kraft gegeben hatten, sämtliche Strapazen zu überstehen, und ihn dazu gebracht hatten, Männer und Pferde anzutreiben, sodass sie für den Weg zurück ins Raühnval weniger als die Hälfte der Zeit brauchen würden als auf der Hinreise.

Dann kehrte er wieder in die Gegenwart zurück und wollte sich Berni zuwenden, doch der war nicht mehr an seiner Seite.

Er brauchte sich gar nicht erst umzusehen, um ihn zu suchen. Er wusste, wo der ehemalige Narr war. Bei Emöke natürlich.

Mikael lächelte. Was sich zwischen Berni und Emöke entwickelte, erfüllte ihn immer noch mit Verwunderung.

Während eines der letzten Abende, die der Graf in Konstanz veranstaltet hatte, war Mikael bereits aufgefallen, wie Berni und Emöke einander angelächelt hatten. Dann hatte Berni seinen Herrn verlassen und sich ihnen angeschlossen, mit der Aussicht auf ein Leben, das nichts als Gefahren zu bieten hatte.

Und mit jedem weiteren Tag hatte Mikael die wunderbare Verwandlung Emökes verfolgt. An dem Morgen, als sie kurz davorstanden, aus Konstanz zu fliehen, und er sie dabei beobachtet hatte, wie sie auf die stille Wasseroberfläche des Sees starrte, hatte sie zu ihm gesagt: »Gregor geht. Er macht Platz. Er gibt mich frei.« Damals hatte Mikael noch nicht begriffen, was sie damit meinte. Er hatte nicht weiter darauf geachtet und es für eine der vielen verrückten Bemerkungen Emökes gehalten. Aber im Laufe der Reise hatte er Veränderungen an ihr bemerkt. Zunächst kaum wahrnehmbar, dann immer deutlicher. Emökes Blick wirkte auf einmal nicht mehr so leer, weniger abwesend und in die Ferne gerichtet. Und sie war nicht länger auf ihre bisherige in sich gekehrte Art in Selbstgespräche versunken. Es kam ihm vor, als kehrte sie nach einer Reise in eine andere Welt oder nach einem langen Schlaf langsam zu ihnen zurück.

Dann war Mikael aufgefallen, dass Berni immer an ihrer Seite ritt. Zunächst hatten sie gar nicht miteinander gesprochen. Doch auch am Abend saß Berni beim Essen neben Emöke und schenkte ihr Wein nach, wenn ihr Becher leer war, oder gab vor, keinen Hunger mehr zu haben, um ihr einen Teil seines Essen zu überlassen. Nach einer Weile hatte Berni sich auch neben sie gesetzt, wenn es Schlafenszeit war, und Mikael hatte gesehen, wie er die Schlafende mit einem Lächeln auf den Lippen beobachtete. Einige Tage später hatte sich Berni unter seiner Decke neben sie gelegt. Und in einer Nacht, in der Mikael vor Sorge und Aufregung, demnächst wieder in der

Heimat zu sein, kein Auge zubekam, hatte er schließlich gesehen, wie sie Hand in Hand schliefen. Am nächsten Tag ritten die beiden nebeneinander und hörten gar nicht mehr auf, miteinander zu reden. In der darauffolgenden Nacht hatte Mikael beobachtet, wie sie unbeholfen einen flüchtigen Kuss austauschten. Schließlich schliefen beide Arm in Arm unter einer Decke, und in manchen Nächten hatte Mikael gehört, wie sie leise zusammen stöhnten.

Emöke hatte die ganze Zeit nicht aufgehört zu singen, doch auch ihr Gesang veränderte sich. Als Mikael ihr lauschte, hatte er sich bei dem Gedanken ertappt, dass ihre Lieder nun vom Himmel auf die Erde gewechselt waren. Sie hatten einen Teil ihrer Magie eingebüßt, etwas von diesem unerklärlichen Zauber, der in die verborgensten Winkel der Seele vordrang. Ihr Gesang war körperlich, lebendig geworden. Sie sang, wie jede verliebte Frau gesungen hätte, und erzählte nun vom Leben, von der Liebe, aber so, wie gewöhnliche Menschen sie empfanden. Mikael fand ihre Lieder deshalb jedoch nicht weniger anrührend. Gerade weil er sich nun in diesen so natürlichen, gewöhnlichen Gefühlen wiedererkannte, da er dasselbe für Eloisa empfand, bewegten sie ihn umso mehr.

Nur einmal, hoch oben auf einem Berg, hatte er beobachtet, wie Emöke etwas abseits saß. Auf einem weißen, moosüberzogenen Felsen blickte sie in den Sonnenuntergang, und die vom Wind zerzausten Haare umwehten ihr schwermütiges Gesicht.

»Was hast du?«, hatte Mikael sie gefragt und war näher gekommen.

Emöke hatte sich lächelnd zu ihm umgewandt. »Manchmal vermisse ich ihn.«

»Wen?«

»Gregor.«

Mikael hatte nicht gewusst, was er darauf erwidern sollte. Er hatte die Schultern gezuckt und zurückgelächelt. Dann hatte er nach Westen Richtung Raühnval geblickt, zu Eloisa und seinem Sohn, den er noch nie gesehen hatte, zum Ort seiner Bestimmung. »Werden wir es schaffen?«, hatte er sie gefragt.

Emöke hatte seine Hand genommen. »Ich weiß es nicht, Mikael«, hatte sie geantwortet.

Und als er sie seinen Namen aussprechen hörte, hatte ihn ein seltsam tröstliches Gefühl überkommen, weil sie das noch nie zuvor getan hatte. »Was siehst du?«, hatte er beharrt.

Emöke hatte den Blick über die Landschaft schweifen lassen und geantwortet: »Berge, Wiesen, Bäume, die untergehende Sonne, die Sterne, die allmählich am Himmel aufblitzen.« Dann hatte sie ihn wieder angesehen.

»Hörst du, spürst du denn nichts?«, hatte Mikael weiter gefragt, und ihm war leicht schwindlig dabei.

»Ich höre deine Stimme, spüre den Wind, höre den Jagdruf der Eule, das Holz, das im Feuer knistert, ich höre die Pferde wiehern und die Männer lachen«, hatte Emöke gesagt. Sie hatte ihm ein freundliches Lächeln geschenkt und seine Hand noch fester gedrückt. »Meine Gabe ist verschwunden«, hatte sie geflüstert, als wäre dies ein Geheimnis zwischen ihnen beiden. Und ihre Augen hatten zu strahlen begonnen. »Ich bin frei, Mikael.«

Wieder war er tief bewegt, dass sie seinen Namen ausgesprochen hatte, so wie jede andere Frau es getan hätte. »Willkommen zurück, Emöke«, hatte er gerührt vor sich hin gemurmelt, während sie sich von ihm entfernte.

In diese Gedanken versunken hatte Mikael gar nicht bemerkt, dass sie inzwischen Kirchbach erreicht hatten. Er riss sich aus seiner Betäubung und drehte sich um.

Berni und Emöke ritten Hand in Hand und schwatzten fröhlich miteinander.

Mikael erinnerte sich, dass Emöke, als sie noch ihre Gabe besaß, wie sie es genannt hatte, ihm vorhergesagt hatte, dass er zurückkehren würde, sie jedoch nicht. Und ihm wurde bewusst, dass er sie auf keinen Fall dorthin mitnehmen konnte, wo sie zu einem unsteten Leben im Mezesnigwald verdammt wäre, ständig auf der Flucht vor Ojsternig. Nicht jetzt. Und dann musste er traurig lächeln bei dem Gedanken, dass Berni nicht einmal eine Woche in den Wäldern überleben würde.

»Du bist die reinste Qual, Narr!«, rief er ihm zu und lachte.

Als sie in die kleine Stadt einritten, führte er seine Männer zu dem Haus des alten Hauptmanns, der Raphael kannte.

»Und die anderen?«, fragte der alte Mann, als er Mikael wiedererkannte.

»Einige haben geheiratet, ein paar haben Arbeit in den Minen gefunden, die anderen . . .«

». . . haben es nicht geschafft«, beendete der alte Mann ernst seinen Satz. »Auch der Mann mit den Wolfsaugen?«

Mikael nickte.

»Er war ein guter Anführer.«

»Ja.«

»Und jetzt sieht es ganz danach aus, als wärst du der neue Anführer«, sagte der Hauptmann lächelnd. »Ich kann es an dem Respekt in den Augen deiner Männer erkennen.«

Mikael errötete.

Der alte Mann legte ihm eine Hand auf die Schulter. »Wenn der Baron dir sein Schwert gegeben hat, dann deswegen, weil du die Anlagen zu einem guten Anführer hast. Da gibt es nichts, dessen du dich schämen müsstest.«

»Wir kehren nach Hause zurück«, sagte Mikael.

»Ja, das dachte ich mir«, sagte der alte Mann. »Ihr könnt im Hospital des Klosters übernachten, wie beim letzten Mal. Und ich würde mich glücklich schätzen, wenn du wieder bei mir zu Abend essen würdest.«

Mikael führte die Männer zum Kloster und nahm Berni beiseite. »Das sind Mönche, Narr. Behalt deine Griffel heute Nacht bei dir«, ermahnte er ihn.

»Ich werde mich bemühen«, antwortete Berni. Als er sah, dass Mikaels Miene sich verfinsterte, sagte er: »Das war ein Scherz!«

»Lach, Bruder!«, sagte Emöke fröhlich hinter ihnen.

Mikael schüttelte belustigt den Kopf und ging zum Haus des Hauptmanns, das zugleich auch das Gefängnis und das Hauptquartier von Kirchbach war.

Beim Abendessen lieferte er eine ausführliche Beschreibung ihrer Reise, ihres Aufenthalts in Konstanz und der öffentlichen Verbrennung von Jan Hus. Aber er erzählte dem alten Mann nichts von seiner Begegnung mit Ojsternig.

Und der Hauptmann stellte keine Fragen.

Als es Zeit war, sich zu verabschieden, fühlte Mikael schwer die Verantwortung für Emökes und Bernis Leben auf sich lasten. Wieder dachte er daran, dass Emöke gesagt hatte, sie würde nicht nach Hause zurückkehren.

»Herr«, sagte er, schon in der Tür, zu dem alten Mann, »ich muss Euch um einen Gefallen bitten. Die Frau, die mit uns reist ...«

»Beim letzten Mal war sie deine Schwester ...«, lachte der Hauptmann.

»Ach so, also, nun ja ...«

»Du musst mir nichts erklären«, sagte der alte Mann und lächelte. »Heraus mit der Sprache, um was wolltest du mich bitten?«

»Die Frau und einer meiner Männer ... Vielleicht habt Ihr ihn bemerkt ...«

»Der Krüppel«, sagte der Hauptmann.

»Er ist ein anständiger Kerl. Ich schulde ihm etwas«, sagte Mikael.

»Deswegen ist er immer noch ein Krüppel.«

»Ja ...« Mikael geriet ins Stocken. »Herr, meint Ihr, dass Ihr hier in Kirchbach etwas für sie finden könntet?«

»Lass mich nachdenken. Ich werde dir morgen eine Antwort geben«, erwiderte der alte Mann. Dann legte er ihm eine Hand auf die Schulter. »Die Frau liegt dir am Herzen, oder?«

»Sehr sogar.«

»Dann werde ich sehen, was ich tun kann.«

Es wurde eine unruhige Nacht. Mikael fand keinen Schlaf, und so ging er schließlich hinaus und legte sich im Hof auf den Boden. Er sog die Düfte aus dem Garten der Kräutermönche ein, der nun in voller Blüte stand. Blickte hinauf zum Himmel, der jetzt Ende Juli sternenklar war. Schließlich fiel er in einen leichten Schlaf, in dem Gedanken sich mit Träumen vermengten. Die Vorstellung, nur noch wenige Tage vom Raühnval entfernt zu sein, hatte ihm ein Wechselbad der Gefühle zwischen Sorge und Aufregung beschert. Was ihn in Aufregung versetzte, machte ihm Angst, und was ihm Angst machte, bewirkte Aufregung. Er wusste nicht, was er vorfinden würde. Er wusste nicht, ob er selbst etwas tun konnte. Ob er der Situation gewachsen war. Aber er würde Eloisa wiedersehen. Seinen Sohn kennenlernen. Er würde nach Hause zurückkehren. Würde Agnete wieder in seine Arme schließen. Ob Harro noch lebte? Unter all den Fragen und Zweifeln war er bei Einbruch der Morgendämmerung erschöpfter als vor dem Schlafengehen am Vorabend.

Auch seine Männer schienen wenig geschlafen zu haben. Sie hatten ebenfalls darüber nachgedacht, welches Schicksal sie nun, da sie Konstanz verlassen hatten, erwartete. Jetzt war der Tod wieder greifbar nahe. Und es war möglich, dass der Mut sie verlassen würde. Jeder von ihnen hatte in dieser langen Nacht erwogen, was er wirklich empfand und wie entschlossen er war.

Mikael ging beim Frühstück von Mann zu Mann und legte jedem die Hand auf die Schulter. »Wir gehen jetzt unserem neuen Schicksal entgegen«, sagte er mit fester Stimme. »Ihr solltet stolz auf euch sein.«

Solchermaßen ermutigt begannen die Männer wenig später, wieder miteinander zu scherzen. Und in ihren Augen erkannte Mikael ein neues Funkeln.

»Volod hatte recht«, sagte Manuele, als er an ihn herantrat. »Du bist ein guter Anführer.«

»Blödsinn«, sagte Mikael und musste daran denken, dass Volod bestimmt dasselbe erwidert hätte.

Als er sein Pferd satteln ging, erwartete der Hauptmann ihn schon mit einem Sack voller Vorräte, den er sich vom Prior hatte geben lassen.

»Ich habe über deine Bitte nachgedacht«, sagte der alte Mann. »Seit einer Weile schon überlege ich, das Gasthaus wiederzueröffnen, das seit dem Tod des alten Eigentümers geschlossen ist. Wenn man einigermaßen geschäftstüchtig ist, kann man damit gutes Geld verdienen. Aber ich bin ein Soldat und bestimmt kein umgänglicher Mensch. Allein würde ich schnell wieder schließen müssen.« Er sah Mikael eindringlich an. »Aber mit einem Spaßmacher und einer Sängerin könnten wir bestimmt viel Geld einnehmen.«

»Woher wisst Ihr, dass ...«, fragte Mikael verwundert.

Der alte Mann schnitt ihm mit einer Handbewegung das Wort ab. »Ich weiß gar nichts, Junge«, sagte er. »Ich stelle höchstens Vermutungen an.«

Mikael nickte.

»Glaubst du, ein derartiger Vorschlag könnte sie interessieren?«, fragte der alte Mann.

Mikael rief Emöke und Berni zu sich und erzählte ihnen von dem Plan des Hauptmanns. Dann nahm er Emöke beiseite und sagte: »Du hast mir einmal gesagt, dass du niemals nach Hause zurückkehren wirst.«

»Ich erinnere mich nicht mehr daran«, sagte Emöke mit einem leichten Lächeln.

»Ich habe immer befürchtet, dieser Spruch würde bedeuten,

dass du stirbst«, gestand Mikael, dem erst in dem Moment bewusst wurde, wie sehr ihn der Gedanke gequält hatte.

Emöke lächelte ihn an. »Aber ich lebe«, sagte sie. Liebevoll sah sie zu Berni hinüber. »Ohne dich hätte ich nichts von alledem.«

Mikael wurde von seinen Gefühlen überwältigt. »Also, was ist?«, fragte er sie unwirsch, um seine Rührung zu unterdrücken.

»Danke, Mikael«, antwortete Emöke.

»Heißt das, ja?«

Emöke nickte lächelnd.

»Irgendwie vermisse ich deine wirren Sätze«, sagte Mikael.

»Ich nicht.«

Mikael betrachtete sie stumm. Er konnte ihre Verwandlung immer noch nicht ganz fassen, aber sie war außergewöhnlich.

»Jetzt umarm mich schon, ehe ich losheule«, sagte Emöke.

»Wenn ich dich jetzt umarme, muss *ich* heulen«, sagte Mikael.

Emöke schlang ihre Arme um ihn und drückte ihn fest an sich. »Lach, Bruder«, flüsterte sie ihm ins Ohr. »Das Leben ist schön und dumm.«

»So einen Blödsinn kann dir nur dieser Narr hier in den Kopf gesetzt haben«, versuchte auch Mikael zu scherzen und löste sich ungeschickt mit tränenblinden Augen aus der Umarmung. Er wollte sich zu Berni umdrehen, doch dann hielt er inne. »Sag mir, dass alles gut gehen wird«, bat er Emöke, »auch wenn du es nicht mehr weißt.«

»Es wird alles gut gehen, Mikael«, erklärte sie warmherzig.

Mikael nickte und wandte sich wieder zu dem Hauptmann und Berni um. »Also, so wie es aussieht, habt Ihr nun zwei ganz besondere Menschen an der Hand, die sich um Euer Gasthaus kümmern werden«, sagte er.

Der alte Mann lächelte zufrieden. Dann zeigte er auf Berni

und Emöke. »Ich weiß nicht, wie ihr heißt«, sagte er ernst, »aber ich bin mir sicher, dass ihr unmöglich Berni, Narr des Grafen Chapuys de Rêves, und Emöke Albath, bekannt als die Heilige, sein könnt, denn diese werden gesucht, nicht wahr?«

»Ihr habt vollkommen recht, guter Herr«, entgegnete Berni schlagfertig. »Erlaubt, dass ich mich vorstelle. Ich bin Leonidas Argos, Schafhirte und lustiger Poet, und ich komme aus dem schönen Hellas. Und sie hier«, damit zeigte er auf Emöke und zwinkerte ihr zu, »kann ja unmöglich eine Heilige sein, da sie in meinem Bett schläft.«

Der alte Mann lachte schallend. Und Mikael stimmte mit ein, während Emöke sich an Berni schmiegte und ihm einen Kuss auf die Wange drückte.

»Ich kann nicht garantieren, dass Ihr mich nicht eines Tages dafür verfluchen werdet, Euch einen so dummen Krüppel wie diesen Taugenichts hier aufgeschwatzt zu haben«, sagte Mikael, während er Berni auf die Schulter klopfte.

»Oh, bei allen stinkenden Höllenfürzen!«, rief Berni. »Wo kommen wir denn hin, wenn jetzt schon die Schwachköpfe geistreiche Bemerkungen machen dürfen?«

Wenig später waren alle wieder ernst geworden. Es war Zeit für den Abschied. Und als sie sich unbeholfen umarmten, fiel nicht einmal Berni eine passende witzige Bemerkung ein.

Kurz bevor Mikael aufsaß, trat der alte Mann an ihn heran.

»Grüß den Baron von mir«, sagte der Hauptmann von Kirchbach. Dann senkte er die Stimme und sagte: »Fürst Ojsternig ist hier vor zwei Tagen mit fünfzig bis an die Zähne bewaffneten Männern vorbeigekommen. Er hat ein Kopfgeld auf einen gewissen jungen Rebellen ausgesetzt und alle vorgewarnt, dass dieser Bursche hier vorbeikommen würde.« Er legte ihm seine Hand, die einst stark gewesen sein musste, fest auf die Schulter. »Pass auf dich auf, Junge.«

67

Am dritten August wurde Ojsternig etwas mehr als eine Meile vor dem Zugang zum Raühnval gesichtet. So war Agomar gleich zur Stelle, um ihn zu begrüßen, als der Fürst mit seinen Männern in den Burghof einritt und sich den Staub aus den Kleidern klopfte.

Agomar bemerkte sofort, dass sein Herr von der Reise erschöpft schien. Aber er nahm in seinen Augen auch einen fiebrigen Glanz wahr, etwas wie Wut und Erregung oder beides.

Nachdem Ojsternig abgesessen war, bemerkte er den großen blutbefleckten Richtblock. »Hast du viel Arbeit gehabt?«, fragte er Agomar.

In dem Moment kam Marcus hinzu.

Ojsternig beachtete ihn gar nicht.

»Ich musste eine Hinrichtung befehlen«, antwortete Agomar.

»Rebellen?«

»Etwas Schlimmeres«, entgegnete Agomar und schüttelte erregt den Kopf. »Erinnert Ihr Euch an Lelio, den Gehilfen, den Arialdus sich genommen hatte?«

Ojsternig nickte.

»Es stellte sich heraus, dass er Euren Erben umbringen wollte«, fuhr Agomar fort.

»Welches Interesse sollte er daran haben, so etwas zu tun?«, fragte Ojsternig gleich.

Agomar sah zu Marcus.

Ojsternigs Hand fuhr sofort zu seinem Schwert und ging wutentbrannt einen Schritt auf den vorgeblichen Prinzen zu. »Du?«

»Nein, Euer Durchlaucht, es ist nicht, wie Ihr denkt«, ging

Agomar sofort dazwischen. »Der Gehilfe des Verwalters hat versucht, den Prinzen zum Verrat anzustiften, weil er sich einen Vorteil davon erhoffte. Aber der Prinz ist daraufhin sofort zu mir gekommen und hat ihn angezeigt.«

Langsam ließ Ojsternig die Hand vom Schwert sinken, doch er beäugte Marcus nach wie vor misstrauisch, während er die Hintergründe zu erfassen suchte. »Schwächling«, sagte er schließlich eiskalt, »entweder bist du wesentlich schlauer, als ich gedacht habe, oder noch viel dümmer.«

»Ich habe nur meine Pflicht erfüllt«, antwortete Marcus. Aber seine Stimme klang unsicher, und er wich dem Blick des Fürsten aus.

Ojsternig starrte ihn weiter stumm an. Dann packte er Agomar am Arm und zog ihn mit sich fort. »Ich will, dass du die Wachen verdoppelst«, sagte er zu ihm.

»Die Gefahr ist doch gebannt.«

»Es geht nicht um das hier«, sagte Ojsternig und tat die Angelegenheit mit einer verächtlichen Handbewegung ab. »Ich habe den Dreckschaufler in Konstanz getroffen. Und die Verrückte ebenfalls.« Auf seinem Gesicht erschien ein grausames, zufriedenes Lächeln. »Und den Anführer der Rebellen habe ich wahrscheinlich tödlich verwundet.«

»Den Schwarzen Volod?«, fragte Agomar überrascht. »Was wollten die Rebellen denn in Konstanz?«

»Ich habe keine Ahnung«, antwortete Ojsternig achselzuckend. »Abgesehen davon, dass sie die Verrückte als Sängerin zur Schau gestellt haben.« Er lachte. »Man nannte sie dort ›die Heilige‹.« Der Fürst verzog abschätzig das Gesicht. »Ich habe noch nie so viel Abschaum gesehen wie in Konstanz. Auf jeden Fall habe ich nach diesem Zwischenfall vom König die Erlaubnis erhalten, mich vom Hof zu entfernen ... nachdem ich zuvor erfolgreich bewiesen hatte, dass ich keinen Anschlag auf sein Leben plante. Was für Schwachköpfe!«

»Aber warum sollen wir dann die Wachen verdoppeln?«, fragte Agomar, der die Schlussfolgerungen seines Herrn nicht nachvollziehen konnte. »Wenn Ihr den Kopf der Rebellen getötet habt ...«

Ojsternig packte ihn heftig bei den Schultern. Seine Augen glänzten, fast als freute er sich auf etwas. »Ich bin sicher, dass der Dreckschaufler zurückkehrt.« Er lächelte. »Er hat der Verrückten bei der Flucht geholfen, da bin ich mir jetzt sicher. Ich weiß zwar noch nicht, wie er es angestellt hat, aber ich werde es herausfinden. Und jetzt kommt er bestimmt, um sein Weib zu befreien und sich seinen Sohn zu holen.«

»Wie hat er denn von dem Kind erfahren?«, fragte Agomar erstaunt.

»Das habe ich ihm erzählt«, gab Ojsternig stolz zurück. »Er wird kommen. Und wir werden ihn gefangen nehmen.« Er lachte zufrieden. »Und jetzt will ich meinen Erben sehen«, sagte er und eilte zum Eingang des Palas. Doch dann hielt er abrupt inne und ging noch einmal auf Agomar zu. »Ich habe keine Verwendung mehr für den Schlappschwanz«, flüsterte er, und seine Lippen kräuselten sich dabei zu einem boshaften Grinsen. »Sorge nun für seinen ›Fortgang‹.«

»Seid Ihr sicher, Euer Durchlaucht?«, fragte Agomar.

»Wobei?«, gab Ojsternig barsch zurück.

»Nun ja ... Ich habe gedacht ...« Agomar zögerte. »Wäre es nicht klüger, abzuwarten, bis Euer Thronerbe etwas größer geworden ist? Bis feststeht, dass er überlebt?«

Ojsternig blickte ihn eindringlich an. Einen kurzen Moment zog ein Anflug von Misstrauen über seine Miene. Doch gleich darauf war sein Blick wieder eiskalt. »Warum stellst du meine Befehle infrage? Verbirgst du etwas vor mir, Agomar?«

»Nein, Euer Durchlaucht«, sagte Agomar und senkte den Kopf zum Zeichen seiner Ergebenheit.

»Dieses Kind ist der Sohn des Dreckschauflers und der Leibeigenen. Er wird bestens gedeihen, so wie Unkraut«, sagte Ojsternig. »Nur die Kinder von Adligen kränkeln wie Hafer, der auf durchweichtem Boden wächst.«

»Ich werde alles Nötige in die Wege leiten, Euer Durchlaucht«, sagte Agomar.

Ojsternig betrat den Palas, doch ehe er nach oben ging, spähte er durch ein schmales Fenster wieder auf den Hof und beobachtete, dass Agomar zu Marcus ging und aufgeregt auf ihn einredete. Dann erst ging er hinauf ins erste Obergeschoss.

Eloisa stillte gerade ihr Kind und hatte das Mieder vollständig aufgeschnürt. Sie drehte sich weg und versuchte, ihre Blöße zu bedecken, als der Fürst unvermittelt in ihr Gemach platzte.

Agnete sprang sofort auf, während Lukrécia nur ein Wort zur Begrüßung sagte: »Vater.«

Ojsternig beachtete sie kaum. »Tochter«, antwortete er flüchtig. Dann näherte er sich Eloisa.

Harro knurrte.

Ojsternig trat ihn. »Ich dachte, du bist tot«, sagte er. »Offenbar habe ich dich noch nicht genug verprügelt.«

»Brav, Harro, brav«, sagte Lukrécia und kniete sich neben den Hund, als Ojsternig gerade zu einem zweiten Tritt ansetzte.

So zuckte der Fürst bloß mit den Schultern und näherte sich Eloisa. »Lass mich meinen Erben sehen«, sagte er, packte sie bei einer Schulter und zwang sie, sich ihm zuzuwenden.

Eloisa hielt ihr Mieder fest und bedeckte so die Brust, an der ihr Sohn gerade nicht saugte.

Ojsternig betrachtete das Kind und streckte eine Hand aus, um über sein Köpfchen zu streicheln.

Eloisa wich zurück.

»Versuch es erst gar nicht«, zischte Ojsternig. Dann streckte er seine Hand etwas weiter aus und fuhr dem Kleinen, der friedlich weiternuckelte, durch die blonden Haare. »Ja, es besteht kein Zweifel, wer sein Vater ist«, sagte er zufrieden. »Er ist ihm wie aus dem Gesicht geschnitten.«

»Herr . . .«, setzte Lukrécia an, »ich muss mit Euch sprechen.«

Ojsternig beachtete sie nicht, sondern betrachtete weiter das saugende Kind.

Agnete bedeutete Lukrécia, fortzufahren. Sie mussten ihm von dem Komplott zwischen Marcus und Agomar erzählen.

»Vater . . .«, wiederholte Lukrécia.

»Was gibt es denn?«, fragte Ojsternig gereizt und wandte sich widerwillig seiner Tochter zu.

Lukrécia öffnete den Mund, um etwas zu sagen, doch in dem Augenblick erschien Agomar auf der Schwelle, und die Prinzessin verstummte.

»Euer Durchlaucht«, sagte Agomar mit einem verstohlenen Seitenblick auf Lukrécia. Lucilla, die Magd, die auch seine Geliebte war, hatte belauscht, was die drei Frauen planten, und jetzt wollte Agomar unbedingt vermeiden, dass die Prinzessin mit ihrem Vater sprach. »Ich habe mit Euch . . . diese Angelegenheit zu bereden . . . aber ich sehe, Ihr seid beschäftigt. Auch Arialdus von Tarvis scheint etwas unter den Nägeln zu brennen, er muss Euch dringend über den Stand Eurer Finanzen unterrichten. Und vielleicht möchtet Ihr ja etwas essen und Euch danach ausruhen. Ein gebratener Schwan wartet schon auf Euch.«

Ojsternig nickte verärgert. »Ich komme«, sagte er. Doch vorher wandte er sich noch an Eloisa: »Hast du genug Milch?«

»Ich kann nicht klagen«, antwortete Eloisa.

Ojsternig strich noch einmal völlig versunken über das Köpfchen des Säuglings und merkte nicht, was um ihn herum vorging. Er starrte Eloisa an. »Der Junge wird Marcus III. heißen«, sagte er in herausforderndem Ton.

Eloisa hielt stolz seinem Blick stand. »Ja«, erwiderte sie.

Ojsternig zog überrascht eine Augenbraue hoch. Dann

wandte er sich zu Lukrécia um und sagte zerstreut: »Ich habe jetzt keine Zeit für dich.«

Agomar warf einen misstrauischen Blick auf die Prinzessin.

»Ich habe Hunger«, sagte Ojsternig zu Agomar. »Sag Arialdus, er soll mit seinen Büchern an meine Tafel kommen.« Während die beiden Männer fortgingen, hörten die Frauen ihn noch sagen: »Mich interessieren keine Einzelheiten hinsichtlich seines Fortgangs. Ich habe dir aufgetragen, die Angelegenheit zu erledigen. Tu es einfach und fertig.«

»Agomar vermutet etwas«, sagte Eloisa düster.

Am selben Nachmittag, noch ehe sie Gelegenheit hatte, mit ihrem Vater zu sprechen, ging es Lukrécia auf einmal sehr schlecht Sie spürte ein Ziehen in der Bauchgegend, und als sie kurz darauf in sich zusammensackte, quoll eine grünliche Flüssigkeit aus ihrem Mund.

Agnete erkannte sofort, dass sie vergiftet worden war. Sie eilte in ihre Hütte und raffte alle Gegenmittel zusammen, die sie hatte. Doch als sie damit in Lukrécias Zimmer kam, hatte die Prinzessin bereits das Bewusstsein verloren, und in den kurzen Momenten, in denen sie doch einmal die Augen öffnete, fantasierte sie und krümmte sich vor Schmerzen.

Ojsternig harrte am Bett seiner Tochter aus. Er begriff nicht, was er empfand. Neben Wut machte sich in seinem Herzen ein anderes Gefühl bemerkbar, das er verdrängte. »Wird sie leben?«, fragte er Agnete.

»Ich bezweifle es«, sagte Agnete. »Ich weiß nicht, welches Gift verwendet wurde, aber es ist sehr stark.«

Ojsternig packte die Frau an der Kehle und drückte so fest zu, dass sie beinahe erstickte. »Wenn sie stirbt, stirbst auch du!«

Als der Fürst seinen Griff wieder lockerte, hustete Agnete, dann verkündete sie frei und ohne Furcht: »Dann werde ich meine Seele schon einmal Gott anempfehlen, denn ich glaube kaum, dass ich sie retten kann.«

Ojsternig ballte die Fäuste, bis die Knöchel weiß hervortraten, und presste die Kiefer zusammen. Dann versetzte er Agnete eine so kräftige Ohrfeige, dass ihre Unterlippe aufplatzte. Daraufhin verharrte er reglos und schnaubte wie ein Stier. Schließlich deutete er mit dem Finger auf Agnete: »Tu dein Möglichstes«, herrschte er sie an. »Halt dich nicht mit Gebeten auf. Bevor ich dir den Kopf abschlagen lasse, wirst du noch genug Zeit haben, Gott anzuflehen.«

»Zieh dich aus ...«, fantasierte Lukrécia mit dünner Stimme.

Ojsternig fuhr herum.

»Ich bin ... ich bin nicht wie sie ...«, fuhr Lukrécia fort, während sie sich fahl und kraftlos im Bett wälzte. »Es tut mir leid, Vater ... Ich bin nicht wie sie ...«

Ojsternig war wie gelähmt. Er wusste, wovon seine Tochter sprach. Welcher Albtraum sie quälte.

»Es tut weh ... Vater«, hauchte Lukrécia.

Ojsternig dachte an die Nacht zurück, als seine Tochter diese Worte gesagt hatte. Damals hatte er sie zum ersten Mal genommen, weil er in ihr ein wenig von seiner verstorbenen Frau erkannte, die einst seine Sinne so erregt hatte.

»Nenn mich ... nie wieder ... Vater«, stieß Lukrécia hervor.

Der Fürst erinnerte sich, dass dies genau seine Worte gewesen waren.

»Nenn mich ... nicht Vater ... während wir«. keuchte Lukrécia. Die Worte blieben ihr im Hals stecken, während sie sich vor Schmerzen krümmte.

Ojsternig war sich nicht sicher, ob ihre Qualen von dem Gift herrührten oder von der Erinnerung an jene Nacht, als er ihr die Unschuld geraubt hatte.

»Ich werde es ... nie wieder ... sagen«, fuhr Lukrécia fort. »Nie wieder ... ich schwöre es ...«

Nach jenem Tag hatte sie kein einziges Wort mehr gesagt, nicht in all der Zeit, in der er sie missbrauchte.

»Vater...«, flüsterte Lukrécia. Nur dieses eine Wort.

Ojsternig fühlte sich unwohl in seiner Haut. Er wollte seine Tochter nicht mehr hören, deshalb fuhr er nun zu Agnete herum. »Wenn du dir sicher bist, dass sie nicht überlebt, dann schenke ihr einen schnellen Tod!«, schrie er sie fast an.

»Wie bei einem Tier?«, fragte Agnete.

»Vater...«, stammelte Lukrécia mit Kleinmädchenstimme. Es klang wie der Anfang eines Gebets.

»Mach, dass sie schweigt!«, befahl Ojsternig und stieß Agnete auf Lukrécias Bett zu.

»Euer Durchlaucht«, sagte Agnete, »Eure Tochter wollte Euch sagen...«

»Das interessiert mich nicht!«, brüllte Ojsternig.

Doch inzwischen hatte Agnete beschlossen, nicht weiter zu schweigen, sie wusste ja nicht, was gerade in Ojsternig vorging. »Eure Tochter hatte herausgefunden, dass Agomar und Marcus planen, Euch umzubringen«, stieß sie atemlos hervor.

Die Nachricht wirkte auf Ojsternig, als hätte man ihm einen Eimer kaltes Wasser ins Gesicht geschüttet. Sie riss ihn aus seiner unangenehmen Erinnerung und brachte ihn in die Gegenwart zurück. Er starrte Agnete kurz an. Dann übermannte ihn maßlose Wut. Er hob den schweren Tisch hoch und schleuderte ihn durchs Zimmer. Mit einem dumpfen Aufprall landete das Möbelstück auf dem Boden. Ojsternig drehte sich zur Tür.

»Vater...«, murmelte Lukrécia.

Ojsternig schlug die Tür hinter sich zu und rannte durch den Gang. Dabei bemerkte er nicht, dass sich hinter ihm eine hübsche Magd davonschlich, um ihrem Liebhaber Agomar zu berichten, dass sein Verrat entdeckt worden war.

Ojsternig schwang sich auf sein Pferd und preschte aus der Burg. Erst im Wald hielt er an und saß ab. Der Kopf drehte sich ihm, und er spürte, wie sich etwas in ihm auftat. Fast meinte er, das reißende Geräusch zu vernehmen, mit dem sich in seinem

Inneren ein Spalt geöffnet hatte. Und dann brannte etwas warm in seinem Körper. Er erinnerte sich, dass er sich vor einigen Monaten schon einmal so gefühlt hatte, als Emöke ihm wie einen Fluch verkündet hatte: »Du wirst lieben.« Auch damals hatte sich ein solcher Riss in seinem Herzen aufgetan. Doch damals hatte er ihn verschließen können. Und auch heute würde ihm das wieder gelingen. »Das war nicht ich in Lukrécias Zimmer«, sagte er sich laut. Und da hüllte ihn wieder diese Kälte ein, die keinem Gefühl erlaubte, ihn zu schwächen, und ließ die Wärme erlöschen, die ihm in der Brust gebrannt und ihn verletzlich gemacht hatte.

Bei seiner Rückkehr in die Burg erwartete Agomar ihn bereits.

»Was willst du?«, fragte Ojsternig. Seine Stimme war wieder hart und gefühlskalt.

»Ich muss Euch etwas gestehen«, sagte Agomar zerknirscht. »Ich habe einen Fehler gemacht.«

»Das glaube ich auch«, sagte Ojsternig mit angespannter Miene. Seine Hand lag auf seinem Schwert.

Agomar reichte ihm ein Fläschchen aus bernsteinfarbenem Glas.

Ojsternig fasste es nicht an. »Was ist das?«

»Gift«, erwiderte Agomar. »Nachdem Eure Tochter ...«, er brach ab und schüttelte den Kopf. »Ich habe das Zimmer von Marcus durchsucht.« Er drehte das Fläschchen in den Fingern. »Und das hier gefunden.« Er senkte den Kopf. »Mein Fehler war, dass ich geglaubt habe, ich hätte ihn im Griff. Während Ihr fort wart, kam er zu mir und schlug mir vor, Euch zu töten, damit er der nächste Fürst würde. Aber er hat mir gesagt, dass er nicht hier leben wolle, dass er sich mit einer großzügigen Leibrente begnügen und mir die Herrschaft über das Fürstentum überlassen würde.«

Ojsternig starrte ihn weiter undurchdringlich an.

»Ich dachte, wenn ich ihn in dem Glauben ließe, ich wäre auf seiner Seite, würde ich stets im Voraus über seine Schritte unterrichtet sein. Ich wusste ja, dass seine Tage gezählt waren, so wie Ihr es mir heute bestätigt habt. Doch dann ...« Agomar ließ den Satz unvollendet.

»Dann hat er nicht mich vergiftet, sondern meine Tochter?«, fragte Ojsternig zweifelnd. »Das ergibt keinen Sinn.«

»Er wollte Euch ohne mein Wissen vergiften«, entgegnete Agomar. »Doch ein Diener hat in der Küche versehentlich die Teller vertauscht.«

Ojsternig musterte ihn stumm. »Wie viele Dinge du in so kurzer Zeit herausgefunden hast«, sagte er schließlich. »Und wie viele hast du vor mir verborgen?«

»Wenn Ihr mir nicht mehr vertraut«, sagte Agomar und kniete sich demütig vor den Fürsten, »nehme ich Eure gerechte Strafe an.«

Ojsternig stellte ihm einen Stiefel auf die Schulter. »Hast du jemals von deinen Männern geträumt, die du verraten hast und die du von meinen Leuten hast abschlachten lassen wie räudige Hunde?«, fragte er ihn.

Ohne aufzusehen erwiderte Agomar: »Ich lebe in der Wirklichkeit, ich gebe nichts auf Träume.«

»Ich auch nicht«, sagte Ojsternig. Er verstärkte den Druck auf Agomars Schulter und stieß ihn von sich fort. »Von jetzt an bist du zu meinem persönlichen Vorkoster befördert. Und nun bring dieses Fläschchen Gift sofort der Hebamme«, sagte er. Dann betrat er den Palas.

Kaum war er dort und hatte sich versichert, dass niemand ihn beobachtete, lehnte er sich gegen die kalte Wand. Er atmete tief durch und versuchte, an etwas Grausames zu denken, denn das war die einzige Medizin, die er kannte, um Schwäche von sich fernzuhalten.

Als er wusste, was er unternehmen würde, ging er in Eloisas

Zimmer und kostete in Gedanken schon die Vorfreude auf das künftige Vergnügen aus. »Dein Dreckschaufler kehrt zurück«, sagte er zu ihr.

Er sah einen Funken Hoffnung in den Augen der jungen Frau aufblitzen.

Seine Lippen verzogen sich zu einem boshaften Lächeln. »Du kannst dich schon einmal von ihm verabschieden. Ich habe mir eine lustige Posse für ihn ausgedacht.«

68

Seit mehr als einer Stunde duckte sich Mikael in das Unterholz der Buchen am Rande des Mezesnigwalds südlich der Brücke über die Uqua, die von zwei Soldaten bewacht wurde. Von dort aus hatte er Agnetes Hütte gut im Blick. Diese lag zwar nur dreihundert Schritt entfernt, aber das Gelände dazwischen bot keinerlei Deckung.

Am Tag seiner Rückkehr ins Raühnval hatte er seinen Männern befohlen, sich in den alten Rebellenschlupfwinkel zurückzuziehen. Dann war er allein talwärts geritten und hatte auf halbem Weg im Wald gerastet. Es war Anfang August und eine warme Nacht. Er hatte auf der Erde geschlafen, auf einem Blätterteppich zwischen zwei Felsen. Bei Tagesanbruch hatte er sein Pferd am Waldrand angebunden. Seitdem beobachtete er das Dorf.

Er war beinahe ein Jahr fort gewesen, und während seiner langen Abwesenheit hatte es sich durch den Zuzug der Holzfäller und ihrer Familien stark vergrößert. Mikael hatte mindestens zwanzig neue Hütten und drei Ställe gezählt, dazu ein riesiges Sägewerk, auf dessen Rückseite ein weitläufiger Schuppen stand, in dem vermutlich die Knechte wohnten. Insgesamt, so hatte er gerechnet, mussten sich dort inzwischen mehr als hundert Leute niedergelassen haben. Und dies erschwerte seine Lage, weil er sich dort nicht mehr frei bewegen konnte. Denn selbst wenn er darauf vertrauen konnte, dass die Dorfbewohner ihn schwerlich verraten würden, wenn sie ihn sähen, wusste er nicht, wie die neu Hinzugezogenen sich verhalten würden. Ganz zu schweigen von Eberwolf, der bestimmt außer sich vor Glück gewesen wäre, ihn gefangen zu nehmen.

Die Anzahl der Weidetiere hatte sich in der kurzen Zeit verzehnfacht. Wenn er sich so umsah, konnte Mikael ahnen, was in den kommenden Jahren aus seinem schönen, üppigen Tal würde. Die Kühe und Schafe waren zu zahlreich, als dass sie auf den zu Weideland bestimmten Wiesen ihr Futter fanden, und hatten deshalb begonnen, die Abhänge des Mezesnig abzufressen. So konnte sich der Wald nicht mehr erholen. Und die wahllose Abholzung der Bäume tat ihr Übriges. In wenigen Jahren würde der Mezesnig zu einem kahlen Gipfel verkommen sein. Ojsternig verwaltete sein Herrschaftsgebiet mit dumpfer Habgier, er raffte alles an sich, ohne an die Zukunft zu denken.

In der Stunde, seit er seinen Posten bezogen hatte und Agnetes Hütte beobachtete, hatte sich dort nichts gerührt. Sie wirkte unbewohnt. Auch vor der Hütte gab es klare Anzeichen von Vernachlässigung. Der Stapel Feuerholz für den Winter war in sich zusammengebrochen, die Scheite lagen kreuz und quer über den Boden verstreut und würden dort in den nächsten Regengüssen verfaulen. Zwei Schafe waren an einer Stelle durch den Zaun geschlüpft, wo er nachgegeben hatte, und weideten nun im viel zu hohen Gras vor Agnetes Tür.

Mikael lief ein Angstschauder über den Rücken. Dass er Eloisa nicht sah, erstaunte ihn kaum. Sie wurde vermutlich auf der Burg gefangen gehalten. Aber Agnete? War sie etwa tot? Mikael kannte sie nur zu gut und wusste, sie hätte keinesfalls zugelassen, dass die Schafe ihren Kot auf ihrer schönen Wiese hinterließen. Genauso wenig hätte sie das Gras derart in die Höhe schießen lassen, denn so würde es dort bald vor Schlangen und Mäusen nur so wimmeln. Auch das Holz für den Winter hätte sie niemals auf dem Boden verfaulen lassen, da sie es doch mit so viel Mühe aufgestapelt hatte. Überdies fragte er sich, wo Harro wohl sein mochte.

Während er sich mit diesen bangen Fragen quälte und gegen die Versuchung ankämpfen musste, sich an einen der Dorfbewohner zu wenden, die auf den Hafer- und Gerstenfeldern arbeiteten, sah er Agnete endlich die Dorfstraße entlangkommen.

Du lebst!, dachte er erleichtert, und ihm fiel ein Stein vom Herzen.

Agnete ging rasch vorwärts, als müsste sie dringend etwas erledigen.

Mikael sah sich um und fragte sich, wie er die Hütte ungesehen erreichen konnte. Am anderen Ufer des Flusses grasten gemächlich zwei dicke Kühe. Sie trugen Halsbänder aus kräftigem Leder. Mikael trat aus dem Unterholz, watete durch den Fluss, der um diese Jahreszeit nicht sehr tief war, und kroch auf allen vieren zu den Kühen hin. Er beruhigte sie mit Lauten, wie die Bauern sie benutzten, dann packte er eine am Halsband. Die Kuh blieb ruhig stehen. »Braves Tier«, flüsterte Mikael ihr zu und streichelte sie. Zunächst ein wenig zögernd, doch dann folgsam ließ sich die Kuh von ihm über die Wiese hin zur Hütte führen, die Agnete inzwischen betreten hatte. Durch den massigen Leib der Kuh verdeckt, erreichte Mikael unbemerkt die Rückseite des Gebäudes. Er kroch durch das hohe Gras vorwärts und schlüpfte heimlich in die Hütte, die einmal sein Zuhause gewesen war.

Als sie ein Geräusch hinter sich hörte, fuhr Agnete herum, gerade noch rechtzeitig, um zu sehen, wie eine dunkle Gestalt auf sie zustürzte, ihr eine Hand über den Mund legte und sie vom Fenster wegzog.

»Ich bin's«, flüsterte Mikael. »Ich bin's doch.«

Agnetes Augen weiteten sich vor Überraschung, und sie riss den Mund auf. Langsam streckte sie die Hände aus, dann packte sie Mikaels Gesicht und drückte es, griff in sein Haar, sie küsste ihn und hörte gar nicht mehr auf zu wiederholen: »Junge ... Junge ... ach, mein Junge ...«

»Ja, ich bin's«, sagte Mikael gerührt. »Ich bin es wirklich ...«

»Junge ...«, sagte Agnete ein letztes Mal. Dann stiegen ihr die Tränen in die Augen, und während sie sie mit dem Handrücken abwischte, lachte sie befreit auf. »Eloisa hatte ja gesagt, du würdest zurückkommen.« Doch gleich darauf erfüllte Sorge ihr faltenreiches Gesicht. »Was machst du hier? Das ist viel zu gefährlich! Ojsternig ...«

»Sch...«, machte Mikael und legte ihr einen Finger auf die Lippen. Er zog sie an sich und hielt sie fest.

»Junge ...«, wiederholte Agnete gerührt und überließ sich seiner Umarmung. Schließlich löste sie sich von ihm, um ihn erneut anzusehen. »Du bist es wirklich«, sagte sie, als müsste sie sich erst noch selbst überzeugen.

Mikael entdeckte tiefes Leid in ihren Augen. Er fürchtete sich beinahe davor, ihr diese Frage zu stellen, aber er musste es tun.

»Eloisa?«

»Ihr geht es gut ...«, erklärte Agnete zögernd.

»Habe ich einen Sohn?«, fragte Mikael drängend.

Agnete schüttelte den Kopf. »Du hast einen ...«, brachte sie mühsam hervor, »und hast ihn doch nicht ...«

»Ich versteh nicht ...«

»Komm, setz dich, Junge«, sagte Agnete und nahm ihn bei der Hand. Sie setzten sich an den Tisch. Agnete zögerte sichtlich.

»Ich bitte Euch!«

Da erzählte ihm Agnete mit angsterfüllter Stimme von Eloisa, wie seine Botschaft durch Lucio sie erreicht und wie gut sie ihr getan hatte. Sie schilderte Eberwolfs Tod und Ojsternigs grausamen Plan, berichtete darüber, wie sie beide auf der Burg gefangen gehalten wurden und dass Prinzessin Lukrécia im Sterben lag. Als sie fertig war, senkte sie den Kopf und nahm Mikaels Hand. »Du musst jetzt stark sein«, sagte sie. Als sie den Blick hob, entdeckte sie in Mikaels Augen ein entschlossenes

Funkeln, das sie überraschte. »Du bist ein Mann geworden«, murmelte sie.

»Ich kann das nicht zulassen«, sagte Mikael und überlegte bereits fieberhaft, was er tun konnte.

»Begeh keine Unbesonnenheit«, flehte Agnete ihn an und nahm sein Gesicht wieder in ihre Hände. »Sieh mich an und hör mir zu. Du kannst nichts tun. Ojsternig hat ein ganzes Heer Bewaffneter, wahrscheinlich mehr als einhundertfünfzig Mann. *Er* hat Eloisa gesagt, dass du zurückkommen würdest ...« Sie unterbrach sich. »Woher konnte er das nur wissen?«, fragte sie.

»Grübelt nicht weiter darüber nach. Das ist nicht wichtig«, erwiderte Mikael hart.

»Bitte, hör auf mich«, wiederholte Agnete besorgt. »Wenn Eloisa das Kind abgestillt hat, braucht Ojsternig sie nicht mehr und wird sie wieder nach Hause gehen lassen. Dann könnt ihr beide fliehen und euch ein neues Leben aufbauen ...«

»Und mein Sohn?«, fragte Mikael und schnaubte zornig.

Agnete senkte wortlos den Kopf.

»Er ist mein Sohn.« Mikael betonte jedes Wort einzeln. »Das werde ich niemals zulassen.«

»Wenn du dich umbringen lässt, verliert Eloisa nicht nur dich, sondern auch euren Sohn. Und was soll dann mit ihr geschehen? Denkst du auch an sie?«, fragte Agnete unendlich traurig.

»Wie heißt er?«

Agnete zögerte einen Moment, bevor sie sagte: »Marcus III.«

Mikaels Gesicht zeigte Stolz. »Das ist der Name, der ihm zusteht.«

Agnetes Augen füllten sich erneut mit Tränen. »Das Gleiche hat Eloisa auch gesagt.«

Mikael hörte ihr jedoch nicht zu. Sein ganzer Leib bebte vor

Zorn. »Das kann ich nicht zulassen«, wiederholte er unbeugsam.

Plötzlich scholl ein Ruf von draußen herein. »Hebamme!«

Agnete zuckte zusammen.

Mikael legte die Hand an sein Schwert.

Agnete ging zum Fenster. »Ich komme schon, ihr Schufte.« Dann wandte sie sich besorgt an Mikael. »Mach ja keine Dummheiten! Es sind drei. Und sie sind bewaffnet. Ich muss jetzt zur Burg zurück«, sagte sie, während sie die Truhe von der Luke schob. »Die Prinzessin liegt im Sterben. Ich suche ein Gegengift, obwohl die Lage hoffnungslos ist.« Sie öffnete die Luke. »Tu es für Eloisa. Versteck dich und warte, bis wir gegangen sind.«

Mikael schlüpfte in das dunkle Loch. Während Agnete die Luke schloss und die Truhe wieder an ihren Platz schob, kam er sich vor, als würde er tief in seine Vergangenheit eintauchen. Hier hatte sein neues Leben begonnen. Hier hatte er gelernt, die Kälte zu ertragen, hatte gelernt, dass er fortan Mikael hieß und nicht mehr Marcus II. von Saxia. Hier hatte er Hubertus die Maus kennengelernt, seinen ersten Freund. Er hatte einen Kloß im Hals, als er in der Dunkelheit das Strohlager auszumachen glaubte, wo er so viele Monate verbracht hatte, während aus dem Prinzen der Leibeigene wurde.

»Also? Bist du so weit?«, hörte er einen Soldaten rufen, als er die Hütte betrat.

»Nein, das bin ich nicht, du Dummkopf«, erwiderte Agnete feindselig.

»Wie lange brauchst du denn noch?«, fuhr der Soldat sie an. Seine schweren Stiefel brachten den Dielenboden zum Knarren.

Bei dem Geräusch fühlte Mikael sich daran erinnert, wie tröstlich es für ihn gewesen war, wenn er bei Tagesanbruch Agnetes und Eloisas erste Verrichtungen nach dem Erwachen gehört hatte. Er entsann sich, wie allein er sich gefühlt und wie wenig er gehabt hatte, dass er sich mit dem Klappern der Holzschuhe von zwei Frauen auf dem Boden über seinem Kopf begnügte. Er erinnerte sich an die heiße Brühe zum Frühstück, in die er zunächst immer seine von der nächtlichen Kälte steif gefrorenen Finger getaucht hatte, bevor er davon aß. An das Stück Speck, das Eloisa ihm einmal heimlich hineingetan hatte. Und an die Zwiebel, die er mit Hubertus geteilt hatte. Doch statt Rührung ergriff ihn heftiger Zorn, und seine Finger schlossen sich krampfhaft um sein Schwert. »Du wirst mir nicht nehmen, was ich mir erobert habe«, flüsterte er. »Es gehört mir.«

»Agomar hat dir doch das Gift gegeben«, brummte der Soldat weiter. »Was braucht es da noch, ein Gegenmittel zu finden?«

»Willst du das tun?«, rief Agnete aus. »Na gut. Nur zu. Da sind meine Kräuter. Rette du die Prinzessin.«

Der Soldat stieß einen verächtlichen Laut aus. »Beeil dich, Alte«, sagte er zu ihr.

Mikael hörte in seinem Versteck, wie Agnete einige Fläschchen zusammenraffte und sie wohl in einen Beutel tat. »Pass auf, dass du nichts zerbrichst, du hirnloser Tölpel«, sagte sie zu dem Soldaten.

Dann hörte Mikael, wie der Soldat zur Tür schritt.

»Weißt du eigentlich, dass es dem alten Raphael sehr schlecht geht?«, hörte er Agnete übertrieben laut sagen.

»Wem?«, fragte der Soldat.

»Du solltest ihn besuchen«, redete Agnete einfach weiter.

»Wenn ich nicht mal weiß, wer zum Henker das ist? Hast du jetzt völlig den Verstand verloren, Alte?«, fuhr der Soldat sie an, während beide die Hütte verließen.

Mikael wusste, dass Agnetes Worte eigentlich ihm galten.

»Also, ich sage dir, du solltest ihn besuchen«, wiederholte Agnete draußen noch einmal genauso laut wie vorher.

Mikael hörte, wie die Soldaten höhnisch lachten und alle davonritten. Als er sicher sein konnte, dass niemand mehr da war, stieg er die Leiter nach oben. Sie hatte immer noch eine durchgebrochene Sprosse. Er stemmte sich gegen die Falltür und drückte sie trotz der Last der Truhe darauf mühelos nach oben. Mikael musste daran denken, wie schwer er sich damit in jener Nacht getan hatte, als Hubertus die Freiheit gewählt und, seiner Natur folgend, weggelaufen war. Und er erinnerte sich daran, wie er sich davor gefürchtet hatte, das dunkle Keller- loch zu verlassen und dem Leben draußen die Stirn zu bieten. Er hatte Eberwolfs Schikanen erduldet, hatte in Angst gelebt, hatte sich stets als der Schwächste von allen gefühlt, unfähig, sich der Arbeit und dem Leben zu stellen. Doch jetzt war er stark. »Nein, du wirst mir nicht nehmen, was mir gehört, Ojsternig«, sagte er und richtete sich zu voller Größe auf.

Als er hinausging, waren die Kühe nicht mehr da, um ihm Deckung zu bieten. Aber er war schnell. Selbst wenn er ent- deckt worden wäre, hätte ihn niemand mehr eingeholt. Dort im Unterholz wartete sein Pferd. Kaum jemand kannte den Wald so gut wie er, dort war er in seinem Element. Er rannte mit gesenktem Kopf los und hatte die dreihundert Schritt blitz- schnell zurückgelegt. Während er vom Ufer ins Kiesbett hinun- tersprang, sah er sich um, ob jemand ihm folgte. Und so stieß er beinahe gegen einen Fremden, der wie ein Holzfäller gekleidet war und vom Fluss nach oben kletterte.

Ihre Blicke begegneten sich kurz.

Der Holzfäller bemerkte das Schwert, das Mikael sofort aus dem Gürtel gezogen hatte. »Ich habe nichts, bitte töte mich nicht!«, jammerte er aus Angst, Mikael könnte ein Räuber sein.

Mit einem Satz glitt Mikael an ihm vorbei, watete durch den Fluss und drang ins Unterholz vor. Als er sich umdrehte, sah er noch, wie der Holzfäller zu den Wachsoldaten auf der Brücke lief und in seine Richtung zeigte.

Mikael stieg rasch auf sein Pferd und galoppierte hinein in den Wald, wobei er sich stets abseits der Straße hielt. Als er den Mosesfinger vor sich sah, der sich über der kleinen Lichtung mit Raphaels Hütte erhob, band er dort sein Pferd an den niedrigen Zweig einer Lärche. Neben Raphaels Maultier war ein Pferd an den Zaun angebunden. Mikael erkannte es sofort. Es war die weiß-rote Schecke von Lucio.

Ohne weitere Vorsicht überquerte er das Feld, auf dem er als Kind gelernt hatte, wie man mit der Hacke arbeitet, und betrat die Hütte.

Lucio, der neben Raphaels Lager saß, sprang auf und hielt seinen Dolch gezückt.

Mikael hob die Hände. »Ich bin's, Lucio«, sagte er und grinste breit. Er drückte ihn herzlich an sich. Erst dann erblickte er Raphael auf seinem Lager.

Der alte Mann lächelte ihn an. Aber er war blass geworden, und seine Kraft schien ihn verlassen zu haben. Er kam Mikael kleiner vor und schmächtig. Die Haut an seinen Händen war dünn wie Papier, die Finger verkrümmt. Doch aus seinen Augen strahlte noch das reine Licht seiner Klugheit. »Mein Junge!«, rief er glücklich aus. »Ich habe gehofft, dass ich dich wiedersehe. Das ist wirklich eine schöne Überraschung.«

»Wie geht es Euch?«, fragte Mikael und kniete sich neben ihn.

Raphael lächelte heiter und wehmütig zugleich. »Ich bin am Ende meiner Reise angelangt«, antwortete er.

»Wie üblich erzählt Ihr einen Haufen Unsinn«, erklärte Mikael kopfschüttelnd.

»Und wie üblich verstehst du überhaupt nichts«, erwiderte Raphael. Dann nahm er seine Hand.

Und Mikael spürte, wie schwach der alte Mann war.

Raphael betrachtete ihn. »Du bist zurückgekehrt«, sagte er glücklich. »Hast du gelernt, mit dem Schwert umzugehen?«, fragte er ihn.

»Ihr müsst mir noch einige Kniffe beibringen«, sagte Mikael. »Genau wie mit der Hacke.«

Raphael lachte leise bei der Erinnerung. »Was für ein schlechter Bauer du doch immer gewesen bist. Aber ich bin sicher, mit dem Schwert kannst du besser umgehen. Das hast du im Blut. Ich lese das . . .«

»Um Gottes willen, fangt jetzt nicht wieder mit der Geschichte vom starken Herzen an«, unterbrach ihn Mikael scherzhaft.

»Hast du es genährt?«, fragte Raphael ernst.

Auch Mikael lachte nun nicht mehr. »Nein, in Konstanz ist es geschrumpft wie eine Trockenpflaume«, erwiderte er. Doch dann lächelte er. »Aber seit ich mich entschlossen habe zurückzukommen, schlägt es wieder.«

Raphael legte ihm eine Hand auf die Brust. »Ja«, sagte er leise.

Die beiden sahen einander stumm an, so wie früher. Sie brauchten keine Worte.

Nach einer ganzen Weile sagte Mikael: »Der Hauptmann von Kirchbach schickt Euch seine Grüße.«

»Wer ist das?«, fragte Raphael, dessen Augen auf einmal Wehmut erfüllte.

»Ich kenne zwar seinen Namen nicht«, sagte Mikael, »aber er hat mir zwei schreckliche Narben auf der Brust in Form eines Kreuzes gezeigt. Er hat gesagt, dann würdet Ihr schon wissen.«

Raphael nickte. Seine Augen wurden feucht. »Ettore Salvemini«, murmelte er gerührt. Er lächelte Mikael an und sagte: »Ich muss mich jetzt ein wenig ausruhen, mein Junge. Du und Lucio, ihr werdet bestimmt viel zu besprechen haben.« Dann wurde sein Blick abwesend, und er versank in der Vergangenheit.

Mikael stand auf und ging zu Lucio, der gerade das Abendessen kochte. »Wie geht es deiner Familie? Hast du sie wiedergesehen?«, fragte er ihn.

Lucio grinste, während er die Suppe aus Gerste und Kaninchenfleisch umrührte. »Ja. Die beiden Jungen sind groß und stark geworden.«

»Und deine Frau?«, fragte Mikael leicht besorgt.

»Ich wusste gar nicht mehr, dass sie so viel gefurzt hat, als wir noch zusammenlebten«, sagte Lucio lachend. »Aber jetzt bin ich nur ein oder zwei Mal die Woche bei ihr, deshalb ist es nicht so schlimm.« Doch seine Augen strahlten vor Liebe.

»Danke«, sagte Mikael. »Ich weiß, dass du Eloisa meine Nachricht gebracht hast.«

»Ein Versprechen ist ein Versprechen«, antwortete Lucio und zuckte verlegen mit den Schultern. »Hier hat sich die Lage noch verschlimmert seit damals, als ich weggegangen bin«, fuhr er fort. »Dravocnik wird zwar nicht mehr so überwacht, es halten sich weniger Soldaten dort auf, seit dieser Bastard Ojsternig in dein Raühnval umgezogen ist. Doch bei uns herrscht schreckliche Armut, glaub mir. Manche Bergarbeiter graben mit den Fingernägeln nach einer neuen Ader. Anderen ist die Flucht gelungen. Aber viele sind unterwegs mit ihren Familien verhungert oder erfroren ...«

Mikael nickte ernst und sagte dann: »Auch Volod ist unterwegs gestorben.«

Lucio schwieg. Er starrte schweigend in die Suppe, die dort auf dem Feuer träge vor sich hin köchelte.

Mikael schwieg ebenfalls. Es wirkte beinahe, als würden sie ein stummes Gebet für Volod sprechen.

»Andere wollen sich jedoch nicht fügen«, fuhr Lucio fort. »Ich habe die Männer zu einer Gruppe zusammengeschlossen, ganz so, wie Volod es mich gelehrt hat. Wir sind etwa fünfzig. Aber wir haben keinen Anführer. Deshalb wissen wir nicht so recht, was wir tun sollen. Hin und wieder stehlen wir ein paar Tiere. Ojsternig hat so viele davon, dass er es nicht einmal bemerkt. Manchmal greifen wir auch einen Zug Kaufleute an, die mit ihm Handel treiben.« Er hob den Kopf zu Mikael. »Hast du gesehen, wie er den Wald kahl schlagen lässt?«

Mikael nickte.

»Es gibt kaum noch Hirsche. Die Wölfe finden keine Beute mehr und tauchen auf der Suche nach Nahrung inzwischen am Ortsrand von Dravocnik auf. Sie wühlen in den Abfällen, doch früher oder später werden sie auch ein Kind anfallen, das sich von der Mutter entfernt hat. Und wenn sie einmal Menschenfleisch gekostet haben, werden sie in ganzen Rudeln aus den Bergen herabgestürmt kommen.« Er schwieg kurz. »Bist du zurückgekommen, um unser Anführer zu werden?«

»Das weiß ich nicht ...«

»Ab und zu rede ich mit den Leuten aus dem Raühnval, wenn ich sie im Wald treffe«, erklärte Lucio ernst. »Du kannst dir nicht vorstellen, was sie über dich sagen. Du bist der Einzige, der sich Ojsternig stets entgegengestellt hat. Du hast Emöke zur Flucht verholfen. Und dann sagen sie noch, dass du sie schon als kleiner Junge gerettet hast ...« Er sah ihn eindringlich an. »Du weißt überhaupt nicht, was du für sie getan hast ...«

»Ach, Unsinn ...«

»Nein«, fuhr Lucio fort. »Du hast einen Samen in ihr Bewusstsein gepflanzt ...«

»Ich habe gar nichts gepflanzt«, sagte Mikael abwehrend. »Offenbar haben sie diesen Samen schon in sich getragen.«

»Dann hast du ihn eben gewässert«, erwiderte Lucio. »Die Leute sprechen mehr über dich als über den Schwarzen Volod.« Lucio packte ihn bei den Schultern. »Es gibt wenige, die mit deiner Gabe geboren werden. Ich weiß zwar nicht, worin genau diese Gabe besteht, aber sie ist es, die alle wahren Anführer auszeichnet.«

Mikael machte sich verlegen los.

»Du gibst ihnen Hoffnung«, beharrte Lucio. »Lass sie nicht im Stich.«

Die gleiche Bitte habe ich selbst an Volod gestellt, dachte Mikael, als ich ihn damals in seinem Schlupfwinkel aufgesucht habe. Nein, er würde sie nicht im Stich lassen. Er schaute zu Raphael hinüber. »Unterstützt der Baron euch?«

Lucio lächelte. »Das hat er schon immer. Er ist ein großer Mann.« Er sah Mikael an. »Er hat eine Schwäche für dich. Manchmal, wenn nachts das Fieber steigt, ruft er deinen Namen.«

Sichtlich bewegt ging Mikael zu Raphael und setzte sich neben ihn.

Der alte Mann atmete langsam, seine Augen waren geschlossen. Und ohne sie zu öffnen, tastete er nach Mikaels Hand.

Mikael nahm sie. »Ihr habt alles gehört?«, fragte er ihn.

Raphael nickte. »Ja, und es überrascht mich nicht.«

»Ich weiß nicht, wo ich anfangen soll«, erklärte Mikael.

Raphael hielt die Augen weiter geschlossen, doch mit der Hand fuhr er tastend über Mikaels Brust nach oben bis zu der Stelle, wo das Herz saß. Dort ließ er sie liegen. »Antworte mir, ohne zu überlegen«, sagte er. »Warum bist du zurückgekommen?«

»Für Eloisa und meinen Sohn.«

»Und warum noch?«

»Weil es Zeit ist, dass die Welt sich ändert«, erwiderte Mikael.

Raphael nickte wortlos. »Ja, es ist Zeit«, sagte er schließlich. »Siehst du, dass du in deinem Herzen weißt, wo du anfangen musst?« Er ließ sich von Mikael aufhelfen, und die drei setzten sich an den Tisch, um zu essen.

Draußen begann die Dunkelheit, die Umrisse der Umgebung aufzulösen.

In der Stille hörte man ein Pferd über die Wiese herangaloppieren.

Mikael und Lucio sprangen auf und stellten sich mit gezückten Schwertern zu beiden Seiten der Tür auf.

»Vielleicht ist es einer von uns«, flüsterte Lucio. »Ich habe einen Mann zur Burg geschickt, um dort auszuspähen, ob demnächst Handelszüge abreisen oder eintreffen.«

Kurz darauf klopfte jemand, erst drei Mal und dann zwei Mal, an die Tür.

Lucio entspannte sich und öffnete. »Komm rein, Gabriel.« Er deutete auf Mikael. »Das hier ist ein alter Freund aus den Zeiten des Schwarzen Volod. Du hast bestimmt schon von ihm gehört. Das ist Mikael aus dem Raühnval.«

Gabriel, ein kleiner, schmächtiger Mann um die zwanzig, riss die Augen auf. »Du bist also der Mikael, der die Verrückte aus der Burg herausgeholt hat?«, rief er voller Bewunderung aus.

Mikael blickte ihn durchdringend an. »Wenn du sie noch einmal ›die Verrückte‹ nennst, schlage ich dir alle Zähne aus.«

Raphael lachte schallend.

»Nun? Was hast du herausgefunden?«, fragte Lucio Gabriel.

Der schüttelte den Kopf. »Mindestens drei Wochen lang tut sich gar nichts.«

»Komm, setz dich und iss«, forderte Lucio ihn auf.

Gabriel machte sich über die Reste der Suppe her. Als er auch noch den Teller abgeleckt hatte, nahm er einen langen Schluck Bier. »Kennt ihr eine ... Eloisa Veedon?«, sagte er abwesend.

»Warum?«, fragte Mikael ihn gleich.

Raphael setzte sich angespannt auf seinem Stuhl auf.

Gabriel sah beide an. »Es tut mir leid ...«, flüsterte er.

»Was?« Mikael sprang auf und packte ihn am Kragen.

»Während ich fortritt, habe ich die Boten laut verkünden hören, dass . . .«, Gabriel hielt verlegen inne, »dass diese Eloisa Veedon versucht hat, das Kind der Prinzessin zu entführen, und . . .«

»Und . . .?« Mikaels Augen waren groß und angsterfüllt.

». . . morgen für ihr Vergehen hingerichtet wird.«

69

Eloisa konnte es kaum fassen. Ganz plötzlich waren ihre Tage, die bis zu diesem Augenblick von der Angst, ihr Kind zu verlieren, bestimmt gewesen waren, wieder schön und wunderbar. Agnete hatte ihr von ihrer Begegnung mit Mikael erzählt, und seine Rückkehr hatte beiden neue Hoffnung gegeben. Eloisa hatte gespürt, wie ihr Herz sich mit noch mehr Liebe für Mikael füllte. »Er ist zurückgekommen!«, wiederholte sie ständig wie verrückt vor Freude. »Dein Vater ist zurückgekommen!«, flüsterte sie ihrem Sohn ins Ohr und bedeckte ihn mit Küssen.

Am folgenden Abend betrat Ojsternig Eloisas Zimmer.

»Wo ist meine Mutter?«, fragte Eloisa, die sie den ganzen Tag nicht gesehen hatte, da sie nach wie vor das Zimmer nicht verlassen durfte. Sie brannte darauf, von ihr zu erfahren, ob sie Mikael noch einmal begegnet war. Und sie wollte sich noch einmal von ihr erzählen lassen, dass Mikael lebte und wie schön und stark er war. Sie wurde nicht müde, es zu hören.

»Deine Mutter kümmert sich um die Prinzessin«, antwortete Ojsternig. »Sie hat keine Zeit für dich.« Dann näherte er sich ihr und streckte die Arme nach dem Kind aus. »Gib ihn mir.«

Eloisa wich einen Schritt zurück.

Ojsternig packte das Kind. »Er gehört mir«, sagte er und riss es ihr aus den Händen.

Den ganzen Nachmittag über hatte Eloisa unten im Tal die Trommler gehört. Und sie wusste, wenn in Ojsternigs grausamem Reich die Trommeln dröhnten, war dies nie ein gutes Zeichen.

Der Fürst wandte sich einer alten Magd zu, die gerade in der

Tür erschienen war. In einer Hand trug sie ein seltsames Gerät und in der anderen eine mit einer Membrane aus Darm verschlossene Zinnflasche. »Tu, was dir befohlen wurde«, sagte er zu der Magd und verließ mit dem Kind im Arm den Raum.

»Wohin bringt Ihr meinen Sohn?«, rief Eloisa ihm ängstlich nach.

»Das ist nicht dein Sohn«, antwortete Ojsternig schon auf dem Flur.

»Was geschieht hier?«, fragte Eloisa die Magd.

Die alte Frau sah sie an. »Mach deine Brüste frei«, sagte sie nur.

Eloisa bewegte sich nicht.

»Wenn du nicht gehorchst, muss ich zwei Soldaten rufen«, erklärte die Alte schroff. »Die haben derbe Hände und wenden Gewalt an. Je leichter du mir meine Aufgabe machst, umso besser für dich.«

Eloisa öffnete langsam das Mieder.

Die Alte entfernte die Membrane von der Zinnflasche und stellte diese auf den Tisch. »Beug dich vor«, sagte sie.

Eloisa betrachtete das Gerät in der Hand der Magd. Eine Art Kegel, der aus einem Kuhhorn gefertigt war, das man ausgehöhlt und an dem spitz zulaufenden Ende abgeschnitten hatte. Am anderen Ende befand sich ein Eisenring an einem Zugband, das mit einem runden Saugnapf aus gegerbtem Darm im Inneren des Horns verbunden war.

»Beug dich vor«, wiederholte die Alte.

Eloisa gehorchte, ihre vor Milch strotzenden Brüste hingen schwer herab.

»Jetzt bleib so«, sagte die Dienerin. Sie setzte das spitze Ende des Horns mit dem Loch auf den rechten Busen auf und begann, am Zugband zu ziehen.

Eloisa spürte den Sog, und schon lief die Milch aus ihrer Brust.

Als die Magd das Zugband so weit wie möglich nach unten gestreckt hatte, ließ sie wieder ein wenig lockerer und goss die Milch schließlich in die Zinnflasche, sorgsam darauf bedacht, nichts zu verschütten.

Eloisa betrachtete ihre Brust. Sie kribbelte, und dort, wo das Horn auf der Brust aufgelegen hatte, war ein roter Ring zurückgeblieben.

»Noch mal«, sagte die Alte.

»Warum kann ich meinen Sohn nicht stillen? Was hat das alles zu bedeuten?«, fragte Eloisa, während Angst ihr die Kehle zuschnürte.

Die Magd antwortete ihr nicht. Sie setzte das Gerät auf die Brust und fuhr fort, bis sie alle Milch herausgesogen hatte.

Eloisa weinte still und gedemütigt vor sich hin, beugte sich willenlos nach vorn. Ihre Brust schmerzte, und einige Blutgefäße, die rund um die Brustknospe geplatzt waren, bildeten an der Oberfläche ein rotes Spinnennetz.

»Jetzt die andere«, sagte die Alte. »Halt still.« Sie setzte das Gerät auf die linke Brust auf und molk Eloisa wie eine Kuh.

Mit der Milch, die die Dienerin aus ihren Brüsten auspresste, füllte sie die ganze Flasche und verschloss sie zufrieden. Sie sah Eloisa an. »Du hast sehr viel Milch. Das Kind wird heute keinen Hunger leiden«, sagte sie und wandte sich zum Gehen.

»Was geschieht hier, um Gottes willen?«, fragte Eloisa noch einmal, während sie mit zitternden Händen ihr Mieder wieder zuschnürte.

Die Trommelwirbel kamen näher, doch noch immer konnte man nicht hören, was der Bote verkündete.

Plötzlich wurde die Tür aufgerissen.

»Tochter!«, schrie Agnete verzweifelt. Ihr Gesicht war tränenüberströmt.

Dann wurde sie von zwei Soldaten gepackt, die sie grob nach hinten zerrten.

»Mutter!«, schrie jetzt auch Eloisa und rannte auf Agnete zu.

Doch die Tür wurde ihr heftig vor der Nase zugeschlagen, während Agnetes Schreie immer ängstlicher klangen.

»Mutter!«, rief Eloisa und klammerte sich an die Türklinke.

Sie hörte, wie von außen der Riegel vorgeschoben wurde.

Eloisa drückte vergeblich die Türklinke herunter. Dann hämmerte sie mit beiden Händen gegen die Tür. »Mutter!«

»O Gott!«, hörte sie Agnetes verängstigte Stimme. »O Gott, nein! Lass das nicht zu!«

Nun hatten die Trommler das Burgtor erreicht.

Man hörte einen dumpfen Schlag, und Agnetes Schreie verstummten.

Eloisa legte das Ohr an die Tür und glaubte zu hören, wie ein Körper den Flur entlanggeschleift wurde. Mit angstgeweiteten Augen wandte sie sich an die Magd.

Die Trommeln hatten inzwischen den Burghof erreicht. Der Klang der Holzstöcke auf den mit Eselshaut bespannten Instrumenten ließ die Luft erzittern, und der pulsierende Rhythmus drang übermächtig in den Raum ein.

»Ich bitte dich. Hast du denn überhaupt kein Herz?«, flehte Eloisa mit erhobenen Händen die Magd an.

Die Trommeln verstummten gleichzeitig.

»Übermorgen, Freitag, am achten August des Jahres 1415, wird mit dem Segen des Allmächtigen und nach dem Willen unseres geliebten Herrn, des Fürsten Ojsternig, Herrscher über die Gebiete von Dravocnik und Saxia ...« Die volltönende Stimme des Boten verstummte, während die Trommeln wieder erklangen.

»Was geschieht übermorgen?«, fragte Eloisa. Die Angst zerriss ihr das Herz, denn sie fürchtete, man könnte Mikael gefangen genommen haben.

»Übermorgen wirst du hingerichtet«, antwortete die Magd, und ein boshaftes Lächeln kräuselte ihren zahnlosen Mund.

Eloisa hörte nichts mehr um sie herum. Weder die Trommel-wirbel noch den Boten, der ihr Todesurteil verkündete. Alles in ihr und um sie herum war Schweigen. Sie fiel auf die Knie und verharrte so, taub der ganzen Welt gegenüber, bis die Tür sich öffnete und Agomar sie von zwei Soldaten mit Gewalt aufrich-ten ließ. Sie sah durch sie hindurch.

Erst draußen auf dem Flur begriff sie allmählich, dass sie sterben würde. Die Furcht, die sie bis jetzt erfolgreich verdrängt hatte, überfiel sie nun mit solcher Macht, dass sie am ganzen Körper zitterte. Sie versuchte sich zu befreien, aber die Soldaten hielten sie fest an den Armen gepackt und schleppten sie mühe-los weiter, obwohl sie sich mit den Füßen gegen den Boden stemmte.

Als sie an Lukrécias Zimmer vorbeikamen, wurde ihr auf ein-mal klar, was ihr Tod bedeutete.

»Ich bitte Euch«, flehte sie Agomar an. »Im Namen der Barmherzigkeit, lasst mich ein letztes Mal mit der Prinzessin sprechen.«

»Die Prinzessin liegt im Sterben«, antwortete Agomar kalt.

»Ich bitte Euch«, wiederholte Eloisa entschlossen. »Das könnt Ihr mir nicht verweigern.«

»Ich kann tun, was ich will«, sagte Agomar. Doch dann öff-nete er die Tür zu Lukrécias Zimmer und befahl den Soldaten, Eloisa loszulassen.

Eloisa betrat den Raum, der nach den schlechten Säften der Sterbenden roch und nach den Kräutern und Gegenmitteln, mit denen Agnete versuchte, das Gift zu bekämpfen.

Lukrécia lag auf dem Bett. Ihre Augen waren halb geschlos-sen und trübe.

Eloisa näherte sich dem Betthaupt. »Prinzessin . . .«, sagte sie leise.

Doch Lukrécia rührte sich nicht.

Daraufhin nahm Eloisa ihre Hand. Sie war kalt und schlaff.

»Beeil dich«, hörte sie Agomar hinter sich.

»Prinzessin ...«, fuhr Eloisa fort, »bitte, Ihr müsst leben ...«
Ihre Stimme brach. Sie lehnte ihren Kopf an Lukrécias hagere
Schulter. »Prinzessin, bitte, Ihr müsst leben... sonst wird mein
Kind ...« Sie schluchzte auf. »Sonst wird mein Sohn ...«, fuhr
sie verzweifelt fort, »niemanden haben, der sich um ihn küm-
mert ...«

»Das Gespräch ist beendet. Kommt jetzt«, drängte Agomar
barsch.

»Ihr habt es versprochen, Prinzessin«, sagte Eloisa lauter wer-
dend und drückte ihre Hand. »Ihr habt mir versprochen, dass
Ihr für ihn kämpfen würdet!«

»Sie kann dich nicht hören, blöde Schlampe«, sagte Agomar.
»Hast du das immer noch nicht begriffen?«

Lukrécias Hand bewegte sich kaum merklich in dem Versuch, die von Eloisa zu drücken.

Eloisa hielt den Atem an. »Nein, sie hört mich«, flüsterte sie.
Sie wandte den Kopf und wollte schon gehen, da bemerkte sie
auf dem niedrigen Tisch neben dem Bett das Fläschchen mit
dem Gift, für das Agnete gerade verzweifelt ein Gegenmittel
suchte. Sie stand auf, und obwohl sie selbst nicht wusste, warum, nahm sie das Fläschchen und ließ es rasch in eine Tasche
ihres Rocks gleiten, ohne dass Agomar oder die beiden Soldaten
etwas davon bemerkten.

Dann ließ sie sich fügsam in die unterirdischen Verließe bringen, wo man sie in eine trotz der sommerlichen Jahreszeit
feuchte Zelle einschloss, deren einziges Fenster schmal wie eine
Schießscharte und unerreichbar hoch war.

In dieser Nacht, als sie zitternd auf dem verfaulten Stroh lag,
begriff sie, warum sie das Fläschchen mit dem Gift genommen
hatte. In jenen Jahren hatte sie zu viele Hinrichtungen miterle-
lebt, um nicht zu wissen, welch grässlicher Todeskampf sie erwartete. Sie würde sich selbst töten, um nicht lebend gehäutet

oder auf einem Scheiterhaufen verbrannt zu werden, die Eingeweide herausgerissen zu bekommen oder auch einfach nur gehängt zu werden. Sie stellte sich vor, wie die scharfe Klinge des Henkers in die Haut auf ihrem Rücken eindrang. Oder wie ein Messer ihren Bauch aufschlitzte. Wie die Flammen sie verzehrten. Sie sah sich in einer Schlinge hängen, während ihre Beine im Leeren zappelten. Die ganze Nacht über hatte sie vergeblich versucht, diese schrecklichen Bilder zu verdrängen, und jedes Mal schien sie die Schmerzen nur noch deutlicher zu spüren, zu denen man sie verurteilt hatte. Sie hatte zur Muttergottes gebetet, doch auch das hatte ihr keine Erleichterung gebracht. Deshalb hatte sie beschlossen, das Fläschchen mit dem Gift auszutrinken, weil sie sich davon einen raschen Tod erhoffte.

Während die Morgendämmerung ihres letzten Tages anbrach und ihr kaltes Licht durch das schmale Fenster fiel, entkorkte Eloisa das Fläschchen und führte es an ihre Lippen. Sie roch an dem Gift. Ein süßlicher Geruch.

Dann hörte sie Schritte vor ihrer Zelle. Schnell stöpselte sie das Fläschchen zu und versteckte es wieder.

Die Tür öffnete sich, und die alte Magd wurde hereingeführt, die sie am Vortag gesehen hatte.

»Mach die Brust frei«, sagte sie. »Du weißt ja jetzt, wie das geht.« Sie hielt das Gerät in der Hand, mit dem man die Milch abpumpte, und in der anderen die Zinnflasche.

Der Kerkermeister blieb auf der Schwelle stehen und beobachtete alles.

Die Magd bemerkte es. »Du Schwein!«, fuhr sie ihn an.

Der Mann strich sich lüstern über den Latz, lachte dreckig und entfernte sich.

Eloisa öffnete das Kleid, enthüllte den Busen und beugte sich vor. »Was ist mit meinem Kind?«, fragte sie.

Die Dienerin antwortete nicht und begann, die Milch abzupumpen. Als sie fertig war, ging sie.

Wer wird sich um mein Kind kümmern?, dachte Eloisa verzweifelt, sobald sie wieder allein war. Was würde mit ihm passieren, sollte Lukrécia nicht überleben? Wieder entkorkte sie das Fläschchen mit dem Gift. Doch gleich darauf hielt sie inne. Sie verschloss es wieder und warf es schluchzend in eine Ecke ihrer Zelle. Sie durfte nicht so feige sein. Natürlich hatte sie Angst, und vielleicht erwartete sie ein schrecklicher Tod mit unendlichen Leiden, aber sie durfte nicht aufgeben. Sie musste weiter hoffen. Es konnte immer noch ein Wunder geschehen. Vielleicht würde Mikael sie retten, wie er Emöke gerettet hatte. Sie schlug die Hände vors Gesicht. Sie hatte vor allem an sich selbst gedacht. Wie hatte sie ihren Sohn vergessen können, selbst in einem Augenblick tiefster Verzweiflung? Wie konnte sie Mikael vergessen und ihre Mutter? Nein, sie würde sich nicht umbringen. Sie würde dem Tod mit hoch erhobenem Kopf entgegentreten. Für ihren Sohn und für Mikael. Und sie würde niemals ihre Mutter im Stich lassen. Wenn sie sich umbrachte, würde sie auch diese zum Tod verurteilen. Ihre Hände glitten vom Gesicht zu ihrem Bauch, in dem neun Monate lang ein kleiner Mensch herangewachsen war. Wo ist mein Kind jetzt?, fragte sie sich ängstlich. Was wird aus ihm? Wird Lukrécia ihm von mir erzählen? Wird sie ihm je die Wahrheit sagen? Nein, ich werde mir nicht das Leben nehmen, sagte sich Eloisa wieder, und ich werde mich melken lassen wie eine Kuh, um meinem Kind meine Milch zu geben. Bis zum letzten Augenblick. »Die Milch seiner Mutter«, flüsterte sie voller Schmerz. Am Abend füllte die Magd wieder die Zinnflasche mit Milch. Als sie die Zelle verließ, traf sie draußen im Gang auf Ojsternig.

»Euer Durchlaucht«, hörte Eloisa sie sagen, »wieder eine Flasche voll.«

»Wird das die Nacht über reichen?«, fragte Ojsternig.

»Ganz bestimmt, Euer Durchlaucht«, antwortete die Magd.

»Dann füllst du morgen früh eine weitere ab«, befahl Ojsternig.

»Zum letzten Mal«, sagte die Magd.

Ojsternig antwortete ihr nicht. Mit einer Öllampe in der Hand erschien er in der Tür.

Im Schein der Lampe glitzerten die düsteren Wände aus schwarz angelaufenem Stein vor Nässe.

Eloisa bemerkte, dass Ojsternig triumphierend lächelte.

Er kam näher und hielt die Lampe dicht vor ihr Gesicht. Dann sah er sie lange schweigend an.

»Was ist mit meinem Sohn?«, fragte Eloisa.

»Er ist nicht dein Sohn«, sagte Ojsternig. »Begreif das endlich.«

»Was ist mit ... dem Kind?«, fragte Eloisa angsterfüllt.

Ojsternig starrte sie weiter wortlos an. »Morgen ist ein großer Tag«, sagte er schließlich. »Willst du nicht wissen, warum?«, fragte er grausam.

Eloisa hatte nicht den Mut, seinem Blick zu begegnen, und senkte die Lider.

Ojsternig streckte eine Hand aus und hob ihr Kinn. »Ich will dir ins Gesicht sehen«, sagte er und genoss die Angst, die er in ihren Augen las.

Eloisa schloss die Lider.

»Sieh mich an!«, befahl Ojsternig.

Eloisa schreckte hoch und öffnete die Augen. Panik erfüllte sie.

»Nun, willst du nicht wissen, warum morgen ein großer Tag ist?«, wiederholte Ojsternig. »Antworte!«, bellte er sie an wie ein wütender Hund.

Eloisa erfasste heftiges Zittern. »Doch ...«, flüsterte sie, von Angst überwältigt.

Auf Ojsternigs Schlangenlippen erschien wieder das triumphierende Lächeln. »Weil mir morgen ... und das verdanke ich

dir«, er betonte genießerisch jedes Wort einzeln, »der Dreckschaufler ... in die Falle gehen wird.« Er sah das plötzlich auf-
flackernde Entsetzen in Eloisas Augen und brach in schallendes
Gelächter aus. Dann ließ er ihr Kinn los, drehte sich um und
verließ immer noch lachend den Raum.

Als Eloisa hörte, wie die Tür verriegelt wurde, ging sie wie
betäubt zu ihrem Lager aus faulendem Stroh. Sie setzte sich hin
und lehnte den Rücken an die schmierige Wand. Nun begriff
sie, was Ojsternig vorhatte.

Morgen würde Mikael, den man mit ihrer Hinrichtung ge-
ködert hatte, eine Verzweiflungstat begehen. Ojsternig wusste
das. Und er erwartete ihn.

Da erkannte Eloisa, dass ihr kein Ausweg mehr blieb. Sie
schleppte sich bis zu dem Giftfläschchen.

»Verzeih deiner Mutter, mein Kind«, flüsterte sie unter Tränen. »Ich kann dich nicht auch ohne Vater lassen.«

Wenn sie vorher starb, würde es morgen keine Hinrichtung
geben. Mikael wäre in Sicherheit und würde dann wenigstens
sein Kind retten können.

Jetzt war alles anders. Sie würde es aus Liebe tun, nicht aus
Feigheit.

Sie schloss die Augen und hob das Fläschchen an ihre Lippen.

70

Mikael spürte eine tiefe Ruhe in sich, während er mit einer Gruppe Holzfäller, denen er sich angeschlossen hatte, die Brücke über die Uqua überquerte und sich unter die Knechte des Sägewerks mischte, die ihnen halfen.

Zwei Nächte zuvor war er mit seinen Männern im alten Schlupfwinkel der Rebellen zusammengekommen. Dort hatte er auch die Bergarbeiter vorgefunden, die Lucio in den letzten Monaten aufgesammelt hatte. Sie wirkten verloren und überlebten so gerade. Wie gehetzte Tiere, die sich im Unterholz verbargen. Doch bei seinem Anblick hatten sie wieder Mut gefasst. All das, was man sich über ihn erzählte, hatte ihn im Tal, im Wald und in den Bergwerken zu einer Legende werden lassen. Mikael dachte zwar, dass er diesen Ruhm nicht verdiente, aber als er in ihre Augen sah, die voller Hoffnung zu ihm aufblickten, begriff er, dass er sich seiner Verantwortung stellen musste. Denn für sie war er der Nachfolger des Schwarzen Volod.

Er hatte keine großen Reden geschwungen, sondern nur stumm genickt. Und das hatte genügt.

»Aber zuerst muss ich meine Frau retten«, hatte er ihnen erklärt.

Die Männer hatten angeboten, ihn zu begleiten.

»Nein, so würde man uns sofort entdecken«, hatte er ihnen gesagt. »Wir könnten keine zwanzig Schritte ins Tal machen, da hätten sie uns schon am Wickel. Das ist eine Aufgabe für einen einzelnen Mann.« Seine innere Anspannung ließ er sich nicht anmerken. »Aber wenn ich zurückkehre ...« Er hatte sie schweigend angesehen und die geballte Faust erhoben. »Dann werden wir gemeinsam Seite an Seite kämpfen, bis wir unsere Brüder und Schwestern befreit haben.«

Er hatte Lucio und Manuele beiseitegenommen und ihnen seinen Plan erklärt. Dazu genügten zehn Männer, die gut mit Pfeil und Bogen umzugehen wussten. Sie durften sich keinen Fehlschuss erlauben.

Während seine Schritte nun auf den Bohlen der Brücke widerhallten, hatte Mikael seinen Plan fest im Blick. Er wusste genau, was zu tun war. Dieses Jahr auf Reisen, fern des Raühnval, hatte ihn tiefgreifend verändert. Er hatte gekämpft und getötet, hatte gelernt, sich zu verstecken, seine Gefühle zu beherrschen und die Leute zu beobachten. Er war nicht länger der verängstigte Junge von einst.

Als einer der Wachmänner an der Uqua ihn musterte, nickte Mikael ihm grüßend zu, während er sich innerlich anspannte und den Atem anhielt. Der Soldat erwiderte den Gruß nicht, und Mikael ging an ihm vorbei.

Er trug sein Schwert an der Brust unter einem langen Obergewand aus grobem Stoff verborgen. Er hatte es mit einem Lederband knapp unterhalb der linken Achsel und an der Hüfte festgebunden. Wenn er es brauchte, musste er nur den Knoten unter der Achsel lösen, um es zu ziehen.

Nachdem er das Tal erreicht hatte, schloss sich Mikael einer anderen Gruppe Holzfäller und Knechte an, die sich die Hinrichtung auf der Burg ansehen wollten, und wich seinen eigenen Leuten aus. Jemand aus dem Dorf hätte ihn wiedererkennen können, und selbst wenn er ihn hätte beschützen wollen, hätte er in seiner Unerfahrenheit sicher dafür gesorgt, dass Mikael entdeckt wurde.

Er sah hinauf zur Burg. Der Wald mitten im Tal, in dessen Schutz ihm die Dorfleute beim Steine schleppen geholfen hatten, als er noch ein kleiner Junge war, war Ojsternigs Geldgier zum Opfer gefallen und verschwunden.

Nach einer Weile vergrößerte sich die Gruppe. Mikael hielt sich zwar immer noch dicht bei den Knechten, doch weiter vorn entdeckte er viele bekannte Gesichter. Er erkannte den Bierbrauer Ljuba wieder, der inzwischen an Gewicht zugelegt und dessen Schnurrbart sich gelblich verfärbt hatte; dann die alte Astrid, die Agnete damals prophezeit hatte, dieser magere kleine Junge, den sie auf dem Markt von Dravocnik gekauft hatte, würde nicht überleben; die beiden rothaarigen Brüder, die einander in den von Ojsternig angesetzten Kämpfen beinahe umgebracht hatten; und Preschern, dessen Söhne jetzt zu jungen Männern herangewachsen waren. Da waren Fabio, der wie er zur Mannschaft der Grünen gehört hatte, der vom Alter gebeugte Zacharias mit seinem griesgrämigen Gesicht, Vater Timotej, der sich jetzt beim Gehen auf einen Stock stützte; die Witwe von Cvetko, einem der drei Männer, die nach dem Angriff der Rebellen in Dravocnik hingerichtet worden waren, und viele andere, mit denen Mikael die Feldarbeit und mehrere Jahre seines Lebens geteilt hatte. Er hoffte nur, dass niemand von ihnen ihn bemerken würde, und zog sich deshalb weiter hinter die Knechte zurück.

»Bist du neu? Ich hab dich hier noch nie gesehen«, sprach ihn ein kräftiger junger Mann an, der neben ihm herlief.

Mikael zuckte die Schultern. »Wir sind zu viele geworden, um uns noch alle zu kennen«, antwortete er nur. Dann wurde er langsamer und ließ den Jungen an ihm vorbeiziehen, damit er nicht in eine Unterhaltung verwickelt wurde, die ihn vielleicht in Schwierigkeiten gebracht hätte.

Langsam näherten sie sich der Burg, und man hörte schon das Dröhnen der Trommeln, die die unmittelbar bevorstehende Hinrichtung ankündigten.

In der Nacht war Mikael ins Raühnval hinabgestiegen und hatte sich der Burg genähert, um gegebenenfalls einen Alleingang zu wagen. Ojsternig hatte jedoch rund um die Mauern

Wachen aufgestellt, deren Fackeln den Boden auf zwanzig Schritt vor ihnen hell erleuchteten. Es gab keine Möglichkeit, sich ungesehen zu nähern.

Nun blieb ihm nur noch diese eine Gelegenheit. Und zwar heute.

Er nahm an, dass die Hinrichtung im Burghof stattfinden würde. Vielleicht konnte er ja ein Ablenkungsmanöver inszenieren, indem er die Pferde losband und aufscheuchte, dann würde er womöglich nahe genug an Eloisa herankommen, um den Henker und die beiden Soldaten zu töten, die ihm halfen. Danach würde er mit ihr zu den Kellern fliehen und den Geheimgang zu erreichen versuchen. Und mit ein wenig Glück würden sie wenig später an der Brücke sein. Von da an würde der Plan, den er am Vorabend mit Lucio und Manuele abgesprochen hatte, dafür sorgen, dass sie gerettet waren.

Doch als er noch etwa hundert Schritt vom Burgtor entfernt war, sah er, dass die Leute von einem Trupp Soldaten aufgehalten wurden, die ihnen den Eintritt ins Burginnere verwehrten. Mikael schlug das Herz bis zum Hals. Wenn er der Hinrichtung nicht beiwohnen konnte, blieb ihm keine Hoffnung mehr, Eloisas Rettung zu versuchen.

»Warum lassen sie uns nicht hinein?«, fragte er einen Holzfäller.

Der schüttelte nur den Kopf. »Ich weiß nicht.«

Inzwischen waren die Trommelwirbel ohrenbetäubend laut.

Mikael, dessen Angst sich ins Unermessliche steigerte, ging zu einer anderen Gruppe. »Warum lassen sie uns nicht hinein?«, fragte er dort einen der Knechte.

Der zuckte ebenfalls nur mit den Schultern.

In dem Moment bemerkte Mikael Agnete, die von zwei Wachen begleitet durch das Tor kam. Die Männer stießen sie mitten in die Menge und verschwanden.

Agnete ließ den Blick über die Leute schweifen. Ihr Gesicht war von Sorge und Schmerz gezeichnet.

Mikael ahnte, dass sie nach ihm suchte. Kurz bevor ihr Blick ihn traf, wandte er ihr den Rücken zu und tauchte in einer dicht gedrängten Menge von Holzfällern und deren Familien unter.

Von dort fiel ihm ein Soldat auf, der etwas abseits stand.

»Warum lässt man uns nicht hinein?«, fragte Mikael nun auch ihn und näherte sich ihm einige Schritte, obwohl er wusste, dass es sehr unvorsichtig war.

»Warte es ab, du wirst schon sehen«, erwiderte der Soldat.

»Die Hinrichtung findet doch im Burghof statt?«, presste Mikael angespannt hervor.

»Ich hab dir gesagt, du wirst es schon sehen«, wiederholte der Soldat. Er zeigte auf die Menge. »Geh wieder zu den anderen zurück.«

Mikael wollte sich schon umdrehen, als er ihm auffiel, dass der Soldat, der bereits jedes Interesse an ihm verloren hatte, mit prüfendem Blick die Menge musterte. Er sah zu den anderen Soldaten. Die taten das Gleiche. Sie sollten also nicht nur die Leute im Zaum halten. Da begriff er.

»Sucht ihr jemanden?«, fragte er den Soldaten.

Der fuhr mit wütendem Blick herum. »Stiehl mir nicht meine Zeit und verschwinde!«, schrie er ihn an.

Während Mikael sich unter die Leute mischte, wurde ihm klar, dass der Holzfäller, in den er vor zwei Tagen an der Uqua fast hineingerannt wäre, die Wachen informiert hatte, die wiederum Ojsternig unterrichtet hatten. Und der hatte natürlich sofort erfasst, dass es sich nicht um einen einfachen Räuber gehandelt hatte, sondern um ihn. Aufmerksam beobachtete Mikael die Soldaten. Es bestand kein Zweifel. Ojsternig hatte ihnen befohlen, die Leute nach ihm zu durchkämmen. Er hatte geahnt, dass Mikael zurückkehren würde, und vor zwei Tagen hatte er dann die Bestätigung dafür erhalten. Er wollte ihn mit

Eloisas Hinrichtung ködern und versuchen, ihn dabei in seine Gewalt zu bekommen.

Bebend vor Zorn senkte Mikael den Kopf.

Die Trommelwirbel untermalten rhythmisch das bange Warten auf den Tod und ließen die Luft erzittern.

»Bist du es wirklich?«, flüsterte da jemand neben ihm. Mikael zuckte zusammen.

Er fuhr herum und sah sofort, dass es Ahlwin war, der Schmied, Eberwolfs Vater. Er antwortete ihm nicht und entfernte sich einige Schritte.

Doch kurz darauf stand Ahlwin wieder neben ihm. »Junge, keine Angst, ich bin auf deiner Seite«, sagte er leise zu ihm.

»Verschwinde, du wirst mich noch verraten«, zischte Mikael. Als er dem Schmied kurz in die Augen sah, bemerkte er, wie alt der Mann geworden war, gebeugt von der Tragödie um seinen Sohn, der seine eigenen Leute verraten hatte und dann von ihnen getötet worden war, wie Agnete ihm erzählt hatte. Er ging nochmals ein paar Schritte und hielt den Kopf gesenkt. Als er vorsichtig wieder aufschaute, stellte er erleichtert fest, dass Ahlwin sich ebenfalls entfernt hatte. Mikael sah auf die Soldaten. Sie schienen nichts bemerkt zu haben. Doch dann beobachtete er, dass Ahlwin an Agnete herantrat, die ganz vorne stand, und ihr etwas zuflüsterte. Mikael war klar, dass die Soldaten sie im Blick hatten.

Agnete wandte sich jedoch nicht in die Richtung, die Ahlwin ihr gewiesen haben musste. Offenbar war sie sich ebenfalls bewusst, dass sie unter besonderer Beobachtung stand. Und sie war schlau. Mikael lächelte.

Kurz darauf bemerkte er, dass Ahlwin zu ihm zurückkehrte. Mikael wurde wütend, doch er rührte sich nicht.

»Agnete hat gesagt, du sollst verschwinden. Hier suchen sie nach dir«, raunte Ahlwin ihm verschwörerisch zu, nachdem er ihn erreicht hatte.

»Und durch dich finden sie mich noch«, zischte Mikael wütend. »Verschwinde.«

Ahlwin zog beschämt den Kopf ein und wandte sich zum Gehen.

Mikael sah, dass einige Soldaten in seine Richtung schauten. Er packte Ahlwin am Arm. »Red mit irgendjemandem hier in der Nähe«, sagte er ihm. »Und lach, wenn du das fertigbringst.«

Ahlwin blieb verwirrt stehen.

»Los, mach schon!« Mikael sah weiter auf die Soldaten, die den Schmied aufmerksam beobachteten.

Ahlwin fing unbeholfen ein Gespräch mit einem der Holzfäller an.

Mikael war so angespannt, dass er nicht einmal mitbekam, was der Schmied sagte, doch zu seiner Erleichterung schüttelten die Soldaten kurz darauf den Kopf und musterten wieder suchend die Menge. Langsam schob er sich in die vorderen Reihen durch, weil er vermutete, dass die Soldaten dort nicht so gründlich nachschauen würden.

Plötzlich steigerten die Trommler sich in einen unerträglich schnellen Rhythmus, bis sie auf einmal jäh verstummten.

Die nachfolgende Stille wirkte umso schrecklicher.

»Dort oben!«, schrie plötzlich ein schmächtiger Junge und deutete auf einen der plumpen Türme, die sich neben dem Burgtor erhoben.

Mikael schaute hinauf.

Und mit ihm die Menge.

Hoch oben auf dem Turm war Ojsternig erschienen, der ein Bündel im Arm hielt. Neben ihm hatte sich ein Bogenschütze postiert.

Die Menge hielt den Atem an.

Ojsternig wickelte das Bündel aus und hob das, was darin war, über seinen Kopf. Ein Säugling.

Mikael spürte einen schmerzhaften Stich mitten ins Herz.

»Heute ist ein festlicher Tag für das Fürstentum!«, verkündete Ojsternig feierlich. »Ihr seht hier den Thronerben Marcus III. von Saxia!«

Mikaels Augen trübten sich vor Wut. Das ist mein Sohn, dachte er.

Während Ojsternig die Arme herunternahm, begann das Kind zu weinen. Ojsternig übergab es einer Dienerin, die hinter ihm aufgetaucht war. Sie nahm den Jungen, wickelte ihn wieder in die Windeln und ging.

»Aber heute ist auch ein Tag der Bestrafung!«, schrie Ojsternig. Er zeigte mit dem Arm auf den anderen Turm rechts von ihm.

Die Augen der Menge folgten der Bewegung.

Oben auf den Zinnen sah Mikael eine Frau stehen. Sie trug eine leinene Kapuze über dem Kopf, die mit einem Seil um ihren Hals gebunden war. Der Henker hielt die Frau dort oben fest.

Ein Raunen ging durch die Menge.

Mikaels Beine gaben nach. Er wusste genau, wer die Frau war. Sie trug das Kleid, das er immer an ihr gesehen hatte. Das Kleid hatte sie auch getragen, als sie sich auf der Wiese neben dem Kiesbett der Uqua zum ersten Mal geliebt hatten.

»Die gerechte Strafe für jemanden, der einen Anschlag auf das Leben meines Erben und seiner rechtmäßigen Mutter, Prinzessin Lukrécia, verübt hat, die jetzt in diesem Moment mit dem Tod kämpft«, schrie Ojsternig.

Mikael musste nicht erst sehen, wer unter der Kapuze verborgen war. Er kannte ihre Gesichtszüge auswendig, die Farbe ihrer Augen, die schimmernden glatten Haare, die Lippen so samtig wie Aprikosen. Er brauchte ihr nicht ins Gesicht zu sehen, um zu wissen, wer die Frau dort oben auf dem Turm war.

»Eloisa«, flüsterte er und wusste, dass es ihm das Herz brechen würde.

»Und die einzige Strafe dafür lautet Tod!«, rief Ojsternig wütend aus.

Mikael tastete nach dem Schwert an seiner Seite. Was sollte er tun? Gemeinsam mit ihr sterben? Oder zu seinen Männern zurückkehren und kämpfen? Er konnte keinen klaren Gedanken fassen. »Eloisa ...«, flüsterte er wieder. Er schob die Hand unter sein Obergewand und tastete nach dem Lederband, das den Schwertgriff unter seiner Achsel fixierte.

»Die Strafe soll vollzogen werden«, befahl Ojsternig laut.

Mikael fand den Knoten, der das Lederband hielt.

Der Bogenschütze neben Ojsternig legte den Pfeil ein und zielte auf den anderen Turm.

Mikael löste den Knoten. Ihm stockte der Atem. Sein Herz hatte aufgehört zu schlagen.

Als der Pfeil losschoss und auf sein Ziel zuflog, hielt die Menge den Atem an. Kein Laut war zu hören. Außer dem Zischen des Pfeils in der Luft.

Mikaels Hand umklammerte den Schwertknauf. Eloisa würde gleich sterben.

Der Pfeil traf sie mitten in die Brust.

Mikael sah sie einen Augenblick schwanken.

Dann stürzte ihr Körper in die Tiefe.

Mikael umklammerte krampfartig sein Schwert.

Mit einem grauenhaften dumpfen Laut kam der Körper auf dem Boden auf, wie ein Sack voller Äpfel.

»Nein!«, schrie Mikael auf. Von einem nie gefühlten Schmerz zerrissen, zog er sein Schwert.

71

Hab ich dich! Jetzt gehörst du mir, Dreckschaufler!«, rief
Ojsternig aus und grinste triumphierend. Er zeigte ihn seinen
Soldaten. »Nehmt ihn gefangen! Ich will ihn lebend haben!«

Mikael, dem die Tränen unaufhaltsam über das Gesicht rannen, trat einen Schritt vor, aus der ersten Reihe der Zuschauer
heraus, und schwang sein Schwert mit beiden Händen. Ihm war
bewusst, dass er jetzt sterben würde.

Während die Soldaten sich ihm näherten, sah Mikael nur
noch, wie Agnete schreiend zu dem Leichnam lief, der wie ein
Bündel Lumpen auf dem Boden lag.

Mikael traf den ersten Soldaten mit einem raschen Hieb von
der Seite, der sein Kettenhemd durchschnitt und ihm den
Brustkorb aufschlitzte. Der zweite Soldat direkt dahinter be-
ging den Fehler, stehen zu bleiben, anstatt sofort anzugreifen,
sodass Mikael genug Zeit blieb, sein Schwert erneut zu schwingen und es auf ihn niedersausen zu lassen. Er trennte dem Mann
einen Arm auf Höhe der Schulter ab.

Die übrigen Soldaten, die inzwischen begriffen hatten, dass
sie es hier nicht mit einem einfachen Bauern zu tun hatten, achteten auf seine Bewegungen und vermieden es, in die Reich-
weite seiner Hiebe zu gelangen.

»Ergreift ihn!«, schrie Ojsternig von der Spitze des Turms.

Mikael stand keuchend da. Er hatte keine Angst vor dem
Tod. Er erinnerte sich an seinen Vater, wie er gekämpft hatte,
ein einzelner Mann gegen Agomars Leute, und wie tapfer er
gestorben war. »Kommt her!«, schrie er. Die Adern an seinem
Hals waren angeschwollen, und er umklammerte sein Schwert,

während Schmerz und Verzweiflung seine Kräfte vervielfachten.

»Mikael! Flieh!«, rief Agnete da. »Das ist eine Falle!«

Mikael wandte sich schnell zu ihr um.

Agnete hatte der Leiche die Kapuze abgenommen. »Das ist sie nicht«, rief sie ihm zu.

Ein Soldat wagte einen Ausfall.

Mikael parierte ihn und trieb den Mann zurück.

Agnete hob den Kopf der Leiche an. »Das ist sie nicht!«, wiederholte sie, verzweifelt und glücklich zugleich. »Flieh!«

Mikael erkannte das leblose Antlitz. Es war Marcus, der vorgebliche Prinz. Ojsternig hatte ihn Eloisas Kleider anziehen lassen, um ihm eine Falle zu stellen.

»Eloisa lebt!«, schrie Agnete.

Zwei Soldaten griffen Mikael von rechts und links an.

Mikael ging in die Hocke und schwang sein Schwert auf der Höhe ihrer Knie.

Einer der beiden schrie und fiel mit durchtrennten Sehnen zu Boden, der andere jedoch war Mikaels Hieb ausgewichen und ließ nun sein Schwert auf ihn niedersausen.

Mikael wich ihm aus und traf ihn an der linken Schulter. Er wurde sich bewusst, dass er hier sinnlos sterben würde. Eloisa lebte. Auf einmal überkam ihn eine große Ruhe. »Hier zählt nur eins, nämlich dass du überlebst, denk daran«, kamen ihm Volods Worte in den Sinn. »Dir ist nicht kalt. Du fühlst weder Hunger, Schmerz, Wut noch Sehnsucht. Du bist weder traurig noch fröhlich. Du bist nicht verliebt. Nicht müde. Nicht betrunken. Oder verwundet.« Nun konnte er wieder klar denken. Die Schreie und alle übrigen Geräusche waren verstummt. Er sah ein Dutzend Soldaten auf sich zustürmen. Doch dann erinnerte er sich, dass Ojsternigs Befehl gelautet hatte, ihn lebend gefangen zu nehmen. Dies verschaffte ihm einen bedeutenden Vorteil. Hinter den Soldaten versuchten einige Stallknechte, die scheuenden Pferde zu beruhigen. Und plötzlich wusste Mikael, was er tun musste. Er wandte sich um und lief in die Menge hinein, sodass es so aussah, als wollte er fliehen.

Die Soldaten schwärmten aus und verfolgten ihn durch die dicht gedrängt stehenden Menschen.

Das war für Mikael der Moment, wieder umzukehren und sich auf einen Soldaten zu stürzen. Er brachte ihn mühelos zu Fall, weil dieser seinen Angriff nicht erwartet hatte, und so war der Zugang zum Burghof plötzlich frei. Mikael rannte dorthin, streckte mit einem Faustschlag einen Stallknecht nieder und riss ihm die Zügel aus der Hand. Dann sprang er auf ein Pferd und bohrte ihm die Fersen in die Flanken. Das Tier bäumte sich auf und preschte dann im Galopp nach vorn.

Inzwischen hatten die Soldaten sich von ihrer Überraschung erholt und versperrten ihm auf beiden Seiten den Weg.

»Macht Platz!«, schrie Mikael und lenkte sein Pferd auf die Menschen zu.

Die Menge teilte sich wie ein Meer.

Mikael ritt Hals über Kopf hinein.

Aus einer dicht gedrängten Gruppe von Holzfällern tauchten auf einmal zwei Soldaten auf, die ihn mit Sicherheit vom Pferd holen würden.

Doch in diesem Moment packte eine Hand einen der beiden Soldaten von hinten am Arm und zog so kräftig daran, dass der Mann geradewegs nach hinten flog.

»Flieh, Junge«, rief Ahlwin. Dann wandte er sich an die Bewohner des Raühnval. »Und ihr erinnert euch alle daran, dass er uns verteidigt und gerettet hat!«, schrie er, dann fuhr er herum, zog seinen Schmiedehammer aus dem Gürtel und stellte sich den Soldaten entgegen.

Während er das Pferd antrieb, sah Mikael noch, dass Ahlwin mit einem mächtigen Schlag den Helm des ersten Soldaten spaltete. Doch gleich darauf wurde er von zwei Männern angegriffen. Einer stieß ihm sein Schwert in den Bauch, und der andere traf ihn am Hals und trennte ihm beinahe den Kopf ab. Ahlwin wankte und schwang mit letzter Kraft seinen Hammer. Doch dann entglitt er seinen Händen, und der Schmied fiel tot zu Boden.

Mikael befand sich nun inmitten der Leute. Sie bildeten eine dichte Masse, die sich vor ihm auftat und hinter ihm wieder schloss wie ein lebender Organismus, wie ein Schwarm Fische oder Vögel.

Die Soldaten ließen ihre Schwerter wirbeln in dem Versuch, sich Platz zu verschaffen, doch sie kamen nur langsam vorwärts, da die Leibeigenen zwar nicht gegen sie kämpften, doch nur zögernd beiseitetraten.

»Jetzt werde ich sie wirklich töten, Dreckschaufler!«, schrie Ojsternig außer sich vor Wut.

Mikael drehte sich nach ihm um.

»Ergreift ihn«, brüllte Ojsternig ohnmächtig von oben.

Doch inzwischen hatte Mikael das Pferd im Galopp zum Ende des Tales getrieben. Als er sich umdrehte, sah er noch, dass die Soldaten aufgesessen waren und ohne Rücksicht auf die umherstehenden Menschen losritten. Man hörte Schmerzensschreie, als die Hufe der Tiere jeden trafen, der ihnen im Weg war.

Dennoch wurden die Reiter durch die Leute aufgehalten, und als Mikael die Brücke über die Uqua vor sich sah, hatte er bereits einen deutlichen Vorsprung.

Als die beiden dort postierten Wachen ihn kommen sahen, stellten sie sich ihm mit gezückten Schwertern kampfbereit entgegen.

Seine Verfolger kamen näher, es blieb also keine Zeit, sich auf einen Kampf einzulassen. Er konnte nur hoffen, dass sein Plan aufging. Er stieß dem Pferd brutal die Fersen in die Flanken und trieb es an.

»Kommt, worauf wartet ihr noch!«, schrie er, als er nurmehr ein paar Schritte von den Wachen entfernt war, die ihn nun mit Sicherheit töten könnten. »Jetzt!«, schrie er aus Leibeskräften.

Und da trafen die ersten Pfeile die Soldaten in den Rücken.

Die beiden sanken leblos zu Boden, während Mikaels Pferd mit einem Sprung über sie setzte.

Dann flog ein weiterer Pfeilhagel durch die Luft und prasselte auf seine Verfolger nieder. Er kam von den zehn Männern, die Mikael vorher im Wald postiert hatte. Einige Soldaten waren auf der Stelle tot. Die anderen hielten ihre Pferde an, da sie auf diesen plötzlichen Angriff nicht vorbereitet waren und keinerlei Deckung hatten. Angesichts eines weiteren Pfeilhagels wendeten sie ihre Pferde und zogen sich ohnmächtig aus der Schusslinie zurück.

Mikael lenkte sein Pferd ins Unterholz, zu der Stelle, von der die Pfeile abgeschossen wurden. »Verschwinden wir!«, rief er seinen Männern zu.

Die Rebellen saßen auf, stürmten durch den Wald und erreichten schließlich ihren Unterschlupf.

»Wir haben unserem Anführer den Arsch gerettet«, schrie Lucio, als alle in Sicherheit waren.

Die Rebellen brachen in Freudengeschrei aus, erregt von ihrem Sieg.

Doch Mikael berührte das nicht. »Ich muss gehen«, sagte er unvermittelt.

Eine knappe Stunde später stand er vor Raphaels Hütte.

Lucio war ihm in einiger Entfernung mit zehn Bogenschützen gefolgt.

Mikael betrat die Hütte.

»Du lebst, mein Junge!«, rief der alte Mann aus.

Mikael nahm seine Hand. »Ojsternig wird Eloisa töten!«, sagte er atemlos, und seine Stimme brach vor Angst. »Das war eine Falle, aber jetzt wird er Ernst machen.«

Raphael runzelte die Stirn. »Wie? Er hat Eloisa nicht hinrichten lassen?«, fragte er Mikael, und sein faltenreiches Gesicht entspannte sich vor Erleichterung. »Das musst du mir erklären, mein Junge.«

»Dazu bleibt keine Zeit«, stammelte Mikael verwirrt. »Ich muss gehen, ich muss jetzt alles versuchen, versteht Ihr?«

»Nein, wenn du es mir nicht erklärst, versteh ich verdammt noch mal gar nichts!«, rief Raphael aus.

Mikaels Atem ging keuchend. »Ich habe geglaubt...«, brachte er mit leiser Stimme heraus, während alle Anspannung auf einmal von ihm abfiel und seine Augen sich mit Tränen füllten, »ich habe geglaubt... ich hätte sie für immer verloren...«

»Stattdessen lebt sie«, sagte Raphael. »Sie lebt«, sagte er noch einmal und lächelte, als müsste er sich selbst überzeugen. Er wartete ab, bis Mikael sich ein wenig beruhigt hatte, dann bat er ihn: »Erzähl mir, was geschehen ist.«

Mikael berichtete ihm alles bis in jede Einzelheit. »Und Ahlwin...«, er schüttelte den Kopf, »Ahlwin ist gestorben, um mich zu beschützen...«

Raphael schwieg nachdenklich. »Nicht nur deshalb«, sagte er dann. »Er ist gestorben, um sich von der Schuld seines Sohnes reinzuwaschen.«

Mikael sah ihn an.

Raphael nickte. »So ist es. Und du weißt es auch.«

Mikael senkte wieder den Blick. »Ich muss es versuchen, Raphael«, flüsterte er beinahe kraftlos.

»Blanker Unsinn!«, fuhr Raphael auf. »Genau das bezweckt Ojsternig ja.«

»Dann wird er eben bekommen, was er will«, beharrte Mikael. »Er hat sich Eloisa genommen. Und meinen Sohn.« Er musste an Volod denken, wie er in seiner Angst vor dem Tod und von Reue geplagt betrunken in Konstanz im Zelt gesessen hatte. »Ich habe einen Mann gesehen, der nicht für seine Familie gekämpft hat, als er die Gelegenheit dazu hatte. Und ich habe gesehen, wie er von da an gelebt hat. Ich werde nicht zulassen, dass Ojsternig Eloisa tötet, ohne wenigstens zu versuchen, sie zu retten.«

»Er wird sie nicht töten«, sagte Raphael. »Sonst hätte er ja nichts mehr in der Hand, um dich zu fangen.«

Mikael sah ihn zweifelnd an.

»Er will dich nur glauben machen, dass er sie töten wird«, fuhr Raphael fort. »So wirst du unüberlegt handeln, und für ihn wird es ein Kinderspiel sein, dich zu überlisten. Geh ihm nicht in die Falle. Benutze deinen Verstand.«

»Mir bleibt keine Wahl«, erklärte Mikael finster.

Raphael legte ihm eine Hand in den Nacken und zog ihn an sich. »Es gibt immer eine andere Möglichkeit«, sagte er. »Beruhige dich und denke nach.«

»Ihr versteht das nicht . . .« Mikael schüttelte den Kopf.

»Ich verstehe es ganz genau!«, fiel Raphael ihm laut und gebieterisch ins Wort. »Hör endlich auf, dich wie ein unreifer Junge zu verhalten!«

»Ich *bin* aber ein Junge!«, brüllte Mikael.

Raphael betrachtete ihn schweigend. »Nein«, sagte er dann entschieden. »Du bist ein Mann. Und es wird Zeit, dass du das einsiehst.«

Mikael starrte ihn an. Es kam ihm vor, als hätte sich die außerordentliche Kraft des alten Mannes auf ihn übertragen. Er stand auf. »Ich muss nachdenken«, sagte er.

Raphael nickte nur stumm.

Mikael verließ die Hütte und ging zu dem Schuppen, in dem Raphael seine Gerätschaften aufbewahrte. Er nahm die Hacke und führte sie so, wie Raphael es ihn gelehrt hatte. »Man braucht Kraft und Anmut, Hingabe und die richtige Technik«, hatte der alte Mann gesagt. Mikael schwang die Hacke über den Kopf, drückte den Rücken durch und beugte die Beine. Die Klinge traf im perfekten Winkel auf den Boden und löste eine Erdscholle. Er hackte über eine Stunde die Erde auf, ohne nachzudenken, bis er sich vollkommen ruhig fühlte. Dann stellte er die Hacke wieder in den Schuppen zurück, setzte sich auf den Baumstumpf, auf dem das Feuerholz zerkleinert wurde, und starrte auf den Mosesfinger, der sich über ihnen erhob.

Als er endlich aufstand, ging die Sonne unter. Und er hatte sich entschieden.

Er legte die Hände an den Mund und rief in Richtung Waldrand: »Lucio! Komm raus!«

Kurz darauf tauchte Lucio im Sattel seines Pferdes auf. Die Verblüffung war ihm deutlich anzusehen.

Mikael lächelte. »Glaubst du, ich hätte nicht bemerkt, dass du dich an meinen Arsch gehängt hast?«, sagte er zu ihm. »Deine Männer und du, ihr seid lauter als eine Herde Schafe.« Dann wurde er wieder ernst. »Komm«, sagte er und ging in die Hütte.

»Hier bist du in Gefahr«, erklärte Lucio, der ihm folgte. »Man sucht nach dir.«

»Setz dich und hör mir zu«, sagte Mikael und ließ sich auf dem Rand von Raphaels Lager nieder. »Keine Sorge, es wird nicht lange dauern, dann gehen wir.«

Lucio nahm sich einen Schemel und setzte sich.

Raphael sah Mikael schweigend an.

»Der Plan ist folgender«, begann Mikael. »Wie Gabriel uns erzählt hat, wird in drei Wochen ein Versorgungszug ankommen.« Er sah Lucio an. »Wir würden ihn sonst auf seinem Weg durch den Wald angreifen, wo wir die meisten Aussichten auf Erfolg hätten. Ich aber will, dass du ihn angreifst, wenn er schon ganz nah bei der Burg ist.«

Lucio runzelte die Stirn, doch er sagte nichts dazu.

»Am Tag davor werde ich einen Soldaten töten«, fuhr Mikael mit seinem Plan fort. »Ich werde seine Leiche verschwinden lassen und ihm seine Uniform abnehmen. Denn während eures Angriffs … werde ich einer der Soldaten sein, die den Zug begleiten. Euer Angriff soll fehlschlagen. Allerdings werden die Soldaten sich daraufhin in aller Eile in die Burg zurückziehen. Und so werde ich hineinkommen und mich im folgenden Durcheinander auch einigermaßen frei bewegen können. Von dem Moment an werde ich allein auf mich gestellt sein … und mein Möglichstes versuchen.«

»Das ist Wahnsinn«, sagte der alte Raphael ernst.

»Habt Ihr eine bessere Idee?«, fragte Mikael ihn.

»Vielleicht wirst du das bekommen, wonach du suchst. Du wirst sterben«, erwiderte Raphael.

»Mir ist nichts Besseres eingefallen«, entgegnete Mikael. Dann wandte er sich an Lucio. »Du verstehst, was ich von dir verlange, oder? Viele deiner Männer könnten dabei umkommen.«

»Es sind deine Männer, nicht meine«, sagte Lucio. »Aber was hast du dann vor?«

»Der Plan lautet weiter, durch den Geheimgang zu fliehen«, erklärte Mikael. »Diejenigen von euch, die überlebt haben, werden mich im Unterholz versteckt am Waldrand erwarten. Und wenn ihr mich herauskommen seht, gebt mir von dort aus Deckung. Ich weiß, dass ich viel von euch verlange. Aber wenn wir es schaffen, haben wir den Leuten damit ein wichtiges Zeichen gegeben.« Er nahm Lucios Hand. »Du hast mir erzählt, dass die Bergarbeiter in Dravocnik am Ende ihrer Kräfte sind. Schick einen deiner Männer zu ihnen, er soll mit ihnen reden. Lass ihnen sagen, jetzt sei der Moment da, sich zu erheben. Je mehr Bergarbeiter sich auf unsere Seite stellen, desto größere Schwierigkeiten bedeutet das für Ojsternig.« Er öffnete eine Hand. »Ein Finger allein ist nichts …« Dann ballte er die Hand zur Faust. »Aber alle gemeinsam sind stark.« Mikaels Miene verfinsterte sich. »Und wenn sich mir die Gelegenheit bietet, werde ich Ojsternig töten.«

»Lass dich nicht von Hass leiten. Darin liegt keine Ehre«, sagte Raphael. »Dein Ziel heißt Eloisa. Versuche sie zu retten.«

»Sie und meinen Sohn«, erklärte Mikael leidenschaftlich.

»Vielleicht wird das nicht gehen«, gab Raphael zu bedenken. »Erinnerst du dich, wie ich dir früher gesagt habe, du solltest lernen, das Leben als wertvolles Gut zu betrachten und nicht als etwas, das man einfach wegwirft, wie es die Narren oder die Verzweifelten tun?«, fragte er ihn.

Mikael nickte stumm.

»Du bist dem Massaker an deiner Familie entkommen, Agnetes Kellerloch, und an dem Morgen, als ich dich im Wald fand, sogar den Wölfen«, fuhr Raphael fort, und in seinen Augen lag zärtliche Wehmut. »Gut, ich hoffe, dass in deinem Schicksal noch etwas von diesem Glück vorgesehen ist. Deshalb verschwende es nicht.«

Mikael atmete tief durch.

»Ojsternig braucht das Kind als Erben«, erklärte Raphael weiter. »Er wird deinem Sohn nichts antun. Es wird andere Gelegenheiten geben, ihn zu retten.«

Mikael sah nachdenklich zu Boden.

Raphael nahm seine Hand und redete leise auf ihn ein. »Rette Eloisa«, sagte er. »Tu es für sie . . .« Er drückte Mikaels Hand kräftiger und fügte beinahe im Flüsterton hinzu: »Und für mich.«

»Für Euch?«, fragte Mikael überrascht. Er bemerkte den tiefen Schmerz in Raphaels Augen, eine alte Trauer trübte seinen Blick.

Raphael wandte sich an Lucio und befahl ihm: »Warte draußen.«

Lucio gehorchte.

»Es gibt da etwas, das ich dir sagen muss«, erklärte Raphael, sobald sie allein waren. »Und nun ist der Moment gekommen, dass du es erfährst.«

Mikael erwiderte Raphaels Händedruck. »Ich höre . . . Baron.«

72

Als die Dunkelheit hereinbrach, war Eloisa immer noch in ihrer Zelle eingesperrt. Und sie trug Kleider am Leib, die nicht ihr gehörten.

Auf dem Boden lag, etwas von dem Strohlager entfernt, auf das sie sich verletzt und verzweifelt geworfen hatte, das Fläschchen aus bernsteinfarbenem Glas, das jetzt leer war.

Doch das Gift hatte nicht gewirkt. Sie hatte davon bloß heftige Unterleibskrämpfe bekommen, und am Morgen danach hatte sie sich wie betäubt gefühlt. Sie wusste, dass der Henker bald kommen würde, um sie zu holen.

Und der Henker war pünktlich erschienen.

Eloisa hätte am liebsten geschrien und geweint, aber die Angst hatte ihr die Kehle fest zugeschnürt. Sie konnte sich nicht einmal rühren.

Der Henker hatte sie mit seinen starken Händen gepackt und sie grob entkleidet, als wollte er sie vergewaltigen, ohne dass Eloisa sich auch nur ansatzweise dagegen gewehrt hätte.

Er hatte sie nackt auf dem Boden liegen gelassen und ihr andere Kleider zugeworfen, dann war er gegangen.

Eloisa hatte sich nicht gerührt, bis sie Ojsternigs Stimme vernahm, die verkündete: »Heute ist ein festlicher Tag für das Fürstentum! Ihr seht hier den Thronerben Marcus III. von Saxia!«

»Mein Sohn«, hatte Eloisa geflüstert, und es hatte ihrem Herzen einen Stich versetzt. Sogleich hatte sie sich vorgestellt, dass Mikael seinen Sohn nun zum ersten Mal in Ojsternigs Armen sehen würde. Und mit der Gewalt eines Sturms waren all der Schmerz und die Wut über sie hereingebrochen, die Mikael in dem Moment empfinden musste. Diese Gefühle hatten ihr die Kraft gegeben, aufzustehen und sich die Kleider überzustreifen, die der Henker ihr hingeworfen hatte.

Das Folgende war nur eine verworrene Erinnerung in ihrem Kopf, bis zu dem Moment, als sich ein Schreckensschrei aus der Menge erhoben und die Stille zerrissen hatte. Und sie hatte die Stimme sofort erkannt.

»Mikael!«, hatte sie gerufen und sich gegen die Mauersteine gepresst.

»Hab ich dich! Jetzt gehörst du mir, Dreckschaufler!«

»Nein!«, hatte Eloisa geschrien, und das Herz wollte ihr in der Brust zerspringen. »Mikael!« Wahnsinnig vor Schmerz hatte sie weitergeschrien, hatte versucht, an der Wand hochzuklettern, und mit den Händen heftig gegen den nackten Stein geschlagen, bis ihre Finger bluteten. Sie war zur Tür gelaufen und hatte dagegengetreten, dann hatte sie sich an den Balken festgeklammert und war schließlich wieder zurückgewichen, um weiter mit den Fäusten auf die Wand einzuschlagen, als hätte sie diese dadurch einreißen können.

Von draußen drangen Schreie, Lärmen und das Wiehern von Pferden herein.

»Mikael! Nein! Mikael!«

Schließlich war jedes Geräusch verstummt.

Eloisa hatte weiter an den Steinen gekratzt, bis sie vor Schmerz beinahe ohnmächtig wurde, und war schluchzend zu Boden gesunken.

Erst gegen Abend hatte sie mit einer Stimme, die nicht ihr zu gehören schien, gesagt: »Mikael ist tot!«

Als sie hörte, wie der Riegel zurückgeschoben wurde, kam ihr das unwirklich vor, wie ein Traum.

»Gehen wir«, sagte die Magd von der Tür aus. Als sie sah, dass Eloisa keine Anstalten machte, sich zu erheben, wandte sie sich an die zwei Soldaten, die sie begleiteten: »Bringt sie rauf.«

Die Soldaten hoben sie hoch und führten sie zurück in ihr Zimmer.

»Tochter!«

Die Stimme ihrer Mutter holte sie in die Wirklichkeit zurück.

»Lasst sie los!«, schrie Agnete und stützte sie.

Als Eloisa das Gesicht ihrer Mutter sah, wallte all der Schmerz erneut in ihr auf. Ihre Augen füllten sich mit Tränen, und sie schluchzte laut.

»Was habt ihr mit ihr gemacht?«, schrie Agnete, als sie das Blut an ihren Händen und auf ihrem Gesicht bemerkte.

Die Soldaten und die Magd verließen wortlos den Raum und schlossen die Tür ab.

»Was haben sie dir angetan, mein Kind?«, fragte Agnete, während sie ihrer Tochter aufs Bett half.

Eloisa packte sie bei den Schultern und schüttelte verzweifelt den Kopf. »Mutter . . .«, schluchzte sie. »Mutter . . . Mikael . . . Mikael ist . . .«

»Nein, mein Kind, er lebt!«, rief Agnete. Sie nahm Eloisas Gesicht in beide Hände.

»Das ist nicht wahr . . .«, weinte Eloisa. »Mikael ist . . .«

»Doch, er lebt! Er lebt, ich schwöre es dir bei der Heiligen Jungfrau Maria!«

Eloisa hörte auf zu weinen. Sie sah ihre Mutter an und schüttelte fast unmerklich den Kopf. »Er lebt . . .«, wiederholte sie und sprach die Worte ganz langsam aus, als wären es kostbare Kristallgläser, die bei der geringsten Unachtsamkeit zerspringen könnten.

Agnete umarmte sie stürmisch. »Gott sei gepriesen!«, sagte sie und hätte ihre Tochter vor Freude beinahe erdrückt. »Ich habe schon geglaubt, dass ich heute euch beide verliere.« Sie löste sich von Eloisa und trocknete ihr sanft und liebevoll die Tränen, als könnte sie es selbst kaum fassen.

»Er lebt...«, sagte Eloisa, während ein leises Lächeln auf ihren Lippen erschien.

»Ihr lebt.« Agnete nickte glücklich. »Ihr lebt alle beide.«

In diesem Moment der Freude wurde Eloisa plötzlich bewusst, dass alles auch ganz anders hätte kommen können. »Ich habe versucht, mich umzubringen...«, murmelte sie erschrocken.

»Was sagst du da?«, fragte Agnete besorgt. »Wie?«

»Das Gift, Mutter...« Eloisa zitterte jetzt bei dem Gedanken. »Ich habe das Gift der Prinzessin genommen... das Fläschchen... das...«

Agnete sah sie entsetzt an. Doch dann lachte sie schallend auf.

»Was habt Ihr denn, Mutter?«, fragte Eloisa verwundert.

»Das Gift... ich habe es...«, versuchte Agnete zu erklären, aber vor Lachen kam sie nicht dazu. »Das Gift...« Agnete lief rot an, weil sie vor Lachen keine Luft bekam, und schlug sich auf die Schenkel.

»Mutter!«

Agnete versuchte, ruhig durchzuatmen. »Ich habe das ganze Gift aufgebraucht, um nach einem Gegenmittel zu suchen«, brachte sie schließlich heraus. »Und in das Fläschchen habe ich...« Wieder musste sie lachen. »Heute Nacht wird es dir kräftig den Bauch ausräumen, meine Tochter!« Sie lachte wieder laut auf. »Darin war ein starkes Abführmittel!« Sie musste erneut lachen und konnte gar nicht mehr aufhören.

Aber Eloisa wusste, dass ihre Mutter genau wie sie selbst nur die Angst darüber weglachte, was alles hätte passieren können.

Während sie Eloisas Wunden an den Händen versorgte, erzählte Agnete ihrer Tochter von der Hinrichtung des vorgeblichen Prinzen, der Lukrécia vergiftet hatte. Und davon, dass Mikael danach wie ein Löwe gekämpft hatte.

»Aber wie ist er nur ...«, unterbrach Eloisa sie.

Agnetes Gesicht wurde ernst. »Es ist etwas Unglaubliches geschehen«, sagte sie feierlich. »Ahlwin ist gestorben. Und mit ihm seine Frau, Cvetkos Witwe und ein Mädchen, von dem ich nicht einmal den Namen kenne, die Tochter eines Holzfällers. Und die alte Astrid ist auch mehr tot als lebendig.« In ihrem Blick lag tief empfundener Respekt. »Während Mikael flüchtete, hat sich Ahlwin den Soldaten entgegengestellt und ist kämpfend gestorben ... Der arme Mann, er wünschte sich schon so lange den Tod herbei«, sagte sie voller Trauer. »Aber als die Soldaten sich auf die Pferde schwangen und Mikael verfolgen wollten, ist das Unglaublichste geschehen.« Agnetes Blick verriet ihre tiefe Rührung. »Die Erste war Astrid ... erinnerst du dich? Als Mikael ins Dorf kam, hatte sie gesagt, dass er keine Woche überleben würde ... Und jetzt hat sie sich den Pferden mit weit ausgebreiteten Armen entgegengestellt. Die kleine Frau ... wirkte auf einmal wie ein Riese. Ein Pferd hat gescheut und den Soldaten abgeworfen, doch ein anderer ist einfach über sie hinweggeritten. Jetzt steht es schlimm um sie. Und dann haben alle Frauen wie auf ein geheimes Zeichen hin aus ihren Leibern eine Mauer gebildet ... Das war schrecklich anzusehen ... und doch wunderschön.« Agnete weinte jetzt. »Sie haben Mikael gerettet. Sie waren mutiger als ihre Männer. Cvetkos Witwe, Ahlwins Frau und das Mädchen sind unter den Hufen der Pferde gestorben. Andere haben gebrochene Arme und Beine, Löcher im Kopf oder zerschmetterte Rippen ...« Agnete weinte und verbarg ihr Gesicht zwischen den Händen. »Dennoch, es war wunderschön ...«, flüsterte sie.

»Er lebt«, wiederholte Eloisa leise, während sie ihre Mutter umarmte.

Nach einer Weile, es war schon fast Nacht geworden, ging die Tür auf.

»Zeit zum Stillen«, sagte die alte Magd, die in den vergangenen Tagen Eloisas Milch abgepumpt hatte. In ihren Armen trug sie den Säugling, der vor Hunger schrie.

Eloisa sprang vom Bett und nahm den Kleinen, überschüttete ihn mit Küssen, während sie ihm zuflüsterte: »Nicht weinen, schsch schsch, jetzt wein doch nicht.« Sie löste ihr Kleid, legte das Kind an die Brust und genoss es, als seine weichen Lippen ihre Haut umschlossen.

»Es tut mir leid, Mädchen«, sagte die Magd zerknirscht. »Keiner wusste etwas, ich habe geglaubt . . .«

»Verschwinde, du hässliche alte Vettel«, fauchte Eloisa sie an.

»Hast du meine Tochter nicht gehört?«, fragte Agnete und ging auf die Magd los. »Verschwinde, oder ich kratz dir die Augen aus.«

Hastig verließ die alte Magd den Raum.

Bevor die beiden die Tür hinter ihr schließen konnten, bemerkten sie ein schwaches Licht, dass langsam den Flur heraufkam.

Eloisa und Agnete glaubten schon, sie sähen ein Gespenst.

Lukrécia war totenbleich und mager. In dem abgezehrten Gesicht stachen ihre Augen hervor wie zwei Feuerkugeln. Die Prinzessin schwankte und suchte Halt am Türrahmen. »Ist alles in Ordnung?«, fragte sie tonlos.

»Prinzessin . . . Ihr lebt!« Mehr brachte Eloisa nicht heraus.

Während Agnete Lukrécia auf einen Stuhl half, hörte man nur das selige Nuckeln des kleinen Marcus III. von Saxia.

73

Mein Name ist Raffaele Fortebraccio di Bentivoglio, Baron von Hermagor, eingesetzt von Seiner Majestät *Rex Romanorum* Wenzel dem Faulen«, begann Raphael feierlich, aber mit tonloser Stimme.

Mikael begriff, dass die Geschichte, die er nun zu hören bekam, keinen glücklichen Ausgang nehmen würde. In den Augen des alten Mannes lag unendliche Traurigkeit.

»Mein Vater war der Graf von Castelforte«, fuhr Raphael fort. »Wir entstammen einem uralten Geschlecht von Kriegern. Meine Vorfahren haben seit dem Fünften verheerenden Kreuzzug für die Christenheit gekämpft und dafür ihr Leben gelassen. Krieg war über Jahrhunderte . . . unser Handwerk.« Raphael zögerte. »Im Laufe der Zeit mehrte sich unser Besitz, und unsere Herrschaftsgebiete gediehen, doch unsere Seelen verkümmerten. Heute glaube ich, dass irgendwann ein Krieg wie der andere ist. Wir waren nichts anderes als Söldner. Wir wählten uns einen Kampf nicht mehr wegen der Ideale, die zu diesem Krieg geführt hatten . . . falls überhaupt Ideale hinter diesen Kriegen standen. Wir entschieden uns aus purem Eigennutz, nach unseren persönlichen Interessen, eine Partei zu unterstützen, und schlugen uns auf die Seite des vermutlich Stärkeren, um der Gefahr einer Niederlage und somit einem möglichen Niedergang unseres Hauses zu entgehen. Und von Generation zu Generation kam es bei uns zu einer wesentlich grundsätzlicheren Veränderung, ohne dass wir ihrer gewahr wurden.« Raphael sah Mikael eindringlich an und lächelte wehmütig. »Erinnerst du dich an den bitteren Nachgeschmack, über den wir einmal gesprochen haben?«

Mikael nickte und erinnerte sich traurig, dass er Raphael einmal voller Zorn an den Kopf geworfen hatte: »Ihr wisst ja nicht, was das Leben ist.« Und während der alte Mann weitererzählte, kam er sich wie ein überheblicher Hohlkopf vor.

»Schließlich gab es einen Punkt in meinem Leben, an dem ich mir sagte, dass dieser Nachgeschmack, der mich von innen vergiftete, so etwas wie ein Erbe sei, für das wir nichts könnten, so wie blondes Haar, ein Muttermal auf dem Rücken oder die Augenfarbe.« Raphael berührte Mikaels Hand. »Begreifst du, warum ich dir immer gesagt habe, das Schlimmste an der Lüge sei, dass derjenige, der sie ausspricht, sie schließlich selbst glauben könnte?«

»Und Ihr habt mir gesagt, wenn das geschieht, habe derjenige kein Leben mehr in sich.«

»So ist es, mein Junge.«

»Ich habe in Konstanz einen Mann kennengelernt«, sagte Mikael weiter. »Auch er hat mir gesagt, das Einzige, was zählt, sei die Wahrheit.«

»Und war es ein würdiger Mann?«

»Ja. Er ist gestorben, um seine Wahrheit zu verteidigen. Es hieß, er sei ein Ketzer, aber ich kenne mich in Kirchenangelegenheiten nicht aus.«

»In unserer Gesellschaft gilt jemand, der selbstständig denkt, der nicht zu allem Ja und Amen sagt, als Ketzer oder Rebell. Es ist eine Struktur, die seit Jahrhunderten bestens funktioniert«, sagte Raphael. »Deswegen glaube ich auch, dass du recht hast und es an der Zeit ist, dass die Welt sich verändert.« Er wollte gleich mit seiner Erzählung fortfahren, doch Mikael unterbrach ihn.

»Warum sagt Ihr, dass die Rebellen bei Nacht die Sonne finden?«

Raphael zuckte fast schon verärgert mit den Schultern. »Das sind einfach nur Worte, wie sie mir manchmal über die Lippen kommen. Ich bin jedoch fest überzeugt, dass Rebellen Menschen sind, die versuchen, aus der Dunkelheit herauszutreten, in der die Mächtigen und die Kirche sie mit aller Gewalt zu halten versuchen. Aber einmal hast du genau das Richtige über meine ganze Philosophiererei gesagt: Das ist alles nur Geschwätz.«

»Ich hatte unrecht«, sagte Mikael.

Raphael lachte leise. »Braver Junge. Einem Sterbenden widerspricht man nicht.«

»Erzählt bitte weiter«, sagte Mikael bestürzt.

»Ich war der Letzte jener blutrünstigen Sippe von Kriegern«, fuhr Raphael fort. »Mein Vater nahm mich mit in den Krieg, ich kämpfte auch an der Seite des Königs. Und ich tat mich in der Schlacht hervor. Ich war grausam, ich war tapfer, geschickt mit Schwert und Bogen. Ich kannte weder Mitleid mit meinen Feinden, noch hatte ich Angst vor dem Tod. Einmal ging der Kampf unentschieden hin und her, und die Feinde durchbrachen unsere Verteidigungsreihen auf der rechten Flanke des Heeres. Während wir ungeordnet zurückwichen und fieberhaft versuchten, uns neu aufzustellen, wurde ich mit etwa zwanzig Mann vom Rest des Heeres getrennt. Ich wurde angegriffen, und ich habe mich verteidigt. Daran war nichts Besonderes. Ich kämpfte schlicht und ergreifend um mein Leben. Aber der Zufall wollte es, dass der Bastardsohn des Königs unter uns war. Ich kannte ihn nicht einmal. Ich hieb einen der Feinde, der ihn gerade umbringen wollte, in Stücke. Ich tötete schlichtweg, um zu überleben. Aber als die Schlacht beendet war und wir als Sieger daraus hervorgingen, erzählte der Sohn des Königs seinem Vater, dass ich ihn gerettet hätte: Und so wurde ich Baron von Hermagor und erhielt zur Belohnung ein Herrschaftsgebiet jenseits der Berge, ganz für mich allein. Unverdient.« Nun schwieg Raphael lange. »Und das war mein Untergang.«

Mikael wartete stumm.

»Ich war ein durch und durch verdorbener Mensch, Mikael«, sagte Raphael schmerzerfüllt. »Ein verdorbener Mensch, der nichts anderes konnte, als schnell und ohne Zögern zu töten, denn das Leben eines anderen Menschen zählte nichts für mich. Ich hatte jenen bitteren Nachgeschmack im Mund, der mir nichts anderes zu schmecken erlaubte als Hass. Und wenn ein solcher Mensch nicht ständig kämpft, sich nicht mit Waffenlärm, mit den Schreien seiner sterbenden Feinde betäubt, wenn er nicht jede Nacht mit ihrem Blut bedeckt zu Bett geht ...« Raphael schüttelte den Kopf, man sah ihm die Verachtung an. »Ein solcher Mensch, mein Junge, tut letzten Endes unschuldigen Menschen weh.« Er trank einen Schluck von dem Kräuterlikör der Mönche. »Es folgte eine lange Zeit des Friedens. Mein Reich war wohlhabend, ich war mächtig. Und ich wusste nicht, was ich mit meinem Leben anfangen sollte.« Dann verstummte er, und seine Augen verschleierten sich.

Mikael meinte, seinen Schmerz nachempfinden zu können, als wäre es etwas Lebendiges, das zwischen ihnen im Takt ihrer Herzen pochte. Und er begriff, dass sie sich dem Wesentlichen der Erzählung näherten.

»Eines Morgens sah ich ein Mädchen im Hof meiner Burg. Ich hatte sie vorher nie bemerkt«, fuhr Raphael mit belegter Stimme fort. »Jetzt weiß ich, dass sie wunderschön war.« Sein ganzes Gesicht verkrampfte sich. »Aber damals war ich blind dafür. Ich spürte nur ein Ziehen in der Lendengegend wie jedes wilde Tier«, stieß er heftig hervor. »In der gleichen Nacht ließ ich sie mir von zwei Soldaten ins Zimmer bringen.« Raphael schwieg lange, seine Augen waren auf einen Punkt in der Ferne gerichtet. Als er weitersprach, klang seine Stimme wieder ruhig. »Ich erfuhr erst am nächsten Abend, wer sie war, als ich meinen Soldaten erklären wollte, wen sie mir in mein Bett bringen sollten. Es war die Tochter der Hebamme, einer Frau, die sich auch auf Kräuter verstand.«

Mikael riss überrascht die Augen auf.

Raphael sah ihn an und nickte ernst. »Ja, mein Junge«, sagte er. »Das war Agnete.«

Mikael spürte, wie es ihm den Boden unter den Füßen wegzog.

»Auf meine Weise verliebte ich mich sogar in sie, obwohl ich es damals nicht so ganz begreifen konnte«, sagte er. »Jetzt siehst du mich mit ganz anderen Augen, nicht wahr?«

»Ja«, erwiderte Mikael. »Aber warum erzählt Ihr mir das?«

»Weil ich es dir schuldig bin«, erwiderte Raphael traurig, ehe er fortfuhr. »Agnete konnte sich nicht in einen Mann verlieben, der sie mit Gewalt genommen hatte. Aber ich wollte das nicht hinnehmen. Ich wurde zornig. Was erlaubte sich diese Leibeigene? Begriff sie denn nicht, welche Ehre ich ihr erwies?« Raphaels Stimme war voller Verachtung für sich selbst. »Nach neun Monaten brachte Agnete Niklas auf die Welt. Und um sie zu bestrafen, weigerte ich mich, ihn anzuerkennen, und jagte sie aus der Burg. Sie zog ihn in einer schäbigen Hütte allein groß. Ich war von Hass und Stolz erfüllt und wünschte mir, dass sie auf Knien angekrochen käme und mich anflehen würde, sie wieder aufzunehmen. Aber du kennst Agnete ...« Er erlaubte sich ein Lächeln. »Sie kehrte nicht zurück. Mir dagegen wurde klar, wie sehr sie mein sinnloses Leben erfüllt hatte, wie wichtig sie für mich geworden war.« Raphael verzog traurig das Gesicht. »Aber selbstverständlich sagte ich ihr das niemals. Einige Jahre später ... kam Agnete zu mir und bat mich um die Erlaubnis, einen ehrbaren Mann zu heiraten, einen Bäcker, der sie und ihr Kind bei sich aufnehmen wollte. Niklas war damals vier und sah mir sehr ähnlich.« Wieder starrte Raphael ins Leere. Als er Mikael ansah, lag in seinem Blick ein unergründlicher Schmerz. »Ich wurde rasend vor Zorn. Sie gehörte mir, und kein anderer sollte sie haben. Ich zerrte sie in mein Zimmer. Nachdem ich sie nun beinahe vier Jahre lang in einer erbärmlichen Hütte ein elendes Leben hatte führen lassen ... allein gegen den Rest der Welt und gegen ihren Herrn ... nahm ich sie erneut ... in meiner Verzweiflung ...« Raphaels Stimme senkte sich zu einem Flüstern herab. »Ich verweigerte ihr die Erlaubnis zu heiraten. War taub für ihre Bitten, ihr Flehen. Ja ich schickte sogar meine Soldaten aus, damit sie dem Bäcker drohten. Ich nahm ihr alle Möglichkeiten. Die Leute hatten sogar Angst, ihr Arbeit zu geben, um nicht meinen Zorn auf sich zu lenken. Möge Gott mir verzeihen. Ich fühlte nur Hass in mir. Nur ein Mann versuchte, mich zur Vernunft zu bringen. Mein Hauptmann Ettore Salvemini, der alte Soldat, den du in Kirchbach kennengelernt hast. Aber nicht einmal auf ihn hörte ich.« Raphael schien am Ende seiner Geschichte zu sein.

Mikael verstand nun, warum Agnete die Almhütte in den Bergen »die Höhle des Drachen« nannte. Raphael war ihr schrecklicher Drache gewesen. »Bitte, erzähl weiter«, sagte er.

Raphaels Augen waren plötzlich nur noch voller Wehmut. Als hätte er den fieberhaften Schmerz hinter sich gelassen, der ihn während der Erzählung begleitet hatte. »Als es Agnete gelang, aus meinem Herrschaftsgebiet zu fliehen, wurde ich ein zweites Mal rasend vor Zorn. Ich wollte sie finden und töten. Und vielleicht hätte ich es damals auch getan, wenn nicht Ettore Salvemini, mein treuer Hauptmann, sie beschützt hätte. Er verhalf ihr zur Flucht. Er brachte sie hierher und sprach mit deinem Vater.«

»Meinem Vater?«, rief Mikael überrascht.

»Ja, mit deinem Vater. Er war ein guter Fürst. Ein gerechter Mann.«

Mikaels Hand glitt in seine Tasche, in der er den Ring seines Vaters immer bei sich trug, den die Flammen verformt hatten, und umklammerte ihn fest.

»Dein Vater hörte Ettore an, schenkte Agnete und Niklas eine Hütte und versprach, sie vor meinem Zorn zu schützen.«

Mikael war entsetzt. Er konnte den Raphael, den er kannte,

nicht mit dem Menschen aus Raphaels Erzählung in Einklang bringen.

»Ich verbrachte drei Jahre damit, nach Agnete zu suchen. Aber ich hatte diese Aufgabe Ettore anvertraut ...«, Raphael lächelte, »... deshalb fand ich sie nie.« Die Augen des alten Mannes verschleierten sich, blickten sanfter. »In jenen drei Jahren geschah etwas Seltsames. Der Hass, der mich verzehrte, nahm von Tag zu Tag ab und verwandelte sich in Schmerz. Und der Schmerz spülte allmählich all den bitteren Nachgeschmack fort. Er verhalf mir schließlich dazu zu erkennen, was für ein ehrloser Mensch ich geworden war. Aber da ich in meinem Hochmut immer noch glaubte, der Mittelpunkt der Welt zu sein, fiel mir nichts Besseres ein, um für meine Sünden zu büßen, als ins Heilige Land aufzubrechen und mein Leben Gott zu widmen.« Raphael schwieg einen Moment. »Und wieder war es Ettore, der mich rettete. Er sprach mit mir, wie man eigentlich nicht mit seinem Herrn sprechen darf, und nahm in Kauf, dass ich ihn hinrichten ließe. Er warf mir an den Kopf, dass ich ein dummer, überheblicher Mistkerl wäre, der nur an sich selbst denken konnte. Und dann sagte er noch: ›Was soll Gott schon das Leben eines Mannes bedeuten, der seine Nächsten nicht lieben kann?‹ Er sagte wirklich ›seine Nächsten‹. Und genau das lernst du gerade über die Freiheit, nicht wahr, mein Junge? Fürsten sehen Leibeigene nicht als ihre Nächsten an. Ich war genauso, aber ich hatte nie darüber nachgedacht. Als Ettore sah, wie bestürzt ich darüber war, offenbarte er mir schließlich, was aus Agnete geworden war und wo sie nun lebte.«

Mikael dachte, dass wahrscheinlich auch er, wenn er wie ein Fürst und nicht wie ein Leibeigener aufgewachsen wäre, das niemals begriffen hätte. Und zum ersten Mal in seinem Leben sagte er sich, dass er Glück gehabt hatte.

»Natürlich ritt ich eilig zu Agnete, auf meinem besten Pferd, das edelsteingeschmückte Schwert an der Seite und zwanzig Ritter als Eskorte, um sie zu mir zurückzuholen«, erzählte Raphael voller Schmerz. »Aber als ich dort eintraf, musste ich feststellen, dass dein Vater sie nicht vor einem anderen wilden Tier wie mir hatte beschützen können. Zwei Jahre zuvor war sie im Wald von jemandem überfallen worden, sie hat mir niemals sagen wollen, wer es war. Wer weiß? Vermutlich ein Räuber, vielleicht sogar mehr als einer. Man hatte sie halb tot gefunden. Und neun Monate später kam ein Mädchen auf die Welt ...«

»Eloisa?«

»Eloisa.«

»Aber Eloisa weiß nichts davon ...«, flüsterte Mikael atemlos.

Raphael gebot ihm Einhalt. »Nein, selbst ihr gegenüber hat Agnete geschwiegen.« Seine Augen trübten sich wieder. »Und als ich eintraf ... lag mein Sohn Niklas im Sterben.« Voller Schmerz wandte er sich an Mikael. »Ich sagte ihr, dass ich alles für dieses Kind unternehmen würde, und Agnete erwiderte, dass es nichts mehr zu tun gebe und dass ich mir ›nicht so einfach das Gewissen reinwaschen‹ könnte. Genau diese Worte hat sie benutzt. Ich sah ihn sterben. Zwei Tage lang rang er noch mit dem Tod.« Raphael hielt nur schwer die Tränen zurück. »Wenn ich sie von Anfang an bei mir aufgenommen hätte, würde Niklas jetzt noch leben. Er hätte jeden Tag Fleisch gegessen, hätte unter warmen Decken geschlafen, hätte ...« Der alte Mann verstummte und schloss die Augen. »Als ich ihr vorschlug, mit in meine Burg zu kommen, und ihr versprach, ich würde mich um Eloisa kümmern, auch wenn sie nicht mein Kind war, drohte Agnete mir, ich solle mich von ihr fernhalten und sie nicht zur Rückkehr zwingen, denn sonst würde sie mich eines Nachts im Schlaf umbringen. Und weißt du, was ich in ihren Augen las? Denselben krankhaften Hass, der mich so viele Jahre lang vergiftet hatte. Ich hatte sie damit angesteckt.«

Raphael seufzte tief auf. »Ich ging zu einem Priester, einem heiligen Mann, der in einer Einsiedelei lebte, um ihn um Rat zu fragen. Er war ein glücklicher, heiterer Mensch. Ich fragte ihn, wie ich Erleuchtung erlangen könnte, und er antwortete mir: ›Du musst jeden Tag Holz hacken.‹« Raphael lächelte. »Da legte ich das Armutsgelübde ab, ging zu deinem Vater und er überließ mir diesen Ort hier. Ich gab alles auf und begann, Holz zu hacken und das Erdreich aufzulockern. Langsam fand ich mein Gleichgewicht wieder. Und das Schönste war, dass ich sah, wie der Hass aus Agnetes Blick verschwand. Sie ist eine außergewöhnliche Frau.«

»Ja«, stimmte ihm Mikael zu.

»Als du in meinem Leben aufgetaucht bist, kam es mir vor, als erhielte ich vom Schicksal eine zweite Chance.« Raphael klang nun ganz ernst. »Deswegen wollte ich dir meine Geschichte erzählen. Damit du weißt, wer ich bin. Weil ich es dir schulde.«

Zum ersten Mal, seit er Raphael kannte, meinte Mikael ein wenig Angst in seinen Augen zu sehen. Er wusste, der alte Mann wartete darauf, dass er etwas sagte, doch er brachte kein Wort hervor. In seinem Herzen tobte ein ganzer Sturm von Gefühlen.

»Jetzt geh, mein Junge«, sagte Raphael. »Hier ist es nicht sicher für dich. Versteck dich im Wald und warte auf den richtigen Moment.«

»Mit Eurem Schwert«, brachte Mikael heraus.

Raphaels Augen blickten gerührt. »Geh jetzt«, wiederholte er.

»Emöke hat mir gesagt, ich solle Euch ausrichten, dass sie Euch verziehen haben.« Mikael stand auf und ging zur Tür. Mit der Hand auf der Klinge blieb er stehen. Er wandte sich noch einmal zu Raphael um. Dem alten Mann liefen die Tränen übers Gesicht. »Alle«, sagte Mikael. »Sie haben Euch alle vergeben.« Dann wandte er sich zum Gehen.

»Lucio!«, rief Raphael. »Lass den Jungen allein gehen«, sagte er, als Lucio zur Hütte kam, »ich muss mit dir reden.«

Stumm lauschten sie auf das Hufgetrappel von Mikaels Pferd, das sich langsam entfernte.

»Jeder von uns wird alles tun, was in seiner Macht steht, nicht wahr?«, sagte Raphael ernst.

Lucio nickte.

»Ich will, dass du nach Kirchbach reitest«, sagte Raphael gebieterisch. »Werde in meinem Namen bei Hauptmann Ettore Salvemini vorstellig.« Entschlossen drückte er seine Hand. »Es ist ein Wettlauf gegen die Zeit, Lucio.«

74

Zwei Mal hatte Mikael versucht, sich der Kapelle Maria zum Schnee zu nähern. Auch im Dorf wimmelte es von Soldaten.

Beim zweiten Versuch musste Mikael sich hinter dem Holzstapel einer Hütte am Dorfrand verstecken. Er hielt den Atem an, während ein Trupp von fünf Reitern an ihm vorbeizog. Sobald sie verschwunden waren, spähte er in die Hütte. In der Stube sah er Astrid liegen, sie hatte Arme und Beine dick verbunden und geschient, und ihr Gesicht war stark angeschwollen. Die alte Frau atmete schwer und stöhnte leise.

Als Mikael weitere Soldaten herannahen sah, sprang er über das Fensterbrett und schlüpfte in die Hütte. Er glitt zu Astrid unter die Decke und flüsterte ihr zu: »Bitte, verratet mich nicht!«

Die alte Frau rührte sich nicht, bis die Soldaten vorbeigezogen waren. Dann kicherte sie und musste gleich darauf husten. »Ich hätte mir nie träumen lassen, dass ich in meinem Alter noch mal einen so schönen jungen Mann in mein Bett bekomme!«

Mikael kam wieder unter der Decke hervor und lächelte sie an. »Ich weiß, was Ihr getan habt«, sagte er. »Danke. Ich verdanke Euch mein Leben.«

»Na ja, und wir verdanken dir unseres«, sagte Astrid leise. Sie richtete ihren vom Alter gekrümmten, zitternden Finger auf ihn. »Jetzt sind wir quitt. Ich kann in Frieden gehen.«

»Ihr habt viel mehr für mich getan als ich für Euch«, sagte Mikael.

»Jetzt hör schon auf mit diesen Schmeicheleien, Junge«, sagte

Astrid. »Sonst glaube ich am Ende wirklich noch, dass du mit mir ins Bett wolltest.«

Da ging plötzlich die Tür auf.

Mikael sprang mit dem Messer in der Hand auf.

Vor ihm stand ein kräftiger Mann um die dreißig, der einen Tontopf mit einem Holzdeckel in den Händen trug.

»Das ist der Mann meiner Tochter, Mikael«, sagte Astrid. »Er bringt mir etwas zu essen.«

Mikael ließ das Messer sinken.

Der Mann schloss schnell die Tür hinter sich. Er sah Mikael grimmig an und presste die Kiefer zusammen. »Was machst du hier?«, fuhr er Mikael an. Er zeigte auf Astrid. »Reicht dir nicht, was du ihr angetan hast? Willst du uns noch alle an den Galgen bringen?«

Mikael schüttelte den Kopf und blickte zu Boden.

»Valerio, halt den Mund!«, sagte Astrid.

»Wenn sie herausfinden, dass wir einen Rebellen verstecken, knüpfen sie uns auf«, beharrte Valerio. »Willst du etwa, dass deine Tochter seinetwegen stirbt?«

»Ich gehe sofort«, sagte Mikael.

»Nein«, widersprach Astrid heftig. »Du weißt nichts darüber. Misch dich nicht ein.«

»Ich will auch gar nichts wissen«, entgegnete Valerio. »Er hat Unglück über unsere Familie gebracht. Das ist alles, was ich weiß.«

»Du bist eben bloß ein dummer Holzfäller«, sagte Astrid. »Wenn dieser Junge uns nicht vor Jahren gerettet hätte, wäre deine Frau heute nicht mehr am Leben. Dann müsstest du es dir selbst besorgen ...« Die alte Frau keuchte. »Und einen hübschen Sohn hättest du auch nicht ...«

Valerio stellte mit finsterer Miene den Topf auf dem Tisch ab.

»Warum bist du hier, Junge?«, fragte Astrid, als sie wieder zu Atem kam.

»Ich wollte mit Vater Timotej sprechen«, erwiderte Mikael. Astrid nickte. »Valerio, geh und hol den Priester.«

Valerio wollte schon widersprechen, doch Astrid hob einen eingebundenen Arm. Der Verband war blutdurchtränkt. »Wenn du nicht gehst, dann werde ich mich, so wahr mir Gott helfe, eben selbst aufraffen, und wenn ich zu ihm krieche«, sagte sie bestimmt. »Es ist nun wirklich nichts Verdächtiges dabei, wenn ein altes Weib in meinem Zustand nach einem Priester verlangt. Sag ihm, dass ich die Letzte Ölung erhalten will.«

Valerio verharrte einen Moment stumm, dann verließ er türschlagend die Hütte.

»Er ist ein guter Mann, gib nichts auf das, was er sagt ...«, keuchte Astrid, die die Unterhaltung sichtlich angestrengt hatte.

»Er hat ja recht«, sagte Mikael.

»Eines Tages wird auch er dir danken«, sagte Astrid. »Eines Tages ... im Winter, vor dem Kamin ...« Ihre Stimme wurde immer leiser. »Eines Tages, wenn er selbst alt ist, wird er seinen Enkeln erzählen können, dass er sich dank dir wie ein Mann gefühlt hat. Es weht ein frischer Wind durchs Raühnval. Und du hast ihn mitgebracht.« Sie drehte sich zu ihm hin. Ihre Augen waren vom grauen Star getrübt. »Du kannst dir nicht vorstellen, wie wohl mir das tut, Junge.« Sie lächelte. »Und dabei habe ich damals keinen Pfifferling auf dich gesetzt, als du mit diesem Seil um den Hals hier ankamst.« Astrid schüttelte den Kopf. »Auch alte Leute können ganz schön dumm sein.«

Mikael holte den Tontopf vom Tisch und setzte sich neben sie. Dann half er ihr beim Essen. »Wenn unsere Männer so tapfer wären wie ihr Frauen«, sagte er, während er sie fütterte, »würde Ojsternig bald aufgeben müssen.«

»Das liegt daran, dass wir Frauen Satans Töchter sind, wie die Kirche es ausdrückt«, sagte Astrid mit vollem Mund und lachte. Dann musste sie wieder husten und bekleckerte sich dabei. »Aber deinetwegen verändert sich gerade etwas, auch in den

Köpfen der Männer. Nur seid ihr eben viel dümmer und braucht länger, um etwas zu begreifen.«

Mikael wischte ihr das Kinn sauber. »Na vielen Dank auch.«

Als Vater Timotej eintraf und Mikael sah, blieb er zögernd in der Tür stehen.

Valerio stieß ihn in die Stube und schloss schnell die Tür. »Uns soll keiner sehen«, sagte er zum Pfarrer.

Vater Timotej stand wie erstarrt in der Mitte der Hütte und blickte Mikael erschrocken an. »Um Gottes willen, du dürftest nicht hier sein«, sagte er mit bebender Stimme. »Astrid, ich dachte . . .«

»Hör den Jungen an, Vater«, sagte Astrid.

Mikael stand auf und stellte sich vor ihn hin. »Kann ich mich auf Euch verlassen?«, fragte er.

Vater Timotej wich seinem Blick aus.

»Kann ich mich auf Euch verlassen?«, fragte Mikael noch einmal.

»Ich stand immer auf der Seite von unseren Leuten, Junge«, sagte der Priester, »aber nicht auf der der Rebellen . . .«

»Dann ist Eloisa also eine Rebellin?«, fragte Mikael empört.

»Eloisa . . .?«, stammelte der Priester. »Was hat Eloisa damit zu tun? Nein . . .«

»Wenn Ihr wirklich auf der Seite unserer Leute steht«, fuhr Mikael fort, »dann müsst Ihr etwas unternehmen, um sie zu retten.«

»Ich? Was könnte ich denn tun, mein Sohn?«, fragte Vater Timotej mit angstgeweiteten Augen. »Ich bin nur ein armer Pfarrer, und . . .«

»Oje, hier riecht es aber plötzlich nach Scheiße«, rief Astrid. »Hat sich etwa jemand in die Hosen gemacht?«

Vater Timotej sah beschämt zu Boden. »Was soll ich tun?«, fragte er schließlich tonlos.

»Geht zur Burg«, begann Mikael.

Vater Timotej zuckte zusammen, als hätte man ihn geschlagen.

»Ihr seid der Einzige, der dorthinein kommt, ohne größeren Verdacht zu erregen«, fuhr Mikael fort. »Ihr müsst versuchen, auf irgendeine Weise mit Agnete zu sprechen.«

»Aber wie denn?«, fragte Vater Timotej fast verzweifelt.

»Agnete möchte bestimmt beichten, und Ihr seid hier der einzige Priester weit und breit. Das ist doch Euer Beruf, oder?«, fragte Mikael hart. »Reicht das nicht als Begründung?«

Vater Timotej schüttelte den Kopf und wich einen Schritt zurück.

»Ihr müsst das tun!«, zischte Mikael ihn an und packte ihn bei seinem Priestergewand.

Schließlich nickte Vater Timotej widerstrebend. »Was soll ich ihr denn ausrichten?«, stammelte er gepresst.

Mikael ließ ihn los. »Findet heraus, wo Eloisa gefangen gehalten wird und wie viele Soldaten zu ihrer Bewachung abgestellt sind. Und sagt den Frauen, dass sie sich bereithalten sollen. Es wird einen Angriff der Rebellen geben. In dem Durcheinander schleiche ich mich in die Burg, und wir werden durch den Geheimgang fliehen.«

Vater Timotej sah ihn an. »Durch welchen Geheimgang?«, fragte er, inzwischen war er ganz blass geworden.

»Das müsst Ihr nicht wissen«, entgegnete Mikael. »Eloisa kennt ihn.«

Der Priester nickte schwach.

Mikael legte ihm eine Hand auf die Schulter. »Werdet Ihr das tun?«

»Ja«, erwiderte Vater Timotej und umklammerte das Kreuz, das er am Gürtel trug.

Mikael trat ans Fenster und sah nach, ob der Weg für ihn frei war.

Während er sich über das Fensterbrett schwang, hörte er

Astrid noch sagen: »Wo du schon mal da bist, Vater, gib mir die Letzte Ölung, so sparen wir uns Zeit.«

Vater Timotej schritt mit gesenktem Kopf durch das große Burgtor, seine Beine drohten ihm fast den Dienst zu versagen.

»Wohin willst du, Pfaffe?«, fragte einer der Wachsoldaten.

»Ich nehme ...«, stammelte der Priester, »ich nehme der Hebamme ... die Beichte ab ... Und sollte sonst noch jemand ...«

Der Soldat bedeutete ihm weiterzugehen.

Am Eingang des Palas fragte ihn wieder eine Wache, wohin er wollte. Und Vater Timotej gab dieselbe Antwort, allerdings stotterte er diesmal nicht so sehr.

Sobald er den Palas betreten hatte, gewann er an Sicherheit. Er lief durch den Großen Saal, wo einige Soldaten saßen und würfelten, und ging auf die Treppe zu.

»Was willst du da?«, fragte ihn jemand scharf von hinten, noch ehe er den Fuß auf die erste Stufe gesetzt hatte.

Vater Timotej zog den Kopf ein. »Die Hebamme möchte beichten«, erwiderte er, ohne sich umzuwenden. Dann wollte er weitergehen.

Eine Hand packte ihn grob an der Schulter. »Warte«, sagte Agomar und zwang ihn, sich umzudrehen.

Der Pfarrer war totenbleich. Er bemühte sich, nicht zu zittern.

Agomar musterte ihn schweigend. »Woher weißt du, dass die Hebamme beichten möchte?«

Vater Timotej blickte erschrocken. »Es ist schon lange her ... schon lange her, dass sie nicht mehr zur Heiligen Messe kommen konnte ...«, stammelte er, »und jeder Christ hat das Recht auf den Trost der Vergebung, und ... Also, man muss sich doch von Zeit zu Zeit das Gewissen erleichtern, mein Sohn ...«

»Was verheimlichst du mir, Pfaffe?«, fragte Agomar.

Auf der Stirn des Geistlichen bildeten sich dicke Schweißtropfen.

Agomar sah ihn weiter durchdringend an. »Du kannst da nicht hinauf«, sagte er, packte ihn bei der Kapuze und zog ihn hinter sich her in ein Nebenzimmer, dessen Fenster mit festen Gittern gesichert war.

Vater Timotej zitterte wie Espenlaub. »Um Gottes willen ...«, murmelte er mit brüchiger Stimme.

»Halt den Mund, Pfaffe«, sagte Agomar. »Du wirst der Hebamme hier drinnen die Beichte abnehmen, ich werde sie rufen lassen.«

»Möge Gott dich segnen, mein Sohn«, sagte der Priester und atmete erleichtert auf.

Agomar verließ den Raum und schloss hinter sich ab.

Gleich darauf erschien er wieder, zusammen mit Ojsternig.

Der Fürst sagte nichts, er musterte Vater Timotej stumm.

Der Pfarrer wand sich förmlich unter seinem strengen Blick. Der Schweiß lief ihm in die Augen, sodass diese brannten und er sie ständig zusammenkneifen musste.

Ojsternig stand weiter da und blickte ihn an.

»Ich tue doch nichts Unrechtes, Euer Durchlaucht«, sagte Vater Timotej furchtsam und wrang nervös die Hände. »Ich möchte ...«

»Was möchtest du? Sprich!«, sagte Ojsternig scharf.

»Die Beichte ...«

Ojsternig lachte. »Ich wette, du möchtest vielmehr eine Botschaft von dem Dreckschaufler überbringen.«

»Nein, Euer Durchlaucht!«, rief Vater Timotej totenbleich.

»Oh doch!«, lachte Ojsternig weiter.

»Nein, Euer Durchlaucht, ich versichere Euch«, klagte Vater Timotej, »ich bin ein Mann der Kirche ...«

»Nein!«, brüllte Ojsternig. »Jetzt, in diesem Augenblick, bist du ein Rebell!« Er packte ihn bei seinem Talar und zwang ihn hinunter auf die Knie. »Und dein Gewand wird dich nicht retten!« Er beugte sich drohend über ihn.

»Euer Durchlaucht ... um Gottes willen ...«, wimmerte Vater Timotej.

»Ich höre, Pfaffe«, flüsterte Ojsternig in sein Ohr.

»Ich habe ... ich bringe keine Botschaft ... so glaubt mir doch ...«

Ojsternig seufzte. Er nahm dem Priester die Kapuze ab und strich ihm über den Kopf. »Pfaffe ... Pfaffe ...«, sagte er und schüttelte bedauernd den Kopf, »warum lügst du deinen Fürsten an?«

»Nein ... Euer Durchlaucht ...« Vater Timotejs Gesicht war vor Angst verzerrt.

Plötzlich schnellte Ojsternig vor. Er packte das Ohr des Priesters, zückte seinen Dolch und schnitt ihm das Ohrläppchen ab.

Vater Timotej stöhnte vor Schmerz.

Ojsternig wedelte mit dem abgeschnittenen Ohrläppchen vor seinem Gesicht. »Je eher du mir sagst, was du weißt, Pfaffe«, sagte er betont ruhig, »desto weniger wirst du leiden.«

»Ich weiß gar nichts!«, schrie Vater Timotej schrill. »Ich bitte Euch, um Gottes willen.«

»Wie du willst«, sagte der Fürst, stand auf und warf das abgeschnittene Ohrläppchen auf den Boden. »Ruf den Henker. Und sag ihm, er soll sein Werkzeug mitbringen.« Dann setzte er sich mit dem Rücken zum Priester auf einen Stuhl neben dem erloschenen Kamin.

Vater Timotej schluchzte. Das Blut lief ihm am Hals hinunter und färbte sein Priestergewand rot. Er schlug die Hände vors Gesicht, bis er sich wieder unter Kontrolle hatte. Als er die Hände sinken ließ, war zwar die Angst nicht von ihm gewichen, aber ein neuer Glanz erfüllte seine Augen. »Herr, schenk mir

Kraft.« Er umklammerte sein Kreuz, hob die Augen zum Himmel und begann zu beten: »Pater Noster qui es in cælis: santificetur nomen tuum; adveniat regnum tuum; fiat voluntas tua, sicut in cælo, et in terra ...« Und allmählich gewann seine Stimme an Festigkeit.

Während der Priester betete, lachte Ojsternig ihn aus.

Am späten Nachmittag griffen drei Rebellen, die Mikael auf Streife geschickt hatte, einen durch den Wald irrenden Jungen auf. Er sagte, er habe eine Botschaft von Vater Timotej für Mikael.

Zwei der Männer behielten ihn im Auge, während der dritte Mikael Bescheid gab.

Wenig später kam Mikael in Begleitung von Manuele und fünf Rebellen, die sich im Wald verteilten und sofort Alarm schlagen würden, wenn sich Soldaten zeigten.

Mikael musterte den Jungen. »Wer bist du?«, fragte er.

»Ich heiße Fredo und ...«

»Ich habe nicht gefragt, wie du heißt, sondern wer du bist«, unterbrach Mikael ihn sofort und erinnerte sich daran, dass Volod bei ihrer ersten Begegnung genau das Gleiche zu ihm gesagt hatte. »Ich kenne dich nicht.«

»Nein, Herr«, erwiderte der Junge. »Ich bin der Sohn von einem Holzfäller des Fürsten. Wir sind im letzten Jahr hergezogen.«

»Und wie alt bist du, Fredo?«

»Sechzehn, Herr.«

Mikael betrachtete ihn. Er war genauso alt gewesen, als er Volod kennengelernt hatte. Ihm kam es vor, als wäre es ein Leben lang her.

»Ich bringe Euch eine Botschaft von Vater Timotej«, sagte Fredo. Seine Stimme klang zwar fest, aber sein Blick wanderte unruhig hin und her.

»Hast du Angst?«, fragte Mikael.

»Nein«, erwiderte Fredo. Wieder gingen seine Augen unstet hin und her.

»Du lügst«, sagte Manuele. »Wer schickt dich? Schau mich an!«

Fredo bemühte sich, ihm direkt ins Gesicht zu sehen. »Vater Timotej schickt mich, das habe ich doch schon gesagt.«

»Und warum ist er nicht selbst gekommen?«, fragte Manuele.

»Weil überall Soldaten unterwegs sind«, erwiderte Fredo beinahe gereizt. »Seit der Hinrichtung sind alle aufs Höchste alarmiert.«

»Und sie überprüfen einen Priester, aber dich nicht?«, fragte Manuele weiterhin misstrauisch.

»Ich bin doch nur ein Junge«, erwiderte Fredo achselzuckend. »Außerdem bin ich hinter der Brücke durch die Uqua gewatet.«

Alle schauten hinunter auf seine Füße. Die Stiefel waren nass.

»Dann müsste aber auch deine Tunika nass sein«, sagte Manuele.

»Die habe ich ausgezogen, ich wollte hinterher nicht erfrieren«, sagte Fredo.

»Du hast auf alles immer schon die richtige Antwort parat, noch bevor ich die Frage zu Ende gesprochen habe. Du hast deinen Text gut gelernt«, sagte Manuele.

Fredo schossen die Tränen in die Augen, und seine Lippen zitterten kurz, als würde er gleich losheulen. Einen Moment lang sah er deutlich jünger aus, als er war. Dann lief er rot an. »Ich sage die Wahrheit«, rief er und ballte die Fäuste.

»Und ich glaube dir nicht«, sagte Manuele hart.

Mikael hob die Hand. »Lass ihn reden.«

Fredo hielt den Kopf gesenkt und schwieg. Er stieß nur keuchend den Atem aus.

»Red schon, Junge«, forderte Mikael ihn auf.

Fredo sah ihn an. »Vater Timotej sagt, dass Eloisa in einem Zimmer im Obergeschoss untergebracht ist. Die zweite Tür rechts. Und dass sie Tag und Nacht von zwei Soldaten bewacht wird.«

»Danke, Fredo. Und richte auch Vater Timotej meinen Dank aus«, sagte Mikael, für den die Unterredung damit beendet zu sein schien.

»Ich arbeite beim Fürsten, Herr«, fuhr Fredo hastig fort. »Ich bin Küchenjunge und kenne die Burg genau. Falls Ihr wissen wollt, wie Ihr am besten zum Geheimgang kommt, kann ich Euch helfen.«

Mikael sah ihn mit gerunzelter Stirn an. »Ich kenne mich dort aus.« Er kehrte ihm den Rücken zu und schwang sich wieder auf sein Pferd.

»Herr«, rief Fredo.

Mikael drehte sich um.

»Vater Timotej sagt, es sei sehr gefährlich«, fuhr Fredo fort. »Er bittet Euch, es nicht zu tun ...«

»Geh nach Hause, Junge«, sagte Mikael und gab seinem Pferd die Sporen.

Während sie zu ihrem Schlupfwinkel zurückkehrten, ritt Manuele an seine Seite. »Der Junge gefällt mir nicht«, sagte er.

»Ja, das haben wir gemerkt«, sagte Mikael.

»Er lügt«, beharrte Manuele. »Er hat auf alles eine Antwort, seine Augen wanderten unruhig hin und her ...«

»Bei einem hat er ganz sicher gelogen«, sagte Mikael. »Als er sagte, dass er keine Angst hat.« Seine Augen verloren sich in der Vergangenheit. »Auch ich hatte Angst, als ich zum ersten Mal dem Anführer der Rebellen gegenüberstand. Und ich war damals genauso alt wie er.«

»Ich erinnere mich noch genau an diesen Tag. Ich war dabei.« Manuele schüttelte den Kopf. »Aber du warst anders.«

»Nein, glaub mir«, sagte Mikael lächelnd.

»Oh doch«, widersprach Manuele entschieden.

»Jetzt hör schon auf«, sagte Mikael. »Gibt es etwas Neues von Lucio? Er ist seit Tagen verschwunden.«

Manueles Miene verdüsterte sich. »Nicht das Geringste«, sagte er. »Und dabei sieht es ihm gar nicht ähnlich, sich aus dem Staub zu machen.«

»Nein, bestimmt nicht.«

»Also ist er . . .«

»Also wirst du den Angriff auf den Versorgungszug anführen müssen«, unterbrach Mikael ihn gleich, der nichts über den Tod hören wollte. »Traust du dir das zu?«

»Ja.«

»Gut. Damit ist die Sache erledigt.« Er legte ihm eine Hand auf die Schulter. »Ich hatte Lucio gebeten, einen Mann nach Dravocnik zu schicken und mit den Bergleuten zu reden.«

»Das hat Giacomo übernommen«, antwortete Manuele. »Aber er hat gesagt, dass allen dort die Angst ins Gesicht geschrieben stand.«

Mikael nickte ernst. »Ich kann es ihnen nicht verdenken.«

»Das sind alles Feiglinge«, knurrte Manuele grimmig. »Wir kämpfen schließlich auch für sie.«

»Gib die Hoffnung nicht auf, Manuele«, sagte Mikael.

Eine halbe Meile lang blieb Manuele stumm. »Weißt du, was Volod gesagt hat, nachdem du gegangen warst?«, sagte er dann.

»Dass ich ein kleiner Hosenschisser sei, der sich den Mund mit hohlen Worten füllt«, lachte Mikael. »Und er hatte recht damit.«

»Nein. Er sagte, dass er gerade einen Leibeigenen getroffen habe, der zu einem Mann heranwachsen würde. Und seine Stimme klang äußerst respektvoll dabei.«

Mikael war verwundert, aber auch gerührt. »Ich wünschte, Volod wäre jetzt hier«, murmelte er.

»Über diesen Jungen von eben könnte ich aber nicht so viel Gutes sagen«, sagte Manuele mürrisch. »Er gefällt mir nicht.«

Mikael drehte sich zu ihm um und sah ihn eindringlich an. »Begreifst du denn nicht, dass ich keine Wahl habe, Manuele?«, fuhr er ihn barsch an. »Entweder ich rette meine Frau, oder ich sterbe. Und wenn ich sterbe, dann werdet ihr mein Werk fortführen.«

Als es Zeit für das Abendessen war, ging die Tür zu Eloisas Zimmer auf.

Doch statt der üblichen Magd erschien ein etwa sechzehnjähriger Junge mit dem Tablett in der Hand.

»Lucilla ist unpässlich«, sagte einer der Wachsoldaten. »Von mir aus lass deine Katze die Suppe kosten, wenn du diesem Rotzlöffel nicht traust«, sagte er lachend und schloss die Tür.

Der Junge wirkte schüchtern und unbeholfen. Er fühlte sich sichtlich unwohl mit dem Tablett. »Wo soll ich es hinstellen?«, fragte er mit gesenktem Kopf.

»Gib es mir«, antwortete Agnete und nahm ihm das Tablett aus der Hand. »Du kannst gehen.«

»Herrin, ich muss Euch sprechen«, flüsterte der Junge Eloisa zu.

»Was willst du?«, fragte Agnete grob.

Der Junge ging zu Eloisa. »Ihr wisst schon wer … schickt mich und lässt Euch ausrichten, Ihr mögt Euch bereithalten«, sagte er leise.

»Mikael?«, rief Eloisa.

Der Junge fuhr herum zur Tür. »Um Himmels willen, sprecht leise«, flüsterte er erschrocken.

»Mikael?«, wiederholte Eloisa ebenfalls im Flüsterton.

»Ja, Herrin.« Der Junge nickte und schaute wieder besorgt

zur Tür. »Er schickt mich und sagt, Ihr sollt Euch bereithalten. Die Rebellen planen bald einen Angriff . . .«

»Wann?«, fragte Eloisa ängstlich.

Agnete lauschte der Unterredung schweigend und beobachtete den Jungen.

»In zwei Wochen. Die Rebellen werden einen Versorgungszug angreifen«, erwiderte der Junge. »Ich habe nicht viel Zeit, Herrin. Sonst werden die Wachen misstrauisch. Hört mir zu und stellt keine Fragen. Er wird in die Burg kommen und Euch befreien.«

Eloisa schlug sich die Hand vor den Mund.

»Einige Männer hier in der Burg werden ihm helfen«, fuhr der Junge fort. »Sie werden ihm den Weg frei machen und Eure Flucht von hier bis zum . . . Geheimgang beschützen.« Er sah Eloisa in die Augen. »Wo sollen sie warten?«

»Wer?«, fragte Eloisa zurück.

»Die Männer, die Euch beschützen werden, Herrin«, sagte der Junge. »Wo ist der Geheimgang?«

Eloisa versteifte sich.

»Wer bist du?«, fragte Agnete misstrauisch.

»Ich heiße Fredo«, sagte der Junge und fügte dann voller Stolz hinzu: »Ich bin ein Rebell.«

»Und warum hat Mikael dir dann nicht gesagt, wo der Geheimgang ist?«, fragte Eloisa.

»Unser Anführer versteckt sich im Wald. Das Dorf ist voller Soldaten«, erwiderte Fredo schnell. »Er hat Vater Timotej gesagt, dass Ihr es wisst. Und Vater Timotej hat uns die Nachricht überbracht.«

Die zwei Frauen zögerten.

»Wie lange brauchst du denn noch?«, rief ein Soldat von hinter der Tür.

»Ich bin fertig!«, erwiderte der Junge laut. Er sah die Frauen kurz an. »Das macht nichts. Ich kann Euch verstehen. Ihr habt recht, niemandem zu trauen. Wenn der Moment gekommen ist, werden wir eben sehen, wie wir klarkommen.« Er schwieg kurz. »Wir werden unser Bestes geben, und Ihr betet lieber, dass der Eingang nicht bewacht wird.« Dann drehte er sich zur Tür.

»Warte ...«, sagte Eloisa.

Agnete legte ihr eine Hand auf den Arm, als wollte sie sie zurückhalten. Aber auch sie wusste nicht, was sie tun sollten.

»Muss ich dich erst mit Arschtritten da rausbefördern?«, knurrte der Soldat vor der Tür.

Eloisa ging zu Fredo. Sie wusste, es war ein Wagnis. Doch ihr blieb keine Wahl. Sie konnte nicht riskieren, dass Mikaels Plan fehlschlug. »Er liegt im Kellergeschoss, hinter den Küchen. Die Luke sieht aus wie ein Stein, sie ist genau in der Mitte, aber wenn man darauf klopft, hört man, dass sie aus Holz ist«, brachte sie atemlos hervor. Sie nahm Fredos Gesicht in beide Hände und küsste seine Stirn. »Möge Gott dich beschützen, Fredo!«

75

Während er auf den Tag des Angriffs wartete, hatte Mikael die Wachsoldaten auf der Brücke über zwei Wochen genau beobachtet. Sie wurden alle sechs Stunden abgelöst. Nach Ende ihres Dienstes bestiegen sie ihre Pferde und ritten unverzüglich zur Burg zurück. Alle bis auf einen Soldaten, der jedes Mal sein Pferd an den Zügeln zunächst noch zum flachen Flussbett führte, das Tier dort an einen niedrigen Ast festband und, nachdem er sich entkleidet hatte, im klaren Wasser der Uqua ein erfrischendes Bad nahm.

In diesem Moment war er verwundbar.

Danach zog sich der Soldat wieder an, verabschiedete sich von den beiden Kameraden, die als Wachen zurückblieben, und begab sich auf den Weg zur Burg.

An diesem Morgen legte sich Mikael hinter einer Eberesche auf dem Ufer der Uqua auf die Lauer, kurz bevor die Wachen abgelöst wurden. Während er dort wartete und versuchte, seinen Atem zu kontrollieren, umklammerte seine Hand krampfhaft sein Schwert. Die Ankunft des Proviantzuges, den die Rebellen angreifen sollten, war für den Nachmittag desselben Tages vorgesehen. Mikael hatte lange überlegt und sich mit Manuele beraten, und beide waren sich einig, dass alles im letzten Moment geschehen musste. Denn wenn Mikael früher zuschlug, würden die Kameraden des getöteten Soldaten sein Verschwinden höchstwahrscheinlich bemerken, und die Lage würde noch schwieriger werden.

Deshalb durfte Mikael sich keinen Fehlschlag erlauben. Er würde keine zweite Gelegenheit erhalten.

Da hörte er die Ablösung herannahen. Ihre Pferde gingen gemächlich im Schritt, die Schwerter schlugen rhythmisch gegen die Beinschienen der Männer.

Mikael kam es vor, als brauchten sie eine Ewigkeit, um die Brücke zu erreichen und die Kameraden zu verabschieden. Ihm lief der Schweiß den Rücken herunter. Endlich hörte er, wie einer der beiden Soldaten, deren Dienst beendet war, seinem Pferd die Sporen gab und Richtung Burg ritt. Mikael duckte sich noch tiefer ins Gebüsch, spitzte die Ohren und betete stumm, dass der Soldat nicht ausgerechnet an diesem Tag von seiner Gewohnheit abwich. Doch nach wenigen Augenblicken, die ihm endlos lang erschienen, sah er, dass der Mann sein Pferd am gleichen Ast wie sonst festband, sich entkleidete und in die Fluten der Uqua eintauchte.

Mikael musste ihn von hinten angreifen, doch er hatte nicht vor, ihm die Kehle durchzuschneiden. Die Wachsoldaten hätten das vom Blut gerötete Wasser bemerken können. Außerdem missfiel ihm die Vorstellung, einen wehrlosen Mann zu töten.

Er entdeckte einen weißen, glatten Stein, nahm ihn und überzeugte sich, dass er gut in der Hand lag.

»Jetzt!«, sagte er zu sich selbst und trat aus seinem Versteck hervor.

Er tat zwei schnelle Schritte, und als der Soldat sich durch das Geräusch auf den Flusskieseln alarmiert umdrehte, stürzte Mikael sich mit seinem ganzen Gewicht auf ihn und schlug ihm den Stein mit Wucht gegen die Stirn. Der Soldat riss die Augen auf, geriet ins Taumeln und wollte schon um Hilfe rufen. Da traf Mikael noch einmal, und der Soldat fiel ins Wasser.

Mikael schleppte den leblosen Körper ans gegenüberliegende Ufer der Uqua und dann hinein in den Wald. Dort fesselte er ihn mit einem langen Seil, das er hinter einem Busch versteckt hatte, und knebelte ihn. Mikael zog sich aus, nahm den Ring seines Vaters aus der Tasche und ging zurück zum Fluss. Dort stieg er am anderen Ufer aus den Fluten und zog die Uniform des Soldaten an. Er band die Zügel des Pferdes los, saß auf und ritt mit dem Rücken zu den beiden Wachen das Ufer hinauf.

»Du duftest lieblich und rein wie eine Hure, Hector!«, spottete einer der beiden. »Ich kann dich bis hierher riechen!«

Mikael wandte sich nicht um. Er hob nur eine Hand zum Gruß und widerstand der Versuchung, sogleich im Galopp davonzupreschen.

»Du sagst ja gar nichts, hat dich etwa eine Tarantel gebissen?«, rief ihm die andere Wache zu.

»Nein, das Flusswasser hat ihm die Eier abgefroren, und er will nicht, dass wir seine piepsige Mädchenstimme hören!«, lachte der erste Soldat.

Mikael hob noch einmal die Hand und ließ sein Pferd traben.

Als er wusste, dass er außer Sichtweite war, bog er von der Straße ab, die hinauf zur Burg führte, und verbarg sich im Unterholz.

Nun konnte er nur noch abwarten.

Währenddessen dachte er an Raphaels Lebensbeichte zurück, die ihn tief getroffen und berührt hatte. Und er musste an Agnete denken und an das, was sie erlitten hatte. Doch die meisten seiner Gedanken galten Eloisa. Die Vorstellung, sie wiederzusehen, erregte und erschreckte ihn zugleich. War sein Plan vielleicht Wahnsinn? Würde er sie damit in Gefahr bringen? Je näher der Zeitpunkt des Angriffs rückte, desto stärker wurden die Zweifel, die seinen Kopf und sein Herz quälten. In den letzten Jahren hatte er eine außergewöhnliche Veränderung durchgemacht. Er war ein verwöhntes Prinzchen gewesen, dann plötzlich ein Kind, das für ein Leben als Leibeigener völlig untauglich war und beinahe nicht überlebt hätte. Er war zu einem jungen Mann herangewachsen, hatte die Liebe und ihre Freuden kennengelernt und war schließlich zu einem Rebellen und einem Flüchtling geworden. Jetzt stand er hier, versteckte sich im Unterholz und lauerte darauf zu kämpfen, und seine Männer waren bereit, für ihn, für die Gerechtigkeit, für die Hoffnung auf ein besseres Leben zu sterben. Er war erst siebzehn Jahre alt und hatte schon drei Leben gelebt. Mikael umklammerte den Ring und fühlte, dass sein Vater jetzt stolz auf ihn gewesen wäre.

Anfangs wollte die Zeit nicht vergehen, aber als dann der Versorgungszug die Brücke über die Uqua überquerte, kam es Mikael vor, als sei sie im Nu verflogen.

Er stieg auf sein Pferd. Jetzt war keine Zeit mehr für Überlegungen.

Eine knappe halbe Meile vor der Burg begann der Angriff.

Mit Manuele als Anführer kamen die Rebellen schreiend aus dem Wald und stürmten mit gezückten Waffen vorwärts.

»Ist es Wahnsinn?«, fragte Mikael sich wieder, als er sah, wie drei seiner Männer im ersten Pfeilhagel der Soldaten fielen.

Im Nu kamen neue Soldatentruppen aus der Burg und stürzten sich ins Kampfgetümmel.

Darauf hatte Mikael nur gewartet. Er gab seinem Pferd die Sporen und schloss sich unbemerkt den Soldaten an.

Als er schließlich mitten ins Kampfgeschehen vorgedrungen war, konnte er seinen Zorn fast nicht mehr beherrschen. Es kam ihm so falsch vor, auf dieser Seite zu kämpfen und untätig zusehen zu müssen, wie seine Männer starben.

»Verschwindet, Dreckskerle!«, schrie er, so laut er konnte.

Manuele bemerkte ihn und befahl den Rebellen, sich zurückzuziehen.

Während die Männer ihre Pferde wendeten, deckte Manuele mit Volods Schwert in der Hand ihren Rückzug. Sogleich waren fünf Soldaten bei ihm und hieben auf ihn ein. Mikael wollte ihm instinktiv zu Hilfe eilen und lenkte sein Pferd in die Gruppe.

Manuele, der blutend am Boden lag, bemerkte dies. Er sah

ihn mit glühenden Augen an. »Nein!«, schrie er Mikael an. Dann durchbohrte das Schwert eines Soldaten seine Brust.

Mikael riss die Zügel nach hinten, sein Pferd bäumte sich wiehernd auf und hätte ihn beinahe abgeworfen. In seinen Augen brannten Schmerz und Wut.

»Geh«, flüsterte Manuele sterbend.

Mikael schrie laut auf, dann wendete er sein Pferd. Er schlug grausam mit der Gerte auf das Tier ein und preschte im Galopp zur Burg, wo der Zug inzwischen angekommen war. Als er in den Hof einritt, wollten vier Soldaten gerade das Tor schließen. Überall herrschte große Aufregung. Die Verwundeten wurden in die Unterkünfte der Wachen gebracht. Die Stallknechte bemühten sich, die Pferde zu beruhigen und sie in die Stallungen zu bringen. Die Knechte und Diener liefen verängstigt durcheinander.

Während Mikael vom Pferd stieg und das Tier in die Obhut eines Knechtes gab, hörte er, wie sich das Tor mit einem dumpfen Knall schloss und die Querbalken geräuschvoll in ihre Führungen einrasteten.

Nun würde niemand die Burg verlassen können.

Mikael umklammerte mit fester Hand sein Schwert und ging entschlossenen Schrittes auf den Palas zu. Mit gesenktem Kopf betrat er den Großen Saal. Auch dort herrschte Durcheinander. Aus dem Augenwinkel entdeckte er Agomar. Am liebsten hätte er ihn auf der Stelle getötet, doch er hielt sich zurück und ging zur Treppe, die ins obere Stockwerk führte. Niemand hielt ihn auf, aber als er den ersten Treppenabsatz zurückgelegt hatte, kam es ihm vor, als würde Agomar ihm nachblicken. Er hielt sein Schwert noch fester und stieg die Treppe weiter nach oben.

Als er den Flur im Obergeschoss erreichte, hatte er wieder vor Augen, wie Manuele und die anderen seiner Männer gestorben waren. Und da wusste er, dass er nicht zögern würde zu töten.

Mit blinder Wut stürzte er auf die Soldaten los, die die Tür bewachten. Der erste Hieb spaltete einem beinahe den Brustkorb, dann trieb er die blutverschmierte Waffe dem anderen in den Hals, noch ehe der sein Schwert ziehen konnte.

Er stieß die Tür mit der Schulter auf.

Eloisa und Agnete standen ganz hinten im Raum. Sie hielten sich in den Armen und drängten sich dicht an die Wand.

»Mikael!«, rief Eloisa, als sie ihn sah, und lief ihm entgegen.

Er ließ das Schwert fallen und schloss sie in die Arme, so fest, dass er sie beinahe erstickt hätte. Tiefe Erschütterung überrollte ihn wie ein Erdbeben, hatte er doch befürchtet, sie nie mehr wiederzusehen.

»Mikael ...«, rief Eloisa noch einmal. Freudentränen liefen ihr über die Wangen.

Als sie sich aus der Umarmung löste, um ihn zärtlich zu berühren, merkte Mikael, dass er ihr Kleid mit dem Blut der getöteten Feinde befleckt hatte. Einen Augenblick lang quälte ihn eine düstere Vorahnung. »Eloisa ... Eloisa ...«, sagte er leise, und auch in seinen Augen standen Tränen. Er brachte nicht mehr heraus als den Namen der Frau, die er seit jeher liebte.

Eloisas Finger strichen zärtlich über sein Gesicht, als müsste sie sich überzeugen, dass er es wirklich war. »Du bist gekommen ...«

»Ja, ich bin gekommen ...«, flüsterte Mikael ihr zu und fuhr mit einem Finger über ihre samtigen Lippen. Seit fast einem Jahr träumte er davon, sie wieder zu küssen. Doch dann riss er sich los und wandte sich zu Agnete. Am liebsten hätte er auch sie umarmt, aber die Zeit drängte. »Das Kind?«, fragte er.

Agnete schüttelte stumm den Kopf.

Mikael presste die Kiefer zusammen, dann brauste er auf: »Was heißt das?«

»Wir wissen nicht, wo sie es hingebracht haben«, sagte Eloisa, und in ihrer Stimme lag unendlicher Schmerz.

Mikael ballte die Fäuste. Dann packte er Eloisa am Arm. »Ich werde zurückkommen und es holen, das schwöre ich dir«, erklärte er ihr entschieden, während er sein Schwert aufhob. »Jetzt macht schnell, wir müssen uns beeilen.«

Eloisa wandte sich zu Agnete um, ergriff ihre Hand und zog sie hinter sich her.

»Bleibt hinter mir«, sagte Mikael. »Senkt den Kopf und lauft ruhig vorwärts.«

Ein Soldat oben an der Treppe zog sein Schwert.

Mikael hingegen steckte auf dem Weg zu dem Mann seines ein. »Hilf mir«, sagte er ganz ruhig. »Wir müssen die Gefangenen wegbringen.« Als er nur noch einen Schritt von ihm entfernt war, zog Mikael jedoch einen Dolch aus dem Gürtel. Er stieß ihn ihm in den Bauch und drückte ihn brutal nach oben, sodass er den Soldaten beinahe hochhob, bis die Klinge sein Herz traf.

Der Soldat erbrach einen Blutstrom auf ihn und fiel wie ein schlaffer Sack zu Boden.

Eloisa hätte beinahe aufgeschrien, doch Agnete hielt ihr den Mund zu.

Mikael ging die Treppe hinunter, und die beiden Frauen folgten ihm.

Als sie den Großen Saal betraten, sagte Mikael noch einmal ganz leise: »Rennt auf keinen Fall. Ganz gleich, was geschieht.«

Sie erreichten unbehelligt den Hof.

Dort wandten sie sich in nördliche Richtung.

»Wo sind die Männer?«, fragte Eloisa ängstlich.

»Welche Männer?«, erkundigte sich Mikael überrascht.

»Deine Helfer«, entgegnete Eloisa. »Fredo ...«

»Fredo?«, unterbrach Mikael sie.

»Ja, er hat gesagt, dass ...«

Mikael bedeutete Eloisa zu schweigen und zog sein Schwert. »Der verdammte Bastard«, knurrte er.

»Nein, er steht auf unserer Seite«, sagte Eloisa, als wollte sie sich selbst überzeugen.

Mikael antwortete ihr nicht. Sein Gesicht war vor Anspannung verzerrt. Er ging weiter bis zu der Ecke, hinter der man die Rückseite der Küchen erreichte. »Wartet hier«, sagte er zu Eloisa und Agnete. Mit dem Schwert in der Hand beugte er sich vor, um nachzusehen, ob jemand ihnen auflauerte. »Rührt euch nicht vom Fleck, ich bin gleich zurück.« Er rannte an den Küchen vorbei und weiter ins Untergeschoss, stets auf einen Hinterhalt gefasst. Er würde allein sterben, sagte er sich. Würde Eloisa und Agnete nicht in Gefahr bringen. Doch das Untergeschoss lag verlassen da, genauso wie damals, als er Emöke gerettet hatte.

Mit einem schwachen, hoffnungsfrohen Lächeln auf den Lippen eilte er zurück. Als er um die Ecke bog, waren die Frauen verschwunden. Mikael fühlte, wie sein Blut zu Eis erstarrte.

»Wir sind hier«, hörte er plötzlich Eloisas Stimme.

Mikael drehte sich um und erkannte, dass Eloisa und Agnete sich hinter dem Schweinepferch verborgen hatten.

Die beiden Frauen gingen zu ihm und folgten ihm bis zu der Falltür.

Mikael öffnete sie und sah hinunter in die Dunkelheit. Doch sowohl er als auch Eloisa kannten den Weg. Sie würden sich vorwärtstasten. »Kommt, hier hinunter«, sagte er angespannt. Dann ging er noch einmal zur Tür, um sie gegebenenfalls zu verteidigen. Doch auch dort zeigte sich niemand. Mikael folgte den beiden Frauen und schloss die Falltür über seinem Kopf.

Jetzt herrschte vollkommene Finsternis.

Als er unten ankam, fiel auf einmal alle aufgestaute Anspannung von ihm ab. »Eloisa, wo bist du?«, fragte er.

»Hier ...«

Mikael streckte einen Arm aus und fand sie. Ganz langsam

hob er die Hand zu ihrem Gesicht, bis seine Finger ihre Lippen berührten.

»Haben wir es geschafft?«, fragte Eloisa ganz leise.

»Ja.« Mikael drückte sie mit all der Leidenschaft an sich, die er während ihrer Flucht durch den Palas hatte unterdrücken müssen.

»Wir haben es geschafft!«, sagte Eloisa lachend. »Liebe meines Lebens ...«

»Liebe meines Lebens!«

Agnete räusperte sich irgendwo im Dunkeln.

Mikael und Eloisa lachten befreit.

»Mutter!«, rief sie aus.

»Ja, Tochter ...«, seufzte Agnete.

»Gehen wir«, erklärte Mikael lachend und löste sich aus der Umarmung. »Passt auf, wohin Ihr Eure Füße setzt, Agnete.«

»Eigentlich sollte ich jetzt sagen, pass du lieber auf, wo du deine Hände hintust«, brummte Agnete. »Aber ich bin nicht in der Stimmung für Scherze. Bring uns hier raus, Junge, und möge Gott dich segnen.«

Sie tasteten sich vorsichtig etwa hundertfünfzig Fuß vorwärts, dann erklärte Mikael: »Und jetzt auf die Knie und auf allen vieren weiter.« Ein Unbehagen überfiel ihn, doch er wusste nicht, warum. »Wir sind beinahe da«, fügte er hinzu und ging ebenfalls auf die Knie.

»Müssten wir dann nicht schon Licht sehen?«, fragte Eloisa.

Nun erkannte Mikael den Grund für sein Unbehagen. Sie waren nur noch etwa dreißig Fuß vom Ausgang entfernt. Eloisa hatte recht, sie hätten wenigstens einen schwachen Lichtschein sehen müssen. »Es ist kurz vor Sonnenuntergang ... und vor dem Eingang wachsen dichte Pflanzen«, sagte er ohne rechte Überzeugung. Er kroch schneller, schrammte sich Hände und Knie an dem felsigen Untergrund auf, während die dumpfe Vorahnung ihn immer stärker quälte.

Als er mit dem Kopf gegen Stein stieß, hielt er inne. Mit angehaltenem Atem tastete er die Wand ab. Er spürte nichts als Steine. Und dazwischen eine noch feuchte, dünne Schicht Mörtel.

»Der Ausgang wurde zugemauert ...«

Mikael trommelte mit den Händen gegen die Mauer, er drückte, warf sich mit der Schulter dagegen. Doch die Mauer hielt, und er gab keuchend auf.

Alle schwiegen beklommen.

Mikael dachte an die Rebellen, die im Wald auf ihn warteten. Sie würden bemerken, dass er nicht herauskam. Aber sie waren zu wenige, um die Burg anzugreifen.

»Was machen wir jetzt?«, fragte Eloisa nach einer Weile und versuchte, die Furcht zu verbergen, die ihr die Kehle zupresste.

»Kriecht zurück«, sagte Mikael. »Wir werden woanders hinauskommen.«

»Wo?«, fragte Agnete.

»Ich weiß es nicht«, gestand Mikael ohne Hoffnung. »Aber wir werden einen Weg finden.«

Sie krochen zurück. Etwa zwanzig Schritt von der Treppe entfernt, die nach oben zur Falltür führte, bemerkten sie ein flackerndes Licht.

Mikael trat vor die beiden Frauen und zückte sein Schwert. Vorsichtig ging er weiter.

Der Schein kam von einer Fackel, die auf dem Boden lag.

Mikael hob sie auf.

Und im gleichen Moment ertönte ein geisterhaftes, unmenschliches Lachen, dass von dem Kellergewölbe noch verstärkt wurde.

Mikael hob die Fackel hoch zur Falltür.

Der Schein fiel auf Ojsternig, der ihn anstarrte.

Mikael wich einen Schritt zurück, hielt aber die Fackel weiter erhoben.

»Sag mir, Dreckschaufler«, Ojsternig lachte höhnisch, »wie fühlt sich eine Maus, wenn sie in der Falle sitzt?«

Mikael schoss wieder das Blut in den Kopf. »Komm und hol mich«, schrie er wütend und schwang sein Schwert.

Ojsternig lachte wieder. »Nein, Dreckschaufler! So einfach stirbst du mir nicht!«, schrie er ihn noch lauter an, und in seinen Augen blitzte ein irrsinniges Flackern auf. »Du wirst dort unten sterben ... ganz langsam ... an Hunger und Durst krepieren ...« Er betonte grausam jedes einzelne Wort. Dann senkte er seine Stimme zu einem Flüstern ab und zischte schlangengleich: »Und vorher wirst du zusehen, wie dein Weib stirbt.«

76

Lass die Frauen gehen, Ojsternig«, schrie Mikael. »Sie haben nichts damit zu tun!«

»Du hast recht, Dreckschaufler. Sie hatten nichts damit zu tun«, erwiderte Ojsternig mit ruhiger Stimme, in der jedoch sein ganzes abartiges Vergnügen an der Situation mitschwang. »Doch jetzt werden sie durch deine Schuld sterben.«

»Das ist eine Angelegenheit zwischen mir und dir!«, fuhr Mikael verzweifelt fort.

Als seine Worte verhallt waren, flüsterte Ojsternig: »Ja ... eine Angelegenheit zwischen mir und dir.«

»Lass sie gehen!« Mikael schwang wütend sein Schwert gegen die Wände, dann stieg er wie im Wahn die untersten Stufen der Treppe hoch. »Ich komme raus, und du kannst mich umbringen. Lass uns die Sache so zu Ende bringen!«

Eloisa hielt sich stöhnend an Agnete fest.

»Du willst sie dort unten alleinlassen?«, lachte Ojsternig ihn aus. »Sollen sie neben deiner Leiche sterben?«

Mikael blieb stehen.

Ojsternig lachte wieder. »Nein, das würdest du niemals tun.«

Mikael kniete sich auf eine Stufe. »Sieh mich an!«, schrie er.

Ojsternigs grausame Augen beobachteten ihn.

»Was willst du? Soll ich dich auf Knien anflehen?«, fragte Mikael und konnte die Wut, die ihn erfüllte, kaum zügeln. Er ließ sein Schwert fallen. »Sieh mich hier, ich flehe dich an, nimm diesen beiden unschuldigen Frauen nicht das Leben.«

Ojsternig lächelte grausam. »*Du* bist derjenige, der es ihnen genommen hat«, zischte er. »Du allein bist für ihren Tod verantwortlich.«

»Sieh mich an!«, schrie Mikael wieder. »Ist es das, was du willst?« Seine Stimme zitterte vor Wut. »Du hast gewonnen, du siehst mich hier auf Knien vor dir! Genügt dir das nicht?«

Ojsternig starrte ihn eine Weile schweigend an. »Nein, das genügt mir nicht. Aber du wirst mich wieder anflehen, wieder und wieder ... wenn du siehst, wie die beiden immer schwächer werden.« Er lächelte. »Was glaubst du? Wer wird als Erste sterben? Die Alte oder dein Weib?«

»Bastard!«, brüllte Mikael, ergriff schnell sein Schwert und stürzte wie ein Besessener auf die Falltür zu.

Ojsternig sprang rückwärts, und sobald Mikaels Waffe aus dem Loch ragte, schlug er mit seinem Schwert hart gegen die Klinge und lachte.

»Mikael!«, schrie Eloisa verzweifelt.

Daraufhin hielt Mikael inne und wich zurück.

»Hör auf sie, Dreckschaufler«, zischte Ojsternig. »Lass sie nicht allein!«

»Ich werde dich töten!«, rief Mikael wild.

Ojsternig sah ihn an und legte den Kopf schief. Dann lachte er schallend. »Und wie willst du das anstellen?«

Mikael spuckte in seine Richtung aus. »Ich werde dich töten!«

»Ich gehe jetzt zu Tisch, ich bin hungrig«, sagte Ojsternig. »Aber später komme ich zurück, um euch beim Sterben zuzusehen. Warte auf mich.«

Mikael hörte, wie Ojsternig seinen Soldaten befahl, sie sollten ihn zurückdrängen, falls er einen Ausfall wagte, ihn aber auf keinen Fall töten.

»Mikael ...«, rief Eloisa ihn leise.

Er stieg langsam die Stufen hinab. Im Schein der Fackel bemerkte er, dass Eloisa totenblass war. »Ich habe versagt«, gestand er ihr. »Wirst du mir je verzeihen können?«

Eloisa drückte sich an seine Brust. »Lieber sterbe ich in deinen Armen, als ohne dich zu leben«, erwiderte sie leise.

Mikael wandte sich zu Agnete um.

Ihr Gesicht war angespannt, und sie mied seinen Blick.

»Ihr habt mir einmal gesagt, Ihr würdet mir niemals verzeihen, wenn Eloisa meinetwegen etwas zustieße«, sagte Mikael leise.

Agnete entfernte sich ein wenig, man sah ihr an, dass sie ihre Erbitterung und Enttäuschung nur mühsam unterdrückte.

Mikael und Eloisa umarmten einander stumm.

»Wie ist unser Sohn?«, fragte Mikael in das Schweigen hinein.

Eloisa vergrub das Gesicht an seiner Brust, wo der Geruch des Blutes ihr in die Nase drang, und hielt mühsam die Tränen zurück. Dann hob sie den Kopf. »Er ist genauso stark und schön wie sein Vater.« Ein sanftes, schmerzliches Lächeln erschien auf ihrem Gesicht. »Er gleicht dir aufs Haar.«

Wieder wurde es still.

Eloisa nahm Mikael bei der Hand und führte ihn in eine Ecke ihres Gefängnisses. Sie setzte sich auf den Boden. »Halt mich fest.«

Mikael ließ sich neben ihr nieder und umarmte sie. Erst da bemerkte er die Verletzungen an ihren Händen. »Wer hat das getan?«

»Das ist nichts«, sagte Eloisa und lächelte ihn an. »Erzähl mir, was du in all den Monaten gemacht hast, als du fort warst«, bat sie ihn und streichelte sein Gesicht.

Mikael hatte sich vorgestellt, er würde ihr jede Einzelheit seiner Reise in aller Ruhe vor dem Kamin erzählen und dabei seinen Sohn auf den Knien schaukeln, oder im Bett, nachdem sie sich geliebt hatten. Aber so würde es nicht sein. Ihnen blieb keine Zeit mehr. Sie würden hier sterben.

»Nein!«, schrie er plötzlich wütend und sprang auf.

»Mikael . . .« Eloisa versuchte ihn zurückzuhalten.

»Nein!«, schrie Mikael erneut. Er stürzte auf sein Schwert zu. »Ich bringe dich hier raus!« Er nahm auch die Fackel mit und rannte beinahe in den Gang hinein. Als er den zugemauerten Ausgang erreichte, sah er ihn sich im Schein der Fackel genau an. Große, ineinander verklemmte Steine, die durch eine dünne Mörtelschicht verbunden waren, versperrten den Weg. Mikael legte Schwert und Fackel auf den Boden und begann wild entschlossen, mit der Spitze seines Dolches den Mörtel herauszukratzen. Nachdem er die oberste Schicht entfernt hatte, steckte er die Klinge in die Ritzen zwischen den Steinen, um sie herauszuhebeln. Der Dolch brach ab. Mikael warf ihn zornig weg. Nun packte er sein Schwert, hielt es an der Klinge und begann, es wie eine Spitzhacke gegen die Steine zu führen. Er merkte, dass er sich dabei verletzte, hieb jedoch mit aller Kraft weiter auf die Steine ein. Wenn das Metall auf die Steine traf, sprühten Funken, aber es ritzte sie nur leicht.

Plötzlich drang das Lachen von Ojsternig in den Gang, der zurückgekehrt war, um sich am langsamen Sterben seiner Gefangenen zu weiden, und übertönte das dumpfe Klirren des Stahls auf dem Stein. »Glaubst du etwa, hinter dieser Mauer hätte ich keine Soldaten aufgestellt?«, schrie er. »Spar dir deine Kräfte, Dreckschaufler!«

»Nein!«, schrie Mikael verzweifelt und verdoppelte seine Anstrengungen. »Nein!« Die Klinge des Schwerts schnitt ihm in die Hände.

»Mikael . . .« Eloisa stand auf einmal hinter ihm.

Blind vor Wut und Verzweiflung hieb Mikael weiter mit dem Schwert in die Ritzen zwischen den Steinen.

»Hör auf . . .«, flehte Eloisa ihn an. »Bleib bei mir, Mikael . . .« Sie legte ihm eine Hand auf die Schulter.

Plötzlich fühlte Mikael, wie alle Kräfte ihn verließen. Das Schwert entglitt seinen Händen. Erschöpft und verzweifelt lehnte er den Kopf gegen die Steine, die ihm den Weg versperrten.

»Mikael . . .«, wiederholte Eloisa. »Mikael, bleib bei mir.« Sie legte sich auf den rauen, kalten Stein. »Komm her«, flüsterte sie ihm zu.

Mikael kroch den Gang langsam zurück und streckte sich neben ihr aus. Besonders für sie musste er jetzt stark sein. Zärtlich hob er ihren Kopf an, bis ihre Lippen einander berührten.

»Jedes Mal wenn du mich küsst, macht mein Herz einen Sprung«, murmelte Eloisa.

»So sollte es nicht enden«, sagte Mikael. »Ich war anmaßend. Ich habe geglaubt, ich könnte die Welt verändern . . . Und jetzt sieh dir an . . . was ich stattdessen erreicht habe. Am selben Ort, wo du mir das Leben gerettet hast, habe ich dich zum Tode verurteilt.« Er schüttelte den Kopf. »Was für ein grausamer Scherz des Schicksals.«

»Mikael, ich liebe dich«, begann Eloisa, »ich liebe dich, weil ich gar nicht anders kann.« Sie fuhr zärtlich mit einem Finger über seine Stirnnarbe.

Beide schwiegen und streichelten einander langsam mit verzweifelter Zärtlichkeit, die das Wissen um den nahen Tod in sich trug.

Dann gingen sie zurück, Eloisa setzte sich neben ihre Mutter.

Agnetes Gesicht war von Schmerz verzerrt.

»Weint doch, Mutter«, sagte Eloisa sanft.

Agnete sah sie nicht an.

»Warum weint Ihr nicht, Mutter?«, fragte Eloisa beharrlich nach.

»Weil ich es nicht kann«, entgegnete Agnete mit müder Stimme.

Mikael hielt sich abseits.

»Mutter . . .«, begann Eloisa wieder. Ihr Herz war von einer stummen Bitte erfüllt. Sie berührte Agnetes Hand und wandte sich zu Mikael um.

Agnete presste die Lippen aufeinander, doch dann zerbrach etwas in ihr. Sie streichelte das Gesicht ihrer Tochter mit der gleichen Verzweiflung und Innigkeit, wie Eloisa und Mikael sich gerade berührt hatten, in der Erkenntnis, dass es das letzte Mal war. Dann streckte sie die Hand nach Mikael aus.

Er näherte sich ihr mit gesenktem Kopf.

Agnete nahm seine Hand und zog ihn neben sich. »Du hast nichts Schlimmes getan, Junge«, sagte sie. »Ich habe dir nichts zu verzeihen.«

Mikaels Augen füllten sich mit Tränen, und er verbarg den Kopf in ihrem Schoß.

Agnete strich sanft über sein langes blondes Haar. »Ich habe immer gewusst, dass du eine dieser schönen Locken aufgehoben hast«, sagte sie zu Eloisa. »Eine ganze Nacht lang hast du sogar im Schlaf noch gebetet, dass Mikael nicht von den Wölfen zerfleischt wird. Bei Tagesanbruch ist dir die Locke aus der Hand geglitten, und ich habe sie auf dem Boden gefunden. Ich wollte dir eigentlich ein paar saftige Ohrfeigen verpassen, weil du meine Anweisungen nicht befolgt hast, aber dann habe ich es nicht übers Herz gebracht . . .« Ihre Augen blickten sanft und liebevoll. »Du hast dich im ersten Moment in diesen Jungen verliebt.«

Eloisa legte ihren Kopf in Agnetes Schoß, ganz dicht neben Mikaels.

Agnete strich beiden zärtlich über die Haare, dabei sah sie noch einmal ihr Leben vor sich, das jetzt zu Ende ging.

»Erinnert Ihr Euch an Hubertus, Mutter?«, fragte Eloisa mit einem Lächeln.

Agnete kicherte. »Ich erinnere mich noch genau an den Morgen, als du Mikael weismachen wolltest, er hätte den falschen Namen gewählt, weil diese widerliche Maus ein Weibchen und kein Männchen sei.«

»Und ich habe es geglaubt ...«, murmelte Mikael.

»Weil du ein Dummerjan bist«, sagte Eloisa. Sie tastete nach Mikaels Hand. Ihre Finger, die auf Agnetes Beinen lagen, verschlangen sich ineinander.

»Ja, du warst immer ein Tollpatsch.« Agnete lachte. »Ich wünschte, du hättest an dem Abend dein Gesicht sehen können, als ich dir gesagt habe, dass du mit mir füßelst und nicht mit Eloisa ...«

Mikael und Eloisa lachten ebenfalls, doch mit Traurigkeit im Herzen.

»Ja«, sagte Agnete, »wir hatten schon gute Zeiten.«

Den Großteil der Nacht brachte keiner mehr ein Wort hervor. Die Stunden vergingen langsam, und sie hatten jedes Zeitgefühl verloren.

Dann erlosch mit einem letzten Aufflackern die Fackel, wie ein Omen des Todes.

»Ich habe Angst«, flüsterte Eloisa.

»Nein!«, rief Mikael und schüttelte die Lähmung ab. »Wir dürfen nicht aufgeben. Sind wir deshalb so weit gekommen? Nein!«, sagte er entschlossen.

Eloisa und Agnete schwiegen weiter. In der Dunkelheit wuchs ihre Verzweiflung von Augenblick zu Augenblick.

»Nein!«, wiederholte Mikael unbeirrt. Wieder fiel ihm ein, dass da draußen ja seine Männer warteten. Doch er wusste auch, dass sie zu wenige waren, um die Burg anzugreifen. Vielleicht war es die Verzweiflung darüber, die ihn dazu brachte, sich in diesem Moment an Emökes Prophezeiung zu erinnern, die sie am Tag der von Ojsternig angeordneten Wettkämpfe zwischen den Dorfjungen getan hatte. »Er wird sein Schicksal mit dem Schwert erfüllen, durch das alle zu einem werden.« Sie hatte nicht gesagt, dass er wie eine Maus in der Falle sterben würde. Eine innere Stimme sagte ihm jedoch, dass ihm wohl wenig Grund zur Hoffnung blieb, wenn er sich dafür schon an eine

Prophezeiung klammern musste. »Nein!«, wiederholte er, ballte die Fäuste und überhörte die innere Stimme, die ihm sagte, er solle aufgeben. Seit er Emöke gerettet hatte, war sein Leben voller Wunder gewesen. Und sie hatte ihm noch etwas anderes gesagt, erinnerte er sich jetzt. Mikael lehnte Stirn und Hände an den kalten Stein. »Gregor ...«, flüsterte er, »du hast versprochen, mir zu helfen.«

»Was machst du da?«, fragte Agnete.

»Gregor, halte dein Versprechen«, sagte Mikael jetzt lauter.

»Komm her«, rief Agnete ihn.

»Gregor, du hast versprochen, mir zu helfen!«, schrie Mikael jetzt und trommelte mit den Fäusten gegen die Steine.

»Komm her, Junge«, wiederholte Agnete.

»Mikael«, sagte Eloisa verängstigt.

Er verharrte noch einige Momente. Dann gab er auf und streckte sich neben den beiden Frauen aus, mit denen er sterben würde.

Von da an kam es ihm vor, als würde die Zeit ohne Sinn und Maß verrinnen.

Doch dann drang plötzlich Stimmengewirr in den Gang. Gedämpft, weit entfernt, beinahe unwirklich.

Mikael hob den Kopf.

»Was ist das?«, fragte Eloisa heiser.

Mikael sprang auf, jeden Muskel angespannt, und versuchte zu erfassen, woher das Geräusch kam.

Eloisa und Agnete erhoben sich ebenfalls, hielten einander bei der Hand, während neben den Stimmen wiederholt Schläge zu vernehmen waren, die die Luft erzittern ließen.

»Was ist das?«, fragte Eloisa noch einmal lauter.

Mikael rannte zu den Stufen, die hinauf zu der Falltür führten.

Die Soldaten oben waren ebenfalls unruhig geworden.

»Dort!«, rief Mikael.

»Wo?«, fragte Agnete in die Dunkelheit hinein.

»Dort! Am Ende des Gangs!«, schrie Mikael und stürzte sich blind in die Dunkelheit. Während er lief, wurden die Schläge immer lauter. »Hierher!«, schrie er. Obwohl er nicht wusste, ob die beiden Frauen ihm folgten, blieb er erst stehen, als er mit dem Kopf gegen die Decke stieß, die im letzten Teil des Gangs abfiel. Er stürzte benommen zu Boden, während der Rhythmus der Schläge sich beschleunigte. »Hierher!«, schrie er noch einmal.

Eloisa und Agnete schlossen zu ihm auf.

Mikael erwartete sie mit ausgebreiteten Armen, um zu verhindern, dass sie sich ebenfalls den Kopf anstießen.

»Runter auf alle viere«, sagte er aufgeregt, als Eloisa gegen ihn prallte.

»Was geschieht hier?«, fragte sie.

Mikael antwortete ihr nicht und kroch hastig vorwärts durch die Dunkelheit.

»Wir werden angegriffen!«, schrie ein Soldat oben bei der Falltür.

»Das sind meine Männer!«, rief Mikael erleichtert aus. »Meine Männer! Es ist noch nicht vorbei!«

Plötzlich durchteilte ganz am Ende des Gangs ein Lichtstrahl die Dunkelheit.

77

Der erste Stein in der Mauer, die den Geheimgang versperrte, rollte zu Boden.

»Wir sind hier!«, schrie Mikael.

»Sie leben!«, rief eine Stimme von draußen. »Sie leben!«

Mikael packte andere Steine und versuchte, sie beiseitezuschieben.

»Hände weg!«, brüllte jemand, dann schlug er mit einer Spitzhacke einen weiteren Stein heraus.

Licht drang in den Gang ein.

Die unbestimmten Laute, die sie von dort vernommen hatten, erwiesen sich als Schmerzens- und Wutschreie und Waffenlärm. Draußen tobte ein Kampf.

Mikael kehrte um und holte sein Schwert. Als er wieder das Ende des Gangs erreichte, hatten die Hacken den Spalt in der Mauer so stark erweitert, dass er breit genug für ihn geworden war. Mit dem Schwert in der Hand kroch er nach draußen.

Vor ihm standen zwei Männer mit Spitzhacken in der Hand, deren Gesichter mit rotem und schwarzem Staub überzogen waren. Zwei Bergarbeiter aus Dravocnik. Ihm blieb jedoch keine Zeit für längere Dankesbekundungen, denn hinter ihnen stürmten zwei Soldaten auf Pferden heran und wollten sie angreifen. »Passt auf!«, schrie er.

Dann warf er sich dem ersten Soldaten entgegen und erhob das Schwert gegen das Maul seines Reittiers. Das Pferd scheute, der Reiter verlor das Gleichgewicht, und Mikael, der seitwärts ausgewichen war, tötete den Soldaten durch einen Hieb mitten in die Brust.

Inzwischen hatte einer der Bergleute sich um die eigene Achse gedreht und die Spitzhacke aufs Geratewohl durch die Luft sausen lassen. Dabei hatte sie sich in das Bein des anderen Soldaten gebohrt, der daraufhin stöhnend vom Pferd gefallen war.

Der zweite Bergmann hieb dem Mann die Hacke auf den Kopf, die Spitze durchdrang den Helm und spaltete seinen Schädel.

Nachdem diese Gefahr überstanden war, sahen die Bergleute Mikael an. »Bist du Mikael aus dem Raühnval?«, fragten sie ihn.

Mikael nickte, während er auf das Kampfgetümmel blickte.

»Es ist Mikael aus dem Raühnval!«, schrien die beiden Bergleute.

»Es ist Mikael aus dem Raühnval!«, wiederholte sofort ein anderer Bergmann etwas weiter weg, und er hob die Spitzhacke hoch über den Kopf.

Mikael liefen vor innerer Bewegtheit Schauder den Rücken hinab. Er konnte nicht glauben, was er da sah.

»Es ist Mikael!«, schrie ein Mann, der mit einer Sense bewaffnet war.

Mikael erkannte ihn. Es war Lukas, Agnetes Nachbar im Dorf.

»Es ist Mikael!«, tönte es wenig später auf dem ganzen Schlachtfeld. »Es ist Mikael! Es ist unser Mikael!«

Mikaels Augen füllten sich mit Tränen. Was er vor sich sah, war unglaublich. Die Leibeigenen vom Raühnval kämpften mit Sensen, Beilen, Mistgabeln und Hacken. »Es ist unser Mikael!«, riefen sie. Und die Bergleute aus Dravocnik schwangen ihre Spitzhacken durch die Luft und brüllten wie ihr Echo: »Mikael aus dem Raühnval ist bei uns!« Und dann schrien noch die Rebellen, die den Angriff am Vortag überlebt hatten, mit zum Himmel emporgereckten Schwertern: »Es ist unser Anführer!«

»Eloisa, du bleibst hier!«, befahl Mikael zum Eingang des Geheimgangs hin, seine Stimme klang gepresst vor unterdrückter Rührung. »Ich werde euch sagen, wann ihr herauskommen könnt!«

Sobald die Männer sahen, dass er sein Schwert schwang und sich ins Schlachtgetümmel warf, riefen sie noch einmal seinen Namen. »Es ist Mikael!«, gaben sie untereinander weiter und kämpften mit neuem Mut.

Mikael war überwältigt. Seine Leute, die Minenarbeiter von Dravocnik, Leibeigene und Knechte, die ihr ganzes Leben nie den Kopf erhoben hatten, lehnten sich auf. Für ihn. »Ich hatte es dir gesagt, Volod!«, schrie er und lachte fast dabei. Und als er die vorderste Kampflinie erreichte, übernahm er fast unbewusst die Führung: »Bildet eine einzige Front!«, schrie er. »Bleibt dicht zusammen!«

Dieses zusammengewürfelte Heer von Menschen, die nicht wussten, was eine Schlacht war, hatte auf nichts anderes gewartet. Sie scharten sich sogleich um ihn und hörten auf seine Befehle.

»Jetzt! Greift an! Alle gemeinsam!«, schrie Mikael und warf sich gegen eine Schar Soldaten.

Die Bauern und Bergleute schrien wie Krieger, stürmten vor und versenkten todesmutig ihre ärmlichen Waffen in die Körper ihrer Gegner.

Mikael schlug blindlings um sich, als verliehe ihm diese außergewöhnliche Rebellion Kraft. Er kämpfte sich durch die Reihen der Feinde, erfüllt von einem Glücksgefühl, das sein Herz wie wild schlagen ließ. Und sein Armenheer, das von seinem Mut angetrieben wurde, stand fest an seiner Seite und schlug alle Angriffe der Soldaten zurück.

»Ich hab es dir gesagt, Volod«, schrie Mikael wieder und lachte. »Ich hab es dir gesagt, dass es möglich ist! Vorwärts, Männer!«

Aber bald darauf kam für die Soldaten Nachschub unter der Führung von Agomar aus der Burg und verstärkte die feindlichen Reihen.

Mikael begriff, dass sie dem Ansturm nicht länger standhalten konnten. Wenn er weiter auf einem Kampf beharrte, würde es bald in einem Gemetzel enden. Ojsternigs Heer zählte zwar nur hundertfünfzig Mann, aber das waren alles gut ausgebildete und schwer bewaffnete Soldaten, die bald die Oberhand über die weniger kampferprobten Rebellen gewinnen würden, obwohl diese deutlich in der Überzahl waren.

»Bleibt zusammen!«, schrie er. »Geordneter Rückzug!«

Sie mussten sich zurückziehen und versuchen, ihre Verluste zu begrenzen. Was sie bis jetzt erreicht hatten, war schon ungewöhnlich genug. Nun musste er an das Leben seiner Männer denken. Er musste sie beschützen.

»Zurück! Richtung Wald!«, befahl er wieder.

Zwischen den Bäumen würde es den feindlichen Reihen schwerfallen, geschlossen vorzustürmen, und sie würden an Schlagkraft verlieren.

Mikael warf einen Soldaten aus dem Sattel, schwang sich auf dessen Pferd und reckte sein Schwert zum Himmel.

»Nehmt euch Pferde«, schrie er seinen Leuten zu, während er ununterbrochen weiterkämpfte. »Schwingt euch in die Sättel!«

Der einzige Weg, einen Großteil der Männer zu retten, lag darin, ein kleine Schar von Männern zu sammeln, die zu allem bereit waren, selbst zum Tod, und die ihnen den Rückzug deckten. Er wechselte einen schnellen Blick mit Lamberto, einem der Rebellen, die ihn nach Konstanz begleitet hatten. »Geben wir ihnen Deckung, damit sie sich zurückziehen können! Verteidigen wir sie! Bis zum Ende!«

Lamberto begriff, dass er an diesem Morgen sterben würde, doch er zögerte nicht.

»Zurück, zieht euch zurück!«, schrie Mikael Leibeigenen wie

Bergleuten zu. »Zum Wald!« Dann rief er, an Lamberto gewandt: »Ich bin gleich wieder da!« Er lenkte sein Pferd zum Geheimgang. »Eloisa! Agnete! Kommt heraus!!« Noch konnte er sie in Sicherheit bringen.

Eloisa und Agnete erschienen am Ausgang. Beim Anblick ihrer eigenen Leute, die dort kämpften, rissen sie einen Moment vor Erstaunen die Augen weit auf.

Und in ihren Blicken las Mikael denselben Stolz, den er empfand. »Vereint euch mit denen, die sich zurückziehen! Wir werden euch beschützen!« Er sandte einen Blick voller Liebe zu Eloisa, in dem Bewusstsein, dass er diesen Kampf kaum überleben würde. Aber er würde für sie sterben und für all seine Leute. Und es war ein ehrenhafter Tod.

Eloisa begriff, was Mikaels Blick bedeutete. Sie schüttelte langsam den Kopf, während ihre Augen sich mit Tränen füllten.

Mikael sah sie an und wusste, es war das letzte Mal. Dann, gerade als er sich wieder ins Kampfgetümmel werfen wollte, bemerkte er am Ende des Tals eine Staubwolke. Trommelwirbel und Kampfesrufe waren zu vernehmen, als die Erde unter dem donnernden Getrappel von Aberdutzenden von Pferden erbebte.

Für einen Augenblick ließen alle Kämpfenden die Waffen sinken.

»Wer ist das?«, fragte Mikael einen der Rebellen.

Wenn es weitere Männer von Ojsternig waren, käme ihr Ende nur noch schneller.

Doch dann erkannte er an der Spitze der mehr als hundert Soldaten zwei Freunde.

»Es ist Lucio!«, rief Lamberto.

Und Mikael erkannte in dem anderen Ettore Salvemini, den ehemaligen Hauptmann Raphaels. Jetzt würde sich das Schlachtenglück wenden.

»Geht wieder zurück!«, rief er Eloisa und Agnete zu.

Eloisa sah ihn erschrocken an.

»Ich werde nicht sterben!«, sagte Mikael zu ihr und strahlte dabei über das ganze Gesicht. »Heute werde ich nicht sterben!« Er wartete, bis Eloisa und Agnete sich wieder in den Geheimgang zurückgezogen hatten, dann gab er seinem Pferd die Sporen. Gleich darauf konnte er beobachten, dass Agomar seinen Männern einen Befehl erteilte und diese sich daraufhin allmählich zur Burg zurückzogen. Und er begriff, was dann passieren würde.

»Sie dürfen auf keinen Fall das Burgtor schließen!«, schrie er und schloss zu seinen Männern auf.

Wenn wir die Soldaten daran hindern können, sich in der Burg zu verschanzen, überlegte Mikael, und bei dem Gedanken erbebte er vor Erregung, würde das den Kampf endgültig beenden.

Er drehte sich zu den Leibeigenen und Bergleuten um. »Folgt mir!«, schrie er leidenschaftlich. »Hindern wir sie daran, das Burgtor zu schließen!«

Bergleute, Bauern und Rebellen schlossen sich zu einem einzigen Heereszug zusammen und zogen johlend und die Waffen schwenkend zur Burg, als hätten sie die Schlacht bereits gewonnen.

»Schließt das Tor! Schließt das Tor!«, befahl unterdessen Agomar und nahm damit bewusst in Kauf, dass er damit viele seiner Männer, die noch draußen waren, zum Tode verurteilte.

Die Soldaten in der Burg begannen, die mächtigen Torflügel zuzuschieben. Aber ihre Kameraden, die nicht draußen bleiben wollten, warfen sich ihnen entgegen und behinderten den Vorgang, sodass sie beinahe gegen die eigenen Leute kämpften.

Und diese Verzögerung erwies sich als verhängnisvoll.

Mikael und sein zusammengewürfeltes Heer stürmten nun blindlings und ohne jede Vorsicht auf sie los.

Als der Trupp, den Ettore Salvemini anführte, sich in die Schlacht warf, sah Mikael ein wildes Funkeln in ihren Augen. Das waren echte Soldaten. Sie wussten, was Krieg bedeutete. Und sie waren mehr als hundert. Mühelos sprengten sie die feindlichen Verteidigungsreihen und drängten nun zum Kampf Mann gegen Mann in den Hof.

Innerhalb kürzester Zeit war der Kampf beendet.

Mikael entdeckte schließlich Agomar, der verwundet in der Mitte des Burghofs kniete. Er sprang vom Pferd und ging mit bluttriefendem Schwert auf ihn zu.

Agomar sah zu ihm auf. »Erbarmen, Junge«, sagte er. Er hatte Angst.

Mikael starrte ihn an. Agomar kniete genau an der Stelle, wo er seinen Vater getötet hatte.

»Es wird hier geschehen«, hatte Emöke vorhergesagt.

»Ich habe nur Ojsternigs Befehle befolgt«, fuhr Agomar fort.

»Ja, ich weiß«, sagte Mikael hasserfüllt.

»Auf dieselbe Art und Weise wie bei ihm«, hatte Emöke gesagt.

»Erinnerst du dich an meine Mutter?«, fragte Mikael. »Und an meine kleine Schwester?«

Agomar kniff die Augen zusammen, während er zu begreifen versuchte.

»Erinnerst du dich an meinen Vater? Hier! Auf den Knien!«, schrie Mikael plötzlich, hob das Schwert hoch über den Kopf und ließ es mit all seiner Kraft niedersausen.

Doch dann verharrte die Klinge zitternd zwei Finger breit vor Agomars Kehle. Mikael bebte am ganzen Leib. Seine Züge verrieten höchste Anspannung. »Nein«, sagte er zu Agomar. »Das bist du nicht wert.« Dann drehte er sich zu seinen Leuten um. »Nehmt diesen Mann in Gewahrsam!«, befahl er und stieß Agomar zu den anderen Gefangenen. »Er wird einen ordent-

lichen Prozess bekommen und für seine Verbrechen bezahlen.«
Emöke hatte ihm in ihrer Prophezeiung die Wahl gelassen: »Er
selbst wird entscheiden, ob er dir diesen Dienst erweisen wird.«
Und Mikael hatte sich entschieden. Es lag keine Ehre im
Hass.

Die Schlacht war vorbei. Ojsternigs Soldaten hatten sich
ergeben und ihre Waffen auf den Boden geworfen.

Mikael ging in die Knie und legte eine Hand auf den Staub
des Burghofs, der sich erneut, nach fast zehn Jahren, wieder blutig verfärbt hatte.

»Vater, es ist vollbracht!«, sagte er.

Als er aufstand, liefen ihm Tränen über das Gesicht. »Ojsternigs Männer sind eure Gefangenen!«, rief er den Leibeigenen
vom Raühnval und den Bergleuten aus Dravocnik mit lauter
Stimme zu. »Wir haben gewonnen!«

Nach einem kurzen Moment des Zögerns und vielleicht auch
des ungläubigen Erstaunens jubelten Bauern und Bergleute und
umkreisten drohend die waffenlosen Soldaten, die sie so lange
Zeit geknechtet und in Angst und Schrecken gehalten hatten.

In den Augen jedes Einzelnen las Mikael einen Stolz, von
dem keiner von ihnen jemals zu träumen gewagt hatte. Er
dachte, dass selbst der Schwarze Volod stolz auf sie gewesen
wäre. »Siehst du? Jetzt haben sie sich den Arsch allein abge-
wischt«, sagte Mikael leise, und ein Lächeln umspielte seine
Lippen, als wäre Volod bei ihm.

»Mikael!«, rief Lucio und umarmte ihn.

»Wir dachten, du wärst tot!«, sagte Mikael.

»Und stattdessen habe ich euch den Arsch gerettet!«, erwiderte Lucio lachend.

»Nein. Das warst nicht du. Du bist wie immer zu spät gekommen«, sagte Mikael lächelnd. Dann ließ er den Blick über die
Leibeigenen gleiten, die sich seit Generationen nicht vorstellen
konnten, was Freiheit bedeutete. »Sie haben den Kopf erhoben.«

Auf einmal verstummten die Freudenschreie der Menge.

Als ein Pferd nervös wieherte, wandten sich alle in diese Richtung, und sie sahen Ojsternig hoch zu Ross über den Hof herangaloppieren.

»Nein!«, schrie Mikael, dem das Blut in den Adern gefror. Mit weit ausgebreiteten Armen stellte er sich dem Pferd in den Weg.

Ojsternigs Schlachtross stieg hoch.

»Es ist noch nicht vorbei, Dreckschaufler!«, schrie Ojsternig, dem vor Wut fast die Augen aus den Höhlen quollen. Vor ihm im Sattel saß Eloisa, und Ojsternig drückte ihr ein Messer an die Kehle. »Sag diesem Abschaum, er soll mich vorbeilassen, wenn du nicht willst, dass ich ihr hier vor deinen Augen die Kehle durchschneide!«

Mikael wich einen Schritt zurück.

Eloisa war wie gelähmt. Ein Blutstropfen lief an ihrem Hals herunter und malte einen dünnen roten Strich auf ihre schwanenweiße Haut.

»Gib den Weg frei!«, schrie Ojsternig und konnte sein Pferd nur mühsam zurückhalten.

Mikael überlegte fieberhaft. Dann drehte er sich zu seinen Männern um. »Keiner rührt sich!«, befahl er.

Ojsternig lächelte, ein irres Funkeln erfüllte seine Augen, als er das Messer noch fester gegen Eloisas Kehle presste.

Das Mädchen stöhnte.

»Lasst ihn durch!«, schrie Mikael und trat beiseite, doch er ließ Eloisa keinen Moment aus den Augen.

Ojsternig hielt langsam auf das Burgtor zu.

Die Menge aus Bauern, Bergleuten und Rebellen öffnete sich nach beiden Seiten und bildete so eine enge Gasse.

Mikael hatte das Gefühl, als müsste ihm gleich der Schädel platzen. »Ojsternig!«, schrie er und schwang das Schwert. »Lass sie im Wald zurück! Und zwar lebend! Oder ich werde nicht eher ruhen, bis ich dich gefunden und getötet habe, so wahr mir Gott helfe!«

In der vollkommenen Stille hörte man nur noch das Hufgetrappel von Ojsternigs Pferd, das über den blutigen Staub des Burghofs trabte.

»Vater!«, rief plötzlich jemand von der Burg her.

Alle drehten sich um.

Prinzessin Lukrécia kam, noch etwas unsicher auf den Beinen, gestützt von Agnete aus dem Palas.

Auch Ojsternig drehte sich um und hielt das Pferd an.

»Vater . . .«, sagte Lukrécia wieder. »Verlasst mich nicht . . .«

Mikael war sogleich bei ihr und stieß Agnete zur Seite. Er packte die Prinzessin bei den Haaren, dann legte er ihr die Klinge seines Schwertes an die Kehle. »Ein Leben gegen ein Leben!«, rief er laut. »Tod gegen Tod.«

»Dazu wärst du niemals in der Lage, Dreckschaufler!«, lachte Ojsternig.

»Stell mich nicht auf die Probe!«, schrie Mikael.

Ojsternig grinste ihn höhnisch an.

»Ich weiß, was du ihr angetan hast, du ekelhafter Hurensohn!«, sagte da Eloisa. Ihre Stimme klang gepresst, weil die Klinge starken Druck auf ihren Hals ausübte. »Du wirst sie sterben lassen, nicht wahr?«

Ojsternig erstarrte. »Sei still, Hure!«, zischte er ihr zu.

Lukrécia stöhnte und flüsterte: »Vater . . .«

»Du bist nichts als ein Stück Dreck«, sagte Eloisa. Sie wusste, dass sie ihn nicht herausfordern durfte, sie wusste, dass es sie das Leben kosten könnte. Aber wie schon damals bei Eberwolf, konnte sie sich nicht zurückhalten. »Du bist ein erbärmlicher Feigling!«, sagte sie voller Verachtung.

»Sei still!«, schrie Ojsternig sie nun an und drückte das Messer noch fester gegen ihre Kehle. Doch seine Stimme klang brüchig, und seine Hand, die das Messer hielt, bebte.

»Das Leben deiner Tochter liegt in deiner Hand!«, rief Mikael.

»Du hast sie schon einmal getötet, als sie noch ein kleines Mädchen war«, fuhr Eloisa fort und zitterte beinahe vor Aufregung, denn auch sie hatte bemerkt, dass Ojsternigs Hand unsicher wurde.

Ojsternig schüttelte den Kopf. »Du wirst lieben«, so hatte die Verrückte ihn verflucht. Er schaute zu seiner Tochter und schüttelte noch heftiger den Kopf, als wollte er nicht wahrhaben, dass sich in seinem Inneren wieder der Spalt auftat. Dieser schreckliche Spalt, durch den die Gefühle hereindrängen wollten, die jeden Menschen schwächten. Er dachte daran, dass er sich retten konnte, wenn er das Leben seiner Tochter opferte. Und er sagte sich wieder, dass nur eines zählte. Er allein.

Lukrécia starrte ihn an.

Ojsternig las in ihren Augen das Wissen einer Tochter, die bereits erkannt hatte, dass ihr Vater sie verraten würde. Und doch schaute sie ihn weiter an, flüsterte seinen Namen wie ein Gebet und wollte sich nicht damit abfinden. Es war der Blick einer Tochter, die trotz allem, gegen jede Vernunft, nie aufgehört hatte, auf seine Liebe zu hoffen. In dem Augenblick sah Ojsternig sein gesamtes Leben vor sich. Er glaubte die unglaubliche Grausamkeit, die seine Taten von jeher bestimmt hatte, mit Händen greifen zu können. Und plötzlich hatte er das Gefühl, dass nichts davon mehr einen Sinn ergab.

»Vater«, flüsterte Lukrécia.

Ojsternig spürte, wie etwas in ihm zerbrach. »Du wirst lieben.« Diese Worte drehten sich in seinem Kopf, während seine erstarrte Seele von einem unerwarteten, überwältigenden Gefühl erschüttert wurde. Und in dem Moment begriff er, dass er seinem Leben doch einen Sinn verleihen konnte. Einen unerwarteten Sinn. Er ließ das Messer fallen, ohne den Blick von seiner Tochter zu wenden.

Lukrécias Augen weiteten sich vor Überraschung.

Ojsternig fand sich in diesem Blick wieder, in diesem Erstaunen, in diesem neuen Gefühl. Und es kam ihm gar nicht so schlimm vor, wie er befürchtet hatte.

Lukrécias Augen füllten sich mit Tränen, als sie beinhahe erschrocken murmelte: »Danke ...«

Ojsternig stieß Eloisa vom Pferd und starrte seine Tochter immer noch unverwandt an.

Eloisa konnte ihr Glück kaum fassen und lief zu Mikael.

Er gab Lukrécia frei.

Die Prinzessin fiel auf die Knie, zu schwach, um sich allein auf den Beinen zu halten, während die ersten Freudentränen ihres Lebens über ihr Gesicht liefen, und murmelte immer wieder: »Danke ... Vater.«

Niemand rührte sich. Niemand atmete.

Mikael stieß Eloisa beinahe grob beiseite und nahm sein Schwert auf. »Nur du und ich, Ojsternig!«, schrie er ihm entgegen. Er nahm den Ring aus seiner Tasche und warf ihn dem Fürsten zu. »Erkennst du ihn?«

Der Ring flog durch die Luft.

»Er gehörte meinem Vater!«, schrie Mikael.

Ojsternig fing den Ring auf.

Die plötzliche Stille war beinahe mit Händen zu greifen.

Ojsternig blickte auf den Ring in seiner Hand. In dem geschmolzenen, verformten Gold erkannte er einen gesplitterten Karneol, in den ein Siegel eingraviert war.

»Ich bin Marcus II. von Saxia!«, schrie Mikael ihm mit aller Kraft entgegen.

Ojsternig starrte ihn an. Augenblicklich hatte er wieder sämtliche Geschehnisse der letzten Jahre vor Augen. Die Beharrlichkeit, mit der er den Jungen verfolgt hatte. Er hätte ihn wie eine Kakerlake zerquetschen können. Doch er hatte ihn immer wieder verschont. Und jetzt forderte der Dreckschaufler sein Reich ein und hatte denselben Stolz in seinem Blick wie schon damals als Kind. Ein Sohn, der für seinen Vater kämpfte. Ein Vater, der für seine Tochter kämpfte. Er sah Lukrécia an. Jetzt ergibt alles einen Sinn, dachte er. Er sprang vom Pferd und zog sein Schwert.

Die Menge bildete einen Kreis um die beiden Kämpfer.

Mikael atmete tief durch. Seit fast zehn Jahren wartete er schon auf die Gelegenheit, seinen Vater zu rächen. Und vielleicht würde er dies nun gleich tun.

Ojsternig griff an und schlug von oben nach unten zu.

Eloisa unterdrückte einen Schrei.

Mikael konnte dem Hieb ausweichen, doch er brachte ihn aus dem Gleichgewicht.

Ojsternig fühlte eine Stärke, die er niemals in sich vermutet hatte. Zum ersten Mal in seinem Leben kämpfte er für etwas. Für jemanden. Er lachte, als er an die Prophezeiung der Verrückten dachte, die ihn so sehr erschreckt hatte. Sie war kein Fluch gewesen. Er durchschnitt die Luft mit einem weiteren Hieb, dann täuschte er einen Angriff von vorne vor und brachte Mikael wieder ins Taumeln.

Mikael erkannte, dass er einen ausgezeichneten Kämpfer vor sich hatte. Er konnte dessen Hiebe gerade eben parieren und musste dabei ständig zurückweichen. Erst im letzten Moment erriet er, wohin Ojsternigs Schläge zielten, der sie hinter schnellen, unvorhersehbaren Finten verbarg und Mikael so immer wieder aus dem Gleichgewicht brachte.

»Komm schon, Dreckschaufler!«, verhöhnte Ojsternig ihn. »Zeig mir, dass du wirklich ein Prinz bist und kein Hosenschisser wie dein Vater!«

Darüber vergaß Mikael alle Ratschläge, die Volod ihm mitgegeben hatte. Das Blut schoss ihm in den Kopf. Er schrie und stürmte mit zusammengepressten Kiefern vor, ohne jede Vorsicht. Der Zorn hatte ihn blind und taub gemacht.

Genau das hatte Ojsternig beabsichtigt. Er wich mühelos zur Seite aus und setzte zu einem vernichtenden Schlag gegen Mikaels linke Seite an.

Im letzten Moment konnte Mikael seine Klinge dagegensetzen und dem Hieb ausweichen. Doch er fand sich atemlos am Boden wieder, und das Schwert entglitt seiner Hand. Er meinte beinahe, Volod zu hören: »Du bist tot!«

Ojsternig lachte in dem Wissen, dass er gewonnen hatte. Dann stürmte er zum letzten Angriff vor.

Mikael schien verloren.

Eloisa schrie verzweifelt auf.

Und Mikael dachte an seinen Vater und dass er seinen Tod nun doch nicht gerächt hatte. Und genau dieser Gedanke verlieh ihm die Kraft zu handeln. Während Ojsternig zu seinem tödlichen Schlag ansetzte, rollte Mikael beiseite. Er packte sein Schwert mit dem Mut der Verzweiflung, streckte Ojsternig die Klinge wie eine Lanze entgegen und versuchte gar nicht erst, dessen Schlag zu parieren.

Dann ging alles sehr schnell.

Ojsternig riss überrascht die Augen auf.

Mikaels Klinge traf auf die Brust Ojsternigs, der seine Deckung geöffnet hatte, weil er sich seines Sieges zu sicher gewesen war und so von seinem eigenen Schwung förmlich in Mikaels Schwert getrieben wurde. Er spürte den gewaltigen Aufprall, doch er ließ das Schwert nicht aus der Hand, während Mikaels Waffe seine Rippen durchbohrte und weiter in das Fleisch eindrang.

Ojsternigs Gesicht schlug ihm fast gegen die Stirn, als dieser über ihm zusammensackte.

»Vater!«, schrie Lukrécia verzweifelt.

Ojsternig starrte Mikael überrascht an. Dann wandte er langsam den Kopf seiner Tochter zu, und Schmerz verzerrte sein Gesicht. »Es tut mir leid ...«, konnte er noch in ihre Richtung flüstern, ehe ein Blutschwall seine Lunge überschwemmte. Er hustete heftig und spuckte Mikael den rötlichen Schleim seines Todes ins Gesicht. Dann erloschen seine Augen.

78

Hauptmann Salvemini riss sich als Erster aus seiner Erstarrung. Er ging zu Mikael, zog ihn unter Ojsternigs Leichnam hervor und half ihm auf.

Eloisa lief zu Mikael und umarmte ihn unter Tränen.

»Es ist vorbei«, sagte Mikael und drückte sie fest an sich. »Jetzt ist es wirklich vorbei.«

Die Menschen um sie herum wirkten fassungslos. Es war etwas so Unvorstellbares, so Ungeheuerliches geschehen, dass sie vor Erstaunen alle wie gelähmt waren.

Da drängte sich ein kleiner, dünner Junge mit bloßen Füßen, verschmiertem Gesicht und Rotz unter der Nase zwischen den Beinen der Leute zu Mikael durch. Auf seiner Handfläche lag der im Feuer verformte Ring der Fürsten von Saxia.

Mikael nahm ihn entgegen.

Der kleine Junge kniete vor ihm nieder.

»Was tust du?«, fragte Mikael überrascht.

Daraufhin beugten alle Leibeigenen aus dem Raühnval einer nach dem anderen die Knie und neigten stumm den Kopf.

Auch Agnete und Eloisa knieten nieder.

»Eloisa, was tust du da?«, flüsterte Mikael immer verlegener.

Hauptmann Salvemini trat an seine Seite. »Also, wenn du willst, dass sie aufstehen«, flüsterte er ihm lächelnd ins Ohr, »dann musst du ihnen von heute an befehlen, sich zu erheben ... Fürst«, flüsterte er ihm lächelnd ins Ohr.

Mikael errötete. Dann sagte er verlegen und mit zitternder Stimme: »Erhebt euch.«

Die Leibeigenen aus dem Raühnval, auch Eloisa und Agnete,

standen schweigend auf, man sah, dass sie ebenso verlegen waren wie er selbst.

Doch auf Agnetes Gesicht lag ein triumphierendes Lächeln. »Meine Tochter war es! Sie hat ihn gerettet am Tag des blutigen Überfalls auf die Burg!«, verkündete sie voller Stolz. »Und ich habe ihn über Monate unter einer Kellerluke in meiner Hütte versteckt.« Sie lachte. »Und das genau vor eurer Nase, ihr blinden Strohköpfe!«

Die Dorfbewohner lachten, einige schrien sogar überrascht auf. Dann gingen alle Blicke zu Mikael.

»Deshalb also hatte er Hände wie ein kleines Mädchen«, sagte der alte Zacharias, der auf seinem Esel angeritten kam.

Einige Dorfleute wagten ein schüchternes Lachen.

Und Mikael lachte mit ihnen.

»Du schaffst es, sogar dann noch griesgrämig zu wirken, wenn du nett sein willst«, sagte Agnete herausfordernd zu Zacharias. Dann ballte sie drohend die Faust vor seinem Gesicht. »An dem Tag hätte ich dich am liebsten zur Hölle geschickt. Aber vielleicht wird dich unser Fürst heute endlich hängen lassen, so wie du es verdienst.«

Unbefangen und wie befreit lachten die Leute auf.

»Solltest du nicht bei Vater Timotej sein?«, fragte einer der Männer.

Zacharias schüttelte den Kopf. »Er ist von uns gegangen.« Dann sah er zu Mikael. »Sicher ist es dein Verdienst, wenn die Leute heute den Mut zum Handeln aufgebracht haben. Aber es ist auch der Verdienst von Vater Timotej, damit du es weißt«, sagte er.

Die Leute nickten betrübt über den Tod ihres Pfarrers.

Zacharias ließ sich beim Absteigen von seinem Esel helfen und ging auf Mikael zu. »Er hat dich verraten. Ojsternig hat ihn foltern lassen, und dann hat er dich verraten, er war nicht zum Märtyrer geboren«, erklärte er. »Aber als man ihn mehr tot als lebendig liegen ließ, hat er sich bis zur Kapelle geschleppt und uns zu sich gerufen. ›Ihr seid besser als ich‹, hat er gesagt. ›Der Junge zeigt uns den richtigen Weg. Denkt an den armen Gregor. Erinnert ihr euch, was er getan hat? Gott möge sich seiner Seele erbarmen, er hat sich lieber erhängt als aufzubegehren. Wollt ihr etwa alle so enden wie Gregor?‹«

Mikael legte eine Hand an die Brust. Emöke hatte ihm versprochen, dass Gregor ihm helfen würde. Und auf irgendeine Weise hatte er das nun durch Vater Timotej getan, da er ihm als Beispiel gedient und so den Menschen Kraft gegeben hatte, anders zu handeln als er. Danke, Gregor, dachte er gerührt.

»Der Pfarrer hat in seinem ganzen Leben keine so bewegende Predigt gehalten. Niemand wird seine Worte je vergessen«, fuhr Zacharias fort. »Dann haben wir gesehen, wie Ojsternigs Männer sich draußen an den Mauern zu schaffen machten, und haben begriffen, dass es sich um den Ausgang des Geheimgangs handelte und dass sie damit eure Flucht verhinderten. Und als wir dann noch die Bergarbeiter aus Dravocnik gesehen haben ... Das hier ist nicht ihr Tal, und dennoch sind sie gekommen, um mit den Rebellen für dich zu kämpfen. Und da ...« Er zuckte mit den Schultern, wandte sich mit stolzem Blick an seine Leute und verstummte.

Mikael erinnerte sich, wie er Zacharias an dem Tag gehasst hatte, als er auf dem Land von Emöke und Gregor arbeiten sollte. Und erst jetzt begriff er, dass der Mann die Verantwortung für das ganze Dorf auf seine Schultern genommen hatte. »Danke«, sagte er zu ihm.

Zacharias lächelte und entblößte dabei seinen beinahe zahnlosen Mund. »Und ich würde dich immer noch zu den kleinen Mädchen stecken«, sagte er.

Alle lachten schallend.

Dann spürte Mikael plötzlich, wie etwas an seinen Beinen rieb. »Harro!«, rief er freudig und beugte sich hinunter, um den alten Hund zu streicheln, der sich nur noch mit Mühe auf den Beinen hielt.

Der Molosser winselte vor Vergnügen.

»Harro!«, sagte Mikael noch einmal und drückte ihn fest an sich.

»Die Rebellen sind Bergarbeiter wie wir, unsere Brüder«, sagte ein Hüne, dessen Gesicht rot und schwarz vom Staub aus Dravocnik war, und trat vor.

Mikael stand auf, während Harro freudig wedelnd um ihn herumsprang.

»Sie haben uns erzählt, dass du die Nachfolge vom Schwarzen Volod angetreten hast, der immer für uns gekämpft hat«, fuhr der Bergarbeiter fort und deutete auf die vielen Leute hinter sich, die genauso schwarz-rot eingestaubt waren wie er. »Anfangs hatten wir Angst ... aber dann haben wir beschlossen, unsere Spitzhacken endlich einmal sinnvoll einzusetzen.«

»Danke«, sagte Mikael erneut, er war tief bewegt. Dann sah er Salvemini an. »Aber ... woher wusstet Ihr ...«

Der alte Hauptmann zuckte mit den Schultern, als sei das unwichtig. Dann deutete er auf Lucio. »Er hat mir eine Nachricht vom Baron gebracht«, sagte er. »Wie hätte ich da ablehnen können?« Er grinste seine Männer an. »Außerdem ist das Leben in Kirchbach für kampferprobte Krieger schrecklich langweilig«, sagte er stolz und zwinkerte ihnen zu.

Mikael sah die Männer zum ersten Mal aufmerksam an und stellte fest, dass viele von ihnen doch sehr alt waren.

Ettore Salvemini lachte, als er Mikaels erstaunten Blick bemerkte. »Es ist ewig her, dass wir gekämpft haben.«

Das Heer der alten Männer reckte die Arme mit einem wilden Schlachtruf gen Himmel.

»Heute hast du uns ein wenig von unserer Jugend zurückgegeben, Fürst«, sagte der Hauptmann heiter.

Mikael wusste nicht, was er sagen sollte, er war völlig überwältigt. Eloisa war an seiner Seite. Während er sie in seine Arme schloss, erscholl lauter Jubel von den Siegern, jenem Heer aus so unterschiedlichen, bunt zusammengewürfelten, ausgelassenen Menschen.

Plötzlich sah Mikael sich suchend um. »Wo ist denn deine Mutter?«, fragte er Eloisa.

Daraufhin hielt auch sie nach ihr Ausschau.

»Aus dem Weg!«, keifte Agnete von hinten.

Die Menge verstummte und machte ihr Platz.

Man hörte Kinderweinen.

Agnete kam mit einem schreienden Säugling auf dem Arm herbeigelaufen. »Dieser kleine Wolf hat Hunger, du Rabenmutter«, rief sie ihrer Tochter zu.

Die Leute lachten.

»Wartet . . .«, hielt eine Frauenstimme sie auf.

Agnete blieb stehen.

Alle wandten sich um. Lukrécia kniete noch immer neben der Leiche ihres Vaters. Sie erhob sich mühsam und ging auf Agnete zu. »Gebt ihn mir«, sagte sie und streckte die Arme nach dem Kind aus.

Agnete versteifte sich.

»Gebt ihn mir, bitte«, wiederholte Lukrécia.

Der Kleine schrie weiter.

»So gebt ihn ihr doch, Mutter«, sagte Eloisa.

Widerstrebend legte Agnete Lukrécia den Kleinen in die Arme. »Lasst ihn bloß nicht fallen«, brummte sie.

»Helft mir«, bat Lukrécia die alte Frau. Dann ging sie, gestützt von Agnete, auf Eloisa zu.

Die Menge wartete gespannt.

Als Lukrécia vor Eloisa stand, reichte sie ihr das Kind. »Nimm«, sagte sie mit schwacher Stimme. »Ich gebe ihn dir zurück.«

Eloisas Augen füllten sich mit Tränen.

»Jetzt ist aber Schluss mit dem Geheule!«, rief Agnete aus. »Leg ihn schon an die Brust, dann ist er endlich still.«

Die Leute lachten zwar, aber alle waren gerührt, und manches Lachen wurde von Tränen erstickt.

»Mein Sohn«, flüsterte Mikael ehrfurchtsvoll.

Vor aller Augen entblößte Eloisa ihre Brust und legte den Jungen an.

Das Kind begann gierig zu saugen.

»Darf ich ... ihn anfassen?«, fragte Mikael.

Eloisa nickte stumm.

Mikael streckte eine zitternde Hand nach dem blonden Lockenschopf seines Sohnes aus. Doch als er sah, dass sie blutverschmiert war, hielt er inne. »Nein, du wirst nicht im Blut leben«, sagte er leise im Andenken an die Worte seines Vaters. »Das verspreche ich dir.« Er wischte sich die Hand an seinem Gewand ab und strich sanft über das kleine Köpfchen. Dann wandte sich Mikael der Menge zu. »Dies ist mein Sohn!«, verkündete er laut. »Marcus III. von Saxia!«

Die Menge stimmte Hochrufe an.

Schließlich wandte Mikael sich an Lukrécia. »Ich hätte Euch nie etwas angetan, Prinzessin«, sagte er zu ihr.

»Ihr habt mir mehr Gutes getan, als Ihr Euch je vorstellen könnt, Fürst«, erwiderte Lukrécia.

Und Mikael sah, dass aus ihrem Blick jener trübe Abgrund verschwunden war, in dem das Leben erloschen schien und den er dort schon als Junge voller Schrecken wahrgenommen hatte.

»Jetzt musst du eine Rede halten«, flüsterte Salvemini ihm ins Ohr.

Mikael sah ihn erschrocken an. »Ich ... ich ...«, stammelte er. »Ich weiß doch gar nicht, was ich sagen soll ...«

»Das erwarten die Leute«, drängte der Hauptmann. »Sprich mit dem Herzen, Fürst.«

Mikael wandte sich der Menge zu. Schweigend sah er einen nach dem anderen an. Das waren seine Leute. Und da erkannte er, was er ihnen sagen wollte.

Die Menschen verstummten.

Eloisa blickte voller Stolz auf ihn.

»Ich weiß noch nicht, was es bedeutet, ein Fürst zu sein ... Ich bin es ja gerade erst geworden«, begann Mikael, und seine Stimme klang gepresst vor Rührung. »Ich werde es lernen müssen.« Er holte Atem und lauschte auf sein Herz, das heftig in seiner Brust klopfte. »Aber im Gegensatz zu vielen Fürsten weiß ich sehr gut, was es bedeutet, ein Leibeigener zu sein. Denn das bin ich bislang gewesen.« Er sah die Menschen an, mit denen er sein Leben verbracht hatte. »All diese Jahre war ich euer Bruder, habe mit euch den Hunger und die harte Arbeit auf den Feldern geteilt ... habe die brutale Gewalt eines grausamen Herrschers erlebt ... bin wie ihr gedemütigt, jeder Würde beraubt worden ... bin Tag für Tag aufgestanden und schlafen gegangen in dem Gedanken, dass mein Leben nichts wert ist ... dass ich selbst nichts wert bin ...«

Bewegt nahm Eloisa seine Hand.

»Und wenn ich jetzt kein Leibeigener mehr bin ...« Mikaels Stimme zitterte, weil ihn die Gefühle überwältigten, und er verstummte gleich wieder, weil er erst jetzt begriff, dass alles, was er sich erträumt hatte, nun einzig und allein von ihm abhing. »Wenn ich kein Leibeigener mehr bin, soll das auch von euch keiner mehr sein!« Er sah die erstaunten Blicke der Leute. »Ihr seid frei!«, rief er.

Die Menge ließ ihn hochleben, obwohl sie ihren Ohren nicht traute.

»Ihr könnt gehen oder bleiben«, fuhr Mikael mit lauter Stimme fort, um sich Gehör zu verschaffen. »Und wenn ihr bleibt ... werden wir versuchen, uns eine bessere Welt zu schaffen. Und zwar gemeinsam.«

Ein Bauer fiel weinend vor ihm auf die Knie.

»Es hat sich schon allein gelohnt zu leben, um das zu sehen, was heute geschehen ist«, sagte Mikael. Jetzt kamen die Worte einfach so aus seinem Herzen, als Folge seines ganzen Lebens, in dem er nie aufgegeben hatte oder zurückgewichen war. »Denn ihr habt heute bewiesen, dass Freiheit nicht die eines Einzelnen sein kann. Damit wahre Freiheit herrschen kann, muss sie allen gehören. Und jeder von euch hat sich heute seine eigene Freiheit und die seines Bruders erkämpft.«

Die Leute waren verstummt. Vielleicht hatte die Tragweite von Mikaels Rede sie sprachlos gemacht.

»Ihr habt mich gelehrt, ein Mann zu sein«, schloss Mikael. »Ich weiß jetzt, wer ich bin und wer ich sein will.«

Darauf herrschte langes Schweigen. Dann rief eine der Frauen, die inzwischen aus dem Dorf zur Burg gekommen waren, laut: »Gott möge dich segnen, Fürst Mikael!«

Darauf riefen alle: »Gott möge dich segnen, Fürst Mikael!«

»Ihr Dummköpfe, er heißt doch Marcus«, fuhr Agnete auf.

»Nein«, unterbrach Mikael sie. Er wandte sich Eloisa zu, die ihm seinen zweiten Namen gegeben hatte. »Ich bin Mikael.«

79

Am nächsten Morgen, nachdem sie ihre Toten auf dem Friedhof der Kapelle Maria zum Schnee begraben hatten, ritt Mikael
mit Eloisa, ihrem Sohn und Agnete hinauf durch den Mezesnigwald zu Raphaels Hütte. Harro war auch dabei, sie hatten
ihn vor Mikael aufs Pferd geladen. Begleitet wurden sie von den
Einwohnern des Raühnval, den Bergarbeitern aus Dravocnik,
Ettore Salvemini und seinen Männern.

Nach einer Weile trat ein Bergarbeiter an ihn heran.

»Herr, darf ich Euch kurz sprechen?«

»Natürlich«, erwiderte Mikael und legte Harro beruhigend
eine Hand auf den Kopf, weil der angefangen hatte zu knurren.

Der Bergarbeiter wurde leiser. »Werdet Ihr auch unser Fürst
sein?«

Mikael schüttelte den Kopf. »Nein, die Herrschaft über Dravocnik steht von Geburts wegen Prinzessin Lukrécia zu.«

Der Bergarbeiter wirkte enttäuscht.

»Aber ich kann dir versichern, dass die Prinzessin im Namen
der Gerechtigkeit herrschen wird«, sagte Mikael.

»Bei dem Vater?«, entgegnete der Mann, und man hörte ihm
tiefe Zweifel an. »Erlaubt, dass ich das nicht ganz glauben kann,
bei allem Respekt.«

»Gerade weil sie einen solchen Vater gehabt hat, wird die
Prinzessin gerecht über euch herrschen.«

»Wir hätten lieber Euch, Herr, ganz offen gesagt«, fuhr der
Bergarbeiter verzweifelt fort. »Das, was Ihr gesagt habt ...«

»Ich habe mit der Prinzessin gesprochen«, unterbrach Mikael
ihn und senkte seine Stimme. »Wenn sie sich erholt hat und sich

wieder auf ihrer alten Stammburg eingerichtet hat, wird sie verkünden, dass auch ihr frei seid. Unsere beiden Fürstentümer werden gemeinsam die gleichen Ziele verfolgen. Aber überlassen wir es der Prinzessin, die gute Nachricht zu verkünden.«

Der Bergarbeiter lächelte. »Wir haben auch eine gute Nachricht für die Prinzessin.« Plötzlich strahlte er über das ganze Gesicht. »Wir haben eine neue Ader gefunden.«

»Also ist das Hämatitvorkommen nicht erschöpft?«, fragte Mikael überrascht.

»Doch. Aber es wird sich kein roter Staub mehr drückend und klebrig wie Blut über Dravocniks Straßen legen...« Der Bergarbeiter hielt einen Augenblick den Atem an, dann rief er aus: »Silber! Eine riesige Ader!«

Mikael lachte laut.

»Was gibt es zu lachen, kleiner Fürst?«, fragte Agnete hinter ihm.

»Benimm dich gefälligst respektvoll oder ich lasse dich in Stücke hauen«, antwortete Mikael.

»Versuch es nur!«, entgegnete Agnete und richtete drohend den Finger auf ihn. »Glaub ja nicht, dass sich zwischen uns irgendetwas verändert hat, Junge!«

Mikael sah Eloisa an und lachte vergnügt. Sein Sohn schlief selig im Arm seiner Mutter.

Während sie sich langsam dem Pass näherten, von dem aus der Weg zu Raphaels Hütte abbog, zügelte Mikael sein Pferd, bis Ettore Salvemini zu ihm aufgeschlossen hatte.

»Wie geht es Emöke und Berni?«, fragte er ihn.

»Wem?«, fragte Salvemini zurück. Er hob eine Augenbraue.

»Ach, du meinst wohl Leonidas Argos und seine Frau Lavanda.«

»Lavanda?«

»Dieser Blödmann von einem hinkenden Griechen sagt, dass sie nach Lavendel duftet, wenn sie das Bett teilen«, sagte Salvemini kopfschüttelnd.

Mikael lachte. »Wie geht es ihnen?«

»Die beiden sind einfach unerträglich«, erklärte Salvemini ernst.

»Wirklich?«, fragte Mikael enttäuscht.

»Ja, Fürst. Die gurren den ganzen Tag wie die Turteltäubchen«, sagte Salvemini lächelnd. »Und auf der Straße hinkt sie so wie er, nur damit sie Arm in Arm laufen können. Aber . . . ich weiß nicht, wie ich dir das erklären soll . . . Es sieht überhaupt nicht erbärmlich aus. Es kommt einem vor . . .«

». . . als würden sie tanzen«, beendete Mikael den Satz. »Ein Hüftlahmer allein, der humpelt und stolpert. Aber zwei davon, die sich bei der Hand halten und sich im gleichen Rhythmus wiegen . . . das ist, als würden sie tanzen«, sagte er in Erinnerung an Bernis Worte.

Salvemini sah ihn erstaunt an. Doch dann nickte er. »Sie hat jedenfalls die Stimme eines Engels. Und er, das muss man ihm lassen, ist ein witziger Kerl. Durch sie kommt ein Haufen Geld in meine Tasche.«

»Das freut mich. Sie haben es verdient«, sagte Mikael.

»Sie haben mir gesagt, ich soll dir etwas ausrichten«, fuhr Salvemini fort.

»Lache, Bruder!«, rief Mikael aus.

»Woher wusstest du das?«, fragte Salvemini erstaunt.

»Das war nur so eine Vermutung«, antwortete Mikael lächelnd.

Harro bellte dazu.

»Du hast gestern eine gute Rede gehalten.«

Mikael nickte nachdenklich. Sie ritten stumm nebeneinanderher, bis sie die Weggabelung erreichten, an der es zu Raphaels Hütte abging. Dort hielt Mikael sein Pferd an.

»Komm, bring es hinter dich«, ermutigte der Hauptmann ihn.

Mikael sah ihn mit gerunzelter Stirn an. »Raphael hat mir alles erzählt«, sagte er.

»Und ... hat es dich bewegt?«

In Salveminis Augen entdeckte Mikael nur tiefe Weisheit, Verständnis und Mitleid.

»Ja ...«, gestand er.

»Es ist unwichtig, wie oft ein Mann fällt, Junge, merk dir das«, sagte der Hauptmann bedächtig wie jemand, der das Leben und all seine Irrwege kennt. »Es zählt nur, dass er wieder aufsteht. Und zwar einmal öfter, als er gefallen ist.« Er sah Mikael eindringlich an. »Und der Baron ist wieder aufgestanden. Aus jenen Abgründen. Man muss schon ein außergewöhnlicher Mensch sein, um so etwas zu schaffen.«

Mikael blieb stehen, seine Hände krampften sich um die Zügel. Dann sah er hinauf zum Mosesfinger. Jeder glaubte, er stelle den Zorn des Propheten dar. »Ich hingegen glaube, er ist ein Finger, der unsere Leben segnet«, hatte der alte Raphael ihm einmal gesagt. »Ja«, wandte sich Mikael an Salvemini. »Der Baron ist wirklich ein außergewöhnlicher Mensch.« Er trieb seinem Pferd die Sporen in die Flanken und preschte im Galopp den Pfad hinauf, der zur Hütte seines Lehrmeisters führte. Er wollte der Erste sein, der ihn sah.

Er wartete nicht, bis sein Pferd stehen blieb, sondern sprang noch im Lauf ab, setzte Harro auf dem Boden ab und öffnete die Tür der Hütte.

»Mein Junge ...«, sagte Raphael mit schwacher Stimme.

Mikael eilte zu ihm und nahm seine Hände.

Raphael lächelte erschöpft. »Du stehst hier heil und gesund vor mir, und draußen hört man viele Leute ... Ich nehme an, das bedeutet, dass alles gut gegangen ist.«

»Ja, Herr«, berichtete Mikael. »Eloisa, mein Sohn und Agnete sind gerettet. Ojsternig ist tot und ... die Leute haben sich gegen ihn erhoben! Sie haben gekämpft!«, fuhr er mit glühenden Augen fort. »Sie haben ihre Köpfe erhoben, und niemand kann sie jetzt mehr beugen.«

Raphael sah ihn an und nickte stumm. »Ich bin stolz auf dich«, sagte er dann, und seine Stimme zitterte vor Rührung. Dann lächelte er. »Hättest du dir je vorgestellt, dass in dem alten Buch auf Lateinisch, das ich dir geschenkt habe, eine so unglaubliche Geschichte geschrieben stehen könnte?«

»Nein.«

»Ehrlich gesagt, ich auch nicht, Junge«, erklärte Raphael und sah ihn bewundernd an.

»Wovon handelt dieses Buch denn wirklich?«

Raphael lachte. »Das ist nur ein sterbenslangweiliges Handbuch über den Ackerbau.«

Da lachte auch Mikael. Doch dann verstummte er kurz. »Alles was ich bin, verdanke ich Euch, Ihr habt es mich gelehrt«, sagte er gerührt. »Ihr seid für mich wie ein Vater.«

»Du bist immer der Sohn deines Vaters geblieben«, erwiderte Raphael. »Das hast du niemals vergessen, selbst als ich dir gesagt habe, du solltest es tun. Du hattest recht und ich unrecht.«

»Nein. Ich habe zwei Leben«, sagte Mikael. »Und zwei Väter.«

Raphael streckte abwehrend, aber dennoch gerührt eine Hand aus. »Ach, verschwinde schon, du Rotznase!«

Doch Mikael nahm seine Hand und drückte sie. Er wusste, dass der alte Mann im Sterben lag.

»Warte«, sagte Raphael auf einmal. »Habt ihr einen Pfarrer dabei?«

»Nein, Herr.«

Raphaels Augen blickten enttäuscht. Doch dann fasste er sich. »Also, mein Junge«, fuhr er fort, »du hast gesagt, Ojsternig ist tot?«

»Ja, ich habe ihn mit Eurem Schwert getötet.«

»Und das bedeutet, dass jetzt du der Fürst von Saxia bist«, sagte Raphael.

»Ja, Herr«, erklärte Mikael errötend.

»Na, dann hast du ja die Ermächtigung, das zu tun.«

»Was zu tun?«

»Das sage ich dir schon noch. Jetzt beeil dich und bring alle Leute her, die sich von mir verabschieden wollen«, sagte Raphael. »Sie sollen sich aber beeilen. Schick zuerst Ettore Salvemini herein, wenn er noch lebt.«

»Was soll ich tun?«, fragte Mikael noch einmal.

»Wenn alles vorbei ist, komm mit Agnete und Eloisa zu mir«, sagte Raphael.

»Und mit meinem Sohn.«

»Und mit deinem Sohn, wenn er nicht zu viel schreit.«

Mikael ging lächelnd nach draußen. Dort gab er Hauptmann Salvemini ein Zeichen, der daraufhin die Hütte betrat.

»Wie geht es ihm?«, fragte Agnete, der man anhören konnte, wie sehr das Ganze sie berührte.

»Er will Euch sehen. Als Letzte«, erwiderte Mikael.

»Na sicher, als Letzte«, keifte Agnete und entfernte sich scheinbar wütend. »Die Leibeigene kommt immer zuletzt.«

Mikael wandte sich an Eloisa. »Er möchte dich ebenfalls sehen«, sagte er zu ihr. »Und unseren Sohn ... wenn er nicht zu viel schreit, hat er gesagt.«

»Unser Sohn hat gerade getrunken«, antwortete Eloisa und lächelte ihn sanft an. »Er wird ihn nicht einmal bemerken.« Dann zerzauste ein Windstoß ihre Haare.

»Wie schön du bist.«

Eloisa senkte verlegen, aber glücklich den Blick, und als Mikael sie an sich zog, legte sie die Stirn an seine Brust.

Mikael ließ seinen Blick über die Leute schweifen, die ihm gefolgt waren, um Raphael die letzte Ehre zu erweisen. Und erst da bemerkte er, etwas abseits von der Menge, den Jungen, der ihm gestern den Ring seines Vaters gebracht hatte.

Der Junge sah ihn verstohlen aus dem Augenwinkel an und zog den Kopf ein. Der Rotz, der ihm aus der Nase gelaufen war, hatte inzwischen eine Kruste gebildet. Er streichelte Harro, der sich neben ihn gesetzt hatte.

Mikael lächelte dem Jungen zu. Er war der Erste gewesen, der sich im blutig gefärbten Staub des Burghofes vor ihm niedergekniet hatte.

Der Junge krümmte sich noch stärker in sich zusammen und wandte den Blick ab.

Mikael sah ihn sich genauer an. Der Junge war mager und schmächtig. Seine Arme waren dünn und kraftlos. Sein Anblick erinnerte Mikael daran, dass er genauso ausgesehen hatte, als er im Tal ankam.

»Wer ist das?«, fragte er Eloisa.

Eloisa wandte sich um. »Der arme Junge«, sagte sie dann. »Er ist der Sohn von einer der Huren aus der Burg. Seine Mutter ist schon vor Monaten gestorben, und nun lebt er von den Resten, die er im Abfall findet.« Eloisa seufzte und strich ihrem Kind über den Kopf. »Er wird nie wissen, wer sein Vater war . . .«

Mikael lief ein Schauer den Rücken hinunter. Und dann spürte er einen Stich im Herzen. Genau wie du, mein Leben, dachte er.

Als alle Männer sich von Raphael verabschiedet hatten, bedeutete Mikael Agnete und Eloisa, ihm in die Hütte zu folgen.

»Na, das wurde aber auch Zeit«, brummte Agnete und näherte sich dem Lager, auf dem Raphael bleich und schwach ruhte. »Ich dachte schon, du würdest den Geist aufgeben, bevor ich dich ein letztes Mal zum Teufel schicken könnte.«

»Sei still, Agnete«, sagte Raphael ernst zu ihr. »Komm her und nimm meine Hand.«

»Und warum sollte ich das tun?«, fragte Agnete verlegen.

»Verdammt, tu ein Mal, was ich dir sage«, rief Raphael aus und streckte ihr die Hand entgegen.

Agnete nahm sie in ihre.

Da wandte sich Raphael zu Mikael um. »Stell dich dahin,

genau vor uns«, sagte er. »Und du, Eloisa, tritt neben deine Mutter.«

Mikael und Eloisa folgten seinem Wunsch.

»Gut«, fuhr Raphael fort. »In deiner Eigenschaft als Fürst Marcus II. von Saxia hast du das Recht, Ehen zu schließen. Und du, Eloisa, wirst die Trauzeugin sein.«

Agnete entwand ihm ruckartig die Hand, als hätte sie sich verbrannt. »Bist du verrückt geworden, du alter Dummkopf?«, keifte sie.

»Agnete . . .«, bat Raphael ganz sanft und streckte wieder die Hand nach ihr aus. »Komm her.«

Agnete war rot angelaufen. Sie schüttelte keuchend den Kopf, ihr Gesicht war von Gefühlen verzerrt, die sie selbst nicht fassen konnte.

»Agnete . . .«, sagte Raphael wieder.

Langsam, noch vollkommen aufgewühlt, nahm Agnete seine Hand.

Raphael drückte sie fest. »Und jetzt sprich mir nach, mein Junge«, sagte er zu Mikael. »Willst du, Raffaele Fortebraccio di Bentivoglio, Baron von Hermagor, eingesetzt von seiner Majestät *Rex Romanorum* Wenzel dem Faulen . . .«

»Willst du . . . Raffaele Fortebraccio di Bentivoglio . . . Baron von Hermagor . . . eingesetzt von seiner Majestät *Rex Romanorum* Wenzel dem Faulen . . .«

»Die hier anwesende Agnete Veedon, Leibeigene, zu deinem rechtmäßigen Weib nehmen?«

»Ich bin keine Leibeigene mehr«, widersprach Agnete stolz. »Der Junge hat uns alle freigelassen, ich bin eine freie Frau.«

Raphael sah Mikael bewundernd an. »Los, wiederhol es.«

»Die hier anwesende Agnete Veedon . . . eine freie Frau . . . zu deinem rechtmäßigen Weib nehmen?«

»Ja, ich will«, sagte Raphael. »Und jetzt frag du sie an meiner statt, damit ich meinen Atem nicht verschwenden muss.«

»Willst du, Agnete Veedon, eine freie Frau . . .«, sagte Mikael, dessen Stimme vor Rührung brach, »Raffaele Fortebraccio, Baron von Hermagor . . . eingesetzt von seiner Majestät *Rex Romanorum* Wenzel dem Faulen, zu deinem rechtmäßigen Mann nehmen?«

»Zum Teufel noch mal«, polterte Agnete und schüttelte den Kopf. »Weißt du noch, wie du den Jungen bei dir behalten hast, weil er nicht zur Feldarbeit taugte? Und ich dann als Rechtfertigung für deine Besuche den Leuten erzählt habe, du wärst gekommen, um mir einen Heiratsantrag zu machen, aber ich hätte dich abgewiesen, weil du zu weise und zu langweilig für mich wärst?«

»Lenk nicht ab, Agnete«, sagte Raphael. »Beantworte die Frage.«

Agnete zog die Mundwinkel nach unten, um ihre Tränen zurückzuhalten, und schwieg.

»Nun sag schon ja, verdammt!«, fuhr Raphael sie an.

Agnete zuckte erschrocken zusammen und sagte: »Ja . . . «

»Ich will«, ergänzte Raphael.

»Ja . . . ich will.«

»Agnete«, sagte Raphael lachend, »dich zu heiraten ist anstrengender als zu sterben.« Er stöhnte. »Ich erspare dir die Mühe, den Bräutigam zu küssen.«

Agnete legte eine Hand vor die Augen, um ihre Tränen zu verbergen.

Raphael lächelte, als er sie so sah.

Als sie aufhörte zu schluchzen, wandte sie sich Eloisa und Mikael zu. »Raus mit euch«, sagte sie leise.

Die beiden verließen den Raum und schlossen die Tür hinter sich.

Sobald sie allein waren, kniete Agnete sich neben Raphael hin.

»Ich habe dich geliebt«, sagte Raphael, dem nun die Stimme versagte.

Agnetes Gesicht war von Schluchzern und Rührung verzerrt.

»Du siehst hässlich aus, wenn du weinst«, sagte Raphael zu ihr.

»Ich bin nie schön gewesen«, erwiderte Agnete, und ihre Stimme brach, weil sie sich so sehr bemühte, die Tränen zurückzuhalten.

»Doch, das warst du«, sagte Raphael.

Agnete beugte sich langsam zu ihm hinunter, und es schien, als würde ihnen beiden der Atem stocken, bevor sie ihn zärtlich auf den Mund küsste.

Raphael sah sie heiter an. Mit einem Lächeln. Seine Augen füllten sich mit Freudentränen. Er streckte die Hand aus und streichelte liebevoll ihr Gesicht. Dann starb er.

Agnete presste ihr Gesicht an seine Brust und blieb so reglos liegen, bis sie wusste, dass sie ihre Tränen unterdrücken konnte. Dann hob sie den Kopf und sah ihn an, wie sie ihn noch nie angesehen hatte. Sie fuhr ihm mit der Hand durch die weißen Locken und ordnete sein Haar. »Ich hatte dich nie geküsst«, flüsterte sie ihm zu.

Als sie die Hütte verließ, waren alle Augen auf sie gerichtet.

»Raphael wird am Fuß des Mosesfingers begraben, dort, wo seine Seele Frieden gefunden hat«, sagte sie. Dann deutete sie mit dem Finger auf Mikael. »Und er wird gemeinsam mit seinem Schwert begraben werden.«

Mikael nickte. »Das ist nur gerecht«, sagte er. Er zog das Schwert aus dem Futteral und überreichte es Agnete.

Agnete ging in die Hütte zurück und legte die Waffe in Raphaels über der Brust verschränkte Arme.

Als sie wieder herauskam, sah sie, dass Eloisa und Mikael einander umarmten. Und da dachte sie, die an einem einzigen Tag Braut und Witwe geworden war, dass auch sie ein wenig Liebe erfahren hatte. »Von jetzt an werde ich hier in der Hütte meines Mannes leben«, verkündete sie stolz. Bevor sie noch einmal in Tränen ausbrechen konnte, scheuchte sie die Leute mit einer barschen Handbewegung in die Hütte. »Kommt herein und ehrt das Andenken von Raffaele Fortebraccio di Bentivoglio, Baron von Hermagor, eingesetzt von ich weiß nicht welchem verdammten König ... den wir alle als den alten Raphael, den Kinderhändler, kennen.« Dann ging sie in die Hütte zurück und setzte sich neben das Bett wie jede gewöhnliche Witwe, während die Leute aus dem Raühnval und das Heer der alten Männer unter Hauptmann Ettore Salvemini an dem leblosen Körper des geheimnisvollsten Mannes vorüberzogen, den sie je gekannt hatten.

Mikael und Eloisa sahen, dass der Waisenjunge sich davonmachen wollte.

»Warte!«, rief Mikael ihm nach.

Der Junge sah sich erschrocken um.

»Ich will dir nichts tun«, beruhigte Mikael ihn und ging mit Eloisa auf ihn zu.

Der Junge sah ihn misstrauisch und abwehrbereit an.

»Wie alt bist du?«, fragte Mikael.

»Acht.«

Aus der Nähe betrachtet wirkte der Junge noch dünner und abgezehrter. »Du kommst mit uns und wirst bei uns leben«, sagte Mikael plötzlich. Doch dann wandte er sich sofort Eloisa zu, da ihm bewusst wurde, dass er sie nicht einmal gefragt hatte. »Verzeih mir«, sagte er zu ihr. »Natürlich nur, wenn du einverstanden bist.«

»Ja«, sagte sie sogleich. Dann wandte sie sich lächelnd an den Jungen. »Wir werden für dich sorgen.«

»Und wenn du älter bist, wirst du mein Schildknappe sein«, sagte Mikael. »Und später, wenn du es dir verdient hast, werde ich dich zu meinem Ritter machen.«

Der Junge riss erschrocken die Augen weit auf.

»Wie heißt du?«, fragte Eloisa.

Der Junge verzog das Gesicht. »Meine Mutter hat mich jeden Tag bei einem anderen Namen genannt«, sagte er herausfordernd. Doch in seinen Augen lag tiefer Schmerz. »Sie sagte, ich würde nach allen meinen Vätern heißen.«

Mikael ballte die Hände zu Fäusten.

Der Junge nahm gleich an, dass er ihn schlagen wollte, und legte sich die Hände schützend vors Gesicht.

»Niemand wird dir etwas zuleide tun«, beruhigte Mikael ihn. Er streckte die Hand aus und wollte ihm über den Kopf streicheln.

Der Junge schreckte zurück.

Da näherte Eloisa sich ihm. Sanft wischte sie ihm mit ihrem Ärmel den Rotz von der Nase.

»Heute fängt für dich ein neues Leben an«, sagte Mikael zu ihm. »Und du wirst einen neuen Namen bekommen.« Ein Schauder lief ihm den Rücken hinab, denn ihn überwältigte tiefe Rührung. »Wie möchtest du heißen?«

Der Junge zuckte stumm mit den Schultern.

»Wie willst du heißen?«, fragte Mikael noch einmal.

Der Junge rührte sich nicht.

»Raphael!«, rief Eloisa aus.

»Gefällt dir Raphael?«, fragte Mikael.

Wieder zuckte der Junge nur stumm mit den Schultern.

»Also, dann wirst du Raphael heißen«, sagte Mikael feierlich, während ihn abermals seine Vergangenheit einholte. Lächelnd wiederholte er das, was Agnete damals zu ihm gesagt hatte: »Wenn der Name dir gefällt, dann ist das nicht dein Verdienst, denn sie hat ihn dir gegeben. Und wenn nicht, musst du das mit dir selbst ausmachen, da du dich nicht entscheiden konntest. Im Leben musst du deine Wahl treffen, denk daran.«

Der Junge starrte ihn an.

»Aber ich bin sicher, dass dir der Name Raphael gefallen

wird«, fuhr Mikael fort. »Sie ist nämlich sehr gut darin, passende Namen zu finden«, sagte er lächelnd an Eloisa gewandt.

»Gehen wir.« Eloisa bewegte sich auf die Hütte zu.

Der Junge stellte sich hinter Mikael und folgte ihm auf Schritt und Tritt. Bevor sie die Hütte betraten, zupfte er ihn am Ärmel. »Herr«, fragte er ihn, »werdet Ihr mich lehren, so mit dem Schwert zu kämpfen wie Ihr?«

Mikael legte eine Hand an die Tür. Er sah hinein in die Hütte und betrachtete Raphaels edle Gesichtszüge. Dann wandte er sich zu dem Jungen um. »Komm mit«, sagte er zu ihm und führte ihn auf die Rückseite der Hütte. Er öffnete die beiden Türflügel des Geräteschuppens.

Als Eloisa eine Stunde später mit dem schlafenden Marcus III. auf dem Arm herauskam, sah sie Mikael auf einem Baumstumpf hinter der Hütte sitzen, während Harro sich zu seinen Füßen zusammengerollt hatte. Der Junge stand etwa zwanzig Schritte von ihnen entfernt mitten auf der Wiese. Er schwang die Arme mit zu Fäusten geballten Händen über den Kopf und ließ sie danach wieder ruckartig niedersausen.

»Was macht er da?«, fragte sie.

»Er hackt«, antwortete Mikael, »siehst du das denn nicht?« Er stand auf und rief: »Beug die Knie, Dummerjan!«

Dann legte er einen Arm um Eloisas Hüften und zog sie an sich, ohne den Jungen aus den Augen zu lassen. »Er muss noch ein paar Muskeln bekommen.«